THOMSON REUTERS PROVIEW

AF238129

¡ENHORABUENA!

USTED ACABA DE ADQUIRIR UNA OBRA QUE **YA INCLUYE
LA VERSIÓN ELECTRÓNICA.**
DESCÁRGUELA AHORA Y APROVÉCHESE DE TODAS LAS FUNCIONALIDADES

**Acceso interactivo a los mejores libros jurídicos
desde iPad, Android, Mac, Windows y
desde el navegador de internet**

FUNCIONALIDADES DE UN LIBRO ELECTRÓNICO EN **PROVIEW**

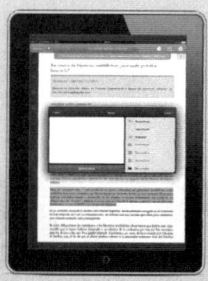

SELECCIONE Y DESTAQUE TEXTOS
Haga anotaciones y escoja los colores para organizar sus notas y subrayados

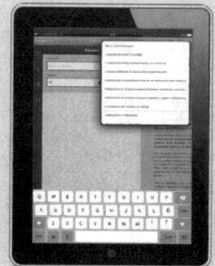

USE EL TESAURO PARA ENCONTRAR INFORMACIÓN
Al comenzar a escribir un término, aparecerán las distintas coincidencias del índice del Tesauro relacionadas con el término buscado

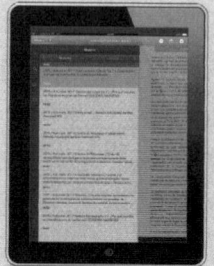

HISTÓRICO DE NAVEGACIÓN
Vuelva a las páginas por las que ya ha navegado

ORDENAR
Ordene su biblioteca por: Título (orden alfabético), Tipo (libros y revistas), Editorial, Jurisdicción o área del derecho, libros leídos recientemente o los títulos propios

CONFIGURACIÓN Y PREFERENCIAS
Escoja la apariencia de sus libros y revistas en ProView cambiando la fuente del texto, el tamaño de los caracteres, el espaciado entre líneas o la relación de colores

MARCADORES DE PÁGINA
Cree un marcador de página en el libro tocando en el icono de Marcador de página situado en el extremo superior derecho de la página

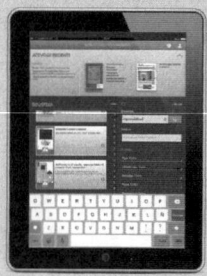

BÚSQUEDA EN LA BIBLIOTECA
Busque en todos sus libros y obtenga resultados con los libros y revistas donde los términos fueron encontrados y las veces que aparecen en cada obra

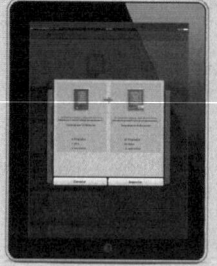

IMPORTACIÓN DE ANOTACIONES A UNA NUEVA EDICIÓN
Transfiera todas sus anotaciones y marcadores de manera automática a través de esta funcionalidad

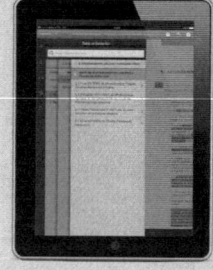

SUMARIO NAVEGABLE
Sumario con accesos directos al contenido

Estimado cliente,

Para acceder a la versión electrónica de este libro, por favor, acceda a **http://onepass.aranzadi.es**

Tras acceder a la página citada, introduzca su dirección de correo electrónico (*) y el código que encontrará en el interior de la cubierta del libro. A continuación pulse enviar.

Si se ha registrado anteriormente en **"One Pass"** (**), en la siguiente pantalla se le pedirá que introduzca la contraseña que usa para acceder a la aplicación **Thomson Reuters ProView™.** Finalmente, le aparecerá un mensaje de confirmación y recibirá un correo electrónico confirmando la disponibilidad de la obra en su biblioteca.

Si es la primera vez que se registra en **"One Pass"** (**), deberá cumplimentar los datos que aparecen en la siguiente imagen para completar el registro y poder acceder a su libro electrónico.

- Los campos **"Nombre de usuario"** y **"Contraseña"** son los datos que utilizará para acceder a las obras que tiene disponibles en **Thomson Reuters Proview™** una vez descargada la aplicación, explicado al final de esta hoja.

Cómo acceder a **Thomson Reuters Proview™:**

- **iPad:** Acceda a AppStore y busque la aplicación **"ProView"** y descárguela en su dispositivo.
- **Android:** acceda a Google Play y busque la aplicación **"ProView"** y descárguela en su dispositivo.
- **Navegador:** acceda a **www.proview.thomsonreuters.com**
- **Aplicación para ordenador:** acceda a **http://thomsonreuters.com/site/proview/download-proview** y en la parte inferior dispondrá de los enlaces necesarios para descargarse la aplicación de escritorio para ordenadores Windows y Mac.

(*) Si ya se ha registrado en **Proview**™ o cualquier otro producto de Thomson Reuters (a través de One Pass), deberá introducir el mismo correo electrónico que utilizó la primera vez.

(**) **One Pass:** Sistema de clave común para acceder a Thomson Reuters Proview™ o cualquier otro producto de Thomson Reuters.

Observatorio de los Contratos Públicos 2016

JOSE MARÍA GIMENO FELIU

Director

OBSERVATORIO DE LOS CONTRATOS PÚBLICOS 2016

JUAN ALEMANY GARCÍAS

BEATRIZ BELANDO GARÍN

ENRIQUE DÍAZ BRAVO

GERARDO GARCIA ALVAREZ

JOSÉ MARÍA GIMENO FELIU

BEATRIZ GÓMEZ FARIÑAS

MARÍA DEL CARMEN DE GUERRERO MANSO

JORGE LÓPEZ-VEIGA BREA

JOSÉ LUIS MARTÍNEZ-ALONSO CAMPS

JAVIER MIRANZO DÍAZ

JOSÉ ANTONIO MORENO MOLINA

TERESA MOREO MARROIG

IVÁN OCHSENIUS ROBINSON

ROCÍO PARRA CORTÉS

ANA ISABEL PEIRÓ BAQUEDANO

MARÍA DEL CARMEN RODRÍGUEZ MARTÍN-RETORTILLO

ROSARIO P. RODRÍGUEZ PÉREZ

SARA RAMOS ROMERO

MARÍA ASUNCIÓN SANMARTÍN MORA

BEATRIZ VÁZQUEZ FERNÁNDEZ

MARC VILALTA REIXACH

CARLOS YÁÑEZ DÍAZ

THOMSON REUTERS

ARANZADI

Primera edición, 2017

THOMSON REUTERS PROVIEW™ eBOOKS
Incluye versión en digital

Editorial Aranzadi, S.A.U.
Camino de Galar, 15
31190 Cizur Menor (Navarra)
ISBN: 978-84-9177-174-6
DL NA 2287-2017
Printed in Spain. Impreso en España
Fotocomposición: Editorial Aranzadi, S.A.U.
Impresión: Rodona Industria Gráfica, SL
Polígono Agustinos, Calle A, Nave D-11
31013 - Pamplona

Índice general

Página

NOTA PREVIA 27

1.ª PARTE

COLABORACIONES

CAPÍTULO 1

MEDIDAS DE PREVENCIÓN DE CORRUPCIÓN Y REFUERZO DE LA TRANSPARENCIA EN RELACIÓN CON LA FINANCIACIÓN DE PARTIDOS POLÍTICOS 33

JOSÉ MARÍA GIMENO FELIU

I. Los partidos políticos deben aplicar la legislación de contratos del sector público 40
II. Impulso a la profesionalización 40
III. Uniformidad de reglas jurídicas para todos los poderes adjudicadores 42
IV. Extensión del recurso especial en contratación pública al margen del importe y adecuación de su objeto 44
V. Repensar la fiscalización externa de la financiación de los partidos políticos 47

CAPÍTULO 2

EL PROYECTO DE NUEVA LEY DE CONTRATOS DEL SECTOR PÚBLICO Y SU ADECUACIÓN AL DERECHO DE LA UNIÓN EUROPEA 51

JOSÉ ANTONIO MORENO MOLINA

I. Introducción. El retraso en la trasposición de la cuarta generación de directivas europeas sobre contratación pública 51

Página

II. Efecto directo de las Directivas 2014/23 y 24 54

III. Alcance del proyecto de ley de contratos del sector público. Incorporación del Derecho europeo y camino hacia un nuevo sistema de contratación pública 60

IV. Conformidad de la reforma legal con el Derecho de la Unión Europea. El cuestionable mantenimiento de las instrucciones internas de contratación, los contratos menores y la falta de extensión del recurso especial a los contratos no armonizados 62

V. Adecuación del proyecto al Derecho internacional en materia de contratos públicos 70

CAPÍTULO 3

EL PROYECTO DE LEY DE CONTRATOS DEL SECTOR PÚBLICO DE NOVIEMBRE DE 2016 Y LA GESTIÓN CONTRACTUAL DE SERVICIOS PÚBLICOS: ANÁLISIS DE SU PLANTEAMIENTO, CRÍTICA Y PROPUESTA ALTERNATIVA 73

JOSÉ LUIS MARTÍNEZ-ALONSO CAMPS

I. Introducción: aprobación del Proyecto de Ley de Contratos del Sector Público (PLCSP) y antecedentes 74

II. El planteamiento tradicional: el objeto del contrato como delimitador del régimen jurídico y la centralidad del concepto de servicio público 76

1. El objeto del contrato como delimitador del régimen jurídico 76

2. La centralidad del concepto de servicio público 77

III. El influjo comunitario y el auge del criterio de la transferencia del riesgo en la explotación del servicio público 79

1. La nueva línea argumental 79

2. Nuevas Directivas de adjudicación de contratos de concesión (2014/23/UE) y sobre contratación pública (2014/24/UE) y su necesaria transposición 81

3. La propuesta de transposición en los ALCSP 82

4. Las objeciones al planteamiento y regulación de los ALCSP y alternativas 83

4.1. La aplicación a la concesión de servicios no públicos del régimen de servicio público 83

4.2. Limitaciones y disfunciones advertidas en la subsunción en el contrato de servicios de la gestión contractual de los

Página

| | | servicios públicos en que no se produce la transferencia del riesgo operacional | 85 |

    4.3.   Las alternativas al planteamiento y regulación de los ALCSP 88

IV.   **El PLCSP y la persistencia en los planteamientos: equívocos conceptuales y disfunciones en el régimen jurídico de la gestión contractual de los servicios públicos y del resto de servicios** 89

    1.   *Introducción* 89

    2.   *Concesión de servicios públicos y concesión de servicios no públicos* 90

    3.   *El contrato de servicios y la subsunción de la gestión contractual de servicios públicos en que no se transfiere el riesgo operacional al contratista: los denominados «servicios que conllevan prestaciones directas a los ciudadanos»* 92

V.   **La clarificación conceptual y del régimen jurídico de las figuras contractuales de carácter prestacional, y la alternativa a su configuración en el PLCSP** 98

    1.   *El objeto y los destinatarios de las prestaciones como criterios delimitadores de las tipologías de servicios, y la accesoriedad del de la transferencia del riesgo operacional* 98

    2.   *La definición de las figuras contractuales prestacionales y la configuración de los regímenes jurídicos respectivos* 101

        2.1.   Planteamiento y exigencias 101

        2.2.   Tipologías: contrato de gestión de servicios públicos, contrato de servicios y contrato de concesión de servicios no públicos 102

    3.   *La necesaria reconducción del PLCSP* 106

        3.1.   Formulación y virtualidad de la propuesta alternativa 106

        3.2.   La concesión 106

        3.3.   Modalidades en que no se transfiere el riesgo operacional: gestión interesada, concierto, sociedad de economía mixta y arrendamiento 110

        3.4.   El contrato de servicios y la concesión de servicios no públicos 118

        3.5.   La plasmación de la propuesta en el PLCSP 119

VI.   **Epílogo** 121

VII.   **Bibliografía** 121

Página

CAPÍTULO 4

EL PAPEL DE LOS SERVICIOS JURÍDICOS EN LA PREPARACIÓN, LICITACIÓN Y EJECUCIÓN CONTRACTUAL 127

CARLOS YÁÑEZ DÍAZ

CAPÍTULO 5

LA NECESARIA REVISIÓN DEL ARTÍCULO 115 DEL PROYECTO DE LEY DE CONTRATOS DEL SECTOR PÚBLICO 143

MARÍA DEL CARMEN DE GUERRERO MANSO

I.   Introducción 144

II.   La incidencia de las consultas preliminares del mercado en la posterior preparación del contrato 145

III.   La información a los operadores económicos de los planes y requisitos de contratación mediante la consulta preliminar del mercado 148

IV.   La participación de expertos y operadores económicos en las consultas preliminares del mercado 152

V.   La participación de los operadores económicos en las consultas preliminares del mercado y su (no) incidencia en el falseamiento de la competencia o en la vulneración de los principios de no discrimina ción y transparencia 155

VI.   Una última previsión sobre la participación de los operadores económicos en las consultas preliminares del mercado que genera aún más incertidumbre 160

VII.   La participación en el procedimiento de contratación posterior de operadores económicos que hayan asesorado al poder adjudicador o intervenido en su preparación 162

VIII.   La difusión de las consultas preliminares del mercado y de la información facilitada en el desarrollo de las mismas 163

IX.   Propuesta concreta de modificación del texto del artículo 115 del PLCSP 166

CAPÍTULO 6

LA TRASPOSICIÓN DE LA DIRECTIVA DE CONCESIONES. ESTUDIO COMPARADO ITALIA-ESPAÑA 175

ANA ISABEL PEIRÓ BAQUEDANO

Página

I. **La cuarta generación de Directivas y su trasposición por países** 175

    1.   *La trasposición en Italia: il nuovo Codice degli Appalti* 176

    2.   *La trasposición en España: a la espera de una nueva Ley* 179

II. **Comparativa entre el nuevo Código italiano y el Anteproyecto de Ley de Contratos del Sector Público** 180

    1.   *Definiciones y ámbito subjetivo* 180

    2.   *Contratos excluidos y encargos a medios propios* 184

    3   *La programación y planificación de la Compra Pública* 187

    4.   *Los contratos mixtos* 188

    5.   *Principios que deben aplicarse en la adjudicación de contratos y concesiones. En particular cláusulas medioambientales y condiciones que favorezcan la participación de las PYMES* 191

    6.   *El responsable del contrato* 193

    7.   *La tramitación de urgencia y sus circunstancias* 194

    8.   *Contratos SARA y no SARA. Procedimientos de adjudicación* 194

    9.   *Compra pública centralizada y cómo el legislador italiano opta por potenciarla* 199

    10.   *Los conflictos de intereses* 201

    11.   *Cláusulas sociales y lotificación de contratos* 201

    12.   *Notificaciones. El debate entre la necesaria confidencialidad y la adecuada trasparencia y publicidad* 202

    13.   *Anuncios de licitación, procedimientos de adjudicación, subasta electrónica, duración de los contratos y publicidad de los contratos efectivamente adjudicados* 203

    14.   *Exclusión del procedimiento y criterios de selección. Especial referencia al DEUC* 206

    15.   *Criterios de adjudicación. Cuándo es obligatorio recurrir a criterios de oferta económicamente más ventajosa* 209

    16.   *La ejecución: subcontratación y modificación del contrato* 211

    17.   *Las concesiones. Novedades y especialidades* 212

    18.   *La especialidad italiana: el mantenimiento de la Colaboración Público Privada* 222

Página

III. **Conclusión** 231

Legislación 232

Artículos y ponencias 233

Otros recursos 234

CAPÍTULO 7

**OBSERVATORIO DE LA ACTIVIDAD DE LOS ÓRGANOS DE RECUR-
SOS CONTRACTUALES EN 2016** 237

MARÍA ASUNCIÓN SANMARTÍN MORA

I. **Organización y funcionamiento de los órganos de recursos contractuales durante 2016** 240

1. Planta y diseño de los órganos de recursos contractuales 240

2. Actividad de los órganos de recurso especial durante 2016 248

2.1. Tribunal Administrativo Central de Recursos Contractuales 249

2.2. Tribunal de Contratación Pública de la Comunidad de Madrid 249

2.3. Tribunal Administrativo de Recursos Contractuales de la Junta de Andalucía 250

2.4. Tribunal Administrativo de Recursos Contractuales de Castilla y León 250

2.5. Tribunal Catalán de Contratos del Sector Público 250

2.6. Tribunal Administrativo de Contratos Públicos de Aragón 251

3. Principios de transparencia y coordinación 251

II. **La doctrina de los órganos de recurso. Aspectos procesales o de forma
del recurso** 253

1. Contratos susceptibles de recurso 254

1.1. Contratos de servicios 254

1.2. Contratos de gestión de servicios públicos versus concesión de servicios 255

1.3. Contratos administrativos especiales 256

1.4. Contratos menores que responden a un indebido fraccionamiento del objeto del contrato 257

1.5. Contrato derivado de un acuerdo marco 258

Página

2.	*Actos susceptibles de recurso*	258
	2.1.	Actos de trámite recurribles	258
	2.2.	El recurso «indirecto» contra los pliegos que rigen la licitación	261
	2.3.	Actos no susceptibles de recurso: la compensación de gastos como consecuencia de la renuncia a la celebración del contrato o del desistimiento del procedimiento	262
	2.4.	Actos no susceptibles de recurso: la decisión de no prorrogar el contrato	263
3.	*Legitimación para recurrir*	263
	3.1.	Legitimación de un operador económico	264
		3.1.1. Doctrina general	264
		3.1.2. Legitimación del licitador definitivamente excluido para impugnar la adjudicación	265
	3.2.	Alcance de la legitimación de un sindicato	267
	3.3.	Legitimación de los concejales	269
	3.4.	Legitimación de una asociación para recurrir la adjudicación del contrato	271
4.	*Presentación del recurso*	272
	4.1.	Plazo de interposición	272
		4.1.1. Plazo de interposición del recurso contra la adjudicación por los concejales dependiendo de si forman parte o no del órgano de contratación	275
		4.1.2. Plazo de interposición del recurso contra pliegos sobre los que han existido aclaraciones	276
	4.2.	Anuncio previo de la interposición del recurso al órgano de contratación	277
	4.3.	Requisitos de capacidad	278
	4.4.	Acceso previo al expediente	279
	4.5.	Lugar y forma de presentación del recurso	282
5.	*La terminación del procedimiento*	282
	5.1.	Allanamiento del órgano de contratación	283
	5.2.	La resolución tiene efecto de cosa juzgada	284

Página

5.3. Imposición de multas: apreciación de temeridad o mala fe 285

    5.3.1. Concurrencia de mala fe o temeridad 285

    5.3.2. Cuantía de la multa 285

5.4. Ejecución de las resoluciones 288

III. La doctrina de los órganos de recurso. Aspectos materiales o de fondo del recurso 289

1. Los pliegos que han de regir la adjudicación y ejecución del contrato 289

    1.1. El objeto del contrato 290

        1.1.1. División del objeto del contrato en lotes 290

        1.1.2. La fusión de prestaciones en un solo contrato 291

    1.2. El valor estimado del contrato y otros conceptos económicos 293

        1.2.1. Cálculo del valor estimado de una concesión de servicios 293

        1.2.2. Consideración de las mejoras previstas en los pliegos a efectos de la determinación del valor estimado del contrato 294

        1.2.3. Presupuesto de licitación y precio de mercado 295

        1.2.4. Presupuesto de licitación y costes laborales 295

        1.2.5. Posibilidad de imponer límites al beneficio empresarial del adjudicatario 297

        1.2.6. Cláusulas que imponen al adjudicatario un «periodo de carencia» 298

        1.2.7. Es necesario dar información a los licitadores sobre los consumos estimados de un Acuerdo marco 298

    1.3. Requisitos de solvencia 300

        1.3.1. La cifra global de negocios como acreditación de la solvencia económica 300

        1.3.2. Posibilidad de acreditar la solvencia económica por otros medios distintos a los del artículo 75.2 TRLCSP 301

        1.3.3. Acreditación de la solvencia en los contratos de poderes adjudicadores no Administración Pública ... 302

Página

1.4.   Los criterios de adjudicación del contrato   303

   1.4.1.   Definición y justificación de los criterios de valoración de las ofertas   303

   1.4.2.   Pronunciamientos sobre determinados criterios de valoración   305

   1.4.3.   Utilización como método de desempate del porcentaje de personas con discapacidad en la plantilla   307

1.5.   Umbrales de temeridad   308

1.6.   Las Prescripciones Técnicas   309

   1.6.1.   El principio de neutralidad tecnológica   310

   1.6.2.   Los depósitos asistenciales   312

1.7.   Cláusulas sobre subrogación del personal   312

1.8.   Cláusulas de arraigo territorial   314

1.9.   Cláusulas que incluyen una condición resolutoria del contrato   315

1.10.   La incorporación de aspectos sociales   315

   1.10.1.   Admisibilidad de aspectos sociales como criterios de valoración de las ofertas   316

   1.10.2.   Admisibilidad de aspectos sociales como condiciones de ejecución del contrato   320

   1.10.3.   Alcance de las prerrogativas administrativas de control de la ejecución del contrato   322

1.11.   Doctrina sobre la posibilidad de modificar los pliegos   325

2.   *El procedimiento de licitación*   326

2.1.   Publicidad de la licitación   326

2.2.   La declaración responsable   327

2.3.   La presentación de proposiciones   328

2.4.   La subsanación de las ofertas   329

2.5.   Salvaguarda de la confidencialidad de las proposiciones ...   330

2.6.   Aplicación supletoria al procedimiento contractual de la normativa del procedimiento administrativo común   333

2.7.   Utilización de comunicaciones electrónicas   335

Página

3. *Los actos de exclusión de licitadores* 336

    3.1.   El conflicto de intereses 337

    3.2.   Validez de las certificaciones expedidas a los efectos de acreditar estar al corriente de las obligaciones tributarias y de seguridad social 338

    3.3.   El objeto social de las personas jurídicas 339

    3.4.   Integración de la solvencia por medios externos 340

    3.5.   Acreditación de la condición de Centro Especial de Empleo a efectos de los contratos reservados: no es necesario que se refiera a la específica actividad objeto del contrato 340

4. *Las resoluciones de adjudicación* 341

    4.1.   La aplicación de los criterios de adjudicación, la discrecionalidad técnica 341

    4.2.   La presentación de una variante no permitida en los pliegos no conlleva automáticamente la exclusión de la totalidad de la oferta 343

    4.3.   Facultades de la mesa de contratación en el supuesto de que la fórmula de valoración de las ofertas resulte inaplicable 343

    4.4.   La resolución de adjudicación no tiene porqué contener motivación sobre la admisión de los licitadores 345

    4.5.   Apreciación de temeridad en las ofertas 345

5. *Otras cuestiones de interés* 350

    5.1.   El desistimiento del procedimiento de contratación 350

    5.2.   La renuncia al contrato 352

    5.3.   El procedimiento negociado 356

        5.3.1.   Supuestos de utilización de procedimiento negociado 356

        5.3.2.   Aplicación al procedimiento negociado del artículo 26 del Real Decreto 817/2009 357

        5.3.3.   No hay temeridad en una licitación mediante procedimiento negociado 357

    5.4.   Cuestiones relativas a la infracción de la legislación de defensa de la competencia 358

    5.5.   Cuestiones relativas a la subcontratación 360

Página

CAPÍTULO 8

LA CONTRATACIÓN PÚBLICA EN LA ENCRUCIJADA 361

GERARDO GARCÍA ÁLVAREZ

I.   El contexto jurídico de la reforma de la contratación pública 364
II. Una enmienda a la totalidad: la calidad como objetivo principal de la contratación pública en un modelo normativo alternativo 370
III. Una transposición alternativa: simplificación normativa y creación de un organismo regulador único en Italia 372
IV. Experiencias sectoriales y control de la contratación 374
V.   Conclusiones. Hacia un nuevo Derecho de la contratación pública: líneas generales y cambios deseables en el proyecto de Ley 377

2.ª PARTE

COMUNICACIONES CONGRESO CUENCA DE 2017

CAPÍTULO 1

EL PRINCIPIO DE PROPORCIONALIDAD COMO PARÁMETRO DE IN-TERPRETACIÓN Y CONTROL EN MATERIA DE CONTRATACIÓN PÚ-BLICA 387

BEATRIZ GÓMEZ FARIÑAS

I.   Nota introductoria 387
II. La proporcionalidad como límite a la actuación discrecional de la Administración 388
III. La estructura tripartita y escalonada del principio de proporcionali-dad 394
     1. Subprincipio de idoneidad o adecuación 396
     2. Subprincipio de necesidad 396
     3. Subprincipio de proporcionalidad en sentido estricto 398
IV. El principio de proporcionalidad en la jurisprudencia europea sobre contratación pública 399
V.   Conclusiones 402
VI. Bibliografía 403

Página

CAPÍTULO 2

PROBLEMÁTICAS Y RETOS QUE EVIDENCIAN DÓNDE CONTROLAR LA CONTRATACIÓN PÚBLICA 405

IVÁN OCHSENIUS ROBINSON

I.   Introducción 406
II.   Panorama abreviado de las problemáticas en las contrataciones públicas y su necesidad de control 407
III.   Retos del control en las compras del Estado 415
        3.1. Retos del control en la contratación pública española 417
Referencias 425

CAPÍTULO 3

LA CONTRATACIÓN PÚBLICA COMO INSTUMENTO DE PROMOCIÓN DE LA IGUALDAD ENTRE HOMBRES Y MUJERES 431

BEATRIZ BELANDO GARÍN

I.   La conexión entre contratación pública e igualdad 431
II.   El impacto de las directivas europeas 435
III.   Proyecto de ley del sector público 441
IV.   Conclusiones 445

CAPÍTULO 4

DESVIRTUANDO LA NATURALEZA DEL CONTRATO MENOR 447

BEATRIZ VÁZQUEZ FERNÁNDEZ

I.   Naturaleza y sentido de los contratos menores 448
II.   Evolución histórica 450
III.   Perspectiva actual: presente y futuro del contrato menor 452
IV.   Conclusiones 455

CAPÍTULO 5

LOS POSTESTAD DICTAMINADORA DE LA CONTRALORÍA GENERAL DE LA REPÚBLICA DE CHILE COMO MECANISMO DE TUTELA ADMINISTRATIVA DE LOS DERECHOS DE LOS CONTRATISTAS 457

ROCÍO PARRA CORTÉS

Página

I.   Consideraciones preliminares   457
II.   Análisis normativo, doctrinario y jurisprudencial judicial   458
III. Límite a la potestad dictaminadora: asuntos de carácter litigioso   461
IV.   Análisis casuístico   463
V.   Conclusión   467

CAPÍTULO 6

LOS CONFLICTOS DE INTERÉS TRAS LAS DIRECTIVAS DE CONTRA-
TACIÓN DE 2014   469

JAVIER MIRANZO DÍAZ

I.   Introducción   470
II.   La definición del conflicto de intereses y sus implicaciones: el artículo
      24   472
III. El conflicto de interés como causa de exclusión y la importancia de
      principio de proporcionalidad   479
IV.   Conclusiones   485
V.   Bibliografía   486

CAPÍTULO 7

RÉGIMEN ESPECIAL DE CONTRATACIÓN DE LAS SOCIEDADES
MUNICIPALES URBANÍSTICAS DE CAPITAL ÍNTEGRAMENTE
PÚBLICO   489

JUAN ALEMANY GARCÍAS

I.   Comunicación: Régimen especial de contratación de las Sociedades
      Municipales Urbanísticas de capital íntegramente público   489
II.   Determinación de las operaciones de las Sociedades Mercantiles in-
      compatibles con los principios de publicidad y concurrencia   496
III. Evolución de la Ley contractual en nuestro ordenamiento con espe-
      cial interés en las sociedades urbanísticas como poderes adjudicado-
      res que no son administración pública   500
IV.   El Concepto de Poder adjudicador en la Ley de contratos del sector
      público actual   501
V.   Resumen comunicación. Régimen especial de contratación de las So-
      ciedades Municipales Urbanísticas   508

Página

CAPÍTULO 8

LOS CONVENIOS INTERADMINISTRATIVOS EN EL PROYECTO DE LEY DE CONTRATOS DEL SECTOR PÚBLICO 511

MARC VILALTA REIXACH

I. **Introducción** 511

II. **El ámbito de aplicación material de la legislación contractual: los «contratos públicos»** 514

    1. *La necesaria existencia de un contrato* 515

        1.1. Los convenios interadministrativos como un acuerdo de voluntades de carácter bilateral 515

        1.2. El objeto contractual 516

        1.3. La causa contractual 519

    2. *El carácter oneroso de la relación contractual* 520

III. **El requisito subjetivo: las entidades del sector público** 521

IV. **Recapitulación** 522

V. **El tratamiento de los convenios entre administraciones públicas a efectos del PLCSP: la exclusión de las relaciones de colaboración** 523

VI. **Bibliografía citada** 528

CAPÍTULO 9

EL CONTROL DE LA EJECUCIÓN DEL CONTRATO: UNA ASIGNATURA PENDIENTE 529

TERESA MOREO MARROIG

I. **Introducción** 529

II. **Un régimen jurídico adecuado para el control** 530

III. **El control corresponde en primera instancia al órgano de contratación** 531

IV. **El control previo del gasto derivado de las obligaciones del contrato** 533

V. **El papel protagonista del director del contrato** 534

VI. **La falta de control se detecta demasiado tarde** 537

VII. **Medidas que podrían adoptarse** 538

Página

CAPÍTULO 10

EL CONTROL EXTERNO DE LA CONTRATACIÓN ADMINISTRATIVA. RESULTADOS DE LOS TRABAJOS DE FISCALIZACIÓN REALIZADOS POR EL CONSEJO DE CUENTAS DE CASTILLA Y LEÓN 543

ROSARIO P. RODRÍGUEZ PÉREZ

I.   Fiscalización de la actividad contractual en el sector Público local 544

II. Fiscalización de la actividad contractual celebrada en el ámbito de la administración general e institucional de Castilla y León 548

CAPÍTULO 11

LA PUBLICIDAD CONTRACTUAL A TRAVÉS DE LA PLATAFORMA DE CONTRATACIÓN DEL SECTOR PÚBLICO 553

SARA RAMOS ROMERO

I.   **Planteamiento general** 554

    1.   *El principio de publicidad, principio rector de la contratación pública* ... 554

    2.   *Fortalecimiento de la publicidad contractual por el uso de medios electrónicos. La publicidad electrónica y el perfil del contratante* 555

II. **La plataforma de contratación del sector público** 557

    1.   *Origen: la plataforma de contratación del Estado* 557

    2.   *Naturaleza jurídica de la plataforma de contratación del sector público* 559

    3.   *Funcionamiento de la plataforma de contratación del sector público* 560

    4.   *El valor de la publicidad a través de la plataforma de contratación del sector público* 562

III. **La plataforma de contratación del sector público en el Proyecto de Ley de Contratos del Sector Público** 562

IV. **El problema de la descoordinada publicidad electrónica contractual** ... 564

V.   **Conclusión** 565

Página

CAPÍTULO 12

LA PARTICIPACIÓN DE LOS OPERADORES ECONÓMICOS Y LICI-
TADORES EN LA FASE DE PREPARACIÓN Y ADJUDICACIÓN DEL
CONTRATO EN EL PROYECTO DE LEY DE CONTRATOS DEL SECTOR
PÚBLICO Y EL PRINCIPIO DE TRANSPARENCIA: CONSULTAS PRELI-
MINARES DE MERCADO. REDACCIÓN DE PRESCRIPCIONES TÉCNI-
CAS Y RESPUESTAS A CONSULTAS 569

MARÍA DEL CARMEN RODRÍGUEZ MARTÍN-RETORTILLO

I.   La necesuad del contrato en el marco de una adecuada planificación ...   570
II.   Los contratos de servicios para la redacción de prescripciones técnicas
        u otros documentos   570
III.   Consultas y estudios preliminares de mercado   573
        1.   Introducción   580
        2.   Su regulación en las directivas   582
        3.   Consultas preliminares del mercado en el PLCSP   585
IV.   El procedimiento para realizar las consultas preliminares de merca-
        do   586
        1.   Requisitos subjetivos   586
        2.   Finalidad de los estudios preliminares de mercado   588
        3.   Forma. Garantía de confidencialidad   588
        4.   Medio para la realización de las consultas   589
        5.   Plazo   590
        6.   Gratuidad   590
        7.   Destino. Aplicación de los principios de la contratación. Prohibiciones
             de trato privilegiado   590
        8.   Propiedad intelectual   592
V.   Las consultas y respuestas en la fase de licitación   592
        1.   Información a interesados   592
        2.   Solicitud de aclaraciones y respuestas   593

CAPÍTULO 13

LA CONTRALORÍA GENERAL DE LA REPÚBLICA DE CHILE, COMO
FORO DE TUTELA DE LA CONTRATACIÓN PÚBLICA   597

ENRIQUE DÍAZ BRAVO

		Página

I.   **La Contraloría General de la República** 597

     1.   *Remedios de la CGR* 599

          1.1.   Remedios preventivos 600

          1.2.   Remedios de la CGR aplicados en procesos licitatorios de contratos administrativos de suministro y prestación de servicios 613

Abreviaturas 623

CAPÍTULO 14

LA CONTRATACIÓN PÚBLICA DE SERVICIOS A LAS PERSONAS TRAS LA APROBACIÓN DE LAS DIRECTIVAS EUROPEAS DE CUARTA GENE-RACIÓN. ESPECIAL REFERENCIA A GALICIA 625

JORGE LÓPEZ-VEIGA BREA

I.   **La incorporación del régimen del «concierto social»** 626

     1.   *Consideraciones introductorias* 626

     2.   *El escenario actual en el Estado español: Las Comunidades Autónomas que han dado el paso al frente* 628

     3.   *La colaboración con entidades sin ánimo de lucro* 635

II.   **Novedades en la contratación pública social en Galicia** 638

CRÓNICA Y CONCLUSIONES DEL CONGRESO INTERNACIONAL SO-BRE CONTRATACIÓN PÚBLICA (CICP): «HACIA UNA NUEVA LEY DE CONTRATOS DEL SECTOR PÚBLICO» 645

JAVIER MIRANZO DÍAZ

NOTA PREVIA

Tiene el lector ante si la séptima entrega del Monográfico del Observatorio de los Contratos Públicos. Este trabajo, como los anteriores, se enmarca en las actividades del proyecto de investigación concedido por el Ministerio de Economía y Competitividad, en concreto, el titulado "LA NUEVA REGULACIÓN DE LA CONTRATACIÓN PÚBLICA: HACIA UN NUEVO SISTEMA DE GOBERNANZA PÚBLICA Y DE ACTUACIÓN DE LOS PODERES PÚBLICOS" DER2015-67102-C2-1-P.

En esta obra, junto a novedades doctrinales y jurisprudenciales, se incluyen las Comunicaciones Presentadas en el Congreso Internacional de Cuenca, celebrado de enero de 2017, en la Universidad de Castilla-La Mancha.

Se analizan ya algunas de las novedades del nuevo texto de contratos del sector público (aprobado en octubre de 2017). Un texto que, como ya lo era inicial, es prolijo y en ocasiones complejo. Y el alto número de Disposiciones Adicionales (algo que ya es muy "habitual" en las leyes estatales) introduce cierta inseguridad jurídica en tanto se altera la sistemática de la norma.

En todo caso, conviene resaltar el importante trabajo y debate de los diputados y sus asesores, y de la especial atención prestada a esta norma que es, sin duda estratégica. El resultado podrá ser más o menos satisfactorio, pero resulta innegable que ha existido verdadera política en la tramitación de la Ley.

El texto final es distinto del presentado para su tramitación. Son muchas las novedades y ajustes técnicos efectuados (algunos ya fueron sugeridos desde este Observatorio en la edición del año anterior. De entre ellos, en este primer momento, podemos destacar, en positivo, los siguientes.

1.– Se visualiza **con más intensidad la visión estratégica** de la contratación pública, incluyendo referencias expresas al valor social y ambiental y la protección de las PYMES.

2.– Se **refuerza la posición de los trabajadores en los contratos**, estableciendo obligaciones esenciales relativas a la calidad de las condiciones de empleo y de retribución, cuyo incumplimiento puede justificar la resolución del contrato.

3.– Se prevé la posibilidad de **formas de provisión de prestaciones con las entidades del tercer sector** (dando margen a las Comunidades Autónomas), reforzando la técnica de los contratos reservados.

4.– Se introduce **más transparencia en los procedimientos**, con exigencia de justificación y motivación de la necesidad y del procedimiento elegido. En especial, en el contrato menos se rebajan cuantías y se imponen ciertas reglas con el fin de evitar su indebida utilización (ahora muy "intensiva" en algunas administraciones) para evitar que sirva de cobertura en la práctica de fragmentación del objeto para eludir los controles. Asimismo, se obliga a reportar la información de los contratos menores asociado a cada contratista, con el fin de "descubrir" actuaciones irregulares.

5.– Se **amplía el objeto del recurso especial** (que incluye ahora a los "rescates" de concesiones) y se rebajan los umbrales (tres millones de euros en obras y concesiones y cien mil euros en suministros y servicios). **Esta decisión es especialmente importante,** pues supera la lógica (indebida) de que el control rápido y eficaz solo se aplica a contratos armonizados. Se amplia la legitimación, lo que ha de favorecer un mejor control.

6.– Los **criterios de adjudicación se vinculan a la lógica de calidad-precio**, y se pone en valor los servicios intelectuales (opción reclamada desde los servicios de ingeniería y arquitectura).

7.– Se pone **el acento en las PYMES**. La nueva regulación de los lotes como regla general, los criterios de solvencia (con excepciones empresas de nueva creación para favorecer su acceso a los contratos públicos), la simplificación de procedimientos, con un nuevo apartado del procedimiento abierto simplificado para cuantías pequeñas, son medidas muy importantes. Pero especialmente destaca la incorporación de la posibilidad del pago directo a subcontratistas. La opción es de gran interés práctico y puede corregir ciertas debilidades, desde la perspectiva de morosidad, existentes en las relaciones actuales entre contratista principal y subcontratista.

8.– Se crea una **"autoridad independiente" de la contratación pública**, adscrita al Ministerio de Hacienda formada por personal independiente (plazo de 6 años inamovibles). Asume las funciones de Gobernanza de las Directivas de contratación pública. Podrá dictar instrucciones, pero no se le reconocen competencias de "anulación" o sanción. Esta Autoridad se complementa con una Comisión Mixta con el tribunal Cuentas, de seguimiento de la contratación pública.

9.– Especial interés tiene la **opción de uniformidad jurídica** (reclamada desde este Observatorio), pues desaparecen las instrucciones internas de los poderes adjudicadores no Administración Pública. Medida que ya se incorporo en el texto inicial aprobado por GELEC y que ahora se recupera. La aplicación del mismo régimen jurídico en procedimientos, publicidad, modificación son un importante avance desde la perspectiva de prevención de corrupción y refuerzo de la integridad.

10.– Por último, en la línea **de la profesionalización**, se incorpora expresamente al prohibición de que formen parte de las mesas de contratación (en tanto órgano técnico especializado), personas con mandato representativo.

Los cambios introducidos son de gran interés práctico y deben ser valorados de forma muy positiva.

Sin embargo, conviene **advertir al menos dos opciones que merecerían una reflexión**. La primera **la de excluir de la consideración como poder adjudicador de los partidos políticos**. Esta decisión es discutible técnicamente, pero no parece acertada en un contexto de regeneración democrática que debe ser liderada por las organizaciones políticas. Por ello sería oportuno revisar esta decisión y "volver a la opción inicial".

Una segunda, de gran repercusión práctica, es la posibilidad (confusa tal y como ha quedado articulada en el texto, pues se reconoce la competencia autonómica en la materia y luego se regula, lo que es contradictorio), de **que pueda haber órganos de recursos contractuales locales** en Ayuntamientos con la consideración de Gran Ciudad y en las Diputaciones Provinciales, pues genera una evidente asimetría, poco compatibles con el principio de seguridad jurídica y que no se puede justificar con el argumento de la autonomía local, ya que no puede confundirse el control jurídico con una función de tutela. **La proliferación de "Tribunales administrativos" quebrará la esencia del modelo, generará distorsión de criterios e impedirá un verdadero control eficaz** y con "*auctoritas*". Frente a la extensión de órganos de control en distintos niveles es aconsejable determinar de forma clara el número de órganos de recursos contractuales, que deberán garantizar en todo caso la nota de independencia y especialización y la debida colegialidad. La experiencia de la primera generación de órganos de recursos contractuales, en un contexto de mayor profesionalización y coherencia del sistema de control desde una perspectiva integral aconseja analizar las ventajas de resituar a los órganos de recursos contractuales como órganos independientes "adscritos" al Parlamento correspondiente. Se solucionaría así el cuestionamiento sobre la adscripción organizativa en un Administración Pública (y la posible "tutela administrativa" como sospecha), se fortalecería el carácter de órgano jurisdiccional a efectos del artículo 237 TFUE y facilitaría la planta de estos órganos de control, al permitir un control que englobase toda la actividad contractual pública de cualquier poder adjudicador (es decir, se unificaría la opción de órganos de recursos contractuales para la actividad de licitación de todos los poderes adjudicadores con independencia de su naturaleza parlamentaria o local).

En conclusión, un texto complejo, pero mejorado y mucho más vinculado a la idea estratégica de la contratación pública.

1.ª PARTE
Colaboraciones

Capítulo 1

Medidas de prevención de corrupción y refuerzo de la transparencia en relación con la financiación de partidos políticos[1]

JOSÉ MARÍA GIMENO FELIU

Catedrático Derecho Administrativo
Universidad de Zaragoza
(gimenof@unizar.es)

SUMARIO: I. LOS PARTIDOS POLÍTICOS DEBEN APLICAR LA LEGISLACIÓN DE CONTRATOS DEL SECTOR PÚBLICO. II. IMPULSO A LA PROFESIONALIZACIÓN III. UNIFORMIDAD DE REGLAS JURÍDICAS PARA TODOS LOS PODERES ADJUDICADORES. IV. EXTENSIÓN DEL RECURSO ESPECIAL EN CONTRATACIÓN PÚBLICA AL MARGEN DEL IMPORTE Y ADECUACIÓN DE SU OBJETO. V. REPENSAR LA FISCALIZACIÓN EXTERNA DE LA FINANCIACIÓN DE LOS PARTIDOS POLÍTICOS.

Es momento de revisar en profundidad nuestro modelo jurídico y práctico (es una oportunidad) pues, como ya advirtiera Albert Einstein, «*no podemos pretender que las cosas cambien si siempre hacemos lo mismo*».

Presentación: Es objeto de esta Comisión (subcomisión) para la auditoría de la calidad democrática, la lucha contra la corrupción a través

---

1. Documento entregado a los miembros de la Comisión de Calidad Democrática del Congreso de los Diputados, con motivo de mi intervención, como experto, el día 4 de mayo de 2017.

de reformas institucionales y legales sobre: 1.º Régimen y financiación de los partidos políticos. 2.º Análisis de las medidas necesarias para reforzar la imparcialidad e independencia de autoridades independientes y organismos de regulación económica. 3.º Estudio sobre la regulación y otros posibles mecanismos que puedan utilizarse para proteger a la figura del denunciante de los casos de corrupción. Y, en concreto, me corresponde aportar alguna reflexión sobre el sistema de financiación de los partidos políticos. Cuestión que, si bien inicialmente puede parecer de objeto muy limitado y de escasa incidencia práctica, la realidad ha venido a demostrar que es un elemento clave, en negativo, en el contexto de la corrupción en España.

Son muchos los elementos de reflexión sobre la regeneración y calidad democrática para poder aportar soluciones al problema de la corrupción (me remito, a la obra colectiva *La corrupción en España. Ámbitos, causas y remedios jurídicos*, Atelier, Barcelona, 2016). La incidencia de la financiación de los partidos políticos y la «captura» del interés público mediante financiación ilegal (sean sobornos, comisiones, favores, etc.) hacen que deba prestarse especial atención a esta cuestión en tanto que de la corrección del modelo de financiación de los partidos y, en especial, del control de sus ingresos y gastos, depende la solución efectiva al problema de la corrupción en España.

En los estudios sociológicos del CIS la corrupción, después del problema del desempleo, es la principal preocupación de los españoles. Y si tenemos en cuenta el último estudio sobre percepción de la corrupción de Transparencia Internacional, se explica esta preocupación, pues España ha empeorado su situación en el ranking mundial sobre esta cuestión. Las noticias en los medios de comunicación sobre los distintos casos de corrupción, muchos ligados a financiación indebida de partidos políticos o a prácticas claramente irregulares de algunos de sus responsables, son el reflejo de una situación que, por ordinaria que pueda parecer (o de aparente «escaso» impacto económico), resulta injustificable en una democracia.

Los efectos de la corrupción derivados de la financiación ilegal de partidos políticos, se concretan tanto en una clara ineficiencia en la gestión de fondos públicos como en pérdida de competencia entre empresas, pues las redes clientelares merman el valor de la tensión competitiva y la innovación empresarial, claves en un modelo de economía productiva no especulativa[2].

---

2. De hecho, el Informe Anticorrupción de la Unión Europea 2014 anima a los Estados miembros a mantener una actitud proactiva contra las prácticas corruptas en

Pero, junto a esos efectos nocivos sobre la economía o la eficiencia de recursos públicos (siempre escasos), hay un efecto especialmente perverso: la corrupción afecta a la credibilidad del sistema político y, por ello, a la propia democracia, ya que provoca una evidente (y muy justificada) desafección ciudadana, especialmente en tiempos de crisis como los actuales. Ello sin contar con los problemas reputacionales generados para la «marca España» que retraen inversiones y apoyos financieros. En suma, en un contexto de restricciones presupuestarias y crisis económica, la corrupción presenta su rostro más dañino, pues la mala utilización de los recursos obliga a recortes en las políticas públicas más características del Estado social –educación, sanidad, servicios sociales, etc.– y agrava las desigualdades sociales. Y todo ello, en su conjunto, cuestiona la propia legitimidad democrática de nuestro Estado en tanto se extiende la idea de que la respuesta a las demandas sociales es inequitativa.

Es necesario superar la idea de que la patología de la corrupción es una situación endémica (que conduce a cierto estado de indolencia o resignación) para, de forma decidida, corregir el problema de la corrupción en España y, en concreto, el de financiación de los partidos políticos. En este sentido, no puede olvidarse que los partidos políticos son instituciones fundamentales del Estado de Derecho, lo que explica que nuestra Constitución, en su Título Preliminar, les conceda una particular posición y relieve por la importancia decisiva a desempeñar en las modernas democracias pluralistas (STC 3/1981, de 2 de febrero, FJ 1), por la trascendencia política de sus funciones (concurrir a la formación y manifestación de la voluntad popular) y por servir de cauce fundamental para la participación política (STC 10/1983, de 21 de febrero de 1983, FJ 3, posteriormente reiterada en la STC 48/2003, de 12 de marzo, FJ 5).

---

tanto puede ponerse en riesgo la competitividad en la Unión Europea. Informe sobre la lucha contra la corrupción en la UE presentado por la Comisión (3 de febrero de 2014): http://ec.europa.eu/anti-corruption-report. El informe consta de: I. Introducción; II. resultados de la encuesta Eurobarómetro 2013; III. un capítulo horizontal sobre tendencias de corrupción y conclusiones; IV. un capítulo transversal centrado en la contratación pública; V. Anexo sobre metodología; VI. Capítulos nacionales que se recogen en Anexos para cada Estado miembro, completado con futuras medidas y seguimiento. El aspecto más destacado del *Informe 2014* es lo que podríamos denominar un vademécum de prácticas contrarias a la integridad, el cual permitirá reaccionar, prevenir y poner solución a los problemas que plantean. Aquél consta materialmente de dos partes. La primera de ellas realiza una visión global de la corrupción, mientras que la segunda se dedica específicamente a la contratación pública. Ese estudio se acompaña de un análisis singularizado para cada Estado, que en caso español es el *Anexo 9*.

Al tratarse formalmente de asociaciones privadas y necesitar captar recursos para cumplir sus funciones, en la financiación de los partidos políticos concurren unas circunstancias especiales, que han facilitado la utilización de prácticas ilegales para captar fondos.

Esto es debido, principalmente, a tres motivos: a) ausencia de transparencia efectiva sobre la captación de dichos fondos y de justificación de los gastos; b) ausencia de regulación de la influencia lobista en la toma de decisiones de los partidos políticos, muy especialmente cuando tienen acción de gobierno, y c) indebida utilización de la contratación pública como instrumento de fidelización de redes clientelares y de captación, mediante comisiones ilegales, de fondos para financiar actividades políticas.

Es necesario, por tanto, tratar de resolver todas estas disfunciones con una serie de medidas concretas que, en mi opinión, deberían formar parte de «un paquete integral» sobre un nuevo modelo de gobernanza pública, que impulse la necesaria regeneración democrática y la ejemplaridad y ética pública en las actuaciones de los poderes públicos[3], de manera que permita asentar nuestro sistema institucional público[4]. Y aquí, el efecto didáctico de cómo funcionan, se financian y rinden cuentas los partidos políticos es especialmente relevante, pues en nuestro sistema político resulta indiscutible su liderazgo social y de transformación.

De entre todos ellos, en estos momentos, interesa fijar especial atención a la utilización indebida de la contratación pública como instrumento para obtener financiación ilegal por parte de los partidos políticos (cuestión, por desgracia, en permanente actualidad). Como ha explicado M. VILLORIA, la corrupción en España no es extensiva, sino que es intensiva en ciertos sectores y, muy especialmente, en la contratación pública. En efecto, es en el mercado de los contratos públicos, por su impacto económico, donde existen «mayores tentaciones» y se ofrecen más oportunidades a la

---

3. Sobre esta cuestión resultan de especial interés las reflexiones del filósofo Javier Gomá, en su obra *Ejemplaridad pública*, Taurus, 2009. También el estudio de J.MALEM SEÑA, *La corrupción. Aspectos éticos, económicos, políticos y jurídicos*, Barcelona, Ed. Gedisa, 2002.

4. No puede desconocerse el dato de que nos encontramos ante una nueva realidad jurídico-económica de la contratación pública, que exige una visión estratégica en un contexto económico globalizado. Una correcta utilización del contrato público, como instrumento al servicio de políticas públicas debe permitir reforzar los principios inherentes al modelo social europeo y garantizar su sostenibilidad en una situación geopolítica que obligan a repensar y reforzar la estrategia del mercado interior europeo.

corrupción en los distintos ámbitos de las actividades del sector público (una de las principales razones que explican el avance de estas prácticas se encuentra en el elevado volumen de recursos que moviliza la contratación del sector público, cercano al 20 por ciento del PIB).

Por ello, sin una reforma de las reglas de contratación pública que ponga el acento en los principios de integridad y de transparencia difícilmente podrá resolverse, de forma integral y satisfactoria, la disfunción derivada de la financiación ilegal de los partidos políticos. Su incidencia práctica, como se verá, es de indudable calado.

La contratación pública en España, bajo la argumentación de que existe «mucha burocracia» y hay que ser «ágil», se ha caracterizado generalmente por un déficit de transparencia (y de concurrencia). La arquitectura jurídica de nuestra legislación de contratos desde 2007 contenía y contiene, a modo de caballo de Troya contra los principios de transparencia, integridad y buen gobierno, ciertas previsiones normativas que han amparado la opacidad y, por ende, prácticas clientelares muy alejadas de los principios *inherentes a la contratación pública y, también a la actuación administrativa*[5]. Prácticas que se encuentran muy vinculadas a la ausencia de transparencia[6]. De hecho la organización Transparencia Internacional afirma que «la corrupción en la contratación pública es reconocida actualmente como el factor principal de desperdicio e ineficiencia en el manejo de los recursos en la región. Se estima que, en promedio, el 10% del gasto en contrataciones públicas se desperdicia en corrupción y soborno. A la vista de esta problemática, el combate de la corrupción en la contratación pública se vuelve una condición básica para propiciar la adecuada satisfacción de las

---

5. Vid. J.M. GIMENO FELIU, «La corrupción en la contratación pública. Propuestas para rearmar un modelo desde la perspectiva de la integridad», *La corrupción en España. Ámbitos, causas y remedios jurídicos (M. Villoria, J.M. Gimeno y J. Tejedor), Atelier, Barcelona, 2016, pp. 246-300* y T. MEDINA ARNAIZ, «La necesidad de reformar la legislación sobre contratación pública para luchar contra la corrupción: las obligaciones que nos llegan desde Europa», Revista Vasca de Administración Pública núm. 104.2, 2016, pp. 77-113.

6. R. KLITGAARD, define con una simple ecuación el gran problema de la corrupción: C= M + A – T. C es Corrupción, M Monopolio, A Arbitrariedad y T Transparencia. Cuanto menor la transparencia (entendida como rendición de cuentas), mayor resulta el índice de corrupción. *Controlando la corrupción. Una indagación práctica para el gran problema del fin de siglo*, Buenos Aires, Ed. Sudamérica, 1994, pp. 10 y ss. Es decir, monopolio en la toma de decisiones, con una importante capacidad de discrecionalidad en la decisión, y ausencia o escasa necesidad de rendir cuentas, son los elementos que explican un mayor nivel de corrupción. Si se añade a esto, el dato de un marco normativo complejo (o disperso, o muy cambiante), como ha sucedido en urbanismo o contratación pública, es fácil entender el elevado índice de corrupción en España.

necesidades de los ciudadanos, así como para promover la ética pública y la responsabilidad empresarial»[7].

Asimismo, el Parlamento Europeo ha llegado a afirmar que «*el sector de la contratación pública es el más expuesto a los riegos de gestión irregular, fraude y corrupción y que estas conductas ilícitas distorsionan el mercado, provocan un aumento de los precios y de las tarifas abonadas por los consumidores para la adquisición de bienes y servicios, y siembran la desconfianza con respecto a la Unión Europea*», e insta a los Estados miembros a que establezcan como máxima prioridad la lucha contra la corrupción en la contratación a través de una adecuada aplicación de las Directivas sobre contratos públicos, merced a los «*efectos devastadores de la corrupción en términos de inflación de costes, adquisición de equipos innecesarios, inadecuados o de calidad inferior*»[8].

En un reciente estudio de The Economist («*Procurement spending: Rigging the bids*», *The Economist, Nov 19th 2016*), se insiste en esta idea. Se aporta como dato que en 2006 el 17% de los contratos públicos publicados en el *Tenders Electronic Daily* (TED) recibieron sólo una oferta. Sin embargo, lejos de mejorar esta cifra, en 2015 dicho porcentaje había llegado al 30% y la media de ofertas por contrato había bajado de 5 a 3. Siguiendo con los datos obtenidos del TED, en los países ricos de Europa concurren una media de 6 licitadores a los contratos de valor inferior a 10 millones de euros, mientras que a aquellos cuyo valor asciende a 40 o 50 millones de euros concurren solo cuatro. Son muchos los motivos que producen este tipo de resultados, pero la mayoría de ellos tiene como telón de fondo la corrupción. En España, según datos de la Comisión Europea, la mitad de los contratos públicos solo tienen un único licitador, dato especialmente elocuente que explica la situación[9].

---

7. http://www.transparency.org/regional_pages/americas/contrataciones_publicas.

8. Apartado 27 de la Resolución del Parlamento Europeo, de 6 de mayo de 2010, sobre la protección de los intereses financieros de las Comunidades y la lucha contra el fraude, P7_TA (2010) 0155 (DOUE C 81E, de 15 de marzo de 2011).

9. En el estudio publicado por *The Economist* se habla, por ejemplo de la *soft-corruption*, que implica una manipulación de los contratos para conseguir favorecer a algunos de los licitadores sin llevar a cabo actuaciones propiamente ilegales. Se menciona por ejemplo el caso de Eslovenia, donde el 50% de los contratos publicados en la semana de Navidad reciben sólo una oferta, o un caso de Eslovaquia cuyo Ministerio de obras públicas publicó en 2007 un contrato por valor de 120 millones de euros cofinanciado por la Unión Europea sólo en un tablón de anuncios de un pasillo del propio ministerio. Otras estrategias utilizadas para llevar a cabo la *soft-corruption* y destacadas en el mencionado estudio son rechazar ofertas por errores tipográficos o cobrar cientos de euros para descargar documentos cruciales de la licitación

No puede olvidarse que uno de los graves efectos de la corrupción provocada por la falta de competencia es la ineficiencia en la gestión de los fondos públicos (llámese gasto público o inversión, según cuál se entienda que es su función). Según un Informe de 2015 de la CNMC[10], la ausencia de presión concurrencial puede originar desviaciones medias, al alza, del 25% del presupuesto de la contratación pública. En España, a nivel agregado, esto podría implicar hasta un 4,6% del PIB anual, aproximadamente 47.500 millones de euros/año.

Y no puede desconocerse la reciente Decisión del Consejo de la Unión Europea de 27 de julio de 2016, por la que se formula una advertencia a España para que adopte medidas dirigidas a la reducción del déficit que se considera necesaria para poner remedio a la situación de déficit excesivo. En ella advierte que en nuestro país existe una «*falta de mecanismos de control a priori y a posteriori suficientes* (que) *obstaculiza la aplicación correcta y uniforme de la legislación en materia de contratación pública*»; así como una ausencia de efectiva transparencia dada la «*baja tasa de publicación de los anuncios de contratos*», el correlativo abuso de procedimiento negociado sin publicación previa y las adjudicaciones directas. Finalmente, denuncia que «*la falta de un organismo independiente encargado de garantizar la eficacia y el cumplimiento de la legislación en materia de contratación pública en todo el país obstaculiza la aplicación correcta de las normas de contratación pública y puede generar oportunidades para cometer irregularidades, lo cual tiene efectos negativos sobre la situación de la hacienda pública española*». Todo ello, entiende el Consejo de la Unión Europea, hace que nuestra contratación pública sea ineficiente, lo cual tiene efectos negativos sobre la situación de la hacienda pública española. Y, en esta situación, el artículo 1.6 de la Decisión del Consejo dispone literalmente lo siguiente: «*España debe establecer un marco coherente que garantice la transparencia y la coordinación de la política de contratación pública de todas las entidades y autoridades de contratación a fin de garantizar la eficiencia económica y un alto nivel de competencia. Dicho marco debe incluir mecanismos de control a priori y a posteriori adecuados para la contratación pública a fin de garantizar la eficiencia y el cumplimiento de la legislación*».

Una adecuada regulación de la contratación pública podría resolver muchos de los problemas derivados de la captación ilegal de fondos públicos por parte de los partidos políticos, ayudando a una mejor eficiencia y rendición de cuentas de estas Instituciones. Por ello, en relación a la

---

10. PRO/CNMC/001/15 Análisis de la Contratación Pública en España: Oportunidades de mejora desde el punto de vista de la competencia, 29 pp., página 6. El informe fue aprobado en reunión de 5 de febrero de 2015.

problemática de la financiación de los partidos políticos, son varias las medidas que se deberían adoptar.

I. LOS PARTIDOS POLÍTICOS DEBEN APLICAR LA LEGISLACIÓN DE CONTRATOS DEL SECTOR PÚBLICO

Esta medida es, por lo demás obligada si se analizan las Directivas europeas de contratación pública de 2014. Y ello porque cumplen, con carácter general, con los requisitos exigidos por la jurisprudencia del TJUE: personalidad jurídica propia, actividad de interés general y financiación pública mayoritaria. Únicamente partiendo de la consideración de los partidos políticos como «poderes adjudicadores» tiene sentido plantearse otras cuestiones que evoca la excepción a la aplicación de la Directiva 2014/24/UE que contempla su artículo 10, y que guardan relación con el alcance de la misma. A este respecto debe indicarse que la exclusión se refiere a «contratos celebrados en el marco de una campaña electoral», de lo cual cabe inferir que, fuera de ese contexto, la celebración de los contratos de servicios relacionados en dicho precepto (servicios de campañas de publicidad, así como la producción de películas de propaganda y la producción de videocintas de propaganda) y por supuesto, el resto de contratos no quedaría excluida de la aplicación de la Directiva. La excepción puede tener sentido debido a que el tiempo que duran esas campañas electorales viene legalmente determinado, resultando incompatibles los plazos de campaña con los plazos mínimos que para la presentación de ofertas o solicitudes de participación se contemplan, en función de cada procedimiento, en las propuestas de Directiva, además de tener unas características que por su relación con la ideología que se plasma en el programa político, pueden merecer un tratamiento excepcional.

Esta «publificación» de la actividad contractual es necesaria tanto para conocer las necesidades de obras, servicios y suministros de los partidos políticos, así como para la selección de los proveedores en régimen de concurrencia, lo que dificultaría actuaciones irregulares en la financiación indirecta de los partidos políticos (de hecho, se ha incluido en el Proyecto de Ley de Contratos del Sector Público, aunque con matices). Pero, además, tendría un importante efecto didáctico o de ejemplaridad ante la sociedad civil que, por sí mismo, justifica la necesidad de la medida.

II. IMPULSO A LA PROFESIONALIZACIÓN

Un problema muy importante es la «contaminación política» que puede afectar a la planificación, programación, decisión de adjudicación y vigilancia del cumplimiento del contrato. Esa contaminación ha favorecido las prácticas irregulares en los casos de corrupción detectados, por la clara interrelación entre la autoridad administrativa y la organización del partido político. La profesionalización de la contratación pública puede ser una barrera a la posibilidad de redes clientelares o de «confusión de intereses políticos».

La profesionalización –que se propugna en el ámbito de la UE– se refiere, en primer lugar, a la formación y preparación de todos los sujetos implicados en la contratación. Solo así se puede conseguir una nueva actitud de los gestores que permita abandonar una posición «pasiva» y lanzarse a actuar en el mercado con una visión de sus funciones que se alejan de lo burocrático e incluyen la planificación estratégica y la gestión de proyectos y riesgos (lo que exige cambios en la organización y prospectiva de actuación)[11]. Además, y como consustancial a la idea de profesionalización, es fundamental que la actividad de los gestores públicos se atenga a un código ético estricto que evite el conflicto de intereses, y que se les dote de herramientas para detectar las prácticas colusorias y diseñar estrategias que las impidan[12]. Un adecuada profesionalización y «descontaminación política» de decisiones estrictamente administrativas, permitirá garantizar que la evaluación de las necesidades es adecuada (desde un análisis de eficiencia en la decisión final, con el fin de optar por la más racional desde dicha perspectiva), evitando la provisión innecesaria, mal planificada o deficientemente definida[13]. La profesionalización es, en suma, uno de los factores clave para promover la integridad y reconducir prácticas irregulares de financiación de los partidos políticos.

---

11.   J.M. GIMENO FELIU, «La reforma comunitaria en materia de contratos públicos y su incidencia en la legislación española. Una visión desde la perspectiva de la integridad», en libro colectivo *Las Directivas de Contratación Pública*, número monográfico especial Observatorio de los Contratos Públicos, Aranzadi, Cizur Menor, 2015.

12.   Comisión Nacional de la Competencia, Guía sobre Contratación Pública y Competencia. Disponible en: http://www.cncompetencia.es/Inicio/Noticias/TabId/105/Default.aspx?contentid=296580. También. A. CERRILLO I MARTINEZ, *El principio de integridad...*, ob. cit., pp. 192-198.

13.   A. SANMARTIN MORA, «La profesionalización de la contratación pública en el ámbito de la Unión Europea», libro colectivo Observatorio de los Contratos Públicos 2011, Civitas, 2012, pp. 408-409. Este trabajo desarrolla las distintas posibilidades de la «profesionalización» de la contratación pública, que debe ser el eje sobre el que construir un nuevo modelo estratégico y eficiente, respetuoso con el principio ético exigible a toda actuación administrativa. También. E. MALARET, «El nuevo reto de la contratación pública para afianzar la integridad y el control: reforzar el profesionalismo y la transparencia», Revista digital de Derecho Administrativo, n.° 15, primer semestre/2016, pp. 38 y ss.

Esta necesidad de profesionalización no incluye solo el sentido de mayor cualificación, sino que implica la redelimitación de las funciones de políticos y alta función pública (fue clave en Italia tras Mani Pulite). Al político, definición de objetivos y control de resultados. Al manager o alto funcionario, diseño del contrato y seguimiento. Claro, también es necesaria una mayor cualificación y, por tanto, mejor status (retribuciones, reconocimiento e independencia).

Como ejemplo de la profesionalización, debe quedar claro que la composición de la mesa de contratación, como órgano de asesoramiento técnico, impide que participen cargos políticos. Y en todo expediente de licitación, en especial los de concesión o de importe elevado, debe existir con carácter habilitante un informe detallado de conveniencia financiera suscrito por funcionarios.

III. UNIFORMIDAD DE REGLAS JURÍDICAS PARA TODOS LOS PODERES ADJUDICADORES

El actual sistema dual normativo español de la contratación pública en función de que se trate de contratos armonizados o no armonizados (dependiendo de si superan o no el importe fijado como «umbral de armonización» en la Unión Europea), junto con la distinción entre entes que son Administración pública, frente a quienes adoptan formas privadas aunque se financien con fondos públicos o estén sometidos a control público (fundaciones, empresas públicas, etc.), a los que se dota de un régimen de contratación «flexible», siempre que no sean contratos con sujeción europea, ha llevado a la proliferación de entes públicos con forma privada para poder contratar con «comodidad». Esto, en la práctica, conlleva la inaplicación de las previsiones y principios de la contratación pública y favorece las redes clientelares y la financiación irregular de los partidos políticos.

La «deslegalización procedimental» mediante Instrucciones internas en el caso de poderes adjudicadores no Administración pública, como se ha venido advirtiendo desde hace tiempo, ha resultado claramente distorsionadora, ya que ha permitido la proliferación de distintos y variados procedimientos (distintos plazos, distinta documentación, etc.) que se han convertido en una barrera de entrada para los operadores económicos. Dicha situación ha introducido, a mi juicio, innecesarias dosis de inseguridad jurídica que en última instancia pueden conducir a una fragmentación del mercado, la cual favorece, a su vez, que aparezcan prácticas de naturaleza clientelar, que impiden el efectivo funcionamiento –por inadecuada concurrencia– de las economías de escala, lo que limita el principal objetivo de la reforma introducida por la Ley de Unidad de Mercado. No hay nada más contrario a la efectividad del principio de transparencia que la dispersión normativa y el «caos» regulatorio de los distintos procedimientos de licitación[14]. Afirmación que entiendo queda avalada por la propia realidad por cuanto el número de entes existentes considerados poderes adjudicadores no administración pública (más de diez mil), *per se,* conlleva tal dispersión de reglas distintas (de difícil localización, por lo demás) que hace inviable que los licitadores puedan conocer los distintos procedimientos, y conduce a un mercado «cerrado» claramente ineficiente y alejado del objetivo de efectiva transparencia[15].

En ese «océano proceloso» la confusión jurídica ha permitido, quizá sin pretenderlo, la proliferación de redes clientelares y de prácticas que han podido facilitar la captación de financiación ilegal que se ha derivado, directa o indirectamente a las organizaciones políticas. Por otra parte, cualquier ente considerado como medio propio, será, en todo caso, poder adjudicador, sin que sea posible, mediante la «forma jurídica» huir de las reglas de la contratación pública[16].

---

14. Sobre esta patología vid. B. NOGUERA DE LA MUELA, «La transparencia en la contratación pública: entre las reglas europeas y el ordenamiento jurídico español», en libro homenaje al profesor L. Cosculluela, *Régimen jurídico básico de las Administraciones Públicas,* Iustel, Madrid 2015, pp. 948-950.

15. Nos encontramos así ante una barrera de entrada para nuevos operadores económicos que introduce, a mi juicio, innecesarias dosis de inseguridad jurídica, que pueden conducir a la postre a un mercado «cautivo», que potencia la compra del «cercano» e impide el efectivo funcionamiento, por inadecuada concurrencia, de las economías de escala. Afirmación que entiendo queda avalada por la propia realidad, por cuanto la actividad contractual realizada por los entes instrumentales no es en modo alguno residual, tanto por el número de entes existentes en la actualidad, como por el volumen de los contratos que realizan.

16. Así se ha advertido, para la gestión de los mercados municipales a través de empresas públicas configuradas como medios propios (el caso MERCASA), en la Resolución 23/2015 del Órgano de Recursos Contractuales del País Vasco, el Acuerdo del Tribunal Administrativo de Contratos Públicos de Aragón 104/2015 y la Resolución 125/2016 Tribunal de Contratos Públicos de Madrid. Doctrina extensible a cualquier medio propio por exigencia del Derecho europeo, tal y como se argumenta en las En las Conclusiones del Abogado General M. CAMPOS SÁNCHEZ-BORDONA presentadas el 27 de abril de 2017 (Asunto C-567/15 UAB «*LitSpecMet*» *Contra UAB Vilniaus lokomotyvų remonto depas, con intervención de: UAB «Plienmetas»,* se analizan los requisitos para la consideración de una entidad como poder adjudicador y, en especial, la configuración que al respecto debe hacerse de una entidad que sea calificada como medio propio. Y su conclusión es que «*una sociedad cuya vinculación material y funcional con un poder adjudicador justifica la excepción in house para sus operaciones internas, está sometida a aquellas Directivas cuando contrata con terceros obras,*

Urge, por tanto, una reforma que unifique el régimen normativo de todas las entidades contratantes en lo relativo a los procedimientos de adjudicación y de control, con indiferencia de su naturaleza o no de Administración pública y del importe del contrato. Uniformidad jurídica que puede igualmente extenderse al régimen jurídico de los contratos, pues la causa de interés público que justifica un régimen exorbitante se encuentra en todos ellos, al margen de la naturaleza, pública o privada, del ente contratante.

IV. EXTENSIÓN DEL RECURSO ESPECIAL EN CONTRATACIÓN PÚBLICA AL MARGEN DEL IMPORTE Y ADECUACIÓN DE SU OBJETO

Para corregir el problema de la corrupción en la contratación pública y, de forma indirecta, el de financiación ilegal de los partidos políticos, no basta con una regulación reaccional de carácter penal (mediante la tipificación como ilícita de la información privilegiada, cohecho, tráfico de influencias, fraudes y exacciones ilegales, negociaciones prohibidas a funcionarios públicos[17]), ya que dichas medidas son necesarias, pero insuficientes[18]. Como bien advirtiera D. KAUFMANN, la corrupción no se combate combatiendo la corrupción[19]. Es necesaria una estrategia del control preventivo que sea efectivamente útil. Un ordenamiento jurídico que se pretenda efectivo y eficiente en la aplicación de sus previsiones necesita mecanismos procedimentales y procesales que permitan «reparar y corregir» de forma eficaz las contravenciones a lo dispuesto. De lo contrario se asume un riesgo de corrupción y desconfianza en el sistema que, si bien formalmente puede ser correcto, en la práctica deviene como «generador o facilitador» de incumplimientos que se consolidan y favorecen la idea de que la justicia no es igual para todos los ciudadanos.

---

suministros o servicios, a fin de cumplir la encomienda que le hubiera confiado el poder adjudicador».

17. Interesa el libro colectivo dirigido por A. Castro y P. Otero, *Prevención y tratamiento punitivo de la corrupción en la contratación pública y privada*, Dykinson, Madrid, 2016.

18. La ciudadanía «exige» esta depuración de responsabilidades penales, pero lo importante es evitar que las conductas patológicas se produzcan. Sobre la responsabilidad penal y administrativas de empresas resulta de interés en estudio de S. BACIGALUPO y J. LIZCANO, *Responsabilidad penal y administrativa de las personas jurídicas*, ed. Programa EUROsociAL, Colección Estudios núm. 1, 2013. en delitos relacionados con la corrupción».

19. D. KAUFMANN, «Diez mitos sobre la gobernabilidad y la corrupción», Revista Finanzas & Desarrollo, septiembre de 2005, pp. 41-43.

No resulta admisible, en mi opinión, el argumento de que las medidas de prevención implican mayor burocracia y mayor gasto, lo que avala la tendencia a no corregir las disfunciones y justificarlas como un mal estructural necesario para preservar la eficacia administrativa. Según esto, se limitan los controles, se recorta en la formación para una necesaria profesionalización (garantía de independencia), o se flexibilizan reglas jurídicas a través de entes con forma privada para eludir los principios públicos inherentes a la buena administración. La visión presupuestaria del gasto se utiliza para impedir medidas que son en todo caso inversión, tanto en la lógica de la eficiencia económica (sobre lo que existen estudios de la Unión Europea muy elocuentes), como en la lógica de la calidad democrática[20].

De esta manera, la no extensión del recurso especial a cualquier contrato público –con indiferencia de su importe–, y su limitación a los contratos de importe armonizado con carácter exclusivo, impide corregir las debilidades detectadas de nuestro modelo de contratación pública, y las prácticas irregulares en la financiación de los partidos políticos. Preservar la transparencia en la contratación pública es una necesidad, que debe «protegerse» con una estrategia del control preventivo que sea efectivamente útil, rápido, e independiente, vinculado al derecho a una buena

---

20. El Informe de la Comisión al Parlamento Europeo y al Consejo sobre la eficacia de la Directiva 89/665/CEE y la Directiva 92/13/CEE, modificadas por la Directiva 2007/66/CE (Directivas de recursos en adelante), en cuanto a los procedimientos de recurso en el ámbito de la contratación pública publicado el pasado 24 de enero recoge la evaluación de los resultados de la aplicación de las citadas Directivas y en concreto si se consideran adecuadas a los objetivos propuestos atendiendo a si minimizan las cargas y los costes asociados y maximizan la posible simplificación de los procedimientos. Desde el punto de vista de la eficiencia, las Directivas sobre procedimientos de recurso proporcionan beneficios globales en consonancia con los efectos esperados, tanto directos como indirectos muy superiores a los costes que supone presentar y defender un procedimiento de recurso para los proveedores y las autoridades contratantes representando por lo general entre el 0,4 % y el 0,6 % del valor del contrato. Sin embargo, la Comisión entiende que los costes no se reducirían a cero si las Directivas sobre procedimientos de recurso fueran revocadas. Por el contrario, serían incluso mayores, debido a las diferencias nacionales en la normativa sobre revisión y recursos y a la falta de armonización a escala de la UE, dando lugar a un contexto más farragoso para licitadores y otras partes interesadas. Y añade el informe que en la evaluación de la legislación en materia de contratación pública de la UE que se publicó en el año 2011 se estimó, en general, que el ahorro del 5 % conseguido en los 420 000 millones de euros en contratos públicos que se publicaron a escala de la UE se traducirían en un ahorro o una mayor inversión pública por un importe superior a 20 000 millones de euros al año. La aplicación efectiva de las Directivas sobre procedimientos de recurso puede, por tanto, aumentar la probabilidad de que se consiga un ahorro similar al estimado procedente de las Directivas sobre contratación pública.

administración y no a las prerrogativas de la Administración (como ha recordado la STJUE de 6 de octubre, Orizzonte Salute, C-61/14). Se trata de un principio exigible en cualquier tipo de contrato público al margen de su importe, sin que resulte admisible una interpretación «relajada» por tal circunstancia. Habilitar un escenario de ausencia de control eficaz en vía administrativa para los contratos no armonizados es un error desde la perspectiva del derecho a una buena administración y explica, por sí misma, la actualidad de los casos de comisiones y prácticas irregulares vinculados a los partidos políticos en este ámbito. Pretender, en el actual contexto, justificar la no extensión del recurso especial en materia de contratación desde motivos presupuestarios es un error, pues un buen y efectivo control es una inversión (y no un gasto) tanto económico como, principalmente, social (ya que mejora la credibilidad del sistema político y jurídico).

Asimismo, interesa destacar la necesaria ampliación del objeto del recurso especial, que debe incluir también los actos relativos a la ejecución del contrato y, en especial, las modificaciones contractuales. Se trata de una exigencia de la Directiva europea de recursos (89/665, modificada por la Directiva 2007/66), cuyo ámbito de aplicación tiene ya efecto directo (como acaba de reconocer la Sentencia del Tribunal de Justicia de la Unión Europea (Sala Cuarta) de 5 de abril de 2017, Marina del Mediterráneo SL y otros contra Agencia Pública de Puertos de Andalucía).

Para favorecer la función de control resulta muy importante una nueva dimensión de la legitimación para poder recurrir, que no puede ser un obstáculo para analizar la legalidad de un procedimiento contractual, siempre que se acredite un interés directo y no una mera expectativa. La legitimación para poder recurrir debe ser amplia, para favorecer la propia función de depuración que se encomienda al sistema de recursos, e impulsar una doctrina clara que preserve los principios de seguridad jurídica y predictibilidad, de especial impacto en un sector tan sensible como el de los contratos públicos. **En el recurso especial puede ser oportuna la acción pública, pues la contratación pública guarda relación directa con el derecho a una buena administración**[21].

---

21. J. PONCE, «La prevención de la corrupción mediante la garantía de un derecho a un buen gobierno y a una buena administración en el ámbito local», en *Anuario de Derecho Local 2012*, IDP, Barcelona, 2013, pp. 136-137. Esta vinculación de la contratación pública al derecho a una buena administración fue expresamente advertida en el Acuerdo 44/2012, del Tribunal Administrativo de Contratos Públicos de Aragón.

V. REPENSAR LA FISCALIZACIÓN EXTERNA DE LA FINANCIACIÓN DE LOS PARTIDOS POLÍTICOS

En este contexto, es necesario repensar el sistema de fiscalización de la financiación de los partidos políticos. La función de inspección y control de los Tribunales de Cuentas (a los que debería reforzarse en sus potestades, permitiendo la investigación de oficio en cualquier momento y con posibilidad de suspender procedimientos)[22], de Agencias de Lucha antifraude, de la Comisión Nacional de los Mercados y la Competencia, así como, en su caso, la creación de autoridades de vigilancia sobre los contratos públicos (con competencias de supervisión y sanción), exige un análisis de necesidad y conveniencia sobre la idoneidad del papel a desempeñar por cada uno, para evitar tanto una «sobrecarga» innecesaria de control como de competencia indebida entre ellos. La arquitectura jurídica de fiscalización en materia de corrupción debería, en mi opinión, residenciarse en un único organismo de supervisión independiente y especializado.

Asimismo, como ineludible medida de regeneración democrática convendría extender las exigencias de los programas de *compliance* empresarial –que es más que cumplimiento legal, dado que al concepto clásico de Derecho positivo (*hard law*), se añade el cumplimiento ético, la responsabilidad social corporativa, etc. (*soft law*)– al organigrama gerencial de estas organizaciones, lo que permitiría detectar y evitar casos de financiación ilegal, contrataciones fraudulentas, supuestos de sobornos, etc. Lo que exigiría regular la figura del *chief compliance officer* responsable de la misma. Y dentro de ese programa de *compliance* debería regularse la incidencia de los grupos lobistas, entendiendo al respecto cualquier comunicación directa o indirecta con agentes públicos, decisores públicos o representantes políticos con la finalidad de influenciar la toma de decisión pública, desarrollada por o en nombre de un grupo organizado[23].

---

22. Sin duda puede ser una importante herramienta función fiscalizadora del Tribunal de Cuentas (y sus homólogos autonómicos), con el fin de controlar legalidad y eficacia (que incluye la fase de ejecución) evitando un incorrecto uso de fondos públicos, independientemente de la personificación pública o privada que licite en tanto sea poder adjudicador.

23. Como destacan A. Revuelta y M. Villoria, los lobistas pueden ser no sólo lobistas profesionales (intermediadores de intereses), sino también representantes del sector privado dedicados a esta labor desde sus empresas (*in-house lobbyists*), consultores de relaciones públicas, representantes de ONG, corporaciones, asociaciones industriales y profesionales, sindicatos, *think tanks*, despachos de abogados, organizaciones religiosas y académicas.

Todas estas medidas resultan ineludibles si se pretende una nueva arquitectura jurídica de la financiación de los partidos políticos –que deben ser un espejo que refleje las mejores prácticas y comportamientos y sirvan de ejemplo ético a la sociedad civil– y su incidencia en políticas públicas tan importantes como la de la contratación pública y la rendición de cuentas. Una mejor regulacmejor regulacicapatcintes.nte (ee la contratciey de Contratos del Sector Pa la necesidad de al medida.funcila capatcintes. nte (eión de la financiación de los partidos políticos, alejada de ineficientes soluciones formales[24], se convierte en la principal herramienta para la prevención de la corrupción y una nueva cultura de gobernanza pública cimentada sobre los principios de integridad y transparencia[25]. Solo así, podremos avanzar en la nueva cultura del buen gobierno y poner en marcha, en palabras, del profesor Rothstein, el *Big-Bang anticorrupción*, que tanto necesita la sociedad española.

Madrid, 26 de abril de 2017.

---

24. No parece suficiente la amenaza del Octavo infierno al que están condenados los «estafadores y los fraudulentos», según Dante Aligieri (en su obra *La Divina Comedia*, en la primera de las tres cánticas, El Infierno)
25. La invisibilidad de las decisiones explica el fenómeno de la corrupción en un sector tan sensible como el de la contratación pública o el de la financiación de partidos políticos. Ya lo explicaba Platón –cuyas reflexiones continúan siendo de actualidad– en el segundo libro de la República expone el mito del pastor GIGES. (República, L. II, 359c-360d). En este mito (que igualmente se desarrolla por Tolkien, en su conocida obra El señor de los anillos) se plantea el dilema moral del hombre, que en caso de poseer un anillo de invisibilidad que le brinda todo el poder para actuar en secreto y con total impunidad, va a actuar, desafortunadamente según muestra la experiencia general, en beneficio propio y de forma deshonesta e injusta.

NOTA FINAL:

Con fecha de 19 de octubre de 2017 se ha aprobado en el Congreso de los Diputados el texto definitivo de la Ley de Contratos del Sector Público. Algunas de las propuestas de esta intervención se han incorporado al texto final, lo que ha de favorecer el objetivo de una gestión de la contratación pública más transparente y eficiente. En concreto, se ha optado por la uniformidad de régimen jurídico, siendo indiferente el carácter o no de Administración pública del poder adjudicador para la aplicación de las reglas de contratación pública en los contratos de importe no a armonizado. Desaparece, pues la posibilidad de regulación mediante Instrucciones internas propias en los procedimientos de importe no armonizado. De ahí que se pueda considerar esta uniformidad jurídica en las reglas procedimentales como la principal novedad del nuevo texto de contratos públicos.

En segundo lugar, se ha incorporado extensión del recurso especial a cuantías inferiores a las del importe armonizado, lo que es una decisión muy destacada, pues ha de ayudar corregir las debilidades detectadas de nuestro modelo de contratación pública. La opción de rebajar umbrales es, sin duda, un hito en la filosofía práctica de la contratación pública, y debe ser el inicio de un proceso para, tras dotar con medios y recursos a los órganos de recursos contractuales, extender al recurso especial a cualquier contrato al margen del importe. Sin embargo, existe sobre la decisión de ampliación del ámbito del recurso una "sombra" relativa a s la posibilidad (confusa tal y como ha quedado articulada en el texto, pues se reconoce la competencia autonómica en la materia y luego se regula por norma estatal, lo que per se es contradictorio), de que pueda haber órganos de recursos contractuales locales en Ayuntamientos con la consideración de Gran Ciudad y en las Diputaciones Provinciales, pues genera una evidente asimetría, poco compatibles con el principio de seguridad jurídica y que no se puede justificar con el argumento de la autonomía local, ya que no puede confundirse el control jurídico con una función de tutela. La proliferación de "Tribunales administrativos locales" quebrará la esencia del modelo, generará distorsión de criterios e impedirá un verdadero control eficaz y con "auctoritas".

Asimismo, interesa destacar la necesaria ampliación del objeto del recurso especial, que incluye ya los encargos a medios propios y también a ciertos actos relativos de la ejecución del contrato y, en especial, las modificaciones contractuales o rescate de concesiones. Sin embargo, se olvida de la exigencia de la Directiva europea de recursos (89/665, modificada por la Directiva 2007/66), cuyo ámbito de aplicación tiene ya efecto directo de incluir en el ámbito del recurso especial las cuestiones de subcontratación y la resolución del contrato o concesión (La Directiva de concesiones incorpora un supuesto tasado de causas de resolución anticipada cuyo no cumplimiento por una Administración o poder adjudicador abre la puerta al recurso especial: vid Servicios públicos e ideología. El interés general en juego (F. CAAMAÑO, J.M. GIMENO, P. SALA y 43G. QUINTEROS), 2017, pp. 118-120.

En tercer lugar, la eliminación de la posibilidad de "libre" modificación en los contratos no armonizados para los poderes adjudicadores no Administración pública –coherente con la regulación del TRLCSP 2011, que obliga con indiferencia del importe– lamina la posibilidad de descontrol en los sobrecostes y, también, que exista un "incentivo" a crear entes instrumentales para alejarse del control y reglas públicas. Por último, la creación de un organismo independiente de supervisión y control (La Oficina Independiente de Regulación y Supervisión de la Contratación) es la bóveda de una nueva arquitectura institucional para promover las exigencias de gobernanza europea.

Estas medidas suponen un nuevo escenario más alineado con la finalidad de nueva gobernanza que pueda servir para "atacar" el déficit público desde una nueva gestión (sin necesidad, por ello, de nuevos ajustes, recortes o incremento de la carga fiscal). En todo caso, sorprende la "involución" de no considerar a los partidos políticos como poder adjudicador y optar por exigir solo unas Instrucciones propias de contratación.

Zaragoza, a 19 de octubre de 2017

Capítulo 2

El proyecto de nueva ley de contratos del sector público y su adecuación al Derecho de la Unión Europea

JOSÉ ANTONIO MORENO MOLINA
Catedrático de Derecho Administrativo
Universidad de Castilla-La Mancha

SUMARIO: I. INTRODUCCIÓN. EL RETRASO EN LA TRASPOSICIÓN DE LA CUARTA GE-
NERACIÓN DE DIRECTIVAS EUROPEAS SOBRE CONTRATACIÓN PÚBLICA II.
EFECTO DIRECTO DE LAS DIRECTIVAS 2014/23 Y 24 III. ALCANCE DEL PRO-
YECTO DE LEY DE CONTRATOS DEL SECTOR PÚBLICO. INCORPORACIÓN
DEL DERECHO EUROPEO Y CAMINO HACIA UN NUEVO SISTEMA DE CON-
TRATACIÓN PÚBLICA IV. CONFORMIDAD DE LA REFORMA LEGAL CON EL
DERECHO DE LA UNIÓN EUROPEA. EL CUESTIONABLE MANTENIMIENTO DE
LAS INSTRUCCIONES INTERNAS DE CONTRATACIÓN, LOS CONTRATOS ME-
NORES Y LA FALTA DE EXTENSIÓN DEL RECURSO ESPECIAL A LOS CONTRA-
TOS NO ARMONIZADOS V. LA ADECUACIÓN DEL PROYECTO AL DERECHO
INTERNACIONAL EN MATERIA DE CONTRATOS PÚBLICOS

I. INTRODUCCIÓN. EL RETRASO EN LA TRASPOSICIÓN DE LA CUARTA GENERACIÓN DE DIRECTIVAS EUROPEAS SOBRE CONTRATACIÓN PÚBLICA

El proyecto de nueva ley de contratos del sector público, cuya remisión a las Cortes fue aprobada por el Consejo de Ministros de 25 de noviembre de 2016, se encuentra en tramitación parlamentaria urgente con

competencia legislativa plena[1]. El Boletín Oficial de las Cortes Generales de 16 de marzo de 2017 publicó las muy numerosas enmiendas al proyecto[2].

La aprobación de la nueva ley de contratos resulta de imperiosa necesidad para trasponer al ordenamiento jurídico español, aunque muy tardíamente ya que el plazo de notificación de la transposición de las nuevas normas de contratación pública por todos los Estados miembros expiró el 18 de abril de 2016, las Directivas del Parlamento Europeo y del Consejo, del Parlamento Europeo y del Consejo, de 26 de febrero de 2014, 2014/24/UE, sobre contratación pública y 2014/23, relativa a la adjudicación de contratos de concesión.

La Comisión Europea envió al Estado español el 8 de diciembre de 2016 un dictamen motivado instándole a que incorpore en el Derecho nacional las nuevas directivas en materia de contratación pública y concesiones. Esta mismo requerimiento fue enviado a 15 Estados de la Unión que seguían sin trasponer todas o alguna de estas directivas: Austria (tres Directivas), Bélgica (tres), Bulgaria (una), Chipre (dos), Croacia (tres), Eslovenia (una) España (tres), Estonia (tres), Finlandia (tres), Irlanda (una), Letonia (tres), Lituania (tres), Luxemburgo (tres), Portugal (tres) y Suecia (tres)[3]. A estos Estados se les daba un plazo de dos meses para notificar a la Comisión las medidas adoptadas para adecuar su legislación nacional al Derecho de la Unión Europea.

La aprobación de las nuevas directivas de la Unión Europea se enmarca en la Estrategia Europa 2020 para un crecimiento inteligente, sostenible e integrador[4] y supone ya la cuarta generación de normas comunitarias en la materia[5]. Junto a las Directivas 2014/23, 24 y 25 hay que resaltar tam-

---

1. El Proyecto está publicado en el BOCG n° A-2-1, de 2 de diciembre de 2016, p. 1. La Comisión competente para su tramitación en el Congreso es la de Hacienda y Función Pública.

2. Son 1080 enmiendas y 857 páginas del BOCG, que se pueden consultar en http:// www.congreso.es/public_oficiales/L12/CONG/BOCG/A/BOCG-12-A-2-2. PDF.

3. El proceso de trasposición de las directivas sobre contratación pública puede consultarse la base de datos CELEX de la UE: http://eur-lex.europa.eu/search. html?DB_CELEX_OTHER=320141l0024*&qid=1457982852895&DTS_DOM=NATIONAL_LAW&type=advanced&lang=es&SUBDOM_INIT=MNE&DTS_SUBDOM=MNE (fecha de consulta 2 de marzo de 2017).

4. Documento de la Comisión COM 2010, 2020.

5. Véase GIMENO FELIÚ, J.M., «Novedades en la nueva Normativa Comunitaria sobre contratación pública», *Revista de estudios locales*, n.° 161 (2013), págs. 15 a 44 y «Las nuevas directivas –cuarta generación– en materia de contratación pública. Hacia una estrategia eficiente en compra pública», *Revista Española de Derecho Administrativo*, n.° 159 (2013), págs. 39 a 106; VALCÁRCEL FERNÁNDEZ,

bién la aprobación por las instituciones europeas de la Directiva 2014/55/ UE relativa a la facturación electrónica en la contratación pública.

Por primera vez se regulan en sede europea tanto las fases de preparación y adjudicación de los contratos públicos como las de ejecución y resolución de los mismos[6].

El objetivo principal de los nuevos textos consiste, por una parte, en simplificar, modernizar y mejorar la eficiencia de las normas y los procedimientos contractuales en la Unión Europea y, por otra, en impulsar un uso estratégico de la contratación pública y proponen que los compradores utilicen mejor la contratación pública, elemento clave de las economías nacionales de la UE[7], en apoyo de objetivos sociales comunes como la protección del medio ambiente, una mayor eficiencia energética y en el uso de los recursos, la lucha contra el cambio climático, la promoción de la innovación[8], el empleo y la integración social y la prestación de servicios sociales de alta calidad en las mejores condiciones posibles[9].

___

P., «La Directiva de concesiones (Directiva 2014/23/UE) y la gestión de Servicios de Interés General», en el libro colectivo, *Servicios de Interés General, colaboración público-privada y sectores específicos* (Coord.: V. PARISIO, V. AGUADO I CUDOLÁ, B. NOGUERA DE LA MUELA), Giappichelli, Turín; Tirant Lo Blanch, Valencia, 2016, pp. 77-128 y MORENO MOLINA, J.A., «La cuarta generación de directivas de la Unión Europea sobre contratos públicos», en AAVV (Dir. GIMENO FELIÚ, J.M., coord. BERNAL BLAY, M.A.), *Observatorio de Contratos Públicos 2012*, Aranzadi, Cizur Menor (Navarra), 2013, págs. 115 a 163.

6.   MORENO MOLINA, J.A.; PUERTA SEGUIDO, F.; PUNZÓN MORALEDA, J. y RAMOS PÉREZ OLIVARES, A.: *Claves para la aplicación de la Directiva 2014/24/ UE sobre contratación pública*, Wolters Kluwer-El Consultor de los Ayuntamientos, Madrid, 2016, págs. 197 y ss.

7.   Las autoridades públicas gastan cada año aproximadamente una quinta parte del PIB de la UE en la adquisición de obras, suministros y servicios (Informe especial del Tribunal de Cuentas Europeo n.° 17/2016, «Las instituciones de la UE pueden hacer más para facilitar el acceso a su contratación pública», Luxemburgo, 2016 –informe presentado con arreglo al artículo 287, apartado 4, párrafo segundo, del TFUE–).

8.   VALCÁRCEL FERNÁNDEZ, P. (2013), «Promoción de la igualdad de género a través de la contratación pública», en el libro *Contratación Pública estratégica*, (Dir. José Pernas García), Thomson Reuters Aranzadi, Cizur Menor (Navarra), 2013, págs. 329-368; (2016), «Impulso de la compra pública para la innovación (CPI) a través de las distintas modalidades de contratación conjunta: análisis de casos», *Compra conjunta y demanda agregada en la contratación del sector público: un análisis jurídico y económico*, Aranzadi, Cizur Menor, págs. 349 y ss. y (2011) «Impulso decisivo en la consolidación de una contratación pública responsable. Contratos verdes: de la posibilidad a la obligación», *Actualidad Jurídica Ambiental*, n.° 1, págs. 16 a 24.

9.   Véase ALONSO GARCÍA, C. (2015), «La consideración de la variable ambiental en la contratación pública en la nueva Directiva europea 2014/24/UE», *La Ley*

El proceso de trasposición en España de las Directivas constituye una excelente oportunidad para plantear una nueva regulación que en verdad simplifique e impulse la transparencia, igualdad, concurrencia y uniformidad jurídica en toda la contratación del sector público español[10].

Los objetivos de las nuevas directivas –y los principios que las inspiran– deben servir, como ha destacado GIMENO FELIÚ, de modelo general para toda la contratación pública y permitir implantar una nueva gobernanza pública que incorpore como paradigmas de la gestión la eficacia, eficiencia e integridad que permita impulsar un modelo armonizado y transparente de gestión de los fondos públicos, que ayude a consolidar las específicas políticas públicas inherentes a nuestro modelo social y económico así como favorecer la reactivación económica y empresarial[11].

El Informe España 2017 de la Comisión Europea[12], advierte que nuestro país carece de una política de contratación pública a nivel nacional que garantice la competencia y la transparencia.

II. EFECTO DIRECTO DE LAS DIRECTIVAS 2014/23 Y 24

Vencido el 18 de abril de 2016 el plazo de incorporación de las nuevas directivas de contratación pública al ordenamiento jurídico nacional, las

---

Unión Europea, n.º 26, págs. 5 y ss., y PERNÁS GARCÍA, J. (2011), *Contratación Pública Verde*, La Ley, Madrid, 2011 y (2012) «El uso estratégico de la contratación pública como apoyo a las políticas ambientales», en *Observatorio de políticas ambientales 2012*, Civitas, Cizur Menor, págs. 299-323.

10. GIMENO FELIU, J.M. (2015), «El valor interpretativo de las directivas comunitarias sobre contratación pública y del derecho pretoriano. Las opciones de transposición en España en la propuesta de reforma», *Observatorio de Contratos Públicos 2014*, Aranzadi, Cizur Menor, págs. 23 y ss. y RAZQUIN LIZÁRRAGA, M.M. (2015), «Las nuevas directivas sobre contratación pública de 2014: aspectos clave y propuestas para su transformación en España», *RAP* n.º 196, págs. 97 y ss.

11. «La reforma comunitaria en materia de contratos públicos y su incidencia en la legislación española. Una visión desde la perspectiva de la integridad», en GIMENO FELIÚ, J.M.; GALLEGO CÓRCOLES, I.; HERNÁNDEZ GONZÁLEZ, F. y MORENO MOLINA, J.A. (2015), *Las nuevas directivas de contratación pública* (Dir. GIMENO FELIÚ, J.M.), Aranzadi, Cizur Menor, págs. 36 y ss.

12. Documento de trabajo de los servicios de la Comisión, «Informe del país España 2017» (SWD 2017, 74 final, de 22 de febrero de 2017) y Comunicación de la Comisión al Parlamento Europeo, al Consejo, al Banco Central Europeo y al Eurogrupo «Semestre Europeo 2017: Evaluación de los avances en materia de reformas estructurales, corrección de los desequilibrios macroeconómicos y resultados de las revisiones de acuerdo con el Reglamento (UE) n.º 1176/2011» (COM 2017, 90 final y SWD 2017, 67 final).

mismas resultan de aplicación desde esa fecha en nuestro ordenamiento jurídico en virtud de la doctrina del efecto directo del Derecho de la Unión Europea.

La obligación de un Estado miembro de adoptar todas las medidas necesarias para alcanzar el resultado prescrito por una directiva es una obligación imperativa impuesta por el artículo 288 TFUE, párrafo tercero, y se impone a todas las autoridades de los Estados miembros, incluidas, en el marco de sus competencias, las autoridades judiciales[13].

También, según la jurisprudencia, incluso en los casos en los que los Estados miembros disponen, al transponer una directiva, de un amplio margen de apreciación por lo que respecta a la elección de los medios, dichos Estados miembros están no obstante obligados a garantizar el pleno efecto de dicha directiva y a cumplir los plazos que aquélla determina, para que su aplicación sea uniforme en toda la Unión[14].

Las nuevas directivas entraron en vigor en abril de 2014 y hay que tener en cuenta que finalizado el plazo de trasposición del que disponen los Estados miembros de la Unión[15] las previsiones de las mismas de carácter imperativo resultan de aplicación inmediata en virtud del principio del efecto directo del Derecho europeo[16], que permite a los particulares invocar directamente este Derecho ante los tribunales, independientemente de que existan normas en el Derecho nacional[17].

---

13. Véase, en particular, la sentencia del TJUE Waddenvereniging y Vogelbeschermingsvereniging, asunto C-127/02, apartado 65.
14. Véase, en ese sentido, las sentencias del TJUE Comisión/Italia, asunto 10/76, apartado 12 y Stichting ZuidHoliandse Milleufederatie, de 10 de noviembre de 2005, asunto C-316/04, apartado 42.
15. GIMENO FELIU, J.M., «El valor interpretativo...», *op. cit.*
16. El principio fue reconocido por el TJUE en su clásica sentencia *Van Gend en Loos* de 5 de febrero de 1963, asunto 26/62.
    Acerca del mismo y su aplicación a la Directiva 2014/24 resulta de interés el Informe 19/2014, de 17 de diciembre, de la Junta Consultiva de Contratación Administrativa de la Generalitat de Catalunya (Comisión Permanente).
17. Puesto que el destinatario de una directiva es el Estado miembro al que imponga una obligación, en principio no genera derechos y obligaciones para los particulares. De acuerdo con la jurisprudencia consolidada del Tribunal de Justicia, este principio general sólo sufre una excepción cuando el Estado miembro no haya satisfecho la obligación que le incumbe de adaptar el Derecho nacional a la directiva, o lo haya hecho incorrectamente. Así lo ha afirmado reiteradamente el Tribunal de Justicia, ver, por todas, la sentencia Marshall, de 26 de febrero de 1986, asunto 152/84 y la sentencia de 6 de mayo de 1980, Comisión contra el Reino de Bélgica, asunto 102/79.

En este sentido, deben destacarse los contundentes pronunciamientos de la Junta Consultiva de Contratación Administrativa del Estado y de los tribunales administrativos de recursos contractuales: por una parte, la Resolución de 16 de marzo de 2016, de la Dirección General del Patrimonio del Estado, publica la Recomendación de la Junta Consultiva de Contratación Administrativa, sobre el efecto directo de las nuevas Directivas comunitarias en materia de contratación pública y la Resolución de 6 de abril de 2016, de la Dirección General del Patrimonio del Estado, publica la Recomendación de la Junta Consultiva de Contratación Administrativa sobre la utilización del Documento Europeo Único de Contratación previsto en la nuevas directivas de contratación pública; y por otra parte, los tribunales administrativos de recursos en materia de contratación pública han publicado un documento de estudio presentado y aprobado en la reunión de Madrid del 1 de marzo de 2016, con el título «Los efectos jurídicos de las directivas de contratación pública ante el vencimiento del plazo de transposición sin nueva ley de contratos del sector público»[18], en el que se analiza el posible efecto directo de cada uno de los artículos de las Directivas 2014/24 sobre contratación pública y 2014/23 sobre adjudicación de contratos de concesión.

Además el Informe 17/2015, de 3 de diciembre, de la Junta Consultiva de Contratación Administrativa de la Comunidad Autónoma de Aragón, se pronuncia sobre los «Efectos de las Directivas de contratación pública en la regulación de la Ley 3/2011, de 24 de febrero, de medidas en materia de Contratos del Sector Público de Aragón, tras la conclusión del plazo de transposición. Posibilidades de desarrollo»; y el Informe 1/2016, de 6 de abril, de la Junta Consultiva de Contratación Administrativa de la Generalitat de Catalunya, comenta los «Contenidos de la Directiva 2014/24/UE, de 26 de febrero de 2014, sobre contratación pública, que tienen que ser de aplicación directa a partir del día 18 de abril de 2016, fecha en que finaliza el plazo para su transposición. Breve referencia a la aplicación directa de la Directiva 2014/23/UE, de 26 de febrero de 2014, relativa a la adjudicación de contratos de concesión».

De acuerdo con la doctrina del TJUE, en todos aquellos casos en que las disposiciones de una directiva resulten, desde el punto de vista de su contenido, incondicionales y suficientemente precisas, los particulares están legitimados para invocarlas ante los órganos jurisdiccionales nacionales contra el Estado, bien cuando éste no adapte el Derecho nacional a la

---

18. El texto completo del documento se puede ver en la web del Observatorio de Contratación Pública, http://www.obcp.es, fecha de consulta 19 de marzo de 2017.

directiva dentro de los plazos señalados, bien cuando haga una transposición incorrecta de ésta[19].

Una disposición del Derecho de la Unión es incondicional cuando establece una obligación que no está sujeta a ningún requisito ni supeditada, en su ejecución o en sus efectos, a que se adopte ningún acto de las instituciones de la Unión o de los Estados miembros[20].

Sin embargo, hay otros preceptos de la Directiva 2014/24 cuya transposición se deja a la elección de los Estados miembros, por lo que permiten o no su incorporación al ordenamiento nacional (lo que ocurre por ejemplo con lo dispuesto en los artículos 19, 20, 22, 26, 27, 32, 36 y 37).

La sentencia del Tribunal de Justicia (Sala 5) de 7 de julio de 2016, asunto C-46/15, analiza el posible efecto directo de las reglas establecidas por la Directiva 2004/18, antecedente inmediato de la Directiva 2014/24 sobre contratación pública, para la acreditación de las capacidades técnicas y profesionales de los operadores económicos; así como si esas normas pueden invocarse contra cualquier entidad que tenga la condición de «poder adjudicador».

Para el TJUE, el artículo 48, apartado 2, letra a), inciso ii), segundo guión, de la Directiva 2004/18 cumple dichos criterios, dado que, por una parte, establece una obligación que no se ve acompañada de ninguna exigencia adicional ni se supedita a la adopción de ningún acto de las instituciones de la Unión o de los Estados miembros y, por otra, indica de manera clara y completa los elementos que pueden solicitarse a los operadores económicos para probar su capacidad técnica en los procedimientos de adjudicación de contratos públicos.

Pero es que además, en los apartados 46 y 47 de la sentencia de 24 de septiembre de 1998, Tögel (C-76/97, EU:C:1998:432), el Tribunal de Justicia consideró que podían producir efectos directos las disposiciones contenidas en el título VI de la Directiva 92/50, entre los que se encontraba su artículo 32, apartado 2, que reproduce en términos casi idénticos el artículo 48, apartado 2, letra a), inciso ii), segundo guion, de la Directiva 2004/18.

---

19. Véanse las sentencias Pfeiffer y otros, asuntos C-397/01 a C-403/01, apartado 103, y Association de médiation sociale, asunto C-176/12, apartado 31; y también las sentencias de 12 de diciembre de 2013, Portgás, C-425/12, EU:C:2013:829, apartado 18 y jurisprudencia citada; de 14 de enero de 2014, Association de médiation sociale, C-176/12, EU:C:2014:2, apartado 31, y de 15 de mayo de 2014, Almos Agrárkülkereskedelmi, C-337/13, EU:C:2014:328, apartado 31.

20. Véase, en este sentido, la sentencia Pohl-Boskamp, asunto C-317/05, apartado 41.

Conforme a reiterada jurisprudencia del TJUE, si bien una directiva no puede por sí sola crear obligaciones a cargo de un particular ni, por tanto, invocarse como tal contra dicha persona[21], cuando los justiciables pueden ampararse en una directiva no frente a un particular sino frente al Estado, pueden hacerlo independientemente de cuál sea la condición en que éste actúa. Ello para evitar que el Estado pueda obtener ventajas por haber ignorado el Derecho de la Unión[22].

Precisa el TJUE en la sentencia de 7 de julio de 2016 que entre las entidades a las que se pueden oponer las disposiciones de una directiva que puedan tener efectos directos están no sólo las entidades públicas, sino también los organismos a los que, cualquiera que sea su forma jurídica, se les haya confiado, en virtud de un acto de la autoridad pública, el cumplimiento de un servicio de interés público, bajo el control de esta última, y que dispongan a tal efecto de facultades exorbitantes en comparación con las normas aplicables a las relaciones entre particulares (véase también la citada sentencia Portgás, apartado 24).

En fin, recuerda el TJUE que la obligación del juez nacional de utilizar como referencia el contenido de una directiva cuando interpreta y aplica las normas pertinentes de su Derecho nacional está limitada por los principios generales del Derecho y no puede servir de base para una interpretación *contra legem* del Derecho nacional[23].

De este modo, si no es posible una interpretación del Derecho nacional conforme con la Directiva 2004/18, la parte perjudicada por la falta de conformidad del Derecho nacional con el Derecho de la Unión podrá invocar la jurisprudencia derivada de la sentencia de 19 de noviembre de 1991, Francovich y otros (C-6/90 y C-9/90, EU:C:1991:428), para obtener, en su caso, reparación del daño sufrido[24].

En la sentencia del TJUE de 24 de septiembre de 1998, asunto C-76/97, Tögel, el Tribunal recordó las consecuencias de la falta de adaptación del Derecho interno a las directivas comunitarias sobre contratos públicos. En caso de que un Estado miembro no haya adoptado las medidas de ejecución exigidas o haya adoptado medidas no conformes con una directiva, el Tribunal de Justicia ha reconocido, en determinadas

---

21. Sentencias de 24 de enero de 2012, Domínguez, C-282/10, EU:C:2012:33, apartado 37 y de 15 de enero de 2015, Ryanair, C-30/14, EU:C:2015:10, apartado 30.
22. Véase, en este sentido, la sentencia de 12 de diciembre de 2013, Portgás, C-425/12, EU:C:2013:829, apartado 23.
23. Véase, en este sentido, la sentencia de 19 de abril de 2016, DI, C-441/14, EU:C:2016:278, apartado 32.
24. Sentencia de 26 de marzo de 2015, Fenoll, C-316/13, EU:C:2015:200, apartado 48.

circunstancias, el derecho de los justiciables a invocar judicialmente una directiva frente a un Estado miembro que haya incumplido sus obligaciones. Aunque esta garantía no puede servir de justificación para que un Estado miembro eluda la adopción, dentro de plazo, de las medidas adecuadas al objetivo de cada directiva (véase, en particular, la sentencia de 2 de mayo de 1996, Comisión/Alemania, C-253/95, Rec. p. I-2423, apartado 13), sí puede, no obstante, facultar a los justiciables para invocar, frente a un Estado miembro, las disposiciones materiales de la directiva de que se trate.

Si las disposiciones nacionales no pueden interpretarse de manera conforme a las directivas de contratos públicos, los interesados pueden solicitar, siguiendo los procedimientos adecuados del Derecho nacional, la reparación de los daños sufridos como consecuencia de la falta de adaptación del Derecho interno a la directiva dentro del plazo señalado (véase, en particular, la sentencia de 8 de octubre de 1996, Dillenkofer y otros, asuntos acumulados C-178/94, C-179/94, C-188/94, C-189/94 y C-190/94, Rec. p. I-4845).

En los apartados 43 y siguientes de la sentencia Tögel, el Tribunal examina si las disposiciones controvertidas en autos de la Directiva 92/50, sobre los contratos públicos de servicios, resultan, desde el punto de vista de su contenido, incondicionales y suficientemente precisas para que un particular pueda invocarlas frente al Estado. A este respecto, el TJCE señala que las disposiciones del Título I, relativas al ámbito de aplicación material y personal de la directiva, y del Título II, relativo a los procedimientos aplicables a los contratos que tengan por objeto servicios enumerados en los Anexos I A y I B, son incondicionales y suficientemente precisas para ser invocadas ante un órgano jurisdiccional nacional.

Para el TJUE, las disposiciones detalladas de los Títulos III a VI de la directiva, que se refieren a la elección de los procedimientos de adjudicación y normas relativas a los concursos de proyectos, a las normas comunes en el sector técnico y de publicidad, así como las relativas a los criterios de participación, de selección y de adjudicación, son, sin perjuicio de las excepciones y matices que se desprenden de su tenor, incondicionales y suficientemente claras y precisas para ser invocadas por los prestadores de servicios ante los órganos jurisdiccionales nacionales.

El Tribunal concluyó en su sentencia que los particulares pueden invocar directamente ante los órganos jurisdiccionales nacionales las disposiciones de los Títulos I y II de la Directiva 92/50. En cuanto a las disposiciones de los Títulos III a VI, también pueden ser invocadas por un particular ante un órgano jurisdiccional nacional en la medida en que del examen individual de su tenor literal resulte que son incondicionales y suficientemente claras y precisas (apartado 47).

III. ALCANCE DEL PROYECTO DE LEY DE CONTRATOS DEL SECTOR PÚBLICO. INCORPORACIÓN DEL DERECHO EUROPEO Y CAMINO HACIA UN NUEVO SISTEMA DE CONTRATACIÓN PÚBLICA

La exposición de motivos del proyecto de nueva LCSP comienza reconociendo, como no podía ser de otra manera, su dependencia respecto del Derecho de la Unión Europea, que extiende mucho más allá de la incorporación de las Directivas 23 y 24 de 2014 al recordar que

> «La exigencia de la adaptación de nuestro derecho nacional a esta normativa ha dado lugar, en los últimos treinta años, a la mayor parte de las reformas que se han ido haciendo en los textos legales españoles.
>
> En concreto, la última Ley de Contratos del Sector público encontró su justificación, entre otras razones, en la exigencia de incorporar a nuestro ordenamiento una nueva disposición comunitaria, como fue la Directiva 2004/18/CE del Parlamento Europeo y del Consejo, de 31 de marzo de 2004, sobre coordinación de los procedimientos de adjudicación de los contratos públicos de obras, de suministro y de servicios.
>
> En la actualidad, nos encontramos ante un panorama legislativo marcado por la denominada "Estrategia Europa 2020", dentro de la cual, la contratación pública desempeña un papel clave (…)».

Ahora bien, a su vez destaca que, además de la incorporación del nuevo Derecho europeo, la ley pretende «diseñar y ejecutar un nuevo sistema de contratación pública, más eficiente, transparente e íntegro, mediante el cual se consiga un mejor cumplimiento de los objetivos públicos, ya señalados, tanto a través de la satisfacción de las necesidades de los órganos de contratación, como mediante una mejora de las condiciones de los operadores económicos, así como un mejor servicio para los usuarios de los servicios públicos».

También la Memoria del análisis de impacto normativo del anteproyecto de ley de contratos del sector público elaborada por el

Ministerio de Hacienda y Administraciones Públicas subraya que, además de la transposición del derecho europeo, el proyecto persigue elaborar «una nueva Ley de Contratos que pueda acometer las reformas del vigente TRLCSP y que, desde su publicación, se habían vuelto muy necesarias»[25].

En este sentido, la nueva norma persigue aclarar las normas vigentes, en aras de una mayor seguridad jurídica y «trata de conseguir que se utilice la contratación pública como instrumento para implementar las políticas tanto europeas como nacionales en materia social, medioambiental, de innovación y desarrollo y promoción de las PYMES, y todo ello, garantizando la eficiencia en el gasto público y respetando los principios de igualdad de trato, no discriminación, transparencia, proporcionalidad e integridad».

Pero hay que advertir que todos estos objetivos también provienen del nuevo Derecho de la Unión Europea en materia de contratación pública. Es más, son la clave de la visión estratégica de los contratos que plantean las normas europeas[26], que proponen superar el tradicional enfoque burocrático en la materia[27].

Sin embargo, no se facilita en modo alguno la consecución de estos objetivos con una nueva ley de contratos que mantiene 340 artículos, muchos de ellos de marcado carácter reglamentista, y más de 40 disposiciones adicionales, cuya aplicación va a resultar muy compleja para todos los operadores de la contratación pública.

El dictamen del Consejo de Estado sobre el anteproyecto de nueva Ley de Contratos del Sector Público (n.° 1.116/2015, de 10 de marzo de 2016) es contundente al señalar que «el resultado final es que el anteproyecto

---

25. El Informe de la Comisión Nacional de los Mercados y la Competencia (CNMC) PRO/CNMC/001/15, de 5 de febrero de 2015, «Análisis de la contratación pública en España: oportunidades de mejora desde el punto de vista de la competencia», estima que la existencia de prácticas irregulares desde el punto de vista de la competencia en la contratación pública puede originar desviaciones medias, al alza, del 25%10 del presupuesto de la contratación pública. En España, a nivel agregado, esto podría implicar hasta un 4,6% del PIB anual, aproximadamente 47.500 millones de euros/año (página 6 del Informe citado).
26. Véase GIMENO FELIU, J.M. (2015), «El valor interpretativo...», *op. cit.*, p. 19.
27. GIMENO FELIÚ, J.M., *Informe Especial. Sistema de control de la contratación pública en España*, Observatorio de Contratación Pública, 2015, págs. 3 y ss.: http://www.obcp.es/index.php/mod.documentos/mem.descargar/fichero.documentos_INFORME_ESPECIAL_OBPC__RECURSO_ESPECIAL_Y_DOCTRINA_2015_0f8f-25d8%232E%23pdf/chk.13f88f1fcc7d3864e48c973df4e880f7, fecha de consulta 3 de febrero de 2017.

presenta una estructura artificiosa y compleja cuyo manejo y comprensión resulta ardua para el avezado en las materias de contratación pública y extraordinariamente difícil para quien no lo está, en detrimento incluso, en ocasiones, de la seguridad jurídica» (p. 47).

IV. CONFORMIDAD DE LA REFORMA LEGAL CON EL DERECHO DE LA UNIÓN EUROPEA. EL CUESTIONABLE MANTENIMIENTO DE LAS INSTRUCCIONES INTERNAS DE CONTRATACIÓN, LOS CONTRATOS MENORES Y LA FALTA DE EXTENSIÓN DEL RECURSO ESPECIAL A LOS CONTRATOS NO ARMONIZADOS

El proyecto de ley de contratos del sector público lleva a cabo la transposición al ordenamiento jurídico español de las directivas sobre contratación pública y sobre contratos de concesión, pero también de la decisiva jurisprudencia del TJUE que ha marcado desde hace años la ruta por la que se ha desarrollado este hoy completo *corpus iuris* europeo en la materia.

Señala así el apartado I de la exposición de motivos del proyecto que «se hacía preciso aclarar determinadas nociones y conceptos básicos para garantizar la seguridad jurídica e incorporar diversos aspectos resaltados por la Jurisprudencia del Tribunal de Justicia de la Unión Europea relativa a la contratación pública, lo que también ha sido un logro de estas Directivas».

Los dos primeros considerandos de la Directiva 2014/24 también reconocen la vinculación de la norma a la «reiterada jurisprudencia del Tribunal de Justicia de la Unión Europea relativa a la contratación pública», así como la obligación establecida por el TJUE de respeto de los principios del TFUE y, en particular, la libre circulación de mercancías, la libertad de establecimiento y la libre prestación de servicios, así como los principios que se derivan de estos, tales como los de igualdad de trato, no discriminación, reconocimiento mutuo, proporcionalidad y transparencia.

En la incorporación de esta jurisprudencia europea y de las disposiciones de las Directivas 2014/23 y 24, el proyecto de ley ha sido más riguroso que la norma a la que va a derogar, la LCSP de 2007 y su texto refundido de 2011. En este sentido, merece una valoración positiva el que el anteproyecto de nueva LCSP citase en cada uno de los preceptos de la norma los artículos y considerandos de las directivas de contratación pública que traspone o que tienen incidencia en su regulación; y la norma española es incluso más garantista que la nueva regulación europea en aspectos como los modificados.

También recoge el acervo comunitario europeo relativo a la tipificación contractual, división del contrato en lotes, a las prohibiciones para contratar, a los criterios de adjudicación, a los encargos a medios propios o al riesgo operacional; y contiene en su artículo 1 una referencia expresa al principio de integridad, un objetivo fundamental en la actualidad de nuestro Derecho y prácticas administrativas nacionales[28], que se encuentra estrechamente ligado a los principios de igualdad, no discriminación, transparencia y libre concurrencia[29].

El dictamen del Consejo de Estado sobre el anteproyecto de ley de contratos del sector público considera que el mismo merece, en términos generales, «un juicio favorable y se acomoda a las directivas que incorpora»[30].

Sin embargo, junto a estos aspectos positivos, al proyecto de ley se le pueden reprochar algunos problemas importantes relacionados con la defectuosa adaptación del Derecho europeo de la contratación pública, en especial en lo que se refiere a los procedimientos de contratación de los poderes adjudicadores no Administraciones públicas, a los recursos contractuales y al mantenimiento de los contratos menores con su altas cuantías de utilización.

Una de las novedades del proyecto de ley es su Libro III, que se reserva a los contratos de poderes adjudicadores no administraciones públicas y otros entes del sector público, y comprende los preceptos que en

---

28. GIMENO FELIÚ, J.M., «La Ley de Contratos del Sector Público: ¿una herramienta eficaz para garantizar la integridad? Mecanismos de control de la corrupción en la contratación pública», Revista Española de Derecho Administrativo, n.° 147 (2010), p. 517 y MEDINA ARNÁIZ, T., «La necesidad de reformar la legislación sobre contratación pública para luchar contra la corrupción: las obligaciones que nos llegan desde Europa», *Revista Vasca de Administración Pública*, n.° 104 (2016), págs. 77 a 113.

29. En la sentencia del Tribunal de Justicia de la Unión Europea (Sala Quinta) de 12 de marzo de 2015, en el asunto C-538/13 (EU:C:2015:166), se destaca que un conflicto de intereses implica el riesgo de que el poder adjudicador público se deje guiar por consideraciones ajenas al contrato en cuestión y ello sería contrario tanto al principio de igualdad de trato entre los licitadores, que tiene por objetivo favorecer el desarrollo de una competencia sana y efectiva entre las empresas que participan en un contrato público como al principio de transparencia, que pretende garantizar que no exista riesgo alguno de favoritismo y de arbitrariedad por parte del poder adjudicador respecto de determinados licitadores o de determinadas ofertas (véanse, en este sentido, las sentencias Comisión/CAS Succhi di Frutta, C-496/99 P, EU:C:2004:236, apartados 110 y 111, y Cartiera dell'Adda, C-42/13, EU:C:2014:2345, apartado 44).

30. Dictamen del Consejo de Estado n.° 1.116/2015, de 10 de marzo de 2016, sobre el anteproyecto de nueva Ley de Contratos del Sector Público, páginas 52 y 289.

el TRLCSP se encontraban principalmente en el título II (Preparación de otros contratos) del Libro II y en el capítulo II (Adjudicación de otros contratos del sector público) del título I (Adjudicación de los contratos) del Libro III.

Respecto de estos poderes adjudicadores, la principal aportación del anteproyecto de ley de contratos era la supresión de las instrucciones internas de contratación y su sujeción al régimen jurídico común de los contratos públicos. Hay que recordar que la LCSP estableció en su artículo 175 (art. 191 del TRLCSP), que para la adjudicación de los contratos que no estén sujetos a regulación armonizada, los poderes adjudicadores no Administraciones públicas y las restantes entidades del sector público podrían aprobar, como así hicieron generalizadamente, unas instrucciones internas de contratación. La Ley preveía únicamente que las instrucciones serán de obligado cumplimiento en el ámbito interno de las entidades u organismos y que en ellas se regularán los procedimientos de contratación de forma que el contrato sea adjudicado a quien presente la oferta económicamente más ventajosa y quede garantizada la efectividad de los principios de publicidad, concurrencia, transparencia, confidencialidad, igualdad y no discriminación.

Las instrucciones internas de contratación afectan a la misma línea de flotación de la legislación de contratos públicos y permiten a todos estos entes públicos, de enorme relevancia en la actualidad en nuestra organización administrativa –tanto en el ámbito estatal y autonómico como en el local–, introducir especialidades procedimentales y reglas propias para su contratación, que dificultan el acceso general de los licitadores[31]. Con las instrucciones, la libre concurrencia y la igualdad de acceso a las licitaciones se han visto, y así pueden seguir viéndose, muy afectadas; y todo ello pese a la vigencia de esos principios para la contratación de todos los entes instrumentales *ex* artículo 1 LCSP.

Por ello, la recuperación de las instrucciones por el proyecto de ley impide la imprescindible unificación del régimen jurídico de la contratación pública en el Derecho español, como exige el ordenamiento jurídico europeo[32].

Otro aspecto crítico y que no cumple con las exigencias del Derecho europeo es la extensión del recurso especial sólo a los contratos

---

31. GIMENO FELIÚ, J.M., advirtió muy temprano del peligro de esta deslegalización procedimental («El nuevo ámbito subjetivo de aplicación de la Ley de Contratos del Sector Público», *Revista de Administración Pública*, 176, 2008, p. 49).
32. GIMENO FELIÚ, J.M., «Hacia una nueva Ley de contratos del sector público. ¿Una nueva oportunidad perdida?», REDA 182 (2017), p. 197.

sujetos a regulación armonizada, manteniendo la regulación al respecto del TRLCSP[33].

La distinción entre los mecanismos de control, según el contrato esté o no sujeto a la regulación armonizada, genera inseguridad jurídica y en modo alguno garantiza el cumplimiento de las exigencias comunitarias de rapidez y eficacia en materia de recursos relacionados con el control de los procedimientos de adjudicación de los contratos públicos. La garantía de la rapidez y eficacia en la resolución de las incidencias surgidas en los procedimientos de adjudicación de los contratos públicos resulta exigible a cualquier tipo de contrato, esté o no sujeto a regulación armonizada[34].

Como señaló el TJUE en el asunto Alcatel (asunto C-81/98, STJUE de 28 de octubre de 1999), cuando sea dudoso que el órgano jurisdiccional nacional pueda reconocer a los justiciables un derecho a recurrir en vía jurisdiccional en materia de adjudicación de contratos públicos en las condiciones enunciadas en la Directiva 89/665, en particular en su artículo 2, apartado 1, letras a) y b), debe recordarse que, si las disposiciones nacionales no pueden ser interpretadas de manera conforme a la Directiva 89/665, los interesados pueden solicitar, con arreglo a los procedimientos apropiados del Derecho nacional, la reparación de los perjuicios sufridos a causa de la no adaptación del Derecho nacional a la Directiva dentro del plazo señalado[35].

La limitación del ámbito de aplicación del recurso especial a los contratos SARA fue ya criticada por el Consejo de Estado en su Dictamen 514/2006, de 25 de mayo, sobre el anteproyecto de LCSP, para el cual:

> «esta distinción entre los mecanismos de control de uno y otro tipo de contratos no está suficientemente justificada y podría generar un cierto nivel de inseguridad jurídica, por lo que de-

---

33. Puede verse GIMENO FELIÚ, J.M., *Novedades de la Ley de contratos del Sector público de 30 de octubre de 2007 en la regulación de la adjudicación de la adjudicación de los contratos públicos*, Civitas, Pamplona, 2010, p. 312; RAZQUIN LIZARRAGA, J. A., «Las reclamaciones y otras medidas de control en materia de contratación pública», *Comentarios a la Ley Foral de Contratos Públicos (Ley 6/2006, de 9 de junio)* (dirección ALLI ARANGUREN, J. C.), Gobierno de Navarra, Pamplona, 2006, págs. 734 y ss. y MORENO MOLINA, J.A. y PLEITE GUADAMILLAS, F., *La nueva Ley de contratos del sector público. Estudio sistemático*, La Ley, 2.° ed., 2009, p. 414.

34. Puede verse, en general, el magnífico trabajo de VALCÁRCEL FERNÁNDEZ, P., «El recurso especial en materia de contratos públicos: en la senda del derecho a una buena administración», *Las vías administrativas de recurso a debate*, AEPDA-INAP, Madrid, 2016, pp. 303-367.

35. Véase, en particular, la sentencia de 8 de octubre de 1996, Dillenkofer y otros, asuntos acumulados C-178/94, C-179/94 y C-188/94 a C-190/94, Rec. p. I-4845.

bería considerarse su extensión a todos los contratos. La finalidad que se persigue con el nuevo recurso y el sistema especial de medidas cautelares es, en último término, garantizar que el control del procedimiento de adjudicación sea rápido y eficaz, de modo que las incidencias que pueda plantearse se tramiten y resuelvan antes de adoptarse la decisión de adjudicación. Esa conveniencia de rapidez y eficacia en la resolución de las incidencias del procedimiento de adjudicación resulta extensible a cualquier tipo de contrato, esté o no sujeto a regulación armonizada».

En la misma idea insistió el Consejo de Estado en su Dictamen 499/2010, sobre el anteproyecto de Ley de modificación de la LCSP, la LCSE y la LJCA y en su Dictamen 1116/2015, sobre el anteproyecto de LCSP.

Hay que tener en cuenta que en todo caso en los procedimientos de adjudicación de contratos públicos son aplicables los principios de la contratación como ha señalado una reiterada jurisprudencia del TJUE[36] y la Comunicación interpretativa de la Comisión sobre el Derecho comunitario aplicable en la adjudicación de contratos no cubiertos o sólo parcialmente cubiertos por las Directivas sobre contratación pública[37].

En los contratos cuya cuantía sea inferior a los umbrales de aplicación de las directivas sobre contratación pública, la jurisprudencia del TJUE ha insistido en que las personas tienen derecho a una protección judicial efectiva de los derechos que les confiere el ordenamiento jurídico comunitario[38]. El derecho a esta protección constituye uno de los principios generales de Derecho derivados de las tradiciones constitucionales comunes a los Estados miembros.

De forma muy ilustrativa, la citada Comunicación de la Comisión señala en su apartado 2.3.3 que:

> «En aras del cumplimiento de esta exigencia de protección judicial efectiva, es necesario que, al menos las decisiones que perjudiquen a una persona que esté o haya estado interesada en obtener un contrato, como, por ejemplo, la decisión de descartar a un candidato o licitador, puedan ser objeto de recurso por la

---

36. Véanse, por todos, los asuntos C-324/98, Telaustria [2000] REC I-10745, considerando 62; C-231/03 Coname, sentencia de 21.7.2005, considerandos 16 a 19 y C-458/03, Parking Brixen, sentencia de 13.10.2005, considerando 49.
37. Comunicación 2006/C 179/02, de 1 de agosto de 2006.
38. Véase el asunto C-50/00, Unión de Pequeños Agricultores [2002] RTJ I-6677, considerando 39.

posible contravención de las normas fundamentales derivadas del Derecho primario comunitario.

Para que se pueda ejercer de manera efectiva este derecho a recurso, las entidades adjudicadoras deberán dar a conocer los motivos de las decisiones que puedan recurrirse, bien en la propia decisión o bien previa petición tras la comunicación de la decisión.

De conformidad con la jurisprudencia relativa a la protección judicial, los recursos disponibles no podrán ser menos eficaces que los aplicables a reclamaciones similares fundadas en el Derecho nacional (principio de equivalencia), y, en la práctica, no deberán imposibilitar o dificultar excesivamente la obtención de la protección judicial (principio de eficacia)».

Como razona GIMENO FELIÚ[39], pretender la existencia de controles eficaces para los contratos de umbral comunitario en exclusiva supone un evidente incumplimiento del principio comunitario de equivalencia.

En la Sentencia del TJUE, Tribunal General (Sala Quinta), de 20 de mayo de 2010, asunto T-258/06, República Federal de Alemania contra Comisión[40], el Tribunal declaró la inadmisibilidad del recurso que solicitaba la nulidad de la Comunicación de la Comisión 2006/C 179/02, entendiendo que si bien es cierto que los procedimientos especiales y rigurosos previstos en las directivas comunitarias sobre coordinación de los procedimientos de adjudicación de los contratos públicos se aplican únicamente a aquellos contratos cuyo valor sobrepase un determinado umbral previsto expresamente en cada una de ellas; sin embargo, ello no significa que los contratos que estén por debajo de los umbrales estén excluidos del ámbito de aplicación del Derecho comunitario.

En una consolidada doctrina[41], el TJUE ha reiterado que la obligación de respeto de los principios de objetividad, imparcialidad y no discriminación en la adjudicación de los contratos públicos, que son la esencia de la regulación normativa de éstos, se extiende no sólo a los limitados contratos que caen dentro del ámbito de aplicación de las directivas

---

39. *Novedades de la Ley de Contratos del Sector Público de 30 de octubre de 2007 en la regulación de los procedimientos de adjudicación de los contratos públicos*, Civitas, Pamplona, 2010, p. 313.

40. ECLI:EU:T:2010:214.

41. Véanse, por todas, las SSTJUE de 29 de abril de 2004, asunto C-496/99, CAS Succhi di Frutta, ECLI: EU: C:2004:236; de 13 de octubre de 2005, asunto C-458/03, Parking Brixen GMBH, EU:C:2005:605; y de 19 de junio de 2008, asunto C 454/06, Pressetext Nachrichtenagentur, EU:C:2008:351.

comunitarias sobre contratación pública[42] –en base al cual se fundamenta la cuestionable categoría acuñada por la LCSP de contratos sujetos a regulación armonizada (artículos 13 y ss. TRLCSP)[43]–, sino también a todos los contratos que celebren los órganos de contratación sujetos a las directivas, ya que así lo exigen distintos preceptos de los tratados de derecho originario, tal y como han sido interpretados por el propio Tribunal.

Y el Tribunal Constitucional español, en su sentencia 84/2015, de 30 de abril de 2015, ha declarado que «aun cuando el contrato de gestión de servicios públicos no es un contrato armonizado (…), esto es, no está sujeto …a la Directiva 2014/24/UE…la encomienda por una autoridad pública a un tercero de la prestación de actividades de servicios, debe respetar el principio de igualdad de trato y sus expresiones específicas, que son la prohibición de discriminar en razón de la nacionalidad, y los arts. 43 y 49 del Tratado CE sobre la libertad de establecimiento y la libre prestación de servicios, respectivamente» (f.j. 6).

Estos mismos argumentos resultan de aplicación a la regulación de los contratos menores, cuyas amplias cuantías que establecieron la LCSP y el TRLCSP, y que no diferencian entre Administraciones públicas, facilitaron su utilización masiva, en especial por parte de las Entidades locales. Sin embargo, el proyecto de ley mantiene esas cuantías y la regulación de los menores en los mismos términos que la legislación anterior.

---

42. El art. 4 de la Directiva 2014/24/UE fija el ámbito de aplicación de la misma estableciendo unos umbrales económicos. La directiva se aplicará a las contrataciones cuyo valor estimado, sin incluir el impuesto sobre el valor añadido (IVA), sea igual o superior a los umbrales siguientes:

   (a) 5.225.000 EUR, en los contratos públicos de obras;

   (b) 135.000 EUR, en los contratos públicos de suministro y de servicios adjudicados por autoridades gubernamentales centrales y los concursos de proyectos organizados por ellas; por lo que se refiere a los contratos públicos de suministro adjudicados por poderes adjudicadores que operen en el sector de la defensa, ese umbral solo se aplicará a los contratos relativos a los productos contemplados en el anexo III;

   (c) 209.000 EUR, en los contratos públicos de suministro y de servicios adjudicados por poderes adjudicadores subcentrales y los concursos de proyectos organizados por los mismos;

   (d) 750.000 EUR, en los contratos públicos de servicios sociales y otros servicios específicos enumerados en el anexo XIV.

   Las cuantías recogen la modificación efectuada por el Reglamento Delegado (UE) 2015/2170 de la Comisión, de 24 de noviembre de 2015, por el que se modifica la Directiva 2014/24/UE del Parlamento Europeo y del Consejo en lo que se refiere a los umbrales de aplicación en los procedimientos de adjudicación de contratos.

43. MORENO MOLINA, J.A. (2009), «Un mundo para Sara. Una nueva categoría en el Derecho español de la contratación pública: los contratos sujetos a regulación armonizada», *Revista de Administración Pública* n.° 178, págs. 175 a 213.

Se trata de uno de los problemas más graves de la contratación pública en España, que era esperable que solucionase la nueva LCSP. Desgraciadamente, todos los objetivos de la norma, recogidos ahora de forma destacada en su artículo 1 (respeto de los principios de libertad de acceso a las licitaciones, integridad, publicidad y transparencia de los procedimientos, no discriminación e igualdad de trato entre los candidatos, eficiente utilización de los fondos destinados a la realización de obras, la adquisición de bienes y la contratación de servicios mediante la exigencia de la definición previa de las necesidades a satisfacer, la salvaguarda de la libre competencia y la selección de la oferta económicamente más ventajosa), quedan en entredicho si los órganos de contratación deciden utilizar la figura del contrato menor, seleccionando libremente al contratista.

En este sentido, muchas Administraciones públicas en España han optado por establecer límites a la utilización de los contratos menores[44].

Por ejemplo, a nivel local destaca el Procedimiento Electrónico de Contratos Menores del Ayuntamiento de Gijón, que obliga a publicar a través de la plataforma de contratación electrónica todos los contratos menores cuyo importe sea superior a 1.500 €.

La presentación de ofertas a las licitaciones publicadas en la Plataforma de Contratación Electrónica debe realizarse exclusivamente a través de la propia Plataforma por lo que todas las entidades que quieran participar se tienen que registrar, gratuitamente, en la misma[45].

La Instrucción del citado municipio 1/2012, de 31 de enero, establece los criterios a los que deben ajustarse los procedimientos de gasto y tramitación de contratos menores de obras servicios y suministros del Ayuntamiento de Gijón y de sus Organismos Autónomos y la Resolución de Alcaldía de 9 de enero de 2015 aprueba el procedimiento electrónico de contratos menores del Ayuntamiento de Gijón y de las fundaciones y patronato dependientes del mismo[46].

También algunas Comunidades Autónomas, como Murcia, Galicia, Aragón o Navarra han establecido requisitos adicionales a los contratos menores. En este sentido, el Acuerdo 147/2015, de 23 de diciembre, de la Junta de Castilla y León, por el que se aprueban directrices vinculantes

---

44. Véase BLANCO LÓPEZ, F., «Contrato menor con tres ofertas», http://www.obcp.es/index.php/mod.opiniones/mem.detalle/id.133/relcategoria.208/relmenu.3/chk.92e7878a200c96fd40fde092f87cca71, fecha de consulta 9 de marzo de 2017.
45. Puede consultar más información en www.gijon.es/contratacionelectronica.
46. Boletín Oficial del Principado de Asturias n.º 14, de 19 de enero de 2015.

para los órganos de contratación de la Administración General e Institucional de la Comunidad de Castilla y León en materia de contratación administrativa, señala en relación con la tramitación de contratos menores, que:

> «1. Los órganos de contratación de la Administración General e Institucional de la Comunidad de Castilla y León, que tramiten expedientes de contratos menores, solicitarán un mínimo de tres ofertas, siempre que sea posible, cuando el importe de los mismos, excluido el impuesto sobre el valor añadido, exceda de 6.000 euros en el caso de contratos de obra y 3.000 euros para el resto de contratos.
>
> 2. En el expediente se dejará constancia de las invitaciones cursadas o bien se informará sobre la imposibilidad de su realización.
>
> La selección del contratista se justificará en el expediente de contratación, salvo que la oferta seleccionada sea la de menor importe».

V. ADECUACIÓN DEL PROYECTO AL DERECHO INTERNACIONAL EN MATERIA DE CONTRATOS PÚBLICOS

Además de incorporar el Derecho de la Unión Europea, el proyecto de LCSP adapta nuestro ordenamiento contractual a las obligaciones internacionales, recogidas principalmente en el Acuerdo de Contratación Pública (en adelante, ACP) de la Organización Mundial del Comercio (OMC)[47], cuyo texto reformado aprobado en 2012 constituye una de las bases de la Directiva 2014/24[48].

---

47. Son partes en el ACP Armenia, Canadá, la Unión Europea en relación con sus 28 Estados miembros, Hong Kong-China, Islandia, Israel, Japón, Corea, Liechtenstein, los Países Bajos en relación con Aruba, Noruega, Singapur, Suiza, Taipei Chino (Taiwán) y los Estados Unidos.

48. Véase la Propuesta de Decisión del Consejo relativa a la celebración del Protocolo por el que se modifica el Acuerdo sobre Contratación Pública (COM 2013, 143 final, de 22 de marzo de 2013); la Propuesta de Decisión del Consejo por la que se establece la posición que debe adoptar la Unión Europea en el seno del Comité de Contratación Pública con respecto a las Decisiones de aplicación de determinadas disposiciones del Protocolo por el que se modifica el Acuerdo sobre Contratación Pública (COM(2013) 142 final, de 22 de marzo de 2013) y el Anexo a la Propuesta de Decisión del Consejo por la que se establece la posición que debe adoptar la Unión Europea en el Comité de Contratación Pública por lo que respecta a las decisiones de aplicación de determinadas disposiciones del Protocolo

Dado que el Consejo ha suscrito el ACP en nombre de la Unión Europea[49], las obligaciones para España se recogen en el Acuerdo de forma conjunta con los países de la UE y los listados de entidades sujetas al cumplimiento del Acuerdo que se detallan en el Apéndice I se incluyen en el apartado de los compromisos asumidos por la UE.

Respecto a los umbrales, la UE los ha negociado de forma conjunta para todos sus Estados y como tales se han recogido en la Directiva 2014/24.

Aunque como tratado internacional el ACP, en función del artículo 96.1 CE, forma parte del ordenamiento interno[50] y podría incorporarse de forma independiente a la Directiva, se ha decidido por el gobierno, como se había hecho anteriormente con el ACP, que la adaptación de nuestro Derecho interno al mismo se produzca con la misma norma que incorpora al Derecho español la Directiva 2014/24.

La propia exposición de motivos de la nueva LCSP destaca al principio de la misma que el fundamento de muchas instituciones de la legislación de contratos públicos se encuentra «dentro de la actividad normativa de instituciones de carácter internacional, como es el caso de la OCDE».

---

por el que se modifica el Acuerdo sobre Contratación Pública (COM(2013) 142 final, de 22 de marzo de 2013).

49. Decisión del Consejo de 2 de diciembre de 2013 relativa a la celebración del Protocolo por el que se modifica el Acuerdo sobre Contratación Pública (2014/115/UE).

50. Y sus disposiciones sólo podrán ser derogadas, modificadas o suspendidas en la forma prevista en el propio tratado o de acuerdo con las normas del Derecho internacional.
En este mismo sentido, el artículo 1.5 del Código Civil dispone que las normas jurídicas contenidas en los tratados internacionales serán de aplicación directa en España, una vez hayan pasado a formar parte del ordenamiento interno mediante su publicación íntegra en el Boletín Oficial del Estado.

Capítulo 3

El Proyecto de Ley de Contratos del Sector Público de noviembre de 2016 y la gestión contractual de servicios públicos: análisis de su planteamiento, crítica y propuesta alternativa[1]

JOSÉ LUIS MARTÍNEZ-ALONSO CAMPS
Director de los Servicios de Secretaría de la Diputación de Barcelona
Profesor asociado
Universidad de Barcelona.
jlmartinez-alonso@ub.edu

SUMARIO: I. INTRODUCCIÓN: APROBACIÓN DEL PROYECTO DE LEY DE CONTRATOS DEL SECTOR PÚBLICO (PLCSP) Y ANTECEDENTES. II. EL PLANTEAMIENTO TRADICIONAL: EL OBJETO DEL CONTRATO COMO DELIMITADOR DEL RÉGIMEN JURÍDICO Y LA CENTRALIDAD DEL CONCEPTO DE SERVICIO PÚBLICO. 2.1. El objeto del contrato como delimitador del régimen jurídico. 2.2. La centralidad del concepto de servicio público. III. EL INFLUJO COMUNITARIO Y EL AUGE DEL CRITERIO DE LA TRANSFERENCIA DEL RIESGO EN LA EXPLOTACIÓN DEL SERVICIO PÚBLICO. 3.1. La nueva línea argumental. 3.2. Nuevas Directivas de adjudicación de contratos de concesión (2014/23/UE) y sobre contratación pública (2014/24/UE) y su necesaria transposición. 3.3. La propuesta de transposición en los ALCSP. 3.4. Las objeciones al planteamiento y regulación de los ALCSP y alternativas. 3.4.1. La aplicación a la concesión de servicios no públicos del régimen de servicio público. 3.4.2. Limitaciones y disfunciones advertidas en la subsunción en el contrato de servicios de la gestión contractual de los servicios públicos en que no se produce la transferencia del riesgo operacional. 3.4.3. Las alternativas al

---

1. El presente artículo reproduce la comunicación presentada al Congreso Internacional sobre Contratación Pública, celebrado en Cuenca, el 24 y 25 de enero de 2017, y se le han añadido otras consideraciones sobre el PLCSP de noviembre de 2016 y la plasmación de la propuesta alternativa que se formula al mismo; texto cerrado a 31 de enero de 2017.

planteamiento y regulación de los ALCSP. 4. EL PLCSP Y LA PERSISTENCIA EN LOS PLANTEAMIENTOS: EQUÍVOCOS CONCEPTUALES Y DISFUNCIONES EN EL RÉGIMEN JURÍDICO DE LA GESTIÓN CONTRACTUAL DE LOS SERVICIOS PÚBLICOS Y DEL RESTO DE SERVICIOS. 4.1. Introducción. 4.2. Concesión de servicios públicos y concesión de servicios no públicos. 4.3. El contrato de servicios y la subsunción de la gestión contractual de servicios públicos en que no se transfiere el riesgo operacional al contratista: los denominados *servicios que conllevan prestaciones directas a los ciudadanos*. 5. LA CLARIFICACIÓN CONCEPTUAL Y DEL RÉGIMEN JURÍDICO DE LAS FIGURAS CONTRACTUALES DE CARÁCTER PRESTACIONAL, Y LA ALTERNATIVA A SU CONFIGURACIÓN EN EL PLCSP. 5.1. El objeto y los destinatarios de las prestaciones como criterios delimitadores de las tipologías de servicios, y la accesoriedad del de la transferencia del riesgo operacional. 5.2. La definición de las figuras contractuales prestacionales y la configuración de los regímenes jurídicos respectivos. 5.2.1. Planteamiento y exigencias. 5.2.2. Tipologías: contrato de gestión de servicios públicos, contrato de servicios y contrato de concesión de servicios no públicos. 5.3. La necesaria reconducción del PLCSP. 5.3.1. Formulación y virtualidad de la propuesta alternativa. 5.3.2. La concesión. 5.3.3. Modalidades en que no se transfiere el riesgo operacional: gestión interesada, concierto, sociedad de economía mixta y arrendamiento. 5.3.4. El contrato de servicios y la concesión de servicios no públicos. 5.3.5. La plasmación de la propuesta en el PLCSP. 6. EPÍLOGO. 7. BIBLIOGRAFÍA

RESUMEN: El trabajo analiza el planteamiento del Proyecto de Ley de Contratos del Sector Público (PLCSP) de noviembre de 2016 en relación con las diferentes tipologías de servicios: a) públicos y no públicos; y b) que conllevan prestaciones directas a los ciudadanos y que integran prestaciones para la Administración. Del análisis se concluye la necesidad de una clarificación conceptual y del régimen jurídico de las figuras contractuales de carácter prestacional, y se formula una propuesta alternativa al PLCSP que las reconduce a las tipologías de contratos siguientes: 1) de gestión de servicios públicos (con las modalidades de concesión, gestión interesada, concierto, arrendamiento y sociedad de economía mixta); 2) de servicios; y 3) de concesión de servicios no públicos.

I. INTRODUCCIÓN: APROBACIÓN DEL PROYECTO DE LEY DE CONTRATOS DEL SECTOR PÚBLICO (PLCSP) Y ANTECEDENTES[2]

En la reunión de 25.11.2016, el Consejo de Ministros aprobó el *Proyecto de Ley de Contratos del Sector Público, por la que se transponen al ordenamiento*

2. **ABREVIATURAS: ALCSP:** Anteproyectos de Ley de Contratos del Sector Público de abril y octubre de 2015. **AGE:** Administración General del Estado. **DCE:** Dictamen del Consejo de Estado. **CGSP:** Contrato de gestión de servicios públicos. **GENCAT:** Generalitat de Cataluña. **IJCCA:** Informe de la Junta Consultiva de Contratación Administrativa. **LArag:** Ley de la Comunidad Autónoma de Aragón 7/1999, de 9.4, de la Administración Local. **LBRL:** Ley 7/1985, de

jurídico español las Directivas del Parlamento Europeo y del Consejo, 2014/23/ UE y 2014/24/UE, de 26 de febrero de 2014 (PLCSP), para su remisión a las Cortes generales[3]. Remitido al Congreso de los Diputados, la Mesa de la Cámara acordó, en fecha 29.11.2016, encomendar su aprobación con competencia legislativa plena y por el procedimiento de urgencia a la Comisión de Hacienda y Administraciones Públicas y publicar el texto del PLCSP[4].

Se iniciaba así una tramitación parlamentaria, largamente esperada, y de cuyos antecedentes me interesa destacar los siguientes:

1.ª Elaboración y sometimiento por el Ministerio de Hacienda y Administraciones Públicas (MINHAP) al trámite de información pública del Anteproyecto de Ley de Contratos del Sector Público (ALCSP) de abril de 2015, respecto del cual presenté alegaciones (14.5.2015).

2.ª Siguió luego un período, que va de mayo a octubre de 2015, durante el cual se fueron sucediendo informes de diversos órganos y organismos. En el curso del mismo, y sobre la base de las alegaciones antes citadas aunque ampliadas, elaboré el artículo «Modificación de la Ley de Contratos del Sector Público y gestión de servicios pú-

---

2.4, reguladora de las Bases del Régimen Local. **LCSP:** Ley 30/2007, de 30.10, de Contratos del Sector Público. **LGal:** Ley de la Comunidad Autónoma de Galicia 5/1997, de 22.7, de Administración Local. **LJCA:** Ley 29/1998, de 13.7, reguladora de la jurisdicción contenciosa administrativa. **LFNav:** Ley de la Comunidad Foral de Navarra 6/1990, de 2.7, de la Administración local de Navarra. **LFNav-Cont:** Ley de la Comunidad Foral de Navarra 6/2006, de 9.6, de Contratos públicos. **LMadrid:** Ley 2/2003, de 11.3, de Administración Local de la Comunidad de Madrid. **LRioja:** Ley de la Comunidad Autónoma de La Rioja 1/2003, de 3.3, de la Administración local. **LRSAL:** Ley 27/2013, de 27.12, de racionalización y sostenibilidad de la Administración local. **MINHAP:** Ministerio de Hacienda y Administraciones Públicas. **PLCSP:** Proyecto de Ley de Contratos del Sector Público de noviembre de 2016. **RBASO:** Reglamento de bienes, actividades, servicios y obras de las entidades locales de Aragón, aprobado por el D 347/2002, de 19.11. **ROAS:** Reglamento de obras, actividades y servicios de los entes locales de Cataluña, aprobado por el D 179/1995, de 13.6. **RS/1955:** Reglamento de servicios de las corporaciones locales, aprobado por el D de 17.6. **TARC:** Tribunal Administrativo de recursos contractuales. **TRLCat:** Texto refundido de la Ley municipal y de régimen local de Cataluña, aprobado por el DLEG 2/2003, de 28.4. **TRLCSP:** Texto refundido de la Ley de Contratos del Sector Público, aprobado por el RD-Legislativo 3/2011, de 14.11.

3. Referencia de la reunión del Consejo de Ministros: http://www.lamoncloa.gob. es/consejodeministros/referencias/Paginas/2016/refc20161125.aspx#Contratacion; consulta efectuada el 5.1.2017.

4. Fuente: BOCG-CD, A-2-1 de 2.12.2016 (p. 1-233). Identificado con el núm. 121/000002, el PLCSP se encuentra accesible en: http://www.congreso.es/public_oficiales/L12/CONG/BOCG/A/BOCG-12-A-2-1.PDF

blicos locales: propuestas y alternativas», publicado en la Revista General de Derecho Administrativo, núm. 40 (octubre 2015).

3.ª Cerrado y fechado el 21.10.2015, el texto del nuevo Anteproyecto de Ley de Contratos del Sector Público (ALCSP/O/2015), fue remitido al Consejo de Estado para su Dictamen preceptivo por el Pleno.

4.ª En la sesión de 10.3.2016, el Pleno del Consejo de Estado aprobó el Dictamen núm. 1116/2015 sobre el Anteproyecto de Ley de Contratos del Sector Público, que, por lo que se refiere a la gestión contractual de servicios público locales, acoge las tesis y reproduce consideraciones y argumentos contenidos en mis alegaciones y en el artículo de mayo y octubre de 2015, respectivamente[5].

La presente comunicación recapitula sucintamente los ejes del debate surgido en torno a dicha gestión en el período señalado (apartados 2 y 3), analiza el planteamiento del PLCSP de noviembre de 2016 al respecto (apartado 4) y formula una propuesta alternativa al mismo (apartado 5).

II. EL PLANTEAMIENTO TRADICIONAL: EL OBJETO DEL CONTRATO COMO DELIMITADOR DEL RÉGIMEN JURÍDICO Y LA CENTRALIDAD DEL CONCEPTO DE SERVICIO PÚBLICO

1. EL OBJETO DEL CONTRATO COMO DELIMITADOR DEL RÉGIMEN JURÍDICO

A la hora de definir las diferentes figuras contractuales típicas y configurar su régimen jurídico las sucesivas leyes de contratos han seguido como criterio delimitador el de su objeto respectivo. No creo necesario insistir en esta consideración. Además de los supuestos evidentes de los contratos de resultado (obras y suministros), baste señalar que se definían y regulaban también en base al objeto los contratos de gestión de servicios

---

5. Tanto los ALCSP de abril y de octubre de 2015, como mis alegaciones de mayo y el artículo de octubre del mismo año y el Dictamen del Consejo de Estado de marzo de 2016 pueden consultarse en la página del GREL (*Grup de Recerca en Estudis Locals* / Universidad de Barcelona-UB, del que formo parte): https://gre-lub.wordpress.com/2016/04/26/opiniones-y-argumentos-defendidos-por-investigadores-del-grel-son-confirmados-por-el-consejo-de-estado/
    En relación con el tema debo consignar también que en fecha 4.11.2016 defendí la Tesis doctoral en la UB, con el título *La gestión contractual de los servicios públicos locales*, a la que el Tribunal formado por los Doctores Jordi Matas Dalmases (Presidente) y Manuel Zafra Víctor y la Dra. Encarnación Montoya Martín otorgó la calificación de Sobresaliente *Cum Laude*. Algunas consideraciones de la Tesis se incorporan al presente trabajo.

públicos y de servicios tanto en la Ley de Contratos de las Administraciones Públicas de 1995 (art. 155.1 y 197.3), y su texto refundido de 2000 (155.1 y 196.3), como en la Ley de Contratos del Sector Público de 2007, y su texto refundido de 2011, (8.1 y 10 en ambos casos). Y de esa constante se hacía eco el Consejo de Estado en relación con el ALCSP[6].

2. LA CENTRALIDAD DEL CONCEPTO DE SERVICIO PÚBLICO

Una idea incuestionable es la de la centralidad del concepto de servicio público y el reconocimiento que efectúa la legislación española, a pesar de que no ofrece una definición del mismo. En un intento de precisar más su concepto, y diferenciada del resto de actividades públicas (así, las de intervención administrativa, fomento, económica y de ejercicio de funciones públicas), he señalado que por *actividad de servicio público en el ámbito local* debe entenderse aquella *desarrollada* por una entidad pública local, por sí o indirectamente mediante un gestor contratado, para satisfacer las necesidades de los usuarios, conjunto de personas destinatarias de la misma, *caracterizada*, objetivamente, por venir constituida por prestaciones técnicas, que reportan utilidades a los usuarios que las reciben, configurada bajo criterios de generalidad e igualdad y en unas condiciones de continuidad y regularidad, y *declarada* por la legislación como servicio público local o *asumida* como tal por la entidad en el ámbito de sus competencias y de conformidad con el procedimiento administrativo[7].

Centrándonos en la gestión indirecta, y respecto del contrato de gestión de servicios públicos (CGSP) y su vinculación con el servicio público

---

6. Dijo así: «es relevante constatar que la diferencia entre el contrato de servicios y el contrato de gestión de servicios públicos ha pivotado tradicionalmente sobre la naturaleza de la prestación que constituye el objeto convencional. Así, la calificación del contrato de gestión estaba condicionada por la configuración como servicio público de las prestaciones encomendadas por la Administración mediante el mismo. Era habitual que la Junta Consultiva de Contratación Administrativa, con el objeto de dilucidar si la encomienda de determinadas prestaciones a un particular había de encauzarse como un contrato de gestión de servicios públicos o como un contrato de servicios, acudiera a la legislación sectorial. Sirve de ejemplo el informe 37/1995, de 24 de octubre, que estudió la cuestión de si prestaciones como la resonancia nuclear magnética o el transporte sanitario, las cuales, debiendo realizarse a favor de los beneficiarios de la Seguridad Social, se encargaban en virtud de un contrato a una persona física o jurídica, merecían o no el calificativo de servicio público en sentido estricto. La Junta fundó la respuesta afirmativa en la regulación contenida en la legislación general de sanidad, que atribuye dicho calificativo a las prestaciones de los denominados servicios de salud integrados en el Sistema Nacional de Salud, en contraposición a las actividades sanitarias privadas» (DCE 1116/2015, p. 73).

7. Martínez–Alonso Camps (2007: 25 y 66 y 2014: 599).

como objeto del mismo, deben recordarse, en síntesis, las siguientes menciones normativas:

- En el TRLCSP/2011, los art. 8.1, 275.1 y 277, que reproducen lo establecido en los textos legales que le precedieron desde la Ley de Contratos de 1965.

- En la Ley 7/1985, reguladora de las Bases del Régimen Local (LBRL), norma de cabecera de la legislación local, el art. 85.2, reiterado directamente o por remisión a las modalidades del CGSP en la legislación autonómica[8]. Referencia esta al contrato de gestión que se vincula con los servicios públicos locales mencionados en la propia LBRL: los obligatorios (art. 26) y los asumidos por la entidad en el marco de sus competencias propias, delegadas o las distintas de ambas (art. 25.2, 27 y 7.4 respectivamente).

- En relación con el *coste efectivo de los servicios,* incorporado en el art. 116 ter de la LBRL, la legislación de desarrollo impulsada por el MINHAP, en la que destaca la Orden HAP/2075/2014, que insiste de manera profusa en la conexión entre gestión indirecta de los servicios públicos locales y las modalidades de la concesión, la gestión interesada, el concierto y la sociedad de economía mixta, acogiendo así las observaciones formuladas en su día por el Consejo de Estado (Dictamen 781/2014, V.a).i)[9].

---

8. Véase: LArag 7/1999 (art. 200.3), LFNav 6/1990 (192.3), LGal 5/1997 (295.4), TRLCat/2003 (249.5), LRioja 1/2003 (207.3), LMad 2/2003 (100.3), LIB 20/2006 (159.2) y LAnd 5/2010 (33.4).

9. Desarrollada esta Orden del MINHAP por Resolución de 23.6.2016 (BOE núm. 158, del 3.7), en ella se relacionan los que han de ser objeto del cálculo de su coste, distinguiendo los servicios de prestación obligatoria (*ex* LBRL, 26. 1) y los correspondientes a competencias propias (*ex* 25.2), recordando una vez más el amplio catálogo de servicios públicos locales; así, suprimiendo las duplicidades y agrupando los conexos, se citan los de alumbrado público, cementerio y actividades funerarias, recogida, tratamiento y gestión de residuos, limpieza viaria, abastecimiento domiciliario de agua potable, alcantarillado, evacuación y tratamiento de aguas residuales, acceso a los núcleos de población, pavimentación de las vías públicas, parque público, biblioteca pública, protección civil, evaluación e información de situaciones de necesidad social y la atención inmediata a personas en situación o riesgo de exclusión social, prevención y extinción de incendios, actividades e instalaciones deportivas de uso público, transporte colectivo urbano de viajeros y protección y utilización del medio ambiente urbano, protección y gestión del patrimonio histórico, promoción y gestión de la vivienda de protección pública, infraestructura viaria y otros equipamientos de titularidad de la entidad local, tráfico, estacionamiento de vehículos y movilidad, actividad turística, ferias, abastos, mercados, lonjas, comercio ambulante, protección de la salubridad pública, instalaciones de ocupación del tiempo libre, promoción de la

Se trata, en definitiva, de un reflejo de la trascendencia de ese concepto de servicio público, y no solo en el subsistema local, también en el autonómico, en especial en los ámbitos educativo, sanitario y asistencial e, incluso, los servicios públicos de titularidad estatal, aunque reducidos tras los procesos de liberalización de finales del siglo XX (electricidad, telefonía y demás), aún mantienen ámbitos significativos de prestación con esta calificación (transportes de viajeros y servicios portuarios y aeroportuarios, entre los más relevantes). De ahí la relevancia y actualidad de la opinión del Consejo de Estado al destacar que «no puede orillarse la importancia que la noción de servicio público ha tenido y tiene en el Derecho continental, como elemento vertebrador, no solamente de la contratación, sino en general de la actividad de los poderes públicos» (DCE 1116/2015, p. 76).

III. EL INFLUJO COMUNITARIO Y EL AUGE DEL CRITERIO DE LA TRANSFERENCIA DEL RIESGO EN LA EXPLOTACIÓN DEL SERVICIO PÚBLICO

1. LA NUEVA LÍNEA ARGUMENTAL

Y pese a la insistencia del legislador básico y de régimen local en la centralidad y el CGSP aludidos, su mandato se ha visto desautorizado en los últimos años por la tesis que, como extensión del derecho y la jurisprudencia comunitarios, preconiza la subsunción de la gestión de los servicios públicos en otro contrato, el de servicios y la preterición de las citadas formas de gestión indirecta, excepción hecha de la concesión, acotada a los supuestos en que el prestador asume el riesgo de la explotación del servicio, sobre la base de que su remuneración provenga de las tarifas abonadas por los usuarios, exclusivamente o acompañadas de un pago o precio, o incluso si la contraprestación es satisfecha por la Administración siempre que haya un riesgo y este consista en que los ingresos derivados de la gestión dependan de hechos o circunstancias ajenas a la voluntad del contratista.

Esta tesis ha sido acogida por:

- las Juntas Consultivas de Contratación Administrativa (JCCA), a destacar la de la Administración General del Estado y la de Aragón;

- los Tribunales Administrativos de Recursos Contractuales (TARC), a resaltar igualmente el Central y la de Aragón;

---

cultura, equipamientos culturales y uso eficiente y sostenible de los ciudadanos de las tecnologías de la información y las comunicaciones.

– y una prestigiosa doctrina: GIMENO FELIU (2010 y 2012 a 2016), GALLEGO CÓRCOLES (2011), RAZQUIN LIZÁRRAGA, J.A. (2012), SAIZ RAMOS (2012), RAZQUIN LIZÁRRAGA, M.M. (2014 y 2016) y CARBONERO GALLARDO (2015)[10].

Lo cierto es que la aceptación de esta tesis, restrictiva respecto de la utilización de las modalidades del CGSP, ha venido a suponer una suerte de disociación entre el derecho positivo, detallado en el apartado anterior, y la efectiva utilización de los tipos contractuales en la gestión de los servicios públicos locales. Sin embargo, respecto de este planteamiento hay que hacer notar que, en rigor, no se produce una correlación exacta entre las conclusiones de la jurisprudencia comunitaria y las de la tesis restrictiva, toda vez que aquellas se contraen exclusivamente a la alternativa comunitaria de concesión de servicios/contrato público de servicios (*ex* Directiva 2004/18/CE, art. 1.2.d *versus* 1.4), mientras que el argumentario de dicha tesis contrapone el contrato de servicios al contrato de gestión de servicios públicos, reducido exclusivamente a la concesión y considerando que han perdido su vigencia las modalidades de la gestión interesada, el concierto y la sociedad de economía mixta. Y es que, como acertadamente se ha señalado, «que se califiquen determinadas prestaciones en el Derecho europeo como "servicios" no deben traducirse al Derecho español como contratos de servicios. Es diverso el régimen jurídico y no deberían confundirse pues ello podría conducir a la pérdida de las modalidades de contratos de gestión de servicios públicos, tan útiles en el actuar de las Administraciones»[11].

Con todo, debe precisarse que el auge que la *tesis restrictiva* expuesta ha ido adquiriendo, desde la aprobación de la LCSP/2007 hasta nuestros días, no significa que no se hayan mantenido otras posturas. Así la de la doctrina administrativa que, al amparo de la legislación básica contractual y local vigente, sigue considerando de aplicación el contrato de gestión de servicios públicos y sus diferentes modalidades, así como su funcionalidad[12].

Y este vino siendo el escenario donde se barajaban las distintas opciones contractuales para la gestión de servicios públicos hasta principios de 2014, fecha a partir de la cual nuevos factores incidirían en la polémica.

---

10. Además de la remisión a los trabajos de los autores citados, sobre las referencias a la jurisprudencia comunitaria y a los pronunciamientos de las Juntas Consultivas y los Tribunales Administrativos me remito a las consignadas en mi artículo (MARTÍNEZ-ALONSO CAMPS, 2015: 35-37).

11. FUERTES LÓPEZ (2015).

12. Con diferentes planteamientos a los que me remito, cabe citar a FUERTES LÓPEZ (2013 y 2015), HERNÁNDEZ GONZÁLEZ (2016), MARTÍNEZ LÓPEZ-MUÑIZ (2017), MESTRE DELGADO (2011) y VILLAR ROJAS (2016).

2. NUEVAS DIRECTIVAS DE ADJUDICACIÓN DE CONTRATOS DE CONCESIÓN (2014/23/UE) Y SOBRE CONTRATACIÓN PÚBLICA (2014/24/UE) Y SU NECESARIA TRANSPOSICIÓN

En este escenario, vino a sumarse la necesidad de la transposición de las tres nuevas Directivas comunitarias (2014/23/UE, relativa a la adjudicación de contratos de concesión, 2014/24/UE, sobre contratación pública, y 2014/25, relativa a la contratación por entidades que operan en los sectores del agua, la energía, los transportes y los servicios postales, todas ellas de 26.2.2014 y publicadas en el DOUE de 28.3.2014). Centrando el análisis en las dos primeras Directivas cabe destacar los siguientes aspectos:

a) La nueva Directiva 2014/23/UE define el contrato de *«concesión de servicios»* como *«un contrato a título oneroso celebrado por escrito, en virtud del cual uno o más poderes o entidades adjudicadores confían la prestación y la gestión de servicios distintos de la ejecución de las obras contempladas en la letra a) a uno o más operadores económicos, cuya contrapartida es bien el derecho a explotar los servicios objeto del contrato únicamente, o este mismo derecho en conjunción con un pago»* (art. 5.1.).

b) Por su parte, la nueva Directiva 2014/24/UE no regula los contratos públicos de servicios en un solo precepto, sino que su definición resulta de la integración de las notas contenidas en varios de ellos, de manera que cabe conceptuarlo como aquel contrato oneroso, celebrado por escrito entre uno o varios operadores económicos y uno o varios poderes económicos, cuyo objeto sea la prestación de servicios distintos a la ejecución de obras, entendidas éstas como ejecución de obras relativas a una de las actividades mencionadas en el anexo II o conjuntamente con el proyecto (art. 2.1.5), 6) y 7 y CDO 8).

c) Se reiteran, pues, las definiciones comunitarias de los contratos públicos de servicios y de las concesiones de servicios, confirmándose la transferencia del riesgo como criterio de distinción entre éstas y aquel contrato, si bien se sustituye la mención al precio por la de pago como complemento al derecho a explotar el servicio, y con una regulación muy precisa de la transferencia de dicho riesgo, calificado ahora como *operacional* (art. 5.1, *in fine* y CDO 18, 19 y 20).

d) De acuerdo con su propia naturaleza, las Directivas 2014/23 y 24/UE, sobre concesiones y contratación pública, vinculan a los Estados miembros en la consecución de las finalidades que persiguen, dejando a las autoridades internas competentes la elección de la forma y los medios adecuados para ello (respectivamente, CDO 5 y 6 y art. 2, y CDO 6 y 7 y art. 1.4), prescripción esta que hay que entender que se concreta en la capacidad que los Estados miembros disponen para mantener sus propios tipos contractuales (así, el CGSP), siempre que la transposición respete naturalmente las determinaciones de las Directivas[13].

3. LA PROPUESTA DE TRANSPOSICIÓN EN LOS ALCSP

En la tarea de transponer las Directivas, y tal como se ha adelantado, hay que referirse a dos Anteproyectos de Ley de Contratos del Sector Público: el sometido a información pública (abril de 2015) y el remitido al Consejo de Estado (finales de octubre de 2015). Con todo, en ambos casos el planteamiento respecto de la gestión contractual de los servicios públicos fue el mismo, sin modificación del articulado, y cabe sintetizarlo así:

1.° Omisión del CGSP entre los contratos que se regulan en los ALCSP en el Título Preliminar, tanto en la mención genérica a los contratos administrativos (art. 25), como en las definiciones específicas referidas a los contratos de obras (13), concesiones de obras (14), concesiones de servicios (15), suministro (16), servicios (17) y mixtos (18).

2.° Atribución al contrato de concesión de servicios de la gestión de aquellos servicios «*cuya contrapartida venga constituida bien por el derecho a explotar los servicios objeto del contrato o bien por dicho derecho acompañado del de percibir el precio*», explotación que «*implicará la transferencia al concesionario del riesgo operacional*» (art. 15).

Configuración dual de la concesión toda vez que podrá tener por objeto tanto servicios públicos, como «*servicios que no sean públicos*» (EM, IV, pfo. 5.° y 282), traslación en bloque de los preceptos sobre el CGSP contenidos en el TRLCSP/2011 a la regulación de la concesión y remisión expresa, con carácter supletorio, a la «*regulación establecida respecto al contrato de concesión de obras, siempre que resulte compatible con la naturaleza de aquél*» (art. 295).

3.° Subsunción en el contrato de servicios de la gestión de aquellos servicios públicos en los que el prestatario no asuma el riesgo operacional en la gestión de los mismos; criterio que procede, de un lado, del razonamiento *a contrario sensu* de la no-inclusión del CGSP entre los regulados en los ALCSP de 2015, y de la definición vista del

---

13. Sobre el resto de aspectos relevantes de las Directivas me remito a mi artículo y a la bibliografía allí citada (Martínez-Alonso Camps, 2015: 11-16 y 39-40).

contrato de concesión de servicios y, de otro, de la amplísima conceptuación de los contratos de servicios como «*aquéllos cuyo objeto son prestaciones de hacer consistentes en el desarrollo de una actividad o dirigidas a la obtención de un resultado distinto de una obra o suministro, incluyendo aquellos en que el adjudicatario se obligue a ejecutar el servicio en forma sucesiva y por precio unitario*» (ALCSP, art. 17, pfo. 1.°), y anunciado todo ello en la Exposición de motivos (IV, pfo.5).

4.° Establecimiento del criterio interpretativo según la cual «*las referencias existentes en la legislación vigente al contrato de gestión de servicios públicos se entenderán realizadas tras la entrada en vigor de la presente Ley al contrato de concesión de servicios, en la medida en que se adecuen a lo regulado para dicho contrato en la presente Ley*» (ALCSP, DA36).

4. LAS OBJECIONES AL PLANTEAMIENTO Y REGULACIÓN DE LOS ALCSP Y ALTERNATIVAS

Al planteamiento y regulación de los ALCSP cabía manifestar dos objeciones: la relativa a la *aplicación a la concesión de servicios no públicos del régimen de servicio público* y la referida a las *limitaciones y disfunciones advertidas en la subsunción en el contrato de servicios de la gestión contractual de los servicios públicos en que no se produce la transferencia del riesgo operacional*. Al análisis sucinto de tales objeciones se dedican los dos apartados siguientes, completado con el atinente a las *alternativas formuladas*.

4.1. La aplicación a la concesión de servicios no públicos del régimen de servicio público

Partiendo de la configuración dual de la concesión en el ALCSP antes señalada y por contraste con los públicos ya definidos, los *servicios no públicos* integrarían unas actuaciones que, constituidas lógicamente por utilidades y siendo recibidas efectivamente por terceros, su prestación no responde a una obligación derivada de la competencia de la Administración. Faltando este título, pero concurriendo el de la titularidad de los inmuebles en que se prestan los servicios y no implicar ejercicio de la autoridad inherente a los poderes públicos, podría darse cobertura contractual a supuestos en que se produce una explotación económica y concurre la transferencia del riesgo operacional, (*ex.* ALCSP, 282.1)[14].

---

14. Así, por ejemplo, los habituales *servicios de cafetería y restauración* de edificios públicos (ministerios, universidades y otros), objeto de controversia sobre su calificación como contratos de servicios, administrativos especiales o patrimoniales, entiendo que podrían encontrar acomodo en esta concesión de servicios

De acuerdo con el planteamiento de los Anteproyectos, se aplicaba un régimen jurídico diseñado específicamente para los servicios públicos, el que la legislación contractual básica ha venido atribuyendo al CGSP, a un objeto que se identifica como servicios que no sean públicos; en definitiva, esos servicios no públicos veían trascendida su lógica y sus límites propios y eran sometidos a una regulación pensada para su antónimo (ALCSP, 282-294). Y de ahí la objeción formulada: resultando falta de causa la aplicación del régimen jurídico exclusivo del servicio público, configurado a fin de garantizar la continuidad, regularidad y demás exigencias derivadas de tal objeto, se imponía la alternativa de la reconducción del régimen jurídico de los servicios no públicos, sobre la base de la no-aplicación de las prerrogativas y potestades previstas para aquél. La relación de las no aplicables en tanto que inherentes al régimen del servicio público es la siguiente (entre paréntesis los preceptos correspondientes del ALCSP)[15]:

- las obligaciones del concesionario vinculadas estrictamente al servicio público (art. 286);

---

no públicos, porque obviamente la oferta de tales servicios aunque reporta utilidades a terceros, no integra competencia alguna de las Administraciones, que sí ostentan la titularidad de los espacios y dependencias en que se prestan. Y siempre sobre la base de que el concesionario asuma los riesgos de demanda y oferta y el resto de determinaciones que se establezcan (sobre tarifas, ejecución de las obras y canon a satisfacer, entre otras). Sobre el encaje de este contrato en la concesión de servicios comunitaria véase el IJCCA de la Administración General del Estado núm. 25/2012, de 20.11 (FJ 2, in fine). Sobre el carácter no público de estos servicios consúltese también: STS de 16.9.2004 (Ar. 6281, gestión de cafetería en hospital público); TARC Central (R 192/2011, servicio de restauración en Palacio de Congresos de Madrid, adscrito a TURESPAÑA, organismo autónomo de la AGE); GIMENO FELIU (2012; 30-31) y MIGUEZ MACHO (2016: 230).

Otros supuestos susceptibles de reconducir a la concesión serían los *servicios de fotocopias, encuadernación y copistería*, tan habituales en las facultades y escuelas de grado medio y superior, y los *servicios de prensa, librería y regalos*, que podemos encontrar en los hospitales y otros centros de pública concurrencia. También en estos casos se cumplen las reglas de:

- no suponer el ejercicio de competencias públicas,
- reportar utilidades a terceros, que incluso pueden resultar ser usuarios de servicios públicos (el universitario y el de sanidad, en los ejemplos puestos), los cuales, sin embargo, no integran en su concepto esos otros servicios que no son públicos, y
- ser susceptibles de explotación económica con transferencia de riesgo operacional al contratista.

15. La objeción y las prescripciones que no deben resultar de aplicación a las concesiones de servicios no públicos las detallé en las alegaciones al ALCSP (p. 18) y en el artículo de la RGDA (p. 19 y 20), y son reproducidas expresamente las tres últimas por el Consejo de Estado (Dictamen 1116/2015, p. 246).

- la modificación del contrato y el mantenimiento del equilibrio económico en tanto que vinculados con el interés público (art. 288);

- la inaplicación de la suspensión del contrato, instada por el contratista ante el impago por plazo superior a 4 meses (ex 284, 196.5 y 206.1 del ALCSP);

- la no embargabilidad de los bienes en tanto que debe circunscribirse a los afectos al servicio público (art. 289.3);

- las previsiones sobre el secuestro o la intervención, en relación con el incumplimiento del concesionario, atendida su vinculación con el servicio y el interés públicos (art. 291);

- las causas de resolución de la concesión del rescate y la supresión del servicio por razones de interés público (art. 292.b) y c) y, consecuentemente, los efectos a ellas vinculados (art. 293).

4.2. Limitaciones y disfunciones advertidas en la subsunción en el contrato de servicios de la gestión contractual de los servicios públicos en que no se produce la transferencia del riesgo operacional

Una de las principales novedades del planteamiento de los ALCSP la constituía el art. 310, intitulado *especialidades de los contratos de servicios que conlleven prestaciones directas a favor de los ciudadanos*, expresión con la que se estima que se pretendía dar cobertura a la subsunción de los servicios públicos como objeto del propio contrato de servicios en el que no se transfería el riesgo operacional. En síntesis, las conclusiones que se desprenden de su análisis son las siguientes:

1.ª El art. 310.1 establecía que «*en los contratos de servicios que conlleven prestaciones directas a favor de los ciudadanos, en particular en los sanitarios y sociales, la Administración conservará los poderes de policía necesarios para asegurar la buena marcha de los servicios de que se trate*», lo que suponía la traslación al contrato de servicios de la previsión contenida para las concesiones de servicios en los ALCSP (285.2) y en el TRLCSP (279.2, referido al CGSP). Se trata de una fórmula algo arcaica y que en la legislación más actualizada se sustituye por la referencia a la potestad de dirección y control del servicio público. Pese al intento, la fórmula de los poderes de policía se movía en el ámbito estrictamente contractual, y no podía alcanzar a sustituir a las prerrogativas y potestades que la legislación, local principalmente, atribuye a la Administración titular del servicio público y a la gestión indirecta del mismo.

2.ª El art. 310.2 abría la posibilidad a *que el pliego podrá prever para el adjudicatario* (en rigor, debiera ser el contratista) *una serie de obligaciones,* cuya relación guarda paralelismo, aunque de manera parcial, con las establecidas para el concesionario de servicios en los ALCSP (286 y 289, con los precedentes del TRLCSP, 280 y 283, referidos al CGSP), y cuya relación es la siguiente:

2.ª 1. *Prestar el servicio con la continuidad convenida y garantizar a los particulares el derecho a utilizarlo en las condiciones que hayan sido establecidas y mediante el abono, en su caso, de la contraprestación económica fijada* (nótese que se obvia la referencia a las tarifas aprobadas).

2.ª 2. *Cuidar del buen orden del servicio* (sin que se recoja la previsión equivalente a que *el concesionario puede dictar las oportunas instrucciones).*

2.ª 3. *Indemnizar los daños que se causen a terceros como consecuencia de las operaciones que requiera el desarrollo del servicio, excepto cuando el daño sea producido por causas imputables a la Administración,* cláusula sobre responsabilidad que, a su vez, supone una excepción al propio régimen del contrato de servicios[16].

2.ª 4. *Entregar las obras e instalaciones a que esté obligado con arreglo al contrato en el estado de conservación y funcionamiento adecuados* (obsérvese que se incorpora aquí la definición material de las obligaciones de entrega propias de la *reversión,* figura cuya mención obvia, y objeto de un estatus jurídico especial, ex ALCSP, 289 y TRLCSP, 280).

Con todo, debe significarse que la imposición al contratista de estas obligaciones quedaba supeditada a su consignación en el pliego, por lo que su no-inclusión en el mismo no permitiría su exigencia a aquél. Y es que, incluso de imponerse, su fuerza se circunscribiría siempre al marco

---

16. Efectivamente, sin dejar de reconocer la lógica que guiaba esta incorporación, el resultado es un tanto alambicado: recapitulando sobre la responsabilidad frente a terceros, tenemos una regla específica para la concesión (ALCSP, 286.c y TRLCSP, 280.c), una general para el resto de contratos (ALCSP, 194 y TRLCSP, 214) y una excepción a ésta, que se aplica a un subtipo del de servicios, y que coincide con la específica de la concesión (la del ALCSP, 310.2), condicionada, no obstante, a que así se prevea en el PCAP. Pero ¿qué pasaba si por olvido no se incluía? Pues que regía la cláusula general aplicable al contrato de servicios, aunque se tratase de aquellos que conlleven prestaciones directas en favor de los ciudadanos. En mi opinión, el régimen jurídico mismo del contrato y la seguridad jurídica quedaban bastante cuestionados.

contractual (*ex* PCAP, no *ex lege*), igualmente sin el amparo de las ya aludidas prerrogativas y potestades públicas previstas en la legislación.

3.ª El art. 310 contenía, además, una serie de prevenciones que se reproducen a continuación[17]:

> *«La prestación de los servicios a que se refiere el presente artículo se efectuará en dependencias o instalaciones propias del contratista, siempre que sea posible. De no ser esto posible, se harán constar las razones objetivas que con carácter excepcional motivan la prestación en centros dependientes de la entidad contratante. En estos casos, se intentará que los trabajadores de la empresa contratista no compartan espacios y lugares de trabajo con el personal al servicio de la Administración y, de no ser así, se diferenciarán claramente las funciones y los puestos del personal de la Administración y los de la empresa adjudicataria, a efectos de evitar la confusión de plantillas. Los trabajadores y los medios de la empresa contratante se identificarán mediante los correspondientes signos distintivos, tales como uniformidad o rotulaciones».*

Pese a la mención del inicio, más que para supuestos *de servicios que conlleven prestaciones directas a favor de los ciudadanos*, las prevenciones reproducidas del art. 310 del ALCSP tienen su lógica en el ámbito de los servicios no públicos: regla general de prestación en las instalaciones del contratista y, en su defecto, identificación de sus trabajadores para que no se confundan con los empleados públicos (supuestos habituales de los contratos de limpieza y vigilancia en edificios públicos y otras actividades logísticas cuya destinataria es la Administración).

El planteamiento y la regulación del art 310 de los ALCSP, pues, adolecían de unas disfunciones que comprometían la gestión contractual de los servicios públicos en que no se producía la transferencia del riesgo operacional[18].

A las disfunciones señaladas sobre el art. 310 que se acaba de comentar había que añadir las *omisiones en la regulación del contrato de servicios en*

---

17. Estas prevenciones tenían su origen en unos informes críticos emitidos por el Tribunal de Cuentas (Moción de 26.2.2009), sobre los que habremos de volver después.

18. Debe significarse que estas disfunciones las relacionaba en mis alegaciones al ALCSP de mayo de 2015 (p. 18 a 22) y en mi artículo publicado en la RGDA de octubre de 2015 (p. 20 a 23). Y, precisamente, el Consejo de Estado, tras reproducir el art. 310 del ALCSP, concluía: «esta previsión no resulta bastante para hacer frente a las limitaciones y disfunciones que resultan de la apelación al contrato de servicios en la gestión de servicios públicos en que no se transfiera riesgo operacional» (Dictamen 1116/2015, p.77 y 78).

los supuestos en que no se transfiriera el riesgo operacional al contratista, que, en síntesis, eran las siguientes[19]:

- De un lado, que la gestión de servicios públicos en tal caso se vería desamparada de la aplicación de las prescripciones que el propio texto de los Anteproyectos establecía para la concesión de servicios públicos y la actual legislación, contractual (TRLCSP en relación con el CGSP) y local, reserva para la gestión indirecta de los mismos, esto es, precisamente aquellas respecto de las cuales se objetó su extensión a los servicios públicos objeto de concesión (detalladas en el apartado 3.4.1).

- De otro, ante la falta de previsión legal respecto del contrato de servicios, tampoco resultarían ejercitables por la Administración las potestades que el ordenamiento jurídico le confiere por tratarse de servicios públicos y que la legislación acota al contrato de gestión de los mismos, concretamente, las potestades de ordenación y dirección del servicio y control del mismo.

4.3. Las alternativas al planteamiento y regulación de los ALCSP

A mi juicio, la raíz de las disfunciones del planteamiento de los ALCSP radica en haber prescindido de la noción de servicio público a la hora de encarar la configuración de las diferentes figuras contractuales. En congruencia con esa valoración, estimo que lo que se presenta como imprescindible es partir de la idea de la necesidad de articular un régimen jurídico unitario de la gestión contractual de los servicios públicos, si bien para desarrollar satisfactoriamente este planteamiento hay que contar naturalmente con un condicionamiento: la regulación comunitaria. Es obvio que cualquier configuración normativa deberá observar las determinaciones contenidas en las Directivas 2014/23 y 24/UE, sobre adjudicación de concesiones y de contratación pública, respectivamente. Y llegados a este punto, *de lege ferenda*, cabían dos opciones:

a) La de los contratos de concesión que, sobre la base de la transferencia del riesgo operacional al contratista (*ex* Directiva 2014/23/UE), diferencian su régimen jurídico en función de si el objeto contractual es un servicio público o no; opción que se debe complementar con la regulación del contrato de gestión de servicio público, reser-

---

19. Estas consideraciones las incluí en mis alegaciones al ALCSP en mayo de 2015 (p. 22 a 24) y en mi artículo publicado en la RGDA de octubre del mismo año (p. 24 a 26), y son reproducidas por el Consejo de Estado en su Dictamen 1116/2015 (p. 78 y 79).

vado ahora para los supuestos en que no se transfiera el riesgo operacional al contratista, y cuyas modalidades son la gestión interesada, el concierto, la sociedad de economía mixta y el arrendamiento, convenientemente actualizadas con las exigencias de la Directiva 2014/24/UE, referidas al contrato de servicios.

b) La de los contratos de concesión que, sobre la misma base de la transferencia del riesgo operacional al contratista citada en el apartado anterior, diferencian su régimen jurídico en función de si el objeto contractual es un servicio público o no; opción que se debe complementar con la regulación del contrato de servicios (ex D 2014/24/UE) y la necesaria aprobación de un nuevo régimen legal de los servicios públicos[20].

Dejo aquí la exposición, para desarrollar más adelante el análisis de las posibilidades de cada una de las opciones, las cuales ciertamente pivotan sobre la solución normativa aplicable a la gestión contractual de los servicios públicos en la que no se transfiere el riesgo al contratista.

IV. EL PLCSP Y LA PERSISTENCIA EN LOS PLANTEAMIENTOS: EQUÍVOCOS CONCEPTUALES Y DISFUNCIONES EN EL RÉGIMEN JURÍDICO DE LA GESTIÓN CONTRACTUAL DE LOS SERVICIOS PÚBLICOS Y DEL RESTO DE SERVICIOS

1. INTRODUCCIÓN

Iniciada a finales de noviembre de 2016 la tramitación parlamentaria del Proyecto de Ley de Contratos del Sector Público, el análisis de las modificaciones introducidas respecto del Anteproyecto de octubre de 2015 se centrará en el contraste de ambos textos en relación con las objeciones señaladas en el apartado anterior, atendida su relevancia en la configuración de las figuras contractuales de la concesión, de gestión de servicio público y de servicios.

Con pesar debo adelantar que, en mi opinión, persisten en los planteamientos del PLCSP los equívocos conceptuales y las disfunciones en el régimen jurídico de la gestión contractual de los servicios públicos y del resto de servicios, lo que –a mi juicio– compromete el futuro de dicha gestión y supone una grave alteración de su regulación en el Derecho español.

---

20. De las dos opciones, la primera es la que defendí en las alegaciones al ALCSP y en el artículo de mayo y octubre de 2015 (en especial, p. 27 a 34 y 28 a 39, respectivamente); la otra, es la que, también como alternativa después de la anterior, contempla el Consejo de Estado (Dictamen 1116/2015, p. 79 y 80).

2. CONCESIÓN DE SERVICIOS PÚBLICOS Y CONCESIÓN DE SERVICIOS NO PÚBLICOS

Respecto de la primera disfunción, la *aplicación a la concesión de servicios no públicos del régimen de servicio público*, debe recordarse que, en los ALCSP, la articulación de la regulación de la concesión se caracterizaba por la traslación en bloque de los preceptos del contrato de gestión de servicios públicos contenidos en el TRLCSP/2011. En congruencia con esa articulación y para corregir tal disfunción, la lógica aconsejaría mantener el régimen jurídico general para la concesión de servicios públicos y excepcionar la aplicación de las prerrogativas y potestades propias del mismo, para el supuesto de la concesión de servicios no públicos.

Sin embargo, el Proyecto de ley no sigue ese criterio, sino el inverso, esto es, ir anudando para el caso de que la concesión recaiga sobre servicios públicos la aplicación de unas concretas prescripciones[21]. Y así se establece en el articulado en relación con el *ejercicio de los poderes de policía que conserva la Administración para asegurar la buena marcha del servicio* (PLCSP, 285.2), el *secuestro o intervención del servicio* (PLCSP, 291.1), y el *rescate y la supresión del servicio por razones de interés del servicio* (PLCSP, 292.b y.c). Consecuentemente, el empleo de esa técnica normativa debería llevar a la conclusión de que cuando no se contiene tal mención al caso de servicios públicos, la determinación en cuestión no sería aplicable a la concesión de los mismos, sino a su antónimo, esto es, a la concesión de servicios no públicos.

Sin dejar de resaltar la inversión de la opción natural que supone, era fácil prever que la aplicación de tal criterio podía entrañar eventuales disfunciones.

a) La primera, la del olvido de vincular con el servicio público prerrogativas que tradicionalmente se han asociado con este. Y eso fatalmente sucede. Así, no hay referencia alguna al servicio público en dos casos trascendentales: en la modificación del contrato y el

---

21. De manera expresa se reconoce: «*la Ley, siguiendo la Directiva 2014/23/UE, no limita la concesión de servicios a los servicios que se puedan calificar como servicios públicos. En consecuencia, se establece la aplicación específica y diferenciada de determinadas normas a la concesión de servicios cuando esta se refiera a servicios públicos.* Así, por ejemplo, la aplicación de las normas específicas de estos servicios a las que se hacía referencia anteriormente, esto es, el establecimiento de su régimen jurídico y, entre otras cuestiones, los aspectos jurídicos, económicos y administrativos relativos a la prestación del servicio (lo que se viene a denominar su "publicatio"); la imposibilidad de embargo de los bienes afectos; el secuestro o la intervención del servicio público; el rescate del mismo; o el ejercicio de poderes de policía en relación con la buena marcha del servicio público de que se trate*» (EM, IV, pfo. 16).

mantenimiento del equilibrio económico (PLCSP, 288) y en la no embargabilidad de los bienes afectos a la concesión (PLCSP, 289.3)[22].

¿Debe acaso interpretarse que tales instituciones no rigen en la concesión de servicios públicos?

b) La segunda disfunción, consecuencia del anterior, se concreta en que esa no-mención comporte la aplicación en exclusiva a la concesión de servicios no públicos de prerrogativas configuradas para los públicos. Ese sería el caso de los dos supuestos citados en el apartado anterior, y de otro cuya trascendencia merece un énfasis especial. Concretamente, no encuentra justificación la inaplicación para los servicios no públicos de la figura de la suspensión del contrato, instada por el contratista ante el impago por plazo superior a 4 meses (*ex* 196.5 y 206.1 del PLCSP), y prevista con carácter general para todas las concesiones de servicios en el art. 284 del Proyecto de ley, sin que dicho precepto la concrete al supuesto de que el contrato tenga por objeto servicios públicos. Y lo cierto es que esa suspensión ha venido estando prevista en los sucesivos textos normativos y con carácter general para todos los contratos, excepción hecha del de gestión de servicios públicos en el que se disponía su no-aplicación en atención a su objeto (así, en el TRLCSP, *ex* 276 en relación con 216,5 y 220.1)[23].

Se concluye de lo dicho que deberían corregirse esas disfunciones en el curso del trámite parlamentario, e invertir los criterios utilizados: la regla general habría de ser la aplicación a la concesión de servicios públicos de las determinaciones consignadas en el proyecto (que son las trasladadas del CGSP regulado en el TRLCSP) y la excepción, la no-aplicación a la concesión de servicios no-públicos de las prescripciones privativas de aquellos. Esa sería la vía si se optara, como sucedía en los ALCSP y se

---

22. Y ello pese al propósito enunciado en la Exposición de motivos ante transcrito (IV, pfo. 16, 7.ª línea), que expresamente se refería a imposibilidad de embargo de los bienes afectos, aunque luego se olvide de vincularlo a los servicios públicos en el precepto citado.

23. Vaya por delante que no se trata, obviamente, de justificar el impago por las Administraciones de sus compromisos con los contratistas, sino de dejar constancia del diferente régimen que el legislador establece en atención al servicio público que constituye el objeto del actual CGSP en el Texto refundido de 2011, o de la concesión de servicios públicos en el Proyecto de ley, y a las exigencias derivadas de la aplicación del principio de continuidad y regularidad servicial y a la garantía de los derechos de los usuarios de los mismos. Y si ese régimen privilegiado está justificado en este caso, consecuentemente no lo está cuando el objeto contractual no es un servicio público.

mantiene en el PLCSP, por regular específicamente la concesión de servicios públicos y al efecto de diferenciar las dos modalidades[24].

Otra solución normativa sería la de regular la concesión de servicios no públicos a partir de la aplicación del régimen jurídico del contrato de servicios, diferenciándola naturalmente de este en la configuración de la contraprestación que recibe el concesionario consistente en la explotación del servicio, atendido que asume la transferencia del riesgo operacional, lo que exige la observancia de las determinaciones de la Directiva 2014/23/UE[25].

3. EL CONTRATO DE SERVICIOS Y LA SUBSUNCIÓN DE LA GESTIÓN CONTRACTUAL DE SERVICIOS PÚBLICOS EN QUE NO SE TRANSFIERE EL RIESGO OPERACIONAL AL CONTRATISTA: LOS DENOMINADOS «SERVICIOS QUE CONLLEVAN PRESTACIONES DIRECTAS A LOS CIUDADANOS»

Como se recordará, para el supuesto de la gestión contractual de servicios públicos en que no se transfiere el riesgo operacional contratista, y ante las disfunciones señaladas respecto del planteamiento del ALCSP que la subsumía en el contrato de servicios, cabían dos opciones:

a) La de reconducirla al contrato de gestión de servicios públicos, con sus modalidades de gestión interesada, concierto, sociedad de economía mixta y la reintroducción del arrendamiento, actualizando el régimen jurídico de dicho contrato e introduciendo las exigencias sobre publicidad comunitaria, recurso especial de contratación y las demás resultantes de la Directiva 2014/24/UE.

b) Reconfigurar el contrato de servicios, dotándolo de un régimen jurídico que garantice los derechos de los usuarios y la continuidad y regularidad de los servicios públicos en los supuestos en que estos constituyan su objeto.

---

24. En tal caso, sería partidario de detallar en el artículo las determinaciones no aplicables (las relacionadas al final del epígrafe 3.4), con una cláusula de captación final que excluyera la aplicación a los no públicos de las prerrogativas reservadas a la prestación de los servicios públicos.

25. Este es el criterio que estima aplicable, a partir del 18.4.2016 y mientras no se produzca la transposición, la JCCA GENCAT en su Informe 1/2016, de 6.4 (apartado IV, p. 44): «hay que tener en cuenta que cuando el objeto de la concesión sea la prestación y gestión de un servicio que no cumpla los requisitos para ser calificado como de servicio público, se aplicarán los preceptos de la Directiva de concesiones con efecto directo, y los del TRLCSP aplicables a los contratos de servicios mientras no los contradigan».

El Proyecto de ley se acoge a la segunda opción y lo manifiesta ya en la Exposición de motivos, cuyas afirmaciones aunque extensas merece la pena reproducir:

«(...) *determinados contratos que con arreglo al régimen jurídico hasta ahora vigente se calificaban como de gestión de servicios públicos, pero en los que **el empresario no asumía el riesgo operacional, pasan ahora a ser contratos de servicios**. Ahora bien, este cambio de calificación no supone una variación en la estructura de las relaciones jurídicas que resultan de este contrato: mediante el mismo el empresario pasa a gestionar un servicio de titularidad de una Administración Pública, estableciéndose las relaciones directamente entre el empresario y el usuario del servicio.*

*Por esta razón, en la medida que la diferencia entre el contrato al que se refiere el párrafo anterior y el contrato de concesión de servicios es la asunción o no del riesgo operacional por el empresario, es preciso que todo lo relativo al régimen de la prestación del servicio sea similar. Por ello, **se ha introducido un artículo, el 310, donde se recogen las normas específicas del antiguo contrato de gestión de servicios públicos relativas al régimen sustantivo del servicio público que se contrata** y que en la nueva regulación son comunes tanto al contrato de concesión de servicios cuando estos son servicios públicos, lo que será el caso más general, como al contrato de servicios, cuando se refiera a un servicio público que presta directamente el empresario al usuario del servicio.*

*Para identificar a estos contratos que con arreglo a la legislación anterior eran contrato de gestión de servicios públicos y en esta Ley pasan a ser contratos de servicios, se ha acudido a una de las características de los mismos: que la relación se establece directamente entre el empresario y el usuario del servicio, por ello se denominan **contrato de servicios que conlleven prestaciones directas a favor de los ciudadanos***». (EM, IV, pfos. 13, 14 y 15).

Y tales propósitos el PLCSP los concreta en el art. 310, que presenta una redacción distinta de la del ALCSP (se resaltan las modificaciones):

«*Artículo 310. Especialidades de los contratos de servicios que conlleven prestaciones directas a favor de los ciudadanos.*

*1. En los contratos de servicios que conlleven prestaciones directas a favor de los ciudadanos **se deberán cumplir las siguientes prescripciones:***

*a) **Antes de proceder a la contratación de un servicio de esta naturaleza deberá haberse establecido su régimen jurídico,*** *que declare expresamente que la actividad de que se trata queda asumida por la Administración respectiva como propia de la misma, determine el alcance de las prestaciones en favor de los administrados, y regule los aspectos de carácter jurídico, económico y administrativo relativos a la prestación del servicio.*

b) El adjudicatario de un contrato de servicios **de este tipo estará sujeto** a las obligaciones de prestar el servicio con la continuidad convenida y garantizar a los particulares el derecho a utilizarlo en las condiciones que hayan sido establecidas y mediante el abono en su caso de la contraprestación económica fijada; de cuidar del buen orden del servicio; de indemnizar los daños que se causen a terceros como consecuencia de las operaciones que requiera el desarrollo del servicio, con la salvedad de aquellos que sean producidos por causas imputables a la Administración; y de entregar, **en su caso**, las obras e instalaciones a que esté obligado con arreglo al contrato en el estado de conservación y funcionamiento adecuados.

c) Los bienes afectos a los servicios regulados en el presente artículo no podrán ser objeto de embargo.

d) Si del incumplimiento por parte del contratista se derivase perturbación grave y no reparable por otros medios en el servicio y la Administración no decidiese la resolución del contrato, podrá acordar el secuestro o intervención del mismo hasta que aquella desaparezca. En todo caso, el contratista deberá abonar a la Administración los daños y perjuicios que efectivamente le haya ocasionado.

e) La Administración conservará los poderes de policía necesarios para asegurar la buena marcha de los servicios que conlleven prestaciones directas a favor de los ciudadanos de que se trate.

f) La prestación de los servicios a los que se refiere el presente artículo se efectuará en dependencias o instalaciones propias del contratista, siempre que sea posible. De no ser esto posible, se harán constar las razones objetivas que con carácter excepcional motivan la prestación en centros dependientes de la entidad contratante. En estos casos, se intentará que los trabajadores de la empresa contratista no compartan espacios y lugares de trabajo con el personal al servicio de la Administración y, de no ser así, se diferenciarán claramente las funciones y los puestos del personal de la Administración y los de la empresa adjudicataria, a efectos de evitar la confusión de plantillas. Los trabajadores y los medios de la empresa contratista se identificarán mediante los *correspondientes signos distintivos, tales como uniformidad o rotulaciones.*

g) Además de las causas de resolución del contrato establecidas en el artículo 311, serán causas de resolución de los contratos de servicios tratados en el presente artículo, las señaladas en las letras c), d), y f) del artículo 292».

Sobre la regulación del Proyecto de ley cabe formular las siguientes consideraciones:

1.ª El precepto transcrito del Proyecto es objeto de una modificación substancial en relación con el contenido que presentaba en el Anteproyecto, intentando responder así a las objeciones planteadas sobre este art. 310.

2.ª Con carácter general debo decir que no acabo de entender la razón por la que se prescinde en el articulado del término *servicios públicos* y se utiliza, en cambio, esa expresión de *servicios que conlleven prestaciones directas a favor de los ciudadanos*. Porque, una de dos: o se pretende que signifiquen lo mismo o integran conceptos diferentes.

Si se emplea como sinónimo de *servicios públicos* hay que objetar su uso, tanto por la posible confusión que introduce, como por incumplir la máxima conceptista de la doble bondad de lo breve[26].

Pero el problema es que, queriendo darle el mismo sentido que el de servicios públicos tal como se anuncia en la Exposición de motivos, si se reflexiona sobre el significado de la nueva locución, se constata que acaba siendo distinto de aquel. Porque la expresión *servicios que conlleven prestaciones directas a favor de los ciudadanos*, se quiera o no, incluye a los servicios públicos, sí, pero también a los servicios no públicos, esto es, los que integran actuaciones que, constituidas por utilidades y siendo recibidas por los ciudadanos, su prestación no responde a una obligación derivada de la competencia de la Administración.

3.ª Y los efectos jurídicos que se anudan a esa expresión omnicomprensiva en el art. 310 del PLCSP son, precisamente, los de la aplicación

---

26. No es solo que se incumplan los consejos de Baltasar Gracián, es que se cae de nuevo en el error de preterir términos precisos y arraigados en la tradición jurídica española, sustituyéndolos por expresiones largas como ya sucediera con la de la *oferta económica más ventajosa determinada con un solo criterio, el precio, o más de uno* (ex TRLCSP, 150.1), alternativas que, como se recordará, vinieron a desplazar normativamente las palabras *subasta* y *concurso*, que tan enraizadas estaban en el lenguaje contractual y respecto de las cuales hay que señalar que, lamentablemente, no han sido recuperadas en el PLCSP/2016.

del régimen del servicio público. Se produce así una paradoja: rebrota en el contrato de servicios el problema que se planteó con la concesión, y la aplicación del régimen del servicio público a los que no tenían esta condición; problema que, siendo objeto de advertencia como se ha expuesto en apartados anteriores, dio lugar a que el redactado del Anteproyecto fuera modificado en el Proyecto de ley para remediarlo, aunque ciertamente con resultados fallidos[27].

4.ª Es por ello que la pretendida mejora introducida en el Proyecto, en el sentido de establecer como obligatorias las garantías y prerrogativas del servicio público (PLCSP, 310.1, primer inciso), sustituyendo así la opción que en el Anteproyecto se reservaba para incluir en el pliego, esa nueva prescripción acaba volviéndose inconveniente por cuanto resulta imperativamente de aplicación a los servicios no públicos prestados directamente a los ciudadanos. Y ello se concreta en las determinaciones antes reproducidas sobre establecimiento del régimen jurídico, obligaciones del adjudicatario (debiera decir el contratista), inembargabilidad de los bienes, secuestro o intervención del servicio, ejercicio de los poderes de policía por la Administración sobre el mismo, y las causas de resolución del rescate, supresión del servicio y secuestro o intervención de este por plazo superior a tres años (PLCSP, 310.1, letras a) a e) y g). Prescripciones todas ellas privativas de los servicios públicos y que se han incorporado al art. 310 del Proyecto en respuesta a las objeciones anteriormente señaladas, pero cuya aplicación a los servicios no públicos resulta incorrecta.

5.ª Por otro lado, la determinación contenida en el apartado f) del art. 310.1 del PLCSP antes transcrito (y que con el mismo redactado figuraba en el art. 310 del ALCSP, pero como núm. 3), tiene su lógica en el *ámbito tradicional del contrato de servicios*: regla general de prestación en las instalaciones del contratista y, en su defecto, identificación de sus trabajadores para que no se confundan con los empleados públicos (supuestos habituales de los contratos de limpieza y vigilancia en edificios públicos, actividades de apoyo administrativo o técnico y otras cuya destinataria es la propia Administración)[28].

---

27. Véanse los epígrafes 3.4.1 y 4.2.
28. Tal como se anticipó, la referencia es obligada a los informes críticos emitidos por el Tribunal de Cuentas (Moción de 26.2.2009). Tras las fiscalizaciones efectuadas, denunció los excesos e irregularidades advertidos en contratos de servicios para la realización de trabajos o servicios vinculados directamente con actividades logísticas o que formaban parte de las funciones de gestión interna propias de la AGE, y de resultas de ello se adoptaron una serie de medidas para poner freno a

Por el contrario, tales reservas y la calificación de las excepcionalidades que contiene el precepto no se adecúan a los múltiples contratos de gestión de los servicios públicos en los ámbitos sanitario, asistencial, educativo y cultural, en los que, al no concurrir transferencia del riesgo operacional, no serían subsumibles en la concesión de servicios, y deberían serlo en el contrato de servicios en aplicación del planteamiento del Anteproyecto ahora reiterado en el Proyecto[29]. Una vez más se ponen de manifiesto las disfuncionalidades de este planteamiento, pues lo que sirve para un ámbito del contrato (los servicios para la Administración), supone un inconveniente para el otro (los servicios públicos), porque, efectivamente, los centros de asistencia primaria, los centros de día para mayores, las escuelas infantiles y guarderías y las ludotecas y centros culturales son mayoritariamente de propiedad municipal, bienes de dominio público afectos a los servicios públicos que se prestan en tales dependencias e instalaciones, y cuya gestión se contrata con un tercero. No hay excepcionalidad alguna en estos casos, sino la realidad que ha venido siendo propia del contrato de gestión de servicios públicos, preferentemente bajo la modalidad del concierto.

En todo caso, esa regla general de prestación en las instalaciones del contratista y las determinaciones sobre sus excepciones (identificación de los trabajadores para que no se confundan con empleados públicos, no compartición de espacios y diferenciación de tareas), habría que haberla consignado en relación con los servicios para la Administración y no debería figurar en el art. 310 del ALCSP, sino –se sugiere– en el genérico art. 306, sobre *contenido y límites* del contrato de servicios (como apartado 3 del mismo, atendida la conexión que guarda con el apartado 2, que contiene otras reservas y límites sobre este tipo de prestaciones[30]).

6.ª Las modificaciones introducidas en el Proyecto, pues, no resuelven las objeciones formuladas al art. 310 del Anteproyecto[31].

---

los mismos, constituyendo el art. 310 que se comenta una manifestación más de esas medidas. En el ALCSP se incluía en el núm. 3 del art. 310, es decir como un apartado diferenciado en el precepto que se comenta.

29. Debe significarse que estas disfunciones las relacionaba en mis alegaciones al ALCSP de mayo de 2015 (p. 22) y en mi artículo publicado en la RGDA de octubre de 2015 (p 23).

30. En concreto, el art. 306.2 del PLCSP prescribe lo siguiente:

   «A la extinción de los contratos de servicios, no podrá producirse en ningún caso la consolidación de las personas que hayan realizado los trabajos objeto del contrato como personal de la entidad contratante. A tal fin, los empleados o responsables de la Administración deben abstenerse de realizar actos que impliquen el ejercicio de facultades que, como parte de la relación jurídico laboral, le corresponden a la empresa contratista».

31. Aunque sea un tema de trascendencia menor debe señalarse también la deficiencia que resulta en la propia configuración del precepto en el PLCSP que, tras

7.ª Por otro lado, de persistir en una configuración tal de esta figura, resultará que el contrato de servicios no tiene un régimen jurídico definido, sino que se cuentan hasta tres subtipos, que van mutando en función de los diferentes objetos que se le atribuyen, y de los destinatarios de las prestaciones heterogéneas que integra.

V. LA CLARIFICACIÓN CONCEPTUAL Y DEL RÉGIMEN JURÍDICO DE LAS FIGURAS CONTRACTUALES DE CARÁCTER PRESTACIONAL, Y LA ALTERNATIVA A SU CONFIGURACIÓN EN EL PLCSP

1. EL OBJETO Y LOS DESTINATARIOS DE LAS PRESTACIONES COMO CRITERIOS DELIMITADORES DE LAS TIPOLOGÍAS DE SERVICIOS, Y LA ACCESORIEDAD DEL DE LA TRANSFERENCIA DEL RIESGO OPERACIONAL

Atendida la confusión terminológica que se desprende de las consideraciones formuladas, y los resultados a que conduce en la configuración de las figuras contractuales, creo que es necesaria una clarificación conceptual de las diferentes tipologías de servicios.

A tal efecto propongo la siguiente taxonomía de prestaciones:

a) En función de los *destinatarios* de las mismas, cabe distinguir entre:

a.1) Servicios que integran prestaciones para la Administración.

a.2) Servicios que conllevan prestaciones directas a los ciudadanos.

Como es obvio, el elemento de diferenciación entre las respectivas prestaciones de cara a su contratación con un tercero radica en la bilateralidad que definirá las primeras, circunscrita al binomio Administración-contratista, mientras que en las segundas se trasciende ese estricto marco para proyectarse en beneficio de los ciudadanos.

Frente a la relativa simplicidad del contrato por el que se ofrecen los servicios a la Administración, la cuestión a resolver con el contrato por el que se prestan servicios a los ciudadanos se centra en evaluar si este dato, por sí solo, tiene o no la suficiente relevancia como para justificar un régimen jurídico unitario, para lo cual es preciso ahondar en la caracterización de su contenido servicial.

---

las modificaciones, queda con un solo apartado 1, tras la supresión del 2 y 3 del ALCSP.

b) En atención al *objeto* o, si se prefiere, a la *naturaleza jurídica de las prestaciones directas a la ciudadanía,* habría que diferenciar entre:

b.1) Las que integran el concepto de *servicios públicos,* esto es, los que se corresponden con obligaciones y competencias atribuidas a las Administraciones públicas y regidas por los imperativos de asistencia y garantía a los ciudadanos derivados de la forma de Estado social definida en el art. 1.1 de la Constitución[32].

b.2) Aquellas otras prestaciones que, constituidas por utilidades y siendo recibidas efectivamente por los ciudadanos, su gestión no responde a un mandato vinculado directamente con competencias de la Administración, razón por la cual cabe identificarlas como *servicios no públicos.*

Sobre las diferentes prescripciones que, desde el punto de vista del régimen jurídico, deben caracterizar la regulación según se trate de servicios públicos o de los que no tengan este calificativo su motivación es doble:

– de un lado, debe insistirse en la necesidad de las determinaciones especiales que caracterizan la de los primeros, como vía para garantizar los derechos de los usuarios y la continuidad y regularidad de los servicios públicos en el marco del Estado social;

– de otro, que ese régimen especial no debe aplicarse a los servicios no públicos, toda vez que estaría falta de causa tal extensión y, además, resultaría desproporcionada la imposición al eventual contratista que los prestase de la serie de limitaciones y condicionamientos que derivan del referido régimen de los servicios públicos.

Sobre la base, pues, de la clasificación propuesta, cabe formular las consideraciones que se detallan a continuación:

1.ª Desde la perspectiva del régimen jurídico de la erogación de las prestaciones que integran, los tipos esenciales de servicios son los siguientes:

1.a) *Servicios que integran prestaciones para la Administración*

1.b) *Servicios públicos*

1.c) *Servicios no públicos*

---

32. Con su correlato del art. 9.2 de la misma: «*Corresponde a los poderes públicos promover las condiciones para que la libertad y la igualdad del individuo y de los grupos en que se integra sean reales y efectivas; remover los obstáculos que impidan o dificulten su plenitud y facilitar la participación de todos los ciudadanos en la vida política, económica, cultural y social*».

2.ª La categoría de los *servicios que conllevan prestaciones directas a los ciudadanos* tiene un valor meramente descriptivo, funcional si se quiere, que sirve para diferenciarla de la referida a los *servicios que integran prestaciones para la Administración*. Pero nada más, pues aquella aloja dos tipos de servicios, los *públicos* y los *no públicos*, cuyo régimen jurídico indefectiblemente ha de ser distinto. Por tal razón, la inclusión de la categoría genérica en el Proyecto de ley es inapropiada y no genera más que equívocos.

3.ª A los mismos efectos de la determinación del régimen jurídico de la prestación de servicios, el criterio de la *transferencia del riesgo operacional* tiene un carácter accesorio, no esencial. Sin duda es transcendental para la definición de la ecuación económica del contrato y, en función de si se produce o no tal transferencia, se derivarán consecuencias para su licitación (así, la fijación de umbrales comunitarios para su publicación en DOUE) y las demás que se prevean como consecuencia de la bilateralidad del contrato. Pero ello no debería ni condicionar ni, peor aún, alterar la regulación de la prestación de los servicios públicos que debe ser unitaria, como medio imprescindible para asegurar la igualdad de los usuarios de los mismos y las demás garantías necesarias. Y en haber atribuido en este ámbito un valor determinante al criterio de la transferencia del riesgo operacional entiendo, respetuosamente, que radica el error en el planteamiento del ALCSP, primero, y del PLCSP, después, consistente en la eliminación del contrato de gestión de servicios públicos y la subsunción en el contrato de servicios de los de carácter público en que no se transfiere el riesgo operacional al contratista[33].

Pero, más allá de la cuestión intrínseca de la relevancia otorgada al criterio de la transferencia del riesgo operacional, lo cierto es que su aplicación en el Proyecto da lugar a *dos regímenes jurídicos distintos en la gestión contractual de los servicios públicos*:

---

33. Sobre la trascendencia del referido criterio u sus consecuencias debe recordarse el juicio que certeramente emite el Consejo de Estado al respecto:

«El desplazamiento de la noción de servicio público como elemento diferenciador de las dos modalidades contractuales aludidas, para poner el foco en un aspecto, sin duda, importante, pero de índole organizativo, como es si se transfiere o no el riesgo operacional, es el germen de diversas distorsiones. Al fin y al cabo, si el adjudicatario asume o no el aludido riesgo es una cuestión capital para regular las relaciones entre las partes en el contrato, pero sin impacto directo en los ciudadanos destinatarios de los servicios públicos, en beneficio de los cuales ha de garantizarse la continuidad e igualdad en la prestación» (DCE núm. 1116/2015, p. 77).

- uno, *el de la concesión de servicios públicos*, más robusto, trasladado directamente del que el TRLCSP reserva al CGSP y heredero de la tradición normativa que garantiza la continuidad y regularidad del servicio y los derechos de los usuarios del mismo;

- y otro, *el de uno de los subtipos que aloja el nuevo contrato de servicios*, identificado con la expresión de que *conlleva prestaciones directas a los ciudadanos*, cuyas prescripciones hay que ir *espigando* en atención a si se trata o no de un servicio público y que obliga al operador jurídico a *armar el pliego*, debiendo asumir así una tarea que es la del legislador, con los riesgos inherentes a la complejidad de tal tarea y las consecuencias de no ser de aplicación garantías privativas del CGSP y ahora circunscritas a la concesión (como la no suspensión del contrato por impago de la Administración recogida en el TRLCSP, *ex* 276, 220.1 y 216.5, y PLCSP, *ex* 284, 206.1 y 196.5, respectivamente) o los efectos colaterales ya señalados de resultar exigibles determinaciones impropias (así, sobre la identificación de los trabajadores del contratista y no la compartición de espacios recogidas en el art. 310. 1. f del Proyecto), o extender prescripciones exclusivas de los servicios públicos a los que no tienes ese carácter.

¿Es lógico que los usuarios de los servicios públicos se vean sometidos a un régimen distinto en función de la aplicación de un criterio –la transferencia del riesgo operacional– que les es ajeno, con subordinación de sus derechos y olvido de la observancia del principio de igualdad que debería preceder a aquel criterio? Entiendo que no, y de ahí la propuesta en favor de una alternativa al PLCSP en la gestión contractual de los servicios públicos.

2. LA DEFINICIÓN DE LAS FIGURAS CONTRACTUALES PRESTACIONALES Y LA CONFIGURACIÓN DE LOS REGÍMENES JURÍDICOS RESPECTIVOS

2.1. Planteamiento y exigencias

Llegados a este punto, considero que para diseñar una correcta definición de las figuras contractuales prestacionales y una precisa configuración de los regímenes jurídicos respectivos es necesario atender a dos exigencias:

1.ª) Que los tipos de servicios que constituyan el objeto de las figuras contractuales sean los esenciales, esto es, los ya acotados como:

- *Servicios que integran prestaciones para la Administración*
- *Servicios públicos*
- *Servicios no públicos*

2.ª) Que los regímenes jurídicos que regulen la contratación a un tercero de las prestaciones de tales servicios se configuren intentando encontrar el punto de equilibrio entre:

- de un lado, la necesaria diferenciación en los supuestos en que el objeto y los destinatarios de los mismos la demanden, lo que naturalmente apunta a los *servicios públicos*,

- y, de otro, la no excesiva proliferación de tipologías contractuales, de suerte que una misma pueda acoger prestaciones que, aunque con un cierto grado de heterogeneidad, sean susceptibles de una regulación unitaria, hipótesis lógica cuyo análisis se desarrollará después.

2.2. Tipologías: contrato de gestión de servicios públicos, contrato de servicios y contrato de concesión de servicios no públicos

De acuerdo con los requerimientos planteados en el apartado anterior, las figuras contractuales prestacionales a incluir en la futura Ley de Contratos del Sector Público y sus características esenciales deberían ser, a mi juicio, las siguientes:

A) CONTRATO DE GESTIÓN DE SERVICIOS PÚBLICOS

A.1) Definición:

El contrato de gestión de servicios públicos es aquel en cuya virtud uno o varios poderes adjudicadores encomiendan a título oneroso a una o varias personas, naturales o jurídicas, la gestión de un servicio público cuya prestación ha sido atribuida o asumida como propia de su competencia por los poderes encomendantes[34].

---

34. La selección de los términos empleados parte de la definición del CGSP contenida en el TRLCSP (art. 8), que se recoge para circunscribirla a la concesión en el PLCSP (15), del cual se toma la referencia a *los poderes adjudicadores*. Por cierto, que no se usa esta expresión sino la de *Administración* en la regulación posterior de la concesión de servicios en el PLCSP (art. 282 a 295). Como es bien sabido, la noción de *Administración* tiene un ámbito más reducido que el de *poderes adjudicadores* (*ex* PLCSP, 3.2 *versus* 3.3), por lo que debería resolverse la discrepancia; en mi opinión, a favor del concepto más amplio.

A.2) Modalidades de la contratación de la gestión de los servicios públicos:

a) Concesión, por la que el contratista gestionará el servicio público y cuya contraprestación a su favor consiste o bien en el derecho a explotarlo o bien en dicho derecho acompañado del de percibir un precio, lo que implicará la transferencia al concesionario del riesgo operacional en la explotación del servicio público, abarcando el riesgo de demanda o el de suministro, o ambos.

Se considerará que el concesionario asume un riesgo operacional cuando no esté garantizado que, en condiciones normales de funcionamiento, el mismo vaya a recuperar las inversiones realizadas ni a cubrir los costes en que hubiera incurrido como consecuencia de la explotación del servicio público que sea objeto de la concesión. La parte de los riesgos transferidos al concesionario debe suponer una exposición real a las incertidumbres del mercado que implique que cualquier pérdida potencial estimada en que incurra el concesionario no es meramente nominal o desdeñable.

b) Cuando no se transfiera el riesgo operacional al contratista, la contratación de la gestión de servicios públicos habrá de adoptar una de las modalidades siguientes:

b.1) Gestión interesada, en cuya virtud el poder adjudicador y el gestor participarán en los resultados económicos de la prestación del servicio público en la proporción que se establezca en el contrato.

b.2) Concierto con persona natural o jurídica que venga realizando prestaciones análogas a las que constituyen el servicio público de que se trate y mediante la utilización de sus servicios o instalaciones.

b.3) Arrendamiento de las instalaciones pertenecientes al poder adjudicador titular del servicio público al contratista para ser utilizadas por este en la prestación del servicio público.

b.4) Sociedad de economía mixta en la que el poder adjudicador participe en concurrencia con personas naturales o jurídicas[35].

---

35. La propuesta sobre las modalidades del CGSP parte de las consignadas para este mismo contrato en el TRLCSP (art. 277), con dos modificaciones:
   – la incorporación del criterio de la transferencia del riesgo operacional para definir la concesión de servicios públicos (*ex.* D 2014/23/UE);
   – y la reintroducción normativa del arrendamiento, que permite una diferenciación relevante de las modalidades en las que no se transfiere el riesgo operacional, y cuya definición se toma del ROASCat/1995 (275.1), recogido también

A.3 Régimen jurídico de referencia:

El régimen jurídico de referencia para regular el contrato de gestión de servicios públicos se corresponde con el previsto para esta figura contractual en el vigente TRLCSP/2011, completado con las determinaciones de la Directiva 2014/23/UE, para el caso de que la explotación del servicio sea objeto de concesión, y con las determinaciones consignadas para el contrato de servicios en la Directiva 2014/24/UE, en el supuesto de que la prestación del servicio se desarrolle mediante gestión interesada, concierto, arrendamiento o sociedad de economía mixta, modalidades estas en las que no se transfiere el riesgo operacional al contratista[36].

B) CONTRATO DE SERVICIOS

B.1) Definición:

Son contratos de servicios aquellos en los que el contratista no asume la transferencia del riesgo operacional del contrato y cuyo objeto viene constituido por prestaciones de hacer consistentes en:

a) el desarrollo de una actividad para las entidades del sector público;

b) la realización de una actividad suyos destinatarios sean los ciudadanos y su objeto no tenga la consideración de servicio público;

c) la obtención de un resultado distinto de una obra o suministro, incluyendo aquellos en que el adjudicatario se obligue a ejecutar el servicio de forma sucesiva y por precio unitario[37].

---

en el RBASOΛrag/2002 (297). Asimismo, se precisan más las características del concierto tomando el redactado también del ROAS (270.1), reproducido por el RBASO (293.1).

36. Además de todos los argumentos ya citados, como justificación de la atribución de los respectivos regímenes jurídicos deben citarse los textos siguientes:

– Recomendación de la JCAA AGE (BOE 66, 17.3.2016): en función de si se refiere a la concesión (3.1.5) o al resto de modalidades del CGSP (3.1.5.2.a, in fine);

– IJCCA GENCAT 1/2016, de 6.4: en función igualmente si se trata de la concesión (CDJ IV, p 41 a 43) o del resto de modalidades (CDJ IV, p. 43 y 44 y última conclusión).

– Como se recordará, se trata de los criterios que deben aplicarse durante el período transitorio que va desde el 18.4.2016 hasta que se produzca la transposición de las Directivas y como consecuencia del efecto directo de estas.

37. La definición se integra a partir de los contenidos sobre el contrato de servicios del PLCSP (art. 15), complementados con las menciones al *desarrollo de una actividad para las entidades del sector público*, de un lado, y a *la realización de una actividad*

B.2) Régimen jurídico de referencia:

El régimen jurídico de referencia para regular el contrato servicios se corresponde con el previsto para esta figura contractual en el vigente TRLCSP/2011, con las determinaciones consignadas para el contrato de servicios en la Directiva 2014/24/UE.

C) CONCESIÓN DE SERVICIOS NO PÚBLICOS

C.1) Definición:

El contrato de concesión de servicios no públicos es aquel en cuya virtud uno o varios poderes adjudicadores encomiendan a título oneroso a una o varias personas, naturales o jurídicas, la gestión de un servicio de su titularidad que no tenga la consideración de servicio público y cuya contrapartida venga constituida bien por el derecho a explotar los servicios objeto del contrato o bien por dicho derecho acompañado del de percibir un precio, lo que implicará la transferencia al concesionario del riesgo operacional en la explotación del servicio, abarcando el riesgo de demanda o el de suministro, o ambos.

Se considerará que el concesionario asume un riesgo operacional cuando no esté garantizado que, en condiciones normales de funcionamiento, el mismo vaya a recuperar las inversiones realizadas ni a cubrir los costes en que hubiera incurrido como consecuencia de la explotación del servicio no público que sea objeto de la concesión. La parte de los riesgos transferidos al concesionario debe suponer una exposición real a las incertidumbres del mercado que implique que cualquier pérdida potencial estimada en que incurra el concesionario no es meramente nominal o desdeñable[38].

C.2) Régimen jurídico de referencia:

El régimen jurídico de referencia para regular el contrato de concesión de servicios no públicos se corresponde con el previsto para el contrato de

---

suyos destinatarios sean los ciudadanos y su objeto no tenga la consideración de servicio público, de otro, lo que permite identificar claramente a ambas.

Por otro lado, se incorpora el criterio de la no transferencia de riesgo como elemento caracterizador del contrato de servicios y que lo diferencia de la concesión.

38. La definición resulta de la argumentación que se ha expuesto en el epígrafe 4.2 y del contraste con la regulación propuesta para la concesión de servicios públicos.

servicios en el vigente TRLCSP/2011, completado con las determinaciones de la Directiva 2014/23/UE, sobre adjudicación de concesiones[39].

3. LA NECESARIA RECONDUCCIÓN DEL PLCSP

3.1. Formulación y virtualidad de la propuesta alternativa

A lo largo de las páginas anteriores se ha analizado la evolución y el planteamiento del Proyecto de Ley de Contratos del Sector Público de noviembre de 2016 en relación con las diferentes tipologías de servicios: a) públicos y no públicos; y b) que conllevan prestaciones directas a los ciudadanos y que integran prestaciones para la Administración. En mi opinión, del análisis se concluye la necesidad de una clarificación conceptual y del régimen jurídico de las figuras contractuales de carácter prestacional, por lo que, a tales efectos, se formula una propuesta alternativa a la configurada en el PLCSP.

Frente al planteamiento del Proyecto, la propuesta mantiene la vigencia del *contrato de gestión de servicios públicos* (CGSP), con sus modalidades de *concesión, gestión interesada, concierto* y *sociedad de economía mixta*, a la que se añade la del *arrendamiento*. Se logra, de esta manera, preservar un régimen jurídico unitario para la gestión contractual que tenga por objeto un servicio público, y que integra la serie de prescripciones que el TRLCSP y la legislación de desarrollo, local principalmente, establecen en razón de dicho objeto y como garantía de los usuarios de los servicios públicos y de la continuidad y regularidad en la prestación de los mismos.

La configuración de ese régimen unitario con sus prescripciones comunes se complementa con un elenco de figuras, cada una con su elemento relevante, lo que permite acudir a la que resulte más idónea en atención a las peculiaridades del servicio público en cuestión cuya prestación se contrata.

3.2. La concesión

Así, en primer término, sobresale la figura de la concesión, definida en relación con la explotación de servicios públicos económicos en que se produzca la transferencia del riesgo operacional al contratista, lo que exige la aplicación de las determinaciones de la Directiva 2014/23/UE,

---

39. Se opta así por configurar la concesión de servicios no públicos en atención a su conexión con las prestaciones que son objeto del contrato de servicios en la propuesta formulada, excepción hecha de la formulación de la ecuación económica de la concesión que, al transferir al contratista el riesgo operacional, debe regirse por las determinaciones de la D 2014/23/UE.

con la complejidad que le es inherente y que ya ha sido objeto de análisis por la doctrina. Por lo demás, el PLCSP traslada a la concesión de servicios públicos el régimen del CGSP regulado en el TRLCSP/2011, por lo que en este punto hay coincidencia con la aplicación que resulta del Proyecto.

Ello no obsta a que pueda haber aspectos susceptibles de mejora. Así, cabe señalar los siguientes:

i) La *extensión de la prórroga forzosa* del contrato vigente, para el caso de que no se verifique la adjudicación del nuevo contrato licitado, prevista exclusivamente para los contratos de servicios y suministros en el PLCSP (art. 29.4.3r pfo.), cuya justificación de la extensión es mayor si cabe atendido el objeto contractual de la concesión de servicios públicos[40].

ii) Para determinar el valor estimado de la concesión, además de considerar el *de todos los suministros y servicios que sean necesarios para la prestación de servicios* (PLCSP, 101.3. f), debería incluirse –en congruencia con la regla del volumen total de negocios del VEC (PLCSP, 101. b)– *el valor de los bienes que el poder adjudicador ponga a disposición del concesionario y resulten precisos para la prestación objeto del contrato,* supuesto que desde luego se da siempre que constituyan el inmueble donde se desarrolla tal prestación[41].

---

40. La previsión es la siguiente: «(…) *cuando al vencimiento de un contrato no se hubiera formalizado el nuevo contrato que garantice la continuidad de la prestación a realizar por el contratista como consecuencia de incidencias resultantes de acontecimientos imprevisibles para el órgano de contratación producidas en el procedimiento de adjudicación y existan razones de interés público para no interrumpir la prestación, se podrá prorrogar el contrato originario hasta que comience la ejecución del nuevo contrato y en todo caso por un periodo máximo de nueve meses, sin modificar las restantes condiciones del contrato, siempre que el anuncio de licitación del nuevo contrato se haya publicado con una antelación mínima de tres meses respecto de la fecha de finalización del contrato originario*».
    Esta regulación se localiza en el tercer párrafo del apartado 4 del art. 29 del Proyecto, referido exclusivamente a los contratos de servicios y suministros, diferenciada, por tanto, de la relativa a las concesiones de servicios, ubicada en el apartado 6 de dicho artículo; y de ahí la necesidad de su extensión a las concesiones, que se lograría simplemente mediante un inciso en tal sentido al final del citado apartado 6 que las contempla.

41. Es esta una de las determinaciones que incorpora el Decreto ley 3/2016, de 31.5, de medidas urgentes en materia de contratación pública de Cataluña (3.2.6.° pfo.). La referencia a los *bienes* no se encuentra expresamente consignada en la Directiva 2014/23/UE, pero –a mi juicio– constituye un contenido inherente a las reglas sobre el volumen total de negocios y consideración conjunta con los suministros y servicios necesarios para la ejecución de las obras y la prestación servicios que caracterizan el VEC de las concesiones en dicha norma comunitaria (véanse, respectivamente, el CDO. 23 y art. 8.2 y el art 8.3.f), y de ahí que

iii) Atendida la trascendencia y complejidad para *delimitar la transferencia esencial del riesgo operacional* y, en consecuencia, la procedencia en caso de producirse de la figura de la concesión, sería del todo conveniente consignar la obligación de incluir en los pliegos las estipulaciones referidas a los aspectos que caracterizan tal transferencia en la concesión objeto de licitación[42].

iv) Por lo que se refiere a las *obligaciones generales* del concesionario de servicios públicos, recogidas en el art. 286 del Proyecto con ese título, sería razonable introducir algunas precisiones en relación con las garantías de la continuidad del servicio en caso de extinción normal del contrato, las potestades cuyo ejercicio corresponde al poder ad-

---

considere del todo oportuna la inclusión de la mención a los bienes puestos a disposición del contratista a los efectos de la valoración estimada de la concesión.

42.   En este sentido y para verificar la transferencia del riesgo operacional merece destacarse el esfuerzo que, para su definición en el contrato, desarrolla el Anteproyecto de Ley Foral de Contratos Públicos que está tramitando la Comunidad Foral de Navarra, datado de principios de 2017; concretamente, su art. 202 prescribe lo siguiente:

«Artículo 202. Contenido del contrato.

Los contratos de concesión de servicios deberán incluir necesariamente, además de las cláusulas de alcance general reguladas en esta Ley Foral, estipulaciones referidas a los siguientes aspectos:

a) Identificación de las prestaciones principales que constituyen su objeto.

b) Condiciones del riesgo operacional que asume el contratista, desglosando y precisando la imputación de los riesgos derivados de la variación de los costes de las prestaciones y la imputación de los riesgos de demanda de dichas prestaciones.

c) Objetivos de rendimiento asignados al contratista, particularmente en lo que concierne a la calidad de las prestaciones de los servicios, la calidad de las obras y suministros y las condiciones en que son puestas a disposición de la Administración.

d) Determinación del sistema de tarifas para la remuneración del contratista, que deberá desglosar las bases y criterios para el cálculo de los costes de inversión, de funcionamiento y de financiación y en su caso, de los ingresos que el contratista pueda obtener de la explotación de las obras o equipos en caso de que sea autorizada y compatible con la cobertura de las necesidades de la Administración.

e) Causas y procedimientos para determinar las variaciones de la remuneración a lo largo del período de ejecución del contrato.

f) Fórmulas de pago y, particularmente, condiciones en las cuales, en cada vencimiento o en determinado plazo, el montante de los pagos pendientes de satisfacer por la Administración y los importes que el contratista debe abonar a ésta como consecuencia de penalidades o sanciones pueden ser objeto de compensación.

g) Fórmulas de control por la Administración de la ejecución del contrato, especialmente respecto a los objetivos de rendimiento, así como las condiciones en que se puede producir la subcontratación.

h) Sanciones y penalidades aplicables en caso de incumplimiento de las obligaciones del contrato.

i) Condiciones en que puede procederse por acuerdo o, a falta del mismo, por una decisión unilateral de la Administración, a la modificación de determinados aspectos del contrato o a su resolución, particularmente en supuestos de variación de las necesidades judicador y la remisión al resto de la legislación reguladora de los diferentes servicios públicos[43].

v) En lo que atañe a las *prestaciones económicas* de la concesión, objeto del art 287 del PLCSP, en su apartado 1 y «*para hacer efectivo su derecho a la explotación del servicio*» (*público* habría que precisar), prevé «*una retribución fijada en función de su utilización que se percibirá directamente de los usuarios o de la propia Administración*», alternativas a las que habría que añadir una tercera: la de carácter mixto, esto es, la que se percibe conjuntamente de los usuarios y del poder adjudicador[44].

En el apartado 3 del mismo art. 287, el PLCSP ha incluido una referencia a que «*si así lo hubiera establecido el pliego de cláusulas administrativas*

---

de la Administración, de innovaciones tecnológicas o de modificación de las condiciones de financiación obtenidas por el contratista.

j) *Control que se reserva la Administración sobre la cesión total o parcial del contrato.*

k) *Destino de las obras y equipamientos objeto del contrato a la finalización del mismo.*

l) *Garantías que el contratista afecta al cumplimiento de sus obligaciones*».

El referido Anteproyecto y otra documentación complementaria están accesibles en: http://gobiernoabierto.navarra.es/es/participacion/procesos-de-participacion/propuestas-gobierno/anteproyecto-ley-foral-contratos; consulta efectuada el 2.2.2017.

Con vistas a la consignación de la obligación en los pliegos, pues, podría reproducirse la relación de aspectos que recoge el texto foral o un resumen de los principales (así, los contenidos en las letras b) a g) del art. 202 transcrito). El precepto del PLCSP más idóneo para hacerlo sería –a mi entender– el art. 283, sobre *pliegos y anteproyecto de obras y explotación* (aunque también se refiere al *estudio de viabilidad*); concretamente como un inciso al final de su apartado 2.

43. Así, las precisiones serían las siguientes:

En la letra a), añadir la *obligación del contratista, en caso de extinción normal del contrato, de tener que seguir prestando el servicio público hasta tanto otro se haga cargo de la gestión del mismo*; previsión recogida en el ROASCat/1995 (235.a) y RBASOArag/2002 (269.1ª) y que constituye una manifestación más de los principios de continuidad y regularidad del servicio público y no suspensión del mismo.

En la letra b), después de la referencia a los poderes de policía, incluir una mención a las *potestades de control y dirección del servicio público que ostenta el poder adjudicador titular del mismo*, atendida su trascendencia en relación con dicho objeto, tal como ya se puso de manifiesto (así, en mis alegaciones al ALCSP de mayo y en el artículo de la RGDA de octubre de 2015, p. 23-24 y 24-25, respectivamente, y que el Consejo de Estado destaca en su Dictamen núm. 1116/2015, p 78-79, en referencia al contrato de gestión de servicios públicos).

Finalmente, en la letra e), *sustituir la mención a las leyes por la remisión a la legislación*, lo que permite, con mayor rigor jurídico, la aplicación de los reglamentos (desde el RServicios de 1955 hasta el ROASCat o el RBASOArag), así como una referencia al *resto de documentación contractual*, para cerrar con ello el círculo obligacional.

44. Hay que recordar a este respecto que la propia Directiva 2014/23/UE al definir la concesión precisa que su «*contrapartida es bien el derecho a explotar los servicios objeto del contrato únicamente, **o este mismo derecho en conjunción con un pago**»* (CDO. 11 y art. 5.1.b).

particulares, el concesionario abonará a la Administración concedente un canon o participación, que se determinará y abonará en la forma y condiciones previstas en el citado pliego». Con ser correcta esa remisión al pliego, debería completarse con una mención a *lo que resulte de la adjudicación y formalización del contrato,* toda vez que, sobre la base de los márgenes establecidos en aquél (así, sobre el mínimo del canon fijo y, eventualmente, los umbrales del variable, expresados en cifras o porcentajes), la concreción del canon y sus modalidades resulta normalmente de la oferta formulada por el adjudicatario y que queda plasmada en el contrato formalizado[45].

3.3. Modalidades en que no se transfiere el riesgo operacional: gestión interesada, concierto, sociedad de economía mixta y arrendamiento

Una vez analizada la concesión de servicios públicos, por lo que se refiere al resto de modalidades, caracterizadas por la no transferencia del riesgo operacional al contratista, la propuesta que se formula parte de la base de la aplicación de las prescripciones relativas al contrato de servicios en la Directiva 2014/24/UE (publicidad comunitaria, recurso especial de contratación y las demás que establece). Sentado este criterio, el régimen jurídico aplicable deberá ser el mismo que en el caso anterior, esto es, el previsto para el CGSP en el Texto refundido de 2011, y que en el Proyecto se circunscribe a la concesión, al que habría que añadir las mejoras señaladas (apartados i a v que se acaban de analizar). Sobre la base de este régimen jurídico unitario, la alternativa planteada se completa con la caracterización del elemento relevante de cada una de las otras formas de gestión, lo que posibilita la adaptación del contrato al servicio público concreto:

A) LA GESTIÓN INTERESADA

En la *gestión interesada* el elemento relevante viene dado por la articulación de la retribución del contratista que, en el supuesto más común, distingue una remuneración mínima que se garantiza al gestor (asunción de

---

45. Debe consignarse que la inclusión de la referencia al canon en el Proyecto obedece a la observación del Consejo de Estado que, respecto del art. 287 del ALCSP, manifiesta que «debe señalar que no es infrecuente que los pliegos de cláusulas administrativas particulares impongan al concesionario el pago de un canon a favor de la Administración titular del servicio. Esta posibilidad no está contemplada en el anteproyecto. Por otra parte, la regulación de la materia es manifiestamente insuficiente. Solo está prevenida en el artículo 115.8.ª del Reglamento de Servicios de las Corporaciones Locales, aprobado por Real Decreto de 17 de junio de 1955. Por ello, se considera que debiera introducirse una sucinta regulación de la cuestión» (Dictamen núm. 1116/2015, p. 247).

ese riesgo económico por la administración) y una remuneración añadida variable en función de los resultados económicos de la explotación, con las modalidades de asignaciones proporcionales (al gasto o a los ingresos) u otras primas de naturaleza diferente (por aumento del número de usuarios, por ejemplo).

La gestión interesada se puede preconizar para servicios que por razón legal o corporativa se hayan de prestar (lo que se asegura con la remuneración mínima o fija para el gestor), y en relación con los cuales sea posible obtener mejores resultados económicos a partir de una gestión eficiente que atraiga usuarios (así, la de los servicios de transporte de viajeros, culturales y de turismo, complejos culturales y de ocio).

B) EL CONCIERTO

En cuanto a la modalidad del *concierto*, esta se define como aquella que permite a la Administración contratar con un particular la prestación de un servicio público, sobre la conjunción de los elementos relevantes de una solvencia técnica acreditada del contratista, que aporta sus instalaciones o sus servicios, con una determinación precisa del pago por la utilización de éstos, lo que evidencia el objetivo de la regulación y la funcionalidad del concierto: articular esta modalidad en términos de contención del gasto y sin transferencia del riesgo al contratista. Ese pago puede ser a cargo exclusivo de la Administración en el caso de servicios gratuitos, aunque el concierto también admite, sin quebranto de su naturaleza, la posibilidad de percibir de los usuarios unas tarifas que cubran parcialmente la financiación del servicio, lo que no excluye la eventual cobertura total del mismo.

En cuanto a sus aplicaciones, este concierto de base contractual puede resultar idóneo en relación con servicios gratuitos o servicios en que el rendimiento económico para la administración sea reducido (sanitarios, asistenciales y educativos), aunque también con servicios en que la variación de sus prestaciones (por razones tecnológicas o de otro tipo) sea elevada.

C) LA SOCIEDAD DE ECONOMÍA MIXTA

C.1) Concepto y regulación en la legislación básica

En la *sociedad de economía mixta* el elemento relevante lo constituye la participación público-privada en el capital de la sociedad que debe articularse, desde la perspectiva de la Administración, mediante su conciliación con los principios de publicidad y concurrencia en la selección del socio privado, atendida su configuración contractual. Esta sociedad de economía mixta se configura, de un lado, para incorporar, junto al capital que financia la inversión y obtiene el correspondiente beneficio, las funcionalidades de la gestión privada, principalmente las técnicas de gestión vinculadas con la eficiencia y el abaratamiento de costes y, de otro, para que la Administración esté presente en el consejo de administración y conozca la situación económico-financiera de la sociedad prestataria del servicio, salvando así las dificultades que encuentra para saber de esa situación en el resto de modalidades de gestión indirecta. La participación privada puede ser mayoritaria o minoritaria, en función de lo cual se modula la incidencia del socio privado en el protagonismo de la gestión y en la toma de decisiones de la sociedad. Sobre la regulación en la legislación básica hay que recordar los aspectos siguientes:

–   La DA 29.1 del TRLCSP, sobre «*Fórmulas institucionales de colaboración entre el sector público y el sector privado*», prevé que «*los contratos públicos y concesiones podrán adjudicarse directamente a una sociedad de economía mixta en la que concurra capital público y privado, siempre que la elección del socio privado se haya efectuado de conformidad con las normas establecidas en esta Ley para la adjudicación del contrato cuya ejecución constituya su objeto, y en su caso, las relativas al contrato de colaboración entre el sector público y el sector privado, y siempre que no se introduzcan modificaciones en el objeto y las condiciones del contrato que se tuvieron en cuenta en la selección del socio privado*»[46].

–   Se amplía hasta 60 años el límite de duración y prórrogas del contrato en el supuesto que incluya la ejecución de obras, y el servicio público *objeto* de explotación por la sociedad mixta sea el de mercado o el de lonja central mayorista de artículos alimentarios (TRLCSP, 278.a), *in fine*).

–   En la sociedad mixta se han de conciliar dos planteamientos diferenciados: el de la gestión indirecta con base societaria (legislación local) y el vínculo contractual (RGLCAP, 182).

---

46.   Sobre los antecedentes de esta disposición, véase el exhaustivo IJCCA Aragón 1/2012, de 1.2 (apartado IV), del que interesa destacar que procede de la DA 16 (apartado 34) de la L 2/2011, de Economía Sostenible, que introdujo en la LCSP la DA 35 que «*venía a dar carta de naturaleza, en nuestro ordenamiento jurídico de la contratación, al criterio contenido en la Comunicación interpretativa de la Comisión, relativa a la aplicación del Derecho comunitario en materia de contratación pública y concesiones a la colaboración público-privada institucionalizada (CPPI) de 12 de abril de 2008, (…) criterio a su vez refrendado por Sentencia del Tribunal de Justicia (Sala Tercera), de 15 de octubre de 2009, Asunto C-196/08, Acoset SpA contra Conferenza Sindaci e Presidenza della Prov. Reg. Di Ragusa y otros*». Puede consultarse también el trabajo de MARTÍNEZ PALLARÉS (2013: 132-134).

– Finalmente, hay que consignar algunas posibles reservas para la utilización de las sociedades de economía mixta derivadas de las previsiones introducidas en la LBRAL por la LRSAL y, concretamente, vinculadas con el *redimensionamiento del sector público local*, ya referidas a la participación directa de la entidad local en la constitución de una nueva sociedad mixta, ya desarrollada a través de una entidad de ella dependiente, posibilidad esta última presente en el TRLCSP (277.d) y en los textos que le han precedido desde la Ley de contratos de 1965 (66.4.ª)[47]. En principio, tales medidas fueron ideadas con vistas a la reducción o contención del sector público de las entidades locales, las personificaciones instrumentales de gestión directa de las mismas, por tanto, la constitución de una nueva sociedad de economía mixta, cuando menos si la participación de la entidad es mayoritaria, se verá afectada de tales limitaciones.

C.2) Las previsiones del ALCSP y el PLCSP

En relación con la adjudicación a sociedades de economía mixta, ALCSP y PLCSP recogen esa figura y la regulan de la siguiente manera:

«*DISPOSICIÓN ADICIONAL VIGÉSIMA TERCERA. Adjudicación de contratos de concesión de obras y de concesión de servicios a sociedades de economía mixta.*

1. Las concesiones de obras y de servicios podrán adjudicarse directamente a una sociedad de economía mixta en la que concurra mayoritariamente capital público con capital privado, siempre que la elección del socio privado se haya efectuado de conformidad con las normas establecidas en esta Ley para la adjudicación del contrato cuya ejecución constituya su objeto, y siempre que no se introduzcan modificaciones en el objeto y las condiciones del contrato que se tuvieron en cuenta en la selección del socio privado.

La modificación de los contratos de concesión de obras o de concesión de servicios que se adjudiquen directamente según lo establecido en

---

47. Concretamente, la DA9.ª de la LBRL, intitulada *Redimensionamiento del sector público local*, establece, entre otras previsiones, las siguientes:

«*1. Las Entidades Locales del artículo 3.1 de esta Ley y los organismos autónomos de ellas dependientes no podrán adquirir, constituir o participar en la constitución, directa o indirectamente, de nuevos organismos, entidades, sociedades, consorcios, fundaciones, unidades y demás entes durante el tiempo de vigencia de su plan económico-financiero o de su plan de ajuste.(…)*

3. *Los organismos, entidades, sociedades, consorcios, fundaciones, unidades y demás entes que estén adscritos, vinculados o sean dependientes, a efectos del Sistema Europeo de Cuentas, a cualquiera de las Entidades Locales del artículo 3.1 de esta Ley o de sus organismos autónomos, no podrán constituir, participar en la constitución ni adquirir nuevos entes de cualquier tipología, independientemente de su clasificación sectorial en términos de contabilidad nacional*».

el párrafo anterior, únicamente se podrá realizar de conformidad con lo establecido en la Subsección 4.ª de la Sección 3.ª del Capítulo I del Título I del Libro Segundo, relativa a la modificación de los contratos.

2. En el caso en que la sociedad de economía mixta pretendiera acceder como concesionaria a otros contratos distintos de los referidos en el apartado 1 anterior, deberá concurrir al correspondiente procedimiento de licitación de conformidad con lo establecido en la presente Ley.

3. Sin perjuicio de la posibilidad de utilizar medios de financiación tales como emisión de obligaciones, empréstitos o créditos participativos, las sociedades de economía mixta constituidas para la ejecución de un contrato de concesión de obras o de concesión de servicios, podrán:

a) Acudir a ampliaciones de capital, siempre que la nueva estructura del mismo no modifique las condiciones esenciales de la adjudicación salvo que hubiera estado prevista en el contrato.

b) Titulizar los derechos de cobro que ostenten frente a la entidad adjudicadora del contrato cuya ejecución se le encomiende, previa autorización del órgano de contratación, cumpliendo los requisitos previstos en la normativa sobre mercado de valores».

Sobre el precepto transcrito cabe formular las siguientes precisiones:

1.ª Inicialmente, en el ALCSP/A/2015 no se contenía esta previsión, sino que la recuperación de la misma se incorporó en el ALCSP/O/2015, de lo que se hace eco el propio texto, precisamente después de haber anunciado la desaparición del CGSP, en los siguientes términos:

«Sin perjuicio de lo anterior, se mantiene la posibilidad de que se adjudique directamente a una sociedad de economía mixta un contrato de concesión de obras o de concesión de servicios en los términos recogidos en la Disposición Adicional Vigésima Tercera, siguiendo el criterio recogido por el Tribunal de Justicia de la Unión Europea en la Sentencia 196/08 en el caso ACOSET, y en la Comunicación Interpretativa de la Comisión Europea relativa a la aplicación del Derecho comunitario en materia de contratación pública y concesiones a la colaboración público-privada institucionalizada de 5 de febrero de 2008» (EM, IV, pfo. 6.°)[48].

---

48. Debe consignarse que la referencia jurisprudencial que menciona el Anteproyecto puede inducir a confusión, siendo la correcta la transcrita en la cita anterior reproducida del Informe de la JCCA Aragón 1/2012; en cuanto a la Comunicación

El Proyecto de ley reproduce sin variaciones la DA23.ª, así como la mención en la Exposición de motivos (IV, pfo. 6.°), si bien en esta sustituye las mayúsculas por minúsculas en relación con la mención a la disposición adicional vigésima tercera y al derecho comunitario.

2.ª Del contenido substantivo, lo primero que llama la atención es que se circunscriba a las concesiones de obras y de servicios, lo que deja fuera los contratos públicos en abierta discrepancia con el planteamiento de la Comunicación de la Comisión como se desprende de su misma denominación a la que aluden Anteproyecto y Proyecto. A tenor de esa previsión, pues, solo si concurre la transferencia del riesgo al contratista podrá producirse la adjudicación a la sociedad de economía mixta de la concesión de obra o de servicio.

No se contempla, en consecuencia, la posibilidad de que esa adjudicación en favor de tal sociedad tenga lugar en el marco de un contrato distinto de la concesión, lo que ciertamente restringe la aplicación de esa figura de la colaboración público-privada institucionalizada, y sin que se adviertan las razones que justifican la limitación del criterio comunitario, abierto también a los contratos públicos[49].

3.ª La previsión sobre que la modificación de los contratos de concesión de obras o de concesión de servicios que se adjudiquen directamente

---

de la Comisión, ciertamente es de fecha 5.2.2008 y fue publicada en el DOUE el 12.4.2008 (C 91/4).

El Consejo de Estado reproduce el párrafo transcrito del Anteproyecto en referencia al contenido del mismo (Dictamen núm. 1116/2015, de 10.3.2016, p. 26). También recuerda que «la gestión interesada, el concierto o la *sociedad de economía mixta* (…) forman parte de la tradición del Derecho administrativo español» (Dictamen, p. 80, la cursiva es mía), reproduciendo así los términos formulados en mis alegaciones de mayo de 2015 al ALCSP/A/2015 (p. 33) y el artículo en la RGDA de octubre del mismo año (p. 38).

49. Es expresivo de la amplitud que preconiza la *Comunicación interpretativa de la Comisión relativa a la aplicación del Derecho comunitario en materia de contratación pública y concesiones a la colaboración público-privada institucionalizada (CPPI)*, de 5.2.2008, el siguiente párrafo (2.2, *in fine*):

«*Una de las posibilidades que se ofrecen para crear una CPPI conforme con los principios de la legislación comunitaria, evitando los problemas derivados de la doble licitación, es actuar de la manera siguiente: el socio privado es seleccionado mediante un procedimiento de licitación transparente y competitivo cuyo objeto es el contrato público o la concesión (18) que se ha de adjudicar a la entidad de capital mixto y la contribución operativa del socio privado a la ejecución de esas tareas y/o su contribución administrativa a la gestión de la entidad de capital mixto. La selección del socio privado va acompañada de la creación de la CPPI y la adjudicación del contrato público o la concesión a la entidad de capital mixto.*

(18) Si la CPPI en cuestión se crea mediante la participación de un socio privado en una empresa pública existente, el objeto del procedimiento de selección del socio privado

al amparo de esta DA 23.ª del ALCSP y PLCSP, únicamente se podrá realizar de conformidad con lo establecido en la Subsección 4.ª de la Sección 3.ª del Capítulo I del Título I del Libro Segundo (art. 201-205), relativa a la modificación de los contratos, se explica en el marco de la ortodoxia sobre las limitaciones a las modificaciones contractuales propio de la Directivas y del Derecho interno, que Anteproyecto y Proyecto de ley reiteran.

4.ª En esa misma clave de ortodoxia hay que interpretar la prevención sobre que en el caso en que la sociedad de economía mixta pretendiera acceder como concesionaria a otros contratos distintos de los referidos en el apartado 1 de la DA 23.ª de ALCSP y PLCSP, deberá concurrir al correspondiente procedimiento de licitación de conformidad con lo establecido legalmente.

5.ª Por su parte, el apartado 3.º de la DA 23.ª de ALCSP y PLCSP, sobre la utilización de medios de financiación, reproduce el contenido del apartado 2.º de la DA 29.ª del TRLCSP, bien que circunscribiéndolo obviamente a las concesiones.

6.ª Se desprende de las anteriores consideraciones que no se prevé en el ALCSP y PLCSP la reconducción a la sociedad de economía mixta de la gestión de servicios públicos en que no se transfiera el riesgo operacional. En realidad, la previsión de ambos textos reitera el criterio sobre la exclusividad de la concesión (con transferencia de dicho riesgo) y lo único que añade es la posibilidad del otorgamiento directo de la misma sobre la base de que el socio privado haya sido seleccionado previo cumplimiento de los requisitos de publicidad, concurrencia y objetividad. En consecuencia, esta *sociedad de economía mixta* de la DA 32.ª del PLCSP tiene una finalidad meramente instrumental: constituir una personificación de base societaria, con capital público y privado para gestionar una concesión; bien entendido que se produce una transferencia del riesgo operacional, pero esta transferencia resulta de la concesión adjudicada, no de la sociedad que desempeña solo el papel de un *partenariado* o, dicho en términos comunitarios, de una *colaboración público-privada institucionalizada*[50].

---

para dicha CPPI puede ser confiar la ejecución de contratos públicos o concesiones que hasta entonces habían sido ejecutados internamente por la empresa pública».

Completa la referencia a dicha *Comunicación*, la siguiente mención: 2008/c 91/02, DOUE 12.4.2008; accesible en: http://www.ceep-spain.org/files/documenta_53.pdf

50. Véase la ya citada *Comunicación interpretativa de la Comisión Europea relativa a la aplicación del Derecho Comunitario en materia de contratación pública y concesiones a la colaboración público-privada institucionalizada (CPPI)* [2008/c 91/02, DOUE 12.4.2008].

Ello no obstante, formuladas las anteriores precisiones, en la línea que venimos defendiendo y en congruencia con la observación esencial formulada por el Consejo de Estado sobre las otras formas de gestión indirecta (Dictamen núm. 1116/2015, de 10.3.2016, p 79 y 80) aplicada a esta modalidad que se está analizando, debería habilitarse la posibilidad, en el proyecto de ley que se tramita, de que la sociedad de economía mixta pueda también subsumir la gestión de un servicio público en supuestos en que no se produzca la transferencia del riesgo operacional. Con ello se lograría incorporar las ventajas que aporta esta modalidad (básicamente, capital privado para la inversión y, eventualmente, técnicas de gestión), sin tener que *forzar* los planteamientos para incluir una transferencia de la gestión operacional que o bien no es tal o, incluso, pudiera resultar inconveniente si se pretende que el servicio público siga siendo objeto de prestación.

C.3) Aplicaciones de la sociedad mixta

Esta modalidad se vincula con servicios públicos económicos, esto es, aquellos con rendimientos significativos de este carácter, ya sea por la percepción de tarifas de los usuarios, ya por la posible valorización que pueda obtener la sociedad mixta de su gestión (así, el caso de los residuos), y completada su financiación con la aportación de la Administración titular del servicio. Los ámbitos susceptibles de aplicación de este tipo de sociedad son los relativos a los servicios de cementerios y funerarios, recogida y tratamiento de residuos y limpieza viaria, alcantarillado, saneamiento y depuración de aguas residuales, abastecimiento domiciliario de agua potable, mercados, aparcamiento público y pavimentación de vías urbanas.

Sentado todo lo anterior, debe reiterarse que, en el supuesto de que la configuración económica del contrato supusiera la transferencia del riesgo operacional al contratista, la figura a utilizar sería obviamente la concesión de servicios públicos por imperativo de la Directiva 2014/23/UE, bien porque se licita y formaliza este contrato por el poder adjudicador, bien porque se utiliza la modalidad de la sociedad de economía mixta meramente instrumental, manifestación de la colaboración público-privada institucional anteriormente aludida.

D) EL ARRENDAMIENTO

De lege ferenda se formula la propuesta de reintroducción en la legislación básica del *arrendamiento*, previsto en el pasado como especificidad local y en esta propuesta con carácter general, con vistas a cubrir el espacio que ha dejado la anterior configuración de la concesión como modalidad en la que, sin concurrir ninguno de los elementos relevantes de las otras modalidades de gestión indirecta, no se produce transferencia esencial del riesgo operacional, y ello unido al elemento relevante tradicional del arrendamiento, referido a la prestación del servicio en instalaciones propias de la Administración titular del mismo.

En el arrendamiento podría encontrar fácil acomodo la gestión de los servicios de mantenimiento y ornato de cementerios, parques, jardines y otros espacios públicos, asistencia social y sanidad desarrollados en centros locales o autonómicos, servicios prestados en instalaciones deportivas de uso público, y los vinculados al turismo, ocio, ocupación del tiempo libre y culturales desarrollados en equipamientos propiedad de la entidad pública titular de los mismos.

3.4. El contrato de servicios y la concesión de servicios no públicos

Definido el contrato de gestión de servicios públicos, la propuesta se completa con la configuración de las otras dos figuras contractuales de carácter prestacional. En primer término, *el contrato de servicios*, cuyo objeto viene constituido por prestaciones de hacer consistentes en el desarrollo de una actividad para las entidades del sector público, la realización de una actividad suyos destinatarios sean los ciudadanos y su objeto no tenga la consideración de servicio público, o la obtención de un resultado distinto de una obra o suministro, incluyendo aquellos en que el adjudicatario se obligue a ejecutar el servicio de forma sucesiva y por precio unitario. Se trata de prestaciones con un cierto grado de heterogeneidad, si bien su configuración prestacional permite un régimen jurídico unitario, que no es otro que el que tradicionalmente ha correspondido a esta figura, ya no lastrada en la propuesta por la necesidad de incorporar determinaciones para garantizar la prestación de un servicio público, toda vez que este ya no integra los objetos posibles del contrato de servicios.

La segunda figura, la *concesión de servicios no públicos*, responde al objetivo de dar cumplimiento a las exigencias de la Directiva 2014/23/UE, pero sin que le sea de aplicación un régimen jurídico que le es impropio (el inherente a los servicios públicos); consecuentemente, el régimen aplicable es el del contrato de servicios, con las salvedades requeridas por la transferencia del riesgo operacional en la explotación de estos servicios no públicos por el contratista, lo que determina la observancia de las prescripciones de la Directiva aludida.

De acuerdo con la propuesta formulada, se prevé que un subtipo de los *contratos de servicios* comprenda prestaciones de hacer consistentes en la realización de una *actividad cuyos destinatarios sean los ciudadanos y su objeto no tenga la consideración de servicio público*, y ese mismo objeto integra la *concesión de servicios no públicos*, bien entendido que la diferencia entre ambos radica en la no transferencia del riesgo operacional en el primer caso, que sí se produce en el segundo. Que el señalado sea el objeto de dichos contratos impide la aplicación de las prerrogativas del régimen legal de los servicios públicos, como ya se advirtió y confirmó el Consejo de Estado. Precisado lo anterior, ello no obsta a que por la vía contractual se establezcan algunas garantías en favor de los servicios prestados en atención a los ciudadanos receptores de los mismos, y de ahí la posibilidad de su inclusión en el pliego que debe regir la licitación de cada uno de los referidos contratos[51].

3.5. La plasmación de la propuesta en el PLCSP

La reconducción del Proyecto de ley en base a la propuesta formulada requiere de su plasmación a lo largo de todo el articulado del mismo. Pese a afectar a un número significativo de preceptos, entiendo que su incorporación no necesita de otra técnica que la de ir precisando, en aquellos que resulten afectados, las referencias al *contrato de gestión de servicios públicos*, distinguiendo, cuando corresponda, las relativas a las *modalidades en que no se transfiera el riesgo operacional al contratista* de las propias de la *concesión de servicios públicos*.

En cuanto a las primeras, especial significación tienen las referidas a la observancia de las determinaciones de la Directiva 2014/24/UE en relación con las modalidades de la gestión interesada, el concierto, la sociedad de economía mixta y el arrendamiento. Efectivamente, atendido que su contratación no comporta la transferencia del riesgo operacional resultarán de aplicación las prescripciones contenidas en dicha Directiva

---

51. Así, los pliegos respectivos podrían prever para el contratista y concesionario las obligaciones siguientes:

   a) Prestar el servicio con la continuidad convenida y garantizar a los particulares el derecho a utilizarlo en las condiciones que hayan sido establecidas y mediante el abono en su caso de la contraprestación económica fijada.
   b) Cuidar del buen orden del servicio.
   c) A la finalización del contrato, entregar las obras e instalaciones a que esté obligado con arreglo al contrato en el estado de conservación y funcionamiento adecuados.
   d) Aquellas otras que la entidad del sector público contratante estime oportuno incluir en garantía de los ciudadanos receptores de los servicios.

respecto del contrato comunitario de servicios y, entre las cuales, destacamos las relativas al recurso especial de contratación (REC) y a la publicidad comunitaria en el DOUE[52].

Y, una vez completada la regulación de las modalidades referidas a la gestión contractual de servicios públicos, la reconducción que se plantea debe completarse con la del *contrato de servicios* acotándolo a las prestaciones de hacer que constituyen su objeto, y la relativa a la *concesión de servicios no públicos*, y las oportunas modificaciones en el articulado del PLCSP acordes con la propuesta formulada.

En la configuración del Proyecto de ley, las modificaciones que en mi opinión deberían introducirse en consonancia con la propuesta serían, en síntesis, las que, referidas a los aspectos señalados, afectan a los siguientes contenidos del PLCSP:

a) **Título Preliminar:** calificación de los contratos, en particular, el CGSP, el de servicios y el de concesión de servicios no públicos y su reflejo en las referencias a los umbrales comunitarios y a la jurisdicción competente.

b) **Libro Primero:** Título I, sobre *disposiciones generales* (plazo de duración y recurso especial de contratación, aprovechando para generalizar su aplicación como se ha reclamado insistentemente); Título II, *partes en el contrato*; Título IV; *garantías*.

c) **Libro Segundo:** Título I, *disposiciones generales* (especialmente, procedimientos de adjudicación, anuncios, criterios de adjudicación, plazos, modificaciones del contrato y cesión del mismo); Título II, *de los distintos tipos de contratos de las Administraciones Públicas* (en particular, el capítulo III, que debería pasar a regular el contrato de gestión de servicios públicos, el capítulo V, sobre el contrato de servicios y, en su caso, uno referido a la concesión de servicios no públicos).

d) **Disposiciones adicionales:** la vigésima tercera (sobre sociedades de economía mixta) y la trigésima quinta (que pierde su sentido al no suprimirse el contrato de gestión de servicios públicos).

---

52. La regulación del REC en el Proyecto se localiza en el art. 44.
    En cuanto a la publicidad en el DOUE, los preceptos en que debería extenderse a estas modalidades serían los relativos a: anuncio de información previa (art. 134.1), anuncio de licitación (135.2), delimitación, plazos para la presentación de proposiciones y plazo de publicación del anuncio de licitación (154.2 y.3), solicitudes de participación (159.1), e información que debe figurar en los anuncios (anexo III, A: secciones 2, núm. 6; 4, núm. 6; 5, núm. 2; 6, núm. 5; 7, núm. 3; y 10, núm. 3).

e) **Anexo III:** sobre *información que debe figurar en los anuncios* (con adecuación de las previsiones relativas a los CGSP, distinguiendo las modalidades en que no se transfiera el riesgo operacional cuyo régimen de publicidad comunitaria debe ser el mismo que el del contrato de servicios, en aplicación de la Directiva 2014/24/UE, y la consideración conjunta de las concesiones de servicios públicos y de servicios no públicos a los efectos de publicidad de acuerdo con la Directiva 2014/23/UE.

VI. EPÍLOGO

Sobre la base de las consideraciones formuladas y su plasmación en el Proyecto de Ley de Contratos del Sector Público, opino que se cierra el círculo de las figuras contractuales de carácter prestacional con una propuesta que creo que satisface las exigencias establecidas:

– Que los tipos de servicios que constituyan el objeto de las figuras contractuales sean los esenciales (servicios públicos, servicios no públicos y servicios que integran prestaciones para la Administración).

– Que los regímenes jurídicos que regulen la contratación a un tercero de las prestaciones de tales servicios se configuren intentando encontrar el punto de equilibrio entre, de un lado, la necesaria diferenciación en los supuestos en que el objeto y los destinatarios de los mismos la demanden, lo que naturalmente apunta a los servicios públicos, y, de otro, la no excesiva proliferación de tipologías contractuales, de suerte que una misma pueda acoger prestaciones que, aunque con un cierto grado de heterogeneidad, sean susceptibles de una regulación unitaria, lo que incluye a los servicios no públicos y a los que integran prestaciones para la Administración.

– Que en la regulación de todo ello se logre conciliar la observancia de las determinaciones establecidas en las Directivas comunitarias, de un lado, con las garantías que aporta el régimen jurídico unitario del contrato de gestión de servicios públicos de acuerdo con la configuración tradicional del Derecho español, de otro, de suerte que queden garantizados los derechos de los usuarios y la continuidad y regularidad de los servicios públicos en el marco del Estado social.

VII. BIBLIOGRAFÍA

CARBONERO GALLARDO J.M. (Dir. y Coord.) (2015): *Administración Local Práctica. Casos Prácticos de Derecho Administrativo y haciendas locales*. El Consultor de los Ayuntamientos/La Ley.

FUERTES LÓPEZ, M. (2013): «Los riesgos del riesgo de explotación (Crítica a la jurisprudencia del Tribunal de Justicia de la Unión europea sobre las concesiones de servicio público y los contratos de servicios)». En Gimeno Feliú, J.M. (Dir.) y Bernal Blay, M.A. (Coord.): *Observatorio de Contratos Públicos 2012*. Ed. Aranzadi, 2013.

FUERTES LÓPEZ, M. (2015): «Discriminación territorial y una coda». *El blog de esPublico* 26.11.2015. Accesible en: http://www.administracionpublica.com/discriminacion-territorial-y-una-coda/

GALLEGO CÓRCOLES, I. (2011): «Distinción entre el contrato de concesión de servicios y el contrato de servicios (I y II)». *Revista Contratación Administrativa Práctica*. La Ley, núm. 111 y 112, septiembre y octubre de 2011.

GIMENO FELIÚ, J.M. (2010): *Novedades de la Ley de Contratos del Sector Público de 30 de octubre de 2007 en la regulación de la adjudicación de los contratos públicos*. Cizur Menor (Navarra). Thomson-Aranzadi.

GIMENO FELIÚ, J.M. (2010b): «Nuevos escenarios de política de contratación pública en tiempos de crisis económica». *El Cronista del Estado Social y Democrático de* Derecho, núm. 9.

GIMENO FELIU, J.M. (2012): «Delimitación conceptual entre el contrato de gestión de servicios públicos, contrato de servicios y el CPP». En: *Revista Española de Derecho Administrativo*, n.º 156, octubre-diciembre 2012.

GIMENO FELIU, J.M. (2014): «Contratación pública estratégica. Transparencia y procedimientos. Las modificaciones del contrato». Conferencia impartida en el Seminario «La Contratación Pública bajo las Nuevas Directivas: ¿Cumplimos con Europa?» European Institute of Public Administration/Escola d'Administració Pública de Catalunya. Barcelona, 7-8.7.2014.

GIMENO FELIÚ, J.M. (2014b): *El nuevo paquete legislativo comunitario sobre contratación pública. De la burocracia a la estrategia (El contrato público como herramienta del liderazgo institucional de los poderes públicos)*. Thomson Reuters Aranzadi.

GIMENO FELIU, J.M. (2015): «La reforma comunitaria en materia de contratos públicos y su incidencia en la legislación española. Una visión desde la perspectiva de la integridad». Ponencia presentada en el X Congreso de la Asociación de Profesores de Derecho Administrativo; Madrid, 6.2.2015.

GIMENO FELIÚ, J.M. (2015b): «El valor interpretativo de las nuevas directivas de Contratación Pública antes del vencimiento del plazo de transposición».

Observatorio de Contratación Pública, 30.3.2015. Accesible en: http://www.obcp.es/index.php/mod.opiniones/mem.detalle/id.191/relcategoria.208/relmenu.3/chk.b124558896f43f2d2997a872b828b959

GIMENO FELIÚ, J.M. (2015c): «La nueva directiva de Contratación Pública». Jornada celebrada el 3.6.2015 en Castellón, organizada por la Diputación de esta provincia. El vídeo está disponible en http://www.contratacionpublicacp.com/; consulta efectuada el 8.8.2015.

GIMENO FELIÚ, J.M. (2015d): «La Contratación Pública en los contratos sanitarios y sociales». Observatorio Contratación pública. Accesible en: http://www.obcp.es/index.php/mod.opiniones/mem.detalle/id.194/relcategoria.208/relmenu.3/chk.fda916418919b4edadc19f1025462bf6

GIMENO FELIU, J.M. (2015e): «Novedades introducidas en el anteproyecto de Ley de contratos del Sector Público». Observatorio Contratación Pública. Accesible en: http://www.obcp.es/index.php/mod.opiniones/mem.detalle/id.196/relcategoria.121/relmenu.3/chk.82c4e2ee0e6a5bef2833a42e3e930570

GIMENO FELIU, J.M. (2015f): «La nueva reforma de la contratación pública», ponencia expuesta en el marco de la Jornada «El acceso de las PYMES a la contratación pública», celebrada en Barcelona el 26.2.2015 y organizada por la Federació de Municipis de Catalunya.

GIMENO FELIU, J.M. (2015g): «La "codificación" de la contratación pública mediante el derecho pretoriano derivado de la jurisprudencia del TJUE». *Revista Española de Derecho Administrativo* núm. 172, juliol-setembre 2015. Pp. 81-122.

GIMENO FELIU, J.M. (2015h): «Los efectos jurídicos de las directivas de contratación pública ante el vencimiento del plazo de transposición sin nueva ley de contratos públicos. La directiva de concesiones». Ponencia impartida en el VI Seminario sobre nuevos escenarios de la contratación pública, Formigal, 23.9.2015. Disponible en: http://www.obcp.es/index.php/mod.noticias/mem.detalle/id.850/relcategoria.118/relmenu.2/chk.78e5ccf38cdde9e835bcb274aa8c7081

GIMENO FELIU, J.M. (2016): «Novedades del Anteproyecto de Ley de Contratos del Sector Público. La transposición de las Directivas de Contratación Pública en España». Ponencia presentada en el Congreso Internacional sobre Contratación Pública celebrado en Cuenca los días 21 y 22 de enero de 2016. Accesible en el Observatorio de la Contratación Pública: http://www.obcp.es/index.php/mod.

noticias/mem.detalle/id.935/relcategoria.118/relmenu.2/chk.
f4d6c6e3310631de42e822f20e39d925

GIMENO FELIU, J.M. (2016b): «Remunicipalización de servicios locales y
Derecho comunitario». *El Cronista del Estado Social y Democrático de
Derecho* núm. 58-59, febrero-marzo 2016.

GIMENO FELIU, J.M. (2016c): «Presente y futuro de la regulación de la
modificación de los contratos del sector público». Ponencia impartida
en la Jornada sobre el impacto de las nuevas directivas de contratos
de la UE en la regulación de las modificaciones de contratos del
Sector Público organizada con la colaboración del Observatorio de
Contratación Pública (ObCP), celebrada el 2.5.2016, Facultad de Derecho.
Universidade da Coruña; accesible en: http://www.obcp.es/index.
php/mod.documentos/mem.descargar/fichero.documentos_Jose-
Maria-Gimeno-Jornada-impacto-nuevas_directivas-UE-regulacion-
modificaciones-contratos-sector-publico_3f13ca99%232E%23pdf/
chk.d22a835b2474f60b57b9ef16dc46d47e

GIMENO FELIU, J.M. (2016d): «Un paso firme en la construcción de una
contratación pública socialmente responsable mediante colaboración
con entidades sin ánimo de lucro en prestaciones sociales y sanitarias».
Observatorio Contratación Pública, 9.2.2016; accesible en: http://
www.obcp.es/index.php/mod.opiniones/mem.detalle/id.232/
chk.1771f46f118ba8be5949aec744423521

GIMENO FELIU, J.M. (2016e): «El efecto directo de las directivas de
contratación pública de 2014 en ausencia de transposición en plazo en
España». *Contratación Administrativa Práctica*, núm. 143 (mayo-junio
2016).

GIMENO FELIU, J.M. (2016f): «El nuevo paquete legislativo comunitario
de contratación pública: principales novedades. (La orientación
estratégica de la contratación pública)». En RODRÍGUEZ-CAMPOS, S.
(Coord.): *Las nuevas directivas de contratos públicos y su transposición.*
Marcial Pons.

HERNÁNDEZ GONZÁLEZ, F.L. (2016): «La controvertida supresión del contrato
de gestión de servicios públicos». *La administración al día*. Publicado
el 25.5.2016. Accesible en: http://laadministracionaldia.inap.es/
noticia.asp?id=1506183&nl=1&utm_source=newsletter&utm_
medium=email&utm_campaign=25/5/2016

MARTÍNEZ-ALONSO CAMPS, J.L (2007): *Los servicios públicos locales: concepto,
configuración y análisis aplicado.* Barcelona. Bayer Hnos., S. A.

Martínez-Alonso Camps, J.L (2014): «El sector público local: redimensionamiento y gestión de actividades y servicios públicos». En Carrillo Donaire, J.A. y P. Navarro Rodríguez (Dir.): *La Reforma del régimen jurídico de la Administración Local. El nuevo marco regulatorio a la luz de la Ley de racionalización y sostenibilidad de la Administración Local.* La Ley/El Consultor de los Ayuntamientos.

Martínez-Alonso Camps, J.L. (2015): «Modificación de la Ley de contratos del sector público y gestión de servicios públicos locales: propuestas y alternativas». *Revista General de Derecho Administrativo* núm. 40, 2015 y revista *La Administración al Día* del INAP, 5.11.2015. Accesible en: http://laadministracionaldia.inap.es/noticia.asp?id=1505401

Martínez López-Muñiz, J. L. (2017): «Sentido y alcance de la transposición de las directivas de la Unión Europea (análisis particular en materia de contratación pública)» *Revista de Administración Pública*, 202, 13-41.

Martínez Pallarés, P.L. (2013): «Servicios públicos y contratos de servicios». En *Anuario Aragonés del Gobierno Local 2012*, 04. ISSN 2172-6531.

Mestre Delgado, J.F. (2011): «Las formas de prestación de los servicios públicos locales». «La contratación local». «El servicio público de distribución de aguas». En Muñoz Machado, S. (Dir.): *Tratado de Derecho Municipal II.* 3.ª ed. Madrid Iustel.

Miguez Macho, L. (2006): «La distinción entre las concesiones de servicios y otros contratos públicos a la luz de la Directiva 2014/23/UE: repercusiones para el Derecho español». En Rodríguez-Campos, S. (Coord.): *Las nuevas directivas de contratos públicos y su transposición.* Marcial Pons.

Razquin Lizárraga, J.A. (2012): «La distinción entre contrato de servicios y concesión de servicios en la reciente jurisprudencia comunitaria y su incidencia en el ámbito interno». *Revista Aranzadi Doctrinal*, junio 2012, núm. 3 (p. 171-190).

Razquin Lizárraga, M.M. (2014): «Contratos de gestión de servicios públicos y recursos especiales en materia de contratación (presente y propuestas de reforma)». *Revista española de derecho administrativo*, n.º 161, pp. 37-74.

Razquin Lizárraga, M.M. (2016): «Transposición de las nuevas Directivas de contratación pública: similitudes y diferencias respecto del marco jurídico en España». En Rodríguez-Campos, S. (Coord.): *Las nuevas directivas de contratos públicos y su transposición.* Marcial Pons.

SAIZ RAMOS. M. (2012): «Reflexiones prácticas sobre la diferencia entre los contratos de servicios y de gestión de servicios públicos». *Revista Contratación Administrativa Práctica*. La Ley, núm. 118, abril 2012.

VILLAR ROJAS, F.J. (2016): «La resiliencia del contrato de gestión de servicio público frente a las normas europeas de contratación pública». En HERNÁNDEZ GONZÁLEZ, F.L. (Dir.): *El impacto de la crisis en la contratación pública*. Aranzadi.

Capítulo 4

El papel de los servicios jurídicos en la preparación, licitación y ejecución contractual[1]

CARLOS YÁÑEZ DÍAZ
Letrado-secretario de la Comisión Jurídica
Asesora de la Comunidad de Madrid
Doctor en Derecho

Hablar de la intervención de los Servicios Jurídicos en la contratación pública exige plantearse el porqué de esa intervención. Cuando estamos a punto de que se cumplan veinte años de la creación del Cuerpo de Letrados de la Comunidad de Madrid por la Ley 28/1997, de 26 de diciembre, conviene recordar que el legislador madrileño en la exposición de motivos de la citada Ley afirmaba que «(...) el *progresivo aumento de la litigiosidad a medida que la Comunidad aumenta sus competencias, por un lado, y por otro la necesidad de extender el asesoramiento jurídico recomiendan dotarle de una sustantividad propia, que corra pareja con el aumento de sus efectivos a imagen de otros Cuerpos equivalentes en la Administración General del Estado».*

Esta consideración del legislador tiene todavía plena vigencia y muestra que las similitudes organizativas de los servicios jurídicos con la Abogacía General del Estado y el Cuerpo de Abogados del Estado son el resultado, no solo de una lógica asimilación de soluciones preexistentes, que en el campo de la organización administrativa conectaban plenamente con el ordenamiento jurídico sustantivo y este a su vez con aquellas,

---

1. Ponencia presentada en la Jornada sobre contratación pública organizada por la Abogacía General de la Comunidad de Madrid el 19 de diciembre de 2016.

por más que SEBASTIÁN MARTÍN RETORTILLO[2] considerase que había existido poca imaginación en las Comunidades Autónomas de tal forma que los problemas existentes en la representación y defensa en juicio del Estado se habían reproducido en el ámbito autonómico.

No obstante, por más que existan semejanzas y/o diferencias, hoy día se puede entender existente una suerte de derecho «*básico*» de los Servicios Jurídicos que configura a estos como un mecanismo no solo de asesoramiento jurídico sino de garantía de la legalidad. Esta configuración se muestra claramente en la legislación de contratos cuando establece la intervención de los servicios jurídicos en diversos momentos de la preparación, adjudicación y ejecución de los contratos públicos.

Así cabe recordar que la legislación de contratos exige la participación de los servicios jurídicos en:

- Elaboración de pliegos de cláusulas administrativas particulares: Art. 115 y D.A. 2.ª TRLCSP, preceptos que pasan al Art. 122 y D.A. 3.ª del Proyecto LCSP.

- Informe sobre instrucciones internas de contratación de poderes adjudicadores que no tengan el carácter de Administraciones Públicas: Artículo 191 TRLCSP y Arts. 317 y 319 Proyecto LCSP.

- Participación como vocal de las mesas de contratación: Art. 320 y D.A. 2.ª TRLCSP y Art. 323 y D.A. 3.ª Proyecto LCSP

- Informe en los procedimientos de modificación, interpretación y resolución de contratos: Art 211 TRLCSP. Además de estas prerrogativas clásicas, el Art. 188 Proyecto LCSP añade una nueva en cuanto a la determinación de la responsabilidad del contratista a la que nos referiremos posteriormente.

- Junta Consultiva de Contratación Administrativa del Estado: D.A. 5.ª TRLCSP y Real Decreto 30/1991, de 18 de enero y Art. 325 Proyecto LCSP que pasa a denominarla Junta Consultiva de Contratación Pública del Estado

- Comité de Cooperación en materia de contratación pública: Artículo 326 Proyecto LCSP.

A su vez en la Comunidad de Madrid se recoge:

---

2. MARTÍN RETORTILLO S, «La defensa en derecho de las Administraciones Públicas», *Revista de Administración Pública*, núm. 121, enero-abril 1990, pp. 7-51.

– Informe de pliegos en el Art. 65 Ley 1/1983, de 13 de diciembre, de Gobierno y Administración (LGA) y el Art. 4 Ley 3/1999, de 30 de marzo, de ordenación de los Servicios Jurídicos (LOSSJJ) que recoge el informe tanto de los pliegos como de los contratos administrativos, civiles y mercantiles que deban formalizarse por escrito.

– Convenios: Art. 4 LOSSJJ. Este informe preceptivo ha evitado en muchos casos el que se suscribiesen convenios que en realidad eran meros contratos[3].

– Mesas de Contratación: Arts. 66 LGA y 18 Reglamento de Contratación de la CAM aprobado por Decreto 49/2003, de 3 de abril.

– Junta Consultiva de Contratación Administrativa de la CAM, tanto en el Pleno como en la Comisión Permanente: Arts. 41 y 43 del Rgto. Contratación de la CAM.

Junto a ellas ha de añadirse una clásica función de los servicios jurídicos públicos como es el bastanteo de los poderes que presenten para contratar los representantes, sean legales o voluntarios, de las empresas licitadoras contemplado en el artículo 4 c) de la LOSSJJ y que siempre han servido para facilitar las tareas de los órganos intervinientes en la contratación administrativa al acreditar la representación de las empresas licitadoras.

En todas ellas la función del servicio jurídico es doble, de un lado asesorar a la Administración en cuanto a cómo debe actuar al plantearse cualesquiera problemas jurídicos y, de otro, velar por el cumplimiento de la legalidad.

En materia de **pliegos**, ha de destacarse que el informe se realiza sobre la base de los modelos de pliegos aprobados por la Junta Consultiva de Contratación Administrativa, modelos que, si bien suponen una ayuda innegable a los servicios de contratación, también plantean los problemas derivados de una inserción de cláusulas que no coincidan con algunas de la preexistentes. Así el Dictamen 415/16, de 22 de septiembre, de la Comisión Jurídica Asesora de la Comunidad de Madrid contempla un supuesto en el que los pliegos recogían, de forma un tanto defectuosa, la posibilidad de subcontratar con lo cual no quedaba claro si su incumplimiento era una causa específica de resolución consignada como tal en el pliego al amparo

---

3. Vid. el informe de la entonces Dirección General de los Servicios Jurídicos sobre el convenio de colaboración entre el Consejo Económico y Social y la Universidad X para la realización de un estudio conjunto, publicado en la Revista Jurídica de la Comunidad de Madrid, núm. 28, junio 2009.

del artículo 223 h) del TRLCSP («*las establecidas válidamente en el contrato*») o era una obligación esencial conforme el apartado f).

Como es sabido los pliegos constituyen la «*ley*» del contrato de tal forma que, una vez aprobados, vinculan tanto a la Administración como a los licitadores, de ahí la necesidad de la mayor depuración jurídica en su elaboración. A este respecto conviene recordar que, tanto el TRLCSP como la LOSSJJ, establecen que el informe del Servicio Jurídico se ha de limitar a los pliegos de cláusulas administrativas particulares puesto que los mismos son los únicos que deberían recoger clausulas jurídicas pero lo cierto es que, con frecuencia, los pliegos de prescripciones técnicas recogen contenido jurídico por lo que tales pliegos de técnicas deberían remitirse también al Servicio Jurídico para su informe[4]. De hecho, el artículo 40 de la Ley Foral de Contratos Públicos de Navarra (artículo 130 del Anteproyecto de Ley Foral) exige el informe jurídico no tanto a los pliegos sino como un elemento más del expediente.

En una conferencia[5] dictada en el Colegio Notarial de Madrid en noviembre de 2015 sobre la transparencia en materia de contratación, el Profesor TOMÁS RAMÓN FERNÁNDEZ entendió que la discrecionalidad, anteriormente tan amplia en el procedimiento de contratación, ha quedado limitada a los pliegos de condiciones en los que el artículo 150 TRLCSP se limita a señalar que los criterios de valoración de las ofertas han de estar vinculados al objeto del contrato, lo que es tanto como no decir nada, gozando igualmente la Administración de una gran libertad para establecer la ponderación de tales criterios. Entendía, por tanto, que algo había que hacer para limitar esa libertad «*porque está claro que el informe de los pliegos (…) por los Servicios Jurídicos de la entidad contratante, que es la única garantía que procura el artículo 115.6 de la Ley, no sirve de gran cosa*».

Con el máximo respeto al citado Profesor, uno de nuestros mejores administrativistas, no comparto plenamente esa opinión. Ocurre, como en tantos casos, que al final solo se atiende a aquellos casos en los que los criterios de adjudicación no se han fijado con claridad en el pliego.

---

4. La sentencia del Tribunal Supremo de 16 de octubre de 2008 (rec. 4509/2006) en materia de responsabilidad contable recoge que: «*No puede apreciarse dolo o negligencia en una iniciativa consistente en proponer al Consejo de Gobierno un Acuerdo que incorporara, al Pliego de Prescripciones técnicas, las variaciones propuestas por los órganos técnicos de asesoramiento jurídico de la Comunidad Autónoma*».
5. FERNÁNDEZ RODRÍGUEZ T R, «La transparencia en la contratación administrativa», *El Notario del Siglo XXI*, núm. 65, enero-febrero 2016.

Como destaca el Profesor SANTAMARÍA PASTOR[6] los criterios recogidos en el artículo 150 del TRLCSP dan lugar a un sistema irreal de pliegos y ofertas en el que la utilización de estos criterios subjetivos conduce a un sistema prácticamente discrecional.

En este sentido el artículo 145 del Proyecto LCSP recoge una mayor precisión y así intenta definir cuando un criterio de adjudicación está vinculado al objeto del contrato. En cualquier caso, la norma, como es lógico, utiliza numerosos conceptos abstractos/indefinidos que forzosamente deberán ser interpretados por el Servicio Jurídico en su informe para determinar si el concreto criterio utilizado encaja con la regulación legal para lo cual deberá tenerse especialmente presente la doctrina emanada de los tribunales administrativos de contratación. En definitiva, la función habitual del jurista.

En las **mesas de contratación**, la labor del Letrado es menos expuesta al exterior al formar parte de un órgano colegiado, pero igualmente es esencial[7]. Como es lógico, cuando en una mesa surge un problema jurídico la atención se vuelve al Letrado que ha de ofrecer un asesoramiento jurídico instantáneo con las dificultades que ello supone. Igualmente es frecuente, al menos en mi experiencia, que cuando surge alguna reclamación frente a la actuación de la mesa, el Letrado bien da la conformidad a la contestación que pueda haber realizado el secretario de la mesa o incluso es elaborada directamente por el Letrado. Igualmente, el Letrado presta una especial atención a la propuesta de adjudicación y a la valoración y así han de recordarse las frecuentes disputas que existían en las mesas frente a las valoraciones que consistían en una hoja Excel repleta de cifras sin ninguna explicación sobre las mismas.

Sobre esta forma de actuar ya se pronunció el propio Tribunal Superior de Justicia que ya en su sentencia de 14 de diciembre de 2004 (recurso apelación 70/2004) entendió que «*no se ha razonado ni tan siquiera mínimamente cuales hayan sido los criterios que hayan llevado a la Administración a concluir en la ponderación que se expresa en las citadas Tablas, lo que conforme a lo expuesto obliga a concluir en la inexistencia de motivación del acto administrativo impugnado*».

---

6. SANTAMARÍA PASTOR J A, «Contratos del Sector Público y Derecho de la Unión», *Revista de Administración Pública*, núm. 200, mayo-agosto 2016, pp. 83-102.
7. De hecho, el Tribunal Supremo en la sentencia de 20 de abril de 1971 consideró que la ausencia del Abogado del Estado determinaba la nulidad de pleno derecho si bien el Consejo de Estado en su Dictamen 46.211, de 7 de junio de 1984 consideró que bastaría retrotraer el procedimiento para que se constituyera adecuadamente la mesa si bien esta solución no es factible si el contrato ya esta adjudicado.

Se acababa así con excusas como que la valoración de las ofertas era propiedad intelectual de quien la había realizado y que no estaba obligado a recogerla en el expediente, una de las ocurrencias que se alegaban para no motivar.

Con la propuesta de la mesa y la adjudicación del contrato acaba una de las dos fases de la contratación pública como es la preparación y adjudicación del contrato y comienza la segunda fase en la vida contractual como es la **ejecución y finalmente la extinción** que como recoge el artículo 221 con una magnífica sencillez «*Los contratos se extinguirán por cumplimiento o por resolución*», redacción que estropea el artículo 207 del Proyecto LCSP añadiendo una innecesaria remisión a la subsección 5.ª en la que se integra el precepto.

En los últimos tiempos, el legislador de contratos ha dejado un tanto de lado esta fase de la vida del contrato preocupado por transponer las Directivas comunitarias que se preocupaban tan solo de cuestiones relativas a la adjudicación de los contratos dentro del marco de las políticas relativas a la consecución de un mercado único europeo.

Sin embargo, una exquisita adjudicación no evita corruptelas posteriores. Un ejemplo en nuestra literatura se puede ver en la novela «*La Ruta*» dentro de la trilogía «*La Forja de un Rebelde*» de Arturo Barea[8]. En ella, el protagonista tiene que formar parte de una mesa de contratación en la guerra de Marruecos para enajenar caballos enfermos. Se le explica cómo funciona la mesa y le parece normal pero luego el truco estaba en que se entregaban caballos sanos a cambio de una comisión.

No hay que olvidar que la contratación pública no es un fin en sí mismo, ni su finalidad esencial es atender a criterios sociales o medioambientales sino que, cuando la Administración contrata, busca satisfacer una necesidad de los ciudadanos a los que sirve, ya sea directamente como puede ser la construcción de una carretera o el suministro de un medicamento o bien indirectamente como puede ser el suministro de energía de un organismo oficial.

Llama la atención lo recogido en algunos estudios en los que se destaca que, por ejemplo, en Estados Unidos, en los contratos del Departamento de Defensa[9], no se establecieron unos planes adecuados de vigilancia

---

8. Barea A., «*La Forja de un rebelde*», Editorial Debate, Madrid, 2000, pp. 389-392.
9. MINOW M., «*Outsourcing Power. Privatizing Military Efforts and the Risks to Accountability, Professionalism and Democracy*», en Jody Freeman, Martha Minow (eds.), «*Government by contract. Outsourcing and American Democracy*», Harvard University Press, Cambridge (MA), 2009.

en el 87 % de los contratos revisados y no se documentaron los resultados de los contratistas en el 47%.

En Italia, un estudio de la Presidencia del Consejo de Ministros[10] destacaba que, con frecuencia, se externalizan servicios sin ningún tipo de planificación o estudio, buscando pagar lo menos posible con independencia de la calidad y sin atender a si, en efecto, la externalización mejora la calidad de los servicios que la Administración presta a ciudadanos y empresas.

En nuestro país, la Comisión Nacional de la Competencia, en su Informe de 2013 sobre aplicación de la Guía de Contratación y Competencia a los procesos de licitación para la provisión de la sanidad pública en España, destacó que la externalización de la gestión de servicios públicos conlleva una pérdida de control directo por parte de la Administración contratante, de tal forma que la concesionaria tiene mucha más información sobre la calidad de los servicios prestados que la Administración, lo cual, sin un control y unos incentivos adecuados, puede llevar a que los usuarios vean reducida la calidad de los servicios recibidos.

Señalo esto porque la intervención de los Servicios Jurídicos en esta fase de la vida del contrato es, a mi juicio, todavía más importante que en la primera y va ligada al ejercicio por la Administración de las prerrogativas exorbitantes recogidas en el artículo 210 del TRCLSP y cuyo procedimiento de ejercicio aparece en el artículo 211 exigiendo la intervención del Servicio Jurídico (aspecto no básico) y el informe en determinados casos del Consejo de Estado o del órgano consultivo equivalente en la Comunidad Autónoma.

En estos casos, el informe del Servicio Jurídico requiere un máximo de objetividad puesto que ha de defender el interés general que no tiene por qué coincidir necesariamente con el criterio de la Administración. Señala GIMENO FELIU[11] que el control preventivo debe ser útil, rápido e independiente vinculado al derecho a una buena Administración y no a las prerrogativas de la Administración.

Hoy día, las prerrogativas deben verse como un privilegio de la Administración para compatibilizar legalidad y eficacia y el informe de los

---

10. PRESIDENZA DEL CONSIGLIO DEI MINISTRI, «*Le esternalizzacioni nelle amministrazioni pubbliche. Indagine sulla diffusione delle pratiche di outsourcing*», Edizione Scientifiche Italiane, Nápoles, 2005.

11. GIMENO FELIU J M, «Una primera valoración del proyecto Ley Contratos Sector Públicos desde la perspectiva de la integridad y prevención de la corrupción», *www.obcp.es*, 2-12-2016

servicios jurídicos y los órganos consultivos debe asegurar esa compatibilización, asegurando ese nuevo derecho a una buena administración y la clásica eficacia de la Administración exigida por el artículo 103 CE.

Además, a este respecto, el artículo 188 del Proyecto LCSP recoge una nueva prerrogativa de la Administración a sugerencia del Consejo de Estado en su Dictamen al anteproyecto[12] como es el poder declarar la responsabilidad imputable al contratista a raíz de la ejecución del contrato.

Se trata así de evitar las situaciones kafkianas que se ven en todos los órganos consultivos en los que Administración, contratistas y aseguradoras tratan siempre de eximirse de toda responsabilidad.

En cualquier caso, al ser una novedad de última hora en el proyecto de ley, su articulación práctica plantea una serie de dudas que el legislador de contratos debería resolver mediante el desarrollo reglamentario absolutamente necesario después de casi 10 años sin desarrollar de una manera completa la LCSP.

La necesidad de solventar este problema se había planteado en el procedimiento de elaboración de las nuevas LPAC y LRJSP en las que el CGPJ había demandado una solución legislativa al problema pero que no fue acogida por el legislador que, en los artículos 82.5 LPAC y 32.9 LRJSP, se limitó a dar rango legal a lo que ya recogía el Reglamento de los Procedimientos de Responsabilidad Patrimonial de 1993.

Ha de hacerse una referencia en este apartado a un hecho diferencial de los servicios jurídicos madrileños respecto de los estatales y los de otras Comunidades Autónomas como es el hecho de que han asumido el ejercicio de la Administración consultiva al amparo de la ya derogada D.A. 17.ª de la LRJ-PAC y actualmente artículo 7 de la LRJSP. Este último establece que la Administración consultiva puede articularse mediante órganos específicos dotados de autonomía orgánica y funcional (modelo tradicional de Consejos Consultivos) o a través de los Servicios Jurídicos sin estar sujetos a dependencia jerárquica, ya sea orgánica o funcional, ni recibir instrucciones o cualquier clase de indicación de los órganos de la Administración activa, debiendo actuar a estos efectos de forma colegiada tal y como estableció la STC 204/1992, de 26 de noviembre.

La Ley 7/2015, de 28 de diciembre, de supresión del Consejo Consultivo (con mala técnica normativa en cuanto a la denominación puesto que no recoge su contenido real) configura dentro de la Abogacía General de la Comunidad de Madrid una Comisión Jurídica Asesora formada

---

12. Dictamen 1116/2015, de 10 de marzo de 2016.

actualmente por ocho letrados designados por concurso con independencia orgánica y funcional. La Comisión empezó a funcionar a finales de marzo de este año y a día de hoy ha examinado 620 expedientes y emitido más de 560 dictámenes. Interesa destacar que su función como Administración consultiva no se limita a la Comunidad de Madrid sino también a las entidades locales y a las Universidades públicas.

Pues bien, la intervención de los Servicios Jurídicos y de la Comisión Jurídica Asesora resulta esencial para asegurar la legalidad en el ejercicio de tales prerrogativas. En los casos en los que no se produce esa intervención pueden surgir situaciones como la contemplada en el Dictamen 368/16, de 4 de agosto, de la Comisión Jurídica Asesora en el que la modificación se había operado por la vía de la elevación a escritura pública del contrato inicial alterando sus cláusulas.

Otra novedad del Proyecto LCSP en cuanto a estas prerrogativas es que se exige el dictamen del órgano consultivo en las reclamaciones de responsabilidad contractual superiores a 50.000 euros. Se supera así el criterio seguido en numerosas legislaciones autonómicas que, frente a la cláusula general del Consejo de Estado que conoce de las reclamaciones por daños y perjuicios al Estado, limitaban el dictamen a los supuestos de responsabilidad patrimonial extracontractual.

En cuanto a las modificaciones, el Proyecto LCSP limita la intervención del órgano consultivo a los supuestos no previstos en el pliego. A mi juicio tal restricción es un error porque la intervención del órgano consultivo podía poner de manifiesto que tal modificación no encajaba con lo previsto en el pliego, tal y como sucedió en el Dictamen 199/15, de 22 de abril, del Consejo Consultivo de la Comunidad de Madrid, con lo cual puede haber modificaciones no previstas en los pliegos, por más que así lo entienda la Administración, que, si no se impugnan ante los tribunales de contratación conforme la nueva competencia que les atribuye el artículo 44 d) del Proyecto, queden exentas de un control preventivo adecuado puesto que, recordemos, el apartado 2 del artículo 189 no es básico (D.F. 1.ª).

Este sería un ámbito que el legislador autonómico podría desarrollar estableciendo esa garantía[13] y es por ello que el legislador estatal no atendió la observación formulada por la Comunidad de Madrid (vid. Acuerdo 7/2015, de 26 de junio, de la Junta Consultiva de Contratación Administrativa de la Comunidad de Madrid por el que se da cuenta a la comisión

---

13. A salvo, claro está, que se modifique el Proyecto LCSP en su tramitación parlamentaria.

permanente de las observaciones efectuadas a los borradores de anteproyectos de las leyes de contratos) en cuanto a que se concretase si el servicio jurídico debía emitir informe en estos casos.

El Estado aprueba una norma que establece que, en la Administración General del Estado, los servicios jurídicos (Abogacía, Jurídico de la Defensa, Seguridad Social, etc.) intervendrán en los procedimientos de interpretación, modificación, responsabilidad del contratista, suspensión y resolución con dos excepciones que no vienen al caso.

A su vez las CCAA pueden establecer esa intervención o no establecerla. En el caso de la Comunidad de Madrid el artículo 2 de su Reglamento de Contratación establece que se aplicará supletoriamente la legislación estatal no básica (algo por otra parte obvio dado el artículo 149.3 CE) y el juego de esa disposición, en relación con la cláusula genérica del artículo 4.1 h) de la LOSSJJ *«Cualquier otro asunto respecto del cual las disposiciones vigentes exijan un informe jurídico con carácter preceptivo»*, permite establecer la intervención de los servicios jurídicos de la Comunidad en los mismos términos que los estatales sin perjuicio, claro está, de que la Comunidad pueda algún día clarificar este y otros aspectos confusos en su normativa sobre contratos públicos. Así conviene recordar que numerosas instrucciones de poderes adjudicadores no administración pública no fueron sometidas al informe de los servicios jurídicos puesto que el artículo 191 TRLCSP limitaba su aplicación al sector público estatal al exigir el informe de la Abogacía del Estado.

Se ha expuesto la intervención de los Servicios Jurídicos en la contratación administrativa, pero cabe preguntarse por qué el legislador establece una intervención tan intensa en esta materia a diferencia de otras como, por ejemplo, el urbanismo o la concesión de subvenciones.

A mi juicio no puede ser otra más que una precaución del legislador en una materia que sabe que puede presentar especiales facilidades para actuaciones incorrectas y que, al mismo, tiempo presenta especiales dificultades jurídicas dado el carácter sinalagmático del contrato. Así Bravo Murillo en el Preámbulo del Decreto de 1852, primera norma del derecho de contratos español, ya destacó que la normativa de contratos trataba de evitar abusos y, al mismo tiempo, proteger a la Administración de los tiros de la maledicencia.

Ya en el s. XIX hubo un escándalo que dio lugar al juicio de un Ministro de Isabel II ante el Senado que en la época podía funcionar como tribunal de justicia y que ha sido magistralmente estudiado por ALEJANDRO NIETO[14].

---

14. NIETO A, *«Causa del Sr. Collantes: ¿Drama o Farsa?»*, en el libro «Los grandes procesos de la historia de España», MUÑOZ MACHADO S (ed.), Crítica, Barcelona, 2002, pp. 359-386.

En la actualidad es un hecho notorio que la contratación pública, que mueve un importante porcentaje del PIB, está constantemente cuestionada por numerosos escándalos de corrupción.

Ante esta situación y sin perjuicio de la respuesta penal, necesaria pero notoriamente insuficiente por su carácter a posteriori, y que en ocasiones genera problemas como el contemplado en el Dictamen del Consejo de Estado 111/2016, de 21 de abril[15], no cabe duda que es necesario que el derecho administrativo ofrezca mecanismos preventivos eficaces.

En los últimos tiempos, a raíz de la implantación de la responsabilidad penal de las personas jurídicas, se estableció que quedarían exentas de responsabilidad si tenían implantados mecanismos internos de prevención, lo que se ha denominado «*compliance*» o, evitando anglicismos innecesarios, procedimientos de cumplimiento normativo.

El Código Penal en su artículo 33 quinquies excluye de la responsabilidad penal a las Administraciones públicas con una fórmula amplia de la que parece exonerar únicamente a «*las Sociedades mercantiles públicas que ejecuten políticas públicas o presten servicios de interés económico general*».

Ahora bien, lo cierto es que no han faltado voces que han defendido la aplicación de sistemas de cumplimiento normativo en la Administración Pública. Así NIETO MARTÍN[16] considera que la Administración es una gran empresa que debe adoptar políticas similares a las que exige a las empresas privadas. Entiende que debería romperse el tabú de la responsabilidad penal de la Administración y la barrera mental de que los funcionarios solo han de cumplir las leyes y las ordenes de sus superiores puesto que deberían cumplir los códigos éticos que se publicasen por las Administraciones, pero destacando que existen dudas sobre cuál debe ser el rango normativo de tales códigos éticos.

---

15. Se trata de un supuesto en el que un juez central de instrucción dirige un escrito a un Ayuntamiento instándole a que suspenda la ejecución de un contrato para iniciar una revisión de oficio (se supone que por considerar que la adjudicación del contrato era constitutiva de delito). El Ayuntamiento inicia la revisión pero comprueba que, hasta que no haya sentencia penal firme, no es posible aplicar tal causa de nulidad. Ante ello la contratista insta la resolución del contrato y se remite el expediente al Consejo de Estado que afirma no estar seguro de por qué se le envía el expediente y sugiere la aplicación de otra causa de resolución. Desde luego no parece que la misión de un juez instructor penal sea instar procedimientos de revisión de oficio.

16. NIETO MARTÍN A, «*De la ética pública al Public Compliance: sobre la prevención de la corrupción en las administraciones públicas*», en NIETO MARTÍN A, MAROTO CATALAYUD M (eds.), «*Public Compliance. Prevención de la corrupción en Administraciones Públicas y Partidos Políticos*», Ediciones Universidad Castilla-La Mancha, Cuenca, 2014.

En este sentido, en la Comunidad de Madrid se ha aprobado por Acuerdo del Consejo de Gobierno de 31 de octubre de 2016, un código ético de los altos cargos de la Administración de la Comunidad y de sus entes adscritos que, en esta materia, recoge que «*En los procedimientos de contratación, los altos cargos no formarán parte de las mesas de contratación cuando sean órganos de contratación*[17]».

Considera este autor que es necesario externalizar la actividad de análisis de riesgos mientras en las Administraciones no exista personal capacitado para ello, suponiendo esta externalización una ventaja adicional.

En materia de contratación sugiere que la presidencia de las mesas de contratación esté en manos de la oposición política y, tras aludir a la conveniencia de implantar fórmulas de participación ciudadana, considera que no ha de solaparse con la asesoría jurídica o el control interno, defendiendo asimismo el establecimiento de retribuciones por las denuncias realizadas por personas ajenas a la Administración.

Esto conecta con otro aspecto de esta tendencia del cumplimiento normativo como es la protección del denunciante o con el anglicismo de rigor, el «*whistleblowing*». En este campo existe ya una norma legal como es la Ley 2/2016, de 11 de noviembre, de Castilla y León por la que se regulan las actuaciones para dar curso a las informaciones que reciba la Administración Autonómica sobre hechos relacionados con delitos contra la Administración Pública y se establecen las garantías de los informantes.

Esta Ley, que ya ha recibido críticas, es, a mi juicio, más correcta que lo que propone otra penalista (GARCÍA MORENO[18]) en cuanto valorar las denuncias como mérito en los procesos de consolidación de empleo o de promoción interna.

No es objeto de este trabajo el cumplimiento normativo, pero en mi opinión un adecuado ejercicio por parte de los Servicios Jurídicos y de la Intervención de sus funciones haría innecesarias este tipo de soluciones que pueden generar más problemas que los que resuelven.

Conviene recordar que la LOSSJJ expresamente establece en su artículo 7 que, en su función asesora, los Letrados se atendrán al principio de libertad de conciencia e independencia profesional y el artículo 6.5

---

17. En realidad, esto sería obvio puesto que la Mesa es un órgano de apoyo al de contratación (STS 3 de noviembre de 2004 (rec. 5805/1999).
18. GARCÍA-MORENO B, «Whistleblowing como forma de prevención de la corrupción en las Administraciones Públicas», en NIETO MARTÍN A, MAROTO CATALAYUD M (eds.), «*Public Compliance. Prevención de la corrupción en Administraciones Públicas y Partidos Políticos*», *op. cit.*

establece un régimen de dedicación exclusiva, con incompatibilidad respecto de cualquier otra actividad profesional[19].

Estas garantías permiten un adecuado nivel de independencia profesional que, juntamente con el trabajo realizado por la Intervención, pueden perfectamente asegurar el cumplimiento normativo sin necesidad de acudir a estructuras externas cuya independencia no solo no está garantizada, al contrario de lo que piensan ciertos autores, sino que se desconocen los vínculos que puedan tener con otras empresas. No termino de ver a una gran consultora ejerciendo una función de cumplimiento normativo al mismo tiempo que auditan las cuentas de empresas contratistas de la Administración.

Un aspecto sobre el que se ha hablado esta mañana es la transparencia de los procesos de contratación. A mi juicio el papel de los Servicios Jurídicos y la Intervención debería encajarse en esta voluntad generalizada de una mayor transparencia y así, por ejemplo, que los informes en los procedimientos de contratación se publicasen de tal forma que los licitadores tuviesen una plena información a la hora de interponer el recurso especial contra los pliegos. En el caso de la Intervención creo que publicar sus reparos otorgaría una mayor fuerza a su actuación y pondría de relieve la importancia de su función.

Este criterio ya ha sido defendido por BLANES CLIMENT[20] al analizar la legislación de transparencia.

Siempre he creído que, cuando la Intervención y los Servicios Jurídicos actúan de forma coordinada, la Administración se beneficia de ello y así hace años la Abogacía General de la Comunidad y la Intervención General adoptaron una circular conjunta sobre el régimen transitorio de la reforma de la LCSP por la Ley 34/2010, algo habitual en la Administración General del Estado[21].

No quiero dejar de aludir a dos aspectos por más que no versen exclusivamente sobre la actuación de los servicios jurídicos en la contratación administrativa.

---

19. La STC 178/1989, de 2 de noviembre, conecta el régimen de incompatibilidades de los funcionarios públicos con los principios de imparcialidad, eficacia y profesionalidad.
20. BLANES CLIMENT M A, «La información activa en la nueva ley de transparencia y en la legislación sectorial», *Revista Española de Derecho Administrativo*, núm. 165/2014.
21. Circular 1/2010 de 31 de agosto de la Dirección General de los Servicios Jurídicos y de la Intervención General de la Comunidad de Madrid.

En primer lugar, el Profesor Santamaría Pastor ha expuesto que la continua modificación de la legislación de contratos no hace sino dificultar su aplicación práctica, sin resolver numerosos problemas y, al mismo tiempo, se crean otros. Pues bien, el Letrado de la Comunidad de Madrid se enfrenta a otro problema adicional como es de la petrificación normativa que padece desde hace tiempo el ordenamiento madrileño. La legislación sobre Gobierno y Administración es de 1983, la Administración institucional se rige por una Ley de 1984, la función pública por una de 1986 y así otras muchas materias. En concreto la contratación pública se rige por el Reglamento del año 2002 que, como es lógico, no conoce ni lo que es un contrato SARA ni la diferencia entre Administración pública y poder adjudicador. Frente a ello el legislador estatal modifica la legislación básica sin que la madrileña se adapte salvo pequeñas modificaciones de urgencia en leyes de medidas. Ello supone que las tareas interpretativas por parte de los Letrados y de la generalidad de los servicios de la Administración madrileña requieran un extraordinario esfuerzo.

En segundo lugar, ha de hacerse referencia a los ámbitos de la Administración excluidos de la actuación de los Servicios Jurídicos como son los entes sometidos al derecho privado. No cabe duda que es en estos entes donde como parte del fenómeno de la huida del derecho privado se ha eliminado un mayor número de controles como igualmente ha destacado Gimeno Feliu en el comentario ya indicado en OBCP.

En estos casos deberían incrementarse las competencias tanto de los servicios jurídicos como de la intervención. Esta última ya ejerce un control financiero a posteriori y, en mi opinión, sería conveniente que los Servicios Jurídicos ejercieran un mayor control jurídico sobre los mismos. En este sentido quiero citar el Dictamen 105/2013, de 11 de abril en el que, primero la Intervención General y luego la Abogacía del Estado dieron lugar a la revisión de oficio de una adjudicación de un contrato negociado sin publicidad por un importe de más de 15 millones de euros en el que el Consejo de Estado instó la depuración de responsabilidades administrativas o de otro orden.

En suma, el papel de los Servicios Jurídicos en la contratación administrativa tiene una importancia, reconocida históricamente por el legislador de contratos, que en los últimos tiempos requiere, además, que participe en la lucha contra la corrupción. Para ello los servicios jurídicos deben disponer de un status jurídico adecuado para ejercer su tarea y de los medios humanos y materiales adecuados para ello. No obstante, ya que estamos hablando de relaciones bilaterales, ello exige también un continuo esfuerzo por parte de los integrantes de los Servicios Jurídicos para estar al día en cuanto a una legislación desbocada, si no en la Comunidad de Madrid, sí en cuanto a la Unión Europea y al Estado y, al mismo tiempo, atender a la doctrina de los órganos consultivos, de las juntas de contratación, de los tribunales de contratos, de la jurisprudencia contenciosa en la materia y de la doctrina administrativista.

Todo ello puede parecer un esfuerzo titánico pero no me cabe duda que los letrados públicos y en particular los Letrados de la Comunidad de Madrid, en su vigésimo aniversario, estarán a la altura de lo que demanda la sociedad.

Capítulo 5

La necesaria revisión del artículo 115 del proyecto de ley de contratos del sector público[1]

MARÍA DEL CARMEN DE GUERRERO MANSO

Contratada Doctora Interina
Universidad de Zaragoza

SUMARIO: I. INTRODUCCIÓN. II. LA INCIDENCIA DE LAS CONSULTAS PRELIMINARES DEL MERCADO EN LA POSTERIOR PREPARACIÓN DEL CONTRATO. III. LA INFORMACIÓN A LOS OPERADORES ECONÓMICOS DE LOS PLANES Y REQUISITOS DE CONTRATACIÓN MEDIANTE LA CONSULTA PRELIMINAR DEL MERCADO. IV. LA PARTICIPACIÓN DE EXPERTOS Y OPERADORES ECONÓMICOS EN LAS CONSULTAS PRELIMINARES DEL MERCADO. V. LA PARTICIPACIÓN DE LOS OPERADORES ECONÓMICOS EN LAS CONSULTAS PRELIMINARES DEL MERCADO Y SU (NO) INCIDENCIA EN EL FALSEAMIENTO DE LA COMPETENCIA O EN LA VULNERACIÓN DE LOS PRINCIPIOS DE NO DISCRIMINACIÓN Y TRANSPARENCIA. VI. UNA ÚLTIMA PREVISIÓN SOBRE LA PARTICIPACIÓN DE LOS OPERADORES ECONÓMICOS EN LAS CONSULTAS PRELIMINARES DEL MERCADO QUE GENERA AÚN MÁS INCERTIDUMBRE. VII. LA PARTICIPACIÓN EN EL PROCEDIMIENTO DE CONTRATACIÓN POSTERIOR DE OPERADORES ECONÓMICOS QUE HAYAN ASESORADO AL PODER ADJUDICADOR O INTERVENIDO EN SU PREPARACIÓN. VIII. LA DIFUSIÓN DE LAS CONSULTAS PRELIMINARES DEL

---

1. El presente artículo se basa en la comunicación presentada en el Congreso Internacional sobre Contratación Pública, «Hacia una nueva ley de contratos del sector público», celebrado en Cuenca los días 24 y 25 de enero de 2017 y que tenía por título «La necesaria revisión del artículo 115.1 del Proyecto de ley de contratos del sector público». Trabajo realizado en el marco del Proyecto de Investigación titulado "La regulación de los mecanismos de mercado para la protección ambiental en Derecho Administrativo", DER2015/67348-P.

MERCADO Y DE LA INFORMACIÓN FACILITADA EN EL DESARROLLO DE LAS MISMAS. 9. PROPUESTA CONCRETA DE MODIFICACIÓN DEL TEXTO DEL ARTÍCULO 115 DEL PLCSP. 10. LAS ENMIENDAS PRESENTADAS AL ARTÍCULO 115.

I. INTRODUCCIÓN

Según un reciente estudio publicado por The Economist[2], en 2006 el 17% de los contratos públicos publicados en el Tenders Electronic Daily (TED) recibieron sólo una oferta. Sin embargo, lejos de mejorar esta cifra, en 2015 dicho porcentaje había llegado al 30% y la media de ofertas por contrato había bajado de 5 a 3. Siguiendo con los datos obtenidos del TED, en los países ricos de Europa concurren una media de 6 licitadores a los contratos de valor inferior a 10 millones de euros, mientras que a aquellos cuyo valor asciende a 40 o 50 millones de euros concurren solo cuatro. Son muchos los motivos que producen este tipo de resultados, pero la mayoría de ellos tiene como telón de fondo la corrupción.

Podría decirse que la corrupción en la contratación pública empieza por la falta de transparencia y publicidad[3]. En el estudio publicado por The Economist se habla, por ejemplo de la *soft-corruption*, que implica una manipulación de los contratos para conseguir favorecer a algunos de los licitadores sin llevar a cabo actuaciones propiamente ilegales. Se menciona por ejemplo el caso de Eslovenia, donde el 50% de los contratos publicados en la semana de Navidad reciben sólo una oferta, o un caso de Eslovaquia cuyo Ministerio de obras públicas publicó en 2007 un contrato por valor de 120 millones de euros cofinanciado por la Unión Europea sólo en un tablón de anuncios de un pasillo del propio ministerio. Otras estrategias utilizadas para llevar a cabo la *soft-corruption* y destacadas en el mencionado estudio son rechazar ofertas por errores tipográficos o cobrar cientos de euros para descargar documentos cruciales de la licitación.

No puede olvidarse que uno de los graves efectos de la corrupción provocada por la falta de competencia es la ineficiencia en la gestión de los

---

2. «Procurement spending: Rigging the bids», The Economist, 19 de noviembre de 2016.

3. Para un análisis en profundidad del fenómeno de la corrupción en la contratación pública y de las propuestas de mejora para paliar esta lacra véase GIMENO FELIU, J.M. (2016): «La corrupción en la contratación pública. Propuestas para rearmar un modelo desde la perspectiva de la integridad» en M. VILLORIA MENDIETA, J.M. GIMENO FELIU y J. TEJEDOR BIELSA (Dirs.): *La corrupción en España. Ámbitos, causas y remedios jurídicos*, Atelier, Barcelona, pp. 247-300.

fondos públicos (llámese gasto público o inversión, según cual se entienda que es su función). Según un Informe de 2015 de la CNMC[4], la ausencia de presión concurrencial puede originar desviaciones medias, al alza, del 25% del presupuesto de la contratación pública. En España, a nivel agregado, esto podría implicar hasta un 4,6% del PIB anual, aproximadamente 47.500 millones de euros/año.

Los datos y ejemplos mencionados nos hacen vislumbrar el gran trabajo pendiente para lograr una mejor publicidad y transparencia en materia de contratación pública. Sin embargo, el objeto de este estudio no es la corrupción, sino el análisis de las consultas preliminares del mercado. La relación entre la una y las otras nos parece evidente. Consideramos que si se llevan a cabo con las exigencias legales requeridas y con las cautelas mínimas dictadas por la ética y el sentido común, las consultas preliminares del mercado pueden suponer una garantía de publicidad y transparencia al mejorar la información recibida por los operadores económicos. De esta manera las consultas preliminares pueden aumentar la eficiencia de la actividad contractual de las administraciones públicas.

A lo largo de las páginas siguientes intentaremos demostrar cómo este procedimiento no pone en riesgo la integridad sino que, por el contrario, puede ser una herramienta útil para la lucha contra la corrupción. Y, más específicamente, consideramos imprescindible modificar la concepción contraria a la participación de los operadores económicos en las consultas preliminares reflejada en el artículo 115.1 del Proyecto de Ley de Contratos del Sector Público (PLCSP)[5] y fomentar la intervención de todos y cada uno de los agentes implicados en el desarrollo de posibles soluciones para las necesidades públicas.

II. LA INCIDENCIA DE LAS CONSULTAS PRELIMINARES DEL MERCADO EN LA POSTERIOR PREPARACIÓN DEL CONTRATO

Tal y como establece el artículo 40 de la Directiva 2014/24/UE del Parlamento Europeo y del Consejo de 26 de febrero de 2014 sobre contratación

---

4. PRO/CNMC/001/15 Análisis de la Contratación Pública en España: Oportunidades de mejora desde el punto de vista de la competencia, 29 pp., p. 6. El informe fue aprobado en reunión de 5 de febrero de 2015.
5. Utilizamos la versión del Proyecto de Ley de Contratos del Sector Público, por la que se transponen al ordenamiento jurídico español las Directivas del Parlamento Europeo y del Consejo, 2014/23/UE y 2014/24/UE, de 26 de febrero de 2014, publicada en el Boletín Oficial de las Cortes Generales, Congreso de los Diputados, de 2 de diciembre de 2016.

pública y por la que se deroga la Directiva 2004/18/CE (en adelante, Directiva 2014/24), las consultas preliminares del mercado se llevan a cabo antes de iniciar el procedimiento de contratación.

Como su propio nombre indica, las consultas preliminares del mercado son una herramienta muy adecuada para conocer mejor el mercado antes de iniciar un procedimiento de contratación pública. Se podría decir que sigue las premisas de todos los consumidores antes de adquirir un producto o un servicio. Se trata de establecer cauces para que el órgano de contratación busque, pregunte, dialogue, investigue, analice y compare las diversas soluciones a una necesidad con el objetivo de adquirir la mejor solución entre las existentes o las que se puedan desarrollar en un futuro más o menos próximo. En este contexto la mejor solución no será simplemente la más barata, sino la oferta económicamente más ventajosa, es decir, que las ofertas no deberán evaluarse exclusivamente sobre el criterio del precio, sino sobre la base del doble criterio de relación coste-eficacia y calidad-precio. Para conocer la relación coste-eficacia se puede recurrir al criterio del cálculo del coste del ciclo de vida. Según el artículo 68.1 de la Directiva 2014/24 dicho concepto incluirá, en una medida pertinente, la totalidad o una parte de los costes sufragados por el poder adjudicador o por otros usuarios a lo largo del ciclo de vida del producto, servicio u obra tales como los costes relativos a la adquisición; los de utilización, como el consumo de energía y otros recursos; los de mantenimiento, o los costes de final de vida, como los costes de recogida y reciclado. Además podrán incluirse los costes imputados a externalidades medioambientales vinculadas al producto, servicio u obra durante su ciclo de vida, a condición de que su valor monetario pueda determinarse y verificarse. Estos costes podrán incluir el coste de las emisiones de gases de efecto invernadero y de otras emisiones contaminantes y otros costes de mitigación del cambio climático.

Por su parte, la mejor relación calidad-precio se evaluará en función de criterios que incluyan aspectos cualitativos, medioambientales y/o sociales vinculados al objeto del contrato público de que se trate. Conforme al artículo 67.2 de la Directiva 2014/24, estos criterios podrán incluir, por ejemplo, la calidad, incluido el valor técnico, las características estéticas y funcionales, la accesibilidad, el diseño para todos los usuarios, las características sociales, medioambientales e innovadoras y la comercialización y sus condiciones; la organización, la cualificación y la experiencia del personal encargado de ejecutar el contrato, en caso de que la calidad del personal empleado pueda afectar de manera significativa a la ejecución del contrato, o el servicio posventa y la asistencia técna y condiciones de entrega tales como la fecha de entrega, el proceso de entrega y el plazo de entrega o el plazo de ejecución.

Al realizar la consulta preliminar del mercado, el órgano de contratación podrá preguntar e informarse de primera mano sobre cualquiera de los aspectos mencionados, que conformarán los criterios de adjudicación de un posible contrato posterior. De esta manera obtendrá datos esenciales y actualizados sobre elementos clave para preparar la posterior licitación de una manera más adecuada y realista. Se trata, en definitiva, de conocer la capacidad del mercado para responder de manera eficaz y eficiente a la futura licitación.

Evidentemente, la participación de los operadores económicos en esta fase previa a la preparación del contrato hace necesario que se articulen algunas cautelas para evitar un falseamiento de la competencia o que se vulneren los principios de no discriminación y transparencia. En este sentido consideramos muy positiva la previsión contenida en el segundo párrafo del artículo 115.2 del PLCSP, según la cual de las consultas realizadas no podrá resultar un objeto contractual tan concreto y delimitado que únicamente se ajuste a las características técnicas de uno de los participantes en la consulta. Por este motivo, los criterios y características que se incluyan en los pliegos del contrato como resultado de las consultas deberán formularse de manera genérica, mediante exigencias generales o fórmulas abstractas que permitan satisfacer mejor los intereses públicos pero, al mismo tiempo, respeten la igualdad de trato de todos los licitadores sin conceder ventajas a algunos de los empresarios por el hecho de haber participado en las consultas previas promovidas por el órgano de contratación.

Los beneficios de la utilización de consultas preliminares del mercado para preparar cualquier tipo de contrato son evidentes. Sin embargo, la especial naturaleza de la compra pública de innovación hace que en las compras con un contenido innovador sea imprescindible acudir a esta herramienta. Esto es así ya que es muy difícil que el poder adjudicador pueda reunir internamente los conocimientos técnicos y de mercado específicos necesarios para llevar a cabo este tipo de licitaciones. Es preciso recordar que en los procedimientos de compra pública de innovación no se podrá recurrir a pliegos de prescripciones técnicas, sino que será necesario redactar pliegos de prescripciones funcionales. Es decir, las cláusulas del contrato deberán redactarse en términos de rendimiento y exigencias funcionales, en vez de recurrir a las concretas referencias técnicas utilizadas hasta el momento. Esta nueva manera de formular las necesidades permite la presentación de soluciones innovadoras, incluso desconocidas o no previstas por el órgano de contratación.

De forma paradigmática puede mencionarse el nuevo procedimiento de adjudicación, la asociación para la innovación, regulado en el art. 31 de la Directiva 2014/24 y en los artículos 175-180 del PLCSP. Dichos preceptos establecen que en los pliegos de cláusulas administrativas particulares, el órgano de contratación tiene la obligación de determinar cuál es la necesidad de un producto, servicio u obra innovadores que no puede ser satisfecha mediante la adquisición de productos, servicios u obras ya disponibles en el mercado. Asimismo, debe indicar qué elementos de la descripción constituyen los requisitos mínimos que han de cumplir todos los licitadores. En todo caso se establece que la información facilitada debe ser lo suficientemente precisa como para que los operadores económicos puedan identificar la naturaleza y el ámbito de la solución requerida y decidir si solicitan participar en el procedimiento. Desde nuestro parecer, la mejor forma de demostrar que el mercado no puede satisfacer la necesidad del poder adjudicador en el momento de iniciar la licitación es presentar el Informe final de la consulta preliminar del mercado, ya que en él se pondrá de manifiesto la actividad llevada a cabo para conocer en profundidad el mercado y la ausencia de soluciones en el mismo o, en su caso, el grado de desarrollo de las futuras soluciones a las necesidades planteadas.

En definitiva, la realización de una consulta preliminar del mercado permite a los órganos de contratación beneficiarse de la información suministrada por los operadores económicos, los centros de investigación y, en general, todos los participantes en la consulta. Si se han diseñado correctamente las necesidades, el órgano de contratación conocerá asimismo el tiempo que necesita el mercado para desarrollar una solución que se adecúe a lo solicitado, informándose de primera mano de las novedades tecnológicas que pueden aplicarse para mejorar la prestación de los servicios públicos. Conocerá la viabilidad de aplicar sistemas o soluciones ya desarrolladas para lograr prestaciones adicionales, nuevas o complementarias. Podrá interactuar y dialogar con nuevos proveedores, lo que le permitirá influir y entrar en nuevos mercados y asegurarse de la existencia y participación de potenciales proveedores de los productos o servicios demandados o, al menos, minimizar el riesgo de que sólo un proveedor presente una oferta. Podrá asimismo definir de manera adecuada el coste que los nuevos desarrollos acarreen y planificar los mismos. Es decir, podrá preparar los pliegos del contrato de una forma mucho más eficiente y eficaz.

III. LA INFORMACIÓN A LOS OPERADORES ECONÓMICOS DE LOS PLANES Y REQUISITOS DE CONTRATACIÓN MEDIANTE LA CONSULTA PRELIMINAR DEL MERCADO

Hasta ahora hemos analizado una de las finalidades de las consultas preliminares del mercado: preparar la contratación. Sin embargo, el mismo artículo 40 de la Directiva 2014/24 y el 115.1 del PLCSP mencionan una segunda finalidad de las consultas preliminares del mercado: informar a los operadores económicos acerca de los planes, necesidades y requisitos que se pueden establecer en futuros procedimientos de licitación.

Esta segunda utilidad de las consultas preliminares del mercado tiene tanta importancia como la primera. Si se pretende que el mercado responda a las necesidades públicas de una manera adecuada y eficiente es necesario que conozca con antelación suficiente cuáles son dichas necesidades. Además, si se trata de bienes, productos o servicios innovadores, será imprescindible realizar una fase previa de investigación y desarrollo del producto hasta llegar a un prototipo que pueda ser probado. Cuanto antes empiece el mercado a avanzar en esas líneas de I+D, más fácil será que pueda dar una solución apropiada y ágil a las necesidades planteadas por el órgano de contratación.

Una forma muy positiva de facilitar al mercado su adaptación y preparación para la licitación posterior es la elaboración y publicación de mapas de demanda temprana que puedan consultarse en los sitios web de los poderes adjudicadores o a través de diversos medios de difusión[6]. El diseño de los mapas de demanda temprana requiere un esfuerzo de previsión por parte del poder adjudicador, que debe determinar con antelación suficiente sus planes de compra lo cual no siempre es sencillo. El esfuerzo de su elaboración se ve compensado por el evidente efecto incentivador que este tipo de actuaciones tiene sobre las empresas, ya que les anima a invertir en la línea planteada, lo cual puede tener también repercusiones positivas en el crecimiento económico y en la creación de empleo.

No obstante, es necesario que las Administraciones Públicas sean cautas y publiquen en los mapas de demanda temprana verdaderas necesidades que pretendan resolver y no meros deseos genéricos a muy largo plazo o que no pretendan licitar. Asimismo, es necesario que lo publicado sea creíble y eficaz, especificando de la manera más detallada posible las necesidades a resolver y el valor estimado de los contratos. Si se hace de otro modo la publicación de estos mapas perderá su posible eficacia, porque los empresarios que hayan efectuado inversiones en una línea propuesta por la Administración pública y posteriormente no licitada

---

6. La «Guía 2.0 para la compra pública de innovación» cita algunas formas de comunicar los mapas de demanda temprana: organización de jornadas de puertas abiertas para los potenciales oferentes, publicación de planes anuales de contratación pública a través de los sitios web oficiales, publicación de anuncios previos o publicación de Mapas de demanda temprana para concretos proyectos en los perfiles de contratante (p. 24).

difícilmente correrán de nuevo el mismo riesgo. En el futuro no empezarán a trabajar y a reorientar su actividad hasta que se licite el nuevo contrato, lo que evidentemente retrasará el momento de lograr resultados adaptados a las necesidades del órgano de contratación.

Las consultas preliminares del mercado se deben llevar a cabo cuando la voluntad de iniciar el procedimiento de licitación sea real e inminente y, por los motivos apuntados anteriormente, será conveniente que se alinee con los objetivos previamente definidos en el mapa de demanda temprana. Para lograr el objetivo de informar a los operadores económicos será imprescindible utilizar medios de difusión y vías de comunicación adecuadas. Si se pretende que participen en la consulta operadores y expertos nacionales e internacionales será necesario prever el idioma de la misma y de los documentos en los que se basa.

Entre los medios de difusión que pueden utilizarse figura la posibilidad de publicar un Anuncio de Información Previa (PIN por sus siglas en inglés: Prior Information Notice) que contenga datos relevantes como la información sobre el órgano de contratación, el objeto, el procedimiento y datos adicionales tales como la cofinanciación por la Unión Europea. Hasta ahora la posibilidad de que los órganos de contratación recurrieran al PIN se regulaba en el artículo 141 del Texto Refundido de la Ley de Contratos del Sector Público (TRLCSP). El PLCSP recoge dicha posibilidad en su artículo 134, resaltando que se trata de una opción a la que pueden recurrir los poderes adjudicadores en contratos sujetos a regulación armonizada para reducir los plazos para la presentación de proposiciones en los procedimientos abiertos y restringidos. No obstante, tanto el TRLCSP como la nueva propuesta de regulación del PLCSP permiten publicar los anuncios tanto en el DOUE como en el perfil de contratante del órgano de contratación, por lo que en el caso que nos ocupa, podría ser útil realizar el PIN como herramienta de publicidad adicional, pero lo esencial será que la difusión de la consulta, y no del aviso de la misma, sea eficaz.

Un medio para lograr que la difusión de la consulta sea eficaz podría ser su publicación en los boletines oficiales correspondientes: BOE y en su caso DOUE y/o Boletín Oficial de la Comunidad Autónoma de que se trate. No obstante es preciso considerar dos aspectos relacionados con la publicación de los contratos en los boletines oficiales. En primer lugar resulta imprescindible tener en cuenta el tiempo que media desde que se envía la información a los boletines hasta que dicha información es publicada, ya que si bien es cierto que en el DOUE la publicación es automática, en algunos boletines autonómicos el plazo de espera es amplio. Por este motivo sería necesario coordinar de manera adecuada las publicaciones y el tiempo de duración de las consultas. En segundo lugar resulta esencial apuntar el cambio de perspectiva que el PLCSP da al régimen de publicidad de los contratos. Según el artículo 135 del Proyecto sólo será obligatoria la publicación en el BOE de los contratos celebrados por la Administración General del Estado, a partir de la nueva ley la obligatoriedad recaerá en la publicación del anuncio de licitación para la adjudicación de contratos de las Administraciones Públicas en el perfil de contratante.

En consecuencia con lo anterior, resulta lógico determinar que con carácter general la publicidad de las consultas preliminares del mercado deberá realizarse en el perfil de contratante del órgano de contratación que promueva dicha consulta. El perfil de contratante (artículo 53 del TRLCSP y 63 del PLCSP) es el elemento que agrupa la información y documentos relativos a la actividad contractual del órgano de contratación con la finalidad de asegurar la transparencia y el acceso público a los mismos. Por este motivo, si se pretende lograr una amplia difusión de las consultas, de manera que se logre el objetivo de conocer el mercado, otorgarle las claves para que pueda alinearse con los objetivos de los órganos de contratación y, al mismo tiempo, evitar prácticas anticompetitivas o que vulneren los principios de no discriminación y transparencia, deberán publicarse también en el perfil de contratante las consultas organizadas con carácter previo a la preparación de los contratos.

Al mencionar el perfil de contratante es preciso, asimismo, aludir a la Plataforma de Contratación del Sector Público, anteriormente denominada Plataforma de Contratación del Estado (artículo 334 TRLCSP y 340 PLCSP). Se trata, como es bien sabido, de una plataforma electrónica que permite dar publicidad a las convocatorias de licitaciones, sus resultados y toda la información relevante relativa a los contratos, así como prestar otros servicios complementarios asociados al tratamiento informático de esos datos. Los perfiles de contratante de los órganos de contratación del sector público estatal deben integrarse en esta plataforma, gestionándose y difundiéndose exclusivamente a través de la misma. Además esta plataforma deberá estar interconectada con los servicios de información que puedan articular las Comunidades Autónomas. La Plataforma de Contratación del Sector Público puede ser, por lo tanto, una herramienta muy eficaz para difundir las consultas preliminares del mercado. No obstante, para lograr dicho objetivo de manera eficaz será necesario, de un lado, adaptar dicha plataforma, de manera que permita informar de este tipo de procedimientos, ya que en la actualidad no es posible. Y, de otro lado, sería necesario avanzar en la colaboración y los convenios entre el Estado y las Comunidades Autónomas y los Entes locales con la finalidad de integrar de una manera más eficiente la información publicada en las diversas herramientas de los servicios de información de las diversas Administraciones Públicas.

Finalmente, puede resultar útil que los órganos de contratación acudan a otras formas de difusión de las consultas preliminares del mercado. Así podrían crear un sitio web (específico o vinculado a la sede electrónica del órgano) donde se publique toda la información relativa a la consulta. La creación de este sitio web resulta especialmente adecuada ya que servirá como cauce de comunicación con los participantes en la consulta. En este sentido es importante recordar que en gran medida las consultas son procesos dinámicos, sustanciados en torno a preguntas y respuestas y que, para no incurrir en prácticas anticompetitivas ni vulnerar los principios de no discriminación y transparencia, unas y otras deberán ser públicas y accesibles de manera sencilla a todos los posibles interesados.

Asimismo para lograr una mayor y mejor difusión puede ser conveniente elaborar folletos que expliquen la naturaleza de la consulta, su procedimiento y el objetivo de la misma y ponerlos a disposición del público ya sea de manera telemática o presencial. También será positivo informar a los diversos operadores económicos que puedan estar interesados en participar en el procedimiento. Para ello la forma más sencilla sería recurrir a una lista de correos electrónicos. En todo caso, para garantizar que no se ha falseado la competencia y que no se han vulnerado los principios de no discriminación y transparencia será necesario que quede constancia de todas las actuaciones llevadas a cabo por el órgano de contratación para difundir la consulta.

La necesidad de llevar a cabo una comunicación y publicidad suficiente y eficaz nos lleva a analizar quiénes deben participar como interlocutores de los órganos de contratación en las consultas preliminares del mercado.

IV. LA PARTICIPACIÓN DE EXPERTOS Y OPERADORES ECONÓMICOS EN LAS CONSULTAS PRELIMINARES DEL MERCADO

No parece existir un consenso sobre quiénes deberían participar en las consultas preliminares del mercado. Por un lado, el artículo 40 de la Directiva 2014/24 establece que los poderes adjudicadores podrán, por ejemplo, solicitar o aceptar el asesoramiento de expertos o autoridades independientes o de participantes en el mercado.

Frente a esto, el artículo 115 del PLCSP establece ciertas restricciones. Por un lado, en el apartado 1 determina que las consultas se podrán dirigir a «los operadores económicos que estuvieran activos» en el mercado. Tal previsión suscita ciertas cuestiones. La primera de ellas es evidente: ¿qué significa estar activo? ¿Existe algún registro de los operadores económicos activos a los que se pueda consultar? La lógica nos podría conducir a entender que los operadores económicos activos son aquellos que participan en las actividades económicas de un sector empresarial. Pero en este caso ¿de qué mercado estamos hablando, del español, del europeo o del internacional? Por otro lado pensemos en empresas que por diversos motivos hayan interrumpido su actividad pero que quieran recomenzarla, ¿estarán excluidas de la consulta preliminar del mercado?

Otro de los problemas que suscita ese término es su posible incidencia en relación a las Pequeñas y Medianas Empresas (PYMES) y las Startups o empresas emergentes en el mercado. Uno de los objetivos de la Unión Europea es facilitar su participación en las licitaciones públicas, potenciando su contacto con otras empresas del mismo o diverso sector, objetivo que entre otras vías podría conseguirse a través de las consultas preliminares del mercado. Pero es evidente que hasta que consigan superar las barreras de acceso a la contratación pública no serán empresas activas. ¿Significa la norma española que no se podrá consultar con ellas, dejándolas al margen y dificultándoles la participación en el contrato posterior?

La incertidumbre y la zozobra que genera el calificativo de «activos» es aún mayor si se tiene en cuenta que a renglón seguido el legislador español establece que el órgano de contratación informará «a los citados operadores económicos acerca de sus planes y de los requisitos que exigirán para concurrir al procedimiento». Es decir, que no sólo no podrán participar en la consulta, responder a las cuestiones planteadas por el poder adjudicador y efectuar propuestas de soluciones que se adapten a las necesidades planteadas, sino que tampoco se les va a informar de los planes y requisitos de contratación, creando una clara discriminación entre los operadores económicos «activos» y los que no lo estén.

Si por el contrario el calificativo de «activos» no tiene valor añadido, refiriéndose el legislador a cualquier operador que participe en el mercado[7], podría ser mucho más adecuado prescindir de dicho término, en aras de mejorar la comprensión de la norma, la seguridad jurídica y, de paso, la preocupación de los estudiosos del derecho y de los participantes en el mercado.

---

7. Dicha interpretación sería coherente con el significado que el Diccionario de la Lengua Española da al término «operador»: el que opera, es decir, el que realiza o lleva a cabo algo. Según esta definición, decir que un operador es activo sería una redundancia desprovista de efectos jurídicos.

Más allá de esta primera mención, el legislador español vuelve a complicar la redacción contenida en la Directiva y a dificultar la compresión del artículo 115.1. De un lado, el legislador europeo permite que el asesoramiento se lleve a cabo por expertos o autoridades independientes, previsión que acoge el legislador español añadiendo la referencia a los colegios profesionales y a los representantes sectoriales. Entendemos que, efectivamente, todos ellos pueden participar en las consultas e incluso será conveniente conocer su opinión sobre las necesidades del órgano de contratación y las posibles soluciones a las mismas. Entre los mencionados expertos podrán figurar personal investigador, científico, autoridades públicas especializadas, centros de conocimiento, etc.

La cuestión problemática surge en relación a la distinta valoración que realizan el legislador europeo y el español respecto a los participantes en el mercado. Así, mientras el primero admite su intervención sin más condicionante que evitar el falseamiento de la competencia y la vulneración de los principios de no discriminación y transparencia, el segundo prevé la participación de los operadores económicos activos en el mercado solo «con carácter excepcional». Para valorar en su justa medida la diferente concepción de una norma y otra conviene, antes de seguir adelante, recordar la literalidad de ambos preceptos. El segundo párrafo del artículo 40 de la Directiva 2014/24 dice expresamente:

> «Para ello, *los poderes adjudicadores podrán, por ejemplo, solicitar o aceptar el asesoramiento* de expertos o autoridades independientes o *de participantes en el mercado,* que podrá utilizarse en la planificación y el desarrollo del procedimiento de contratación, siempre que dicho asesoramiento no tenga por efecto falsear la competencia y no dé lugar a vulneraciones de los principios de no discriminación y transparencia».

El subrayado es nuestro, tanto en el precepto citado como en la literalidad del artículo 115.1 del PLCSP que reproducimos a continuación:

> «Para ello *los órganos de contratación podrán valerse del asesoramiento* de terceros, que podrán ser expertos o autoridades independientes, colegios profesionales, representantes sectoriales o, *incluso, con carácter excepcional operadores económicos activos en el mercado».*

No vamos a incidir ahora en lo desafortunado e indeterminado del término «activos», pero sí en la difícil justificación de que los operadores económicos participen solo excepcionalmente en las consultas. Difícil justificación, en primer lugar, porque parece ir en contra de lo establecido previamente en el mismo artículo ya que, como ha quedado dicho, prevé que se puedan dirigir consultas a los operadores económicos activos en el mercado. No parece lógico que posteriormente se determine que dicho asesoramiento sea sólo admisible con carácter excepcional y, por si quedara alguna duda, precedido del adverbio «incluso», de manera que es aún más evidente la intención del legislador de resaltar que habitualmente no deberían participar.

En segundo lugar parece difícil justificar que no puedan participar los operadores económicos activos en el mercado cuando, como se ha visto, el primero de los objetivos de las consultas preliminares del mercado es conocer la capacidad del mismo de atender a las necesidades de los órganos de contratación y, en la mayoría de los casos, será imprescindible la participación de los encargados de proveer en el futuro dichas soluciones.

Podría argumentarse que la limitación legal a la participación de los operadores económicos se reduce a su labor de asesoramiento y no a su intervención en las consultas con carácter general. Pero es preciso insistir en que la Directica no establece dicha distinción. La restricción de la participación de los operadores económicos podría tener como objetivo que no se falsee la competencia y que no se vulneren los principios de no discriminación y transparencia. Sin embargo, en este caso más bien parece que el legislador está procediendo de una manera desproporcionada y con el efecto pernicioso de dejar sin efecto una de las finalidades de la consulta preliminar del mercado. A continuación expondremos por qué la participación de los operadores económicos en las consultas no incide de manera negativa sobre la competencia ni sobre los principios de discriminación y transparencia sino que, por el contrario, permite mejorar la preparación del contrato y potenciar la participación de un mayor número de operadores en las licitaciones posteriores.

V. LA PARTICIPACIÓN DE LOS OPERADORES ECONÓMICOS EN LAS CONSULTAS PRELIMINARES DEL MERCADO Y SU (NO) INCIDENCIA EN EL FALSEAMIENTO DE LA COMPETENCIA O EN LA VULNERACIÓN DE LOS PRINCIPIOS DE NO DISCRIMINACIÓN Y TRANSPARENCIA

La Comisión Nacional de los Mercados y la Competencia (CNMC) se pronunció sobre la incidencia que las consultas preliminares del mercado podían tener sobre la competencia en su Informe sobre el Anteproyecto de Ley de Contratos del Sector Público[8]. En dicho informe denuncia el

8. IPN/CNMC/010/15 Informe sobre el Anteproyecto de Ley de Contratos del Sector Público, 16 de julio de 2015, pp. 44 y 45.

«considerable riesgo de captura» del órgano contratante y que las consultas «pueden suponer una vulneración de los principios de igualdad de acceso a licitaciones, no discriminación y no falseamiento de la competencia». No obstante, la propia CNMC pondera los aspectos positivos que se pueden derivar de las consultas preliminares del mercado para fomentar la eficiencia y mejorar el diseño de los procedimientos y el objeto de los contratos, así como reducir las asimetrías y la escasez de información de los órganos de contratación. Por este motivo, la Comisión recomienda la inclusión de cinco medidas correctoras que desglosaremos a continuación con la finalidad de matizar sus aseveraciones.

La primera de las medidas promovidas por la CNMC es que no se produzcan reuniones físicas bilaterales ni multilaterales con todos los posibles operadores interesados dado el riesgo de favorecer la colusión entre los mismos.

Si bien es cierto que la colusión es un gran problema que merma la eficiencia de la contratación pública, no es menos cierto que en muchas ocasiones las consultas preliminares del mercado se llevarán a cabo en procedimientos de compra pública de innovación. En estos casos el conocimiento y el trabajo en equipo de diversas empresas puede generar alianzas que promuevan soluciones innovadoras más adecuadas a las necesidades del órgano de contratación. Por este motivo consideramos que la realización de reuniones físicas no es en sí misma un problema, si bien es cierto que deberá quedar constancia de todas ellas para permitir que todos los operadores económicos tengan la misma información.

En este sentido parece que podría ser recomendable, incluso, la organización de dos jornadas públicas, abiertas a todos los operadores económicos que quieran participar. La primera de ellas podría realizarse al poco tiempo de comenzar la consulta preliminar del mercado. Por ejemplo, si se tiene previsto que la consulta dure dos meses, la jornada podría celebrarse a los 15 días de su publicación en los boletines oficiales. Esta jornada tendría como objeto explicar en un foro público las dudas que hayan podido surgir en torno a la consulta, ya sea en relación al procedimiento y la forma de participar en el mismo, o sobre el contenido de las necesidades planteadas y las áreas de actuación señaladas. La segunda de las jornadas se podría realizar una vez finalizada la consulta, tras haber elaborado el informe final en el que se analizan los resultados obtenidos en la misma. El objetivo de esta jornada final sería, por lo tanto, presentar las conclusiones de la consulta preliminar e informar al mercado de las actuaciones que se pretendan realizar en el futuro. Es decir, si se considera que el mercado está suficientemente capacitado para responder a las necesidades del órgano de contratación, se podrá comunicar la intención de iniciar un procedimiento de compra pública (ya sea de innovación u ordinaria, en función del grado de desarrollo de las soluciones). Si por el contrario se ha concluido que el mercado no puede por el momento responder a las necesidades planteadas o que la inversión requerida supera la que puede comprometer el órgano de contratación, se comunicarán estos resultados y que por el momento no se licitarán contratos para atender a tales necesidades[9].

La segunda de las medidas promovidas por la CNMC es suprimir la posibilidad de consultas a operadores concretos y limitarlas únicamente a expertos o autoridades independientes. Para apoyar tal propuesta se cita a TELLES, P. y BUTLER, L[10]. Efectivamente, dichos autores exponen que conforme a la Directiva 2014/24 las empresas consultadas antes de iniciar la licitación e involucradas en el desarrollo de las especificaciones del pliego pueden participar en la licitación, siempre y cuando no distorsionen la competencia y no violen los principios de no discriminación y transparencia. Dichos autores denuncian que en el supuesto de que la consulta se haga a un solo proveedor, o a un limitado número de proveedores, es difícil imaginar que tal participación no distorsione la competencia.

Sin embargo, consideramos que la conclusión debería ser precisamente la contraria. La manera de paliar un posible efecto negativo y distorsionador de la competencia no debería ser prohibir la participación de los operadores económicos concretos sino, por el contrario, lograr una difusión mayor de la consulta, de manera que sean muchos y variados los proveedores que participen en la misma. De esta manera la incidencia de cada uno de ellos en la posterior redacción de los pliegos será mínima y, en cambio, el resultado obtenido mediante la intervención de todos ellos en la consulta preliminar del mercado incidirá positivamente en la eficiencia de la licitación posterior. De hecho, si a la consulta preliminar del mercado

---

9. Es necesario recordar que la realización de una consulta preliminar del mercado no vincula al órgano de contratación, por lo que no está obligado a iniciar un procedimiento de contratación tras finalizar la consulta. En este caso lo que deberá hacer es justificar en el Informe final la decisión que adopte. Sin embargo, de la misma manera que con los mapas de demanda temprana, es conveniente no crear falsas expectativas en los operadores económicos. Para ello el órgano de contratación deberá valorar antes de comenzar la consulta la oportunidad de realizarla y la posibilidad de dividirla en diversas áreas de actuación de manera que pueda licitar alguna de ellas.

10. TELLES, Pedro and BUTLER, Luke (2014): «Public Procurement Award Procedures in Directive 2014/24/EU» en F. Lichere, R. Caranta y S. Treumer (ed.): *Novelties in the 2014 Directive on Public Procurement*, Djof Publishing, 43 pp. Nota al pie 35, pp. 6 y 7. Disponible en https://ssrn.com/abstract=2443438.

acude un único proveedor sería el momento de levantar las denominadas coloquialmente «banderas rojas», puesto que es un claro indicio de que algo se ha hecho mal en relación a la publicidad y la transparencia del procedimiento o en el planteamiento de la consulta.

La tercera de las medidas promovidas por la CNMC es prohibir expresamente la posibilidad de consulta a organizaciones y asociaciones empresariales. Argumenta la Comisión que este tipo de consultas presenta dos riesgos importantes. Por un lado la captura del órgano contratante, producida por el diseño de la licitación conforme a una información del mercado sesgada en beneficio de los operadores (por ejemplo, a través de estimaciones sobrevaloradas de los costes de provisión que determinarían el presupuesto base de licitación). Por otro lado, el incremento de las posibilidades de coordinación y colusión entre operadores al ponerles en contacto y centralizar su interlocución en una organización representativa.

Ya nos hemos referido a las ventajas que en ciertos supuestos controlados puede tener la interlocución de operadores. Aparte de eso, una solución sencilla para evitar o disminuir el riesgo que podría suponer tener como interlocutor en la consulta a una organización o asociación empresarial sería, simplemente, ofrecer información sobre el procedimiento y las necesidades establecidas en dichas organizaciones y asociaciones empresariales, pero limitar la participación en la misma mediante el planteamiento de cuestiones o la presentación de soluciones a las empresas que a título individual muestren su interés en participar en la consulta.

La cuarta de las medidas promovidas por la CNMC no es una prohibición, sino la introducción de un trámite de consulta pública, similar al que existe en los proyectos normativos, en el que se instrumenten las consultas preliminares.

La participación de los ciudadanos en el procedimiento de elaboración de normas con rango de Ley y reglamentos se regula en el artículo 133 de la Ley 39/2015, de 1 de octubre, del Procedimiento Administrativo Común de las Administraciones Públicas LPACAP. De la lectura de dicho artículo se extrae una primera conclusión: su objetivo es que todos los sujetos y las organizaciones más representativas potencialmente afectados por la futura norma puedan opinar sobre la misma (problemas que pretende solucionar, necesidad y oportunidad de su aprobación, objetivos de la norma y posibles soluciones alternativas, tanto regulatorias como no regulatorias) antes de su aprobación. Es decir, el alcance de esta consulta previa es general, por lo que siguiendo su ejemplo sería lógico que también se contemplara la posibilidad de que todos los operadores económicos participaran en la consulta preliminar del mercado.

Por otro lado, el artículo 133 de la LPACAP en su apartado 3, exige que la consulta se realice de forma tal que los potenciales destinatarios de la norma y quienes realicen aportaciones sobre ella tengan la posibilidad de emitir su opinión. Con esta finalidad deben ponerse a su disposición los documentos necesarios, que han de ser claros, concisos y reunir toda la información precisa para poder pronunciarse sobre la materia. Efectivamente, para que la consulta preliminar del mercado sea eficaz será necesario que se articulen cauces adecuados para que las opiniones, dudas, cuestiones o propuestas emitidas por los participantes en la misma lleguen hasta el órgano de contratación y éste les dé respuesta.

Asimismo será necesario que toda la documentación relativa a la consulta y la información generada durante la misma sea pública y esté disponible para todos los interesados. Entre esta documentación deberá constar la convocatoria de la consulta, donde se establezcan los aspectos esenciales de la misma tales como su objetivo, las áreas de actuación, la duración de la consulta, la previsión temporal de la licitación pública posterior, el valor estimado de dicha licitación, la posibilidad de que se acoja a financiación europea, la composición del equipo técnico multidisciplinar y la regulación del procedimiento de consulta, entre otros aspectos. Además deberá ser pública la memoria descriptiva en la que se exponga con mayor grado de detalle la situación y las necesidades sobre las que se pretende actuar; los formularios de participación en la consulta, ya sea con carácter general o mediante el planteamiento de alguna cuestión; y el formulario para presentar soluciones a las necesidades formuladas por el órgano de contratación.

La quinta y última medida promovida por la CNMC es dar la máxima difusión de las actuaciones en la web para que tengan acceso y posibilidad de realizar aportaciones todos los posibles interesados. Tal medida está relacionada con la anterior, por lo que lo dicho se puede aplicar también aquí. Sin embargo, cabe apuntar un aspecto adicional que quedó pendiente. El órgano de contratación deberá publicar en el sitio web creado al efecto (y suficientemente accesible para todos los posibles participantes en la consulta) la documentación mencionada en el apartado anterior, pero también deberá ir publicando en dicho sitio web todas las cuestiones que se le formulen y las respuestas que dé a las mismas. De esta manera se garantizará en todo momento la igualdad de trato de los participantes en la consulta y se reducirá el riesgo de alterar la competencia y de vulnerar los principios de no discriminación y transparencia.

Para llevar a cabo este tipo de actuaciones y garantizar la aplicación de los principios de transparencia, igualdad de trato y no discriminación, será necesario que todos los participantes incluyan en la información que faciliten durante el procedimiento de consulta su consentimiento expreso para que el órgano de contratación pueda difundir su participación y las cuestiones y/o soluciones planteadas en el procedimiento de consulta. No obstante, el órgano de contratación no podrá divulgar la información técnica o comercial que, en su caso, haya sido facilitada por los participantes y estos hubieran designado y razonado como confidencial. En este sentido, no será admisible una declaración genérica de confidencialidad de todos los documentos o toda la información presentada durante la consulta.

Lo dicho sobre la necesidad de publicar y difundir toda la información generada durante la consulta preliminar del mercado entronca con el último de los incisos del artículo 115.1 del PLCSP. El legislador español dispone que «a dichas actuaciones se les dará, en la medida de lo posible, difusión en internet a efectos de que pudieran tener acceso y posibilidad de realizar aportaciones todos los posibles interesados». No termina de entenderse a qué se refiere el legislador con la previsión de «en la medida de lo posible». Podría interpretarse que se trata de una cautela relacionada con la tecnología, previendo la posibilidad de que el órgano de contratación no pueda desarrollar un sitio web ni colgar la información en una página previamente existente y, por lo tanto, no pueda difundir las actuaciones en internet. En esta misma línea la previsión legal podría ser una cautela o exención de responsabilidad ante el supuesto de que la web no esté actualizada o que haya problemas con las bases de datos o la sistematización de la información recibida. Sin embargo, y desde una perspectiva totalmente distinta, también podría referirse a la imposibilidad de difundir información confidencial, secretos comerciales u otro tipo de datos protegidos que se hayan comunicado por los participantes de la consulta. Una vez más consideramos que sería más adecuado que el legislador hiciera uso de una mejor técnica legislativa, eliminando el margen de incertidumbre de la actual regulación y aclarara el alcance y sentido de la previsión comentada.

VI. UNA ÚLTIMA PREVISIÓN SOBRE LA PARTICIPACIÓN DE LOS OPERADORES ECONÓMICOS EN LAS CONSULTAS PRELIMINARES DEL MERCADO QUE GENERA AÚN MÁS INCERTIDUMBRE

La última disposición del artículo 115.1 PLCSP que hemos analizado en el apartado anterior entronca con uno de los aspectos ya tratados: quién puede participar en la consulta preliminar del mercado. Como ha quedado dicho, el legislador español dispone que los operadores económicos sólo pueden participar en el asesoramiento de los órganos de contratación –objetivo último de las consultas preliminares del mercado–, con carácter excepcional. Sin embargo, el mismo legislador dispone que «todos los posibles interesados» deben tener acceso a la información y pueden realizar aportaciones.

La cuestión que se suscita es evidente, ¿acaso los operadores económicos no serán en todo caso interesados en un procedimiento de consulta preliminar del mercado? Sin duda parece que la respuesta a tal cuestión debe ser afirmativa. Entonces, siguiendo el tenor literal del mencionado artículo llegaríamos a la paradójica y confusa conclusión de que 1) los órganos de contratación pueden dirigir consultas a los operadores económicos activos; 2) dichas consultas o asesoramiento sólo podrán realizarse con carácter excepcional; pero, 3) al mismo tiempo, en cuanto interesados en el procedimiento, los operadores económicos podrán consultar la información y realizar aportaciones sin ningún tipo de restricción adicional. Es decir, este precepto incurre en una incoherencia absoluta, generando una gran inseguridad jurídica.

Con la finalidad de buscar algo de luz y orientación en este complejo panorama acudimos a la Guía para autoridades públicas sobre compra pública de innovación (CPI)[11]. En dicha Guía se exponen una serie de principios generales que deben seguirse para contratar innovación de manera eficiente. Entre dichos principios generales figura conocer el mercado y se afirma que posiblemente esa sea la lección más importante que se puede obtener de los ejemplos exitosos de CPI. Afirma la Guía que ante la dificultad y la complejidad de los procedimientos de CPI, que suponen la participación de nuevos actores y requieren la utilización de materiales o servicios especializados y la realización de gestiones precontractuales, es muy valioso contar con la ayuda de profesionales y asesores con conocimiento actualizado del mercado y, se afirma, «para asegurarse una imagen completa debería consultarse una amplia variedad de fuentes» (p. 15).

Más adelante la Guía enfatiza la necesidad de analizar el mercado para determinar los niveles a los que es preciso referirse (p. 19) y enumera algunos de ellos: fabricantes, proveedores de servicios, subcontratistas, integradores de sistemas, investigadores, tercer sector, etc. Es decir, no se excluye a nadie y mucho menos a aquellos actores del mercado que pueden ser los proveedores de soluciones innovadoras. Por si quedaba alguna duda la propia Guía detalla la necesidad de decidir el mejor modo de

---

11. La guía está editada por Procurement of Innovation Platform, siendo el coordinador del proyecto ICLEI-Local Governments for Sustainability. La guía está disponible en www.innovation-procurement.org.

implicar a los proveedores y a los interesados que previamente se hayan identificado y establece diversas modalidades para lograr dicho objetivo: uso de cuestionarios o encuestas, formularios escritos, entrevistas presenciales, reuniones telefónicas u online, jornadas y presentaciones de proveedores, etc. Finalmente se aconseja publicar un anuncio de información previa, publicitar la consulta en webs de interés de la industria y notificar directamente a los proveedores siempre que sea preciso.

Es decir, en la Guía para autoridades elaborada con el apoyo de la Comisión Europea no se restringe en absoluto la participación de los operadores económicos en la consulta preliminar del mercado sino que, por el contrario, se promueve su participación a través de diversas herramientas y estrategias, tanto individuales como públicas. Es cierto que la mencionada Guía es aplicable a la compra pública de innovación pero, como ha quedado dicho al principio de este trabajo, las consultas preliminares del mercado son un instrumento útil para todo tipo de contratación pública, y esencial para aquellas en las que intervenga un factor de innovación.

VII. LA PARTICIPACIÓN EN EL PROCEDIMIENTO DE CONTRATACIÓN POSTERIOR DE OPERADORES ECONÓMICOS QUE HAYAN ASESORADO AL PODER ADJUDICADOR O INTERVENIDO EN SU PREPARACIÓN

Antes de dar por finalizada esta parte del trabajo quiero dejar apuntado un último aspecto relacionado con la posibilidad de que todos los operadores económicos participen en las consultas preliminares del mercado. La clave, como esperamos haber transmitido, es el respeto en todo momento de la competencia y de los principios de no discriminación y transparencia. Hay medidas adecuadas para salvaguardar dichos principios, fundamentalmente difundir de la forma más amplia posible la iniciación, el desarrollo y el informe final de la consulta preliminar.

Además, y como último argumento, queremos destacar que el artículo 41 de la Directiva 2014/24, y en consecuencia el Documento Europeo Único de Contratación (DEUC), prevén expresamente la posibilidad de que un operador económico o alguna empresa relacionada con él, haya asesorado al poder adjudicador o a la entidad adjudicataria, o que haya intervenido de cualquier otra manera en la preparación del procedimiento de contratación. Sin embargo, tal previsión, contenida entre los motivos de exclusión referidos a la insolvencia, los conflictos de interés o la falta profesional (Parte III, C del Formulario normalizado del DEUC) no conlleva de forma automática la exclusión del operador.

En estos casos el poder adjudicador adoptará las medidas adecuadas para garantizar que la participación de dicho candidato o licitador en el procedimiento posterior no falsee la competencia. Las medidas que detalla el artículo 41.2 incluyen, en primer lugar, la comunicación a los demás candidatos o licitadores de la información pertinente intercambiada en el marco de la participación del candidato o licitador en la preparación del procedimiento de contratación o como resultado de ella. Si se ha llevado a cabo correctamente la difusión y publicación de las informaciones y documentos de la consulta preliminar esta medida estará adoptada correctamente.

La segunda medida es el establecimiento de plazos adecuados para la recepción de las ofertas. En este caso se trata de una medida que depende en exclusiva del órgano de contratación y, en consecuencia, será fácil darle cumplimiento.

Tras apuntar dichas medidas, el último inciso del artículo 41.2 insiste en que el candidato o licitador en cuestión sólo será excluido del procedimiento de contratación en el que haya asesorado al órgano de contratación o participado de cualquier manera en su preparación cuando no haya otro medio de garantizar el cumplimiento del principio de igualdad de trato. E incluso en el supuesto de decidir la exclusión del candidato, el artículo 41.2 establece la posibilidad de que éste demuestre que su participación en la preparación del procedimiento de contratación no ha falseado la competencia y que se han adoptado las medidas necesarias para evitar ese efecto pernicioso.

VIII. LA DIFUSIÓN DE LAS CONSULTAS PRELIMINARES DEL MERCADO Y DE LA INFORMACIÓN FACILITADA EN EL DESARROLLO DE LAS MISMAS

A lo largo del presente trabajo y fundamentalmente en el apartado tercero del mismo, nos hemos referido a la importancia de dar una difusión adecuada a las consultas preliminares del mercado y hemos expuesto diversas maneras de lograr dicho objetivo. Desde nuestro punto de vista es la única –o al menos la mejor– manera de conseguir que a través de esta herramienta no se produzca una vulneración de los principios de igualdad de trato y no discriminación. En efecto, y en línea con los comentarios realizados a las cautelas establecidas por la CNMC sobre este aspecto, si al convocar la consulta se consigue llegar de manera efectiva a todos los sujetos que pueden estar implicados o interesados y cuyas respuestas, comentarios o soluciones ayudarán a mejorar la preparación del contrato, se logrará una contratación pública mucho más eficaz y eficiente.

Anteriormente, como decíamos, hemos expuesto las diversas herramientas de las que se pueden servir los órganos de contratación para difundir las consultas y lograr, de esta manera, un mayor grado de participación en las mismas. Consideramos necesario insistir en la importancia de que las consultas preliminares del mercado se publiquen en el Perfil de contratante y en la Plataforma de Contratación del Sector Público –previa reforma de la misma para permitir este tipo de publicaciones–. No se puede olvidar que dichas herramientas son las más utilizadas por los operadores económicos para conocer las licitaciones publicadas por los órganos de contratación. Por este mismo motivo la publicación en el Perfil de contratante y la Plataforma de Contratación del Sector Público permitirá a los operadores económicos conocer de una manera ágil las consultas preliminares del mercado convocadas, participar en las mismas para ayudar a los órganos de contratación a preparar la posterior licitación, y prepararse con antelación para responder a sus necesidades y requisitos futuros.

La segunda referencia que hace el artículo 115 del PLCS sobre la necesidad de difusión y transparencia es en relación a las actuaciones llevadas a cabo en el desarrollo de la consulta y de los resultados obtenidos en la misma. Tales previsiones se recogen en el apartado 3 del artículo mencionado.

En primer lugar en el Proyecto de Ley se establece que será necesario que consten en un informe las actuaciones realizadas. Concretamente deberán constar los estudios realizados y sus autores, las entidades consultadas, las cuestiones que se les han formulado y las respuestas a las mismas. Se dispone asimismo que dicho informe formará parte del expediente de contratación. Consideramos muy adecuada la previsión de que las actuaciones realizadas durante la consulta preliminar se contengan en un informe que deba integrarse en el expediente de contratación. De esta manera se garantizará la posibilidad de que cualquier operador económico pueda consultar la información contenida en el mismo y comprobar si se han llevado a cabo actuaciones que hayan podido afectar a la libre competencia o a los principios de igualdad de trato, no discriminación y transparencia. Sin embargo, desde nuestro punto de vista, dicha previsión puede ser insuficiente o llegar demasiado tarde. Sería mucho más efectivo que, además, la publicación de las actuaciones llevadas a cabo por el órgano de contratación se haga pública mientras se desarrolle la consulta. Tal forma de proceder se podría llevar a cabo, como se ha dicho anteriormente, mediante la habilitación de un sitio web en el que se pongan a disposición del público las preguntas realizadas, las contestaciones dadas o las aclaraciones que sean pertinentes. Además, también se podría dar difusión a través de esta herramienta de las jornadas, workshops o seminarios que se considere útil llevar a cabo durante la consulta. Como decíamos, si posteriormente se recoge en un informe incluido en el expediente de contratación, puede ser de utilidad para el operador económico saber que se ha llevado a cabo tal actuación y que se le ha excluido de la misma, pero habría sido mucho más útil si lo hubiera conocido mientras se sustanciara la jornada, de manera que pudiera haber esgrimido su derecho de participar en la misma.

Íntimamente relacionado con la difusión antes o después de las actuaciones realizadas está la cuestión de qué información es la que debe comunicarse a todos los operadores económicos y cuál es la que estará protegida. El artículo 115.3 *in fine* del PLCSP establece que en ningún caso el órgano de contratación podrá revelar a los participantes en las consultas las soluciones propuestas por los otros participantes, siendo las mismas sólo conocidas íntegramente por el órgano de contratación, quien las ponderará y las utilizará, en su caso a la hora de preparar correctamente la licitación. Desde nuestro punto de vista tal previsión resulta desacertada ya que no tiene una clara justificación y tal y como está redactada puede convertirse en una cortapisa a los intereses del órgano de contratación y de la propia consulta. Fundamentamos tal apreciación en diversos motivos.

Nótese, en primer lugar, que la Directiva 2014/24 no hace referencia alguna a la posibilidad o, en este caso, la obligación, de restringir la información obtenida durante las consultas. Tal ausencia puede ser manifestación de que no es necesario establecer dicha cautela adicional. Ciertamente, si un operador económico o cualquier otro participante en la consulta considera que está suministrando información confidencial puede señalarla como tal de manera razonada y, en ese caso, el órgano de contratación estará obligado a no difundir dicha información. Además, como no podría ser de otra manera, en las consultas preliminares del mercado se aplicará la legislación de protección de datos de carácter personal y las normas que protegen los derechos de propiedad intelectual e industrial. De esta manera se fomenta y se asegura que los operadores económicos participen en el proceso de consulta sin temer que sus secretos comerciales o cualquier otra información sensible o confidencial vayan a ser distribuidos entre sus competidores.

Por otro lado las consultas preliminares del mercado pueden servir como plataforma o punto de encuentro de diversos operadores económicos que, tras conocer las propuestas que hacen unos y otros pueden unirse para licitar conjuntamente, dando respuesta a requisitos de la licitación a los que no podrían atender por sí mismos. Esta forma de proceder, además, facilitará la participación de las PYMES en la contratación pública que, como se ha dicho anteriormente, es uno de los objetivos de la Unión Europea.

A lo anteriormente dicho se une el hecho de que durante el proceso de consulta preliminar del mercado resulta imperativo, como se ha expuesto reiteradamente, respetar el principio de transparencia. Este es, por lo tanto, otro motivo para matizar la prohibición contenida en el artículo 115.3 del PLCSP. En este sentido, la Guía 2.0 para la compra pública de innovación (pp. 21 y 22) defiende la necesidad de facilitar cualquier información proporcionada por la entidad contratante durante el diálogo técnico a cualquier potencial proveedor y, establece que la misma posibilidad de difusión puede ser aplicada a la información que faciliten los operadores económicos a la entidad contratante. Evidentemente, la información protegida o sensible gozará, como hemos dicho anteriormente, de las garantías de confidencialidad. Así, en la Guía 2.0 se recomienda incluir una cláusula en la regulación de las consultas donde se recuerde que el órgano de contratación puede divulgar las soluciones presentadas por los operadores económicos, pero no difundirá la información técnica o comercial que hayan facilitado los participantes en la consulta y hayan designado como confidencial.

IX. PROPUESTA CONCRETA DE MODIFICACIÓN DEL TEXTO DEL ARTÍCULO 115 DEL PLCSP

A lo largo del presente trabajo nos hemos detenido en los puntos que consideramos más problemáticos del artículo 115 del PLCSP, su disparidad respecto a la regulación de las consultas preliminares del mercado en la Directiva 2014/24 y el contenido de las Guías que hasta ahora se han venido aplicando para contratar de manera más eficaz y eficiente. En este apartado hemos hecho un esfuerzo de síntesis para reducir a nueve puntos la propuesta de modificación del mencionado artículo 115 del PLCSP. Entendemos que algunas de dichas modificaciones no requieren de explicación adicional y que no presentan una gran complejidad técnica, por lo que nos limitamos a apuntarlas. No obstante, cuando la propuesta lo requería, hemos desarrollado un poco más el contenido de la misma o su justificación. Veamos pues esos nueve puntos.

1) Eliminar la referencia a que los operadores económicos deban estar «activos».

Se entiende mucho más adecuado y ajustado a la configuración de esta herramienta referirse exclusivamente a los operadores económicos, sin matices.

2) Diferenciar de manera clara y precisa la participación en las consultas mediante labores de asesoramiento retribuidas, en las que los operadores económicos sólo podrán participar excepcionalmente respecto de la mera intervención en las consultas mediante la formulación de preguntas o respuestas y a través de la presentación de soluciones a las necesidades fijadas por el órgano de contratación, en las que será positiva la participación de todos los agentes del mercado.

Para ello se propone insertar un punto y aparte en el artículo 115.1 al regular la posibilidad de acudir al asesoramiento para realizar estudios de mercado y consultas. De esta manera adquiere sentido la diferenciación entre participar en las consultas preliminares mediante la formulación de cuestiones y presentación de soluciones, y el asesoramiento de terceros, retribuido, que pueden solicitar o recibir los órganos de contratación. Además, de esta manera se aclara por qué en este supuesto la intervención de los operadores económicos se realizará con carácter excepcional.

3) Establecer la obligación de difundir de la manera más adecuada posible, fundamentalmente a través de internet, todas las actuaciones llevadas a cabo en torno a las consultas preliminares del mercado, así como las empresas con las que se ha contactado y la información obtenida y suministrada a lo largo del proceso.

Con la finalidad mencionada se debería insertar otro punto y aparte en el último inciso del artículo 115.1. De esta manera quedaría clara la necesidad de dar publicidad a través de internet a todas las actuaciones llevadas a cabo en torno a la elaboración de los estudios de mercado y de las consultas preliminares del mismo, tanto si ha mediado un asesoramiento retribuido como si se ha realizado de forma voluntaria y gratuita por operadores económicos, expertos o cualquier persona.

4) En la misma línea, se debería eliminar la expresión «en la medida de lo posible» del último inciso del artículo 115.1.

No parece justificada dicha previsión y, por el contrario, permite a los órganos de contratación incumplir con la necesaria publicidad y transparencia del procedimiento.

5) Sería necesario, por el contrario, establecer de manera expresa la obligación de publicar en el sitio web del órgano de contratación u otro medio igualmente accesible, ágil y efectivo todas las actividades llevadas a cabo durante la consulta, la relación de las empresas y expertos que hayan participado en la misma, las cuestiones planteadas por los operadores económicos, las respuestas otorgadas por los órganos de contratación, las soluciones presentadas por las partes y, en general, toda la información

generada durante el procedimiento. De esta manera se garantizaría el no falseamiento de la competencia y el respeto de los principios de transparencia y no discriminación.

Además, con la finalidad de dar la mayor difusión posible a las consultas preliminares del mercado, de manera que se pueda conseguir su doble objetivo de preparar la contratación e informar a los operadores económicos de los planes y requisitos establecidos por los órganos de contratación, sería necesario incorporar la obligación de que las consultas se publiquen en el Perfil de Contratante, en la Plataforma de Contratación del Sector Público y, en su caso, en el boletín oficial que resulte más adecuado: DOUE, BOE y Boletín Oficial de la Comunidad Autónoma correspondiente al órgano de contratación que promueva la consulta.

6) Proponemos también incluir la referencia a las consultas en el primer inciso del artículo 115.2.

Tal y como está redactado en la actualidad parece que la única información que se utilizará para preparar la futura contratación es la obtenida del asesoramiento retribuido. Para evitar este error sería necesario enfatizar al principio del artículo 115.2 que para preparar la futura licitación se podrá utilizar la información obtenida por cualquier medio: las preguntas, respuestas y propuestas obtenidas durante la consulta preliminar del mercado, el asesoramiento realizado por terceros –que excepcionalmente pueden ser operadores económicos–, o cualquier otra vía de información o de estudio del mercado.

7) Asimismo consideramos conveniente suprimir el segundo párrafo del artículo 115.3.

Según nuestro punto de vista, argumentado a lo largo del presente estudio, con carácter general no se justifica la limitación de la difusión de la información suministrada u obtenida a lo largo del procedimiento de consultas preliminares del mercado. Tal limitación sólo podría ampararse en supuestos de secretos comerciales o confidencialidad ya protegidos por la Ley, por lo que valdría con la referencia genérica a dichas restricciones, o con hacer constar que en los supuestos en los que, de forma razonada, el operador económico señale como confidencial cierta información suministrada, ya sea una solución específica y detallada o cualquier otro dato, dicha información no se difundirá al resto de participantes en la consulta.

Por otro lado, no puede olvidarse que la propia participación en las consultas preliminares del mercado puede servir para incentivar a las empresas a buscar soluciones más adecuadas a las necesidades del órgano de contratación. Conocer nuevas soluciones o empresas que las llevan a cabo puede ser un estímulo para el mercado y puede mejorar la eficiencia de la contratación posterior. Incluso puede tener como efecto positivo facilitar la participación de las PYMES en la contratación pública, ya que la participación en la consulta y la difusión subsiguiente de sus actividades puede servirles de escaparate para que otras empresas concurran con ellas a las licitaciones públicas o para que las subcontraten al resultar adjudicatarias del contrato.

8) Proponemos incluir como obligatorio el trámite de las consultas preliminares del mercado en el nuevo procedimiento de Asociación para la innovación y establecer de manera expresa la conveniencia de llevar a cabo este procedimiento con carácter previo a la preparación de cualquier tipo de contrato.

Tal previsión no está incorporada en el Proyecto de Ley actualmente en tramitación y consideramos que establecer la obligatoriedad de acudir a este tipo de procedimientos con carácter previo a la preparación del contrato, y fundamentalmente en los supuestos de compra pública de innovación, puede tener un efecto muy positivo en el logro de contratos públicos más eficaces y eficientes.

La posibilidad de preparar mejor los contratos públicos y de dar a conocer los planes y los requisitos de los futuros contratos a los operadores económicos para aunar esfuerzos y trabajar en la misma dirección es, sin duda, una herramienta positiva que no puede quedar sin efecto. De otra manera se perdería la posibilidad de mejorar la calidad de los productos, bienes y servicios, de reducir los tiempos requeridos para lograr las innovaciones buscadas y, en definitiva, de lograr la oferta económicamente más ventajosa.

9) En este mismo sentido, proponemos enfatizar la necesidad de que las consultas preliminares del mercado no pueden suponer un falseamiento de la competencia ni vulnerar los principios de no discriminación y transparencia.

En la actual redacción sólo figura esta cautela en el artículo 115.2 en relación a la utilización del asesoramiento para planificar el procedimiento de licitación y durante la sustanciación del mismo. Como ha quedado dicho, el asesoramiento es sólo una de las modalidades de llevar a cabo las consultas preliminares del mercado, por lo que convendría recordar este requisito imprescindible en cualquier tipo de consulta previa a la preparación del contrato.

10) Las enmiendas presentadas al artículo 115

El día 16 de marzo de 2017 se publicaron en el Boletín Oficial de las Cortes Generales-Congreso de los Diputados, las enmiendas presentadas en relación con el PLCSP. Entre las 1080 enmiendas presentadas 10 de ellas versan sobre el artículo 115[12]. Es imposible conocer cuál será la redacción final de dicho artículo, pero resulta interesante glosar el contenido de las enmiendas presentadas, ya que sobre ellas se sustanciará el debate que dé lugar al texto final. Con la finalidad de proporcionar una información útil y sistematizada no vamos a reproducir el contenido de dichas enmiendas, que se pueden consultar en el BOCG, sino que vamos a agruparlas por contenido.

Uno de los aspectos que consideramos más criticable de la actual redacción del artículo115 PLCSP esto es, los sujetos que pueden participar en las consultas, se aborda de manera dispar en las Enmiendas. Así, por un lado, Esquerra Republicana y Francesc Homs proponen la supresión del carácter excepcional de la participación de los operadores económicos activos en el mercado (el contenido de las Enmiendas 248 y 871 es idéntico).

Por su parte, el Grupo Parlamentario Socialista elimina la referencia al carácter excepcional de la participación de los operadores económicos activos en las consultas, pero mantiene el «incluso», de manera que marca cierta diferenciación entre la participación de éstos y el resto de sujetos. Suprime asimismo a los representantes sectoriales (asociaciones profesionales) de la posibilidad de asesoramiento, acogiendo, por lo tanto, la recomendación de la CNMC. No obstante, en su enmienda 575 mantiene la referencia a los participantes en las consultas tal y como figura en la actualidad en el texto del 115 PLCSP.

Frente a las enmiendas anteriores, el Grupo Parlamentario Ciudadanos presenta una en sentido contrario: elimina la posibilidad de que participen en las consultas los operadores económicos, justificando que su participación supone un grave problema para la competencia, ya que supone un riesgo de captura del órgano contratante, vulnerando los principios de igualdad de acceso y no discriminación. En consecuencia, circunscribe la posibilidad de participar en las consultas a los expertos o autoridades independientes.

A lo largo del presente trabajo hemos explicado los argumentos que nos hacen posicionarnos a favor de la participación de todos los operadores económicos en las consultas preliminares del mercado y también hemos expuesto las medidas que deben adoptarse para que dicha participación no suponga una alteración o falseamiento de la competencia ni una vulneración de los principios que rigen la contratación pública. Nos remitimos, por lo tanto a lo dicho anteriormente.

---

12. Se trata de las Enmiendas número 100, del Grupo Parlamentario Confederal de Unidos Podemos-En Comú Podem-En Marea; 248, del Grupo Parlamentario de Esquerra Republicana; 358, del Grupo Parlamentario Ciudadanos; 574-577, del Grupo Parlamentario Socialista; y 871-873 de Francesc Homs Molist (Grupo Parlamentario Mixto).

Otro de los aspectos abordados en las enmiendas es el régimen de publicidad y difusión de las consultas preliminares del mercado. La mayor parte de los Grupos Parlamentarios exigen que la difusión de las consultas se lleve a cabo en el perfil del contratante. Además los Grupos Parlamentarios Ciudadanos y Socialista añaden la exigencia de difusión a través de los boletines oficiales correspondientes y señalan que en el perfil del contratante se deberán difundir los nombres y las razones que motiven la elección de los participantes en la consulta. Asimismo, el Grupo Parlamentario Socialista añade la necesidad de difusión en la Plataforma de Contratos del Sector Público.

Por su parte, Francesc Homs elimina la referencia a que la difusión se realice en la medida de lo posible en internet, sustituyéndola por la mención a que la difusión se deberá hacer de la forma «que se considere conveniente a efectos de facilitar la realización de aportaciones a los posibles interesados». Justifica tal modificación en la necesidad de establecer una fórmula flexible de difusión de las actuaciones de estudio y consulta, a criterio del órgano de contratación. Consideramos, sin embargo, que a lo largo del presente trabajo se han dado diversos motivos para contradecir tal propuesta. Una de las premisas esenciales de las consultas es que no pueden vulnerar la competencia ni los principios de no discriminación y transparencia. Desde nuestro punto de vista, dejar de manera libre (o arbitraria) que sea el órgano de contratación quien decida la forma de difundir las consultas es un riesgo claro de falseamiento de la competencia y de vulneración de los principios mencionados.

En relación al asesoramiento de terceros que se puede sustanciar en las consultas preliminares del mercado, el Grupo Parlamentario Confederal de Unidos Podemos-En Comú Podem-En Marea, suprime dicha posibilidad en la regulación de la consulta preliminar, argumentando que se trata de una labor distinta, que puede ser motivo de otro contrato público y que, en el supuesto de que dicho asesoramiento se planteara como gratuito podría dar lugar a fenómenos que propiciaran la colusión de intereses o la corrupción. Por su parte, el Grupo Parlamentario Socialista cambia la referencia «podrán valerse de» por «solicitar o aceptar». No se justifica dicha modificación, pero no parece que cambie la esencia de la previsión más allá de especificar que el asesoramiento podrá ser requerido por los órganos de contratación, pero que también podrán ser los terceros los que ofrezcan sus servicios al órgano de contratación que haya convocado la consulta.

Además de los aspectos mencionados anteriormente, el Grupo Parlamentario Confederal de Unidos Podemos-En Comú Podem-En Marea introduce el carácter obligatorio de las consultas preliminares del mercado para los contratos sujetos a regulación armonizada, ya que consideran que los altos importes de este tipo de contratos justifican que los órganos de contratación lleven a cabo estudios de apoyo, de tal manera que se ajuste el gasto de la futura contratación y ésta se base en análisis que ratifiquen el enfoque de la licitación.

También establece este Grupo la necesidad de incluir dentro de las consultas previas el coste de las obras, servicios o suministros que se vayan a licitar, así como las condiciones ambientales y sociales particulares de la producción, de manera que se puedan fijar de forma más adecuada los precios en consonancia con los existentes en el mercado y se reduzcan las ofertas anormalmente bajas y las prácticas contrarias a la competencia.

Exige asimismo este Grupo que el informe final de la consulta preliminar del mercado, además de incorporarse al expediente de contratación, se sujete a las mismas obligaciones de publicidad que los pliegos de condiciones. El órgano de contratación deberá, asimismo, tener en cuenta dicho informe cuando elabore los pliegos, y el informe deberá ser motivado, especialmente en los supuestos en los que contradiga los resultados de los estudios y consultas realizados.

Consideramos que tal previsión es lógica. Por un lado, como ha quedado dicho, las exigencias de transparencia obligan a dar una publicidad adecuada al informe final de la consulta preliminar del mercado. Por otro lado, la motivación es un requisito de todos los actos administrativos, así que resulta lógico exigirla también para este informe, fundamentalmente si la licitación posterior se aparta de las conclusiones obtenidas durante el proceso de consulta. Además, tal y como justifica este Grupo Parlamentario, puede resultar de utilidad para los licitadores conocer las actividades, preguntas, respuestas y soluciones desarrolladas durante el trámite de consulta, ya que de esa manera podrán entender mejor la lógica de determinados elementos del pliego y aumentará la posibilidad de lograr una contratación eficiente.

Por su parte el Grupo Parlamentario Socialista y Francesc Homs, en dos enmiendas con el mismo tenor literal, introducen una previsión según la cual la participación en la consulta no impide la posterior intervención en el procedimiento de contratación que en su caso se tramite. Tal y como hemos expuesto a lo largo del presente estudio consideramos adecuada dicha disposición que, además, es coherente con lo establecido en la Directiva 2014/24.

Finalmente queda por glosar la última enmienda del Grupo Parlamentario Socialista. En ella se introduce un nuevo apartado 4 bis al artículo 115, en el que se dispone que los operadores económicos que asesoren a la Administración y las empresas a ellas vinculadas no podrán participar en dicha licitación, ni durante los dos años siguientes, en procesos de licitación vinculados o relacionados con el asesoramiento prestado a la Administración contratante. Tal limitación se basa en que a través del asesoramiento el operador económico dispondrá de información privilegiada para sucesivas licitaciones que tengan un mismo objeto.

Si bien es cierto que al realizar una labor de asesoramiento un operador económico dispondrá de un mayor trato, cercanía e información del órgano contratante, no consideramos necesario incluir esta previsión en el texto del artículo 115, puesto que para evitar el falseamiento de la competencia y la discriminación que se podría derivar de esta actuación existen normas específicas en la Ley y la Directiva 2014/24 dispone que sólo será excluido del procedimiento el candidato o licitador cuando no haya otro medio de garantizar el cumplimiento del principio de igualdad de trato.

En resumen, consideramos que es necesario reformar el tenor literal del artículo 115 PLCSP para permitir la participación de todos los operadores económicos en las consultas preliminares del mercado, adoptando las medidas precisas para garantizar la competencia y los principios de no discriminación y transparencia. Sólo de esa manera se podrá lograr el doble objetivo de preparar la contratación e informar a los operadores económicos acerca de los planes y requisitos establecidos por los órganos de contratación. Asimismo, resulta necesario aclarar algunos aspectos de este nuevo procedimiento para lograr que sea una herramienta verdaderamente eficaz para lograr una contratación pública eficaz y eficiente. Algunas de las enmiendas presentadas permiten ser optimistas sobre la redacción final del texto, pero habrá que esperar a hacer una valoración definitiva hasta verlo definitivamente publicado[13].

---

13. En el periodo que transcurrió desde la presentación de este trabajo (mayo 2017) hasta la corrección de pruebas (octubre 2017) se introdujeron durante la tramitación parlamentaria algunos cambios en la redacción del artículo 115 de la Ley de Contratos del Sector Público. Entre ellos podemos destacar la obligación de publicar la consulta y el informe final de la misma en el perfil de contratante ubicado en la Plataforma de contratación del sector público o servicio de información equivalente a nivel autonómico, la obligación de tener en cuenta los resultados de la consulta al redactar los pliegos o motivar por qué no se hace así y la previsión expresa de que la participación en la consulta no impide la posterior intervención en el procedimiento de contratación que en su caso se tramite. Si bien la modificación del artículo 115 no ha tenido el alcance que habría sido deseable, sobre todo en lo referente a permitir la participación de todos los operadores económicos sin cortapisas o limitaciones, valoramos de manera positiva la inclusión de los mencionados aspectos, ya que ayudarán a garantizar los principios de no discriminación y transparencia, evitarán el falseamiento de la competencia y mejorarán la eficacia de las consultas. Consideramos que el contenido de este trabajo y los argumentos que en él se contienen siguen siendo de pleno interés. Sobre la definitiva regulación de las consultas preliminares y su incidencia en la contratación pública véase De Guerrero Manso, Mª del Carmen: "Las consultas preliminares del mercado: una herramienta para mejorar la eficiencia en la contratación pública" en Gimeno Feliu, J.M. (Dir): Estudio sistemático de la Ley de Contratos del Sector Público, Thomson-Reuters Aranzadi.

Capítulo 6

La trasposición de la Directiva de Concesiones. Estudio comparado Italia-España

ANA ISABEL PEIRÓ BAQUEDANO
Doctoranda de Derecho Administrativo
Universidad de Zaragoza

I. LA CUARTA GENERACIÓN DE DIRECTIVAS Y SU TRASPOSICIÓN POR PAÍSES

A raíz de la aprobación a nivel europeo de las tres Directivas de Contratación Pública en 2014, los Estados Miembros tenían la obligación de trasponerlas a la legislación nacional antes del 18 de abril de 2016. Esta cuarta generación de Directivas de Contratación viene a reemplazar a la Directiva 2004/18/CE sobre coordinación de los procedimientos de adjudicación de los contratos públicos de obras, de suministro y de servicios y la Directiva 2004/17/CE sobre la coordinación de los procedimientos de adjudicación de contratos en los sectores del agua, de la energía, de los transportes y de los servicios postales. Las nuevas Directivas son:

- 2014/24/UE, de 26 de febrero de 2014, sobre contratación pública y por la que se deroga la Directiva 2004/18/CE, (en adelante, «Directiva de contratos»).

- 2014/23/UE, de 26 de febrero de 2014, relativa a la adjudicación de contratos de concesión (en adelante, «Directiva de concesiones»). Absoluta novedad en lo que se refiere a normativa comunitaria.

- 2014/25/UE, de 26 de febrero de 2014, relativa a la contratación por entidades que operan en los sectores del agua, la energía, los transportes y los servicios postales y por la que se deroga la Directiva 2004/17/CE (en adelante, «Directiva de sectores especiales»).

Los diferentes Estados Miembros tenían que trasponer los mandatos de las Directivas en un plazo de dos años. Al seguir cada país sus mecanismos internos, los cumplimientos y el alcance de la trasposición han sido muy diversos en toda la Unión Europea.

El caso de trasposición más rápida y correcta es Reino Unido, ya que se limitaron a convertir las Directivas en legislación nacional, sin necesidad de nueva redacción. De hecho, como decía el profesor Sánchez Graells en su ponencia del «*Seminario Internacional sobre Contratación Pública. Hacia una nueva ley de Contratos del Sector Público*», se utilizó la técnica del «*copy-out*», para evitar el temido «*gold-platting*», y sólo se hicieron modificaciones gramaticales parciales, para hacer más comprensible el inglés de Bruselas[1].

En un nivel intermedio tenemos a Italia, que con mayor o menor acierto como veremos, traspuso en plazo mediante una ley de Delegación al Gobierno para elaborar una Código que regula todos los contratos, incluidas las concesiones y los sectores especiales.

Y como país incumplidor tenemos a España, que a pesar de tener dos proyectos de ley aprobados, uno para contratos y concesiones en sectores «ordinarios» y otro en sectores especiales (adelantamos ya que se ha optado por una nueva redacción y reorganización del contenido de las Directivas, ya que deliberadamente se omite una ley sobre concesiones y se sigue el modelo del TRLCSP. De hecho en el anteproyecto se intentó seguir la numeración exacta del TRLCSP), por motivos políticos no llegó a aprobarlos en plazo. Esta circunstancia es compartida por otro país de la UE que se encuentra en la misma situación, como es Austria.

1. LA TRASPOSICIÓN EN ITALIA: IL NUOVO CODICE DEGLI APPALTI

En Italia el legislador optó, como en 2006, por elaborar una ley de delegación al Gobierno[2]. La diferencia es que la ley de delegación del anterior código era muy vaga y se basaba únicamente en cuatro puntos y la del

---

1. A. SÁNCHEZ GRAELLS. Ponencia sobre «*La transposición de las Directivas en el Reino Unido*». Seminario Internacional sobre Contratación Pública. Hacia una nueva ley de Contratos del Sector Público. Ayuntamiento de Madrid 16 de Marzo 2017

2. Esta ley de delega se asemejaría a la ley de bases del artículo 82 de la CE1978.

actual código es más precisa, y en consecuencia mucho más extensa[3]. Esta ley tenía dos objetivos muy ambiciosos: por un lado, la trasposición de las tres directivas en plazo y por otro la racionalización y simplificación del cuadro normativo vigente en materia de contratos públicos[4]. Con la excusa de la reorganización, el nuevo decreto legislativo pretende lograr la derogación *expresa* de todas las fuentes anteriores y la reducción del número de poderes adjudicadores, para alcanzar objetivos de racionalización de recursos y especialización. Principio clave aquí es el de buena administración. Para ello se ponían a disposición del legislador delegado dos alternativas:

1. La primera consistía en promulgar dos decretos legislativos en distintos tiempos. Uno primero, a más tardar el 18 de abril de 2016 para trasponer las directivas y uno segundo, con fecha límite del 31 de julio de 2016 para «reordenar» la materia de contratación pública.

2. La segunda implicaba publicar estos dos decretos en una sola vez, el 18 de abril de 2016, alternativa por la que se decantó el gobierno italiano, y que ha sido criticada por los plazos excesivamente cortos para simplificar, flexibilizar y reorganizar toda la materia, además de trasponer las tres nuevas directivas en un solo código. Los más críticos advierten de la futura necesidad de «parchear» la nueva ley y de hecho, en el mismo texto se recogen ya expresamente más de 40 decretos destinados a corregir y especificar determinados aspectos, a los que se sumará un elevado número de decretos según necesidades[5]. En la propia ley de delegación los decretos se dividen según su carácter:

El primer grupo recoge los decretos de carácter *atécnico*, para corregir errores que se aprecien inmediatamente tras la entrada en vigor dela nueva ley de contratación pública y el segundo, los de carácter *técnico*, que se emitirán tras un periodo adecuado de implementación, monitorización y verificación del impacto de la nueva normativa[6].

---

3. Basada en 71 disposiciones.
4. Legge 28 gennaio 2016 n.11 (in Gazz. Uff., 29 gennaio 2016, n. 23)-Deleghe al Governo per l'attuazione delle direttive 2014/23/UE, 2014/24/UE e 2014/25/UE del Parlamento europeo e del Consiglio, del 26 febbraio 2014, sull'aggiudicazione dei contratti di concessione, sugli appalti pubblici e sulle procedure d'appalto degli enti erogatori nei settori dell'acqua, dell'energia, dei trasporti e dei servizi postali, nonche' per il riordino della disciplina vigente in materia di contratti pubblici relativi a lavori, servizi e forniture.
5. Véase a modo de ejemplo el artículo 213.1 del Código italiano de 2016.
6. *8. Entro un anno dalla data di entrata in vigore di ciascuno dei decreti legislativi di cui al comma 1 il Governo puo' adottare disposizioni integrative e correttive nel rispetto dei*

En efecto, los plazos de elaboración del nuevo Código de Contratos de 2016 fueron muy limitados: teniendo en cuenta que la fecha de publicación de la ley de delegación fue el 28 de Enero de 2016, en poco más de un mes el gobierno elaboró un borrador que envío al *Consiglio di Stato* el 7 de Marzo de 2016. Éste, en veinticinco días emitió su dictamen. Para ello, el día 12 de marzo de 2016 instituyó una Comisión especial que repartió el trabajo en cinco subcomisiones. Finalmente el informe coordinado se publicó el 1 de abril.

En este dictamen, el *Consiglio di Stato* italiano advierte de fallos en la elaboración de la ley. Por ejemplo, la falta o la trasposición incompleta de algunos puntos de la ley de delegación por una elección política del gobierno, que no podrá remediarse mediante los decretos correctivos. Tampoco se han traspuesto en su totalidad los principios de las concesiones de servicios hídricos, sí en cambio las de concesiones de autopistas, que recogen la prohibición tajante de prórroga de concesiones, así como inicio tempestivo de nueva licitación cuando a la concesión de autopista le queden un plazo de 24 meses de subsistencia.

Otra crítica es que el gobierno se haya excedido en la competencia atribuida por la ley de delegación. Las alarmas saltan en el procedimiento de urgencia en protección civil, que utiliza el procedimiento directo y en el debate público, sólo permitido en determinados casos. También parece una extralimitación italiana la regulación de la Colaboración Público Privada, en concreto el derecho de preferencia que pueden ejercer los operadores económicos que promuevan ideas y proyectos, que no se recoge en las Directivas, y que a mi modo de ver generará no pocos problemas y recursos por incumplimiento ante la Comisión. Atenta directamente contra el principio de igualdad de trato y de no discriminación y afectará a la competencia efectiva.

Además el *Consiglio di Stato* advierte del peligro que supone para la concurrencia y la eficiencia, así para como el cumplimiento de los principios comunitarios la «excesiva» simplificación en los procedimientos de contratación bajo los umbrales comunitarios.

Si bien es cierto que los plazos han sido excesivamente cortos y que la calidad de la trasposición puede ser cuestionable en algunos puntos, la técnica es muy interesante para asegurar la trasposición de la normativa europea a tiempo, sin impedir la actuación del legislador para adaptar las formas de cumplimiento a las características nacionales. Es decir, es la vía

principi e criteri direttivi e della procedura di cui al presente articolo. LEGGE 28 gennaio 2016 n.11

intermedia entre la recepción directa inglesa, sin intervención del legislador y el necesario (y eterno) proceso legislativo español.

Para comprender el *Codice degli Appalti Pubblici* de 2016 hay que entender que en Italia se solapan tres niveles competenciales que tendrán que conjugarse para la aplicación (y desarrollo mediante decretos de la ley). Estos tres niveles son el estatal, el regional y las provincias autónomas (que deben adaptar su legislación propia según las disposiciones de sus estatutos y este decreto legislativo)[7]. La situación es como vemos similar a la española, sólo que a excepción de las Regiones de Estatuto Especial, las competencias que tienen las regiones de Estatuto ordinario son más reducidas[8].

2.   LA TRASPOSICIÓN EN ESPAÑA: A LA ESPERA DE UNA NUEVA LEY

En España, aun no promulgados por motivos de calado político tenemos dos proyectos de ley para transponer las tres directivas de contratación pública. En este artículo analizaremos el Anteproyecto de Ley de Contratos del Sector Público (APLCSP en adelante, que no el PLCSP), que traspone al ordenamiento jurídico español las Directivas del Parlamento Europeo y del Consejo, 2014/23/UE y 2014/24/UE, de 26 de febrero de 2014.

Su exposición de motivos aclara que si bien este es su objetivo principal, también pretende diseñar y poner en marcha un nuevo sistema de contratación pública, más eficiente, transparente e íntegro, mediante el cual se consiga un mejor cumplimiento de los objetivos públicos de satisfacer las necesidades de los órganos de contratación, mejorar las condiciones de los operadores económicos y dar un mejor servicio a los usuarios finales.

El APLCSP sigue el esquema creado por la Ley 30/2007 de Contratos del Sector Público, que establece como uno de los ejes de la aplicación de la Ley el concepto de poder adjudicador. También se mantiene la regulación del contrato de obras, de suministro y de contrato de concesión de obra pública.

La ley comienza definiendo en el capítulo I del título preliminar de disposiciones generales su objeto y ámbito de aplicación. En el artículo 1 hay que señalar la mención expresa al principio de integridad que ya se incluye en el elenco de principios europeos de contratación pública; la

---

7.   Véase el artículo 2 del D.LGS. 18-4-2016 N. 50.
8.   Cinco regiones tienen un estatuto especial: Sicilia, Cerdeña, Valle d'Aosta, Trentino-Alto Ádige y Friuli-Venezia Giulia

exigencia de la definición previa de las necesidades a satisfacer, para lo cual son vitales el informe de idoneidad y las consultas previas al mercado y la selección de la oferta económicamente más ventajosa, ya que el criterio de adjudicación preferido deja de ser el de precio más bajo.

II. COMPARATIVA ENTRE EL NUEVO CÓDIGO ITALIANO Y EL ANTEPROYECTO DE LEY DE CONTRATOS DEL SECTOR PÚBLICO

En este capítulo compararemos la trasposición española e italiana de la cuarta generación de directivas, estudiando las disposiciones de más impacto y analizando los aspectos positivos y negativos de los dos textos legales respecto a las directivas y entre ellos.

1. DEFINICIONES Y ÁMBITO SUBJETIVO

Comenzaremos desmantelando el tercer artículo del nuevo Código italiano en el que, casi a modo de desmotivación al valiente, se recogen de manera oscura, intrincada y en lenguaje llano, francamente horrorosa, todas las definiciones existentes en materia de contratación pública. Al artículo, que ocupa la friolera de 8 páginas, sí que hay que reconocerle que recoge las definiciones exactamente como se contemplan en las Directivas y que en muchos casos son la positivización de la doctrina del TJUE. A modo de ejemplo:

1. d) *«organismi di diritto pubblico», qualsiasi organismo, anche in forma societaria, il cui elenco non tassativo è contenuto nell'allegato IV:*

   1) *istituito per soddisfare specificatamente esigenze di interesse generale, aventi carattere non industriale o commerciale;*

   2) *dotato di personalità giuridica;*

   3) *la cui attività sia finanziata in modo maggioritario dallo Stato, dagli enti pubblici territoriali o da altri organismi di diritto pubblico oppure la cui gestione sia soggetta al controllo di questi ultimi oppure il cui organo d'amministrazione, di direzione o di vigilanza sia costituito da membri dei quali più della metà è designata dallo Stato, dagli enti pubblici territoriali o da altri organismi di diritto pubblico.*

Como curiosidad decir que, a pesar de que aquí se explican las notas de Poder Adjudicador, el Anexo IV que es el único anexo del Código que no es una copia de las directivas y que viene del Código de 2006, recoge un elenco no numerus clausus de entidades que lo son.

El artículo 3 continúa definiendo las empresas públicas:

1. *t) «imprese pubbliche», le imprese sulle quali le amministrazioni aggiu-dicatrici possono esercitare, direttamente o indirettamente, un'influenza dominante o perché ne sono proprietarie, o perché vi hanno una parteci-pazione finanziaria, o in virtù delle norme che disciplinano dette imprese.* **L'influenza dominante è presunta quando le amministrazioni ag-giudicatrici, direttamente o indirettamente, riguardo all'impresa, alternativamente o cumulativamente:**

   1) **detengono la maggioranza del capitale sottoscritto;**

   2) **controllano la maggioranza dei voti cui danno diritto le azioni emesse dall'impresa;**

   3) **possono designare più della metà dei membri del consiglio di amministrazione, di direzione o di vigilanza dell'impresa;**

Cuya definición supone una positivización del concepto del TJUE de influencia dominante

Por otra parte y a modo de copia y pega de las Directivas (lo que debe ser valorado positivamente pues evita interpretaciones «creativas») tene-mos las definiciones de concesión de obras y servicios. Aquí sí ha sucedido exactamente lo mismo en el APLCSP.

*uu) «concessione di lavori», un contratto a titolo oneroso stipulato per iscritto in virtù del quale una o più stazioni appaltanti affidano l'esecuzione di lavori ad uno o più operatori economici riconoscendo a **titolo di corrispettivo unicamente il diritto di gestire le opere oggetto del contratto o tale diritto accompagnato da un prezzo, con assunzione in capo al concessionario del rischio operativo** legato alla **gestione delle opere;***

vv) «concessione di servizi», un contratto a titolo oneroso stipulato per iscritto in virtù del quale una o più stazioni appaltanti affidano a uno o più opera-tori **economici la fornitura e la gestione di servizi diversi dall'esecuzione di lavori di cui alla lettera ll) («appalti pubblici di lavori»)** *riconoscendo* **a titolo di corrispettivo unicamente il diritto di gestire i servizi oggetto del contratto o tale diritto accompagnato da un prezzo, con assunzione in capo al concessionario del rischio operativo** *legato alla gestione dei servizi;*

El APLCSP, en su capítulo II dedicado a los contratos del sector públi-co define y delimita los tipos contractuales. Ahora nos interesa referirnos al artículo 15, que regula el contrato de concesión de servicios: (…) *es aquél en cuya virtud uno o varios poderes adjudicadores encomiendan a título oneroso a una o varias personas, naturales o jurídicas,* **la gestión de un servicio cuya** *prestación sea de su titularidad o competencia,* y cuya contrapartida venga constituida bien por el derecho a explotar los servicios objeto del contrato o bien por dicho derecho acompañado del de percibir un precio.

La definición recogida en el APLCSP es más clara que la Directiva de Concesiones (y que la recogida en el artículo 3 del Código italiano que las define en negativo, por oposición a las concesiones de obra (Art. 5.1. b). Debemos destacar el artículo 17 de este texto que contempla el contrato de servicios, porque, a diferencia de la concesión de servicios, aclara expresamente que *no podrán ser objeto de estos contratos los servicios que impliquen ejercicio de la autoridad inherente a los poderes públicos.*

Lógicamente, el artículo italiano de las definiciones, una vez aclarados los conceptos de concesión de obra y de servicios traspone lo que se debe entender como riesgo operativo y en consecuencia de construcción (que se transfiere en cualquier tipo de contrato, sea o no concesión) de demanda y oferta.

*zz) «rischio operativo», il rischio **legato alla gestione dei lavori o dei servizi sul lato della domanda o sul lato dell'offerta o di entrambi, trasferito al concessionario.** Si considera che il concessionario assuma il rischio operativo nel caso in cui, in condizioni operative normali, non sia garantito il recupero degli investimenti effettuati o dei costi sostenuti per la gestione dei lavori o dei servizi oggetto della concessione. **La parte del rischio trasferita al concessionario deve comportare una reale esposizione alle fluttuazioni del mercato tale per cui ogni potenziale perdita stimata subita dal concessionario non sia puramente nominale o trascurabile;***

aaa) «rischio di costruzione», il rischio legato al ritardo nei tempi di consegna, al non rispetto degli standard di progetto, all'aumento dei costi, a inconvenienti di tipo tecnico nell'opera e al mancato completamento dell'opera;

bbb) «rischio di disponibilità», il rischio legato alla capacità, da parte del concessionario, di erogare le prestazioni contrattuali pattuite, sia per volume che per standard di qualità previsti;

Atención con esta última definición. La legislación italiana dentro del riesgo operativo, hace referencia, como en la Directiva de Concesiones al riesgo de oferta, que supera al riesgo de disponibilidad recogida por el SEC 2004 y el SEC 2010, ya que incluye en su ámbito a las concesiones de tipo «frío» es decir, aquellas en las que la Administración Pública es la usuaria final y el riesgo transferido consiste en que la remuneración al concesionario viene determinada por unos estándares de calidad elaborados previamente. Pero no define el riesgo de oferta si no el de disponibilidad, ya eliminado de las Directivas.

La pregunta lógica sería, aparte de si es una opción correcta, ¿cuál es la motivación del legislador para actuar así? A mi modo de ver la única respuesta es el mantenimiento de la figura de la Colaboración Público Privada, que no existe como tal en la normativa europea (ni ha existido nunca, sólo en documentos de carácter no vinculante) y que es el instrumento de contratación en el que se basa EUROSTAT para definir el concepto de riesgo operativo, más limitado que el de la Directiva de Concesiones.

Sí que coincide con la Directiva en la definición del riesgo de demanda:

ccc) «rischio di domanda», il rischio legato ai diversi volumi di domanda del servizio che il concessionario deve soddisfare, ovvero il rischio legato alla mancanza di utenza e quindi di flussi di cassa. Esta definición no da ningún problema, ya que es la copia exacta de las Directivas.

Como ya hemos adelantado, la figura de la Colaboración Público privada se sigue contemplando expresamente en el Código italiano.

eee) «contratto di partenariato pubblico privato», il contratto a titolo oneroso stipulato per iscritto con il quale una o più stazioni appaltanti conferiscono a uno o più operatori economici per un periodo determinato in funzione della durata dell'ammortamento dell'investimento o delle modalità di finanziamento fissate, un complesso di attività consistenti nella realizzazione, trasformazione, manutenzione e gestione operativa di un'opera in cambio della sua disponibilità, o del suo sfruttamento economico, o della fornitura di un servizio connesso all'utilizzo dell'opera stessa, con assunzione di rischio secondo modalità individuate nel contratto, da parte dell'operatore. Fatti salvi gli obblighi di comunicazione previsti dall'articolo 44, comma 1-bis, del decreto-legge 31 dicembre 2007, n. 248, convertito, con modificazioni, dalla legge 28 febbraio 2008, n. 31, si applicano i contenuti delle decisioni Eurostat;

La existencia de la CPP es probablemente la causa de que se siga utilizando la definición de riesgo de disponibilidad. De hecho, la misma definición recoge la asunción del riesgo por el operador económico, *secondo modalità individuate nel contratto*, y hace referencia a las decisiones de Eurostat.

El principio de equilibrio económico financiero, que estudiaremos con mayor detenimiento, también aparece expresamente recogido en el artículo 268 del APLCSP.

fff) «equilibrio economico e finanziario», la contemporanea presenza delle condizioni di convenienza economico e sostenibilità finanziaria. Per convenienza economica si intende la capacità del progetto di creare valore nell'arco dell'efficacia del contratto e di generare un livello di redditività adeguato per il capitale investito; per sostenibilità finanziaria si intende la capacità del progetto di generare flussi di cassa sufficienti a garantire il rimborso del finanziamento;

A raíz del mantenimiento de la CPP, se mantiene otra serie de contratos como el de puesta a disposición, que no existen a nivel comunitario.

hhh) «contratto di disponibilità», il contratto mediante il quale sono affidate, a rischio e a spese dell'affidatario, la costruzione e la messa a disposizione a favore dell'amministrazione aggiudicatrice di un'opera di proprietà privata destinata all'esercizio di un pubblico servizio, a fronte di un corrispettivo. Si intende per messa a disposizione l'onere assunto a proprio rischio dall'affidatario di assicurare all'amministrazione aggiudicatrice la costante fruibilità dell'opera, nel rispetto dei parametri di funzionalità previsti dal contratto, garantendo allo scopo la perfetta manutenzione e la risoluzione di tutti gli eventuali vizi, anche sopravvenuti;

En el APLCSP en cambio, el artículo 3 estudia el ámbito subjetivo de aplicación de la ley, que se ha extendido, con la idea de aplicar estas normas a entidades previamente no sujetas, lo que evitará posibles prácticas de corrupción. Nos referimos a partidos políticos, a las organizaciones sindicales y a las organizaciones empresariales cuando cumplan los requisitos para ser poder adjudicador.

Es además muy positivo desde el punto de vista de la claridad y la coherencia sistemática que en este artículo se incluyan como parte del sector público sujeto al ámbito de aplicación de esta ley a *los órganos competentes del Congreso de los Diputados, del Senado, del Consejo General del Poder Judicial, del Tribunal Constitucional, del Tribunal de Cuentas, del Defensor del Pueblo, de las Asambleas Legislativas de las Comunidades Autónomas y de las instituciones autonómicas análogas al Tribunal de Cuentas y al Defensor del Pueblo, en lo que respecta a su actividad de contratación,* ya que hasta ahora se encontraba regulado en la Disposición adicional primera bis del TRLCSP.

2. CONTRATOS EXCLUIDOS Y ENCARGOS A MEDIOS PROPIOS

A partir del artículo 4 del Código se recogen los contratos excluidos aclarando que, independientemente del tipo de contrato y de su cuantía se deben respetar los principios de economicidad, eficacia, imparcialidad, igualdad de trato, transparencia, proporcionalidad, publicidad, tutela del ambiente y eficiencia energética en su adjudicación. En el APLCSP los negocios jurídicos excluidos se regulan en los artículo 4 al 11, de entre los que quiero destacar el artículo 7, ya que regula la Compra Pública Pre-comercial, aunque no es ninguna novedad ya que se encuentra también excluido del ámbito de aplicación del TRLCSP en el artículo 4.1.r. Quedan también excluidas a tenor del artículo 8 las autorizaciones y concesiones sobre bienes de dominio público y los contratos de explotación de bienes patrimoniales. Si bien los contratos excluidos se regulan por sus leyes especiales, se aplicarán subsidiariamente los principios del APLCSP para resolver lagunas.

El artículo 5 del Código en su primer apartado explica los encargos a medios propios, regulando conjuntamente tanto los contratos como las concesiones y explicando en qué consiste el control análogo (que es de nuevo positivización de la jurisprudencia europea). En el apartado tercero hace referencia al «*in house providing*» inverso, es decir, cuando es el medio propio el que hace un encargo a la entidad que controla.

Si atendemos a la letra de este artículo 5, TRAGSA en Italia no podría ser medio propio conjunto[9]. Y sería así porque la legislación italiana no recoge, como la española el requisito de que deberá reconocerse expresamente en los estatutos del medio propio que lo es, y que además es medio propio de la entidad o entidades que hacen el encargo.

En el APLCSP el artículo 32 analiza los encargos a medios propios, nueva denominación de del «*medio propio*» de la Administración, encomiendas de gestión o «*in house providing*», donde se positiviza, al igual que en el TRLCSP (artículo 24.6) el concepto de control análogo. Es importante resaltar la originalidad española no recogida en las Directivas que acabamos de comentar y es que *la condición de medio propio personificado de la entidad destinataria del encargo respecto del concreto poder adjudicador que hace el encargo deberá reconocerse expresamente en sus estatutos o actos de creación.*

Siguiendo las directrices de la Directiva de Contratos, han aumentado las exigencias que deben cumplir estas entidades, con lo que se evitan adjudicaciones directas que menoscaben el principio de libre competencia:

Que la empresa que tenga el carácter de «medio propio» disponga de medios suficientes, que haya recabado autorización del poder adjudicador del que dependa, que no tenga participación de una empresa privada y que no pueda realizar libremente en el mercado más de un 20% de su actividad. También sigue los pasos de la Directiva al aclarar que se incluye

---

9.   Véase la Disposición Adicional 25.ª del APLCSP.

entre los encargos de medios propios aquellos hechos a la persona jurídica que controla (*«In house providing»* inverso), así como el control conjunto, donde entraría el caso de TRAGSA y a raíz del cual se ha introducido en España esa obligación de que la condición de medio propio respecto del poder adjudicador se reconozca en los estatutos o actos de creación del medio en cuestión.

El APLCSP recoge en este artículo la prohibición de que el medio propio pueda contratar con terceros más del 60% de la cuantía del encargo, salvo que se establezca otro límite en la orden del encargo. Lo que ya de base se podría considerar un porcentaje bastante alto, es susceptible de incrementarse si el poder adjudicador justifica por qué acude al medio propio en lugar de licitar el contrato directamente.

Desde mi punto de vista no tiene sentido acudir a un medio propio para que ejecute una tarea si este no dispone de los medios para llevarla a cabo. Sin embargo, si nos encontramos en una concesión no se impone ningún límite a la subcontratación de los medios propios: *No será aplicable lo establecido en esta letra a los contratos de obras que celebren los medios propios a los que se les haya encargado una concesión, ya sea de obras o de servicios.* Es decir, es legal hacer un encargo de concesión a medios propios sin medios.

El Código italiano, así como el APLCSP, excluye también los convenios o acuerdos entre Administraciones, explicando las condiciones cumulativas que se deben dar, donde al igual que en APLCSP (artículo 6) destaca la nota del interés público común.

6. Un accordo concluso esclusivamente tra due o più amministrazioni aggiudicatrici non rientra nell'ambito di applicazione del presente codice, quando sono soddisfatte tutte le seguenti condizioni:

a) *l'accordo stabilisce o realizza una cooperazione tra le amministrazioni aggiudicatrici o gli enti aggiudicatori partecipanti, finalizzata a garantire che i servizi pubblici che essi sono tenuti a svolgere siano prestati nell'ottica di conseguire gli obiettivi che essi hanno in comune;*

b) *l'attuazione di tale cooperazione è retta esclusivamente da* **considerazioni inerenti all'interesse pubblico;**

c) *le amministrazioni aggiudicatrici o gli enti aggiudicatori partecipanti svolgono sul mercato aperto meno del 20 per cento delle attività interessate dalla cooperazione.*

Como vemos, las exclusiones del ámbito de aplicación son las que se recogen en las Directivas y en consecuencia en el APLCSP.

3   LA PROGRAMACIÓN Y PLANIFICACIÓN DE LA COMPRA PÚBLICA

Ya en el *Titolo III: Pianificazione programmazione e progettazione*, el artículo 21 hace referencia al programa de adquisiciones de los Poderes Adjudicadores.

*1. Le amministrazioni aggiudicatrici adottano **il programma biennale degli acquisti di beni e servizi e il programma triennale dei lavori pubblici,** nonché i relativi aggiornamenti annuali. I programmi sono approvati nel rispetto dei documenti programmatori e in coerenza con il bilancio.*

Este artículo es interesante, ya que se podría asimilar a un mapa de demanda temprana, bianual en el caso de bienes y servicios y trianual en obras, pero en versión obligatoria. Obligación que no se recoge en la legislación española.

En efecto, el artículo 115 del APLCSP contempla las consultas al mercado y los mapas de demanda temprana, pero no son de obligada elaboración. Su apartado primero dice expresamente que *los órganos de contratación **podrán realizar** estudios de mercado y dirigir consultas a los operadores económicos que estuvieran activos en el mismo con la finalidad de preparar correctamente la licitación e **informar a los citados operadores económicos acerca de sus planes** y de los requisitos que exigirán para concurrir al procedimiento. Sí que es verdad que se hacen especificaciones en cuanto al procedimiento, pero no son más que las aclaraciones ya introducidas por las directivas en cuanto a garantizar la trasparencia y la concurrencia: *podrá ser utilizado por el órgano de contratación (...) siempre y cuando ello no tenga el efecto de falsear la competencia o de vulnerar los principios de no discriminación y transparencia.*

Estas consultas preliminares al mercado son potestativas (aunque muy recomendables, sobre todo en materia de Compra Pública de Innovación) a tenor del artículo 40 de la Directiva de Contratos, por lo que cabría preguntarse si el legislador delegado italiano no se ha excedido superando la prohibición de «*gold platting*» es decir, la prohibición de introducir mayores cargas de las que imponen las directivas, o si por el contrario esta planificación estratégica es una ventaja para la contratación pública, coadyuvando a alcanzar el principio de buena administración. La respuesta es negativa, porque aunque la planificación bianual y trianual sí es obligatoria, las consultas siguen siendo potestativas a tenor del artículo 66 del Código.

Del punto 4 de este artículo 21 que estamos comentando queremos resaltar la diferente consideración de la concesión respecto a la CPP en el articulado el Código, ya que en este caso concreto no considera las concesiones un subtipo de contrato, sino que las equipara a la figura de la CPP. Y es que, como dice Javier Vázquez Matilla, todo contrato implica una colaboración público privada[10]. Pero es que además, tanto las concesiones como la CPP son contratos complejos que requieren una adecuada planificación:

Nell'ambito del programma di cui al comma 3 (los programas trianuales de obras de valor igual o superior a 100.000€), *le amministrazioni aggiudicatrici individuano anche i lavori complessi e gli interventi suscettibili di essere realizzati attraverso* **contratti di concessione o di partenariato pubblico privato.**

Lo que preocupa aquí es la ambigüedad en la concepción de ambas figuras y su relación. Ambigüedad que como veremos se mantiene durante todo el articulado.

En el Código italiano se pasa directamente de la planificación bianual y trianual (que sí que es obligatoria) y del debate público en caso de infraestructuras y servicios críticos (ninguno de los cuáles viene expresamente regulado, aunque sí que deben publicarse en su perfil del contratante) a la fase de planificación concreta de un proyecto concreto (artículo 23). La ausencia de una verdadera preparación de la contratación implica que no se estudia previamente cuál sería el mejor procedimiento y las posibles soluciones a las necesidades ya identificadas.

Esta crítica se puede extender a la legislación española en materia de contratación, ya que, aunque el legislador comienza a darse cuenta de que antes del procedimiento de compra debe necesariamente haber una fase de preparación, ésta queda relegada a un segundo plano. Nos referimos con esto a la que podría llamarse fase de identificación de las necesidades (considerada como buena práctica comunitaria) y que consiste en analizar la viabilidad del proyecto, determinando objetivos y resultados, estudiando posibles soluciones y dando plazos para alcanzarlas. No obstante, consideramos que es un paso en la dirección correcta que el Código italiano recoja ahora la obligación del debate público en determinados contratos complejos[11].

4.   LOS CONTRATOS MIXTOS

Ya en el *Titolo IV: Modalità di affidamento-principi comuni* se recogen los contratos mixtos. La regulación es una copia de las Directivas y en consecuencia idéntica a la del artículo 18 del APLCSP. En efecto, el artículo 28

---

10. Javier Vázquez Matilla, Congreso Internacional: Nueva Contratación Pública: mercado y Medio Ambiente. Pamplona 5 y 6 de Octubre 2016.
11. Véase el articulo 22: Trasparenza nella partecipazione di portatori di interessi e dibattito pubblico.

traspone la regla recogida en las Directivas de atender al objeto principal del contrato. Pero atención, la regla del objeto principal se aplica cuando en el contrato mixto se combinan obras con servicios o con suministros. Si se trata de contratos mixtos de servicios con servicios especiales o de servicios con suministros se atiende al valor máximo estimado.

*1. **I contratti**, nei settori ordinari o nei settori speciali, **o le concessioni, che hanno** in ciascun rispettivo ambito, **ad oggetto due o più tipi di prestazioni, sono aggiudicati secondo le disposizioni applicabili al tipo di appalto che caratterizza l'oggetto principale del contratto** in questione. **Nel caso di contratti misti, che consistono in parte in servizi ai sensi della parte II, titolo VI, capo II, e in parte in altri servizi, oppure in contratti misti comprendenti in parte servizi e in parte forniture,** l'oggetto principale è determinato **in base al valore stimato più elevato tra quelli dei rispettivi servizi o forniture.** L'operatore economico che concorre alla procedura di affidamento di un contratto misto deve possedere i requisiti di qualificazione e capacità prescritti dal presente codice per ciascuna prestazione di lavori, servizi, forniture prevista dal contratto.*

Por otra parte, si se combina contrato y concesión se siguen las reglas del contrato, pero sólo si el valor estimado del contrato es de importe armonizado. La pregunta que cabe hacerse es que ocurre cuando no es así, si es el valor de las concesiones el que alcanza importe comunitario. La respuesta sería entonces la misma, porque el valor de concesiones de obras y servicios de umbral comunitario coincide con el de contratos de obra.

El problema se da cuando ni uno ni otro alcanza el importe comunitario, caso en el cual el legislador (y ahora nos referimos al legislador comunitario) permanece mudo. Podría interpretarse que a sensu contrario se aplicarían las normas de concesión, respuesta que parece lógica ya que en la adjudicación de concesiones los procedimientos son más flexibles lo que coincide con el espíritu de la adjudicación de contratos no SARA.

*7. Nel caso di **contratti misti che contengono elementi di appalti di forniture, lavori e servizi e di concessioni, il contratto misto è aggiudicato in conformità con le disposizioni del presente codice che disciplinano gli appalti** nei settori ordinari, **purché il valore stimato della parte del contratto che costituisce un appalto** disciplinato da tali disposizioni, calcolato secondo l'articolo 167, **sia pari o superiore alla soglia pertinente di cui all'articolo 35.***

En el APLCSP la regulación de los contratos mixtos encuentra su origen en el artículo 12 del TRLCSP. Este artículo se limitaba a enunciar la regla de la prestación principal por cuantía económica. Sin embargo el actual artículo 18 recoge una amplia casuística, tal y como se contempla en las Directivas 23 y 24 y que acabamos de estudiar en el Código italiano.

De nuevo, la principal novedad es que la regla general es la del carácter de la prestación principal cuando nos encontremos ante un contrato de obras, suministros o servicios. Si no hay obras se aplica la regla del valor estimado, que al final es la que ya conocíamos de la prestación principal por cuantía económica. Aunque hemos de decir que en ningún lugar se explica la diferencia entre uno y otro método.

Si se conjugan en un contrato una concesión y un contrato:

1.° *Si las distintas* **prestaciones no son separables** *se atenderá al* **carácter de la prestación principal**. Vemos que es esta la nueva regla general.

2.° *Si las distintas prestaciones* **son separables y se decide adjudicar un contrato único, se aplicarán las normas relativas a los contratos de obras, suministros o servicios cuando el valor estimado de las prestaciones correspondientes a estos contratos supere las cuantías establecidas en los artículos 20, 21 y 22 de la presente Ley**, *respectivamente. En otro caso, se aplicarán las normas relativas a los contratos de concesión de obras y servicios.* Es decir, si el contrato supera importe armonizado, se aplican normas de contratos. Si no, las de concesión. Exactamente igual que en el Código y en la Directiva de Contratos. Podemos imaginar que la idea subyacente es evitar que obras de importe comunitario escapen así de los procedimientos y reglas de publicidad y transparencia más estrictas de los contratos armonizados. Además es más fácil que un contrato alcance estos umbrales.

El artículo aclara muy pertinentemente que si el contrato mixto contiene elementos de una concesión de obras o de una concesión de servicios, deberá obligatoriamente acompañarse de un estudio de viabilidad y si es necesario de un anteproyecto de construcción y explotación de las obras. La explicación es que se trata de un proyecto a largo plazo en el que la remuneración del contratista y el equilibrio económico financiero del contrato dependen de su rentabilidad. Por ello es necesario hacer el estudio de sostenibilidad. No obstante esta planificación previa de las concesiones está mejor explicada en el Código italiano[12].

El artículo continúa explicando que si nos encontramos con un contrato mixto que sólo contenga contratos de diverso tipo, pero una parte sujeto al ámbito de aplicación objetivo de la ley y otra parte no:

a) *Si las* **distintas prestaciones no son separables** *se atenderá al* **carácter de la prestación principal**. De nuevo se aplica la regla general de la prestación principal.

---

12. Véase el artículo 28 del APLCSP.

b) *Si las prestaciones son separables y se decide celebrar un único contrato, se aplicará lo dispuesto en esta Ley.* Esta medida sirve para asegurar la trasparencia y la sujeción de la contratación a los requisitos europeos.

5. PRINCIPIOS QUE DEBEN APLICARSE EN LA ADJUDICACIÓN DE CONTRATOS Y CONCESIONES. EN PARTICULAR CLÁUSULAS MEDIOAMBIENTALES Y CONDICIONES QUE FAVOREZCAN LA PARTICIPACIÓN DE LAS PYMES

Continuando con la sistemática del Código italiano, el artículo 30 recoge los principios de adjudicación y ejecución de contratos y de concesiones. La legislación italiana es muy clara (incluso más que la española) con la inclusión de las cláusulas sociales. Se llega a positivizar la subordinación del principio de economicidad a exigencias sociales, tutela de la salud, del ambiente, del patrimonio cultural y del desarrollo sostenible.

*1. L'affidamento e l'esecuzione di appalti di opere, lavori, servizi, forniture e concessioni, ai sensi del presente codice **garantisce la qualità delle prestazioni e si svolge nel rispetto dei principi di economicità, efficacia, tempestività e correttezza**. Nell'affidamento degli appalti e delle concessioni, le stazioni appaltanti **rispettano, altresì, i principi di libera concorrenza, non discriminazione, trasparenza, proporzionalità, nonché di pubblicità** con le modalità indicate nel presente codice. **Il principio di economicità può essere subordinato**, nei limiti in cui è espressamente consentito dalle norme vigenti e dal presente codice, **ai criteri, previsti nel bando, ispirati a esigenze sociali, nonché alla tutela della salute, dell'ambiente, del patrimonio culturale e alla promozione dello sviluppo sostenibile, anche dal punto di vista energetico*.*

Además se recoge la aplicación obligatoria de los convenios colectivos al personal ejecutando la prestación objeto de contratación, aunque no se dice nada al respecto de la subcontratación en este caso.

*4. **Al personale impiegato nei lavori oggetto di appalti pubblici e concessioni è applicato il contratto collettivo nazionale e territoriale in vigore** per il settore e per la zona nella quale si eseguono le prestazioni di lavoro stipulato dalle associazioni dei datori e dei prestatori di lavoro comparativamente più rappresentative sul piano nazionale e quelli il cui ambito di applicazione sia strettamente connesso con l'attività oggetto dell'appalto o della concessione svolta dall'impresa anche in maniera prevalente.*

Sin embargo, si el operador económico incumple sus obligaciones de cotización respecto a empleados o subcontratados, el Poder Adjudicador podrá retener pagos a cuenta.

*5. In caso di inadempienza contributiva risultante dal documento unico di regolarità contributiva relativo a personale dipendente dell'affidatario o del subappaltatore o dei soggetti titolari di subappalti e cottimi di cui all'articolo 105, impiegato nell'esecuzione del contratto, **la stazione appaltante trattiene dal certificato di pagamento l'importo corrispondente all'inadempienza per il successivo versamento diretto agli enti previdenziali e assicurativi, compresa, nei lavori, la cassa edile (...)***

En el APLCSP en cambio se recoge de manera general la obligación de los órganos de contratación de asegurarse que los contratistas cumplen las disposiciones en materia medioambiental, social o laboral establecidas en el derecho de la Unión Europea, el derecho nacional, *los convenios colectivos* o por las disposiciones de derecho internacional (artículo 199). Es decir, las consideraciones de tipo social, medioambiental y de innovación y desarrollo deben ser obligatoriamente introducidas por el órgano de contratación que, sin embargo puede optar por incluirlas como criterio de adjudicación o como condición especial de ejecución, siempre que estén relacionadas con el objeto del contrato.

En Italia además, a diferencia de España, donde el artículo 213. 9 excluye expresamente la acción directa de los subcontratistas frente a la Administración contratante por las obligaciones contraídas con ellos por el contratista y dónde no se recoge la previsión de la Directiva de Contratos de pago directo por la Administración si el contratista no paga, se traspone expresamente esta posibilidad de pago directo a subcontratistas y dependientes del contratista:

*6. In caso di ritardo nel pagamento delle retribuzioni dovute al personale di cui al comma 5, il responsabile unico del procedimento invita per iscritto il soggetto inadempiente, ed in ogni caso l'affidatario, a provvedervi entro i successivi quindici giorni. Ove non sia stata contestata formalmente e motivatamente la fondatezza della richiesta entro il termine sopra assegnato, **la stazione appaltante paga anche in corso d'opera direttamente ai lavoratori le retribuzioni arretrate, detraendo il relativo importo dalle somme dovute all'affidatario del contratto** ovvero dalle somme dovute al subappaltatore inadempiente nel caso in cui sia previsto il pagamento diretto ai sensi dell'articolo 105.*

La única previsión en el APLCSP en cuanto a «pago por la Administración», es que si en un caso de subrogación en el contrato la Administración acredita la falta de pago de los salarios a los trabajadores afectados por subrogación, aún en el supuesto de que se resuelva el contrato y sean subrogados por el nuevo contratista, podrá proceder a la retención de las cantidades debidas al contratista para garantizar el pago de los citados salarios y a la no devolución de la garantía definitiva en tanto no se acredite el abono de éstos[13].

También y esta vez sí que como en el APLCSP, el Codice recoge expresamente condiciones de participación en las licitaciones que favorezcan a las PYMES. En concreto que los criterios sean proporcionales.

7. I criteri di partecipazione alle gare devono essere tali da non escludere le microimprese, le piccole e le medie imprese.

6.   EL RESPONSABLE DEL CONTRATO

En Italia en el artículo 31 se regula el papel del Responsable Único del Procedimiento, encargado de las fases de programación, planificación, adjudicación y ejecución. El Poder Adjudicador puede organizar una estructura estable de apoyo al RUP así como cursos y formaciones para todos los funcionarios que puedan llevar a cabo esta tarea. El legislador italiano tiene muy presente la profesionalización de la contratación pública, lo que se aprecia tanto en la regulación extensiva de esta figura como en papel principal que se adjudica a las centrales de compras.

Es una figura muy útil sobre todo desde el punto de vista de asignación de responsabilidades y que también se encuentra en la legislación española en el título II del libro primero en el artículo 62 del APLCSP (antiguo art. 52 TRLCSP) y que en obras recibe el nombre de Director facultativo. La única crítica que se puede hacer al legislador español es que este ha limitado sus funciones a la supervisión de la ejecución del contrato, pudiendo adoptar las decisiones y dictar las instrucciones necesarias con el fin de asegurar la correcta realización de la prestación. El legislador olvida que en el contrato hay más fases además de la ejecución y que la profesionalización en la contratación pública es uno de los nuevos objetivos europeos.

Es por ello que la legislación italiana resulta más incisiva que la nuestra, haciendo una serie de aclaraciones. En primer lugar los Poderes Adjudicadores no Administración Pública pueden nombrar a una o varias personas responsables del procedimiento según sus propias instrucciones internas, lo que desde mi punto de vista es un error ya que genera bastante inseguridad que el control de un contrato varíe en función del «estatus» del Poder Adjudicador. Además, aclara con mucho acierto y lógica que en las fórmulas de Colaboración Público Privada no se puede otorgar las competencias del responsable único del procedimiento al sujeto al que se ha adjudicado el contrato.

---

13.   Véase el artículo 130 del APLCSP.

7. LA TRAMITACIÓN DE URGENCIA Y SUS CIRCUNSTANCIAS

En este mismo título IV de modalidades de adjudicación, el artículo 32 que recoge las fases de los procedimientos explica en su apartado 8 *in fine* cuando cabe la ejecución de urgencia. Y es interesante porque aclara muy bien qué debe entenderse por imprevisible.

*L'esecuzione d'urgenza di cui al presente comma è ammessa esclusivamente nelle ipotesi di eventi oggettivamente imprevedibili, per ovviare **a situazioni di pericolo per persone, animali o cose, ovvero per l'igiene e la salute pubblica, ovvero per il patrimonio, storico, artistico, culturale ovvero nei casi in cui la mancata esecuzione immediata della prestazione dedotta nella gara determinerebbe un grave danno all'interesse pubblico** che è destinata a soddisfare, **ivi compresa la perdita di finanziamenti comunitari**.*

En España la tramitación urgente del expediente se recoge en artículo 119. En comparación con la redacción italiana se puede criticar que la definición de que se considera imprevisible no es tan clara y exhaustiva. Sin embargo el artículo es más claro en cuanto a los pasos a seguir y en cuanto a en qué consiste esta tramitación acelerada. Como en el antiguo 112 del TRLCSP el plazo de espera antes de la formalización del contrato es el único que no se reduce. Al igual que el Código, el APLCSP diferencia urgencia de situación de emergencia y grave peligro para los intereses públicos, siendo la tramitación muy similar no obstante[14].

8. CONTRATOS SARA Y NO SARA. PROCEDIMIENTOS DE ADJUDICACIÓN

En la *Parte II: Contratti di appalto per lavori servizi e forniture; Titolo I: Rilevanza comunitaria e contratti sotto soglia* se encuadran dos importantísimos artículos: el 35, dedicado a los contratos de importe comunitario; y el 36, dedicado a los contratos bajo los umbrales.

El primero de ambos es en realidad una copia de los artículos 4 y 8 de la Directiva de Contratos y de Concesiones respectivamente, en la que sólo cambia el orden en que se recogen tipos de contratos e importes[15]. Como para estudiar los contratos de sujetos a regulación armonizada es vital el concepto de valor estimado del contrato, el artículo da indicaciones precisas sobre como calcularlo en cada tipo de contrato, entre los cuáles me gustaría destacar como novedoso el cálculo del valor estimado de

---

14. Véanse los artículos 163.6 del Código de Contratos y el 120 del APLCSP.

15. Como novedad de las Directivas destacar que en la actualidad los servicios de transporte en ambulancia sí están incluidos en su ámbito de aplicación.

la Asociación para la Innovación, ya que los criterios propuestos no están en las Directiva de Contratos, donde el artículo 31 dice únicamente que *el valor estimado de los suministros, servicios u obras no será desproporcionado con respecto a la inversión necesaria para su desarrollo;* y que coinciden exactamente con los propuestos por el APLCSP:

17. Nel caso di partenariati per l'innovazione, il valore da prendere in consi-derazione è il valore massimo stimato, al netto dell'IVA, delle attività di ricerca e sviluppo che si svolgeranno per tutte le fasi del previsto partena-riato, nonché delle forniture, dei servizi o dei lavori da mettere a punto e fornire alla fine del partenariato.

Como hemos dicho, para saber si un contrato es de importe armoniza-do o no (delimitados por el legislador español en el artículo 19 del APLCSP) es clave el concepto de valor estimado. En este sentido, el APLCSP analiza en su TÍTULO III el objeto, el presupuesto base de licitación, *el valor estimado* y el precio del contrato. Es novedoso que en el APLCSP se definen e iden-tifican claramente todos estos términos, lo que no sucede en la legislación italiana y no sucedía en TRLCSP. De hecho, este último hablaba del presu-puesto base de la licitación sin definirlo expresamente. En el APLCSP en cambio, el artículo 100 lo define como el límite máximo de gasto que puede comprometer el órgano de contratación, incluyendo lógicamente el IVA.

El valor estimado en cambio sí se contemplaba en el TRLCSP, la no-vedad es que se explica en qué consistirá este valor en concesiones de servicios, que será, al igual que en concesión de obras, el volumen total de negocios sin IVA que generará la empresa concesionaria durante la eje-cución del contrato. En este caso, el método de cálculo empleado por el órgano de contratación deberá figurar en los pliegos de cláusulas admi-nistrativas particulares.

Es interesante el cálculo del valor estimado de los acuerdos marco y de los sistemas dinámicos de adquisición donde la previsión es que se tenga en cuenta el valor máximo estimado sin IVA. Previsión muy lógica, pero que deja al aplicador de la ley, es decir la entidad adjudicadora con la duda de cómo calcular esta cuantía. En la misma incerteza deja el cálculo del valor estimado en el novedoso caso del procedimiento de la asociación para la innovación, que a la manera italiana tiene en cuenta el valor máxi-mo estimado sin IVA de las actividades de investigación y desarrollo que se vayan a realizar durante la asociación y de los suministros, servicios u obras que se ejecutarán o adquirirán al final de la misma.

El precio cuya redacción en el artículo 102 sólo varía respecto a la del artículo 87 del TRLCSP en el orden de los apartados, sí que incluye el IVA y es el valor que se tiene en cuenta para determinar cuáles son las ofertas anormales o desproporcionadas.

Siguiendo con el articulado del Código, es preciso decir que en España nos quejamos de falta de transparencia y de dualidad de regímenes de adjudicación, pero en Italia el panorama es peor, y no tiene visos de cambiar con la nueva regulación. En efecto, el artículo 36 del Código de 2016 regula los procedimientos de adjudicación de los contratos de importe no armonizado, que se hacen depender de la cuantía del mismo. Los Poderes Adjudicadores tienen siempre abierta la posibilidad de acudir a los procedimientos ordinarios, pero si no lo estiman oportuno (alarma de puerta abierta a la corrupción) pueden acudir a otros procedimientos «informales» y flexibles. Concretamente en su apartado 2 explica los procedimientos de adjudicación:

a) *per affidamenti di **importo inferiore a 40.000 euro, mediante affidamento diretto, adeguatamente motivato o per i lavori in amministrazione diretta;***

Adjudicación directa en razón de cuantía. En España su correlativo podría ser el negociado sin publicidad por razón de cuantía, que desaparece en la nueva ley.

A partir de las siguientes cuantías según el nuevo Código de Contratos ya es necesario, siempre que los haya, consultar a al menos 5 operadores económicos, número que va aumentado con el importe de la contratación.

b) ***per affidamenti di importo pari o superiore a 40.000 euro e inferiore a 150.000 euro per i lavori, o alle soglie di cui all'articolo 35 per le forniture e i servizi, mediante procedura negoziata previa consultazione,*** *ove esistenti,* ***di almeno cinque operatori economici*** *individuati sulla base di indagini di mercato o tramite elenchi di operatori economici, nel rispetto di un criterio di rotazione degli inviti.* ***I lavori possono essere eseguiti anche in amministrazione diretta, fatto salvo l'acquisto e il noleggio di mezzi,*** *per i quali si applica comunque la procedura negoziata previa consultazione di cui al periodo precedente. L'avviso sui risultati della procedura di affidamento, contiene l'indicazione anche dei soggetti invitati;*

Pero atención, este procedimiento de negociación previa consulta al mercado no es el procedimiento negociado, donde una característica básica es la negociación. En este procedimiento la negociación no es necesaria, lo que tiene sentido si se tiene en cuenta que probablemente se tratará de la adquisición de bienes, servicios u obras de características corrientes en el mercado. Sin embargo la elección del nombre del procedimiento es un tanto confusa. Sería mejor reconducirlo al procedimiento restringido.

c) *per i lavori di importo pari o superiore a 150.000 euro e inferiore a 1.000.000 di euro, mediante la procedura negoziata di cui all'articolo 63 con consultazione di almeno dieci operatori economici, ove esistenti, nel rispetto di un criterio di rotazione degli inviti, individuati sulla base di indagini di mercato o tramite elenchi di operatori economici. L'avviso sui risultati della procedura di affidamento, contiene l'indicazione anche dei soggetti invitati;*

En este caso se hace expresa referencia al procedimiento negociado sin publicidad lo que ha sido muy criticado por la doctrina italiana, ya que en el procedimiento no es necesario negociar y no se debe utilizar sólo en ese numerus clausus de casos, que son una copia de los supuestos de la Directiva también recogidos en el APLCSP, para contratos de importe armonizado.

Una vez superada la barrera del millón de euros, la utilización de los procedimientos ordinarios es obligatoria.

d) *per i lavori di importo pari o superiore a 1.000.000 di euro mediante ricorso alle procedure ordinarie.*

Este artículo es de obligada relación con el 21 ya comentado, porque para las compras de bienes y servicios de importe unitario igual o superior a los 40.000 euros es obligatoria la elaboración de un programa bienal, y lo mismo ocurre para las obras de importe igual o superior a los 100.000 euros en los que se debe elaborar un programa trienal obligatorio. Estos programas servirán, aparte de para detallar las necesidades, para asegurarse una adecuada trasparencia. Sin embargo destacamos que para compras de importes menores se acude a la adjudicación directa sin programación bianual o trianual.

En España, como ya hemos dicho, desaparece el negociado sin publicidad por razón de cuantía. En cambio en el ámbito del procedimiento abierto, se crea la figura del procedimiento abierto simplificado, muy similar al procedimiento simplificado de adjudicación de contratos ya regulado en la ley 3/2011, de 24 de febrero, de medidas en materia de Contratos del Sector Público de Aragón, que sólo se podrá usar en el caso de contratos de obras, suministro y servicios, no en concesiones, cuando se cumplan dos condiciones cumulativas:

a) *Que su valor estimado sea inferior a 2.000.000 de euros en el caso de contratos de obras, y en el caso de contratos de suministro y de servicios, que su valor estimado sea inferior a los umbrales europeos.*

b) *Que entre los criterios de adjudicación previstos en el pliego no haya ninguno evaluable mediante juicio de valor o que su ponderación no supere el veinte por ciento del total.*

El artículo 157 establece las formalidades del procedimiento. Como su objetivo es permitir que el contrato se adjudique en el plazo de un mes sus trámites se simplifican al máximo. Por ejemplo la documentación se presentará en un solo sobre, las comunicaciones son electrónicas, no se exige la constitución de garantía provisional, se reduce el plazo de justificación de las ofertas anormalmente bajas y se efectúa todo el procedimiento en una sola sesión.

Se mantienen los contratos menores tal y como se recogían en el TRLCSP: *Se consideran contratos menores los contratos de valor estimado inferior a 50.000 euros, cuando se trate de contratos de obras, o a 18.000 euros, cuando se trate de contratos de suministro o de servicios*[16].

Aquí interesa recordar que la legislación de las Comunidades Autónomas es más restrictiva. Por ejemplo, en la Ley 3/2011, de 24 de febrero, de medidas en materia de Contratos del Sector Público de Aragón los importes están muy limitados y sujetos a requisitos: *En los **contratos menores de obras que superen los 30.000 euros y en los de servicios y suministros que superen los 6.000 euros** excluido Impuesto sobre el Valor Añadido, **salvo que solo pueda ser prestado por un único empresario, se necesitará consultar al menos a tres empresas,** siempre que sea posible, que puedan ejecutar el contrato utilizando preferentemente medios telemáticos*[17].

Comparando ambos textos vemos fácilmente que, aunque en cuanto obras la legislación italiana es más restrictiva, de 50.000 a 40.000€; cuando se trata de suministros por servicios, la cuantía es muy elevada, al mantenerse el mismo valor.

A favor del Código hay que decir que aunque el artículo 125 del viejo Código de 2006 contemplaba las instrucciones internas para procedimientos de adjudicación en contratos de importe no armonizado, el código actual ya no las recoge. La tesis mayoritaria es que las instrucciones ya existentes se siguen manteniendo, pero siempre que se respeten los principios (y decimos nosotros, ¿lógicamente también las normas expresas?) del nuevo Código. Sería interesante o bien eliminarlos o bien hacer una revisión en profundidad de las existentes. En cualquier caso, a futuro no

---

16. Véanse los artículos 138 del TRLCSP y 118 del APLCSP.
17. Véase el artículo 4.2 de la Ley 3/2011, de 24 de febrero, de medidas en materia de Contratos del Sector Público de Aragón.

se podrán elaborar nuevas instrucciones lo que es muy positivo desde el punto de vista de la trasparencia y de la seguridad jurídica.

En España, en cambio, aunque el Anteproyecto las eliminaba, el artículo 317 del PLCSP que se refiere a la adjudicación de contratos no sujetos a regulación armonizada por los Poderes Adjudicadores no Administración Pública las mantiene como obligatorias. Sin embargo, estos poderes adjudicadores no tendrán que aplicar las instrucciones internas en un caso que recuerda a los contratos del artículo 36 del Código italiano:

*a) Los **contratos de valor estimado inferior a 50.000 euros, cuando se trate de contratos de obras, o a 18.000 euros, cuando se trate de contratos de servicios y suministros, podrán adjudicarse directamente** a cualquier empresario con capacidad de obrar y que cuente con la habilitación profesional que, en su caso, sea necesaria para realizar la prestación objeto del contrato.*

Las instrucciones se mantienen también para todo tipo de contratos en el caso de entidades del sector público que no tengan el carácter de poderes adjudicadores (artículo 319 insistimos del PLCSP). En este caso, se podrá excluir la aplicación de las instrucciones no sólo en estos contratos que se puedan adjudicar directamente de valor estimado inferior a 50.000 euros, cuando se trate de contratos de obras, o a 18.000 euros, cuando se trate de contratos de servicios y suministros; sino también en los contratos que superen las cuantías anteriores, respetándose en todo caso los principios de igualdad, no discriminación, transparencia, publicidad y libre concurrencia; y sujetándose a unos mínimos requisitos de publicidad, plazo razonable para la presentación de ofertas y que el criterio de adjudicación sea la oferta económicamente más ventajosa.

9. COMPRA PÚBLICA CENTRALIZADA Y CÓMO EL LEGISLADOR ITALIANO OPTA POR POTENCIARLA

El artículo 37 del Código se dedica al importantísimo tema de la agregación y centralización de la demanda. La diferencia entre España e Italia en este sentido es abismal, ya que en España sólo para determinados bienes, servicios y suministros previamente determinados por el Ministerio de Economía y Hacienda y a nivel de la AGE y entidades dependientes se hace obligatoria la compra centralizada (artículo 227 APLCSP). El resto de entidades del sector público *podrán concluir un acuerdo de adhesión* con la Dirección General de Racionalización y Centralización de la Contratación del Ministerio de Hacienda y Función Pública para contratar las obras, servicios y suministros declarados de contratación centralizada, a través del sistema estatal de contratación centralizada. Es decir, no es obligatorio el recurso a la compra centralizada. Si se trata de la adquisición centralizada de medicamentos la disposición adicional vigésima octava del APLCSP recoge las especificidades en la materia.

Sin embargo en Italia, a raíz del nuevo Código, la compra centralizada se hace obligatoria para los Poderes Adjudicadores de las Entidades locales que no cumplan unas características previamente determinadas por la ANAC, que será la autoridad encargada de dar la autorización para comprar por encima de determinadas cuantías, con lo cual el recurso a las centrales se hace obligatorio[18]. Podríamos decir que en Italia, al sistema de la clasificación de empresarios se une esta nueva clasificación de las entidades adjudicadoras. En efecto:

La adquisición de bienes, servicios y obras de importe inferior a los 40.000 euros pueden hacerse mediante adjudicación directa de cualquier Poder Adjudicador, incluso los que no cumplan estas características previamente determinadas por la ANAC.

La compra de bienes y servicios entre 40.000 euros y el importe armonizado y las obras entre 40.000 y 150.000 euros se hará mediante procedimiento negociado (recordamos que no es el de las Directivas) al que se invitará al menos a cinco operadores económicos.

Las obras de mantenimiento de importe superior 150.000 euros, pero inferiores a 1.000.000 euros se llevan a cabo mediante el procedimiento negociado anterior pero se debe invitar al menos a diez operadores económicos.

En los dos últimos casos, los poderes adjudicadores que sí cumplan los requisitos adjudicarán utilizando los medios electrónicos que deben

---

18. ANAC-(Autorità Nazionale Contro la Corruzione) Autoridad Nacional Contra la Corrupción. Es una autoridad independiente que según el artículo 213 del Código de Contratos de 2016 vigila la contratación pública y regula dicha actividad, a través de la elaboración de líneas guía (que pueden ser o no vinculantes según decida el Consiglio di Stato) además de prevenir y detectar la corrupción y gestionar el sistema de cualificación de los poderes adjudicadores y las centrales de contratación. Es decir, clasifica a los poderes adjudicadores que pueden adquirir autónomamente, de manera que sólo estos puedan realizar licitaciones por su cuenta, debiendo recurrir a centrales de compra agregada en cualquier otro caso. Esta clasificación, que tiene una duración de cinco años, se basa en requisitos de capacidad de programación y de verificación de la ejecución de los contratos y del conjunto del procedimiento.
Tiene también potestad sancionadora, de inspección, así como para formular propuestas y sugerencias al legislador y al gobierno, entre otras muchas. Lo cierto es que el nuevo Código da al ANAC unos poderes sin precedentes. Para más información véase: http://www.anticorruzione.it/portal/public/classic/RegolazioneContratti/LineeGuida

poner a su disposición las centrales de compra. Ejemplos de estos medios serían la plataforma *SINTEL* de la central ARCA en la región de Lombardía o la plataforma *MEPA* de la central CONSIP a nivel estatal[19]. Si esto no fuera posible pueden adjudicar a través de medios ordinarios. Si un Poder Adjudicador no cumple los requisitos debe obligatoriamente recurrir a una central de compras o a otro Poder Adjudicador que sí reúna los requisitos.

La contratación se complica para municipios que no sean capital de provincia, pudiendo recurrir también a una central o a un poder Adjudicador que sí cumpla los requisitos, o bien creando uniones de municipios que se califiquen como centrales de compra.

El resultado final será la reducción del número de entidades adjudicadoras, con el objetivo de profesionalizar las que permanezcan y de simplificar los procedimientos.

10. LOS CONFLICTOS DE INTERESES

El conflicto de interés, recogido en el artículo 42 se configura como en España (artículo 64 del APLCSP), dando un mandato a los órganos de contratación para que tomen las medidas adecuadas para luchar contra el fraude, el favoritismo y la corrupción, y detecten y pongan solución a los conflictos de intereses.

Ambos artículos dan en primer lugar una definición de lo que se considera conflicto de interés. La diferencia estriba en que el artículo 42 en su apartado dos remite al artículo 7 del *decreto del Presidente della Repubblica 16 aprile 2013, n. 62*, que recoge casos en los que no es necesario probar dicho conflicto de interés, al estar configurados legalmente.

En cualquier caso hay que resaltar que las situaciones de conflicto de interés, tanto en España como en Italia, al estar prefijadas por ley, no son susceptibles de demostración en contrario.

11. CLÁUSULAS SOCIALES Y LOTIFICACIÓN DE CONTRATOS

A continuación el *Titolo III: Procedura di affidamento* en el *Capo I: Modalità comuni alle procedure di affidamento* recoge en el artículo 50 las cláusulas sociales en el anuncio de la licitación y en el resto de publicaciones. En los

---

19. Véase http://www.arca.regione.lombardia.it/wps/portal/ARCA/Home/e-procurement/piattaforma-sintel y https://www.acquistinretepa.it/opencms/opencms/main/programma/strumenti/MePA

contratos y en las concesiones que no tengan carácter intelectual y especialmente en aquellos de alta intensidad en mano de obra, estos anuncios pueden hacer hincapié en cláusulas sociales destinadas a garantizar la estabilidad del personal empleado. En el APLCSP se recoge en el artículo 145 sobre los criterios de adjudicación.

También como en España se traspone la obligación de subdividir en lotes. En nuestro país el planteamiento ha cambiado radicalmente, pues el antiguo artículo 88.3 del TRLCSP permitía la lotificación cuando el objeto del contrato admitiera fraccionamiento y se justificara en el expediente. Sin embargo el actual 99.3 del APLCSP recoge el planteamiento contrario. Es decir, el órgano de contratación deberá justificar la no división en lotes en el expediente.

El objetivo tanto en España como en Italia es facilitar el acceso de las PYMES[20]. Si no se lotifica el poder adjudicador debe motivar. Sin embargo se prohíbe la lotificación fraudulenta a fin de evitar las disposiciones del Código o del APLCSP. Al igual que en la Directiva de Contratos, el Código recoge expresamente en su artículo 51 (era uno de los mandatos de las directivas que no era claro, preciso e incondicional y exigía trasposición) la posibilidad de hacer ofertas integradoras, siempre que se recoja en los pliegos o en el anuncio de licitación. Esta posibilidad también se traspone expresamente en España, con requisitos cumulativos:

a) *Que esta posibilidad* **se hubiere establecido en el pliego** *que rija el contrato y se recoja en el anuncio de licitación. Dicha previsión deberá* **concretar la combinación o combinaciones** *que se admitirá, en su caso,* **así como la solvencia y capacidad** *exigida en cada una de ellas.*

b) *Que se trate de* **supuestos en que existan varios criterios de adjudicación.** *No vale si el único criterio es el de precio más bajo.*

12. NOTIFICACIONES. EL DEBATE ENTRE LA NECESARIA CONFIDENCIALIDAD Y LA ADECUADA TRASPARENCIA Y PUBLICIDAD

El artículo 52 del Código italiano hace referencia a las reglas sobre notificaciones, que sólo podrán ser orales en lo que no resulte esencial y siempre que sea suficientemente documentado. En el mismo se aclara qué documentos se consideran en todo caso esenciales.

---

20. Véase el artículo 51.1 del D.LGS. 18-4-2016 N. 50.

De este artículo queremos resaltar especialmente, por la novedad, el cómo se harán las notificaciones en concesiones. Excepto en los casos en que el propio Código obligue a que sean electrónicas, los poderes adjudicadores podrán optar también por el correo ordinario, la comunicación oral incluyendo la telefónica, (siempre que no sea sobre elementos esenciales y esté suficientemente documentado) y la entrega en mano dejando constancia de la misma. En cualquier caso se deberá garantizar la confidencialidad de determinada información y documentación.

En relación al debate confidencialidad-publicidad, el artículo 53 se refiere a la información proporcionada en la oferta o en su justificación que el operador económico haya señalado como secreto técnico o comercial. Los otros participantes en la licitación *podrán acceder* a esta con el fin de defender sus intereses en juicio. Obviamente un operador económico que tiene un interés legítimo debe poder defenderse en juicio y para ello necesitará información. Pero, ¿hasta qué punto está previsión va contra el derecho de secreto empresarial? Desde mi punto de vista es peligroso porque muchos operadores económicos tendrán miedo de participar en licitaciones si posteriormente sus secretos de empresa se van a dar a conocer a los competidores. Además es susceptible de uso torticero y fraudulento.

En España se estudia la confidencialidad desde dos perspectivas, la de la Administración Pública y la del contratista. Aunque la regulación del 133 del APLCSP no cambia respecto al TRLCSP queremos resaltar que el deber del contratista de respetar el carácter confidencial de aquella información a la que tenga acceso con ocasión de la ejecución del contrato se mantendrá durante cinco años a no ser que los pliegos o el contrato establezcan un plazo mayor. Y aquí nos preguntamos, porque el artículo sigue sin aclararlo, si esta prórroga deberá ser adecuadamente motivada.

13. ANUNCIOS DE LICITACIÓN, PROCEDIMIENTOS DE ADJUDICACIÓN, SUBASTA ELECTRÓNICA, DURACIÓN DE LOS CONTRATOS Y PUBLICIDAD DE LOS CONTRATOS EFECTIVAMENTE ADJUDICADOS

En el Código italiano, dentro del capítulo que estamos comentando, en la *Sezione II: Tecniche e strumenti per gli appalti elettronici e aggregati*, el artículo 54 recoge exactamente los artículos 33 y 51 de las Directivas de Contratos y de Sectores especiales respectivamente en cuanto a la duración de los acuerdos marco.

Por otra parte, la subasta electrónica en Italia y en España (artículos 56 y 143 respectivamente) se admite incluso cuando el criterio no es el de precio más bajo. Criterio lógico, porque las nuevas directivas impulsan el criterio de la oferta económicamente más ventajosa. La única duda es cómo articular la valoración de los distintos criterios en un procedimiento completamente electrónico.

El artículo 58 recoge la posibilidad de llevar a cabo procedimientos enteramente a través de plataformas electrónicas, así como regula el proceso completo. Recordemos que el modelo europeo opta por un concepto amplio de contratación electrónica, es decir, determinados pasos de manera telemática y otros analógicos, pero siendo el objetivo final la contratación electrónica de extremo a extremo. Con lo cual esta previsión es muy acorde con los objetivos de la nueva generación de Directivas.

En este mismo *Titolo III*, pero ya dentro del *Capo II: Procedure di scelta del contraente per i settori ordinari*, vemos que la elección de los procedimientos de adjudicación es una copia de las Directivas. Por ello del artículo 59 sólo merece la pena destacar la excepción que suponen todas las figuras «paraconcesionales» (*contraente generale, finanza di progetto, affidamento in concessione, partenariato pubblico privato, contratto di disponibilità*) donde no se prohíbe adjudicar la planificación y la ejecución de obras conjuntamente al mismo adjudicatario.

En cuanto al procedimiento abierto (artículo 60) sólo hay que resaltar que el plazo en caso de urgencia es de 15 días, no de 10 como nuestro actual artículo 112 del TRLCSP. Ese plazo de 15 días coincide lógicamente con el de las Directivas y es el que se ha adoptado en el APLCSP[21]. Atención porque nuestra ley si el contrato no es armonizado, el plazo mínimo es de 15 días, coincidiendo con el de urgencia o el de Anuncio de Información Previa en armonizado. El plazo se reduce también para concesiones de importe no armonizado, de 52 a 26 días.

Por otra parte me gustaría incidir en el artículo 62 del Código, que como el artículo 164.9 del APLCSP recoge una posibilidad, en mi opinión contraria al espíritu y al objetivo último de las Directivas de Contratación, aunque se contemple en el artículo 19.4 de la Directiva 2014/24/UE. Me refiero a la previsión de que un poder adjudicador pueda reservarse la posibilidad de (no) negociar y adjudicar sobre la base de las ofertas iniciales si así se indica en el anuncio de licitación o en la invitación a confirmar el interés en un procedimiento negociado. Y me parece incorrecto ya que este

---

21. Véase el artículo 154.3.b APLCSP.

procedimiento se caracteriza precisamente y a tenor de la jurisprudencia europea por las negociaciones[22].

Por lo demás el negociado se puede emplear sólo en casos tasados, también en concesiones de obras y *servicios*, que sin embargo han sido ampliados por las Directivas. Como ya hemos comentado previamente la posibilidad de recurrir a éste negociado sin publicidad se ha restringido mucho en España, donde se ha eliminado por razón de cuantía.

En el *Capo III: Svolgimento delle procedure per i settori ordinari*, siempre dentro del mismo Titolo, el artículo 67 recoge algunas medidas mínimas a título de ejemplo para garantizar la concurrencia. Para fomentar la participación en estos intercambios previos, se advierte expresamente que si un candidato queda excluido por haber participado de algún modo en la preparación del contrato, tendrá siempre la posibilidad de justificar que esta participación no afecta a la concurrencia en el procedimiento de adjudicación posterior.

En este capítulo III valoramos positivamente frente al APLCSP que los anuncios de información previa se hacen obligatorios en Italia y deben ser publicados por los poderes adjudicadores el 31 de diciembre de cada año (artículo 70). El plazo de validez de este anuncio coincide con el de las Directivas y con el APLCSP (art. 134.5). En la legislación española merece la pena destacar que no se contempla su uso para concesiones de obras ni de servicios de importe armonizado y que en el caso de los contratos de servicios que tengan por objeto alguno de los servicios especiales podrá tener un plazo de validez superior a 12 meses. Pero no se da ningún motivo a este plazo ampliado.

Los anuncios de licitación en España se recogen en el artículo 135, que a excepción de los procedimientos negociados sin publicidad, se publicarán en el perfil de contratante. La duda es si se incluyen aquí las concesiones de importe armonizado. Si interpretamos a sensu contrario el apartado 2, la respuesta sería afirmativa: *Cuando el órgano de contratación lo estime conveniente, los procedimientos para la adjudicación de contratos de obras, suministros, servicios,* **concesiones de obras y concesiones de servicios no sujetos a regulación armonizada podrán ser anunciados,** *además, en el «Diario Oficial de la Unión Europea».*

---

22. Propuesta de modificaciones y mejora al Proyecto de Ley de Contratos del Sector Público, por el que se transponen al ordenamiento jurídico español las Directivas del Parlamento Europeo y del Consejo, 2014/23/UE y 2014/24/UE, de 26 de febrero de 2014 (Publicado en el Boletín Oficial de las Cortes Generales, Congreso de los Diputados 2 de diciembre de 2016). P. 17.

Respecto al perfil del contratante sus previsiones se recogen en el capítulo II del libro primero del APLCSP. En él deberán publicarse los anuncios de información previa, las convocatorias de licitaciones y los anuncios de formalización de los contratos, los anuncios de modificación, los anuncios de concursos de proyectos y de resultados de concursos de proyectos, así como los pliegos y demás documentos que configuren una contratación. Sin embargo, estos anuncios serán sólo de obligatoria publicación si así lo dice la ley. Se restringe pro tanto su ámbito de aplicación. Y además, para que tenga un efecto de verdadera trasparencia será necesario lograr una verdadera interconexión de los perfiles de contratantes.

Por otra parte, representa un avance respecto al TRLCSP el hecho de publicar obligatoriamente al menos trimestralmente la información relativa a los contratos menores. Esta información incluirá como mínimo su objeto, su duración, el importe de adjudicación, incluido el Impuesto sobre el Valor Añadido, y la identidad del adjudicatario.

Es también positivo que el APLCSP obligue a publicar los procedimientos anulados, la composición de las mesas de contratación y la designación de los miembros del comité de expertos o de los organismos técnicos especializados, así como la formalización de los encargos a medios propios de importe superior a 50.000 euros.

En relación a este tema hay que traer a colación el artículo 72 del Código italiano. En él se recogen las modalidades de publicación de las notificaciones y los anuncios y se plantea una posibilidad que en teoría es acertada, pero que no creo que se lleve a la práctica. El apartado 6 prevé que las administraciones adjudicadoras puedan publicar notificaciones y anuncios de contratos no sujetos a publicación a tenor del Código, siempre que se envíen a la oficina de publicaciones de la UE por vía electrónica, dando a continuación una serie de requisitos de los modelos y formularios a completar. Decimos que teóricamente la idea es buena porque favorece la trasparencia en la contratación. Pero resulta curioso que aunque no estén obligados a publicar, cuando quieran hacerlo se les imponga un nivel tan elevado de formalismo. No es un gran incentivo a las administraciones adjudicadoras.

14. EXCLUSIÓN DEL PROCEDIMIENTO Y CRITERIOS DE SELECCIÓN. ESPECIAL REFERENCIA AL DEUC

Los motivos de exclusión del procedimiento se recogen en el artículo 80 y coinciden con las prohibiciones de contratar del artículo 71 del APLCSP. Simplemente destacar que en el caso de que el operador económico haya presentado una declaración o documentación falsa, es el poder adjudicador el que debe solicitar su inscripción en el registro informático que lleva el *osservatorio* de la ANAC. Estos motivos de exclusión se aplican, al igual que en España (artículo 213.2.b)) también a los subcontratistas.

Muy interesante la institución de la *Banca dati nazionale degli operatori economici*, gestionada por el Ministerio de Infraestructuras y Transporte, que supone la trasposición del artículo 64 de la Directiva de Contratos. Es en esta banca de datos, que debe ser constantemente actualizada, donde se recogen todo la documentación sobre el cumplimiento de los requisitos de selección de los operadores económicos.

El artículo 83 recoge los criterios de selección. Es muy curioso que en la legislación italiana una constante es la prohibición del *gold platting*, es decir de trasponer requisitos más onerosos que los de las Directivas o de que los poderes adjudicadores exijan a los operadores económicos condiciones más gravosas que las recogidas en el Código. Por ello el artículo 83. 8 declara expresamente que: *I bandi e le lettere di invito non possono contenere ulteriori prescrizioni a pena di esclusione rispetto a quelle previste dal presente codice e da altre disposizioni di legge vigenti. Dette prescrizioni sono comunque nulle.*

El APLCSP estudia en el capítulo II del libro primero la capacidad y la solvencia del empresario y los medios de acreditación. En el artículo 66, que recoge las características que deben tener las personas jurídicas para ser adjudicatarias hay que mencionar como novedad respecto al antiguo artículo 57 del TRLCSP que se incluye expresamente las concesiones de servicios en los casos en que tras formalizar el contrato será necesario crear una sociedad. Lo mismo ocurre en el artículo 76 dedicado a las condiciones de solvencia y a la especificación de los nombres y la cualificación profesional del personal responsable de ejecutar la prestación. La diferencia es que aquí tampoco se incluía a las concesiones de obras.

Dentro de la solvencia del empresario, de la exigencia de clasificación de las empresas me gustaría decir tres cosas: la primera, no es una exigencia de las Directivas, pero es una constante que se repite tanto en Italia como en España.

Lo segundo es que el nuevo artículo 77 del APLCSP recoge la incongruencia ya existente en artículo 65 del TRLCSP, consistente en que cuando a un procedimiento de adjudicación no acuda ninguna empresa que cuente con la clasificación requerida, el órgano de contratación podrá excluir el cumplimiento de este requisito en el siguiente procedimiento siempre y cuando no se alteren sus condiciones, precisando los medios de acreditación de la solvencia. Es decir no se requiere la clasificación, pero los requisitos de solvencia serán los mismos. El razonamiento lógico es que si no se ha presentado ninguna empresa con la clasificación es porque tal vez ninguna empresa cumpla esos requisitos, con lo que volveremos a encontrarnos ante otra licitación desierta.

En tercer y último lugar decir que de nuevo, tanto en Italia como en España, el requisito de la clasificación es discriminatorio respecto a las propias empresas nacionales, ya que no se exige a empresarios no españoles de Estados miembros de la Unión Europea o de Estados signatarios del Acuerdo sobre el Espacio Económico Europeo. Es decir, el legislador está tirándose piedras al propio tejado, al dificultar la participación de las empresas nacionales.

La acreditación de la solvencia económica y financiera del empresario sí que supone un cambio respecto a la regulación del TRLCSP (artículo 75). En particular porque se impone un límite al volumen de negocios mínimo exigido, que no excederá del doble del valor estimado del contrato, excepto en casos debidamente justificados. En la anterior regulación se decía únicamente que debía ser igual o superior al exigido en el anuncio de licitación, lo que daba una libertad excesivamente amplia al Poder Adjudicador.

Además se prevé que cuando un contrato se divida en lotes, el criterio del volumen de negocios se aplicará a cada uno de los lotes. Para entender estas medidas es importante recordar que fijar un volumen de negocios excesivamente alto impide la participación de las PYMES en las licitaciones. De hecho, es novedoso que en la acreditación de la solvencia en obras ya no es requisito general la relación de obras llevadas a cabo en los últimos diez años, si no en cinco, con posibilidad de alargarlo a diez para garantizar el nivel de la competencia. En suministros la duración se reduce de cinco años a un máximo de tres. Es también novedoso que como criterio de solvencia se puede tener en cuenta quiénes son los proveedores del operador económico: *Indicación de los sistemas de gestión de la cadena de suministro y de seguimiento que el empresario podrá aplicar al ejecutar el contrato.*

Volviendo al artículo 83 del Código, su apartado 9 contiene la subsanación elementos formales, en particular irregularidades esenciales del Documento Europeo Único de Contratación siempre que no se refieran a la oferta, mediante la *procedura di soccorso istruttorio*. Lo interesante del apartado es que si el operador económico quiere subsanar una irregularidad formal y esencial deberá pagar una multa (de máximo 5.000€) al poder adjudicador. Si no hace este pago viene automáticamente excluido. Si la irregularidad es sólo formal, pero no esencial no hay pago de sanción.

En el artículo 85 se recoge el ya mencionado Documento Europeo Único de Contratación. Copiando la redacción del artículo 59 de la Directiva de Contratos, los poderes adjudicadores se ven obligados a aceptar este documento como prueba preliminar del cumplimiento de los criterios de selección y de no estar incurso en motivos de exclusión. Sin embargo la redacción no deja claro si los operadores económicos están obligados a utilizarlo o su uso es facultativo. Lo que no se contempla en la Directiva es que el poder adjudicador requerirá al oferente al que se va a adjudicar el contrato, así como al siguiente calificado toda la documentación complementaria. Me parece que es una exigencia demasiado gravosa para el operador económico que no ha conseguido el contrato y que aun así debe presentar la misma documentación que el ganador, que será el que, con una muy alta probabilidad, sea el adjudicatario definitivo.

En España el artículo 141 APLCSP hace expresamente obligatorio para los órganos de contratación incluir en el pliego el Documento Europeo Único de Contratación, y por la redacción dada al artículo se entiende que esta obligación de uso se extiende a los operadores económicos.

15. CRITERIOS DE ADJUDICACIÓN. CUÁNDO ES OBLIGATORIO RECURRIR A CRITERIOS DE OFERTA ECONÓMICAMENTE MÁS VENTAJOSA

Cambiando al *Titolo IV: Aggiudicazione per i settori ordinari* nos encontramos con los criterios de adjudicación en el artículo 95, que son o bien el de precio más bajo o el de oferta económicamente más ventajosa, basado en el coste/eficacia y en el coste del ciclo de vida del producto. Estos criterios de adjudicación deben estar directamente relacionados con el objeto del contrato, pero atención: ***sotto qualsiasi aspetto e in qualsiasi fase del loro ciclo di vita***, *compresi fattori coinvolti nel processo specifico di produzione, fornitura o scambio di questi lavori, forniture o servizi o in un processo specifico per una fase successiva del loro ciclo di vita,* ***anche se questi fattori non sono parte del loro contenuto sostanziale***.

El artículo aclara en su tercer apartado en qué contratos es obligatorio recurrir al criterio de la oferta económicamente más ventajosa. Curiosamente se hace depender del importe la obligatoriedad de este criterio en los servicios de naturaleza técnica e intelectual, lo que no puede dejar de sorprender, pues es en estos donde debe primar la búsqueda de una mayor calidad.

a) *i contratti relativi ai **servizi sociali e di ristorazione ospedaliera, assistenziale e scolastica**, nonché ai **servizi ad alta intensità di manodopera**, come definiti all'articolo 50, comma 2;*

b) *i contratti relativi all'affidamento dei **servizi di ingegneria e architettura e degli altri servizi di natura tecnica e intellettuale di importo superiore a 40.000 euro***

El artículo también explica en su apartado nueve qué método se debe utilizar para determinar cuál es la oferta económicamente más ventajosa y aclara que sólo se admite la presentación de variantes en el caso de recurrir a este criterio. Requisito también recogido en la legislación española, donde se exige que estén contempladas en el pliego.

Por otra parte sólo cabe utilizar el criterio del precio más bajo en casos tasados:

a) *per i **lavori di importo pari o inferiore a 1.000.000 di euro**, tenuto conto che la rispondenza ai requisiti di qualità è garantita dall'obbligo che la procedura di gara avvenga sulla base del progetto esecutivo;*

b) *per i **servizi e le forniture con caratteristiche standardizzate o le cui condizioni sono definite dal mercato;***

c) *per i **servizi e le forniture di importo inferiore alla soglia di cui all'articolo 35, caratterizzati da elevata ripetitività, fatta eccezione per quelli di notevole contenuto tecnologico o che hanno un carattere innovativo.***

En general podríamos decir que únicamente para contratos de importe «reducido» caracterizados por su repetitividad y por su normal disponibilidad en el mercado.

El artículo 145 del APLCSP hace obligatorio en España el uso con carácter general del criterio de la oferta económicamente más ventajosa, cuyos requisitos se determinarán en los pliegos de cláusulas administrativas particulares o en el documento descriptivo y deberán estar vinculados al objeto del contrato, que al igual que en el Código italiano, podrá darse *en cualquiera de sus aspectos y en cualquier etapa de su ciclo de vida, aun no formando parte de su parte sustancial.* Estas características, siempre que estén relacionadas con el objeto, aunque sea de una manera amplia, incluyen ahora las estéticas, las funcionales, las sociales, las medioambientales y las innovadoras, además de la accesibilidad, el diseño universal o diseño para todas las personas usuarias y la comercialización y sus condiciones. También cabe considerar la calidad del personal que vaya a ejecutar la prestación. Las mejoras son también un criterio de adjudicación. Hay que destacar que se obliga expresamente a la utilización de la mejor relación calidad precio en los contratos de concesión de obras y servicios.

16. LA EJECUCIÓN: SUBCONTRATACIÓN Y MODIFICACIÓN DEL CONTRATO

El *Titolo V: Esecuzione* contempla las previsiones de las Directivas en materia de subcontratación y de modificación de contratos. El artículo 105 se dedica al primero de estos temas y aclara que: *l'eventuale subappalto **non può superare la quota del 30 per cento dell'importo** complessivo del contratto di lavori, servizi o forniture.*

Este porcentaje no es trasposición de las Directivas sino que es introducido por el legislador delegado italiano. De hecho, el artículo 213.2.e) del APLCSP indica que el limite porcentual de subcontratación vendrá fijado en el pliego de cláusulas administrativas particulares. Si no constara, el contratista podrá subcontratar *hasta un porcentaje que no exceda del 60 por 100 del precio del contrato.* En este porcentaje no se incluyen los subcontratos concluidos con empresas vinculadas al contratista principal.

Es decir, vemos que en España el porcentaje máximo de la subcontratación viene fijado en los pliegos y podría exceder ese 60% fijado en el APLCSP como límite máximo si los documentos contractuales guardaran silencio al respecto. En este sentido, la legislación italiana parece por un lado más prudente, aunque por otra parte y teniendo en cuenta que la subcontratación puede fomentar la participación de las PYMES pueda parecer más rígida.

El artículo 106 se dedica a la modificación de los contratos públicos durante su vigencia, que deben ser autorizados por el Responsable Único del Procedimiento, que ya hemos analizado. Interesa mencionar aquí el punto 1.c.1, que recoge como posibilidad de modificación legal de contratos sin necesidad de un nuevo procedimiento, tanto el *factum principis* de la Administración (nuevas leyes, disposiciones o reglamentos de la Administración se consideran circunstancias imprevisibles que autorizan a alterar el contrato), como la teoría del riesgo imprevisible, cumulativamente a la exigencia de que no se altere la naturaleza global del contrato[23].

---

23. En el APLCSP esta posibilidad se recoge dentro del libro II en el capítulo dedicado a las concesiones, en concreto en el artículo 259.1.b) dedicado a las prerrogativas y derechos de la Administración.

Otra novedad es que los poderes adjudicadores están obligados a comunicar estas modificaciones a la ANAC en un plazo de treinta días, a riesgo de sanción. Es una muy buena medida pero sólo aplicable a contratos de importe armonizado. En España en cambio e independientemente de si la modificación afecta a contrato de importe armonizado o no, es obligatoria su publicación en el perfil del contratante.

En el APLCSP la modificación de los contratos se recoge en los artículos 201 al 205 y en el artículo 220 para el caso concreto de acuerdos marco y de sus contratos derivados. Fuera de los casos regulados en los artículos 202 (modificaciones previstas en pliegos) y 203 (causas tasadas), una modificación sería una nueva adjudicación ilegal al no haberse seguido el procedimiento.

En resumen, tanto en la legislación italiana como en la española se recoge la posibilidad de introducir modificaciones no sustanciales, siempre que se justifique debidamente la necesidad de las mismas y el por qué no se incluyeron en el contrato inicial. También se incluye la definición de modificación sustancial.

En el Código, cerrando este mismo *Titolo V*, en una sistematización a mi parecer un tanto extraña se recogen en el artículo 112 los contratos y concesiones reservados, tal y como se comprenden en las Directivas y en la disposición adicional cuarta del APLCSP, incluso el porcentaje *de al menos el 30 por 100 de los empleados de los Centros Especiales de Empleo, de las empresas de inserción o de los programas sean trabajadores con discapacidad o en riesgo de exclusión social.*

17. LAS CONCESIONES. NOVEDADES Y ESPECIALIDADES

Por su especial interés y novedad nos referiremos ahora a la Parte III del Código que se refiere a los *Contratti di concessione*.

La regulación a nivel europeo es nueva ya que la Directiva «clásica» de 2004 se limitaba a definir las concesiones de obra dándoles unas líneas guía, y a definir (en negativo) las concesiones de servicios, a las que se limitaba a someter a los principios básicos del TFUE.

En Italia, el d.lgs. n. 163 del 2006 definía las concesiones de servicios y las excluía de su marco de aplicación[24]. Y al contrario, en la definición de las concesiones de obra las incluía en su ámbito de aplicación, dándoles un régimen jurídico[25]. Esta parca regulación provocó que, en no po-

---

24. Véase el artículo 30.2 del d.lgs. n. 163 del 2006.
25. Véanse los artículos 142 al 151 d.lgs. n. 163 del 2006. Véase también el Capítulo III, arts. 152 y ss. que recogen la figura del promotor financiero, de la sociedad

cas ocasiones y como también ha ocurrido en España, no se transfiriera efectivamente el riesgo operativo (ya que no quedaba claro el concepto) o que las concesiones se alargaran *sine die*. Pero es que además, la diferencia entre fase de adjudicación y fase de ejecución ha propiciado en el plano nacional italiano que la responsabilidad del control de cada una de estas fases se asignen a distintas estructuras administrativas dificultando alcanzar el objetivo global de la concesión, que se desarrolla en las fases de preparación, adjudicación y ejecución, y que suponen un conjunto, no una serie de compartimentos estancos. El concesionario se mantenía así en su papel de prestador de servicios en sustitución de la administración concedente.

El nuevo Código de Contratación italiana en cambio regula la figura de la concesión siguiendo en gran parte punto por punto la redacción de la Directiva 2014/23/UE. En el *Titolo I: Principi generali e situazioni specifiche* se encuadra el artículo 164 que, al estilo de la Directiva de Concesiones aclara que en materia procesal, la regulación de las concesiones debe remitirse a la parte de contratos. También aclara que se excluye de la aplicación de esta parte los servicios no económicos de interés general.

En España es también una regulación novedosa en cuanto a que incluye por primera vez la concesión de servicios y elimina la figura del contrato de gestión de servicio público. Además, se suprime el contrato de Colaboración Público Privada, como consecuencia de la escasa utilidad práctica, ya que su objetivo puede fácilmente desarrollarse mediante el contrato de concesión, figura sí regulada por instrumentos normativos a nivel europeo.

Es más, en Italia como ha sucedido en España, la figura ha tenido una reducida tasa de utilización. En efecto los datos de la Unità Tecnica Finanza di Progetto (UTFP), afirmaban que sólo el 44% de las iniciativas de CPP entre 2002 y 2011 eran adjudicadas[26]. Los motivos de su escaso éxito son comunes en ambos países: carencia de estudios de viabilidad económico financiero correctos, elevada litigiosidad y plazos de adjudicación amplios y su uso fraudulento sin transferencia del riesgo operativo, ocultando en realidad un contrato tradicional.

---

de proyecto, del arrendamiento financiero y del contrato de disponibilidad cuya normativa era común.

26. F. SUTTI e I. GOBBATO. «Il mercato del PPP alla luce del nuovo Codice degli Appalti». En Paper. L'attuazione del nuovo Codice dei Contratti Pubblici: problemi, prospettive, verifiche. (P. 78) http://www.italiadecide.it/public/files/PAPER.pdf

El artículo 165 del Código italiano hace referencia al tema, vital en concesiones, del riesgo y el equilibrio económico financiero en las concesiones. La definición del riesgo es una copia de las Directivas, lo que facilita su interpretación: *il trasferimento al concessionario del rischio operativo (...)* ***riferito alla possibilità che, in condizioni operative normali, le variazioni relative ai costi e ai ricavi oggetto della concessione incidano sull'equilibrio del piano economico finanziario.*** Es preciso estudiarlo caso por caso.

El problema viene al conjugar esta necesaria transferencia del riesgo operativo con el equilibrio financiero del contrato, tarea nada fácil debido a la complejidad del mismo y a su normalmente largo plazo de duración. El apartado dos recoge medidas que la Administración concedente puede introducir para lograrlo: *Ai soli fini del raggiungimento del predetto equilibrio, in sede di gara l'amministrazione aggiudicatrice può* **stabilire anche un prezzo consistente in un contributo pubblico ovvero nella cessione di beni immobili.** Es la remuneración a través de la explotación en conjunción con un precio. De todas maneras, *l'eventuale riconoscimento del prezzo, sommato al valore di eventuali garanzie pubbliche o di ulteriori meccanismi di finanziamento a carico della pubblica amministrazione, non può essere superiore al trenta per cento del costo dell'investimento complessivo, comprensivo di eventuali oneri finanziari.* El legislador italiano impone un límite porcentual a este precio o pago por la Administración, lo que da claridad pero suscita dudas de si será correcto en todos los casos.

En cualquier caso, *Il verificarsi di* ***fatti non riconducibili al concessionario che incidono sull'equilibrio del piano economico finanziario può comportare la sua revisione da attuare mediante la rideterminazione delle condizioni di equilibrio.*** *La revisione deve* **consentire la permanenza dei rischi trasferiti in capo all'operatore economico e delle condizioni di equilibrio economico finanziario** *relative al contratto.* Si el proyecto tiene interés estatal o ha sido financiado con cargo al erario público (con todo lo que ello pueda suponer en materia de ayuda estatal ilegal), esta revisión del equilibrio económico financiero del contrato se subordina a la evaluación del Nucleo di consulenza per l'Attuazione delle linee guida per la Regolazione dei Servizi di pubblica utilità (NARS), un órgano técnico de asesoramiento y apoyo en materia de tarifas y la regulación de los servicios de interés público no regulados en un sector específico[27].

El apartado tres de este artículo 165 indica cuando tiene lugar la formalización de la concesión: tras la presentación de la documentación sobre

---

27. Véase http://www.programmazioneeconomica.gov.it/nars-regolazione-servizi-di-pubblica-utilita/

la financiación de la obra. Sobre esto hemos de decir que las directivas no contemplan ningún procedimiento específico para las concesiones, lo que supone que no debe respetarse necesariamente el periodo de suspensión previo a la adjudicación: *La **sottoscrizione del contratto di concessione ha luogo dopo la presentazione di idonea documentazione inerente il finanziamento** dell'opera.* Este apartado también contempla las consultas preliminares al mercado cuando se va a adjudicar una concesión, en términos más flexibles que cuando se trata de contratos.

Por otra parte, este mismo artículo 165 reconoce que las concesiones son contratos complejos que requieren financiación y participación privada. Para facilitar esta financiación, el contrato y el plan económico financiero deben garantizar la viabilidad del proyecto. Esta viabilidad viene definida como la disponibilidad de recursos en el mercado financiero, en una cuantía que pueda satisfacer las necesidades a cubrir, su sostenibilidad y una congruente rentabilidad

En el APLCSP, el orden seguido cambia. En primer lugar, el artículo 248 analiza el plan económico financiero que se incluye en el Pliego de Cláusulas Administrativas Particulares:

1. *Los pliegos de cláusulas administrativas particulares de los contratos de concesión de obras deberán hacer referencia, al menos, a los siguientes aspectos: c) Contenido de las proposiciones, que deberán hacer referencia, al menos, a los siguientes extremos:*

3.º ***Plazo de duración** de la concesión vinculado al sistema de financiación de la concesión.* La duración de una concesión es un elemento clave de su viabilidad financiera ya que incide en su rentabilidad y en el equilibrio del negocio concesional.

4.º ***Plan económico-financiero de la concesión** que incluirá, entre los aspectos que le son propios, el sistema de tarifas, la inversión y los costes de explotación, la tasa interna de rentabilidad o retorno estimada, y las obligaciones de pago y gastos financieros, directos o indirectos, estimados. (...)*

5.º *En los casos de **financiación mixta de la obra, propuesta del porcentaje de financiación con cargo a recursos públicos**, por debajo de los establecidos en el pliego de cláusulas administrativas particulares.* En España, a diferencia de en Italia no se da un porcentaje límite a la financiación pública de la obra, siempre que quede garantizada la transferencia del riesgo operacional y que quede suficientemente justificado porque la Tasa Interna de Rentabilidad no sea suficiente para garantizar la recuperación de las inversiones y un nivel adecuado de rentabilidad[28]. En Este sentido, el artículo 250 en su apartado 3 afirma que *el sistema de ayudas públicas deberá respetar en todo caso la transferencia efectiva del riesgo operacional*. Para controlar la efectiva transferencia del riesgo, *el concesionario **deberá separar contablemente los ingresos provenientes de las aportaciones públicas y aquellos otros procedentes de las tarifas***[29].

Es ya en el artículo 252, donde se analiza el principio de riesgo y ventura en la ejecución de las obras y donde se recoge la obligación de trasladar al concesionario el riesgo operacional de la concesión. Es muy importante la previsión de que sólo si la fuerza mayor impide por completo la realización de las obras, se podrá resolver el contrato con cargo a la administración concedente, debiendo abonar ésta el importe total de las obras ejecutadas, así como los mayores costes como consecuencia del endeudamiento con terceros. La conclusión lógica es que, como ya no se da traslado del riesgo la operación sí se contabilizará en las cuentas públicas y computará déficit.

Por último el APLCSP entra a analizar el mantenimiento del equilibrio económico del contrato que consiste en un ejercicio de valoración entre dos intereses contrapuestos: el general y el del concesionario. Sólo se deberá restablecer el equilibrio en tres supuestos tasados:

La modificación de obras por interés público.

El ejercicio de la potestad del factum principis de la Administración o modificaciones de carácter obligatorio para el contratista: *Cuando actuaciones de la Administración Pública concedente, por su carácter obligatorio para el concesionario determinaran de forma directa la ruptura sustancial de la economía del contrato.*

Y causas de fuerza mayor que determinen de forma directa la ruptura de la economía del contrato (artículo 268).

Es decir, no se regula el riesgo imprevisible como causa de restablecimiento del equilibrio, lo que dará lugar a no pocos conflictos en la práctica.

A modo de ejemplo y sin ánimo de exhaustividad las medidas de restablecimiento son *la modificación de las tarifas establecidas por la utilización de las obras, la reducción del plazo concesional, y, en general, en cualquier modificación de las cláusulas de contenido económico incluidas en el contrato.*

---

28. Véase el artículo 266 del APLCSP
29. Véase el artículo 265.6 del APLCSP.

Volviendo al Código, el artículo 165 que acabamos de comentar ya avanza el contenido del siguiente artículo: la administración adjudicadora puede organizar libremente el procedimiento que seguirá para otorgar una concesión, siempre que se garantice una elevada calidad, la seguridad y la accesibilidad del servicio, la igualdad de trato, así como el acceso universal al servicio público.

Un tema espinoso es el cálculo del valor estimado de una concesión, necesario para saber entre otras cosas si es de importe armonizado y en consecuencia a qué normas de publicidad se sujeta. La Directiva 2014/23/UE de Concesiones aclara en su artículo 8 que, *el valor de la concesión será el volumen de negocios total de la empresa concesionaria generados durante la duración del contrato*, excluido el IVA, estimado por el poder adjudicador o la entidad adjudicadora, **en contrapartida de las obras y servicios objeto de la concesión, así como de los suministros relacionados con las obras y los servicios.** Definición copiada punto por punto y coma por coma en la legislación italiana, artículo 167, y en el APLCSP, artículo 101.1.b.

Este valor se debe calcular en el momento de envío del anuncio de la concesión, o si este no se prevé, en el momento de iniciar el procedimiento de adjudicación. Como en la Directiva, se advierte que si en el momento de la adjudicación este valor supera en un 20% al previsto, será este el valor estimado de la concesión.

El Código italiano, siguiendo la redacción de la Directiva de Concesiones, en su apartado 4 hace amago de explicar cómo se hará este cálculo, pero se limita a decir que el método deberá venir especificado en los documentos de concesión, aclarando que sea cuál sea la elección del método para calcular el valor estimado de una concesión no se efectuará con la intención de excluir esta del ámbito de aplicación del Código. Coincide con el APLCSP en los elementos que se deben tener en cuenta para su estimación:

a) *el valor de cualquier tipo de opción y las eventuales prórrogas de la duración de la concesión;*

b) *la renta procedente del pago de tasas y multas por los usuarios de las obras o servicios, distintas de las recaudadas en nombre del poder adjudicador o entidad adjudicadora;*

c) *los pagos o ventajas financieras, cualquiera que sea su forma, al concesionario efectuados por el poder o la entidad adjudicadores o por otra autoridad pública, incluida la compensación por el cumplimiento de una obligación de servicio público y subvenciones a la inversión pública;*

d) *el valor de los subsidios o ventajas financieras, cualquiera que sea su forma, procedentes de terceros a cambio de la ejecución de la concesión;*

e) *la renta de la venta de cualquier activo que forme parte de la concesión;*

f) *el valor de todos los suministros y servicios que los poderes o entidades adjudicadores pongan a disposición del concesionario, siempre que sean necesarios para la ejecución de las obras o la prestación de servicios;*

g) *las primas o pagos a los candidatos o licitadores.*

Por otra parte hay que resaltar que el apartado 7 recoge la posibilidad de lotificar, pero no se obliga a la aplicación del principio de divide o justifica, al igual que en la Directiva de Concesiones[30].

Ya hemos dicho que para estudiar el equilibrio económico financiero de la concesión un elemento clave es la duración de la misma. El artículo 18.2 de la Directiva 2014/23/UE aclara que *para las concesiones que duran más de cinco años, la duración máxima de la concesión no podrá exceder el tiempo que se calcule razonable para que el concesionario recupere las inversiones realizadas para la explotación de las obras o servicios, junto con un rendimiento sobre el capital invertido, teniendo en cuenta las inversiones necesarias para alcanzar los objetivos contractuales específicos.*

El código italiano no introduce este plazo general de cinco años de la Directiva de Concesiones, pero sí indica que su duración está limitada al periodo máximo de recuperación de las inversiones y a que la remuneración sea adecuada. Lo que nos deja con la duda de si este periodo de cinco años planteado por la Directiva e incluido en el APLCP es meramente indicativo.

En efecto, el artículo 29 del APLCSP sí que recoge la regla general de duración máxima de cinco años de las concesiones. Podrá superarse ese plazo si es necesario para recuperar las inversiones junto a un rendimiento sobre el capital invertido, teniendo en cuenta el TIR.

En su apartado 6 aclara duraciones máximas (más allá de las cuales no se puede justificar una prórroga) para determinadas concesiones. Estos plazos que no se recogen en la Directiva de Concesiones son:

a) *Cuarenta años para los contratos de **concesión de obras y de concesión de servicios** que **comprendan la ejecución de obras y la explotación de servicio.***

---

30. Véase el artículo 8.6 de la Directiva 23/2014/UE.

b) *Veinticinco años en los contratos de concesión de servicios que comprendan la explotación de un servicio no relacionado con la prestación de servicios sanitarios.*

c) *Diez años en los contratos de concesión de servicios que comprendan la explotación de un servicio cuyo objeto consista en la prestación de servicios sanitarios siempre que no estén comprendidos en la letra a).*

Desde mi punto de vista es correcto imponer límites máximos para evitar el cierre de mercado mediante justificaciones enrevesadas y por motivos de seguridad jurídica, pero también me parece peligroso, ya que es probable que estos plazos se agoten sin necesidad. Es decir, que se introduzcan en el contrato por que son el límite máximo, pero la recuperación de la inversión y de una determinada rentabilidad no lo justifique.

De todas maneras, el artículo continúa aclarando que *los plazos fijados en los pliegos de condiciones sólo podrán ser ampliados en un 15 por ciento de su duración inicial para restablecer el equilibrio económico del contrato en las circunstancias previstas en los artículos 268* (Mantenimiento del equilibrio económico del contrato) *y 288* (Modificación del contrato y mantenimiento de su equilibrio económico). Fuera de estos casos nos encontraremos ante un caso de modificación ilegal durante la vigencia del contrato. La duda aquí estriba si sería posible alargar concesiones que apuran los plazos máximos que acabamos de comentar. La respuesta lógica sería negativa, al configurarse como límites infranqueables.

Como curiosidad destacar que en contratos de suministros también se limita la duración *del contrato* a cinco años. Y digo como curiosidad porque no existen las concesiones de suministros, pero se les aplicara este mismo plazo, al menos en España. Sólo que, a diferencia de concesiones este será un plazo máximo, no susceptible de prórroga mediante justificación, lo que resulta lógico, ya que estos contratos no suelen ser tan complejos ni requieren de las mismas inversiones iniciales.

En servicios el plazo máximo será como en suministros de cinco años, pero en estos contratos sí se podrá establecer un plazo de duración superior cuando lo exija la amortización de las inversiones directamente relacionadas con el contrato, siempre que quede suficientemente justificado en el expediente. Pero atención, esto no quiere decir que el plazo de todos los contratos vaya a ser de cinco años. Si las inversiones se pueden recuperar antes, deberá ser menos tiempo.

En cuanto a los contratos mixtos de concesión, tanto en Italia como en España se sigue la regla del objeto principal del contrato si se trata de obras o servicios. Si son concesiones mixtas de servicios sociales y servicios específicos recogidos en el anexo IX del Código, que es una copia del Anexo IV de la Directiva 2014/23/UE y que incluye *servicios sanitarios, sociales y afines; servicios administrativos, sociales, educativos, sanitarios y culturales; servicios de seguridad social de afiliación obligatoria; servicios de prestaciones; otros servicios comunitarios, sociales y personales, incluidos los prestados por sindicatos, organizaciones políticas, asociaciones juveniles y demás servicios de organización de afiliaciones; servicios religiosos; servicios de hostelería y restauración; servicios jurídicos; otros servicios administrativos y gubernamentales, etc.*, se sigue la regla del valor estimado más elevado.

Como ya hemos dicho en sede de contratos mixtos, si en un contrato se contienen elementos de la concesión y del contrato, las reglas a aplicar serán las del contrato. Me interesa destacar el apartado 10 de este artículo 169, que desplaza esta norma general en el caso de contrato mixto de concesión de servicios y de contrato de suministro, donde se aplica la regla del valor máximo estimado. Es una disposición interesante, pero no prevista expresamente en la Directiva de Concesiones, aunque podría enmarcarse en el ámbito de las concesiones que engloban varias actividades del artículo 22.2. Sin embargo genera dudas, porque el apartado 11 de este artículo del Código recoge este tipo de concesiones expresamente. Además este tipo de concesión hace referencia a varias actividades, pero todas dentro de una misma concesión. No hay un contrato y una concesión adjudicados conjuntamente.

De todas maneras, la redacción de este artículo es un tanto compleja porque incluye y redacta de manera diversa los artículos 20 al 22 de la Directiva de Concesiones, reunificando contratos mixtos por objeto, por si hay contrato y concesión y por variedad de actividades.

Así como ni la Directiva ni el Código obligan a seguir un procedimiento específico para la adjudicación de concesiones, sí que dan una serie de garantías en su desarrollo. Dentro del mismo *Titolo I* de la *Parte III*, pero en el *Capo II: Garanzie procedurali* parece adecuado destacar que la administración concedente puede limitar el número de candidatos, pero no se establece ningún número mínimo. El único límite es que se base en criterios objetivos y que quede garantizado un nivel adecuado de concurrencia. Como ya hemos dicho anteriormente, el procedimiento es menos formal y dotado de mayor flexibilidad.

Además, a tenor del apartado 7, esta administración concedente podrá negociar libremente con las partes. Es aquí donde se ve la flexibilidad en la adjudicación de concesiones, ya que para negociar, no es preciso que el poder adjudicador haya optado por un diálogo competitivo o un procedimiento negociado. El artículo no da la suficiente claridad, pero lo lógico sería que esta opción de negociar se recogiera en el anuncio de adjudicación de concesión a fin de respetar los principios de trasparencia y no discriminación.

Los criterios de selección recogidos en el artículo 172 deben ser proporcionales a la capacidad que se exigirá al concesionario para ejecutar el contrato y garantizar la concurrencia. Los criterios de adjudicación por su parte pueden ver modificados excepcionalmente su orden de clasificación *cuando el poder o entidad adjudicador reciba una oferta que proponga una solución innovadora con un nivel excepcional de rendimiento funcional que no pudiera haber previsto un poder o entidad adjudicador diligente* (artículo 41.3 de la Directiva de Concesiones y directamente traspuesta en el Código). Para tener en cuenta dicha solución innovadora, el poder o entidad adjudicador deberá informar a todos los licitadores sobre la modificación y emitir una nueva invitación a presentar ofertas.

En el *Capo III: Esecuzione delle concessioni* se regulan la subcontratación y las modificaciones contractuales tras la adjudicación. Se fomenta la subcontratación en concesiones de importe comunitario. El artículo 174 exige que los operadores económicos que no sean PYMES presenten un elenco de subcontratistas en determinados casos:

a) *concessione di lavori, servizi e forniture per* **i quali non sia necessaria una particolare specializzazione**;

b) *concessione di lavori, servizi e forniture per i quali risulti possibile reperire sul mercato una terna di nominativi di subappaltatori da indicare, atteso* **l'elevato numero di operatori che svolgono dette prestazioni**.

Es decir en caso de la concurrencia sea elevada y las tareas a ejecutar no sean complejas. El concesionario tiene la obligación de comunicar a la Administración concedente quienes son sus subcontratistas de obras y servicios y cualquier modificación en los mismos. Curiosamente las comunicaciones respecto a subcontratistas de suministros se ven exceptuadas de este requisito de comunicación.

El artículo 250 del APLCSP, no obliga al concesionario a presentar una lista de subcontratistas a los que encargará partes de la ejecución, pero sí indica que *la ejecución de la obra que corresponda al concesionario* **podrá ser contratada en todo** *o en parte con terceros*. De todas maneras, como en subcontratación en contratos, la responsabilidad de la ejecución por terceros sigue correspondiendo al concesionario, encargado de controlarlos[31].

---

31. Véase el artículo 251 del APLCSP.

En el Código italiano, a diferencia del APLCSP, sí que se recoge la posibilidad (más bien obligación) de que el poder adjudicador pague directamente al subcontratista de la concesión, siempre si se trata de una PYME y en caso de incumplimiento del concesionario o bajo requerimiento del subcontratista si se trata de una gran empresa. Aquí me gustaría resaltar que la administración concedente deberá pagar siempre que la naturaleza de la concesión lo permita, directamente a las PYMES.

Este artículo 174 al completo fomenta este tipo de empresas, pero puede suscitar la duda de si el legislador delegado italiano no se ha excedido en su celo por protegerlas, ya que el pago directo por la Administración, libera al concesionario de la responsabilidad solidaria que tiene junto a la subcontrata respecto a la remuneración y cotización de sus trabajadores.

Dentro del capítulo dedicado a la ejecución de las concesiones tiene especial importancia el artículo 175 dedicado a las modificaciones durante el periodo de vigencia del contrato. Destaca la previsión de que no será ilegal una modificación, independientemente de su valor, siempre que no altere la naturaleza del contrato y que no suponga una prórroga. Y aquí añadimos nosotros: porque podría suponer una ayuda de Estado ilegal, además de incidir en el equilibrio económico financiero del contrato.

En el mismo capítulo se recogen las normas especiales en materia de concesiones de autopistas y su particular régimen transitorio (artículo 178). Es importante saber que dentro del riesgo operativo en este tipo de concesión se debe entender incluido el de tráfico.

La localización del artículo dentro del capítulo podría explicarse porque es el régimen transitorio para aquellas concesiones que ya han caducado y sin embargo siguen funcionando prórroga tras prórroga y aquellas que caducarán en breve.

En Italia es habitual que las concesiones de autopistas caduquen y sin embargo no se inicie un nuevo procedimiento de adjudicación. En este sentido, el artículo 178.1 es un mandato muy claro de iniciar un procedimiento en menos de seis meses, prohibiéndose así mismo la prórroga de las concesiones. El procedimiento de adjudicación debe iniciarse 24 meses antes de la fecha de la caducidad de la concesión en vigor. Lo que resulta muy lógico si se tiene en cuenta que es un proceso complejo y que puede ser interesante realizar consultas al mercado. Sin embargo, si no se ha terminado el procedimiento de adjudicación antes del fin de la concesión, el concesionario está obligado a seguir prestando el servicio en las mismas condiciones. Lo cual es tanto como validar tácitamente la prórroga, ya que no se prevén sanciones para los incumplidores.

18. LA ESPECIALIDAD ITALIANA: EL MANTENIMIENTO DE LA COLABORACIÓN PÚBLICO PRIVADA

La *Parte IV: Partenariato pubblico privato e contraente generale* se dedica a la regulación de la Colaboración Público Privada, figura que conocíamos en el TRLCSP y regulada a nivel europeo en instrumentos de soft law, pero que no se encuentra en ningún instrumento dispositivo de la UE y que ha sido eliminada del APLCSP.

Como ya hemos dicho el APLCSP ha hecho desaparecer la figura, visto el uso incorrecto en la experiencia práctica e Italia será probablemente el único país que la mantenga como tal lo que probablemente genere incoherencias y problemas, al solaparse la figura con la de concesiones, sí regulada en la 4.ª Generación de Directivas[32].

Sin embargo el legislador italiano tanto en la ley de bases como en el Código opta por mantenerla, y de hecho, el dictamen del *Consiglio di Stato* aprecia la claridad en la definición de la CPP, su ámbito de aplicación, el reparto de riesgos y los modos de licitación/concesión[33]. Aunque sea cierto que la regulación de la CPP sea muy clara y relativamente sencilla y trasparente (sobre todo en relación con otras figuras), mantener esta figura dará lugar a no pocas contradicciones.

El artículo 180, que recoge la definición del contrato de CPP, en su apartado 3 explica el riesgo operativo, cuya trasmisión es necesaria para que el contrato sea efectivamente una CPP: *Nel contratto di partenariato pubblico privato **il trasferimento del rischio in capo all'operatore economico comporta l'allocazione a quest'ultimo, oltre che del rischio di costruzione, anche del rischio di disponibilità o,** nei casi di attività redditizia verso l'esterno, **del rischio di domanda dei servizi resi,** per il periodo di gestione dell'opera come definiti, rispettivamente, dall'articolo 3, comma 1, lettere aaa), bbb) e ccc). **Il contenuto del contratto è definito tra le parti in modo che il recupero degli investimenti effettuati e dei costi sostenuti dall'operatore economico, per eseguire il lavoro o fornire il servizio, dipenda dall'effettiva fornitura del servizio o utilizzabilità dell'opera o dal volume dei servizi erogati in corrispondenza della domanda e, in ogni caso, dal rispetto dei livelli di qualità contrattualizzati,** purché la valutazione avvenga ex ante. Con il contratto di partenariato pubblico privato sono altresì disciplinati anche i rischi, incidenti sui corrispettivi, derivanti da fatti non imputabili all'operatore economico.*

---

32. J.M.GIMENO FELIÚ. «Il recepimento delle direttive sugli appalti pubblici del 2014 in Spagna». Seminario Universidad Bocconi, noviembre 2016.
33. Véase el artículo 180 del D.Lgs. 18-4-2016 n. 50.

Lo que llama la atención del lector es que, aunque la redacción es muy similar a la de la Directiva 23/2014 y a la del artículo 165 ya analizado en concesiones, este artículo no habla del riesgo de oferta, sino, al igual que el reglamento (UE) n.° 549/2013 del Parlamento Europeo y del Consejo de 21 de mayo de 2013 relativo al Sistema Europeo de Cuentas Nacionales y Regionales de la Unión Europea, del riesgo de disponibilidad. ¿Cuál es el riesgo que hay que transferir para que sea efectivamente CPP? ¿El riesgo transferido es distinto en concesiones y CPP? Primer motivo de confusión localizado[34].

En ese mismo artículo, en su apartado 8, se considera a las concesiones un tipo de contrato de la modalidad de CPP: *Nella tipologia dei contratti di cui al comma 1 rientrano la finanza di progetto, **la concessione di costruzione e gestione, la concessione di servizi**, la locazione finanziaria di opere pubbliche, il contratto di disponibilità e qualunque altra procedura di realizzazione in partenariato di opere o servizi che presentino le caratteristiche di cui ai commi precedenti.*

Esta misma idea de la concesión como forma de adjudicación de la CPP se encuentra recogida en el artículo 184.1 *Società di progetto: **Il bando di gara per l'affidamento di una concessione per la realizzazione e/o gestione di una infrastruttura o di un nuovo servizio di pubblica** utilità debe prevedere che l'aggiudicatario ha la facoltà, dopo l'aggiudicazione, di costituire una società di progetto informa di società per azioni o a responsabilità limitata, anche consortile. Il bando di gara indica l'ammontare minimo del capitale sociale della società. In caso di concorrente costituito da più soggetti, nell'offerta è indicata la quota di partecipazione al capitale sociale di ciascun soggetto. Le predette disposizioni si applicano anche alla gara di cui all'articolo 183. **La società così costituita diventa la concessionaria subentrando nel rapporto di concessione all'aggiudicatario senza necessità di approvazione o autorizzazione.** Tale subentro non costituisce cessione di contratto. Il bando di gara può, altresì, prevedere che la costituzione della società si a un obbligo dell'aggiudicatario.*

Es decir, parece que la concesión de obras y servicios sería una subcategoría, un contrato tipo dentro de la CPP, tesis que se sostiene si tenemos

---

34. En la nueva ley española la distinción es más clara porque, por ejemplo, aunque el artículo 265.4, dedicado a la retribución por la utilización de las obras habla del caso en que la retribución se efectúe *mediante pagos por disponibilidad*, no se está refiriendo aquí al tipo de riesgo, sino a los parámetros en que se basa el pago por la Administración. Estos deben quedar previamente determinados, ya que el pago, y consecuentemente la existencia de un riesgo de demanda no puede depender de la voluntad de una de las partes.

en cuenta que la regulación de la CPP en el código es mucho más extensa y detallada. Segundo motivo de confusión.

Por otra parte el artículo 181 en su primer apartado regula los procedimientos de adjudicación que en CPP, a diferencia de la concesión sí que son tasados y regulados: *La scelta dell'operatore economico avviene con **procedure ad evidenza pubblica** anche mediante **dialogo competitivo**.* Tercer motivo de confusión.

Sí que queda claro que, como en la concesión el reparto de riesgos es vital para que contrato de considere como CPP, pero hemos visto que varía la categoría de riesgo que debe transferirse en uno u otro caso. Y si partimos de la hipótesis de considerar la concesión como un tipo de contrato englobado por la CPP, uno no puede dejar de preguntarse cuál es el riesgo que debe considerarse: ¿el de disponibilidad o el de oferta? Si la concesión es de importe armonizado, y para evitar incoherencias con la tesis mantenida por la Comisión Europea, parece lógico que es este último. Pero en importes no armonizados el debate está servido. Cuarto motivo de confusión.

Y sin embargo, tanto en CPP como en concesiones, la viabilidad del proyecto es un elemento clave motivo por el cual *(...) le amministrazioni aggiudicatrici provvedono all'affidamento dei contratti ponendo a base di gara il progetto definitivo e uno schema di contratto e di piano economico finanziario, che disciplinino **l'allocazione dei rischi** tra amministrazione aggiudicatrice e operatore economico.*

De nuevo, a diferencia de la concesión, su utilización debe encontrarse muy justificada en motivos de complejidad del objetivo de la contratación.

*181. 3. La scelta è preceduta da **adeguata istruttoria con riferimento all'analisi della domanda e dell'offerta, della sostenibilità economico-finanziaria e economico-sociale dell'operazione, alla natura e alla intensità dei diversi rischi presenti nell'operazione di partenariato, anche utilizzando tecniche di valutazione mediante strumenti di comparazione per verificare la convenienza del ricorso a forme di partenariato pubblico privato** in alternativa alla realizzazione diretta tramite normali procedure di appalto.*

Lo cual nos plantea la quinta duda. Si la concesión es también un contrato complejo de larga duración, ¿no debería también seguir estos pasos? Es cierto que las Directivas apuestan por una gran flexibilización, pero no es menos cierto que los Estados Miembros pueden adaptar la legislación, y aunque no hagan obligatoria la aplicación de ciertas normas, sí que pueden proponerlas a los poderes adjudicadores.

Pero por otro lado, exactamente igual que en caso de reequilibrio de una concesión, si la financiación del proyecto cuenta con contribución estatal y es preciso hacer modificaciones posteriores debido a hechos no imputables al operador económico que incidan en el equilibrio del contrato, estas revisiones están subordinadas a la valoración por parte del NARS. (Art. 182. 3).

Si todas estas similitudes y diferencias de regulación no bastarán para confundir al lector, llegamos al artículo más susceptible de generar acalorado debate: el 183. *Finanza di progetto*, sobre todo en los puntos 10 y 15.

La *finanza di progetto* o *project finance* es, según el Código, un contrato a título oneroso por el cual un poder adjudicador contrata con un operador económico por un periodo determinado que dependerá del plazo de recuperación de la inversión, una actividad compleja consistente en la realización, transformación, manutención y gestión operativa de una obra, a cambio de su disponibilidad o de la prestación de un servicio ligado a esta obra. En este contrato es especialmente importante, como su propio nombre indica, atraer la financiación privada y por ello los flujos de caja esperados deben compensar la inversión realizada y generar unos beneficios potenciales suficientes[35]. El operador económico deberá asumir el riesgo, según el clausulado del contrato.

No es problemático que el criterio de adjudicación no sea el precio más bajo sino la oferta económicamente más ventajosa. De hecho, la adjudicación de las concesiones según la Directiva 23/2014/UE sólo se puede hacer atendiendo a este criterio[36]. Lo que tiene mucha lógica, ya que el recurso a esta modalidad de contratación compleja se justifica en su especificidad. También sirve de apoyo a este criterio el que uno de los procedimientos de adjudicación sea el diálogo competitivo.

Sin embargo sí que genera dudas que los criterios de selección sean los mismos que los de concesión. De hecho, el artículo se limita a remitir a las concesiones: *8. Alla procedura* **sono ammessi solo i soggetti in possesso dei requisiti per i concessionari,** *anche associando o consorziando altri soggetti, ferma restando l'assenza dei motivi di esclusione di cui all'articolo 80.* Tantas similitudes llevan a preguntarse por la utilidad de esta figura que no se recoge en las Directivas. Sexto motivo de confusión.

---

35. G. GRECO. «*La Direttiva in materia di Concessioni*». Convegno di Varena 17-19 Settembre 2015. En la *Rivista Italiana di Diritto Pubblico Comunitario* dirigida por M. P. CHITI e G. GRECO, n. 5 (p. 1095). GIUFFRÈ 2015.

36. Véase el artículo 41 de la Directiva 23/2014/UE.

El séptimo motivo lo encontramos en el apartado 10 que generará problemas porque, así como en concesiones sí es necesario promover la concurrencia entre operadores económicos (aunque no exista un número mínimo de candidatos invitados), en la CPP no se da esa exigencia: *10. L'amministrazione aggiudicatrice: b) redige una graduatoria e nomina promotore il soggetto che ha presentato la migliore offerta;* **la nomina del promotore può aver luogo anche in presenza di una sola offerta.**

Pero es que además, y para ya acabar de confundir al aplicador de la ley llama directamente a la CPP, concesión. Así que a un Poder Adjudicador que no quiera promover la competencia entre operadores económicos le bastará con llamar a su contrato de concesión contrato de CPP, poner requisitos que limiten la participación a un solo oferente y otorgarle directamente el proyecto, en un procedimiento que será válido siempre que haya una publicidad efectiva: *d) quando il progetto non necessita di modifiche progettuali,* **procede direttamente alla stipula della concessione.**

Como vemos el apartado 10 dará problemas en la aplicación práctica y es potencialmente causa de corrupción. Pero el apartado 15 es el que más juego puede dar en tribunales, sobre todo en cuanto a incumplimientos con las directivas de contratación y los principios del TFUE con las consecuentes sanciones desde instancias europeas.

En él se recoge lo que podríamos llamar la *gestión* por parte de los Poderes Adjudicadores *de ofertas no solicitadas* de operadores económicos. Lo curioso del caso es que se redacta en sede de CPP (es decir, parece que no sería válido para otras modalidades contractuales) y que recoge el derecho de preferencia del promotor de la idea. Presupuesto este que no se recoge en ningún lugar de las directivas y que puede generar problemas en cuanto a cerrar el mercado. Si un operador económico que participa en una licitación promovida a raíz de la idea de otro sabe que aunque haga la mejor oferta, si el promotor la iguala, a éste se le adjudicará el contrato; y si no la iguala, deberá pagarle los costes hará que se reduzca el número de operadores económicos dispuestos a participar. Y esto, aunque sepan que si el promotor ejerce el derecho de prelación tendrán derecho a ser reembolsados por este de los gastos hechos en la presentación de la oferta, ya que no es precisamente un incentivo a la participación o a presentar la mejor oferta.

Gli operatori economici possono presentare alle amministrazioni aggiudicatrici proposte relative alla realizzazione in concessione di lavori pubblici o di lavori di pubblica utilità, incluse le strutture dedicate alla nautica da diporto, non presenti negli strumenti di programmazione approvati dall'amministrazione aggiudicatrice sulla base della normativa vigente. La proposta contiene un progetto di fattibilità, una bozza di convenzione, il piano *economico-finanziario asseverato da uno dei soggetti di cui al comma 9, primo periodo, e la specificazione delle caratteristiche del servizio e della gestione. (…) L'amministrazione aggiudicatrice valuta, entro il termine perentorio di tre mesi, la fattibilità della proposta. A tal fine l'amministrazione aggiudicatrice può invitare il proponente ad apportare al progetto di fattibilità le modifiche necessarie per la sua approvazione. Se il proponente non apporta le modifiche richieste, la proposta non può essere valutata positivamente. Il progetto di fattibilità eventualmente modificato, è inserito negli strumenti di programmazione approvati dall'amministrazione aggiudicatrice sulla base della normativa vigente ed è posto in approvazione con le modalità previste per l'approvazione di progetti; il proponente è tenuto ad apportare le eventuali ulteriori modifiche chieste in sede di approvazione del progetto; in difetto, il progetto si intende non approvato. **Il progetto di fattibilità approvato è posto a base di gara, alla quale è invitato il proponente. (…) Nel bando è specificato che il promotore può esercitare il diritto di prelazione. (…) Se il promotore non risulta aggiudicatario, può esercitare, entro quindici giorni dalla comunicazione dell'aggiudicazione, il diritto di prelazione e divenire aggiudicatario se dichiara di impegnarsi ad adempiere alle obbligazioni contrattuali alle medesime condizioni offerte dall'aggiudicatario. Se il promotore non risulta aggiudicatario e non esercita la prelazione ha diritto al pagamento, a carico dell'aggiudicatario, dell'importo delle spese per la predisposizione della proposta** nei limiti indicati; nel comma 9. **Se il promotore esercita la prelazione, l'originario aggiudicatario ha diritto al pagamento, a carico del promotore, dell'importo delle spese per la predisposizione dell'offerta** nei limiti di cui al comma 9.*

En resumen, podemos decir que este derecho de preferencia es contrario, no sólo al espíritu sino también al texto de la Directiva de Concesiones. El considerando 8 de la Directiva 2014/23/UE afirma que: *Para las concesiones que alcancen o superen determinado valor, **conviene establecer una coordinación mínima de los procedimientos nacionales para la adjudicación de estos contratos basada en los principios del TFUE,** a fin de garantizar la apertura de las concesiones a la competencia y una seguridad jurídica adecuada. Estas disposiciones de coordinación no deberían ir más allá de lo necesario para alcanzar los objetivos citados y para garantizar un cierto grado de flexibilidad. **Los Estados miembros han de poder completar y desarrollar estas disposiciones si lo consideran oportuno, en particular si desean reforzar la observancia de los citados principios.** Es decir,* las disposiciones nacionales pueden completar las disposiciones de coordinación, siempre que respeten y *refuercen* los principios del TFUE. Y es evidente que este derecho va contra el principio de igualdad de trato y no discriminación en la contratación.

En España, este artículo se asemeja al 245.5 que en concesiones de obras contempla la posibilidad de que un operador económico presente un estudio de viabilidad de eventuales concesiones. La gestión de este estudio es muy similar a la prevista por el legislador italiano y también prevé el derecho a resarcimiento a cargo del operador económico que resulte adjudicatario de la concesión por los gastos efectuados en el estudio, pero correctamente a mi parecer, no regula el derecho de prevalencia.

El noveno problema grave sobre la regulación de la *finanza di progetto* es que, si leemos bien este controvertido apartado 15, vemos que no se trata de una tipología contractual sino procedimiento de adjudicación de concesiones enmascarado[37]. Y es insalvable, ya que lo que hace este artículo es oponerse de forma torticera y oscurantista al *principio de libertad de administración de las autoridades públicas* recogido en el artículo 2 de la Directiva de Concesiones y traspuesto en el artículo 166 del Codice. Es contrario a la flexibilidad en la adjudicación de concesiones y podría suponer un exceso de regulación contraria a la prohibición del *gold platting*.

En canto al *Contratto di disponibilità*, disciplinado en el artículo 188.2 del Código, presenta también una diferencia en cuanto a la transferencia del riesgo, tomando por válida la transferencia únicamente, o del riesgo de construcción o del riesgo de gestión, lo que por supuesto generará todavía más dudas si cabe en cuanto a qué entender por transferencia de riesgo. Como dato interesante destaca la inclusión expresa del *factum principis* como factor a tener en cuenta en el reparto de riesgos: L'*affidatario assume il rischi* ***o della costruzione o della gestione tecnica dell'opera*** per il *periodo di messa a disposizione dell'amministrazione aggiudicatrice.* ***Il contratto determina le modalità di ripartizione dei rischi tra le parti, che possono comportare variazioni dei corrispettivi dovuti per gli eventi incidenti sul progetto, sulla realizzazione o sulla gestione tecnica dell'opera, derivanti dal sopravvenire di norme o provvedimenti cogenti di pubbliche autorità.*** *Salvo diversa determinazione contrattuale e fermo restando quanto previsto dal comma 5, i rischi sulla costruzione e gestione tecnica dell'opera derivanti da mancato o ritardato rilascio di autorizzazioni, pareri, nulla osta e ogni altro atto di natura amministrativa sono a carico del soggetto aggiudicatore.*

Y ya por último en este *Titolo I* de la *Parte IV* no se puede dejar de mencionar el artículo 189: *Interventi di sussidiarietà orizzontale.* Y digo que

---

37. F. MATALUNI, R. MOTOLESE, A. RALLO. «*Il Partenariato Pubblico Privato e le concessioni nel nuovo Codice dei Contratti Pubblici: alcune proposte per miglioramento della disciplina vigente*» coordinado por G. FIDONE (grupo AEQUA). En *Paper. L'attuazione del nuovo Codice dei Contratti Pubblici: problemi, prospettive, verifiche.* http://www.italiadecide.it/public/files/PAPER.pdf

no se puede dejar de mencionar porque me parece que es un precepto ilegal desde el punto de vista de los principios europeos de la contratación pública: *Le **aree riservate al verde pubblico urbano e gli immobili di origine rurale, riservati alle attività collettive sociali e culturali di quartiere**, con esclusione degli immobili ad uso scolastico e sportivo, ceduti al comune nell'ambito delle convenzioni e delle norme previste negli strumenti urbanistici attuativi, comunque denominati, **possono essere affidati in gestione, per quanto concerne la manutenzione, con diritto di prelazione ai cittadini residenti nei comprensori oggetto delle suddette convenzioni** e su cui insistono i suddetti beni o aree, nel rispetto dei principi di non discriminazione, trasparenza e parità di trattamento. A tal fine i cittadini residenti costituiscono un consorzio del comprensorio che raggiunga almeno il 66 per cento della proprietà della lottizzazione. Le regioni e i comuni possono prevedere incentivi alla gestione diretta delle aree e degli immobili di cui al presente comma da parte dei cittadini costituiti in consorzi anche mediante riduzione dei tributi propri.*

Vemos que es un derecho de preferencia en la gestión a los residentes de la zona. Es decir, un principio de territorialidad expreso. Lo único que me parece que puede salvar la legalidad de este precepto es que se refiere a actividades colectivas sociales y culturales, es decir servicios no económicos de interés general, cuya prestación puede organizar libremente cada uno de los Estados Miembros[38]. Sin embargo, la mención expresa a la territorialidad es contraria al principio de no discriminación por nacionalidad.

Un argumento para salvar su ilegalidad podría ser que no tienen interés transfronterizo. Pero esto sólo sería válido si nos encontramos por debajo del importe armonizado de contratos de servicios especiales 750.000 € (artículo 4.b de la Directiva 2014/24/UE). El argumento es más factible si tenemos en cuenta que se trata de la *gestión de servicios*, es decir su concesión y por lo tanto el importe armonizado sería el 5.186.000 € (artículo 8.1 de la Directiva 2014/23/UE). Y este es otro de los motivos de confusión, ya que hubiera sido más fácil utilizar el término concesión y no el de gestión de servicios, que dará lugar a equívocos con los importes armonizados y con la caracterización del negocio como contrato o como concesión.

El *Titolo II* de la *Parte IV* se dedica a los encargos a medios propios, de los que únicamente me gustaría destacar como original en el Código que

---

38. Véase el C.6 de la Directiva 2014/24/UE: (...)*Ha de recordarse también que los Estados miembros gozan de libertad para organizar la prestación de los servicios sociales obligatorios o de cualquier otro servicio, como los servicios postales, los servicios de interés económico general o los servicios no económicos de interés general, o una combinación de ambos. Conviene aclarar que los servicios no económicos de interés general deben quedar excluidos del ámbito de aplicación de la presente Directiva.*

el artículo 194, que regula el *Affidamento a contraente generale*, considera expresamente la concesión como forma de adjudicación. Vemos así que el Código italiano da bandazos en cuanto a la naturaleza de la concesión como categoría autónoma de contrato, como subtipo de contrato dentro de la CPP e incluso como forma de adjudicación.

III. CONCLUSIÓN

En este artículo hemos intentado hacer un resumen de las novedades más importantes de las Directivas en su trasposición a nivel español e italiano, intentando resaltar las similitudes y diferencias en su redacción, y explicando las particularidades de cada país.

El Código italiano es más trasparente, en el sentido de que da a la ANAC un gran poder de control, crea registros nuevos, impulsa las publicaciones, etc....pero peca de excesiva rigidez y formalidad, además de regular instituciones y conceptos que desde el punto de vista de la jurisprudencia europea son de dudosa legalidad.

En cambio, el APLCSP, del que ahora comienza la tramitación parlamentaria urgente, es muy complejo y extenso, ya que sigue la estructura del TRLCSP en la versión del PLCSP y mantiene las instrucciones de los entes no Administración pública para sus contratos no armonizados, con lo que no se uniformiza el régimen jurídico de contratación pública[39]. Sin embargo a favor del texto hemos de decir que amplía su ámbito de aplicación subjetivo a partidos políticos y sindicatos y organizaciones profesionales cuando hay financiación pública mayoritaria; se regulan de manera estricta los convenios y los encargos a medios propios, obligando a publicar en el perfil del contratante si superan un determinado importe; desaparece el procedimiento negociado sin publicidad por la cuantía y se regula un nuevo procedimiento abierto simplificado para lograr agilidad y flexibilidad en la contratación.

Es sin embargo grato comprobar que muchas medidas a favor de la trasparencia, contra la corrupción, de fomento de cláusulas sociales, ambientales y de innovación, etc... incluso las que no tienen carácter obligatorio en las Directivas han sido tenidas en cuenta en ambos países. Ambos textos representan un avance respecto a sus precedentes. Sólo queda esperar a ver cómo se lleva a cabo su aplicación práctica.

---

39. Para más información: http://www.obcp.es/index.php/mod.noticias/mem.detalle/id.1105/relmenu.2/chk.b4d7f7b3e03dc0ef20293e1a46c51dea

BIBLIOGRAFÍA

LEGISLACIÓN

- Directiva 2014/23/UE del Parlamento Europeo y del Consejo de 26 de febrero de 2014 relativa a la adjudicación de contratos de concesión.

- Directiva 2014/24/UE del Parlamento Europeo y del Consejo de 26 de febrero de 2014 sobre contratación pública y por la que se deroga la Directiva 2004/18/CE.

- Directiva 2014/25/UE del Parlamento Europeo y del Consejo de 26 de febrero de 2014 relativa a la contratación por entidades que operan en los sectores del agua, la energía, los transportes y los servicios postales y por la que se deroga la Directiva 2004/17/CE.

- D. Lgs 12 aprile 2006, n. 163. (in Gazz. Uff., 2 maggio 2006 n. 100)-Codice dei contratti pubblici relativi a lavori, servizi e forniture in attuazione delle direttive 2004/17/CE e 2004/18/CE (abrogato dall'art. 217 del decreto legislativo n. 50 del 2016).

- D. Lgs 2 luglio 2010, n. 104. (in Gazz. Uff., 7 luglio 2010 n. 156)-Attuazione dell'articolo 44 della legge 18 giugno 2009, n. 69, recante delega al governo per il riordino del processo amministrativo.

- Legge 28 gennaio 2016 n.11 (in Gazz. Uff., 29 gennaio 2016, n. 23)-Deleghe al Governo per l'attuazione delle direttive 2014/23/UE, 2014/24/UE e 2014/25/UE del Parlamento europeo e del Consiglio, del 26 febbraio 2014, sull'aggiudicazione dei contratti di concessione, sugli appalti pubblici e sulle procedure d'appalto degli enti erogatori nei settori dell'acqua, dell'energia, dei trasporti e dei servizi postali, nonche' per il riordino della disciplina vigente in materia di contratti pubblici relativi a lavori, servizi e forniture.

- D.Lgs. 18 aprile 2016 n. 50 (in Gazz. Uff. 19 aprile 2016, n. 91)-Attuazione delle direttive 2014/23/UE, 2014/24/UE e 2014/25/UE sull'aggiudicazione dei contratti di concessione, sugli appalti pubblici e sulle procedure d'appalto degli enti erogatori nei settori dell'acqua, dell'energia, dei trasporti e dei servizi postali, nonché per il riordino della disciplina vigente in materia di contratti pubblici relativi a lavori, servizi e forniture.

- Ley 3/2011, de 24 de febrero, de medidas en materia de Contratos del Sector Público de Aragón.

- Real Decreto Legislativo 3/2011, de 14 de noviembre, por el que se aprueba el texto refundido de la Ley de Contratos del Sector Público.

- Anteproyecto de Ley de Contratos del Sector Público, por la que se transponen al ordenamiento jurídico español las Directivas del Parlamento Europeo y del Consejo, 2014/23/UE Y 2014/24/UE, de 26 de febrero de 2014.

ARTÍCULOS Y PONENCIAS

- J. M. GIMENO FELIÚ. *«Il recepimento delle direttive sugli appalti pubblici del 2014 in Spagna».* Seminario en la Università Commerciale Luigi Bocconi. Noviembre 2016.

- J. VÁZQUEZ MATILLA. Congreso Internacional: Nueva Contratación Pública: mercado y Medio Ambiente. Pamplona 5 y 6 de Octubre 2016.

- M.M. RAZQUIN LIZARRAGA. *«El proyecto de ley de contratos del sector público. Una tramitación parlamentaria acelerada».* 8 de diciembre 2016 en www.obcp.es

- J. V. GONZÁLEZ GARCÍA. *«Proyecto de nueva Ley de contratos: aspectos a rectificar».* 9 de enero 2017 en www.globalpoliticsandlaw.net

- J. M. GIMENO FELIÚ. *«Principales novedades del Proyecto Ley Contratos Sector Público».* 23 de enero de 2017 en www.obcp.es

- M. RUIZ DAIMIEL. *«Adiós negociado por cuantía, adiós».* 9 de enero de 2017 en www.obcp.es

- G. FIDONE. *«Le concessioni di lavori e servizi alla vigilia del recepimento della Direttiva 2014/23/UE».* Rivista italiana di diritto pubblico comunitario. M. P. Chiti e G. Greco. A. 25(2015) n. 1, p. 101-193. IT, ICCU, TSA, 1431780

- M. COZZIO. *«Capitolo III. Appalti pubblici e concessioni».* Parte I. Mercato e imprese del libro *Temi e Istituti di diritto privato dell'UE.* G.A. BENACCHIO e F. CASUCCI. Editorial Argomenti, 7.ª Edición, año 2016.

- F. FRACCHIA. *«Concessione amministrativa»,* Annali I. Enciclopedia del diritto (pgs 250-277). A. FALZEA, P. GROSSI, E. CHELI Y R. COSTI. Editorial Giuffrè Editore, 2008.

- M. COZZIO. *«Modifiche in corso di esecuzione, tra regole europee convergenti e interpretazioni nazionali divergenti».* Appalti pubblici, in house providing e grande infrastrutture. Dossier Appalti. Pubblica amministrazione 24. Febrero de 2015. M. AGOSTINA CABIDDU y M.CRISTINA COLOMBO.

- G. GRECO. «*La Direttiva in materia di Concessioni*». Convegno di Varena 17-19 Settembre 2015. En la *Rivista Italiana di Diritto Pubblico Comunitario* dirigida por M. P. CHITI e G. GRECO, n. 5 (p. 1095) GIUFFRÈ 2015

- A. PAJNO. «*La nuova disciplina dei contratti pubblici tra esigenze di semplificazione, rilancio dell'economia e contrasto alla corruzione*». Atti LXI. Convegno Varenna. En *La nuova disciplina dei contratti pubblici tra esigenze di semplificazione, rilancio dell'economia e contrasto alla corruzione* (pp. 29-75) coordinado por G. DELLA TORRE. Editorial Giuffrè Editore 2016

- G. F. CARTEI. «*Le varie forme di partenariato pubblico-privato. Il quadro generale*». En Urbanistica e appalti, 8, 2011, 888 e ss.

- G. FIDONI. «*Le concessioni di lavori e servizi alla vigilia del recepimento della Directiva 2014/23/UE*». En la *Rivista italiana di Diritto Pubblico Communitario* dirigida por M. P. CHITI e G. GRECO, n. 1, (p. 101-193), A. 25 GIUFFRÈ 2015.

- F. FRACCHIA e E. CASETTA. *Manuale di diritto amministrativo*. Giuffrè. 18.ª EDICIÓN. Septiembre 2016.

- M. RICCHI. «*I contratti di concessione*» en *Finanza di Progetto e Partenariato Pubblico Privato-Temi europei, istituti nazionali e operatività*, dirigido por G. CARTEI y M. RICCHI. Editorial Scientifica. Nápoles 2015.

- F. MATALUNI, R. MOTOLESE, A. RALLO «*Il Partenariato Pubblico Privato e le concessioni nel nuovo Codice dei Contratti Pubblici: alcune proposte per miglioramento della disciplina vigente*» coordinado por G. FIDONE (grupo AEQUA). En *Paper. L'attuazione del nuovo Codice dei Contratti Pubblici: problemi, prospettive, verifiche. http://www.italiadecide. it/public/files/PAPER.pdf*

OTROS RECURSOS

- I punti principali del parere del Consiglio di Stato sullo schema di codice dei contratti pubblici: https://www.giustizia-amministrativa. it/cdsintra/cdsintra/Notiziasingola/index.html?p=NSIGA_4071163

- Parere del Consiglio di Stato sulle linee guida del Codice dei contratti pubblici concernenti il Rup, l'offerta economicamente più vantaggiosa e i servizi di architettura ed ingegneria: https://www. giustizia-amministrativa.it/cdsintra/cdsintra/Notiziasingola/index. html?p=NSIGA_4128792

- Plataforma SINTEL: http://www.arca.regione.lombardia.it/wps/portal/ARCA/Home/e-procurement/piattaforma-sintel

- Plataforma MEPA: https://www.acquistinretepa.it/opencms/opencms/main/programma/strumenti/MePA

- NARS: http://www.programmazioneeconomica.gov.it/nars-regolazione-servizi-di-pubblica-utilita/

- AVCP, AG 39/2012 del 06/03/2013. Oggetto: richiesta di parere ai sensi del Regolamento sulla istruttoria dei quesiti giuridici-Infrastrutture Lombarde S.p.a.-Autostrada pedemontana-Concessione di costruzione e gestione-Possibilità di rimodulazione del Piano Economico Finanziario della Concessione. http://www.anticorruzione.it/portal/public/classic/AttivitaAutorita/AttiDellAutorita/_Atto?ca=5349

- AVCP. Determinazione n.20/2001 del 4/10/2001. Q/178/c-AG 149-R/987/01. Oggetto: «Finanza di progetto». http://www.anticorruzione.it/portal/public/classic/AttivitaAutorita/AttiDellAutorita/_Atto?ca=178

Capítulo 7

Observatorio de la actividad de los órganos de recursos contractuales en 2016[1]

MARÍA ASUNCIÓN SANMARTÍN MORA

Vocal de la Junta Consultiva de Contratación
Administrativa de Aragón

SUMARIO: I. ORGANIZACIÓN Y FUNCIONAMIENTO DE LOS ÓRGANOS DE RECURSOS CONTRACTUALES DURANTE 2016. 1. *Planta y diseño de los órganos de recursos contractuales.* 2. *Actividad de los órganos de recurso especial durante 2016.* 2.1. Tribunal Administrativo Central de Recursos Contractuales. 2.2. Tribunal de Contratación Pública de la Comunidad de Madrid. 2.3. Tribunal Administrativo de Recursos Contractuales de la Junta de Andalucía. 2.4. Tribunal Administrativo de Recursos Contractuales de Castilla y León. 2.5. Tribunal Catalán de Contratos del Sector Público. 2.6. Tribunal Administrativo de Contratos Públicos de Aragón. 3. *Principios de transparencia y coordinación.* II. LA DOCTRINA DE LOS ÓRGANOS DE RECURSO. ASPECTOS PROCESALES O DE FORMA DEL RECURSO. 1. *Contratos susceptibles de recurso.* 1.1.

---

1.   Abreviaturas: AN: Audiencia Nacional; BOE: Boletín Oficial del Estado; CE: Constitución Española de 1978; CNMC: Comisión Nacional de los Mercados y de la Competencia; DOUE: Diario Oficial de la Unión Europea; LCSP: Ley 30/2007, de 30 de octubre, de Contratos del Sector Público; LPAC: Ley 39/2015, de 1 de octubre, del Procedimiento Administrativo Común de las Administraciones Públicas; LRJPA: Ley 30/1992, de 26 de noviembre de Régimen Jurídico de las Administraciones Públicas y del Procedimiento Administrativo Común; PCAP: pliego de cláusulas administrativas particulares; PLCSP: Proyecto de Ley de Contratos del Sector Público; PPT: pliego de prescripciones técnicas; RPERMC: Reglamento de los procedimientos especiales de revisión de decisiones en materia contractual y de organización del Tribunal Administrativo Central de Recursos Contractuales; TACRC: Tribunal Administrativo Central de Recursos Contractuales; TC: Tribunal Constitucional; TJUE: Tribunal de Justicia de la Unión Europea; TS: Tribunal Supremo; TSJ: Tribunal Superior de Justicia; TRLCSP: Texto Refundido de la Ley de Contratos del Sector Público; UTE: Unión temporal de empresas.

Contratos de servicios. 1.2. Contratos de gestión de servicios públicos versus concesión de servicios. 1.3. Contratos administrativos especiales. 1.4. Contratos menores que responden a un indebido fraccionamiento del objeto del contrato. 1.5. Contrato derivado de un acuerdo marco. 2. *Actos susceptibles de recurso.* 2.1. Actos de trámite recurribles. 2.2. El recurso «indirecto» contra los pliegos que rigen la licitación. 2.3. Actos no susceptibles de recurso: la compensación de gastos como consecuencia de la renuncia a la celebración del contrato o del desistimiento del procedimiento. 2.4. Actos no susceptibles de recurso: la decisión de no prorrogar el contrato. 3. *Legitimación para recurrir.* 3.1. Legitimación de un operador económico. 3.1.1. Doctrina general. 3.1.2. Legitimación del licitador definitivamente excluido para impugnar la adjudicación. 3.2. Alcance de la legitimación de un sindicato. 3.3. Legitimación de los concejales. 3.4. Legitimación de una asociación para recurrir la adjudicación del contrato. 4. *Presentación del recurso.* 4.1. Plazo de interposición. 4.1.1. Plazo de interposición del recurso contra la adjudicación por los concejales dependiendo de si forman parte o no del órgano de contratación. 4.1.2. Plazo de interposición del recurso contra pliegos sobre los que han existido aclaraciones. 4.2. Anuncio previo de la interposición del recurso al órgano de contratación. 4.3. Requisitos de capacidad. 4.4. Acceso previo al expediente. 4.5. Lugar y forma de presentación del recurso. 5. *La terminación del procedimiento.* 5.1. Allanamiento del órgano de contratación. 5.2. La resolución tiene efecto de cosa juzgada. 5.3. Imposición de multas: apreciación de temeridad o mala fe. 5.3.1. Concurrencia de mala fe o temeridad. 5.3.2. Cuantía de la multa. 5.4. Ejecución de las resoluciones. III. LA DOCTRINA DE LOS ÓRGANOS DE RECURSO. ASPECTOS MATERIALES O DE FONDO DEL RECURSO. 1. *Los pliegos que han de regir la adjudicación y ejecución del contrato.* 1.1. El objeto del contrato. 1.1.1. División del objeto del contrato en lotes. 1.1.2. La fusión de prestaciones en un solo contrato. 1.2. El valor estimado del contrato y otros conceptos económicos. 1.2.1. El valor estimado del contrato y otros conceptos económicos. 1.2.2. Consideración de las mejoras previstas en los pliegos a efectos de la determinación del valor estimado del contrato. 1.2.3. Presupuesto de licitación y precio de mercado. 1.2.4. Presupuesto de licitación y costes laborales. 1.2.5. Posibilidad de imponer límites al beneficio empresarial del adjudicatario. 1.2.6. Cláusulas que imponen al adjudicatario un «periodo de carencia». 1.2.7. Es necesario dar información a los licitadores sobre los consumos estimados de un Acuerdo marco. 1.3. Requisitos de solvencia. 1.3.1. La cifra global de negocios como acreditación de la solvencia económica. 1.3.2. Posibilidad de acreditar la solvencia económica por otros medios distintos a los del artículo 75.2 TRLCSP. 1.3.3. Acreditación de la solvencia en los contratos de poderes adjudicadores no Administración Pública. 1.4. Los criterios de adjudicación del contrato. 1.4.1. Definición y justificación de los criterios de valoración de las ofertas. 1.4.2. Pronunciamientos sobre determinados criterios de valoración. 1.4.3. Utilización como método de desempate del porcentaje de personas con discapacidad en la plantilla. 1.5. Umbrales de temeridad. 1.6. Las Prescripciones Técnicas. 1.6.1. El principio de neutralidad tecnológica. 1.6.2. Los depósitos asistenciales. 1.7. Cláusulas sobre subrogación del personal. 1.8. Cláusulas de arraigo territorial. 1.9. Cláusulas que incluyen una condición resolutoria del contrato. 1.10. La incorporación de aspectos sociales. 1.10.1. Admisibilidad de aspectos sociales como criterios de valoración de las ofertas. 1.10.2. Admisibilidad de aspectos sociales como condiciones de la ejecución del contrato. 1.10.3. Alcance de las prerrogativas administrativas de control de la ejecución del contrato. 1.11. Doctrina sobre la posibilidad de modificar los pliegos. 2. *El procedimiento de licitación.* 2.1. Publicidad de la licitación. 2.2. La declaración responsable. 2.3. La presentación de proposiciones. 2.4. La subsanación de las ofertas. 2.5.

Salvaguarda de la confidencialidad de las proposiciones. 2.6. Aplicación supletoria al procedimiento contractual de la normativa del procedimiento administrativo común. 2.7. Utilización de comunicaciones electrónicas. 3. *Los actos de exclusión de licitadores*. 3.1. El conflicto de intereses. 3.2. Validez de las certificaciones expedidas a los efectos de acreditar estar al corriente de las obligaciones tributarias y de seguridad social. 3.3. El objeto social de las personas jurídicas. 3.4. Integración de la solvencia por medios externos. 3.5. Acreditación de la condición de Centro Especial de Empleo a efectos de los contratos reservados: no es necesario que se refiera a la específica actividad objeto del contrato. 4. *Las resoluciones de adjudicación*. 4.1. La aplicación de los criterios de adjudicación, la discrecionalidad técnica. 4.2. La presentación de una variante no permitida en los pliegos no conlleva automáticamente la exclusión de la totalidad de la oferta. 4.3. Facultades de la mesa de contratación en el supuesto de que la fórmula de valoración de las ofertas resulte aplicable. 4.4. La resolución de adjudicación no tiene porqué contener la motivación sobre la admisión de los licitadores. 4.5. Apreciación de temeridad en las ofertas. 5. *Otras cuestiones de interés*. 5.1. El desistimiento del procedimiento de contratación. 5.2. La renuncia al contrato. 5.3. El procedimiento negociado. 5.3.1. Supuestos de utilización de procedimiento negociado. 5.3.2. Aplicación al procedimiento negociado del artículo 26 del Real Decreto 817/2009. 5.3.3. No hay temeridad en una licitación mediante procedimiento negociado. 5.4. Cuestiones relativas a la infracción de la legislación de defensa de la competencia. 5.5. Cuestiones relativas a la subcontratación.

El presente capítulo, titulado «Observatorio de la actividad de los órganos de recursos contractuales 2016», tiene por objeto reseñar la actividad que durante el año 2016 han desarrollado los órganos creados para la resolución del recurso especial en materia de contratación pública.

Nos vamos a centrar fundamentalmente en la doctrina emanada, aunque haremos un breve estudio sobre la planta y diseño de los órganos existentes, así como un análisis sobre su actividad en términos generales y estadísticos, si bien está última referida solo a los órganos de recurso especial que han publicado en el momento de redactar este trabajo su Memoria de actividad de 2016. En esta edición se prescinde del estudio sobre la litigiosidad, sin perjuicio de que se citen las sentencias de los Tribunales de Justicia que han afectado a algún criterio doctrinal importante. Sobre los datos estadísticos de la actividad de los tribunales administrativos y la litigiosidad generada sobre la misma cabe remitirse al Informe sobre Justicia Administrativa que elabora anualmente el Centro de Investigación sobre Justicia Administrativa de la Universidad Autónoma de Madrid[2].

---

2.   El Informe sobre Justicia Administrativa que elabora anualmente el Centro de Investigación sobre Justicia Administrativa de la Universidad Autónoma de Madrid (CIJA_UAM), dirigido por la profesora DIÉZ SASTRE, S., contiene una información

Finalmente incluiremos referencias al PLCSP, en la actualidad en fase de tramitación parlamentaria, cuando proponga una regulación novedosa de algún tema o apoye el criterio seguido por los órganos de recurso especial.

I. ORGANIZACIÓN Y FUNCIONAMIENTO DE LOS ÓRGANOS DE RECURSOS CONTRACTUALES DURANTE 2016

1. PLANTA Y DISEÑO DE LOS ÓRGANOS DE RECURSOS CON-TRACTUALES

La Ley 34/2010, de 5 de agosto, de modificación de las leyes 30/2007, de 30 de octubre, de Contratos del Sector Público, 31/2007, de 30 de octubre, sobre procedimientos de contratación en los sectores del agua, la energía, los transportes y los servicios postales, y 29/1998, de 13 de julio reguladora de la Jurisdicción Contencioso-Administrativa, para la adaptación a la normativa europea de las dos primeras, para dar cumplimiento a la Directiva 89/665/CEE, relativa a la coordinación de las disposiciones legales, reglamentarias y administrativas referentes a la aplicación de los procedimientos de recurso en materia de adjudicación de los contratos públicos de suministros y obras, creó el Tribunal Administrativo Central de Recursos Contractuales, y facultó para crear órganos similares en el ámbito de las Comunidades Autónomas, de las Cortes Generales y de los parlamentos autonómicos[3].

Este sistema institucional ha sido validado por la Sentencia del Tribunal de Justicia de la Unión Europea de 6 de octubre de 2015, C-203/14, que da pleno reconocimiento a los órganos y tribunales resolutorios de los recursos especiales de contratación pública, como órganos jurisdiccionales en el sentido del artículo 267 del Tratado de Funcionamiento de la Unión Europea[4].

La mayoría de las Comunidades Autónomas han optado por crear sus propios órganos para conocer de los recursos de contratación pública.

---

completa sobre estos temas Informe sobre 2016 disponible en: http://cija-uam.org/wp-content/uploads/2017/07/informe-2017-_EBOOK.pdf.

3. Sobre el balance de los primeros cinco años de actividad de estos órganos, vid. GIMENO FELIU, J.M. «*Informe especial. Sistema de Control de la Contratación Pública en España. (Cinco años de funcionamiento del Recurso especial en los contratos públicos. La doctrina fijada por los órganos de recursos contractuales. Enseñanzas y propuestas de mejora*», Aranzadi, Cizur Menor, 2016. http://www.obcp.es/index.php/mod.noticias/mem.detalle/id.900/relmenu.2/chk.2606c8aa7a86affa41f4f4b34309271a

4. Sobre esta Sentencia vid. LOPEZ MORA, E., «Alcance y naturaleza jurídica de las resoluciones y acuerdos de los tribunales y órganos resolutorios de recursos especiales en materia de contratación» en www.obcp.es. Asimismo GIMENO FELIU, J.M. en la obra citada anteriormente.

Son los casos de la Comunidad de Madrid[5], País Vasco[6], Aragón[7], Andalucía[8], Cataluña[9], Castilla y León[10], Navarra[11], Canarias[12]; y Extremadura[13].

Casos especiales son los de Cantabria y Galicia que aunque han previsto en sus normas la creación de órganos propios mantienen el Convenio de atribución de competencias al TACRC. La disposición adicional primera de la Ley de Cantabria 1/2010, de 27 de abril, por la que se modifican la Ley de Cantabria 6/2002, de 10 de diciembre, de Régimen Jurídico del Gobierno y de la Administración de la Comunidad Autónoma de Cantabria, y la Ley de Cantabria 11/2006, de 17 de julio, de Organización y Funcionamiento del Servicio Jurídico, autorizó al Gobierno para crear un órgano colegiado independiente para el conocimiento y la resolución de los recursos especiales en materia de contratación. Sin embargó dicha creación no se ha producido sino que se optó por celebrar un convenio de colaboración con el Ministerio de Hacienda y Administraciones Públicas para la atribución de la competencia en materia de recursos contractuales al TACRC[14].

---

5. Tribunal de Contratos Públicos de la Comunidad de Madrid creado por la Ley 9/2010, de 23 de diciembre, de Medidas Fiscales, Administrativas y Racionalización del Sector Público.

6. Órgano Administrativo de Recursos Contractuales de la Comunidad Autónoma de Euskadi creado por la ley 5/2010, de 30 de diciembre, de Presupuestos Generales de la Comunidad Autónoma de País Vasco para el ejercicio 2011.

7. Tribunal Administrativo de Contratos Públicos de Aragón regulado en el artículo 17 de la Ley 3/2011, de 24 de febrero, de medidas en materia de Contratos del Sector Público de Aragón.

8. Tribunal Administrativo de Recursos Contractuales de la Junta de Andalucía regulado por Decreto 332/2011, de 2 de noviembre, modificado por Decreto 120/2014, de 1 de agosto.

9. Tribunal Catalán de Contratos del Sector Público creado por Disposición adicional cuarta de la Ley 26/2009, de 23 de diciembre, de medidas fiscales, financieras y administrativas, modificada por Ley 5/2012, de 20 de marzo, de medidas fiscales, financieras y administrativas y de creación del impuesto sobre estancias en establecimientos turísticos

10. Tribunal Administrativo de Recursos Contractuales de Castilla y León creado por la Ley 19/2010, de 22 de diciembre, de medidas financieras y de creación del Ente Público Agencia de Innovación y Financiación Empresarial de Castilla y León.

11. Tribunal Administrativo de Contratos Públicos de Navarra creado por Ley Foral 3/2013, de 25 de febrero, de modificación de la Ley Foral 6/2006, de 9 de junio, de Contratos Públicos.

12. Tribunal Administrativo de Contratos Públicos de la Comunidad Autónoma de Canarias creado por Decreto 10/2015, de 12 de febrero.

13. Tribunal Administrativo de Recursos Contractuales de Extremadura creado por la Ley 13/2015, de 8 de abril, de Función Pública de Extremadura.

14. Convenio que se formalizó con fecha 28 de noviembre de 2012 y está prorrogado tácitamente hasta el 13 de diciembre de 2018

El Tribunal Administrativo de Contratación Pública de la Comunidad Autónoma de Galicia, se creó mediante Ley 1/2015, de 1 de abril, de garantía de la calidad de los servicios públicos y de la buena administración que modifica la Ley 14/2013, de 26 de diciembre, de racionalización del sector público autonómico. Sin embargo, el Tribunal no ha llegado a constituirse, y sigue conociendo de los recursos contractuales el TACRC en virtud del convenio de colaboración entre el Ministerio de Hacienda y Administraciones Públicas, y la Comunidad Autónoma de Galicia, de 7 de noviembre de 2013, sobre atribución de competencia de recursos contractuales[15].

En resumen, han estado en funcionamiento durante 2016, el Tribunal de Contratos Públicos de la Comunidad de Madrid, el Órgano Administrativo de Recursos Contractuales de la Comunidad Autónoma de Euskadi, el Tribunal Administrativo de Contratos Públicos de Aragón, el Tribunal Administrativo de Recursos Contractuales de la Junta de Andalucía, el Tribunal Catalán de Contratos del Sector Público, el Tribunal Administrativo de Recursos Contractuales de Castilla y León, el Tribunal Administrativo de Contratos Públicos de Navarra, el Tribunal Administrativo de Contratos Públicos de la Comunidad Autónoma de Canarias, y el Tribunal Administrativo de Recursos Contractuales de Extremadura[16].

Mantienen convenios de atribución de competencias al TACRC, las Comunidades Autónomas de La Rioja (BOE 18/08/12), Castilla-La Mancha (BOE 02/11/12), Murcia (BOE 21/11/12), Cantabria (BOE 13/11/12), Islas Baleares (BOE 19/12/12), Comunidad Valenciana (BOE 17/04/13), Asturias (BOE 20/10/13), Galicia (BOE 25/11/13), y las Ciudades Autónomas de Melilla (BOE 09/08/12) y Ceuta (BOE 17/04/13).

Por tanto, todas las Comunidades y Ciudades Autónomas tienen expresamente atribuidas las competencias en materia de recursos contractuales, y ha quedado cerrado el sistema, sin que sea necesario aplicar el

---

15. Convenio *prorrogado tácitamente hasta el 25 de noviembre de 2019.*
16. No se ha asumido el criterio del Informe de la Comisión para la Reforma de las Administraciones Publicas (CORA) de 2013, que incluyó, entre las medidas con incidencia en la organización pública, la centralización en el TACRC de la resolución de los recursos especiales para los contratos de ámbito autonómico y local (medida 1.04.006). El informe consideraba que la centralización en el TACRC generaría economías de escala y una mayor eficiencia en la gestión de los recursos públicos. Sin embargo, las Comunidades Autónomas, y en algunos casos los propios tribunales, defendieron que los costes serían mayores, además de que podría perderse en eficacia y que finalmente, lo único que se conseguiría seria una recentralización Sobre este tema vid. VAZQUEZ MATILLA, J.: «Observatorio de la actividad de los órganos de recursos contractuales en 2013» en la obra colectiva Observatorio de contratos públicos 2013, Aranzadi, Cizur Mayor, 2014.

régimen supletorio que establece la disposición transitoria segunda de la Ley 34/2010[17].

En el ámbito parlamentario además del Tribunal de Recursos Contractuales de las Cortes Generales, son 5 los parlamentos autonómicos que han creado su propio tribunal administrativo[18].

Por su parte, en el ámbito de las entidades locales, la competencia para resolver los recursos deben establecerla las normas de la Comunidad Autónoma respectiva, cuando ésta tenga atribuida competencia normativa y de ejecución en materia de régimen local y contratación. Lo ordinario ha venido siendo que los órganos autonómicos creados asuman la competencia para resolver los recursos en materia de contratación y cuestiones de nulidad interpuestos contra actos de las corporaciones locales que tengan su sede en su territorio. Así sucede en Aragón, Madrid, Cataluña, Castilla y León, Navarra y Extremadura, y esa es, además, la regla a seguir en el supuesto de que no exista previsión expresa en la legislación autonómica, según se desprende del artículo 41.4 TRLCSP[19].

El País Vasco, Andalucía y Canarias, no siguen esa regla. En el País Vasco, si bien el ámbito en el que el Órgano Administrativo de Recursos

---

17. Sobre esta cuestión, vid. la Recomendación de la Junta Consultiva de Contratación Administrativa del Estado sobre la interpretación del régimen contenido dentro de la disposición transitoria séptima, norma d) del Texto Refundido de la Ley de Contratos del Sector Público (antes disposición transitoria segunda de la Ley 34/2010), publicada en el BOE de 10 de abril de 2012.

18. Por Resolución de 21 de diciembre de 2010, de las Mesas del Congreso de los Diputados y del Senado, se creó el Tribunal de Recursos Contractuales de las Cortes Generales como órgano competente para conocer del recurso especial en materia de contratación cuando éste se interponga contra actos referidos a los contratos que pretendan concertar el Congreso de los Diputados, el Senado, las Cortes Generales, la Junta Electoral Central, y el Defensor del Pueblo. Idéntica solución han seguido: el Parlamento de Cataluña, que por Acuerdo de la Mesa de 1 de marzo de 2011, creó el Tribunal de Recursos Contractuales del Parlamento de Cataluña; las Cortes de Aragón que por Acuerdo de la Mesa de 13 de febrero de 2013, constituyeron el Tribunal de Recursos Contractuales de las Cortes de Aragón, el Justicia de Aragón y la Cámara de Cuentas de Aragón; el Parlamento de Andalucía que creó por Acuerdo de la Mesa de 20 de marzo de 2013, el Tribunal Administrativo de Recursos Contractuales del Parlamento de Andalucía; las Cortes de Castilla y León que por Acuerdo de la Mesa de 4 de julio de 2013 crearon el Tribunal de Recursos Contractuales de las Cortes de Castilla y León; el Parlamento de Canarias creó por acuerdo de la Mesa del Parlamento, de 27 de abril de 2017, el Tribunal Administrativo de Recursos Contractuales del Parlamento de Canarias.

19. El artículo 11.3 RPERMC exige que en el pliego de cláusulas administrativas particulares o documento de contenido análogo que haga sus veces, las entidades locales identifiquen el órgano ante el que deben interponerse los recursos, las reclamaciones y las cuestiones de nulidad

Contractuales ejercerá su función comprende a las administraciones locales integradas en el territorio de dicha Comunidad, existen dos excepciones. La primera, la de aquellos municipios de más de 50.000 habitantes que hayan creado su propio órgano competente para la resolución de los recursos de su ámbito local y sector público respectivo, y la segunda los recursos planteados contra contratos de las Diputaciones Forales, que de conformidad con el art. 3.2.g TRLCSP (antes Disposición adicional trigésimo tercera de la LCSP), deben ajustar su contratación a las normas establecidas en dicha Ley para las Administraciones públicas. Disposición esta última que ha sido interpretada en el sentido de considerar necesaria la creación en el seno de las mismas, de un órgano administrativo encargado de la resolución de recursos en materia de contratos públicos[20].

En Andalucía, según el Decreto 332/2011, de 2 de noviembre, por el que se crea el Tribunal Administrativo de Recursos Contractuales de la Junta de Andalucía, se reconoce la posibilidad de que, en el ámbito de las entidades locales andaluzas y de los poderes adjudicadores vinculados a las mismas, la competencia para el conocimiento y resolución del recurso especial en materia de contratación, se atribuya a órganos de las propias entidades locales, que deberán actuar con plena independencia funcional conforme a lo dispuesto en el artículo 5 de la Ley 5/2010, de 11 de junio, de Autonomía Local de Andalucía[21]. El mismo precepto establece la posibilidad de que, de conformidad con la competencia de asistencia material a los municipios que atribuye a las provincias el artículo 11.1.c) de la Ley 5/2010, de 11 de junio, y en la forma regulada en el artículo 14.2 de dicha Ley, el conocimiento y resolución de estos recursos especiales puedan

---

20. Así, la provincia de Álava, mediante Decreto Foral 44/2010, de 28 de septiembre, aprobó la creación del Órgano Administrativo Foral de Recursos Contractuales; la de Guipúzcoa, mediante Decreto Foral 24/2010, de 28 de septiembre, la creación y regulación del Tribunal Administrativo Foral de Recursos Contractuales, y la de Vizcaya, mediante Decreto Foral 102/2010, de 29 de septiembre, la creación del Tribunal Administrativo Foral de Recursos Contractuales.

21. Acogiéndose a tal posibilidad, se han creado el Tribunal Administrativo de Contratación Pública de la Diputación de Granada, el Tribunal Administrativo de Recursos Contractuales de la Diputación de Cádiz, el Tribunal Administrativo de Contratación Pública de la Diputación de Jaén, el Tribunal Administrativo de Recursos Contractuales de la Diputación de Huelva, y el Tribunal Administrativo de Recursos Contractuales de la Diputación de Málaga. Estos Tribunales han asumido mediante convenio la resolución de los recursos especiales de algunas localidades de su territorio. Aún así se han creado también órganos de recursos contractuales a nivel municipal, como ejemplo, y sin ánimo de ser exhaustivos, cabe citar al Tribunal Administrativo de Contratos Públicos de Granada, Tribunal de Recursos Contractuales del Ayuntamiento de Sevilla, Tribunal Administrativo de Recursos Contractuales del Ayuntamiento de Málaga, y Tribunal Administrativo de Recursos Contractuales de Huelva.

corresponder a los órganos especializados en esta materia que puedan crear las Diputaciones Provinciales[22].

En el ámbito de la Comunidad Autónoma de Canarias las corporaciones locales y las universidades públicas, podrán optar por atribuir las competencias al tribunal autonómico o crear sus propios órganos[23].

Desde la doctrina se ha manifestado reiteradamente que no es conveniente una proliferación excesiva de órganos encargados de la resolución del recurso, más allá del nivel estatal y autonómico[24]. El PLCSP mantenía sin embargo la opción del TRLCSP, lo que fue objeto de numerosas críticas[25] que no solo no tuvieron un reflejo significativo en las enmiendas presentadas[26], sino que durante la tramitación parlamentaria en el Congreso se introdujeron un nuevo párrafo final en el apartado cuarto del artículo 46, y un nuevo apartado quinto del mismo, que supondrán de aprobarse

---

22. No obstante, el artículo 10 del citado Decreto 332/2011, se modificó en virtud del Decreto 120/2014, de 1 de agosto, de tal forma que, en caso de que las entidades locales y los poderes adjudicadores vinculados a las mismas, no hayan creado un órgano propio, ni encomendado su resolución a un órgano especializado creado a nivel provincial, el Tribunal autonómico será directamente competente para resolver los recursos, reclamaciones y cuestiones de nulidad respecto a los actos de dichas entidades, así como de sus poderes adjudicadores sin necesidad de suscribir un convenio.

23. Ha creado su propio Tribunal el Cabildo de Gran Canaria, mientras que los Cabildos de Tenerife, El Hierro, y La Gomera han conveniado con el Tribunal Administrativo de Contratos Públicos de la Comunidad Autónoma de Canarias.

24. En la Memoria del «I encuentro de coordinación entre los órganos de recurso especial en materia de contratación pública» que tuvo lugar en diciembre de 2012, ya se advertía de que una excesiva proliferación de estos órganos puede condicionar la imparcialidad y eficacia características del recurso, y proponían que en una nueva regulación legal se incorporara la ordenación de la planta de los órganos encargados de los recursos contractuales, de manera limitativa. Transparencia Internacional España en su documento «Propuestas electorales a los partidos políticos sobre Transparencia y prevención de la corrupción» incluye entre las medidas orientadas a mejorar los mecanismos de control, como estrategia para prevenir la corrupción: *«Diseñar una planta "cerrada" de tribunales administrativos (no puede extenderse a entidades locales) que haga que se cumpla su nota de independencia y pueda cumplir su finalidad control rápido (la experiencia práctica, hasta la fecha, avala este propuesta)».*

25. El Observatorio de Contratación Pública en su «Propuesta de modificaciones y mejora al Proyecto de Ley de Contratos del Sector Público», señala que debe diseñarse una planta de órganos de recursos contractuales cerrada, para evitar las actuales asimetrías (poco compatibles con el principio de seguridad jurídica). La extensión al ámbito local debe ser eliminada porque genera una indebida distorsión que cuestiona la esencia del modelo.

26. Solo la enmienda n° 496 del Grupo Parlamentario Socialista propone que en el ámbito de las Corporaciones Locales, la competencia para resolver los recursos sea asumida por el órgano que tenga encomendado el control de los recursos especiales autonómicos.

con esa redacción como resulta previsible, un problema en cuanto parecen cercenar las competencias de las Comunidades Autónomas, además de distorsionar totalmente la planta de estos órganos lo que quizás impida cumplir con los requisitos que exige la jurisprudencia europea.

En cuanto al diseño de los órganos existentes, debemos señalar que se impone la configuración de forma colegiada, solo el Órgano Administrativo de Recursos Contractuales de la Comunidad Autónoma de Euskadi y el Tribunal Administrativo de Contratos Públicos de la Comunidad Autónoma de Canarias mantienen su carácter unipersonal[27].

En dos casos se ha optado por integrar los órganos de recurso especial en otros órganos, así ocurre con el Tribunal Administrativo de Recursos Contractuales de Castilla y León y con el Tribunal Administrativo de Recursos Contractuales de Extremadura que se integran en los respectivos Consejo Consultivos. Sobre este modelo la doctrina señala que deberán configurarse con una sección propia, a fin de evitar la confusión de funciones entre lo consultivo y lo resolutivo[28].

Se impone el modelo de régimen de dedicación exclusiva en los miembros de los órganos de recurso especial. Solo dos órganos, el Tribunal Administrativo de Contratos Públicos de Aragón y el Tribunal Administrativo de Contratos Públicos de Navarra, mantienen el régimen de dedicación compartida de sus miembros.

Respecto de la forma de nombramiento de los miembros de los tribunales administrativos, hay que resaltar que se va generalizando la exigencia de convocatoria pública previa (TACRC, Tribunal Administrativo de Contratación Pública de la Comunidad de Madrid, Tribunal Administrativo de Recursos Contractuales de la Junta de Andalucía, Tribunal Catalán de Contratos del Sector Público) y aunque el sistema de designación es con carácter general la libre designación, en el caso del Tribunal Administrativo de Contratación Pública de la Comunidad de Madrid la provisión se realizará por concurso de méritos objetivo.

Como novedades organizativas durante 2016, debemos reseñar que el Tribunal Administrativo de Contratación Pública de la Comunidad de Madrid, ha visto modificados determinados aspectos de su funcionamiento, mediante la Ley 5/2016, de 22 de julio, por la que se modifica

---

27. El Tribunal tiene carácter unipersonal, aunque podrá transformarse en colegiado si el volumen de asuntos así lo requiere

28. Así se recoge en la «Propuesta de modificaciones y mejora al Proyecto de Ley de Contratos del Sector Público» presentada por el Observatorio de Contratación Pública.

la regulación del Tribunal Administrativo de Contratación Pública de la Comunidad de Madrid. El Tribunal, había asumido por mandato de la Ley 7/2015, de 28 de diciembre, de supresión del Consejo Consultivo, la resolución de las reclamaciones contra la denegación, expresa o presunta, de acceso a la información pública y la iniciación, instrucción y propuesta de resolución de los expedientes sancionadores de los Altos Cargos de la Comunidad de Madrid. La Ley 5/2016, establece en su disposición transitoria segunda que hasta tanto se cree un órgano autonómico propio y entre en funcionamiento, la resolución de las reclamaciones de acceso a la información pública previstas en el artículo 24 de la Ley 19/2013, de 9 de diciembre, contra actos de la Comunidad de Madrid, entidades locales de su ámbito territorial y organismos y entidades dependientes de los anteriores, corresponden al Consejo de Transparencia y Buen Gobierno de la Administración General del Estado, con quien se suscribirá el correspondiente convenio, lo que se produjo el 14 de noviembre de 2016, fecha a partir de la cual se transfirieron los expedientes pendientes de resolución ante ese Tribunal.

Además la Ley 5/2016 prevé que el Tribunal deberá estar formado por el Presidente y cuatro vocales, e incorpora un cambio en el sistema de nombramiento de sus miembros, que serán designados entre funcionarios de carrera por concurso de méritos objetivo en convocatoria pública[29].

El Tribunal Administrativo de Contratación Pública de la Comunidad de Madrid, mantiene la tasa creada por el artículo 2 de la Ley 9/2010, de 23 de diciembre, de Medidas Fiscales, Administrativas y Racionalización del Sector Público y regulada en la Orden de 21 de marzo de 2011 (BOCM de 26 de abril), aunque la misma ha resultado modificada por la Ley 5/2016, de 22 de julio, suprimiéndola para las Universidades Públicas del ámbito territorial de la Comunidad de Madrid y sus organismos vinculados o dependientes y para los municipios de población inferior a 50.000 habitantes, cambiando su denominación por la de compensación, posiblemente para dejar claro que no es una tasa que se imponga a los licitadores sino que los sujetos pasivos son las entidades frente a las cuales se recurre.

A fecha de 31 de diciembre de 2016, la actuación del Tribunal devengó 102.926,97 euros en concepto de compensación.

---

29. Los dos vocales añadidos deberán ser elegidos por el sistema de concurso de méritos debiendo estar cubiertos el 1 de enero de 2017, previsión que por el momento no ha sido cumplida.

El Tribunal Catalán de Recursos del sector público sí que aplica una tasa por la interposición del recurso, la solicitud de medidas provisionales y la interposición de la cuestión d de nulidad. La misma está regulada por el artículo 7 ter del Decreto legislativo 3/2008, de 25 de junio, por el que se aprueba el Texto refundido de la Ley de tasas y precios públicos de la Generalidad de Cataluña.

2. ACTIVIDAD DE LOS ÓRGANOS DE RECURSO ESPECIAL DURANTE 2016

Debemos comenzar poniendo de manifiesto la valoración positiva que obtiene la actividad de estos órganos desde diversos ámbitos.

Con carácter general la Comisión Europea en el Informe al Parlamento y al Consejo sobre la eficacia de la Directiva 89/665/CEE y la Directiva 92/13/CEE, modificadas por la Directiva 2007/66/CE, en cuanto a los procedimientos de recurso en el ámbito de la contratación pública presentado por la Comisión el 24 de enero de 2017, destaca que:

> «Algunos sistemas nacionales exigen que sean los órganos administrativos de recurso y no los órganos jurisdiccionales ordinarios los encargados de la protección jurídica en primera instancia en relación con los procedimientos de contratación pública. Como tendencia general, estos tienden a ser más eficaces.
>
> Lo confirmaron una gran mayoría de encuestados en la consulta pública (74,7 %) al considerar que los procedimientos ante los órganos jurisdiccionales ordinarios llevan, por lo general, más tiempo y dan lugar a criterios de adjudicación menos estrictos que los procedimientos ante órganos administrativos de recurso especializados».

Y ya de forma concreta, el Informe de Justicia Administrativa elaborado por el Centro de Investigación sobre Justicia Administrativa de la Universidad Autónoma de Madrid (CIJA-UAM)-2016, que realiza un Análisis de la litigiosidad administrativa y contencioso administrativa en materia de contratación pública, destaca que el éxito de los nuevos órganos de recursos contractuales se ha consolidado en 2015 en el que algunos de ellos cumplieron su quinto año de funcionamiento. La celeridad en la resolución de los recursos, la garantía de suspensión automática cuando se impugna el acto de adjudicación, así como la independencia probada de los miembros que componen estos órganos, ha conducido al arraigo en nuestro país de un nuevo modelo de justicia administrativa, que parece extenderse en otros sectores de la actividad administrativa.

A continuación se recogen las magnitudes más relevantes de la actuación de los órganos de recurso especial que han publicado en sus respectivas páginas web institucionales las memorias de actividad correspondientes a 2016 en la fecha de cierre de este trabajo, que son los menos. Además sigue existiendo el inconveniente de la falta de uniformidad en los datos que los tribunales administrativos ponen a disposición, lo que dificulta realizar comparaciones y estudios agregados. Para un estudio más detallado nos remitimos al Informe sobre la Justicia Administrativa 2017 antes citado, analiza el volumen de actividad de los Tribunales, la actividad impugnada, el sentido de la resolución, etc.

2.1. Tribunal Administrativo Central de Recursos Contractuales

Durante el año 2016, el Tribunal Administrativo Central de Recursos Contractuales (TACRC) dictó 1 100 resoluciones (lo que supone una disminución del 6,9 % respecto de 2015), correspondientes a 1 244 recursos (un 5,8 % menos que en 2015).

Cabe resaltar que de los 1 244 recursos presentados, 363 correspondían a la Administración General del Estado y sector público estatal, y 795 se referían a actos de las Comunidades Autónomas. El grueso de esas resoluciones corresponde a recursos especiales en materia de contratación pública del art. 40 TRLCSP, aunque pueden encontrarse 76 reclamaciones de las previstas en los arts. 101 y siguientes de la Ley 31/2007, sobre procedimientos de contratación en los sectores del agua, la energía, los transportes y los servicios postales.

La mayor parte de las Resoluciones del TACRC acuerdan la inadmisión de los recursos (362) o su desestimación (505). En veintinueve ocasiones el Tribunal acuerda tener al recurrente por desistido. Las restantes Resoluciones son estimatorias, total (204) o parcialmente (106), de las pretensiones de los recurrentes.

En 2016, el plazo medio de resolución de los recursos, desde su presentación en el TACRC o en el órgano de contratación hasta que se aprobó la resolución correspondiente, fue de 43 días naturales frente a los 39 días de media de 2015.

2.2. Tribunal de Contratación Pública de la Comunidad de Madrid

El Tribunal Administrativo de Contratos Públicos de la Comunidad de Madrid emitió 283 resoluciones que responden a 303 recursos presentados, lo que supone un notable aumento de recursos respecto del año anterior (33%). De esas resoluciones, 283 se refieren a recursos especiales en materia de contratación pública, y 14 a reclamaciones interpuestas en el ámbito de la Ley 31/2007.

En cuanto al resultado de las resoluciones, de ellas 79 estiman totalmente el recurso y 19 lo hacen parcialmente; 111 desestiman; 69 inadmiten, por diversos motivos, los recursos presentados; y 5 son resoluciones que concluyen por desistimiento del recurso, archivando el expediente, etc.

El plazo medio que el Tribunal empleó para la tramitación completa de los recursos, cuestiones de nulidad y reclamaciones que se han sustanciado ante el mismo, es de 19 días naturales.

2.3. Tribunal Administrativo de Recursos Contractuales de la Junta de Andalucía

Según los datos de su Memoria, el Tribunal recibió 322 recursos, un 8,78% más que en el año anterior, y emitió 342 resoluciones. De estas resoluciones, 57 estiman totalmente el recurso y 26 lo hacen parcialmente; 164 lo desestiman; 88 inadmiten, por diversos motivos, los recursos presentados; y 7 se refieren a supuestos de desistimiento y otras circunstancias.

El plazo medio de resolución se estima en 23 días.

2.4. Tribunal Administrativo de Recursos Contractuales de Castilla y León

Según consta en la Memoria 2016 del Tribunal Administrativo de Recursos Contractuales de Castilla y León, fueron 92 los recursos presentados y resueltos. De esas resoluciones, 12 estiman totalmente el recurso y 7 lo hacen parcialmente; 24 inadmiten las reclamaciones; y 41 concluyen desestimando el recurso.

El plazo medio de resolución está en 32 días hábiles.

2.5. Tribunal Catalán de Contratos del Sector Público

Según consta en la Memoria 2016 del Tribunal Catalán de Contratos del Sector Público, el Tribunal emitió 199 resoluciones, un número prácticamente igual al año 2015. De esas resoluciones, 21 estiman totalmente el recurso y 29 lo hacen parcialmente; 69 inadmiten las reclamaciones; y 76 concluyen desestimando el recurso.

2.6. Tribunal Administrativo de Contratos Públicos de Aragón

La Memoria del Tribunal indica que recibió en 2016, 127 recursos y que 127 fueron los acuerdos adoptados. Es interesante señalar que mediante Ley 3/2012, de 8 de marzo, de Medidas Fiscales y Administrativas de la Comunidad Autónoma de Aragón, que dio nueva redacción al artículo 17 de la Ley 3/2011, relativo a la competencia del Tribunal Administrativo de Contratos Públicos de Aragón se amplió el ámbito de este recurso especial a los contratos de obras de valor estimado superior a 1.000.000 de euros y de suministros y servicios superior a los 100.000 euros. La Memoria analiza el impacto de esta medida considerando que el incremento en el número de recursos presentados es del 21,37 %.

3. PRINCIPIOS DE TRANSPARENCIA Y COORDINACIÓN

Hay dos principios que se reflejan en la actuación general de los órganos de recursos contractuales que resulta necesario resaltar: la transparencia y la coordinación.

La mayoría de los tribunales de contratos disponen de una página web en la que además de dar información sobre el órgano y los tramites procedimentales ante el mismo, publican sus resoluciones. En el momento de elaborar este trabajo lo hacen el TACRC, el Tribunal Administrativo de Contratos Públicos de Aragón, el Tribunal de Contratación Pública de la Comunidad de Madrid, el Tribunal Administrativo de Contratos Públicos de Navarra, el Órgano Administrativo de Recursos Contractuales del País Vasco, el Tribunal Administrativo de Recursos Contractuales de Castilla-León, el Tribunal Administrativo de Recursos Contractuales de Andalucía, y el Tribunal Administrativo de Contratación Pública de la Comunidad Autónoma de Canarias. El Tribunal Administrativo de Recursos Contractuales de Extremadura tiene página web pero aún en construcción. También el Tribunal Catalán de Contratos del Sector Público publica sus resoluciones aunque sólo en catalán, lo que obviamente dificulta la transparencia y el conveniente seguimiento de su doctrina.

Todos ellos van mejorando sus páginas incorporando nuevas funcionalidades. Durante 2016, el Tribunal de Contratación Pública de la Comunidad de Madrid ha creado una nueva página web (http://www.madrid.org/es/tacp) a la que ha incorporado un buscador que permite encontrar las resoluciones que forman la doctrina del Tribunal, con los parámetros de transparencia y seguridad jurídica, cuya puesta en funcionamiento se ha producido en los primeros días del año 2017.

También son de resaltar las actuaciones que buscan la divulgación de la doctrina elaborada por los órganos de recurso. Casi todos recopilan su doctrina en la web y participan activamente en actividades formativas organizadas en colaboración con otras Administraciones públicas. El Tribunal Administrativo de Recursos Contractuales de Andalucía ha elaborado y publicado en colaboración con el Instituto Andaluz de Administración Pública un Manual Práctico sobre el recurso especial en materia de contratación con el fin de servir de herramienta que contribuya a la formación del personal que intervenga en los procedimientos de contratación.

En cuanto a la coordinación de los órganos de recurso especial en materia de contratación pública, en 2016 han continuado las habituales reuniones de coordinación, además hay que resaltar que es habitual entre ellos la cita de la doctrina de otros órganos y la asunción de criterios adoptados. En concreto, han tenido lugar dos reuniones de coordinación, la primera el 1 de marzo de 2016 con el fin de cerrar el documento elaborado por todos los Tribunales donde se analizan los efectos jurídicos de las nuevas Directivas de contratación pública ante el vencimiento del plazo de transposición y las consecuencias jurídicas a partir de ese momento, 18 de abril de 2016. En este contexto, este trabajo únicamente pretende servir como documento de análisis y reflexión para facilitar la interpretación de la normativa aplicable a partir del 18 de abril de 2016, que deberá realizar cada uno de los Tribunales administrativos de recursos contractuales en el ejercicio de sus funciones.

La segunda reunión de coordinación tuvo lugar con motivo de las Jornadas celebradas en Sevilla sobre «*El nuevo marco normativo de la contratación pública*», el 24 de noviembre de 2016. Dicha reunión era la V Reunión de coordinación de los Tribunales de Recursos Contractuales y a la misma asistieron los representantes de la totalidad de los Tribunales actualmente constituidos En dicha reunión se abordaron diversos temas, entre ellos, cómo y cuándo atender a las solicitudes de vista del expediente que se dirijan al Tribunal, el tema de la confidencialidad de las ofertas, así como distintas cuestiones surgidas como consecuencia del efecto directo de las nuevas Directivas de contratación como el desplazamiento de la categoría de contratos de gestión de servicios públicos por la de concesiones y reglas para el cálculo del valor estimado de acuerdo con el artículo 8 de la Directiva 2014/23 del contrato de concesión, criterios sociales como criterios de adjudicación, justificación de la solvencia mediante el Documento Europeo Único de Contratación (DEUC) y se acordó crear un sistema uniforme de control estadístico entre los distintos tribunales.

II. LA DOCTRINA DE LOS ÓRGANOS DE RECURSO. ASPECTOS PROCESALES O DE FORMA DEL RECURSO

A continuación examinaremos los pronunciamientos más importantes dictados por los órganos que conocen de los recursos contractuales respecto de los aspectos procesales del recurso. Dos circunstancias han tenido especial relevancia en la doctrina dictada, la plena eficacia del RPERMC que entró en vigor el 25 de octubre de 2015, y la finalización el 18 de abril de 2016 del plazo para la transposición de las Directivas de 2014, que en virtud del efecto directo que se reconoce a algunos de sus preceptos, ha tenido un impacto importante sobre el ámbito objetivo del recurso especial.

El documento sobre la aplicación de la Directivas europeas de contratación pública elaborado por los tribunales administrativos de contratación pública considera de aplicación directa las disposiciones de la Directiva 2014/23/UE en materia de recursos, desplazando lo establecido en el artículo 40 TRLCSP. La razón es que cumplen las condiciones para dicha aplicación directa, pues contienen un mandato claro, preciso e incondicionado y no se deja margen a los Estados miembros para que puedan o no incorporar su contenido en este aspecto a su legislación.

Tal como se indica en el documento, la nueva regulación europea sobre contratación pública ha obligado a la adaptación de la normativa procesal contenida en la Directiva 89/665/CEE, de 21 de diciembre de 1989, relativa a la coordinación de las disposiciones legales, reglamentarias y administrativas referentes a la aplicación de los procedimientos de recurso en materia de adjudicación de los contratos públicos.

Los artículos 46 y 47 de la Directiva 2014/23/UE, modifican el ámbito de aplicación de la Directiva de recursos para incluir las concesiones de obras y servicios y también para garantizar que las decisiones adoptadas por los poderes adjudicadores puedan ser recurridas de manera eficaz y, en particular, lo más rápidamente posible, cuando dichas decisiones hayan infringido el derecho de la Unión en materia de Contratación pública o las normas nacionales de incorporación de dicha normativa. La primera de las novedades en este sentido es que de acuerdo con el artículo 46 de la Directiva 2014/23, de concesiones, la Directiva de recursos se aplica también a las concesiones de servicios, unificándolas en su condición de contratos sujetos a regulación armonizada en aras a la seguridad jurídica como explica el considerando 18 de la primera. De esta forma serán susceptibles de recurso especial en cuanto estén sujetas a regulación armonizada las concesiones de servicios.

Además el elenco de actos susceptibles de recurso se ve ampliado en consonancia con el nuevo objeto de la Directiva 2014/24/UE que regula aspectos relativos a la ejecución contractual[30].

Los órganos de recurso especial han analizado cómo ha afectado el efecto directo de la Directivas de 2014 a la aplicación del recurso especial a los contratos de servicios, a las concesiones de servicios y a los contratos administrativos especiales, sin que en todo caso exista unanimidad de criterios. Por otra parte, no ha habido ocasión en 2016 de que los órganos de recurso especial se pronunciaran sobre el impacto del efecto directo de la Directivas sobre los actos de la fase de ejecución.

Sobre los actos recurribles, las resoluciones más importantes se han ocupado de las posibilidades de poner de manifiesto un vicio de los pliegos en el momento de la adjudicación, y de si puede ser objeto de recurso especial la compensación de gastos a los licitadores como consecuencia del desistimiento del procedimiento o de la renuncia al contrato.

La entrada en vigor del RPERMC incorporando, en muchos casos, criterios formulados por los órganos de recurso especial, fundamentalmente respecto de la legitimación y los plazos y anuncio de interposición, ha supuesto que en estas materias haya habido menos novedades, pero los tribunales administrativos han tenido que pronunciarse sobre el acceso al expediente que regula específicamente el RPERMC.

1. CONTRATOS SUSCEPTIBLES DE RECURSO

1.1. Contratos de servicios

De acuerdo con el artículo 46 de la Directiva 2014/23/UE resulta admisible el recurso especial frente a todo contrato de servicios salvo que esté expresamente excluido de la Directiva 2014/24/UE, pues se ha suprimido la clasificación en servicios A y B de la Directiva 2004/18/CE. Pero el artículo 4 de la Directiva 2014/24/UE establece un umbral especial, 750 000 €, para considerar sujetos a regulación armonizada a los servicios especiales incluidos en el Anexo XIV de la misma.

Este precepto no afecta sin embargo a la aplicación del apartado b) del artículo 40 TRLCSP. Como indica la Resolución 107/2016 del Tribunal

---

30. El PLCSP en consonancia con la Directiva 2014/24/UE amplía el ámbito objetivo del recurso especial al prever su artículo 44. 2.d) *las modificaciones basadas en el incumplimiento de lo establecido en los artículos 202 y 203 de la presente Ley, por entender que la modificación debió ser objeto de una nueva adjudicación*, y e) *la formalización de encargos a medios propios en los casos en que estos no cumplan los requisitos legales*.

Administrativo de Contratación Pública de la Comunidad de Madrid[31]:
«De lo expuesto puede concluirse que respecto de los contratos de servicios clasificados en la categoría 24 del Anexo II del TRLCSP los Estados miembros solo tienen la obligación de garantizar la existencia de un recurso rápido y efectivo como es el recurso especial en materia de contratación cuando superen el umbral de 750.000 euros. Sin embargo, el legislador nacional que no ha procedido a la transposición de la Directiva ha admitido la posibilidad de que sean susceptibles de recurso a partir del umbral de 209.000 euros, ampliando la posibilidad de recurso establecida en la Directiva. Se trata de una opción beneficiosa para la recurrente y en cuanto no se opone a la normativa comunitaria, no es posible aplicar efecto directo alguno de las directivas, procediendo en consecuencia aplicar lo dispuesto en el artículo 40.1.b) del TRLCSP y admitir la posibilidad de recurso especial».

1.2. Contratos de gestión de servicios públicos versus concesión de servicios

Una de las cuestiones que los tribunales de contratos han tenido que resolver es cómo opera el apartado c) del artículo 40.1 TRLCSP que somete a recurso especial a los contratos de gestión de servicios públicos en los que el presupuesto de gastos de primer establecimiento, excluido el importe del Impuesto sobre el Valor Añadido, sea superior a 500 000 euros y el plazo de duración superior a cinco años, una vez que se reconoce efecto directo al artículo 46 de la Directiva 2014/23/UE, en relación a las concesiones de servicios.

El TACRC en la Resolución 569/2016 indica que se ha ampliado el ámbito de aplicación del recurso administrativo especial en materia de contratación en lo que se refiere a los contratos de gestión de servicios públicos que puedan calificarse como concesión de servicios, y que en el supuesto analizado *«la inadmisión del recurso no puede proceder del contenido de la redacción del artículo 40.c) en lo que se refiere al plazo de duración del contrato, pues la Directiva 2014/23 no considera más que el valor económico de la concesión para la sujeción de estos contratos a su regulación».*

Sin embargo, el artículo 40 c) no queda totalmente desplazado, sino que continua siendo aplicable, pues como señala el Tribunal Administrativo de Contratación Pública de la Comunidad de Madrid en su Resolución

---

31. Es el criterio seguido por otros tribunales administrativos, así por ejemplo el TACRC en la Resolución 926/2016, pero no es un criterio unánime, así el Tribunal Catalán de Contratos Públicos en la Resolución 171/2016 inadmite el recurso frente a un contrato de servicios del Anexo XIV de valor estimado inferior a 750.000 €.

214/2016, al analizar si resulta admisible el recurso especial en una concesión de servicios de valor estimado inferior a 5 225 000 euros:

> «*No obstante, a fin de evitar que la aplicación directa de la Directiva produzca un efecto directo vertical descendente, no permitido en virtud de la Sentencia Portgás, con el objeto de "evitar que el Estado pueda sacar partido de su incumplimiento del Derecho de la Unión" y un perjuicio a los particulares estableciendo condiciones más estrictas para la interposición del recurso, que las que existían en la legislación nacional, procede analizar si de acuerdo con lo establecido en el artículo 40.1.c) del TRLCSP, el Tribunal sería competente para conocer del presente recurso.*
>
> *El mencionado apartado, determina que serán susceptibles de recurso especial en materia de contratación, los contratos de gestión de servicio público en los que el presupuesto de gastos de primer establecimiento, excluido el Impuesto sobre el Valor Añadido, sea superior a 500.000 euros y el plazo de duración sea superior a cinco años*».

Este criterio no es admitido de forma unánime: el TACRC[32] En algunas Resoluciones considera que el artículo 40 c) TRLCSP ha quedado desplazado por las nuevas Directivas, por ejemplo en la Resolución 569/2016, pero en otras como la Resoluciones 317/2017 y 433/2017 revisa la procedencia del recurso especial según la Directiva y según el TRLCSP. no ha mantenido una postura definida, el Tribunal Administrativo de Recursos Contractuales de la Junta de Andalucía no lo acoge en su Manual práctico, y el Tribunal Administrativo de Recursos Contractuales de Castilla y León lo rechaza expresamente en la Resolución 40/2016.

1.3. Contratos administrativos especiales

Algunos tribunales como el Tribunal Administrativo de Contratos Públicos de Aragón[33] y el Órgano Administrativo de Recursos Contractuales de la Comunidad Autónoma de Euskadi[34], aplican la doctrina del efecto directo de las Directivas de 2014 para dilucidar si procede el recurso especial contra los contratos administrativos especiales[35].

---

32. En algunas Resoluciones considera que el artículo 40 c) TRLCSP ha quedado desplazado por las nuevas Directivas, por ejemplo en la Resolución 569/2016, pero en otras como la Resoluciones 317/2017 y 433/2017 revisa la procedencia del recurso especial según la Directiva y según el TRLCSP.
33. Acuerdos 59/2013 y 13/2014.
34. Resolución 059/2015.
35. Hay que hacer constar que el PLCSP (artículo 44) incluye expresamente dentro del ámbito del recurso especial a los contratos administrativos especiales «*cuando, por sus características no sea posible fijar su precio de licitación o, en otro caso, cuando*

1.4. Contratos menores que responden a un indebido fraccionamiento del objeto del contrato

En la Resolución 571/2016, el TACRC se plantea un supuesto muy interesante: si el recurso, en un supuesto en que el órgano de contratación licita varios contratos menores –se trata de un supuesto en que tras la anulación de un expediente de contratación por el propio Tribunal se tramitan contratos menores para ejecutar las distintas prestaciones– se formula frente a un acto recurrible. Para el órgano de contratación cada uno de los procedimientos de contratación iniciados tras la anulación del expediente inicial no sería susceptible de recurso debido a que su cuantía no alcanzaría el umbral establecido en el artículo 40.1 c) TRLCSP, en concreto, los 209 000 euros.

El recurrente, sin embargo, considera que se ha producido un fraccionamiento indebido del contrato y que si se suman los valores estimados de todos los contratos celebrados, entonces sí estaríamos ante un acto susceptible de recurso.

Para el TACRC la cuestión fundamental a resolver es si se ha producido efectivamente ese indebido fraccionamiento del objeto del contrato, con vulneración de lo dispuesto en el apartado 2 del artículo 86 TRLCSP, o si, por el contrario, la actuación del órgano de contratación fue legítima y amparada en el amplio margen de discrecionalidad que asiste a la Administración a la hora de definir sus propias necesidades y la forma de satisfacerlas.

Con base en la Sentencia del TJUE de 5 de octubre de 2000, Asunto C-16/1998, entiende: «*En definitiva, la cuestión principal, de conformidad con la citada jurisprudencia comunitaria, no se encuentra tanto en la existencia de una intención elusiva por parte del poder adjudicador, sino en el carácter único de lo que constituye el objeto del contrato que se pretende licitar. De este modo, si el objeto del contrato era único y se fraccionó en diversos expedientes, aunque no existiera una intención elusiva, habrá fraccionamiento indebido*». Y concluye que será necesario analizar cada una de las prestaciones que han sido objeto de contratación separada y ver si la suma de la cuantía de todos los contratos que podrían considerarse de análoga naturaleza y respecto de los cuales cabría plantearse la existencia de una unidad funcional y técnica en el sentido de la jurisprudencia europea, alcanza los 209 000 euros establecidos en el artículo 40.1 c) TRLCSP, en ese caso resultará admisible el recurso especial.

éste, atendida su duración total más las prórrogas, sea igual o superior a lo establecido para la regulación armonizada en los contratos de servicios».

1.5. Contrato derivado de un acuerdo marco

El TACRC en la Resolución 454/2016 califica como recurso especial el recurso contra la adjudicación de un contrato derivado de un acuerdo marco, aunque el mismo ya ha sido formalizado[36]. A su entender:

> *«Existe, en realidad, un conflicto en el TRLCSP entre la facultad de órgano de contratación de no esperar el plazo de 15 días para formalizar el recurso en el caso de contratos basados en un acuerdo marco y el derecho de los interesados a formular el recurso especial en materia de contratación contra el contrato basado, precisamente, en el plazo de 15 días. La solución a este conflicto no puede quedar exclusivamente en el ámbito de la decisión administrativa de formalización del contrato, que vaciaría de contenido el derecho a formular recurso especial por los interesados difiriéndoles siempre al planteamiento de cuestión de nulidad, con alcance más limitado. Así ocurre en el presente caso en el que se adjudica y formaliza el contrato el mismo día y se comunica a los licitadores al siguiente día, todo ello sin mayor motivación, puesto que ésta se contiene en los informes y propuesta de adjudicación. De modo que, cuando el interesado accede a la información que le permitiría formular el recurso especial con fundamento, se encuentra con que no podría hacerlo por la formalización del contrato. Por ello se califica el escrito como de recurso especial».*

2. ACTOS SUSCEPTIBLES DE RECURSO

2.1. Actos de trámite recurribles

Los órganos de recurso especial en materia de contratación pública consideran que no son susceptibles de este recurso los actos previos a la aprobación de los pliegos, como el informe de necesidad e idoneidad del

---

36. El PLCSP mantiene que los contratos derivados de un acuerdo marco se perfeccionen con la adjudicación, y no con la formalización como es la regla general (artículo 36.3), pero suprime la cuestión de nulidad, si bien sus causas podrán hacerse valer a través del recurso especial en materia de contratación. El recurso no tendrá efectos suspensivos automáticos si el acto recurrido es la adjudicación de un contrato basado en un acuerdo marco o de un contrato específico en el marco de un sistema dinámico de adquisición (artículo 53). Esta última salvedad encuentra su fundamento según la Exposición de Motivos, «en que en este tipo de contratos un plazo suspensivo obligatorio podría afectar a los aumentos de eficiencia que se pretende obtener con estos procedimientos de licitación, tal y como establece el considerando 9 de la Directiva 2007/66/CE por la que se modifican las Directivas 89/665/CEE y 92/13/CEE en lo que respecta a la mejora de la eficacia en los procedimientos de recurso en materia de adjudicación de contratos públicos».

contrato a que se refiere el artículo 22 del TRLCSP[37], o la orden de inicio del procedimiento[38], salvo que tengan conexión con alguna cláusula de los pliegos, al ser estos impugnables conforme a lo estipulado en el artículo 40.1 a) del TRLCSP[39].

El Tribunal Superior de Justicia de Galicia en su Sentencia de 26 de mayo de 2016 confirma el criterio de la Resolución 500/2014 del TACRC que entiende que no puede ser objeto del recurso especial la competencia para contratar a la vista de la normativa sectorial (transportes) autonómica: «*los actos previos o coetáneos a la tramitación del procedimiento de contratación que en su caso puedan fundamentar, de acuerdo a la legislación sectorial que regula la materia objeto del contrato, la competencia del ente contratante para acordar la licitación son ajenos a lo que, conforme a los artículos 40 y ss. del TRLCSP, constituye el objeto del recurso especial en materia de contratación y, por ende, a la competencia de este Tribunal para resolverlo, pues ambos, competencia del órgano de resolución y procedimiento de impugnación, se limitan conforme al TRLSP y las Directivas comunitarias de las que trae causa, al enjuiciamiento de la validez de los actos y trámites del procedimiento de licitación conforme a las normas que la rigen, sin extenderse a aquellas cuestiones que son extrañas al procedimiento de contratación*».

Ya una vez aprobado el expediente, se consideran actos de trámite no cualificados a efectos del artículo 40 TRLCSP: la convocatoria de licitación[40]; la clasificación de las ofertas[41]; el acto por el que se requiere al licitador cuya propuesta ha sido considerada como la económicamente más ventajosa[42]; la resolución de consultas planteadas por los licitadores sobre los pliegos[43]; el informe de valoración técnica de las ofertas[44]; las

---

37. Resolución del Tribunal Administrativo de Contratación Pública de la Comunidad de Madrid 105/2016.
38. Resolución del TACRC 687/2015.
39. Doctrina mantenida por el Órgano Administrativo de Recursos Contractuales de la Comunidad Autónoma Euskadi en sus Resoluciones 167/2013, 168/2013 y 169/2013.
40. Resolución del TACRC 990/2015.
41. Resolución del TACRC 275/2014.
42. Resolución del TACRC 626/2013.
43. Resolución del TACRC 89/2016 y Resolución del Órgano Administrativo de Recursos Contractuales de la Comunidad Autónoma Euskadi 130/2016. Sin embargo, la resolución TACRC 54/2017 admite el recurso respecto de la resolución de una consulta porque en realidad lo que se cuestiona es el PPT pues tal y como se indica en la contestación a la consulta, ésta se resuelve conforme a la literalidad del pliego.
44. Resolución del TACRC 773/2015.

actas de la Mesa sobre valoración[45] o de apertura de ofertas[46]; los actos de la Mesa requiriendo la subsanación de defectos en la documentación[47] o solicitando aclaraciones[48]; la aceptación de la oferta inicialmente inclusa en presunción de baja anormal o desproporcionada[49]; y la propuesta de adjudicación[50].

Supuesto curioso es el que analiza la Resolución 80/2016 del Tribunal Administrativo de Recursos Contractuales de la Junta de Andalucía que considera acto de trámite no susceptible de recurso especial el acto por el que se deja sin efecto la adjudicación a fin de corregir el error material advertido.

También se vienen considerando como actos de trámite no cualificados los actos de admisión de licitadores y de ofertas[51]. Sin embargo el TJUE en la Sentencia de 5 de abril de 2017, (Asunto C-391/15) considera que «*la decisión de admitir a un licitador a un procedimiento de adjudicación, como es la decisión controvertida en el litigio principal, el hecho de que la normativa nacional en cuestión en el procedimiento principal obligue en todos los casos al licitador a esperar a que recaiga el acuerdo de adjudicación del contrato de que se trate antes de poder interponer un recurso contra la admisión de otro licitador infringe las disposiciones de la Directiva 89/665*»[52].

---

45. Acuerdo del Tribunal Administrativo de Contratos Públicos de Aragón 50/2014.
46. Resoluciones del Tribunal Administrativo de Recursos Contractuales de la Junta de Andalucía 280/2015 y 366/2015
47. Resolución del TACRC 875/2014.
48. Resolución del TACRC 1046/2015.
49. Resolución del Tribunal Administrativo de Recursos Contractuales de la Junta de Andalucía 329/2015, y Resolución del TACRC 598/2016.
50. Resolución del TACRC 506/2016.
51. Resolución del TACRC 125/2014.
52. En el trabajo relativo a la actividad de los órganos de recurso especial en 2015, ya se cuestionaba este criterio, fundamentalmente por lo que se refiere a en aquellos casos en que el recurso a la admisión del licitador se base en que el candidato o licitador cuya admisión se recurre haya participado en la preparación de un procedimiento de licitación o en una consulta al mercado. La participación en la elaboración de las especificaciones técnicas u otra documentación, o en una consulta al mercado no puede dar lugar a una exclusión automática del operador económico en el procedimiento de licitación posterior, pero exige adoptar medidas para que no se falsee la competencia, tal y como disponen los artículos 56 TRLCSP y el 40 de la Directiva 2014/24/UE, al que se reconoce efecto directo. Por ello, otro licitador que entienda que su concurrencia en el procedimiento provoca restricciones a la libre concurrencia o supone un trato privilegiado, debe poder interponer un recurso especial. Vid. M.A., SANMARTÍN MORA «Observatorio de la actividad de los órganos de recursos contractuales en 2015» *en Observatorio de contratos públicos 2016*.

Con carácter general los órganos de recurso especial en los casos de inadmisión por tratarse de un acto de trámite no cualificado, no se pronuncian sobre el fondo[53]. El TACRC ha modificado su postura anterior y en el recurso contra la propuesta de adjudicación (Resolución 667/2016) y el informe de valoración (Resolución 1099/2016), además de declarar que son actos no recurribles no ha entrado a conocer del fondo, cuando antes lo hacía por economía procesal. Sin embargo, el Tribunal de Contratos Públicos de la Comunidad de Madrid en la Resolución 105/2016, inadmite el recurso contra el informe de necesidad pero entra en el fondo.

2.2. El recurso «indirecto» contra los pliegos que rigen la licitación

Los órganos de recurso han adoptado como criterio no entrar a conocer de hipotéticos vicios de los pliegos o de la documentación que rige la adjudicación del contrato, cuando se alegan con posterioridad a la presentación de las proposiciones por los licitadores, salvo que se trate de una causa de nulidad radical. Como señala el TACRC en la Resolución 727/2016, citando la Sentencia AN, Sala de lo Contencioso-Administrativo, de 17 de febrero de 2016: «*el licitador que, teniendo la oportunidad de impugnar los pliegos no lo hizo en tiempo y forma, no puede alegar contra los actos posteriores en la licitación la hipotética ilegalidad de los pliegos...Esto no obstante ser nuestra doctrina general, sin que por ello deje de existir una actitud de mala fe por parte del recurrente, en que hemos admitimos la posibilidad de que en determinados supuestos de nulidad de pleno derecho y por razones de legalidad pueda argumentarse en un recurso especial supuestas irregularidades de los pliegos aun cuando éstos no hayan sido objeto de previa y expresa impugnación si bien que, de acuerdo con la jurisprudencia, la concurrencia de las causas que, de acuerdo con el artículo 62.1 de la LRJPAC determinan como consecuencia la nulidad ex radice del acto debe ser interpretada restrictivamente*».

Sin embargo esta admisibilidad excepcional del recurso contra los pliegos está siendo objeto de revisión. El Tribunal Administrativo de Recursos Contractuales de la Junta de Andalucía en su Resolución 232/2015, entendió que no procede alegar en el recurso a la adjudicación un vicio de nulidad claramente apreciable en el PCAP.

Y los Tribunales de lo Contencioso Administrativo también están cuestionando el criterio. Así, el TSJ de Madrid en la Sentencia 4567/2016

---

53. Acuerdo 50/2014 del Tribunal de Contratos Públicos de Aragón: considera que en estos casos procede inadmitir el recurso especial y, siguiendo la doctrina del TS, no pronunciarse sobre el fondo

de 5 de mayo, que revisa la Resolución del Tribunal Administrativo de Contratación Pública de la Comunidad de Madrid 61/2015, considera que adjudicado un contrato, no cabe pretender la anulación de una cláusula de los pliegos –aunque sea nula de pleno derecho–, no recurrida en su momento, sino que el licitador deberá instar de la Administración la revisión de oficio.

Por su parte el TSJ de Galicia en la Sentencia 8610/2016, de 17 de noviembre, en la que analiza la Resolución 703/2015 del TACRC, concluye que el TACRC debió inadmitir el recurso planteado en base a dos argumentos: entiende que aun existiendo vicio de nulidad de pleno derecho, es contrario a la buena fe participar en la licitación y, cuando no se es designado adjudicatario, impugnar los pliegos; y, además, resulta contrario a la seguridad jurídica, a cuya preservación tiende la firmeza de los actos para quien los consintió[54].

Caso distinto sería que la nulidad del pliego se derivara de que su contenido resulte incomprensible o contradictorio y que el licitador no pudo advertirlo hasta un momento posterior a la vista de la aplicación que hacia el poder adjudicador, así la Resolución 325/2016 del TACRC admite la posibilidad de impugnar la exclusión del licitador con fundamento en la nulidad del pliego de prescripciones técnicas por resultar su contenido incomprensible o contradictorio[55].

2.3. Actos no susceptibles de recurso: la compensación de gastos como consecuencia de la renuncia a la celebración del contrato o del desistimiento del procedimiento

El Tribunal Administrativo de Contratos Públicos de Aragón en el Acuerdo 33/2016 entiende que la compensación de gastos como consecuencia de la renuncia a la celebración del contrato o del desistimiento del procedimiento de contratación no se encuentran en el ámbito objetivo del recurso especial en materia de contratación, puesto que no pueden reconducirse a ninguno de los supuestos del artículo 40 TRLCSP:

«Y no pueden reconducirse, porque la compensación de gastos es una consecuencia de la renuncia a la celebración del contrato o del desistimiento del procedimiento. Es un efecto del acto de finalización del

---

54. En el momento de redactar este trabajo el TACRC ha modificado su criterio en la Resolución 49/2017, en base a las sentencias citadas.
55. Criterio que también siguen la Resolución 232/2015 del Tribunal Administrativo de Recursos Contractuales de la Junta de Andalucía y el Acuerdo 94/2015 del Tribunal Administrativo de Contratos Públicos de Aragón.

procedimiento de licitación, pero no es en puridad, un acto del pro-cedimiento de adjudicación del contrato. De hecho, el artículo 155 TRLCSP lo reconduce a los principios generales que rigen la responsa-bilidad extracontractual de las Administraciones públicas. Tal y como fijó el TJUE en su Sentencia de 17 de diciembre de 1998, Embassy Limousines & Services/Parlamento.

A estos efectos, el acto recurrido –compensación de gastos– es ajeno al fundamento y finalidad del recurso especial, en tanto no hay un vicio procedimental en fase de adjudicación, sino una controversia in-ter partes sobre la compensación de gastos como consecuencia de la renuncia, que tiene sus propios mecanismos de resolución, y a la que se aplica el sistema ordinario de recursos».

2.4. Actos no susceptibles de recurso: la decisión de no prorrogar el contrato

El Tribunal Administrativo de Recursos Contractuales de la Junta de Andalucía en la Resolución 304/2016, considera que no es susceptible de recurso especial la decisión del órgano de contratación de no realizar la prórroga del contrato celebrado pues los actos susceptibles de recurso son: «*(...) actos todos ellos relativos al procedimiento de preparación y adjudicación de los contratos.*

Por tanto, la decisión de no prorrogar un contrato es un acto totalmente ajeno al procedimiento de adjudicación, por consiguiente y aun cuando estamos en presencia de un contrato de servicios sujeto a regulación armonizada, el acto impugnado no es susceptible de recurso especial de conformidad con el artículo 40.2 del TRLCSP».

3. LEGITIMACIÓN PARA RECURRIR

El artículo 42 TRLCSP reconoce legitimación a «*toda persona física o ju-rídica cuyos derechos o intereses legítimos se hayan visto perjudicados o puedan resultar afectados por las decisiones objeto de recurso*»[56]. Una consolidada doc-trina de los órganos que conocen del recurso especial, considera que se trata de un concepto de legitimación amplio, pero no universal. Los tribu-nales han mantenido reiteradamente que en materia de contratación del sector público no existe, como ocurre en otros ámbitos, una acción pública, y que el mero interés por la legalidad no constituye motivo suficiente para

---

56. El artículo 48 PLCSP tiene una redacción similar.

reconocer legitimación[57]. No obstante, sí cabe hablar de un concepto amplio de legitimación, en la medida en que la misma existirá por la mera concurrencia de un interés legítimo, y no necesariamente de un derecho subjetivo.

Algunos supuestos específicos de legitimación que habían sido reconocidos por la doctrina de los tribunales de recursos contractuales han sido recogidos en el artículo 24 RPERMC: legitimación de las asociaciones representativas de intereses relacionados con el objeto del contrato exclusivamente para la defensa de los intereses colectivos de sus asociados; legitimación de cualquiera de las empresas que concurran a una licitación bajo el compromiso de constituir unión temporal de empresas; y legitimación de los miembros de las entidades locales que hubieran votado en contra de los actos y acuerdos impugnados. Sin embargo, durante 2016 han continuado los pronunciamientos doctrinales sobre estos temas.

3.1. Legitimación de un operador económico

3.1.1. Doctrina general

El TACRC resume en la Resolución 840/2016 su doctrina sobre esta materia, basada en la jurisprudencia del TS (Sentencias de 7 de marzo 2001, y 4 de junio 2001):

> *«De acuerdo con esta doctrina, para que pueda apreciarse la existencia de legitimación para la impugnación de resoluciones administrativas en materia contractual, deben concurrir los siguientes requisitos:*
>
> *1. Con carácter general, el interés legítimo viene determinado por la participación en la licitación.*
>
> *2. No obstante, la condición de interesado no es equiparable a la genérica condición de contratista con capacidad para participar en el concurso sino que es preciso que se ejercite tal condición, ya sea participando en el procedimiento o de cualquier otro modo.*
>
> *Por su parte, este Tribunal ha señalado en múltiples resoluciones, a*

---

57. Acción pública que reclama un sector de la doctrina, así es una de las reivindicaciones de la «Propuesta de modificaciones y mejora al Proyecto de Ley de Contratos del Sector Público, por el que se transponen al ordenamiento jurídico español las Directivas del Parlamento Europeo y del Consejo, 2014/23/UE y 2014/24/UE, de 26 de febrero de 2014 (Publicado en el Boletín Oficial de las Cortes Generales, Congreso de los Diputados 2 de diciembre de 2016)» elaborada por miembros del Observatorio de Contratación Pública.

propósito de la impugnación de la adjudicación por un licitador excluido (por todas Resoluciones n.° 237/2011, de 13 de octubre, n.° 22/2012, de 18 de enero, y n.° 107/2012, de 11 de mayo de 2012), que el interés invocado ha de ser un interés cualificado por su ligazón al objeto de la impugnación, no siendo suficiente a los efectos de la legitimación del licitador excluido el interés simple y general de la eventual restauración de la legalidad supuestamente vulnerada y de la satisfacción moral o de otra índole que pueda reportarle al recurrente el que no resulten adjudicatarias algunas otras empresas licitadoras, toda vez que nuestro ordenamiento no reconoce la acción popular en materia de contratación pública.

La anterior doctrina ha sido confirmada por la Sentencia de la Audiencia Nacional de 23 julio de 2014 de la sección 4.ª de la Sala de lo contencioso-administrativo».

Obviamente la anterior doctrina cede cuando el operador no ha podido presentarse a la licitación por que algún requisito de los pliegos se lo impedía[58]. Además se reconocen algunos supuestos excepcionales de legitimación[59].

3.1.2. Legitimación del licitador definitivamente excluido para impugnar la adjudicación

Respecto del licitador definitivamente excluido el TACRC mantiene el criterio de la falta de legitimación para recurrir la adjudicación si no existen posibilidades de que resulte adjudicatario[60]. Ni siquiera reconoce suficiente el interés en la simple expectativa de la incoación de una nueva licitación, al ser pura hipótesis y especulación una eventual adjudicación de ese presunto futuro procedimiento[61].

No es un criterio compartido por otros órganos de recurso especial. El Tribunal Administrativo de Contratos Públicos de Aragón, basándose

---

58. Resolución 924/2016 TACRC y181/2017.
59. La Resolución 78/2015 TACRC admitió la legitimación de una empresa que no podía ser licitadora porque el objeto del contrato no estaba en su esfera de actividad pero que sin embargo pretendía la revisión de la ponderación de alguno de los criterios de adjudicación que le afectaban, en concreto los que se referían a inserciones publicitarias en diarios de su titularidad. En la Resolución 85/2015, el TACRC reconoce legitimación a una empresa en situación concursal en el momento de interponer el recurso contra los pliegos pero que presentó el convenio alcanzado con los acreedores, de fecha posterior.
60. Como más reciente la Resolución 4/2017.
61. Resolución 305/2016 TACRC.

en la dicción del artículo 42 TRLCSP, considera que no puede admitirse la argumentación de ausencia de legitimación porque el licitador excluido no pueda ser adjudicatario[62]. El Tribunal Administrativo de Recursos Contractuales de la Junta de Andalucía en la Resolución 92/2016 ha estimado que tenía legitimación el licitador excluido para impugnar la adjudicación cuando la eventual estimación del recurso determinaría que quedara desierta la licitación y tuviera que convocarse una nueva a la que podría concurrir.

El Órgano Administrativo de Recursos Contractuales de la Comunidad Autónoma de Euskadi también mantiene un criterio de legitimación amplio del licitador excluido que resume en la Resolución 41/2016:

> «De acuerdo con la doctrina de este OARC/KEAO (ver, por ejemplo, su Resolución 20/2015), está legitimado para recurrir la adjudicación el licitador que haya sido previamente excluido del procedimiento cuando de la estimación del recurso se derive la cancelación de la licitación o la declaración de desierto, de modo que sea previsible una nueva licitación a la que puede presentar una oferta; esta posibilidad de volver a licitar es una mejora clara respecto a su situación de excluido, y se constituye en el interés tangible que caracteriza a la legitimación. En el caso analizado, tanto de la estimación de la pretensión de declaración de nulidad de los pliegos como de la de anulación de la adjudicación (y posterior declaración de desierto por no quedar ofertas admisibles) se podría derivar, previsiblemente, una nueva licitación, habida cuenta del carácter esencial y continuado del servicio demandado. Ciertamente, esta doctrina no sería aplicable cuando la exclusión se haya producido por razones basadas en falta de capacidad o solvencia, ya que dichos motivos son, en general, características estructurales de la empresa con tendencia a su permanencia en el tiempo y de imposible o difícil remedio, de tal modo que, muy probablemente, provocarían también la exclusión de la empresa en el nuevo procedimiento y, consecuentemente, la ausencia de un verdadero interés tangible y de legitimación activa para recurrir».

Caso distinto es el supuesto en que el licitador excluido recurre la adjudicación porque entiende que el adjudicatario también tenía que haber sido excluido. En estos casos las Resoluciones 77/2016 del Tribunal de Contratos Públicos de la Comunidad de Madrid y 2/2015 del TACRC han reconocido legitimación por aplicación del principio de igualdad de trato y no discriminación[63].

---

62. Acuerdos del Tribunal de Contratos Públicos de Aragón 104/2015 y 20/2016.
63. Es esta una cuestión sobre la que el TJUE se ha pronunciado en dos sentencias. En la sentencia dictada el 21 de diciembre de 2016 en el Asunto C-355/15, el TJUE

3.2. Alcance de la legitimación de un sindicato

En aplicación de la doctrina amplia sobre la legitimación, los órganos de recurso especial han venido reconociendo legitimación a los interesados que representan intereses colectivos –colegios profesionales, sindicatos, asociaciones de empresarios– cuando el recurso se fundamenta en la defensa de los intereses de las personas que forman su ámbito de actuación. Este criterio ha tenido plasmación normativa en el artículo 24 del RPERMC.

Sobre la legitimación de los sindicatos, es doctrina compartida por los órganos de recurso contractual que el hecho de ser un sindicato no otorga, en modo alguno, una especie de acción pública para impugnar cualquier

---

llegaba a la conclusión que las Directivas de recursos no se oponen a que «... *a un licitador que ha sido excluido de un procedimiento de adjudicación de un contrato público mediante una decisión del poder adjudicador que ha adquirido carácter definitivo se le niegue el acceso a un recurso contra la decisión de adjudicación del contrato público en cuestión y contra la celebración de dicho contrato, cuando el licitador excluido y el adjudicatario del contrato son los únicos que han presentado ofertas y aquel licitador sostiene que la oferta del adjudicatario también debería haber sido rechazada*».

Sin embargo en la sentencia dictada el 11 de mayo de 2017, en el Asunto C-131/16, el fallo señala que las Directivas de recursos: «... *debe interpretarse en el sentido de que, en una situación como la que es objeto del litigio principal, en la que un procedimiento de adjudicación de un contrato público ha dado lugar a la presentación de dos ofertas y a la adopción por parte de la entidad adjudicadora de dos decisiones simultáneas, una de rechazo de la oferta de uno de los licitadores y otra de adjudicación del contrato al otro, el licitador excluido que recurre contra esas dos decisiones debe poder solicitar que la oferta del licitador adjudicatario quede excluida, de modo que la expresión "determinado contrato" del artículo 1, apartado 3, de la Directiva 92/13, en su versión modificada por la Directiva 2007/66, puede referirse, en su caso, a la eventual tramitación de un nuevo procedimiento de adjudicación del contrato público*».

En definitiva en ambos casos nos encontramos ante un procedimiento de contratación en el que participan dos licitadores, uno de los cuales ha sido excluido. En la primera sentencia, no se admite que el licitador excluido recurra la adjudicación en tanto en la segunda sí. Consciente de tal aparente contradicción, el TJUE señala en esta sentencia las diferencias entre ambos asuntos: «*57. Es cierto que el Tribunal de Justicia declaró, en el asunto (...) C-355/15, (...) que se podía denegar el acceso a un recurso contra la decisión de adjudicación de un contrato público a un licitador cuya oferta había sido rechazada por la entidad adjudicadora de un procedimiento de adjudicación de un contrato público. No obstante, en el referido asunto, la decisión de exclusión de dicho licitador* **había sido confirmada por una resolución que había adquirido fuerza de cosa juzgada** *antes de que se pronunciase el órgano jurisdiccional que conocía del recurso contra la decisión de adjudicación del contrato, de modo que había que considerar al referido licitador definitivamente excluido del procedimiento de adjudicación del contrato público de que se trataba.58 En cambio, en el [presente litigio el licitador ha] interpuesto un recurso contra la decisión que excluía su oferta y contra la decisión de adjudicación del contrato,* **adoptadas simultáneamente,** *por lo que no cabe considerarlas definitivamente excluidas del procedimiento de adjudicación del contrato público*».

licitación, sino que se exige que se justifique la existencia *ad causam* del concreto interés que aportaría la estimación del recurso.

En base a este criterio, no se reconoce legitimación a un sindicato para recurrir el presupuesto de contrata por considerarlo insuficiente para garantizar la aplicación a los trabajadores del derecho a subrogación según el convenio colectivo que les corresponde[64], ni la tipificación del contrato, el valor estimado[65], las condiciones de ejecución[66], o los criterios de adjudicación[67].

Pero en algunos aspectos, la doctrina no es unánime sobre el alcance de la legitimación de los sindicatos. Existen posturas divergentes en cuanto a si esa legitimación abarca aquellos supuestos en que se impugnan la información sobre las obligaciones de subrogación de personal.

El TACRC no reconoce legitimación a un sindicato para impugnar unos pliegos en los que no se ha recogido una cláusula de subrogación empresarial, mientras que si se la reconoce al Delegado de personal de la empresa que actualmente está prestando el servicio[68], y a los trabajadores afectados por la subrogación[69]. Y ello porque como argumenta en la Resolución 524/2016: «*la abstracta invocación de los derechos laborales de los trabajadores no permite apreciar un interés cierto, real y efectivo que permita reconocer, conforme a la jurisprudencia citada, la legitimación de los sindicatos para impugnar unos pliegos en los que se pueda recoger erróneamente las condiciones de la subrogación empresarial a consecuencia de un ERTE entre la empresa actualmente adjudicataria y los trabajadores, máxime si se tiene en cuenta que el supuesto error en las horas que se alega por los recurrentes carece de sustento probatorio*».

Sin embargo, la AN en su Sentencia de 6 de julio de 2016, sobre la Resolución 381/2016 TACRC, después de analizar la doctrina del TC y del TS sobre legitimación considera que: «*... lo que el sindicato pretendía era que el pliego de condiciones al que se sometía la licitación incorporara la obligación de quien resultara adjudicatario del contrato de subrogarse en la totalidad de las relaciones*

---

64. Resolución 136/2015 del Órgano Administrativo de Recursos Contractuales de la Comunidad Autónoma de Euskadi.
65. Acuerdo 29/2015 del Tribunal Administrativo de Contratos Públicos de Aragón y Resoluciones del Tribunal Administrativo de Contratación Pública de la Comunidad de Madrid 181 y 183/2015.
66. Resoluciones del Tribunal Administrativo de Contratación Pública de la Comunidad de Madrid 181 y 183/2015.
67. Resolución del Tribunal Administrativo de Contratación Pública de la Comunidad de Madrid 219/2015.
68. Resolución 126/2016 TACRC.
69. Resolución 524/2016 TACRC.

laborales del personal adscrito a la línea de transporte de viajeros objeto de contratación, y lo pretendía además con fundamento en la pretendida vinculación de la Administración al convenio colectivo sectorial aplicable a la hora de aprobar el pliego de condiciones. Pues bien, más allá de si esta pretensión se encuentra o no fundada y, en consecuencia del éxito o fracaso de la misma, resulta patente que el sindicato recurrente pretendía la defensa de los intereses de los trabajadores que prestaban servicio para la concesionaria, postulando la continuidad de su relación laboral con la concesionaria que resultase adjudicataria, y que además lo hacía esgrimiendo la aplicación del convenio colectivo sectorial aplicable. En definitiva, el sindicato recurrente suscitaba una cuestión que afectaba de lleno a los intereses de los trabajadores cuya defensa y promoción tiene constitucionalmente atribuida ex art. 7 CE, cuestión que no cabe identificar con una defensa abstracta de la legalidad de la actuación administrativa sino conexión directa con los trabajadores y que, en consecuencia, llena por completo las exigencias de la caracterización como "legítimo" del interés esgrimido por el sindicato recurrente como atributivo de legitimación activa».

Otros tribunales administrativos si vienen reconociendo legitimación a los sindicatos para impugnar los aspectos relativos a la subrogación empresarial. El Tribunal Administrativo de Contratos Públicos de la Comunidad de Madrid en la Resolución 95/2013 estima que:

«Por tanto, el sindicato como representante de los intereses colectivos de los trabajadores del sector afectado por el contrato, ostenta un interés por que se facilite la información de los trabajadores que debe subrogar la nueva empresa contratista, en caso de ser procedente dicha sucesión conforme a las normas de derecho laboral por lo que cabe reconocerle legitimación activa para la impugnación en relación con este aspecto. También ostenta legitimación respecto del contenido de la cláusula 3.3.3 del PPT cuando establece que la empresa se compromete a no establecer ningún tipo de acuerdo referido a los trabajadores comprendidos en el ámbito del contrato, sin el visto bueno del órgano de contratación, puesto que ello afecta a su esfera de intereses legítimos, al afectar a la negociación colectiva de las condiciones de trabajo del personal».

También el Acuerdo 41/2015 del Tribunal de Contratos Públicos de Aragón reconoce legitimación a un sindicato para impugnar una licitación *«al no contemplar la subrogación de la actual plantilla, ni reconocer las retribuciones y complementos fijados para el año 2013 por el Convenio».*

3.3. Legitimación de los concejales

El RPEMC recoge en el artículo 24 como uno de los supuestos específicos de legitimación, la de los miembros de las entidades locales que hubieran votado en contra de los actos y acuerdos impugnados. Sin embargo este precepto no da amparo completo a la doctrina de los órganos de recurso especial.

El Tribunal de Contratos Públicos de Aragón en el Acuerdo 44/2012, reconoce legitimación a un concejal para impugnar el pliego de cláusulas administrativas particulares, aunque el mismo había sido aprobado por un órgano del que no forma parte[70].

Un supuesto específico ha sido objeto de la Resolución 101/2016 del Órgano Administrativo de Recursos Contractuales de la Comunidad Autónoma de Euskadi que reconoce legitimación activa al concejal miembro del Consejo de Administración de la sociedad pública municipal instrumental que celebra el contrato si votó en contra del acuerdo impugnado:

> «Llegados a este punto, se plantea la cuestión de si la legitimación basada en el artículo 63.1.b) de la LBRL para impugnar los actos y acuerdos de las entidades locales puede extenderse a los adoptados por personas jurídicas del sector público local distintas de dichas Entidades locales, como es el caso de las sociedades públicas municipales, que no están reconocidas como tales ni en el artículo 3 de la LBRL ni en el artículo 2.1 de la Ley 2/2016, de 7 de abril, de Instituciones Locales de Euskadi (en adelante, LILE). A juicio de este OARC/KEAO, la respuesta debe ser afirmativa por las razones que a continuación se expresan.
>
> En primer lugar, como bien apunta el recurso, el hecho de que el contrato vaya a tramitarse y celebrarse por AK y no por un órgano administrativo inserto en la estructura orgánica del Municipio se debe únicamente a que el Ayuntamiento ha optado, por motivos de oportunidad, por gestionar un servicio público del que es titular mediante una sociedad mercantil en mano pública; esta relación de instrumentalidad es tan estrecha que los artículos 85.2 de la LBRL y 94.2 de la LILE consideran esta fórmula como una variante de la gestión directa de un servicio, como lo es también la gestión por la propia Entidad Local. Dicha sociedad no tiene, a pesar de su forma de personificación privada, más objeto social ni más interés propio que el mismo interés general cuya defensa está atribuida al Municipio y cuya plasmación se pretende mediante el contrato debatido. Si, como se ha señalado, la finalidad última del artículo 63.1 b) de la LBRL es posibilitar que los cargos electos por sufragio popular controlen el correcto funcionamiento de las Entidades Locales

---

70. El Tribunal Superior de Justicia de Aragón en la sentencia 500/2015, dictada en el recurso contencioso administrativo presentado contra dicho Acuerdo, ha confirmado el criterio del Tribunal.

de cuyos órganos de gobierno forman parte, ejerciendo así el mandato político del que son depositarios, no es aceptable que la legitimación que dicho precepto les otorga se limite cuando la actuación municipal se encauza mediante personas jurídicas de forma privada meramente instrumentales, pues también en este último caso se ponen en juego cuestiones esenciales para la vida municipal, como son las alegadas en el recurso (justificación de la necesidad del contrato, suficiencia de la financiación, etc.). Dado que la posibilidad de gestionar servicios locales con entes instrumentales es amplia, esta interpretación podría vaciar de contenido el artículo 63.1 b) LBRL para grandes sectores de la actividad contractual local, lo que sería especialmente grave cuando se trata, como en este caso, de actos sujetos, en última instancia, al orden jurisdiccional contencioso administrativo a pesar de dictarse por una persona jurídica de derecho privado. Esta argumentación es acogida por la sentencia del Tribunal Supremo de 15 de junio de 2009 (recurso 447/2002)...».

3.4. Legitimación de una asociación para recurrir la adjudicación del contrato

Los Tribunales vienen admitiendo la legitimación de las asociaciones profesionales para impugnar los anuncios o los pliegos de cláusulas rectores de una convocatoria, independientemente incluso de su nivel de representatividad[71]. Pero en cambio, no se la reconocen para discutir el resultado de la licitación. Así a modo de ejemplo, la Resolución 351/2016 del TACRC[72] concluye que esta falta de legitimación «*no se ve desvirtuada por el hecho de que en caso de excluirse al actual adjudicatario, quede desierto el procedimiento, puesto que la posibilidad de que el contrato vuelva a licitarse no puede ser considerada, ni mucho menos, como un beneficio que repercuta de forma real y actual en su esfera jurídica, toda vez que no puede llegar a saberse con certeza si se volvería a licitar el contrato, en qué condiciones, y, en caso de ser así, si resultaría adjudicatario del mismo algunas de las empresas integradas en la asociación ahora recurrente. Se trataría por tanto de un interés hipotético y futuro, que impide, conforme a la doctrina expuesta, el reconocimiento de legitimación del recurrente*».

Sin embargo, hay supuestos especiales, el TSJ de Madrid en la Sentencia de 21 de diciembre de 2015, estima el recurso contra la Resolución

---

71. Resolución del TACRC 119/2016.
72. Criterio aplicado también por el Tribunal Administrativo de Contratos Públicos de Aragón (Acuerdo 49/2014), el Tribunal Administrativo de Recursos Contractuales de la Junta de Andalucía (Resolución 269/2014) y el Tribunal Administrativo de Contratación Pública de la Comunidad de Madrid (Resoluciones 11/2011 y 160/2014).

del Tribunal Administrativo de Contratación Pública de la Comunidad de Madrid 160/2014 y considera que debió reconocerse legitimación a la asociación para recurrir la adjudicación, pues «*al representar y defender la recurrente los intereses colectivos de sus asociados que son empresas del sector de los Servicios de Prevención Ajenos, siendo el objeto del contrato la "Impartición de acciones formativas sobre prevención de riesgos laborales para empleados públicos de la Comunidad de Madrid", entendemos que no le es indiferente que el contrato se adjudique y se realice, impartiendo las acciones formativas que constituyen su objeto, por una empresa autorizada para actuar como Servicio de Prevención Ajeno (tal lo son sus asociados a quienes representa) o por una que no lo esté (tal lo es la UTE adjudicataria), máxime cuando lo que se alega no es solo que la adjudicación se haya realizado de forma disconforme a la normativa aplicable en materia de prevención de riesgos laborales, sino de forma disconforme a los Pliegos aprobados por la Administración, según los cuales, sostiene, se exigía que los licitadores, y por tanto el adjudicatario, estuvieran autorizados para actuar como Servicio de Prevención Ajeno, por lo que, en principio, y sin perjuicio de lo que pueda concluirse con posterioridad al examinar el fondo del recurso, con el planteamiento que la recurrente realiza no podemos entender que la recurrente carezca de interés legítimo para la interposición del recurso, "interés legítimo", que ya dijimos es un concepto mucho más amplio que el de interés personal y directo y que consiste en el que tienen aquellos que, por la situación objetiva en que se encuentran, por una circunstancia de carácter personal o por ser los destinatarios de una regulación sectorial, son titulares de un interés propio, distinto del de los demás ciudadanos o administrados y tendente a que los poderes públicos actúen de acuerdo con el ordenamiento jurídico cuando, con motivo de la persecución de sus propios fines generales, incidan en el ámbito de ese su interés propio, lo que en este caso no podemos negar que ocurra, a lo que hemos de añadir que una de sus asociadas acreditada como Servicio de Prevención Ajeno (Sociedad de Prevención de FREMAP SL se presentó como licitadora al concurso y no se lo adjudicaron*».

También la Resolución 49/2016 del Tribunal Administrativo de Recursos Contractuales de la Junta de Andalucía reconoció legitimación a la Federación Española de Empresas de Mudanzas para impugnar la adjudicación de un acuerdo marco para la contratación de trabajos de traslado y movimiento de mobiliario y enseres, convocado por la Universidad de Sevilla.

4. PRESENTACIÓN DEL RECURSO

4.1. Plazo de interposición

La interposición del recurso transcurrido el plazo previsto para ello es causa determinante de la inadmisión del recurso, como prevé ahora expresamente el artículo 22 RPERMC, y han mantenido unánimemente los órganos de recurso especial[73].

El artículo 19 RPERMC ha venido a completar las reglas del articulo 44.2 TRLCSP, acogiendo los criterios que los órganos de recurso especial habían establecido. Regula expresamente el plazo para la interposición de recurso contra el anuncio de licitación señalando que comienza a partir del día siguiente a la fecha de su publicación en el DOUE, salvo que la Ley no exija que se difunda por este medio, en cuyo caso, comenzara a contar desde el día siguiente a la fecha de publicación en el perfil de contratante, y si ésta no estuviera acreditada fehacientemente, desde el día siguiente a la fecha de publicación en el BOE o, en su caso, en los boletines oficiales autonómicos o provinciales.

Respecto del acto de exclusión de un licitador, el artículo 44.2.b TRLCSP señala que el *dies a quo* para recurrir comienza a partir del día siguiente a aquel en que se haya tenido conocimiento de la posible infracción, lo que puede ocurrir bien en el momento de la adjudicación o bien en un momento anterior cuando se adoptó el acto de exclusión, sin que ambas posibilidades sean acumulativas. Este es el criterio que habían adoptado los tribunales administrativos –y que ahora clarifica el artículo 19.3 RPERMC–, que también recomiendan la comunicación independiente de los actos de exclusión por razones de seguridad jurídica, eficiencia y eficacia en la tramitación de los procedimientos de adjudicación. Obviamente, como establece el apartado 5 del RPERMC y como también ha señalado la doctrina, es necesario que la comunicación del acto de exclusión cumpla los requisitos establecidos para las notificaciones en el artículo 58.2 LRJPAC –actualmente artículo 40.2 LPAC–.

Una de las cuestiones procesales controvertidas, en la que los tribunales administrativos han mantenido criterios divergentes es la que se refiere al cómputo de plazo para interponer el recurso especial cuando el acto recurrido son los pliegos y estos han sido puestos a disposición de los licitadores por medios electrónicos. El artículo 19.2 RPERMC supone un punto de inflexión y dota de mayor seguridad jurídica al régimen aplicable al disponer que: «*Cuando el recurso se interponga contra el contenido de los pliegos y demás documentos contractuales, el cómputo se iniciará a partir del día siguiente a aquel en que se haya publicado en forma legal la convocatoria de la licitación, de conformidad con lo indicado en el apartado 1 de este artículo, si en ella se ha hecho constar la publicación de los pliegos en la Plataforma de Contratación del Sector Público o el lugar y forma para acceder directamente a su contenido. En caso contrario, el cómputo comenzará a partir*

---

73. La Ley 3/2011, de 24 de febrero, de medidas en materia de Contratos del Sector Público de Aragón, en su artículo 21 establece la misma regla.

del día siguiente a aquél en que los mismos hayan sido recibidos o puestos a disposición de los interesados para su conocimiento. En este último caso, cuando dichos documentos hayan sido puestos a disposición de los interesados solamente por medios electrónicos, el plazo para recurrir comenzará a computarse a partir de la fecha en que concluya el de presentación de las proposiciones, salvo que hubiese constancia de que fueron conocidos con anterioridad a dicha fecha. Cuando no se hubieran puesto a disposición de los interesados por medios electrónicos el plazo comenzará a contar desde el día siguiente a aquel en se hayan entregado al recurrente».

Este precepto ha sido objeto de interpretación por los tribunales. La Resolución 1028/2016 del TACRC resume la doctrina establecida[74]:

> *«El artículo 19.2 del Real Decreto 814/2016 debe interpretarse en el sentido de que no podrá iniciarse el cómputo del plazo para interponer el recurso especial en materia de contratación hasta tanto no se hayan publicado, bien los pliegos (en la Plataforma de Contratación del Sector Público), bien la forma de acceder directamente a su contenido, pues hasta ese momento el interesado no ha podido tener acceso al contenido de los pliegos».*

También acoge el RPERMC el criterio mantenido por los tribunales administrativos sobre el plazo para interponer recurso contra la adjudicación[75 y 76]. Dice en el artículo 19.6:

> *«Cuando resulte acreditada la imposibilidad de que el interesado haya recibido la notificación del acuerdo de adjudicación antes de transcurridos quince días hábiles desde su remisión, el plazo para la interposición del recurso comenzará a contar a partir de la fecha en que efectivamente la hubiera recibido».*

Por otra parte, durante 2016 los tribunales han emitido algunos criterios específicos sobre los plazos de interposición del recurso, de especial interés que reseñamos a continuación.

---

74. En el mismo sentido: Acuerdo 100/2016 del Tribunal Administrativo de Contratos Públicos de Aragón; Resoluciones 15/2016 y 41/2016 del Tribunal Administrativo de Contratación Pública de Madrid; y Resoluciones 23 y 155/2016 del Tribunal Administrativo de Recursos Contractuales de la Junta de Andalucía.

75. Entre otros: Resolución del TACRC 832/2014 y Acuerdo 25/2015 del Tribunal Administrativo de Contratos Públicos de Aragón.

76. No se puede dejar de señalar que el PLCSP incluye una importante modificación respecto del *dies ad quo* para recurrir el acto de adjudicación. Mientras el artículo 44.2 TRLCSP computa el plazo a partir del siguiente a aquel en que se remita la notificación del acto impugnado, el artículo 50 PLCSP dispone que el cómputo se iniciará a partir del día siguiente a aquel en que se haya notificado ésta de conformidad con lo dispuesto en la disposición adicional decimoquinta.

4.1.1. Plazo de interposición del recurso contra la adjudicación por los concejales dependiendo de si forman parte o no del órgano de contratación

La Resolución 34/2016 del Órgano Administrativo de Recursos Contractuales de la Comunidad Autónoma de Euskadi trata el supuesto en el que el concejal forma parte del órgano de contratación y votó en contra de la adjudicación:

> «*En este caso, a los concejales no se les notifica el acuerdo de adjudicación pues son miembros del órgano colegiado que resulta ser el órgano de contratación, por lo que forman parte, con su voz y voto, de la formación de la voluntad contractual de la administración contratante, y los mismos motivos que tuvieron para manifestar su oposición a la adopción del acuerdo de adjudicación son los que sustentan el recurso especial. En este sentido, si bien gozan de legitimación para presentar el recurso especial carecen de la condición de "interesados" por lo que no les es de aplicación lo dispuesto en el art. 58.1 de la Ley 30/1992, de 26 de noviembre de régimen jurídico de las administraciones públicas y del procedimiento administrativo común (en adelante, LRJPAC). Por otra parte, por aplicación del principio de seguridad jurídica consagrado en el art. 9.3 CE, el plazo de interposición del recurso no puede quedar indefinidamente abierto, por lo que al ser conocedores del contenido del acto al que se han opuesto, se ha de entender que el plazo para la interposición del recurso comienza a contarse a partir del día siguiente al 18 de diciembre de 2015, fecha de la adopción del acuerdo plenario, y habiéndose interpuesto el recurso especial el día 21 de enero de 2016, ha de entenderse que se halla fuera de plazo y, por tanto, debe inadmitirse por extemporáneo.*

> *Adicionalmente, si conforme a lo dispuesto en el art. 58.3 LRJPAC el plazo de interposición del recurso para los interesados en el supuesto de notificaciones defectuosas comienza a computarse desde que éstos realizan actuaciones que supongan el conocimiento del texto íntegro, en el caso de los concejales miembros del órgano de contratación con mayor razón habrá de entenderse que el plazo del recurso especial comienza a computarse desde el día siguiente a la adopción del acuerdo que votaron en contra*».

El Tribunal Superior de Justicia de Galicia en su Sentencia de 21 de septiembre de 2016 analiza un supuesto en que el concejal no forma parte del órgano de contratación[77], en este caso la Comisión de Gobierno:

> «*Como señala la parte demandante, según el artículo 113.1 b) del ROF: "b) Las sesiones de la Comisión de Gobierno no serán públicas,*

---

77. La sentencia modifica el criterio del TACRC en la Resolución del TACRC 924/2014. El TACRC considero que: «*A los Concejales no se les notifican las resoluciones que se*

sin perjuicio de la publicidad y comunicación a las Administraciones Estatal y Autonómica de los acuerdos adoptados. Además, en el plazo de diez días deberá enviarse a todos los miembros de la Corporación copia del acta". En consecuencia, el dies a quo para el cómputo de dicho plazo de quince días es el 18 de septiembre de 2014, siendo irrelevante a estos efectos la publicación en la web de dicha información –con anterioridad a dicha fecha, no es posible acreditar el momento en el que dicho concejal pudo tener conocimiento de los acuerdos adoptados–, de manera que el recurso se habría interpuesto en el plazo establecido. Así, se anula la resolución del Tribunal Administrativo Central de Recursos Contractuales impugnada, por no resultar, en este punto, conforme a derecho, ya que debió entrar a conocer del fondo del asunto, al entender cumplidos los demás requisitos relativos a la competencia y legitimación».

4.1.2. Plazo de interposición del recurso contra pliegos sobre los que han existido aclaraciones

El TACRC en la Resolución 391/2016 analiza el supuesto en que los pliegos preveían la posibilidad de efectuar distintas rondas de consultas por parte de los licitadores en relación con las dudas que pudieran suscitar los pliegos, consultas a las que se daría respuesta en una carta-documento, que tendría carácter contractual:

«Visto lo anterior, cabría concluir a priori en la extemporaneidad de la reclamación, ya que es evidente, pues así lo ha reconocido el propio reclamante, que el pliego fue recibido el 25 de enero de 2016 y también ha de reconocerse que lo que es objeto de impugnación no es la carta-respuesta a las aclaraciones formuladas, sino el pliego. Ahora bien, para que esta conclusión fuera correcta, sería necesario entender que los pliegos y sus aclaraciones constituían actos separables y por tanto de impugnación independiente, tal y como parece propugnar la entidad contratante, así como alguno de los licitadores que han presentado alegaciones. Pues bien, dada la literalidad de la cláusula cuarta del PCP,

---

dictan en un expediente de contratación porque no toman parte en el procedimiento. Es cierto que, por las razones antes expresadas, ostentan legitimación para impugnar dichos actos por su interés en el correcto funcionamiento de la entidad local. No obstante, al no ser formalmente notificados, ello no significa que tengan abierta la vía de recurso indefinidamente, sino que ha de aplicarse el plazo de quince días establecido en el artículo 44.2 TRLCSP que se empezará a contar, en este caso, desde que se produjo la publicación del acto recurrido. Según la certificación citada, dicha publicación se produjo el 23 de agosto. Habiéndose interpuesto el recurso, como se ha indicado, el 2 de octubre, el mismo estará fuera de plazo y ha de ser inadmitido».

difícilmente puede llegarse a tal consideración. De conformidad con dicha cláusula, "la información complementaria que pudiera generarse por medio de las aclaraciones que facilite Renfe, constituye, todo ello, el conjunto documental que rige la licitación objeto de este PCP, sin perjuicio de los preceptos legales que puedan resultar de aplicación". Es claro por tanto que esa información adicional o complementaria forma parte indisoluble de los pliegos que rigen la contratación: no constituyen documentos independientes, sino que constituyen un todo, el cual por tanto ha de ser objeto de impugnación en su conjunto».

4.2. Anuncio previo de la interposición del recurso al órgano de contratación

El artículo 44.1 TRLCSP recoge, como requisito previo a la interposición del recurso especial en materia de contratación, el anuncio del mismo, por escrito, al órgano de contratación cuya actuación se recurra[78]. La postura unánime de los tribunales administrativos fue considerar que la falta de presentación del anuncio previo se entiende subsanada por la presentación del recurso en el registro del órgano de contratación, y esta doctrina se ha recogido como norma positiva en el artículo 17 RPERMC.

Sin embargo, no existe unanimidad cuando el recurso especial se presenta en el registro del tribunal administrativo competente para su resolución, no habiendo sido anunciado previamente ante el órgano de contratación. Una parte de los órganos de recurso especial considera que se trata de un defecto subsanable y, en consecuencia, habrá de requerirse al recurrente con el fin de que lo corrija, de acuerdo con lo establecido en el artículo 44.4.e) y 44.5 TRLCSP. En este sentido se pronuncia el Tribunal Administrativo de Contratación Pública de la Comunidad de Madrid en la Guía de Procedimiento disponible en su página web.

El TACRC mantiene un criterio distinto, considera que no es necesario subsanar la falta de anuncio previo. En la Resolución 366/2016, reitera sus argumentos:

«No constando la presentación de anuncio previo, es menester poner de manifiesto que como ha dicho este Tribunal, entre más, en la Resolución de 15 de abril de 2016, (…) el anuncio de interposición está establecido por el legislador con la finalidad de que la entidad contratante conozca que contra su resolución se va a interponer el pertinente recurso, lo cual se consigue, igualmente, cuando por el Tribunal se reclama, con

---

78. El PLCSP suprime la exigencia de anuncio previo.

remisión del escrito de interposición del recurso, el expediente de contratación, junto con el cual, el órgano de contratación habrá de remitir el correspondiente informe. El principio de economía procesal impone esta conclusión, ya que carecería de eficacia práctica que el Tribunal acordara la subsanación de la falta de anuncio previo para, inmediatamente después de acreditada la corrección de la falta de este requisito, solicitar la remisión del expediente de contratación, cuando la finalidad de dicho anuncio se cumple con la reclamación del expediente, sin que esto suponga indefensión material para el órgano de contratación. Por tanto, la ausencia de anuncio previo del recurso no puede considerarse como un vicio que obste a la válida prosecución del procedimiento y el dictado de una resolución sobre el fondo del recurso».

Esta misma posición la mantiene el Tribunal Administrativo de Recursos Contractuales de la Junta de Andalucía en la Resolución 68/2016.

4.3. Requisitos de capacidad

El artículo 24.3 RPERMC establece específicamente que la interposición del recurso en representación de las personas jurídicas de cualquier clase requerirá de poder con facultades suficientes al efecto. La Resolución 51/2016 Órgano Administrativo de Recursos Contractuales de la Comunidad Autónoma de Euskadi, ha analizado si la interposición del recurso especial exige además, el acuerdo del órgano competente de la persona jurídica en el que se refleje la concreta decisión de interponer el recurso, concluyendo que no es necesario:

«El art. 44.4 TRLCSP establece los documentos que deben acompañar al recurso y, entre ellos, figura el documento que acredite la representación del compareciente. Por su parte, el artículo 24.3 del Real Decreto 814/2015, de 11 de septiembre, por el que se aprueba el Reglamento de los procedimientos especiales de revisión de decisiones en materia contractual y de organización del Tribunal Administrativo Central de Recursos Contractuales, dispone que la interposición del recurso en representación de las personas jurídicas de cualquier clase requerirá de poder con facultades suficientes al efecto. El silencio que guardan tanto el TRLCSP como el reglamento que desarrolla el procedimiento de revisión de decisiones en materia de contratación sobre el documento al que se refiere el art. 45.2.d) de la Ley 29/1998, unido a que, de conformidad con el art. 46.1 del TRLCSP, el procedimiento para tramitar los recursos especiales en materia de contratación se regirá también por las disposiciones de la Ley 30/1992, de 26 de noviembre, norma que tampoco exige este requisito, permite concluir que la pre-

sentación del referido documento no es preceptiva para la interposición del recurso especial».

4.4. Acceso previo al expediente

El RPERMC regula como novedad en el artículo 16, el acceso al expediente de contratación[79]. Si el interesado desea examinar el expediente de contratación de forma previa a la interposición del recurso especial, deberá solicitarlo al órgano de contratación dentro del plazo de interposición del recurso especial, debiendo el órgano de contratación facilitar el acceso en los cinco días hábiles siguientes a la recepción de la solicitud. De no darse acceso al expediente el interesado podrá alegarlo en su recurso. En este caso, de acuerdo con lo dispuesto en el artículo 29.3 el Tribunal, podrá conceder al recurrente el acceso al expediente de contratación en sus oficinas, con carácter previo al trámite de alegaciones, y por plazo de cinco días hábiles, para que proceda a completar su recurso, concediendo en este supuesto un plazo de dos días hábiles al órgano de contratación para que emita el informe correspondiente y cinco días hábiles a los restantes interesados comparecidos en el procedimiento para que efectúen alegaciones.

Además el TACRC ha precisado algunos aspectos sobre el acceso al expediente. Así, ha considerado que el interés legítimo en el acceso exige un presupuesto lícito y razonable para su ejercicio y que por ello no se justifica el acceso cuando se trata de realizar comprobaciones que corresponden a la mesa o al órgano de contratación, salvo que existan indicios de alguna irregularidad[80]. La Resolución 710/2016 se refiere a un supuesto en el que el recurrente quiere comprobar que en el sobre 2 no se ha incluido documentación del sobre 3, y en la Resolución 498/2016 se busca revisar si existe coincidencia entre la oferta en un soporte y otro.

Por otro lado, en la Resolución 318/2016 analiza cual es el contenido del expediente de contratación y entiende que los informes técnicos que rechaza la Mesa no forman parte del mismo. En base al artículo 70.1 LPAC –que incorpora como novedad una definición legal de expediente– señala:

> *«Pues bien, aunque este precepto no ha entrado aún en vigor, su valor interpretativo resulta indudable para resolver la cuestión*

---

79. El PLCSP acoge esta regulación en el artículo 52.
80. La Resolución 710/2016 se refiere a un supuesto en el que el recurrente quiere comprobar que en el sobre 2 no se ha incluido documentación del sobre 3, y en la Resolución 498/2016 se busca revisar si existe coincidencia entre la oferta en un soporte y otro.

aquí sometida y del mismo lo que se deduce es que la opinión de la comisión técnica anunciada ante la mesa de contratación, pero no avalada por la misma, habiéndose sustituido tal opinión por el informe definitivo, éste sí aprobado por la mesa de contratación, no forma parte del expediente administrativo, por constituir un mero borrador».

Y con el mismo argumento en la Resolución 732/2016 concluye: *«los documentos que no hayan servido de antecedente y fundamento para la resolución administrativa no deben considerarse incluidos en el expediente, aun cuando fueran presentados por la licitadora junto con la documentación relevante».*

El Tribunal Administrativo de Contratación Pública de la Comunidad de Madrid en su Resolución 8/2016 se ocupa de un aspecto muy concreto, el acceso a la documentación acreditativa de la solvencia, interpretando el alcance del artículo 12 RGLCAP que establece que *«El órgano de contratación deberá respetar en todo caso el carácter confidencial de los datos facilitados por los empresarios en cumplimiento de los artículos 16 a 19 de la Ley».* Dice el Tribunal:

«Debemos partir de que tanto el derecho de acceso como su contrapunto en el derecho de confidencialidad se aplican transversalmente en todas las fases del procedimiento de contratación pública, especialmente en las fases de selección del adjudicatario y adjudicación del contrato. Ningún precepto limita ninguno de dichos derechos a alguna fase concreta. Si bien no existe duda del deber de confidencialidad respecto de la fase de selección en relación a la solvencia de los licitadores, sí parece cuestionarse el derecho de acceso ha de alcanzar también a esta fase. Ello supondría que en relación a esta documentación, o fase del expediente, solo se reconoce la aplicación del principio de confidencialidad y se niega el de transparencia. La duda surge de la dicción del artículo 12 del RGLCAP, que ha llevado en algunos casos a considerar que está declarando el secreto o confidencialidad de la totalidad de lo aportado para acreditar la solvencia regulada en los artículos 75 a 79 del TRLCSP.

Lo cierto es que el mencionado artículo 12 impone al órgano de contratación la obligación de respetar en todo caso el carácter confidencial de los datos facilitados, no que dichos datos sean siempre obligatoriamente confidenciales. El respeto de la confidencialidad ha de ser compatible con el principio de transparencia.

(...) Sería irrazonable que determinada documentación tenga carácter confidencial solo por el lugar, donde en el concreto procedimiento

de contratación, se exige. (…) Igual que no es admisible una declaración genérica del licitador de confidencialidad de la totalidad de su oferta y que esta precisa una motivación, una declaración genérica (aún realizada por una norma reglamentaria) de que la documentación acreditativa de la solvencia es siempre y toda ella confidencial, dejaría, en esa fase del procedimiento, sin contenido los principios de publicidad y transparencia, además de la posibilidad y derecho a presentar un recurso debidamente fundado como venimos sosteniendo. Si no se puede tener conocimiento de la información que ha sido tenida en cuenta por el órgano de contratación para la admisión de los licitadores o de la admisión de su oferta, las posibilidades de control se verían lesionadas».

Obviamente, el derecho de acceso se reconoce en el artículo 16.1 RPERMC a cualquier documentación del expediente de contratación sin límites, salvo los que sean consecuencia del derecho de confidencialidad que es objeto de estudio en el epígrafe III.2.5.

Resulta relevante el criterio de la Resolución del TACRC que considera improcedente dar acceso en vía de recurso especial cuando dicho acceso no fue solicitado previamente al órgano de contratación:

«resulta impertinente en este procedimiento revisor dar el acceso al expediente que solicitan las recurrentes las recurrentes afirman en forma inconcreta en su recurso, no solicitaron con carácter previo a la interposición del recurso el acceso al expediente al órgano de contratación y, por tanto, aquel no se lo denegó. La falta de diligencia en el ejercicio de sus derechos por las recurrentes, al no solicitar en la forma prevenida en el artículo 16 del RPERMC del órgano de contratación el acceso al expediente, no puede ahora ser suplida en fase de recurso por este órgano contraviniendo las normas reglamentarias citadas, tanto más cuanto las recurrentes en su recurso, fuera de afirmar una genérica e hipotética indefensión, no concretan aquellos aspectos del expediente no examinado que pudieran haberle impedido la formulación de un recurso eficaz y útil, derecho que por lo demás no ha sido vulnerado al cumplir la notificación del acto recurrido los requisitos impuestos por el artículo 151.4 de la LCSP».

En cuanto a los aspectos formales el TCRC en las Resoluciones 221/2016 y 460/2016 considera que el TRLCSP no impone al órgano de contratación, cuando concede vista del expediente a los licitadores, facilitar copias del mismo.

4.5. Lugar y forma de presentación del recurso

El RPERMC establece en el artículo 18 el lugar de presentación del recurso. Este precepto incorpora el criterio de los tribunales de contratos que no consideraron aplicable de forma subsidiaria el artículo 38.4 de la LRJPA –actual artículo 16 LPAC–, aunque admitían el recurso presentado en un lugar distinto a los indicados por el art. 44.3 TRLCSP, si tenía entrada en el registro del órgano de contratación o en el del órgano competente para la resolución del recurso, aunque sea en formato electrónico, antes de que finalice el plazo para su interposición.

Ahora bien, el RPERMC impone la tramitación electrónica de los procedimientos que se sigan ante el TACRC y por ello, desde el 26 de enero de 2016, la presentación de los recursos debe realizarse de forma electrónica a través del registro electrónico del Ministerio de Hacienda y Función Pública. A modo de ejemplo cabe citar la Resolución 451/2016 que inadmite el recurso por no presentar el escrito de interposición por vía electrónica y no haber justificado la imposibilidad de acceso a dicho modo de tramitación[81].

5. LA TERMINACIÓN DEL PROCEDIMIENTO

Los tribunales de contratos han analizado durante 2016 algunas cuestiones de interés sobre el contenido de las resoluciones y sus efectos. El RPERMC dedica los artículos 31 a 37 a las resoluciones del procedimiento de recurso especial y a su ejecución.

Sobre la congruencia de la resolución con la solicitud, el TACRC en la Resolución 144/2016 concluye:

> *«No invoca el recurrente la posible nulidad de este subcriterio, sino el modo cómo ha sido valorado; sin embargo, no cabe desconocer por este Tribunal la concurrencia de los posibles vicios de nulidad de pleno derecho que se pongan de manifiesto con ocasión del recurso aunque no hayan sido invocados explícitamente por el recurrente, ya que como dispone el art. 47 del TRLCSP, dentro de las facultades revisoras del Tribunal, la resolución del recurso estimará en todo o en parte o desestimará las pretensiones formuladas o declarará su inadmisión, decidiendo motivadamente cuantas cuestiones se hubiesen planteado. En todo caso, la resolución será congruente con la petición y, de ser procedente, se pronunciará sobre la anulación de las decisiones ilega-*

---

81. Según la Memoria de Actividades del TACRC de 2016, 42 recursos fueron inadmitidos por esta razón.

les adoptadas durante el procedimiento de adjudicación, incluyendo la supresión de las características técnicas, económicas o financieras discriminatorias contenidas en el anuncio de licitación, anuncio indicativo, pliegos, condiciones reguladoras del contrato o cualquier otro documento relacionado con la licitación o adjudicación, así como, si procede, sobre la retroacción de actuaciones».

Sin embargo, la Sentencia del TSJ del País Vasco 3741/2015 al revisar la Resolución 64/2014 del Órgano Administrativo de Recursos Contractuales de la Comunidad Autónoma de Euskadi aprecio que: «*habrá de insistirse en que el Recurso Especial en materia de contratación de que este recurso trae origen, carece de las propiedades que en la Resolución se le atribuyen como instrumento que permita depurar, sin rogación de parte legitima y de oficio, el conjunto de los actos administrativos contractuales de un determinado expediente, –por más que se quieran reputar, incursos en causa de invalidez radical o absoluta del articulo 62 LRJ-PAC–, y que la actividad revisora asentada en tales premisas constituye un patente supuesto de incongruencia por exceso de jurisdicción por parte de dicho órgano*».

5.1. Allanamiento del órgano de contratación

Los tribunales de contratos han mantenido de manera uniforme que el allanamiento del órgano de contratación resulta admisible siempre y cuando no suponga una infracción manifiesta del ordenamiento jurídico. Como indica la Resolución 7/2016 TACRC:

«... *aunque esta forma de terminación del procedimiento no se contempla expresamente en el TRLCSP, que se limita en el artículo 47.2 a decir que en su resolución el Tribunal deberá "decidir motivadamente cuantas cuestiones se hubiesen planteado", resulta aplicable en estos procedimientos, por su similitud con el supuesto analizado, la regulación del allanamiento en la Ley 29/1998 reguladora de la Jurisdicción Contenciosa Administrativa –tal como se ha resuelto por este Tribunal en supuestos similares como en la Resolución 104/2013 o la más reciente 105/2015, de 30 de enero– regulación que en su artículo 75 prevé expresamente la posibilidad de que "Los demandados podrán allanarse cumpliendo los requisitos exigidos en el apartado 2 del artículo anterior", añadiendo en su párrafo segundo que "Producido el allanamiento, el Juez o Tribunal, sin más trámites, dictará sentencia de conformidad con las pretensiones del demandante, salvo si ello supusiere infracción manifiesta del ordenamiento jurídico, en cuyo caso, el órgano jurisdiccional comunicará a las partes los motivos que pudieran oponerse a la estimación de las pretensiones y las oirá en el plazo común de diez días dictando luego la sentencia que estime ajustada a derecho"*».

Así, la Resolución del TACRC 373/2016 considera inadmisible el allanamiento del órgano de contratación al recurso pues está «*ayuno por completo de argumentos técnicos en apoyo de la pretensión de la recurrente*».

5.2. La resolución tiene efecto de cosa juzgada

El TACRC en la Resolución 915/2016 reconoce con base en la jurisprudencia del TS (Sentencia de 19 de mayo de 2011), que sus resoluciones tienen efecto de cosa juzgada y le vinculan para el futuro:

> «*Entrando al fondo de los recursos, este Tribunal tiene que estar y pasar por lo resuelto en las resoluciones que ya han sido dictadas en relación con los actos que, producidos en el expediente de contratación, fueron impugnados mediante la interposición del recurso especial en materia de contratación*».

En esa misma Resolución, con cita de la Resolución 338/2016, señala que no es posible plantear nuevas cuestiones con ocasión de una segunda reclamación interpuesta contra el acto que da ejecución a una previa resolución:

> «*Este punto debe, en efecto, considerarse resuelto con carácter definitivo en la resolución 44/2016 y no puede ser objeto de nueva discusión en el presente recurso, por vedarlo, en primer lugar, el principio denominado, con cierta impropiedad, "cosa juzgada administrativa", que, en último término, constituye, como señaló este Tribunal en la resolución 58/2016, aplicación de la doctrina de los actos firmes y consentidos (…) y que veda reproducir ante este Tribunal cuestiones que ya fueron resueltas por decisión de éste contra la que no se dedujo recurso contencioso-administrativa (…). Entender otra cosa y admitir, en efecto, que pudieran plantearse con ocasión de una segunda reclamación interpuesta contra el acto que da ejecución a una previa resolución de este Tribunal cuestiones que, pudiendo haber sido suscitadas en aquélla ocasión, no lo hubieran sido, podría dar lugar, como se señaló en la resolución 1056/2015, "a un continuo bucle de recursos, que entorpecería de forma exponencial la debida tramitación de los procedimientos de licitación, con el consiguiente perjuicio para los intereses públicos, cuya salvaguarda también constituye uno de los principios fundamentales de la contratación pública". En segundo lugar, también obstaría a ello el conocido principio de actos propios, cuya aplicación en la esfera del Derecho administrativo ha sido reiteradamente admitida por la*

doctrina jurisprudencial, tanto con relación a la Administración como al administrado (...).Y es que, como declara la STS de 28 marzo 2006, con cita de las precedentes de 25 de septiembre de 1986, 24 de enero y 13 de junio de 1989 y 22 de septiembre de 2003, es un principio general de Derecho el de que nadie puede ir contra sus propios actos, lo que implica "la exigencia de un deber de comportamiento que consiste en la necesidad de observar de cara al futuro la conducta que los actos anteriores hacían prever y aceptar las consecuencias vinculantes que se desprenden de los propios actos, constituyendo un supuesto de lesión a la confianza legítima de las partes "venire contra 'factum' proprium"».

5.3. Imposición de multas: apreciación de temeridad o mala fe

El artículo 47.5 TRLCSP establece que si el tribunal aprecia temeridad o mala fe en la interposición del recurso o en la solicitud de medidas cautelares, podrá acordar la imposición de una multa al responsable de la misma. El RPERMC por su parte, precisa en el artículo 31.2 que el tribunal en esos casos deberá justificar las causas que motivan la imposición y las circunstancias determinantes de su cuantía, y que la imposición de multas al recurrente solo procederá en el caso de que se hubieran desestimado totalmente las pretensiones formuladas en el escrito de recurso.

5.3.1. *Concurrencia de mala fe o temeridad*

Como señala la Resolución 313/2016 del TACRC (con cita de numerosas resoluciones, así como de jurisprudencia del TS) la concurrencia de mala fe o temeridad requiere un análisis de las circunstancias del caso concreto, aunque, con carácter general, la viene declarando cuando la impugnación carece de un mínimo fundamento o, si se prefiere, los motivos esgrimidos son de escasa consistencia.

En otros supuestos la cuestión es más compleja, así ocurre cuando la apreciación de temeridad se basa en que cabe suponer que el recurrente conoce con antelación el criterio del tribunal, bien porque este ya ha resuelto sobre ese mismo asunto, bien porque lo ha hecho sobre otro con el que existe identidad de razón.

En el supuesto que analiza la Resolución 313/2016 del TACRC, el recurrente impugna la adjudicación de un contrato sobre el que el Tribunal había inadmitido un recurso anterior a la exclusión de un licitador, por no ser susceptible de recurso especial. Para el TACRC resulta evidente la actuación temeraria del recurrente «*que impugna una resolución a pesar de conocer el criterio del Tribunal, así como la imposibilidad de su modificación por efecto de la cosa juzgada administrativa»*, ya que se le había notificado là resolución del recurso anterior y no la había impugnado.

En la Resolución 299/2016 el TACRC toma en consideración que ha habido un recurso anterior ya resuelto sobre un procedimiento similar y sobre la misma cuestión en el que el recurrente había sido parte:

> *«... el pliego que rigió aquella licitación es idéntico, pues es un pliego modelo-tipo, al que rige la licitación que nos ocupa, y los motivos que determinaron la revocación de la adjudicación inicial, no acreditación de disponer al momento de la formalización del contrato de los medios materiales recorrido, igualmente idéntico. Ambas resoluciones impugnadas sólo difieren en que aquella resulta trajo consigo dejar desierta la licitación, al no existir más licitadores y, esta, la adjudicación al siguiente licitador, por existir dos licitadores.*

> *Son igualmente idénticas casi en su totalidad una y otra reclamación.*

> *El hecho de tratarse de procedimientos distintos impide considerar la cuestión como cosa decidida, sin perjuicio de que se constata una evidente mala fe procesal en las reclamantes, como analizaremos más adelante, al efecto de concluir la existencia de temeridad.*

> *(...) La ahora recurrente se limita a reproducir los motivos alegados en su anterior recurso, con fundamentos de fondo expresamente rechazados por la n.° 102/2016, de 5 de febrero, a ellos añadiendo como única novedad la improcedencia de adjudicar el contrato al siguiente clasificado.*

> *Resulta pues evidente que el único objeto de la interposición del recurso fue suspender la adjudicación del contrato para que esta se dilatase lo más posible y, en consecuencia, perjudicar tanto a los licitadores y posible adjudicatarios como al interés general servido por el ente contratante.*

> *(...) Habida cuenta de la ausencia en los motivos fundamentados de argumentación nuevos respecto de los que fue expresamente rechazados en nuestra resolución anterior, y la identidad de ambos procedimientos respecto del actor y del ente contratante, así como de los pliegos que rigen ambas licitaciones, e identidad sustancial de los argumentos de las reclamantes, y que la resolución anterior era conocida por las reclamantes al formular la nueva reclamación, existe un manifiesto abuso del derecho al recurso que altera con evidente mala fe su finalidad como medio para obtener la tutela de un derecho o interés legítimo, usándolo*

torcidamente para causar daño al adjudicatario y a la entidad contratante mediante la suspensión del acto de adjudicación».

El mismo criterio mantiene la Resolución 34/2016 del Tribunal Administrativo de Recursos Contractuales de la Junta de Andalucía en un supuesto similar en el que concluye que la única pretensión de la recurrente era paralizar la licitación.

Sin embargo hay que advertir que debe quedar probado que el recurrente conoce los pronunciamientos anteriores. El TSJ de Extremadura en su Sentencia de 14 de enero de 2016 anula la decisión del TACRC en la Resolución 416/2015, de imponer una multa al recurrente en base a la existencia de pronunciamientos anteriores pues considera que no constan en la Resolución ni tales pronunciamientos ni se prueba que el recurrente los conociera:

> *«Ahora bien, el concepto mala fe o temeridad debe venir referido a una actuación abusiva y contraria al normal y leal ejercicio para con los demás de los medios jurídicos que el Ordenamiento pone a disposición de los interesados. En principio compartimos que si existiesen resoluciones precedentes similares y conocidas por la Recurrente y aun así insistiera de manera abusiva en la interposición de Recursos, ello justificaría la multa. Sin embargo, no consta que eso sea así. El Tribunal, no cita cuales han sido las resoluciones idénticas acerca de las que ya se pronunciara con anterioridad a la de 8 de mayo de 2015 en la que se utilizaran los mismos motivos y hubiera recaído idéntica resolución. Tampoco consta ni se acredita que Bayer lo supiera. El argumento referente a la falta de fundamento en la argumentación, tampoco debe ser compartida. No se trata de motivos irracionales o esperpénticos o alejados de cualquier motivación lógica. A lo anterior debe añadirse que efectivamente y como consta en las actuaciones, en supuestos muy similares, el Tribunal no ha apreciado la mala fe. Por lo que sería una apreciación discriminatoria».*

5.3.2. Cuantía de la multa

Sobre la cuantía de la multa cabe reseñar dos pronunciamientos del TACRC. En la Resolución 905/2016, el TACRC aprecia que:

> *«En todo caso, no habiéndose acreditado que se hayan producido otros perjuicios que los derivados de la propia existencia de este procedimiento, la multa ha de imponerse en su grado mínimo».*

En la Resolución 299/2016 concluye:

> *«Este Tribunal considera, como quedó dicho, que la mala fe está fuera de toda duda, existe asimismo un perjuicio cierto, efectivo y evaluable, dicha valoración conforme ha de tener en cuenta el perjuicio causado por la suspensión de la adjudicación, al ente contratante y al adjudicatario, desde que, interpuesto el recurso, se produjo por ministerio de la ley la suspensión del procedimiento.*
>
> *No obstante este Tribunal no puede realizar la evaluación del perjuicio toda vez que carece de los elementos necesarios para su cuantificación.*
>
> *Es por ello que, a la vista de la dificultad de este Tribunal, por insuficiencia de datos, para determinar el valor del perjuicio cierto, efectivo y evaluable producido, este Tribunal fija el importe de la multa en su grado mínimo, es decir en 1000 euros».*

5.4. Ejecución de las resoluciones

El Tribunal Administrativo de Recursos Contractuales de la Junta de Andalucía se ha pronunciado sobre dos supuestos en los que en la fase de ejecución el órgano de contratación autor del acto impugnado puede apartarse de la sujeción estricta a los términos de la resolución.

En la Resolución 100/2016 dice: *«De este modo, cuando el Tribunal anula la cláusula de un pliego que sea contraria a derecho y señala de qué modo la misma se adecuaría al ordenamiento jurídico, en el nuevo pliego el órgano de contratación gozará de libertad, según los casos, para mantener la cláusula con un contenido modificado y adecuado a derecho o para prescindir de la misma si su mención en los pliegos no resulta obligatoria y su establecimiento entra dentro de las facultades de elección del órgano de contratación, como de hecho sucede con los criterios de adjudicación».*

Por otro lado la Resolución 102/2016 se refiere a un supuesto en que la normativa aplicable se ha visto modificada: *«Es verdad, como alega el órgano de contratación, que él ha actuado en ejecución estricta de las resolución 18/2016 de este Tribunal (…) y procedió a aprobar unos nuevos pliegos modificando las cláusulas indicadas por el Tribunal e hizo una nueva convocatoria de la licitación; pero lo que está claro es que se ha producido la entrada en vigor posterior de la modificación del artículo 65 del TRLCSP expuesta y que obviamente debe ser tenida en cuenta en el momento en que se anuncia la nueva licitación y ello al amparo de la disposición transitoria primera del mencionado Real Decreto 773/2015, de 28 de agosto».*

III. LA DOCTRINA DE LOS ÓRGANOS DE RECURSO. ASPECTOS MATERIALES O DE FONDO DEL RECURSO

En este apartado abordamos el análisis de algunas resoluciones que, a lo largo de 2016, dictaron los órganos de recurso especial en relación con cuestiones «de fondo» o sustantivas.

Como ya sabemos, la finalización del plazo para la transposición de las Directivas de 2014, el 18 de abril de 2016, ha tenido un importante impacto en los pronunciamientos de los tribunales administrativos como consecuencia del reconocimiento de efecto directo a muchos de los preceptos de las mismas[82]. Aspectos como la división del contrato en lotes, la inclusión de criterios sociales, la utilización del Documento Único Europeo de Contratación, el volumen de negocio como medio de acreditación de la solvencia económica, han sido objeto de pronunciamientos de acuerdo con las Directivas de 2014.

Para una mejor comprensión, las resoluciones han sido sistematizadas en cinco grandes bloques. El primer grupo se refiere a cuestiones que traen causa de recursos presentados contra el contenido de los pliegos de cláusulas administrativas particulares o de prescripciones técnicas; un segundo grupo se refiere a los criterios relacionados con aspectos procedimentales, el tercero recoge la doctrina sentada en recursos relativos a la exclusión de los licitadores, el cuarto grupo recoge la doctrina derivada de recursos presentados contra la adjudicación de contratos públicos; y por último, el quinto bloque, reúne cuestiones diversas, relacionadas con el desistimiento y la renuncia al contrato, el procedimiento negociado, la defensa de la competencia, y la subcontratación.

1. LOS PLIEGOS QUE HAN DE REGIR LA ADJUDICACIÓN Y EJECUCIÓN DEL CONTRATO

Analizaremos la doctrina sentada en relación con el contenido de los pliegos que rigen la adjudicación y posterior ejecución del contrato, tratando el objeto del contrato, su valor estimado y otros aspectos económicos, los requisitos de solvencia y las fórmulas de valoración de las ofertas, así como los pronunciamientos respecto de cláusulas que incluyen condiciones de territorialidad, resolutorias, o relativas a la subrogación en contratos laborales, y dedicaremos un apartado específico a la incorporación de criterios sociales.

---

82. En el apartado I.3 de este trabajo se da cuenta del Documento de trabajo de los Órganos de recurso especial sobre el efecto directo de las Directivas.

1.1. El objeto del contrato

Los órganos de recurso especial han analizado en bastantes resoluciones la división del contrato en lotes y los contratos mixtos. Parten para ello de que corresponde al órgano de contratación decidir si, para dar satisfacción a varias necesidades, tramita uno o varios expedientes de contratación pero que esta discrecionalidad encuentra su límite, por un lado, en el principio de no división fraudulenta del objeto del contrato que establece el artículo 86.2 TRLCSP y, por otro, en la prohibición de que se fusionen en uno solo contrato prestaciones que carecen de vinculación objetiva del artículo 25.2 TRLCSP.

1.1.1. División del objeto del contrato en lotes

Sobre la división del objeto de contrato en lotes los tribunales administrativos han venido aplicando la nueva regulación de la Directiva 2014/24/UE y han sentado criterio sobre el alcance de las facultades del órgano de contratación en esta materia.

La Resolución del TACRC 530/2016, en la que se reconoce efecto directo al artículo 46 de la Directiva 2014/24/UE, afirma lo siguiente[83]:

> «En todo caso, debe señalarse que el artículo 46 no impone al órgano de contratación la división en lotes, sino únicamente que se indiquen las razones por las que no se ha efectuado la división cuando resulte posible y que dichas razones consten en el expediente de contratación.
>
> (...) Por lo que cabe concluir, en este punto, que el artículo 46 de la nueva Directiva de contratación pública no impone a los poderes adjudicadores la obligación de dividir los contratos en lotes, sino tan sólo la de motivar la decisión de no efectuar dicha división, en los pliegos o en el informe específico al que se refiere el artículo 84 de la Directiva».

La justificación de no dividir el contrato en lotes debe basarse en motivos técnicos y económicos, tal y como dispone la Resolución 724/2016 del TACRC que examina un supuesto concreto en que la normativa –se trata del artículo 5 del Real Decreto 541/2001, de 18 de mayo, por el que se

---

83. En el mismo sentido y a modo de ejemplo, las resoluciones del Tribunal Administrativo de Contratación Pública de la Comunidad de Madrid 106/2016 y del Tribunal Administrativo de Recursos Contractuales de la Junta de Andalucía 335/2016.

establecen determinadas especialidades para la contratación de servicios de telecomunicación– impone la división en lotes:

> «(...)En supuestos en los que, conforme al artículo 5 del Real Decreto 541/2001, el órgano de contratación estaría en principio obligado a la división por lotes, este Tribunal ha tomado en consideración si ofrece motivación suficiente para no hacerlo tanto en el Pliego como en el informe que presenta en sede de recurso, valorando si se aporta o no una justificación razonada de los criterios técnicos y económicos que justifican la licitación en un único lote, y de los inconvenientes que se derivarían de la división en lotes del contrato».

1.1.2. La fusión de prestaciones en un solo contrato

Los contratos mixtos son, en la terminología del TRLCSP, aquellos que contienen prestaciones correspondientes a tipos contractuales distintos. Los requisitos para que resulte admisible la fusión de prestaciones de distinto tipo en un solo contrato se establecen en el artículo 25.2 TRLCSP, mientras que el régimen jurídico aplicable a los contratos mixtos se regula en el artículo 115.2 TRLCSP.

El TACRC ha analizado en varias ocasiones si determinados contratos que incluían prestaciones accesorias de un tipo contractual distinto al de la prestación principal, debían haberse calificado como contratos mixtos, para ello tiene en cuenta especialmente las obligaciones del adjudicatario y los criterios de valoración recogidos en los pliegos. En la Resolución 326/2016 concluye que un contrato tipificado como suministro es un contrato mixto, complejo, pues a la vista del contenido obligacional de los pliegos no se limita a la entrega de bienes muebles, sino que integra prestaciones de diversos contratos. Y como los pliegos al tratar de los efectos, cumplimiento y extinción, se refieren exclusivamente a prestaciones características de un suministro, los anula por incumplir el artículo 115.2 TRLCSP.

En las Resoluciones 643 y 989/2016 relativas a sendos contratos de mantenimiento de equipos sanitarios calificados como contratos de servicios, el TACRC entiende que la importancia de la prestación consistente en proveer de repuestos, suministros médicos y materiales, respecto del conjunto del contrato, lleva a la conclusión de que deberían haberse configurado como contratos de carácter mixto, con prevalencia de las prestaciones correspondientes al contrato de servicios, y también anula los pliegos.

Solo en la Resolución 430/2016, relativa a un servicio de aviones destinados a tareas de extinción de incendios forestales, el TACRC aunque entiende que el contrato recurrido tiene la naturaleza de un contrato mixto pues comprende el suministro de bienes, concluye que la denominación como contrato de servicios no vicia de ineficacia los pliegos pues la prestación del suministro está determinada, es cuantitativamente accesoria, no se pondera en la valoración de las ofertas, y no existe oscuridad respecto a cómo funciona.

En aquellos supuestos en que las prestaciones que se fusionan en un mismo contrato no pertenecen a tipos contractuales distintos, y por tanto no tienen la consideración de contratos mixtos a efectos del TRLCSP, los tribunales administrativos han venido aplicando por analogía los requisitos del articulo 25.2 TRLCSP. La Resolución 73/2016 del Tribunal Administrativo de Recursos Contractuales de Castilla y León, analiza si un contrato que tiene por objeto la gestión y explotación de la ordenación y regulación de los aparcamientos en superficie (ORA), del servicio municipal de retirada depósito de vehículos (Grúa), y de varios aparcamientos subterráneos, está correctamente configurado. Siguiendo la doctrina emanada del TACRC (Resoluciones 346/2016 y 780/2016) concluye:

«... *resulta claro que el único nexo de unión que existe entre las diversas prestaciones que contempla el contrato a que se refiere el expediente impugnado es la idea de que todas ellas, pese a ser de índole muy diversa, se refieren a los estacionamientos de vehículos, fuera de lo cual, carecen, entre sí, de la necesaria vinculación material, como no sea la compensación de costes entre las distintas prestaciones o el aprovechamiento de las eventuales sinergias que el Ayuntamiento considera que va a conseguir, gracias a la gestión conjunta de todas ellas por parte de un único contratista.*

El hecho de que las prestaciones tengan alguna interdependencia, no significa que sean complementarias o que exista una relación directa entre ellas. Desde un punto de vista objetivo, la explotación de las zonas ORA, aun cuando guarde una cierta relación con el servicio de la grúa y la gestión del depósito de los vehículos retirados por esta última, poco tiene que ver con la explotación de los parkings subterráneos, y menos todavía el servicio de grúa con estos últimos, más allá de la eventual cesión de espacios para depositar los coches retirados de la vía pública. Es más, no se cumple con el principio de complementariedad dado que existen intereses contrapuestos entre ellas, que pueden perjudicar la actividad coordinada que se desea establecer y a los propios vecinos. Desde el punto de vista del consumidor, un aparcamiento subterráneo compite tanto con otro como con el aparcamiento en la vía pública controlado.

(…) *Además de todo ello, para la realización de tales servicios se requiere una solvencia económica, financiera y técnica heterogénea. Esto*

es, unas capacidades, una experiencia y unos medios técnicos, mate-
riales y humanos, diferentes entre sí y que extrañamente recaen en
un mismo contratista y, por ello, al margen de las sinergias que se
pretende alcanzar, o de la necesidad plasmada en el expediente de con-
tratación de que unas prestaciones financien a otras al unirlas entre
sí en un mismo contrato, es indudable que, con ello, se restringe la
libre concurrencia de licitadores, ya que muy pocos contratistas están
capacitados para prestar, simultáneamente y por sí solos, tan diversas
tareas».

El Tribunal resuelve declarar la nulidad de los pliegos y demás documentos contractuales al unir en un único contrato prestaciones que carecen de la necesaria vinculación material u objetiva entre sí, y entiende que deberían de haberse licitado separadamente o en lotes diferenciados de un mismo contrato.

1.2. El valor estimado del contrato y otros conceptos económicos

1.2.1. Cálculo del valor estimado de una concesión de servicios

La Resolución 164/2016 del Tribunal Administrativo de Contratación Pública de la Comunidad de Madrid, analiza la aplicación del artículo 8.3 de la Directiva 2014/23 –al que se reconoce efecto directo– al cálculo del valor estimado de un contrato de gestión del servicio público educativo en el que existe riesgo operacional:

«Cabe advertir asimismo que el artículo 8 de la Directiva de Conce-
siones, determina que la elección del método para calcular el valor es-
timado de una concesión corresponde a los poderes adjudicadores y no
se efectuará con la intención de excluir esta del ámbito de aplicación
de la presente Directiva. En el presente caso (…) se tienen en cuenta
los precios del módulo de escolaridad, del horario ampliado y del coste
de comedor por plaza, pero no otros conceptos contemplados en el tan
citado artículo 8 de la Directiva de Concesiones, especialmente el valor
de todos los suministros y servicios que los poderes o entidades adju-
dicadores pongan a disposición del concesionario, siempre que sean
necesarios para la ejecución de las obras o la prestación de servicios,
señalado en su apartado f). Dicho valor comprendería el del inmueble y
su dotación, que no constan en el expediente administrativo, pero que
tendrían que ascender a 4.316.004 euros, para alcanzar el umbral que
determina que el contrato esté sujeto a regulación armonizada. Dicho
valor por otro lado no debe computarse en su integridad, sino que de-

berá prorratearse teniendo en cuenta la duración del contrato, como señalábamos en nuestra Resolución 118/2016 de 23 de junio, para lo que consideramos adecuado a falta de otro valor especificado, el 6% anual del valor del inmueble, en aplicación del artículo 92 del Reglamento de Bienes de las Entidades Locales, aprobado por Real Decreto 1372/1986, de 13 de junio».

1.2.2. *Consideración de las mejoras previstas en los pliegos a efectos de la determinación del valor estimado del contrato*

La consideración de las mejoras en la determinación del valor estimado del contrato admite distintas posturas. Así, el TACRC en la Resolución 159/2016 admite la posibilidad de valorar como mejora las horas de limpieza gratuitas, sin que las mismas deban formar parte del precio de licitación:

> *«… debe rechazarse, pese a lo alegado por la actora, la pretendida adición a dicho coste laboral del correspondiente al número máximo de horas extraordinarias admitidas como mejora, toda vez que, en rigor, por su propia condición de mejora, esa no es una obligación contractual ineludible y que, como tal, deba tenerse en cuenta en el cálculo del presupuesto».*

Sin embargo, el Acuerdo 90/2016 del Tribunal Administrativo de Contratos Públicos de Aragón concluye que una determinada mejora puede afectar al valor estimado del contrato:

> *«(…) el impacto económico de ofertar como mejoras dos ecógrafos –adicionales al incluido en el objeto de la licitación– altera el valor estimado del contrato y es, por este motivo, ilegal. Y es que, aun en circunstancias de restricciones presupuestarias, la búsqueda de la mayor eficiencia no puede justificar la alteración de la naturaleza y valor de la prestación demandada. Sirva de justificación la comparación del valor estimado de la licitación precedente de este contrato, en 2014, donde no figuraba el criterio de mejora relativo a equipamiento adicional de ecógrafos que ha servido para determinar el valor estimado del contrato ahora impugnado. En definitiva, resulta ilegal la determinación del valor estimado del contrato pues, como ha indicado el TACRC en la Resolución 423/2016, de 27 de mayo "[…] la exigencia de que el cálculo del valor de las prestaciones se ajuste a los precios de mercado tiene por objeto garantizar que en la contratación exista un equilibrio entre las partes y que ninguna de ellas obtenga un enriquecimiento injusto, así como garantizar la viabilidad de las prestaciones objeto del mismo, que se establecen en función*

del interés general que persigue la actuación administrativa". Y esta exigencia se rompe claramente con las supuestas mejoras de los ecógrafos».

1.2.3. Presupuesto de licitación y precio de mercado

La correcta determinación del presupuesto de licitación –entendido como el gasto previsto para el mismo– es esencial para garantizar el éxito del contrato. El TACRC ha resumido su doctrina en la Resolución 322/2016 sobre la fijación del presupuesto de licitación de acuerdo con los precios de mercado:

> *«– Se reconoce la discrecionalidad técnica del órgano de contratación para fijar el precio del contrato; si bien, como límite para evitar que incurra en arbitrariedad, y como justificación de que ha tenido en cuenta los criterios o pautas del artículo 87 del TRLCSP, debe motivarse en el expediente la determinación del precio del contrato.*
>
> *– Tal motivación debe hacerse (por imperativo del artículo 87 del TRLCSP) por referencia al precio de mercado, que actúa como techo máximo; si bien debe motivarse, en caso de desviación manifiesta del mismo (por ejemplo, por inexistencia de tal precio de mercado, en el sector de que se trate), que se asegura la viabilidad de la ejecución del contrato y la existencia de concurrencia.*
>
> *– Al quedar la evaluación de los extremos anteriores dentro de la discrecionalidad técnica del órgano de contratación, solo una constatación manifiesta y probada de que el precio fijado impide totalmente la concurrencia o hace inviable la ejecución del contrato permite anular el precio fijado».*

El Tribunal Administrativo de Contratación Pública de la Comunidad de Madrid precisa en la Resolución 98/2016 como esa determinación debe realizarse con «*un nivel de desagregación suficiente, para permitir una valoración adecuada de las prestaciones objeto del contrato, hacer posible un adecuado control del gasto público y facilitar una correcta presentación de ofertas por las empresas al poseer una información más detallada sobre el presupuesto contractual, o en su caso de las contraprestaciones que recibirá por la ejecución del contrato*».

1.2.4. Presupuesto de licitación y costes laborales

En especial, los tribunales administrativos han analizado la vinculación del presupuesto de licitación del contrato a los costes laborales derivados del convenio colectivo aplicable cuando los gastos de personal son un componente relevante del contrato, abandonando la idea de que lo pactado en un convenio colectivo laboral seria, en principio, una cuestión ajena a la contratación administrativa y no podría incidir sobre ella de forma directa. Así, el TACRC en la Resolución 422/2016 dice:

> «Los cálculos de la entidad recurrente no han sido en modo alguno rebatidos por parte del órgano de contratación, que se limita a señalar cómo ha llegado a sus propios cálculos pero sin analizar la relación con el valor de mercado, en particular con el de un convenio colectivo que debe servir de clara orientación para cumplir tales expectativas de valor de mercado».

El Tribunal Administrativo de Recursos Contractuales de la Junta de Andalucía, en la Resolución 213/2016, revisa su doctrina anterior sobre esta cuestión y concluye que un presupuesto de licitación que no cubre los costes de personal no es adecuado para el efectivo cumplimiento del contrato.

La vinculación del presupuesto del contrato a los costes laborales es fundamental cuando existe personal a subrogar y así lo reconocen, entre otros muchos, el Acuerdo 72/2016 del Tribunal Administrativo de Contratos Públicos de Aragón, la Resolución 98/2016 del Tribunal Administrativo de Contratación Pública de la Comunidad de Madrid, y la Resolución del TACRC 1022/2016. Los Tribunales refuerzan su criterio apelando a la nueva regulación de las Directivas de 2014, así el Tribunal Administrativo de Contratación Pública de la Comunidad de Madrid en la Resolución 98/2016 relativa a un contrato en el que procede la subrogación en el 100 % de la plantilla, argumenta:

> «En este caso, hay que partir necesariamente de la base de la existencia de un personal determinado y de unos convenios de empresa, es decir de cada centro, que son de obligado cumplimiento. En consecuencia, cualquier estudio económico que se pretenda elaborar sobre el coste del servicio, debe necesariamente incluir separadamente y con inclusión de todos los conceptos, el coste de personal para cada centro, que en este tipo de servicio es la partida más elevada.
>
> En este caso no resulta suficiente para la determinación del presupuesto las cantidades facturadas en el anterior contrato, sobre todo teniendo en cuenta las circunstancias antes mencionadas de renuncia del adjudicatario a la prórroga por grave desequilibrio económico. Esta circunstancia no parece haberse valorado adecuadamente salvo para retrotraer el porcentaje de baja que se hizo en el anterior concurso».

Caso distinto es que la prestación del nuevo servicio no conlleve el empleo de todos los trabajadores en los que procede la subrogación. El TACRC en la Resolución 746/2015 analiza un supuesto en que la Administración ha calculado correctamente el número de horas a prestar y el precio hora de mercado, pero el valor estimado del servicio no cubre los costes laborales del personal a subrogar, y concluye, amparándose en los principios de eficacia y estabilidad presupuestaria, que:

> «No puede estimarse que el coste del contrato administrativo deba incluir la totalidad del coste que los trabajadores subrogados puedan suponer para la empresa adjudicataria. Las horas de prestación de servicios de dichos trabajadores subrogados que no deban emplearse en la ejecución del contrato administrativo deben ser gestionadas por las empresas empleadoras, que asumen el riesgo y ventura del negocio que gestionan. Evidentemente, la Administración no debe asumir el coste de horas de trabajo no necesarias para la prestación del servicio que se contrata».

Frente a la vinculación del presupuesto a los costes laborales, no tendrían carácter relevante otras magnitudes como el margen de beneficio del licitador[84], ni las cantidades facturadas en el anterior contrato[85].

1.2.5. Posibilidad de imponer límites al beneficio empresarial del adjudicatario

El interesante Acuerdo 72/2016 del Tribunal Administrativo de Contratos Públicos de Aragón analiza la viabilidad de limitar en el pliego los gastos de gestión y/o beneficio industrial al adjudicatario del servicio[86], que a juicio del recurrente, vulneraria el principio de riesgo y ventura de todo contrato público y podría falsear de forma indebida la competencia. Para el Tribunal:

> «Sin embargo, no parece que exista tal infracción en la decisión impugnada, que pretende una política transparente de las ofertas económicas que presentan las empresas y donde, en un contrato de servicios con importante incidencia del factor personal, resulta conveniente limitar de forma razonable los costes indirectos de gestión, en tanto permiten garantizar la exigencia de calidad/precio (mejor rentabilidad) de las ofertas, tal y como previene el artículo 67 de la

---

84. Resolución 422/2016 del TACRC.
85. Resolución 422/2016 del TACRC y Resolución 98/2016 del Tribunal Administrativo de Contratación Pública de la Comunidad de Madrid.
86. Se trataba de un «Servicio de Gestión y animación del Proyecto de Integración de Espacios Escolares (PIEE) en colegios de educación infantil y primaria».

Directiva 2014/24/UE, de contratación pública. Por lo demás, por comparación con las exigencias que para el contrato de obras (con unos evidentes mayores gastos) contiene el artículo 131 del Reglamento general de la Ley de Contratos de las Administraciones Públicas, resulta razonable y no desproporcionada la opción contemplada en el pliego».

1.2.6. *Cláusulas que imponen al adjudicatario un «periodo de carencia»*

La Resolución 233/2016 del Tribunal Administrativo de Recursos Contractuales de la Junta de Andalucía analiza una cláusula con el siguiente contenido:

> *«Asimismo, se establece un período mínimo de carencia en el abono de las correspondientes mensualidades de CUATRO (4) MESES, que será asumido y financiado por la empresa adjudicataria y la recuperación del mismo será a través de su eficacia en la gestión de los servicios»* y concluye que el artículo 216.4 del TRLCSP no deja duda acerca de su carácter taxativo *«La Administración tendrá la obligación de abonar el precio (…), y si se demorase, deberá abonar al contratista (…)».*

Ello supone, la exclusión de la posibilidad de establecer cláusulas que contradigan lo dispuesto en este precepto; por tanto, no será válida la inclusión, en los pliegos de cláusulas administrativas ni en los documentos contractuales que se formalicen, de condiciones que impongan al contratista la obligación de aplazar el momento del ejercicio de su derecho a percibir el precio por los servicios prestados dentro de los treinta días siguientes a la fecha de aprobación de los documentos que acrediten la conformidad de los mismos.

1.2.7. *Es necesario dar información a los licitadores sobre los consumos estimados de un Acuerdo marco*

Por aplicación del principio de transparencia, la documentación preparatoria del contrato, en especial los pliegos, ha de estar redactada con claridad y debe de darse a los licitadores la información necesaria para preparar sus ofertas. Un supuesto especifico y muy interesante es el que trata la Resolución 677/2016 del TACRC que concluye que es necesario dar a conocer a los licitadores los consumos estimados de un Acuerdo marco pues la omisión de este dato resulta contraria a los principios de transparencia e igualdad de trato:

«Sostiene la recurrente que los Pliegos rectores de la licitación no proporcionan la información suficiente para formular una oferta fundada en tanto en cuanto omiten el dato de la estimación de consumos de las distintas presentaciones de los medicamentos objeto de suministro. A su entender, esta omisión –no suplida cuando se solicitó información adicional al órgano de contratación al amparo del artículo 158 del TRLCSP–causa perjuicios a los licitadores y vulnera los principios de libertad de acceso, publicidad y transparencia.

Contesta el órgano de contratación indicando que el conocimiento de este extremo no es imprescindible para elaborar una oferta, toda vez que los licitadores no quedan obligados a ofertar todos los formatos que comercialicen, sino que, por el contrario, pueden elegir uno o varios de ellos, apuntando, además, que uno de los criterios de adjudicación es, justamente, el del mayor número de formatos de presentación.

(…) Ciertamente, si los licitadores son libres para elegir el formato de presentación de los medicamentos que habrán de ser suministrados a los hospitales comprendidos en el acuerdo marco, y, por lo tanto, pueden presentar uno solo o varios de los que dispongan, parece claro que la formulación de la oferta no requiere conocer la estimación de los consumos esperados de los distintos formatos. De hecho, es posible incluso que el órgano de contratación no haya realizado dicho cálculo, toda vez que, con independencia de cuál haya sido la fórmula más demandada en el pasado o la menos solicitada, el licitador elegido sólo deberá proporcionar aquella –y solo esa– que haya incluido en su oferta.

Este razonamiento, empero, quiebra en el caso que nos ocupa, toda vez que la licitación del acuerdo marco emplea determinados criterios de selección respecto de los cuales la falta de información sobre la estimación de los consumos dificulta sobremanera la elaboración de una oferta y coloca a los empresarios interesados en situación de efectiva desigualdad.

(…) Ello nos sirve para apreciar la vulneración del principio de transparencia, desde el momento en que no se ha proporcionado a los licitadores interesados toda la información necesaria para formular su oferta, contraviniendo los artículos 1 y 139 del TRLCSP, además de la jurisprudencia referida en los ordinales precedentes.

Aunque lo anterior sería suficiente para estimar el recurso, todavía es posible hacer una consideración adicional que refuerza dicha conclusión. Y es que, en efecto, mantener en secreto los datos referentes a la demanda de las distintas clases de presentaciones comerciales de los medicamentos supone, de hecho, otorgar un trato preferente a la empresa o empresas que han venido prestando el suministro hasta la fecha, pues ellas sí que son conocedoras de esta información que, de este modo, puede ser empleada para hacer previsiones que no estarán al alcance de otras empresas».

1.3. Requisitos de solvencia

Además de algunos pronunciamientos específicos en materia de solvencia que analizaremos a continuación, hay que dejar constancia de que los requisitos de solvencia deben indicarse en el anuncio de licitación, sin que sea bastante incluir una remisión a los pliegos. El Tribunal Administrativo de Recursos Contractuales de la Junta de Andalucía en la Resolución 48/2016, sostiene con base en los artículos 62.2 y 79 bis TRLCSP, y confirmando un criterio que ya había emitido el Órgano Administrativo de Recursos Contractuales de la Comunidad Autónoma de Euskadi[87], que los requisitos de solvencia deben indicarse en el anuncio de licitación, sin que sea bastante incluir en él una remisión a los pliegos.

1.3.1. *La cifra global de negocios como acreditación de la solvencia económica*

a) Cuando la cifra global de negocios se establezca por referencia al importe del contrato, debe entenderse que es IVA excluido.

Aunque lo habitual es fijar el umbral exigido como cifra global de negocios por referencia al valor estimado del contrato, la Resolución 2/2016 del Tribunal Administrativo de Recursos Contractuales de la Junta de Andalucía analiza los supuestos en que se utiliza otro concepto económico y se plantea si hay que tener en cuenta el IVA. En el contrato objeto de recurso, el PCAP exige para acreditar la solvencia económica y financiera una declaración relativa a la cifra global de negocios en el curso de los tres últimos ejercicios, de tal forma que la cifra de negocios de menor importe de esos tres últimos ejercicios sea superior al triple de la anualidad máxima del contrato. El Tribunal considera que:

«... de contratación de entender incluido el IVA en la anualidad máxima del contrato, se estaría conculcando dicho principio de igualdad de trato, pues aquellos licitadores que estuviesen exentos del pago del impuesto o aquellos otros que estuviesen sujetos al mismo en un porcentaje inferior al del establecido en el pliego, como puede ocurrir en determinados países de la Unión Europea, estarían en clara desventaja

---

87. Resolución 44/2014 del Órgano Administrativo de Recursos Contractuales de la Comunidad Autónoma de Euskadi.

sobre aquellos otros licitadores que estuviesen sujetos en un porcentaje superior al establecido en el pliego.

(…) Por lo tanto, sobre la base de las consideraciones anteriores se puede concluir que no debe computarse el Impuesto sobre el Valor Añadido a efectos de la determinación del importe de la cifra de negocios para la acreditación de la solvencia económica y financiera».

b) Resulta admisible como criterio de solvencia la exigencia sostenida en varios años de una determinada cifra de negocio.

La Resolución 715/2016 del TACRC aclara esta cuestión sobre la que existían muchas dudas:

«… *en lo referente a la admisibilidad como criterio de solvencia de la exigencia sostenida en varios años de una determinada cifra de negocio, cierto es que ni el TRLCSP ni la Directiva se refieren a tal posibilidad, pero tampoco la excluyen. Tampoco el art. 11 del Reglamento contiene tal previsión; pero ya hemos dicho que tal artículo es de aplicación supletoria y no necesaria.*

Añadamos que la exigencia de acreditar un mínimo volumen de negocio en un periodo de tiempo determinado cumple la finalidad legítima de asegurar que la cifra de negocio anual mínima acreditada como requisito de solvencia sea representativa de la actividad de negocio del licitador, y no anecdótica o aislada. Si unimos a ello que, en nuestro caso, el plazo establecido en el pliego (tres años) no es excesivo y sí razonable, entendemos que, en definitiva, no se aprecia la pretendida desproporción limitadora de la concurrencia, y su alegación no puede prosperar».

1.3.2. Posibilidad de acreditar la solvencia económica por otros medios distintos a los del artículo 75.2 TRLCSP

La posibilidad de que el empresario acredite su solvencia económica y financiera por otros medios distintos a los relacionados en el artículo 75. 2 TRLCSP, se suprimió en la reforma operada por la Ley 25/2013, de 27 de diciembre, de impulso de la factura electrónica y creación del registro contable de facturas en el Sector Público, lo que contradice lo dispuesto en el artículo 60.3 de la Directiva 2014/24/UE, al que el TACRC en la Resolución 586/2016 reconoce efecto directo[88]:

«En los términos en que está redactado el artículo 60.3 de la Directiva, este Tribunal considera que tiene un efecto directo, en cuanto reconoce

---

88. Sobre el momento y forma de utilizar esta posibilidad, consultar los Acuerdos del Tribunal Administrativo de Contratos Públicos de Aragón 18/2012 y 102/2015.

un derecho a los licitadores y que su no trasposición no es obstáculo a su aplicación a los contratos licitados a partir del 18 de abril de 2016, como es el caso. Por otra parte, ni la cláusula 14 ni la cláusula 15.3.2.i) del PCAP contemplan la posibilidad de acreditar alternativamente la solvencia económica, como tampoco se encuentra esta posibilidad prevista en el artículo 11.4.a) del Reglamento General de la Ley de Contratos de las Administraciones Públicas, aprobado por el Real Decreto 1098/2001, de 12 de octubre, en la redacción dada por el Real Decreto 773/2015, de 28 de agosto.

(...) Procede en consecuencia estimar este motivo de impugnación, de modo que con anulación de esta cláusula, se retrotraiga el procedimiento para que se elabore y publique un PCAP en el que se prevea expresamente la posibilidad, en los términos del artículo 60.3 de la Directiva 2014/24/UE, de acreditar la solvencia económica por medios alternativos».

Va a ser esta una cuestión controvertida. El TACRC en la Resolución 55/2017 contradice el criterio sentado en 2016 sobre efecto directo del artículo 60.3 de la Directiva 2014/24/UE y el PLCSP no transpone dicho artículo.

1.3.3. *Acreditación de la solvencia en los contratos de poderes adjudicadores no Administración Pública*

Una de las cuestiones que los tribunales administrativos han analizado es la aplicación a los poderes adjudicadores no Administración Pública, de los preceptos generales sobre la acreditación de la solvencia, en concreto los artículos 74.2 TRLCSP y 11.4 RGLCAP.

En la Resolución 185/2016, el TACRC concluye que los licitadores pueden acreditar la solvencia mediante la clasificación en aquellos contratos en que esta no sea exigida, también cuando se trata de un contrato de un poder adjudicador no Administración Pública, y que es nula de pleno derecho la previsión en contrario del PCAP:

«... Sin embargo, no puede dudarse de la plena vigencia del artículo 74 antes citado así como de que lo en él previsto tiene un evidente alcance general, que no se circunscribe exclusivamente a las Administraciones Públicas. En este contexto, es dable citar la resolución 183/2014 del Tribunal Administrativo de Contratación Pública de la Comunidad de Madrid, que, tras referirse a la dicción de los precitados artículos 65 y 79 bis TRLCSP, afirma rotundamente que cabe a todo licitador acreditar la solvencia técnica mediante la correspondiente clasificación

con independencia de que sea o no exigible y de que la licitación haya sido convocada o no por una Administración Pública.

(…) en el caso analizado, considera este Tribunal (en paridad de condiciones con el supuesto allí examinado, si bien en sentido inverso), que la previsión de la cláusula A.10) del Pliego de Cláusulas Administrativas de aplicación, que prohíbe expresa y radicalmente que pueda acreditarse la solvencia técnica con la oportuna clasificación, debidamente relacionada con la taxativa previsión del Anexo VI sobre los muy precisos medios de acreditación de la solvencia técnica (cuya dicción se ha transcrito en el antecedente de hecho tercero de esta resolución), determina la introducción de una intensa e indebida restricción al principio de libertad de concurrencia en condiciones de igualdad, con patente infracción de la previsión resultante del artículo 74 TRLCSP, así como de los concordantes preceptos antes referidos, que merece ser calificada como generadora de nulidad de pleno derecho».

El TACRC también considera aplicables a los poderes adjudicadores no Administración Pública los criterios subsidiarios de solvencia que establece el RGLCAP. En la Resolución 175/2016 relativa a un contrato de la Fundación Centro Nacional de Investigaciones Cardiovasculares afirma:

«El problema radica sin embargo en que el Pliego de Cláusulas Administrativas no exige ningún requisito concreto de solvencia (cifra de negocios, número de contratos, etc.). El problema estaría resuelto, en base a lo dispuesto por el artículo 11.4 del Reglamento General de la Ley de Contratos de las AP, modificado por el RD 773/2015 que, para los contratos no sujetos al requisito de la clasificación y cuyos Pliegos no hayan concretado los requisitos de solvencia económica, financiera, técnica o profesional, establece que el criterio será el mayor volumen anual de negocios de los últimos tres años que sea al menos una vez y media del valor estimado del contrato anual o medio según los casos. Sin embargo, esta modificación, entró en vigor el día 5 de noviembre de 2015, con posterioridad, por tanto, a la fecha de inicio del expediente de contratación del presente contrato».

1.4. Los criterios de adjudicación del contrato

1.4.1. *Definición y justificación de los criterios de valoración de las ofertas*

En la importante Resolución 318/2016, el TACRC resume su doctrina general sobre cómo se deben definir en el PCAP los criterios de valoración de las ofertas:

«*a) Los criterios de valoración han de estar correctamente definidos en el pliego, no solo en cuanto a la definición del criterio en sí, sino también los aspectos concretos que en relación con dicho criterio van a ser tenidos en cuenta en la valoración, determinación que es especialmente necesaria en el caso de los criterios sujetos a juicio de valor, pues en otro caso, además de conculcarse el principio de transparencia y libre concurrencia, se impediría la posible revisión posterior por parte de los órganos administrativos y judiciales competentes para ello (resoluciones n.°102/2013, 263/2011).*

b) En cuanto a la forma de lograr tal nivel de detalle, sin embargo, no es necesario en todo caso que sea a través de la asignación de bandas de puntos, sino que basta con que la descripción del criterio sea lo suficientemente exhaustiva, estableciendo las pautas que van a seguirse a la hora de valorar cada oferta. Debe tenerse en cuenta que cuando se trata de criterios sujetos a juicios de valor la descripción será siempre y necesariamente subjetiva, pues en otro caso estaríamos ante criterios evaluables mediante fórmulas (resolución n.° 923/2014)

c) Los criterios establecidos en el pliego no pueden ser alterados con posterioridad, introduciendo nuevos subcriterios o aspectos no recogidos en los pliegos, lo que no impide que al efectuar la valoración se puedan recoger apreciaciones que vengan a concretar en cada caso los aspectos a que se refieren los pliegos con carácter general (resolución 301/2012)

En particular, en relación con el grado de determinación que han de tener los criterios de valoración establecidos en los pliegos para cumplir con las exigencias del principio de transparencia, libre concurrencia e igualdad de trato, evitando la existencia de cláusulas oscuras que puedan introducir arbitrariedad en la valoración de las ofertas, en la resolución n.° 181/2016 se dijo, con cita de la anterior doctrina de este Tribunal:

"De lo anterior se deduce que el grado de concreción exigible a los pliegos es aquel que permita a los licitadores efectuar sus ofertas conociendo de antemano cuáles van a ser los criterios que va a utilizar el órgano de contratación para determinar la oferta económicamente más ventajosa, no permitiendo que dicho órgano goce de una absoluta discrecionalidad a la hora de ponderar las ofertas efectuadas por cada licitador, sino que esa discrecionalidad ha de basarse en todo caso en juicios técnicos previamente explicados en los pliegos, lo que permitirá, por un lado,

que los licitadores efectúen sus ofertas de forma cabal, garantizando el principio de transparencia e igualdad de trato y, por otro lado, que sea posible revisar la solución alcanzada por el órgano de contratación, no dejando a su absoluto arbitrio la aplicación de tales criterios.

En cuanto a la forma de lograr tal nivel de detalle, sin embargo, no es necesario en todo caso que sea a través de la asignación de bandas de puntos, sino que basta con que la descripción del criterio sea lo suficientemente exhaustiva, estableciendo las pautas que van a seguirse a la hora de valorar cada oferta. Debe tenerse en cuenta que cuando se trata de criterios sujetos a juicios de valor la descripción será siempre y necesariamente subjetiva, pues en otro caso estaríamos ante criterios evaluables mediante fórmulas.

Exigir que se ponderen todos y cada uno de los aspectos que se contienen en la descripción de cada criterio nos llevaría a un círculo vicioso pues cada subcriterio a su vez habrá de contener también su descripción, la cual contendrá a su vez una relación de distintos aspectos que serán tenidos en cuenta y que deberían entonces ser objeto a su vez de ponderación. No cabe, por ello, establecer una regla general que exija siempre y en todo caso establecer la ponderación de todos y cada uno de los aspectos contenidos en cada criterio y subcriterio, sino que lo que ha de exigirse es que lo que va a ser objeto de valoración esté suficientemente concretado.

Indudablemente, el órgano de contratación cuando efectúe la correspondiente valoración habrá de motivar adecuadamente la otorgada a cada licitador y en ese momento habrá de revisarse si se han cumplido los requisitos exigidos por la jurisprudencia antes señalada: que no modifiquen criterios de adjudicación del contrato definidos en el pliego de condiciones; que no contenga elementos que, de haber sido conocidos en el momento de la preparación de las ofertas, habrían podido influir en tal preparación y que no haya sido adoptada teniendo en cuenta elementos que pudieran tener efecto discriminatorio en perjuicio de alguno de los licitadores"».

Sobre la justificación de los criterios elegidos que debe constar en el expediente a tenor del artículo 109.4 TRLCSP, el Órgano Administrativo de Recursos Contractuales de Euskadi, en la resolución 114/2016, indica la necesidad de justificar especialmente los supuestos en que se establezca el predominio de los criterios sujetos a juicio de valor sobre los sujetos a evaluación automática. Aplicando la doctrina que se deduce de la sentencia del TSJ del País Vasco 147/2015, que anula su Resolución7/2014, dice:

> «... *se sostiene que el artículo 150.2 TRLCSP permite que los criterios de adjudicación sujetos a apreciación mediante juicios de valor tengan una ponderación superior a la de los evaluables mediante fórmulas, a pesar de que la opción preferente del legislador es la contraria. Ahora bien, según la referida sentencia, esa posibilidad no puede entenderse "como una mera disyuntiva a adoptar según libre opción del poder adjudicador convocante, de manera que sea mera facultad suya sustituir el predominio de los criterios matemáticos por los que no lo son con solo establecer que la valoración la realizarán expertos externos al órgano proponente del contrato", siendo necesario además que cuente con un "fundamento propio" la opción de dejar de lado la "decantación legal por los criterios de valoración mediante fórmulas". Por ello, "la Administración ignora el referido precepto si se aparta de la preponderancia que el mismo establece sin una justificación específica y razonable"».*

1.4.2. *Pronunciamientos sobre determinados criterios de valoración*

Además de la posibilidad de utilizar aspectos sociales como criterios de adjudicación, cuestión que será objeto de análisis en el epígrafe I.1.10, los tribunales administrativos han analizado la admisibilidad de determinados criterios de adjudicación con especial atención a las mejoras.

El TACRC en la Resolución 144/2016 considera nulo de pleno derecho un criterio de adjudicación, en este caso un criterio relativo al Plan de implantación y migración, porque favorece al actual adjudicatario del servicio. En concreto, valorar «*el plazo de migración supone una ventaja en beneficio exclusivo del licitador que en la actualidad está prestando el servicio, vulnerando con ello lo dispuesto en el art. 32.d) del TRLCSP, que sanciona con la nulidad de pleno derecho de todas aquellas disposiciones, actos o resoluciones emanadas de cualquier órgano de las Administraciones Públicas que otorguen, de forma directa o indirecta, ventajas a las empresas que hayan contratado previamente con cualquier Administración*».

Respecto de las fórmulas de valoración del precio cabe destacar la Resolución 970/2016 del TACRC, en la que atendiendo a que las prestaciones que se contratan se ponderan igual en la cláusula de valoración económica, aunque son de dimensión muy distinta, anula la misma pues concluye que es una fórmula que permite puntuar más a ofertas que, en conjunto, son más caras. El TACRC también considera nulas las fórmulas de valoración del precio que disminuyen la relevancia de la valoración global de las bajas económicas que superen un determinado umbral, por ser contrarias al artículo 150.2 TRLCSP (Resolución 4/2016). La Resolución 151/2016 del Tribunal Administrativo de Recursos Contractuales de la Junta de Andalucía estima contrario a derecho asignar puntos a una oferta que se limita a cumplir los requerimientos mínimos del PPT, pues el cumplimiento de estos requisitos condición necesaria para que la oferta siga en el proceso selectivo, por lo que aquel cumplimiento obligatorio nunca puede ser valorado, ya que es el suelo del que debe partirse en la evaluación de las ofertas.

Respecto de las mejoras, la Resolución 422/2016 del TACRC resume su doctrina anterior sobre los requisitos que deben cumplir las mejoras para resultar admisibles como criterios de adjudicación –relación directa con el objeto del contrato, adecuada motivación, previa delimitación en los pliegos o en su caso en el anuncio de licitación en cuanto a los aspectos de la prestación que serían mejorables por las propuestas de los licitadores y en cuanto al valor o la ponderación que tendrán como criterio de adjudicación–, y admite como mejora la oferta de horas gratuitas en un contrato de servicio puesto que el PCAP señala el número máximo de puntos a obtener, y la fórmula aritmética a la que se debe acoger el cálculo de tal puntuación. Por su parte, el Tribunal Administrativo de Recursos Contractuales de la Junta de Andalucía en la Resolución 95/2016 considera inadmisible el régimen de bonificaciones de un contrato de suministros, pues no se concreta el límite de unidades a ofertar gratuitamente que obtendría una máxima puntuación, y que pudiera servir de parámetro para la valoración de las distintas ofertas, ni se establece un límite máximo a la bonificación.

1.4.3. *Utilización como método de desempate del porcentaje de personas con discapacidad en la plantilla*

La Resolución 1023/2016 del TACRC analiza si en la utilización como método de desempate del porcentaje de personas con discapacidad en la plantilla, deben aplicarse las previsiones del Real Decreto 364/2005 de 8 de abril, por el que se regula el cumplimiento alternativo con carácter excepcional de la cuota de reserva en favor de los trabajadores con discapacidad, llegando a la conclusión de que no procede:

> «... *este Tribunal en la Resolución 95/2016 de 5 de febrero de 2016, ha afirmado que "Queda por resolver, por tanto, si cabe la posibilidad de que ese porcentaje se integre con la concurrencia de las medidas excepcionales alternativas que se prevén en el Real Decreto 364/2005. Para ello, debemos acudir a la literalidad de la cláusula 17, que exige expre-*

samente un porcentaje determinado de trabajadores fijos, y que no da la posibilidad de integrar ese porcentaje con la existencia de medidas excepcionales alternativas. Además, y desde un punto de vista general, válido para este criterio de preferencia, ya sea tal y como se ha estipulado en el Pliego, o ya sea tal y como se regula en la disposición adicional cuarta, una cosa es que se permita a las empresas soluciones diversas para que se entienda cumplida la obligación de reserva de puestos de trabajo a favor de trabajadores discapacitados, y otra muy distinta, que la existencia de esas medidas alternativas supongan el cumplimiento del criterio de preferencia, que es claro; no cabe, además, otra interpretación, pues en caso de admitirse la tesis del Órgano de Contratación y del adjudicatario, se estaría convirtiendo el estricto cumplimiento de una obligación legal en criterio preferente de adjudicación, beneficiándose con ello a las empresas que, por su dimensión, están obligados a esa reserva, frente a las empresas que no lo están y que por tanto no adoptan medidas alternativas, aun cuando tengan trabajadores discapacitados en plantilla"».

Asimismo, se plantea si es admisible utilizar este criterio de desempate independientemente de que se supere el mínimo exigible por la normativa específica. Y concluye admitiendo la aplicación de este criterio incluso aunque las empresas no alcancen el porcentaje mínimo del 2% establecido por Ley 13/1982, de 7 de abril, de integración social de los minusválidos.

1.5. Umbrales de temeridad

Han sido numerosas las resoluciones que cuestionan que se establezca un umbral de temeridad por referencia al precio de licitación y no al conjunto de las ofertas admitidas.

Hay que indicar previamente que el Órgano Administrativo de Recursos Contractuales de la Comunidad Autónoma de Euskadi, en su Resolución 80/2014, estimó un recurso contra la fijación en los pliegos de un umbral de temeridad sobre el precio de licitación, al considerar que una interpretación sistemática de los apartados 1 y 2 del artículo 152 de TRLCSP «*nos lleva a considerar que los límites objetivos tienen que estar referenciados al conjunto de ofertas válidas que se hayan presentado, y no a parámetros o límites que expresen y den a conocer de antemano el umbral de anormalidad, como sucede en los pliegos del contrato objeto de recurso*». Sin embargo el TSJ del País Vasco en la Sentencia de 1 de diciembre de 2015 que revisa dicha Resolución, aunque entiende que el criterio del Órgano Administrativo no está en modo alguno exento de una razonabilidad abstracta y formal conectada con el logro por parte del poder adjudicador de las mayores ventajas competitivas que el mercado pueda determinar, entra en colisión con los términos legales y su general interpretación, y se sitúa en un plano difícilmente cohonestable con las facultades que las Administraciones contratantes detentan. El TACRC, por su parte, estima que aunque admisible es un sistema que puede llegar a restringir la competencia, en la medida que señala con carácter previo el nivel a partir del cual la oferta se considerará desproporcionada (Resolución TACRC 207/2016).

Además, los órganos de recurso especial entienden que si el margen para definir el umbral de temeridad es muy pequeño, sea en relación con el presupuesto de licitación o con la media de las ofertas, se desnaturaliza la finalidad de la figura de las ofertas con valores anormales o desproporcionados. En la Resolución 315/2016, el TACRC indica:

> «si el margen para definir el umbral de temeridad sobre el precio de licitación es muy pequeño y este precio no está estrictamente ajustado a las condiciones del mercado, puede cuestionarse la legalidad del pliego por ser contrario al principio de concurrencia al obstaculizar la admisión de ofertas que, dadas las condiciones del mercado, no deberían ser calificadas como anormales o desproporcionadas». Y por ello concluye que: «En estas condiciones, establecer un margen de sólo el 5% para definir las ofertas incursas en presunción de temeridad debe entenderse contrario al principio de concurrencia, en la medida que no está acreditado que el presupuesto de licitación esté muy ajustado a las condiciones del mercado y de que un margen tan estrecho como el del 5% no incentiva, sino que más bien obstaculiza la presentación de ofertas competitivas en el precio».

En la Resolución 598/2016 considera que el establecer un umbral de temeridad muy próximo a la media de las ofertas «puede llegar a desnaturalizar la propia finalidad de la figura de las "ofertas con valores anormales o desproporcionados". Si se trata de establecer un mecanismo para contrastar la viabilidad de las ofertas con valores muy bajos –las "ofertas temerarias"– no resulta procedente, en buena lógica, la posibilidad de extender el régimen establecido en el artículo 152 del TRLCSP a las proposiciones que se presenten con un margen de baja que, de acuerdo con las reglas de la práctica comercial en el sector de que se trate, no debieran ser tachadas como "anormalmente bajas" o "temerarias"».

1.6. Las Prescripciones Técnicas

El TACRC resume en la Resolución 391/2016 su doctrina general sobre la fijación de especificaciones técnicas:

> «a) El principio de autonomía de la voluntad determina que los poderes adjudicadores cuenten con un amplio margen de discrecionalidad

*a la hora de determinar las prescripciones técnicas exigidas a los lici-
tadores, siempre y cuando las mismas estén justificadas y sean necesarias para satisfacer las necesidades que se pretenden subvenir con el
contrato (resolución n.° 153/2016 y las que en ella cita).*

*b) Para que exista una limitación en la concurrencia es necesario acre-
ditar que los requisitos técnicos establecidos en el pliego hacen que
necesariamente el contrato sólo pueda ser adjudicado a un único licitador, por ser el único capaz de satisfacer tales requisitos, existiendo
además otros productos capaces de satisfacer las necesidades de la Administración de la misma forma (resolución 548/2014, por remisión a
otra del TACP Madrid 9/2013).*

*c) Cuando las especificaciones técnicas se refieran a una determinada
marca, productos, patentes o tipos deberá incluirse la referencia "o equivalente", salvo que esté justificado por el objeto del contrato. En este
sentido, será válida la exigencia de que se utilicen determinadas marcas
o productos cuando existan especialidades en el objeto del contrato que
lo justifiquen, salvo que existan en el mercado productos similares, con
idéntica o similar funcionalidad (resolución n.° 184/2016).*

*d) Por otro lado, la existencia de un operador dominante no debe con-
fundirse con una conducta restrictiva de la competencia. De suyo, la
posición de dominio no está prohibida por la Ley ni por el Derecho
Comunitario, sí lo están en cambio las restricciones a la competencia o
el abuso en dicha posición de dominio, teniendo en cuenta que existen
fórmulas para que operadores de menor dimensión o con una gama de
servicios limitada que no puedan afrontar por sí solos el contenido de
contrato opten al mismo mediante fórmulas de colaboración como las
UTE o acuerdos para la subcontratación (resolución n.° 706/2013)».*

Concluye el TACRC que la entidad contratante tiene la obligación de
no introducir exigencias técnicas que puedan ser discriminatorias, pero
esta obligación no implica que deba remover cualquier posible ventaja con
la que cuenten los distintos licitadores como consecuencia de circunstancias o hechos ajenos al propio órgano de contratación[89].

1.6.1. El principio de neutralidad tecnológica

Varias resoluciones se han centrado en el alcance del principio de
neutralidad tecnológica. El TACRC ha acogido en la Resolución 724/2016

---

89. En el mismo sentido las Resolución del Tribunal Administrativo de Recursos
Contractuales de la Junta de Andalucía 295/2016.

el concepto de neutralidad tecnológica de la CNMC y ha declarado que no es un principio absoluto sino que admite exclusiones objetivas suficientemente justificadas[90]:

> «... y como se señala en la tan mencionada resolución de la Comisión del Mercado de las telecomunicaciones de 29 de abril de 2013, "Su objetivo consiste en evitar que, a través de la imposición de una determinada tecnología, se pueda influir en las condiciones de libre competencia en que debe desarrollarse el sector de las comunicaciones electrónicas". La aplicación concreta de este principio en el marco de la contratación administrativa se traduce en que los pliegos de cláusulas administrativas aseguren a los operadores económicos el libre acceso a la prestación del servicio, de tal modo que la Administración, al elaborar los mismos, debe evitar imponer condiciones restrictivas, como puede ser el uso de determinadas tecnologías, que dificulten al libre acceso e imposibiliten la efectividad del principio mencionado.
>
> La normativa postula, de este modo, la conveniencia de ofrecer a los operadores, prestadores de servicios, adjudicatarios en concursos públicos, etc., la posibilidad de ofrecer los servicios a través de las tecnologías o infraestructuras que consideren más convenientes, sin limitaciones en la introducción y desarrollo de una tecnología concreta. (...) Este principio inspirador de la actuación de las Administraciones Públicas no puede sin embargo ser incondicionado. En particular, deberá atenderse a la posible existencia de justificaciones objetivas, que podrían hacer decaer la plena aplicación de este principio, tal y como ha señalado el Tribunal Supremo en la Sentencia de 18 de noviembre de 2009 (recurso contencioso administrativo núm. 54/2006) en la que expresamente se indica lo siguiente: "La flexibilidad con la que se recoge este principio evidencia de que no se trata de un mandato inexorable, sino que el legislador, por supuesto, pero también el Gobierno, podrían adoptar medidas en las que no fuera posible mantener una absoluta neutralidad entre las distintas tecnologías que concurren en este ámbito. Ahora bien, no cabe duda de que en tal caso dicha medida tecnológicamente no neutral debe estar sólidamente justificada, sin que fuese posible adoptar otra equivalente y respetuosa con el referido principio, y ser proporcionada en relación con los objetivos perseguidos"».

---

90. Criterio que mantiene también la Resolución del Tribunal Administrativo de Contratación Pública de la Comunidad de Madrid 201/2016.

1.6.2. Los depósitos asistenciales

Relevantes han sido los pronunciamientos del TACRC sobre los llamados «depósitos asistenciales» habituales en el ámbito sanitario. Consisten en la obligación de que el adjudicatario deposite en las instalaciones de la entidad contratante el material objeto del suministro en la cantidad suficiente para el desarrollo óptimo de una actividad asistencial, el material no utilizado será retirado por el adjudicatario sin coste adicional cuando esté próximo a su fecha de caducidad, y al finalizar el contrato el adjudicatario debe retirar los depósitos no consumidos, sin que tenga derecho a percibir más que el precio de los suministros utilizados. El TACRC en las Resoluciones 203/2016 y 586/2016, siguiendo el criterio sentado por el Tribunal Administrativo de Contratación Pública de la Comunidad de Madrid en su Resolución 148/2012, anula dichas cláusulas por contravenir las disposiciones del TRLCSP aplicables al pago del precio en el contrato de suministros, y por considerar que pueden calificarse de abusivas a los efectos de la Ley 3/2004, de 29 de diciembre, por la que se establecen medidas de lucha contra la morosidad en las operaciones comerciales.

1.7. Cláusulas sobre subrogación del personal

La Resolución 235/2016 del Tribunal Administrativo de Contratación Pública de la Comunidad de Madrid se pronuncia sobre la posibilidad de imponer la subrogación de personal a través del PCAP. El criterio unánime de los órganos de recurso especial es que la subrogación vía pliegos debe de ser rechazada. Pero la Sentencia AN de 25 de marzo de 2015 introdujo confusión al entender que cabe junto con la subrogación legal y convencional, un tercer supuesto constituido por la subrogación contractual vía pliegos, de forma condicionada a la voluntad del trabajador. El Tribunal Administrativo de Contratación Pública de la Comunidad de Madrid desmonta los argumentos de dicha sentencia con apoyo de la jurisprudencia del TS[91]:

> «Así por lo que respecta al primer argumento, "estar basada en el principio de libertad de pactos del artículo 25 del LCSP", este Tribunal entiende que no se trata de un principio que opere de forma absoluta, de manera que solo lo es en la medida que respete la normativa aplicable de que se trate, en este caso la laboral; tampoco el argumento de su previsión en el artículo 120 del TRLCSP, nos parece un argumento de peso, cuando la dicción literal del precepto ha sido interpretada en el sentido de que lo único que prevé es la obligación de facilitar la in-

---

91. STS de 8 de junio de 2016, dictada en el recurso de casación 1602/2015.

formación pertinente al objeto de realizar una oferta cabal. Del mismo modo la cita de Sentencias del Tribunal Supremo del ámbito laboral, tampoco aparece como determinante cuando como hemos expuesto existen sentencias del ámbito contencioso que establecen lo contrario. Por último, la cita del artículo 75 de la LOTT a nuestro juicio, refuerza la postura contraria a la admisión de la obligación contractual de la subrogación, puesto que sin perjuicio de que su ámbito debe circunscribirse al sector de los transportes, constituye un supuesto de subrogación legal puesto que es la Ley de ordenación de los transportes terrestres, la que introduce la obligación que a nuestro juicio solo deberá "reflejarse" en los pliegos.

A todo lo anterior hay que añadir que si bien teóricamente caben ambas interpretaciones, desde el punto de vista de la praxis, se aprecia que en muchas ocasiones las empresas realizan "política de personal" a través de la contratación pública, lo que puede colocar a las pequeñas y medianas empresas eventualmente ante la imposibilidad o incertidumbre de asumir una contratación con una importante carga de personal, salvo en el caso de imposición convencional o legal, ante la inseguridad de que la obligación pueda o no establecerse en los pliegos (circunstancia que se produce en cada licitación pero despliega efectos respecto de la siguiente). Además se aprecia por este Tribunal la dificultad de realizar una oferta cabal ante la necesidad de contar con el consentimiento de los trabajadores que dependería de la empresa que resultara adjudicataria, de forma que los costes de personal de los contratos serían inciertos en cuanto a la subrogación al menos hasta el momento de la adjudicación, lo que puede llevar a ofertas ineficientes ante la eventualidad de contar con un personal y en unas condiciones inciertas.

Por último no cabe desdeñar que a través de sucesivas subrogaciones de personal no pactadas convencionalmente, la Administración se coloca en la posición de empleador, pero sin embargo carece de capacidad de negociación al ser un tercero en las relaciones laborales entre empresa y trabajadores. Por todo lo anterior este Tribunal considera que no es posible establecer en los pliegos la obligación de subrogación del personal que viniera desempeñando las labores objeto del contrato a licitar...»

La cuestión ha sido zanjada por el propio Tribunal Supremo en su Sentencia de 23 de enero de 2017 en la que casa y anula la Sentencia de la Audiencia Nacional, de 25 de marzo de 2015, recogiendo la doctrina sentada en la STS, de 16 de marzo de 2015, traída a colación en la Resolución comentada.

1.8. Cláusulas de arraigo territorial

La Resolución 391/2016 TACRC resume su doctrina general sobre las cláusulas de arraigo territorial[92]:

> «a) La inclusión de cláusulas que introduzcan el arraigo territorial no son admisibles de conformidad con la normativa de contratación pública, por tratarse de cláusulas que introducen una discriminación positiva para las empresas o licitadores implantados en el territorio correspondiente, con independencia de si dichas cláusulas hacen referencia a condiciones de solvencia o aptitud de los licitadores, criterios de adjudicación o condiciones especiales de ejecución (Resoluciones n.° 76/2016 o 644/2015).

> b) Ahora bien, sí serán admisibles aquéllas cláusulas que, aunque impliquen una determinada relación con un territorio, sean necesarias por la existencia de un interés general objetivo que justifique su imposición, es decir, cuando se trata de cláusulas que estén relacionadas con el contrato que se pretende celebrar y las necesidades que mediante éste la Administración quiere satisfacer (resolución n.° 644/2015).

> c) En relación con las llamadas "cláusulas de tipo social", la doctrina de este Tribunal ha señalado su admisibilidad siempre que se cumplan las exigencias establecidas en la jurisprudencia europea, en esencia: i) que de las mismas no se derive una discriminación, directa o indirecta, a los operadores económicos y a los trabajadores de otros Estados miembros o terceros países; ii) no afecten a la competencia, entendiendo que no afectan a la competencia aquéllas que se limiten a exigir a los licitadores el cumplimiento de normas de general observancia en el territorio y iii) respeten la autonomía de la voluntad de las partes (resolución n.° 160/2016).

> d) En el caso de la introducción de cláusulas dirigidas a luchas contra el desempleo son en todo caso inadmisibles cuando las mismas se limitan a la lucha contra el desempleo existente en un determinado lugar geográfico (resolución n.° 103/2015».

Aplicando esos criterios al supuesto concreto de la resolución, el TACRC estima que un criterio de valoración consistente en el porcentaje de

---

92. También sobre cláusulas de arraigo territorial: Resolución 65/2016 del Tribunal Administrativo de Recursos Contractuales de la Junta de Andalucía.

horas que se va a ejecutar en España respecto del total de horas necesarias para la ejecución del contrato es inadmisible por ser discriminatorio y constituir un criterio de arraigo territorial.

En la Resolución 999/2016 el TACRC considera que la exigencia de disponer de Delegaciones en cada Comunidad Autónoma, resulta justificable en un contrato de «Servicios de vigilantes de seguridad y auxiliares de diversos centros de la Corporación RTVE» pero el pliego la configura, de facto, no como compromiso de adscripción de medios, sino como condición exigible ab initio a todos los licitadores, y en consecuencia procede su anulación por ser restrictiva de la concurrencia.

1.9. Cláusulas que incluyen una condición resolutoria del contrato

La Resolución 101/2016 del Órgano Administrativo de Recursos Contractuales de la Comunidad Autónoma de Euskadi analiza los pliegos aprobados por una sociedad mercantil creada por un Ayuntamiento para gestionar un servicio público, en los que se reserva al órgano de contratación la posibilidad de desligarse unilateralmente del contrato una vez formalizado sin necesidad de aportar justificación alguna, y concluye que es inadmisible:

> «... alega el poder adjudicador esta facultad está prevista en el art. 1.594 del Código Civil y nos hallamos ante un contrato que en lo referente a sus efectos y extinción se rige por el derecho privado (art. 20.2 TRLCSP), lo que daría validez a la estipulación. (...) no puede aceptarse la aplicación sin matices, incondicionada y sin necesidad de justificación, del artículo 1.594 del Código Civil a los contratos celebrados por los poderes adjudicadores que no son administraciones públicas. Como ya se ha dicho anteriormente, AK no puede, salvo que se desvíe del objeto societario que justifica su existencia, actuar como una sociedad mercantil cualquiera, ya que es un ente instrumental que está gestionando un servicio de titularidad pública y no puede soslayar las previsiones legales que regulan el procedimiento de adjudicación de sus contratos mediante el uso de una norma o estipulación que le permite alterar libremente el resultado de dicho procedimiento (ver también el Fundamento de Derecho Décimo de la Resolución 18/2015 del OARC/KEAO). Consecuentemente, la cláusula debe anularse».

1.10. La incorporación de aspectos sociales

La incorporación de aspectos sociales, como criterio de adjudicación del contrato o como condiciones especiales de ejecución, ha acaparado muchos pronunciamientos de los órganos de recurso especial que además se han inspirado en las nuevas Directivas que vienen a reforzar la dimensión social de la contratación pública.

1.10.1. Admisibilidad de aspectos sociales como criterios de valoración de las ofertas

Con carácter general a partir de la aplicación de las nuevas Directivas de 2014 se ha abierto una tendencia entre los órganos competentes para conocer del recurso especial más proclive a admitir aspectos sociales como criterios de adjudicación. La utilización de criterios sociales para la adjudicación de los contratos y concesiones, se ve fortalecida en las Directivas por la incorporación de los criterios de la jurisprudencia del Tribunal de Justicia de la Unión Europea (TJUE), y los órganos de recurso especial vienen a admitirlos sobre todo si tienen carácter accesorio y no determinante, aunque existen discrepancias importantes de criterio.

A continuación analizaremos los pronunciamientos más relevantes en la materia.

a) Compromiso de aplicar a los trabajadores adscritos al servicio un determinado convenio colectivo.

Sobre la admisibilidad de este criterio supuso una novedad importante la Resolución 16/2016 Tribunal Administrativo de Contratación Pública de la Comunidad de Madrid[93]. El supuesto analizado era un servicio de seguridad en el que se valoraba con 15 puntos sobre 100, «*el compromiso de aplicar durante toda la vigencia del contrato a los vigilantes, que realicen la prestación del servicio de vigilancia y seguridad objeto del contrato, el Convenio Colectivo Estatal de las empresas de seguridad vigente (o el texto que le sustituya) en todo lo relativo a retribuciones*». El Tribunal entendió que:

> «... *existe identidad de razón suficiente para considerar aplicable el criterio sustentado por la Sentencia dictada en el Asuntos C-368/2010, –que permite establecer como criterio de adjudicación un elemento no determinante de la calidad del producto a suministrar, como es su procedencia del comercio justo–, a efectos interpretativos del artículo 150 del TRLCSP, en este contrato concreto, en el que el contenido de los criterios de adjudicación controvertidos no se encuentran incorporados material y específicamente a la prestación pero tienen una evidente*

---

93. El Tribunal Superior de Justicia de Madrid en sentencia 220/2017, de 7 de junio, ha estimado un recurso frente a dicha Resolución, y considera que procedía la anulación del criterio de adjudicación por no tener relación directa con el objeto del contrato y suponer una injerencia indebida en el ámbito de la regulación salarial de los trabajadores, advirtiendo además de que la asignación a este criterio de 15 puntos resulta desproporcionada.

repercusión en la calidad de la misma. Esta aplicación, por otro lado no resulta impedida por otro pronunciamiento jurisprudencial en contra.

Debe completarse el examen de la adecuación a derecho de la cláusula controvertida atendiendo al carácter público y no discriminatorio del criterio. Nada hay que objetar a tal criterio, de acuerdo con el TRLCSP y su interpretación a la luz de las Directivas y jurisprudencia europea, tal y como más arriba se ha expuesto, puesto que su inclusión, especialmente en este tipo de contratos en los que nos encontramos con prestaciones personales y en los que el componente esencial viene dado por el coste de la mano de obra, no supone trato discriminatorio para ninguna empresa, puesto que a la hora de elaborar sus ofertas, las empresas que pretendan obtener puntuación por este o los otros dos criterios de carácter social, necesariamente obtendrán una menor puntuación en el apartado de la oferta económica, ya que deberán presupuestar en principio mayores gastos. En consecuencia, una puntuación compensa a la otra, dependiendo de la estrategia empresarial que se opte por un apartado o el otro».

Sin embargo en un supuesto similar el TACRC en la Resolución 1059/2016 ha manifestado un criterio contrario:

«... aun partiendo de la admisibilidad teórica de incluir mejoras sociales como criterio de adjudicación, debe analizarse si el compromiso de mantener durante la vigencia del contrato las retribuciones que, como mínimo, sean las que figuren en el Convenio Estatal de Empresas de Seguridad vigente (o el texto que le sustituya) constituye una verdadera mejora social de las amparadas por la Directiva 24/2014 y si, supuesto ello, tiene además vinculación con el objeto del concreto contrato a cuya licitación se refiere, y si es proporcionado, no creando su inclusión distorsiones o discriminación entre las empresas licitadoras.

Pues bien, lo primero que debe señalarse es que la mejora social que los Pliegos contemplan como criterio de adjudicación no tiene cabida entre las que menciona el Considerando 99 de la Directiva 2014/24/UE, ni es análoga a ninguna de ellas, pues no tiene por objeto proteger la salud del personal que participa en la ejecución del contrato, ni favorecer la integración social de las personas desfavorecidas o de los miembros de grupos vulnerables, ni ofrecer formación para adquirir las competencias necesarias para el contrato de que se trate. Si a ello se añade que su exigencia no deriva en una mejor prestación del servicio (ni siquiera afecta directamente a la forma o calidad del servicio objeto de la prestación) y que su valoración como criterio de adjudicación efectivamente puede ocasionar distorsiones entre los licitadores, debe

317

convenirse con AESPRI que su inclusión como criterio de valoración de las ofertas no es conforme a Derecho.

En efecto, son varios los motivos que llevan a este Tribunal a considerar discriminatorio y susceptible de crear desigualdades y distorsiones entre los licitadores la admisión de este criterio de adjudicación: a) En primer lugar, por cuanto en los contratos de seguridad y vigilancia los costes salariales constituyen la parte esencial del precio, hasta el punto de que la competencia entre los licitadores se limita prácticamente a este aspecto, de forma que las ofertas serán más elevadas cuanto mayores sean también los costes salariales y viceversa; b) Además, aunque el porcentaje del 15% parezca a priori proporcionado en relación con la puntuación total, no debe perderse de vista que no admite graduaciones internas, de forma que en su aplicación se otorgarán automáticamente quince puntos a los licitadores que mantengan el Convenio Estatal y cero puntos a quienes no lo hagan, lo que situará a estas últimas empresas en condiciones de inferioridad manifiesta; c) Precisamente esta finalidad es además la perseguida por el órgano de contratación al incluir esta cláusula, es decir, primar a las empresas que mejoren las condiciones retributivas del personal que presta el servicio aunque no repercutan en la mejora del servicio, lo que necesariamente se traducirá en una oferta económica mayor (al ser mayores los costes a soportar por el licitador) sin que el servicio se vea beneficiado, traduciéndose esta exigencia en la presentación de ofertas más caras y menos beneficiosas económicamente para la Administración, de modo que con la aplicación de este criterio se valorará positivamente a la empresa cuya oferta no sea económicamente más ventajosa para la Administración, en contra del espíritu que ha de regir en la ponderación de las ofertas para seleccionar un adjudicatario en los arts. 150 y siguientes del TRLCSP, cuya finalidad es que resulte elegido el licitador cuya oferta sea económicamente la más ventajosa para la Administración; d) Y, finalmente, ha de añadirse, que no debe perderse de vista que el sector de la seguridad es uno de los que más han utilizado la facultad de descuelgue del Convenio Estatal, especialmente en el caso de las pequeñas y medianas empresas, con lo que podría producirse un efecto discriminatorio respecto de aquellas empresas descolgadas por el mero hecho de haber utilizado una facultad reconocida en la legislación vigente».

b) Criterio consistente en «contar con un plan social de ejecución del contrato».

El Acuerdo 80/2016 Tribunal Administrativo de Contratos Públicos de Aragón analiza si resulta admisible como criterio para adjudicar un servicio de limpieza en centros sanitarios contar con un plan social de ejecución del contrato:

> *«En todo caso, no resultarán admisibles aquellas exigencias o estipulaciones que "fuercen" la vinculación exigible o que interfieran de forma indebida en la propia política empresarial de las empresas. La contratación pública puede estar al servicio de condiciones sociales, pero con el límite de no distorsionar la competencia, ni introducir controles indebidos en la gestión legítima de los intereses empresariales.*
>
> *(...) Pues bien, desde esta perspectiva, las previsiones cuestionadas por el recurrente –plan de conciliación social– como criterio de adjudicación, no quiebran las reglas expuestas, pues existe una vinculación con la mejor calidad en la prestación del servicio y no se distorsiona indebidamente la competencia al asignar solamente una puntuación de cinco puntos. Es más, se garantiza una mejor eficiencia social que preserva las exigencias constitucionales de políticas sociales activas».*

c) <u>Presencia de mujeres en el equipo que va a desarrollar el trabajo.</u>

El Acuerdo 45/2016 del Tribunal Administrativo de Contratos Públicos de Navarra analiza un contrato que tiene por objeto la *«asistencia técnica para la gestión de los huertos ecológicos»* en el que se valora con un máximo de 25 puntos la presencia de mujeres en el equipo técnico que van a desarrollar los trabajos. Para el Tribunal:

> *«... no se justifica en el expediente que la contratación de mujeres para la prestación del servicio suponga una mejora en la prestación del servicio, ni su incidencia en el objeto del contrato, cuando es un criterio que supone 25 puntos sobre un total de 100.*
>
> *El hecho de que se alegue que dicho criterio se debe a la infrarrepresentación de mujeres en el sector en el que se encuadra el contrato es de 0,47, no justifica el establecimiento de un criterio de adjudicación que no está relacionado con el objeto del contrato y que no comporta una ventaja, directa o indirecta, en la prestación del servicio».*

d) <u>Contratación de personas en riesgo de exclusión del mercado laboral y de personas discapacitadas.</u>

La Resolución 210/2016 TACRC analiza la admisibilidad de este criterio:

> *«La introducción de este criterio social –contratación de personas en riesgo de exclusión del mercado laboral y de personas discapacitadas–*

en la fase de valoración ha de ser ponderada en sus justos términos, pues, incorporada en esta fase, en la de la adjudicación del contrato, podría resultar contraria a los principios contractuales de igualdad y no discriminación exigidos en los artículos 1 y 139 del TRLCSP y en la normativa europea por lo que, en tal caso, provocaría un vicio de nulidad de pleno Derecho por aplicación del artículo 32.a) del TRLCSP, en relación con el artículo 62.1.a), por ser la igualdad formal un derecho de amparo constitucional.

(…) Tomando como referente de "lege lata" el artículo 150.1.° del TRLCSP, sumado a las normas imperativas contenidas en la referida Directiva 2014/24/UE, analizadas las mejoras sociales contenidas en la cláusula 11.ª B.2.3 y observando que guardan relación con el objeto del contrato y la debida proporcionalidad en su puntuación (de 0 a 5 puntos), hemos de deducir que no resultan contrarias a Derecho porque no introducen elementos distorsionadores de la igualdad y concurrencia ni desvirtúan el principio general de adjudicación a la oferta económicamente más ventajosa, que rigen esta fase de la contratación administrativa, la de adjudicación».

1.10.2. *Admisibilidad de aspectos sociales como condiciones de ejecución del contrato*

a) Condiciones especiales de ejecución relativas a las condiciones laborales de los trabajadores

Con carácter general los órganos de recurso especial aceptan las condiciones tendentes a asegurar el cumplimiento de las obligaciones laborales, e incluso a mantener las condiciones existentes en el momento de la adjudicación, pero con limitaciones.

La Resolución 160/2016 de TACRC asume el criterio del informe 16/2014 de la Junta Consultiva de Contratación Administrativa de Aragón, en relación con una cláusula con el siguiente contenido: «*Durante todo el periodo de ejecución del contrato, la empresa contratista está obligada a no minorar unilateralmente las condiciones de trabajo que, en materia de jornada y salario, y en términos anualizados, así como a cualquier mejora sobre la legislación laboral básica aplicable que correspondan en cada momento a los trabajadores adscritos al contrato en función del convenio colectivo que resulte de aplicación al presentarse la oferta, salvo acuerdo explícito entre empresa y la representación de los trabajadores*». La Junta admite esta cláusula pues a su entender las condiciones de ejecución de tipo social son admisibles si de las mismas no se deriva una discriminación, directa o indirecta, a los operadores económicos y a los trabajadores de otros Estados miembros o terceros países; no afectan a la competencia; y respetan la autonomía de la voluntad de las partes.

El Acuerdo 73/2016 Tribunal Administrativo de Contratos Públicos de Aragón se pronuncia en concreto sobre una condición de ejecución que consiste en mantener la retribución de los trabajadores durante la ejecución del contrato:

> «*Por último, con relación a la exigencia de mantener la retribución de los trabajadores durante la ejecución del contrato, este Tribunal administrativo considera legal tal opción, que no limita la competencia ni interfiere en la opción de gestión del contrato y que pretende dotar de calidad la prestación del contrato, evitando la precarización de condiciones laborales como justificación de rebaja de precios en las ofertas, lo que casa mal con la obligación de calidad/precio que refiere el artículo 67 de la Directiva 2014/24/UE, de contratación pública. Es más, la posibilidad de condiciones de ejecución de este tipo, fijando retribución mínima de los costes laborales, ha sido admitida por la Sentencia TJUE de 17 de noviembre el TJUE, Regio Post, (asunto C-115/14), en tanto permite garantizar la correcta prestación del contrato.*
>
> *Asimismo, el licitador que oferta conforme a las condiciones de un convenio colectivo, está obligado a mantener esas condiciones por cuanto la oferta es parte del pliego y los pliegos son lex contractus que vincula durante su ejecución conforme al principio pacta sunt servanda, sin que la ultraactividad de los convenios puede interferir en la ejecución de un contrato ya adjudicado, pues se quebraría el principio de equivalencia de las prestaciones así como el principio de igualdad de trato entre licitadores, al alterarse las condiciones de la adjudicación*».

La Resolución 160/2016 del TACRC, antes citada, analiza una cláusula social con el siguiente contenido:

> «*–Cualquier modificación sustancial de sus condiciones de trabajo, requerirá conformidad previa expresa por parte de la Alcaldía.*
>
> *–En caso de ser calificado por los Juzgados y Tribunales del orden Social el despido de "improcedente" del personal fijo de empresa, la obtención de la referida calificación implicará de forma forzosa la readmisión, salvo que el/la afectado/a optará por la indemnización, previa aprobación por parte del Pleno Municipal.*
>
> *–Para un mejor control de los trabajos, la empresa adjudicataria, intentará dentro de lo posible la adscripción de los/as trabajadores/as en dos ámbitos: Dependencias Municipales y Colegios*».

Y con base en la jurisprudencia del TJUE, concluye que es inadmisible por que condiciona el poder de dirección de la empresa:

«*Analizando el clausulado cuestionado a la luz de lo expuesto, debemos partir de que el mismo tiene el objetivo de dificultar la modificación en las condiciones contractuales, y de fomentar la readmisión del trabajador, sometiendo una y otra facultad (que en principio están dentro del poder de dirección del empresario en el margen que le otorga la legislación y convenios aplicables) al control de la Administración contratante.*

Pues bien:

–Por una parte, vemos que en principio han sido aceptadas condiciones tendentes a asegurar el cumplimiento de obligaciones laborales de general aplicación, pero el clausulado que nos ocupa va más allá de lo previsto por la normativa e incluso de los convenios aplicables

–Por otra parte, ni el art. 118 TRLCSP, ni la "Comunicación" de la Comisión, ni las nuevas Directivas, mencionan un objetivo relacionado con dicho clausulado (pues se refieren a fomentar la igualdad entre mujeres y hombres en el trabajo, la mayor participación de la mujer en el mercado laboral y la conciliación del trabajo y la vida familiar, contratación de persones con discapacidad (…).

–Y, por último, no respeta la libre autonomía de las partes, pues no contempla una excepción como la prevista, por ejemplo, en el caso analizado por el Informe de la JC de Aragón ya mencionado.

En definitiva, en nuestro caso, las condiciones especiales de ejecución que nos ocupan, afectantes a las obligaciones de la empresa respecto de sus trabajadores, pueden resultar contrarias al Derecho de la UE, en lo referido a la libre prestación de servicios».

1.10.3. *Alcance de las prerrogativas administrativas de control de la ejecución del contrato*

Un aspecto muy relacionado con la admisión de criterios sociales, es el relativo a incluir en el contrato controles para comprobar que el adjudicatario está cumpliendo con las obligaciones laborales y sociales que le vienen impuestas. Este es un aspecto que se ve reforzado en la Directiva 014/24 que incluye como novedad el artículo 18 que establece que «*los Estados miembros tomarán las medidas pertinentes para garantizar que, en la ejecución de contratos públicos, los operadores económicos, cumplen las obligaciones aplicables en materia medioambiental, social o laboral establecidas en el Derecho de la Unión, el Derecho nacional, los convenios colectivos o por la disposiciones de Derecho internacional medioambiental, social y laboral enumeradas en el anexo X».*

A este precepto no se le reconoce efecto directo pero como señala la Resolución del Tribunal Administrativo de Contratación Pública de Madrid 190/2016 *«debe ser considerado como orientador e inspirador de la práctica de los órganos de contratación, sin perjuicio del carácter imperativo "per se" de las obligaciones de carácter laboral previstas en la ley o en los convenios colectivos».*

Para el Órgano Administrativo de Recursos Contractuales de la Comunidad Autónoma de Euskadi (Resolución 104/2016) el artículo 18.2 *«parece referirse más bien a las normas de transposición de la Directiva y a las estipulaciones contractuales en ellas amparadas que tiendan a reforzar, garantizar o vigilar, durante la ejecución de la prestación, el cumplimiento de la legislación y los convenios que cita, por ejemplo, añadiéndoles la condición de condiciones contractuales y anudando a su infracción una consecuencia gravosa para el contratista (resolución, penalidad, etc.)»*[94].

El Acuerdo 72/2016 del Tribunal Administrativo de Contratos Públicos de Aragón ahonda en el alcance de las prerrogativas de control que puede reservarse el órgano de contratación, y cuales serían los límites:

> *«La recurrente argumenta que existe un abuso de las prerrogativas administrativas de control en la ejecución del contrato, pues no pueden imponerse, vía pliegos, obligaciones que vengan a desnaturalizar el objeto de un contrato de servicios, convirtiéndolo en un contrato de asistencia técnica donde desaparece la capacidad de gestión de la empresa. Y citan como ejemplo, las exigencias/condiciones referidas a control y disposición de gastos de personal, de actividades y de gestión del apartado S) del PCAPE, cláusula 14.13 BBTT y cláusulas 18 a 20 y 22 BBTT.*
>
> *Como ha advertido la Resolución 16/2016, del Tribunal Administrativo de Contratación Pública de Madrid, las condiciones sociales de los contratos públicos, en tanto política pública, pueden formar parte del diseño de un contrato si bien, deben estar vinculadas, directa o indi-*

---

94. Sobre la posibilidad de que el incumplimiento de las obligaciones laborales pueda considerarse obligación esencial de un contrato cabe citar el Dictamen 324/13 del Consejo Consultivo de la Comunidad de Madrid, que ante un incumplimiento de las obligaciones con la seguridad social, calificada en el pliego como obligación esencial, dictaminó que «A tal efecto la tipología del incumplimiento reprochado, al no afectar a los actos de ejecución del contrato carece del carácter sustancial que es exigible para fundamentar la resolución contractual, debiendo recordar la jurisprudencia que mantiene que solo el incumplimiento grave y de naturaleza sustancial puede fundamentar una resolución contractual (STS 29 mayo 2000)».

rectamente, al objeto del contrato. Esta es, por lo demás, la filosofía de la nueva regulación europea de la contratación pública, validada por la jurisprudencia del TJUE.

En todo caso, no resultarán admisibles aquellas exigencias o estipulaciones que "fuercen" la vinculación exigible o que interfieran de forma indebida en la propia política empresarial de las empresas. La contratación pública puede estar al servicio de condiciones sociales, pero con el límite de no distorsionar la competencia, ni introducir controles indebidos en la gestión legítima de los intereses empresariales. Los pliegos de una licitación pública no pueden exceder en su función regulatoria vinculada a la correcta ejecución del contrato y proyectar efectos sobre la organización de la empresa licitadora, imponiendo reglas sobre las que se carece de título competencial –como ha advertido el Tribunal Supremo, en su Sentencia núm. 1156/2016, de 18 de mayo, vía contrato público, no puede modularse la legislación laboral estatal– y que limitan indebidamente el derecho a la libertad de empresa en una economía social de mercado (artículo 38 CE), para cuya protección el Tribunal Constitucional exige que las medidas de restricción sean proporcionadas e indispensables –STC 109/2003, de 3 de junio, fundamento 15–.

Desde esta perspectiva, las previsiones cuestionadas por el recurrente no quiebran las reglas expuestas, pues se limitan a garantizar la correcta ejecución del contrato y del destino correcto de los pagos que realiza la Administración. La exigencia de los TC1 y TC2 que acreditan el pago de nóminas, o de justificación detallada de los gastos del contrato (que no una imposición de separación contable de la empresa para cada uno. de los contratos), son previsiones razonables y necesarias que no erosionan la legítima capacidad de decisión de la empresa en la ejecución de su actividad».

Se cuestiona, por último, la exigencia de limitar los gastos de gestión y/o beneficio industrial, en tanto, a juicio del recurrente, vulnera el principio de riesgo y ventura de todo contrato público de servicio y puede falsear, de forma indebida, el derecho de competencia, resultando ilegal. La lógica del mercado se justifica en el riesgo y en el beneficio, que son la esencia del principio de concurrencia. Condicionar de forma indebida uno u otro, o ambos, altera las reglas esenciales del procedimiento de selección de la contratación pública, y comportaría una contravención de los principios constitucionales regulatorios de la actividad económica.

Sin embargo, no parece que exista tal infracción en la decisión impugnada, que pretende una política transparente de las ofertas económicas que presentan las empresas y donde, en un contrato de servicios con importante incidencia del factor personal, resulta conveniente limitar de forma razonable los costes indirectos de gestión, en tanto permiten garantizar la exigencia de calidad/precio (mejor rentabilidad) de las ofertas, tal y como previene el artículo 67 de la Directiva 2014/24/UE, de contratación pública. Por lo demás, por comparación con las exigencias que para el contrato de obras (con unos evidentes mayores gastos) contiene el artículo 131 del Reglamento general de la Ley de Contratos de las Administraciones Públicas, resulta razonable y no desproporcionada la opción contemplada en el pliego».

1.11. Doctrina sobre la posibilidad de modificar los pliegos

En la Resolución 245/2016, el TACRC considera que las limitaciones para modificar los pliegos han de apreciarse a la luz de las especialidades del procedimiento de adjudicación y teniendo asimismo presente tanto el alcance de la modificación como el momento del procedimiento de licitación en que se produzca, así como la eventual existencia de ofertas presentadas al amparo del pliego original que luego se ve modificado, momento en el que aparecen terceros interesados cuyos intereses legítimos se podrían ver afectados por la modificación[95]:

«... no parece que deba existir obstáculo para que, advertida la necesidad de introducir una variación en los pliegos, por error (incluso de carácter no propiamente material, sino de concepto), incongruencia de los mismos u otra circunstancia análoga, pueda modificarse o subsanarse su contenido si con ello no se producen efectos desfavorables para ningún licitador ni se vulneran los principios rectores de la contratación, muy especialmente los de igualdad y concurrencia. No parece razonable ni proporcionado que en tales supuestos, en los que en muchas ocasiones en realidad no nos encontraremos ante un vicio que afecte a la validez del acto, deba exigirse el rigor de un procedimiento de revisión de oficio de los pliegos, ni tampoco que haya de procederse en todo caso a desistir del procedimiento para iniciar formalmente una nueva licitación, con el consiguiente perjuicio para los intereses públicos que derivaría del retraso que ello provocaría en la tramitación, siendo así que puede corregirse la situación planteada sin menoscabo

---

95. En la Resolución 281/2015, el TACRC examina la legalidad de una modificación del PCAP producida una vez ya finalizado el plazo de presentación de ofertas. En la Resolución 30/2014 analiza una modificación del pliego producida cuando el procedimiento de licitación se encontraba en una fase de tramitación inicial en la que únicamente se había procedido a la publicación de los preceptivos anuncios.

de los intereses de los potenciales licitadores abriendo un nuevo plazo de presentación de ofertas tras la modificación del pliego.

(…) Efectivamente, en el estadio inicial del procedimiento de licitación, cuando aún no se han presentado proposiciones, cabe asimilar a estos efectos a los pliegos con la situación de los actos de trámite no cualificados en el seno de un procedimiento administrativo, los cuales pueden ser modificados o dejados sin efecto por la Administración durante la tramitación del mismo y antes del dictado de la resolución sin necesidad de proceder a la revisión de oficio, siempre que, insistimos, no se produzca con ello un efecto desfavorable para los derechos o intereses de algún interesado».

2. EL PROCEDIMIENTO DE LICITACIÓN

Los tribunales han prestado atención a aspectos puntuales del procedimiento que tienen especial relevancia.

2.1. Publicidad de la licitación

El Tribunal Administrativo de Contratación Pública de la Comunidad de Madrid en la Resolución 201/2016, analiza en qué condiciones procede la reducción de los plazos de presentación de ofertas cuando se ha publicado un anuncio previo y concluye, en base a los artículos 159.1 del TRLCSP, y 77.2 del RGLCAP, que es necesario que en términos esenciales se trate del mismo contrato, pues aunque la información anticipada en el anuncio previo «*no necesariamente debe coincidir con el de licitación, pues se admiten modificaciones derivadas de la concreción de la información que se conoce en este momento respecto de la información previa, sí debe referirse al mismo objeto contractual. Por ello se pide el detalle de los códigos CPV, para verificar la equivalencia, que no la identidad, entre ambos anuncios*».

La Disposición Adicional tercera de la Ley 20/2013, de 9 de diciembre, de garantía de la unidad de mercado, dispuso que la convocatoria de licitaciones y sus resultados de todas las entidades comprendidas en el apartado 1 del artículo 3 TRLCSP deben publicarse en la Plataforma de Contratación del Sector Público, bien directamente o por interconexión con dispositivos electrónicos de agregación de la información. El TACRC en la Resolución 119/2016, estudia las consecuencias de la falta de publicidad en la Plataforma de Contratación del Sector Público, partiendo de que la misma no es equiparable a la publicidad en el DOUE porque:

> «α.– *La exigencia de publicidad en el órgano europeo viene impuesta por la normativa comunitaria (artículos 35 y 36 de la Directiva 2004/18/CE, de 31 de marzo), de manera que su incumplimiento entraña una vulneración de la legislación comunitaria, lo que, obviamente, no acaece con la que se refiere a la Plataforma de Contratación del Sector Público.*
>
> *β.– El artículo 37.1.a) TRLCSP se refiere sólo a los contratos sujetos a regulación armonizada que no han sido objeto de publicidad en el Diario de la Unión Europea, precepto que ha mantenido su redacción después de la introducción de la obligatoriedad de publicación en la Plataforma por parte de la DA 3.ª de la Ley 20/2013.*
>
> *γ.– El examen de las modificaciones introducidas en el TRLCSP y, antes, en la Ley 30/2007, de 30 de octubre, de Contratos del Sector Público revela que, cuando el legislador ha querido introducir una nueva causa de nulidad absoluta, ha acometido la modificación del TRLCSP, como sucedió con el supuesto contemplado en el apartado d) del artículo 32 d) TRLCSP, que trae causa de la Ley 14/2013, de 27 de septiembre, de apoyo a los emprendedores y su internacionalización.*
>
> *δ.– Difícilmente puede entenderse que la inserción del anuncio en la Plataforma de Contratación del Sector Público es un trámite esencial del procedimiento de licitación, cuando ni siquiera lo es la publicación en el Boletín Oficial del Estado para las Comunidades Autónomas y entidades integrantes de la Administración Local (artículo 142.1 TRLCSP).*
>
> *En esta tesitura, lo más razonable será entender que el solo incumplimiento de la DA 3.ª de la Ley 20/2013 no determina la nulidad del procedimiento de licitación ni, menos aún, del contrato que en él se haya adjudicado; antes bien, habrá de llevarse a cabo un análisis singular en cada caso, a fin de determinar si existió o no indefensión o la falta de publicidad impidió que el anuncio cumpliera su misión (artículo 63.2 LRJPAC)».*

2.2. La declaración responsable

Varias son las resoluciones de los tribunales administrativos que se han referido a la utilización por los licitadores de la declaración responsable para la acreditación de los requisitos previos que regula el artículo

146 TRLCSP, y en especial al Documento Europeo Único de Contratación regulado en el artículo 59 de la Directiva 2014/24 al que se reconoce efecto directo. En cualquier caso los licitadores deben atenerse al modelo del DEUC aprobado por el Reglamento (UE) N.º 2016/7 (Resoluciones 200/2016 del Tribunal Administrativo de Contratación Pública de la Comunidad de Madrid y 924/2016 del TACRC), o en su caso al modelo de declaración responsable que se incluya en los pliegos que rigen la licitación, como reconoce la Resolución 999/2016 del TACRC.

2.3. La presentación de proposiciones

El Acuerdo 98/2016 del Tribunal Administrativo de Contratos Públicos de Aragón recuerda los requisitos que el artículo 80.4 RGLCP establece para la presentación de las ofertas por correo citando la doctrina de otros tribunales, e indica que el burofax es un medio equivalente al fax a efectos de notificaciones en los procedimientos de contratación:

> «No parece, sin embargo, que pueda inducir a error la redacción literal del referido artículo reglamentario, del que se deducen tres exigencias: a) que se presente antes del vencimiento del plazo y hora fijado en el pliego para preservar el principio de igualdad de trato de todos los licitadores; b) que ese mismo día se remita comunicación de telegrama, telex o fax, en cuyo ámbito se incluye la modalidad de burofax, dado que es una marca comercial de la Sociedad Estatal Correos y Telégrafos, S.A. caracterizado por ser un fax en oficina con fehaciencia al ser enviado por dicha entidad (Ley 43/2010, de 30 de diciembre, del servicio postal universal, de los derechos de los usuarios y del mercado postal); y c) que la documentación sea recibida por el órgano de contratación en un plazo preclusivo e improrrogable de diez días. Estos tres requisitos son acumulativos, y el incumplimiento de alguno justifica la exclusión. En este sentido se ha pronunciado también el Tribunal de Contratación Pública de Madrid, en su Resolución 35/2016, de 24 de febrero.

> (…) Además, como ya advirtió el Tribunal administrativo de Contratos Públicos de Castilla y León, en su Resolución 3/2012, de 24 de abril, el artículo 80.4 del RGLCAP, como los anuncios de este procedimiento de contratación, refieren que el interesado debe justificar el "envío" (y anunciar la "remisión") de la oferta, esto es su salida, extremos correctamente acreditados en este caso; y no se refieren a la recepción o llegada telemática del documento (como pretende la Administración), lo que resulta razonable ante la posible existencia de

impedimentos técnicos en destino, o por la imposibilidad del remitente de justificar el momento de la llegada del envío».

Ahora bien, la ampliación del plazo de 10 días solo es aplicable a las ofertas presentadas por correo. La Resolución del TACRC 692/2016 señala que: *«la presentación de proposiciones debe efectuarse en el registro indicado en el pliego o, presentado en otro Registro diferente* [aunque se traten de registros de una misma Administración], *debe tener entrada en el Registro indicado en pliegos antes de que finalice el plazo máximo de presentación de proposiciones, sin que resulte aplicable la ampliación del plazo de 10 días, dado que solo es aplicable a las ofertas presentadas por correo».*

2.4. La subsanación de las ofertas

El TACRC resume la jurisprudencia europea y española sobre esta cuestión, en la que se inspiran sus pronunciamientos, en la Resolución 898/2016:

> *«Como dijimos en nuestra Resolución 217/2016, nuestro Ordenamiento ha venido distinguiendo entre la subsanación de defectos o errores que afectan a la denominada documentación administrativa y la de aquellos otros que afectan a la formulación de las ofertas. En cuanto a los primeros, la regla ha sido la de la absoluta subsanabilidad aun guardando la debida separación entre las fases del procedimiento (cfr.: Sentencia del Tribunal Supremo, Sala III, 2 de julio de 2004 –Roj STS 4703/2004–), en tanto que, para los segundos, la solución ha sido mucho más restrictiva».*

En el supuesto analizado considera que el defecto apreciado en la proposición de la recurrente, consistente, en no ofertar la totalidad de las rutas comprendidas en el acuerdo marco, no admite subsanación. Aceptar ésta sería tanto como permitir elaborar una nueva oferta después de haber conocido o podido conocer los términos de la propuesta de sus competidores, en evidente vulneración del principio de igualdad de los licitadores (artículos 1, 139 y concordantes TRLCSP) y del más elemental respeto a las normas reguladoras del procedimiento de licitación, que exigen que la presentación de las ofertas tenga lugar dentro del plazo señalado en la convocatoria (artículo 143 TRLCSP), que se garantice el secreto de las mismas hasta el momento de la licitación (artículo 145.2 TRLCSP) y que la apertura tenga lugar de manera simultánea en acto público (artículo 160.1 TRLCSP y 83 RGLCAP).

En cualquier caso, como indica el Tribunal Administrativo de Contratación Pública de la Comunidad de Madrid en la Resolución 146/2016, la posibilidad de subsanación está en función de los límites que para el antiformalismo del procedimiento supone el respeto al resto de los principios de la licitación, y siempre con respeto a lo específicamente establecido en los pliegos:

> *«Entiende este Tribunal que la posibilidad de subsanación no se produce en función del tipo de requisito que se trata de acreditar, esto es, no puede afirmarse con carácter general que todos los requisitos de solvencia sean subsanables, ni tampoco que no lo sean aquéllos que se refieren a las ofertas. Antes bien la condición fundamental para apreciar el carácter subsanable o no de un defecto padecido en la licitación viene dada por los límites que para el antiformalismo del procedimiento suponen el respeto al resto de los principios de la licitación. De esta forma la modificación de las ofertas a través del mecanismo de la subsanación o la ampliación del plazo para el cumplimiento de determinados requisitos, por ejemplo, constituirían límites que no podrían ser superados por una subsanación de los eventuales defectos padecidos, así mismo sería un límite a la subsanación el hecho de que los pliegos dejaran bien claro que la falta de aportación de un documento determinado llevaría consigo la no valoración o la exclusión de la oferta, en su condición de rectores de la licitación, de no haber sido impugnados».*

2.5. Salvaguarda de la confidencialidad de las proposiciones

Las resoluciones de los órganos de recurso especial en esta materia buscan un equilibrio razonable entre los principios de publicidad y defensa, de un lado y el principio de confidencialidad de la oferta en garantía del secreto técnico y comercial, de otro.

El TACRC en la Resolución 1/2016 ha resumido su doctrina en relación con las situaciones de conflicto entre derecho de acceso a la información y derecho a la no divulgación de la información confidencial:

> *«Ante la situación de conflicto entre los dos derechos apuntados, debe buscarse el necesario equilibrio de forma que ninguno de ellos se vea perjudicado más allá de lo estrictamente necesario (por todas, Resoluciones 829/2025 o 343/2015);*
>
> *– La información cuya confidencialidad se preserva se ciñe a aquélla que, dentro de la que haya sido proporcionada por el licitador, haya sido expresamente calificada por éste como confidencial, de manera que las empresas licitadoras quedan vinculadas por la propia declaración de confidencialidad que efectuaron al formular su oferta (en este mismo sentido, el Informe de la Junta Consultiva de Contratación Administrativa del Estado 46/09, de 26 de febrero de 2010, afirma que "la confidencialidad*

sólo procede cuando el empresario, al formular su oferta, haya expresado qué extremos de ésta están afectos a la exigencia de confidencialidad").

– La vinculación a la declaración de confidencialidad no alcanza al órgano de contratación, que debe examinar las ofertas presentadas y decidir qué partes de las mismas son verdaderamente confidenciales y cuales otras pueden ser revisadas por el resto de licitadores, en orden a la formulación de un recurso fundado. Debe tenerse en cuenta que la materia genuinamente confidencial son los secretos técnicos o comerciales, por ejemplo propuestas de ejecución que contienen políticas empresariales que constituyen la estrategia originar de la empresa y que no debe ser conocida por los competidores, porque constituiría una afectación a sus estudios propios, su formulación original de carácter técnico, de articulación de medios humanos o de introducción de patentes propias (en este sentido, JCCA de Aragón, Informe 15/2012, de 19 de septiembre).

– No son admisibles declaraciones de confidencialidad de carácter global, que alcancen a la totalidad de la oferta de manera indiscriminada, pudiendo considerarse las mismas abusivas».

La Resolución 238/2016 del Tribunal Administrativo de Recursos Contractuales de la Junta de Andalucía, resume la doctrina emanada de los distintos pronunciamientos de los tribunales, partiendo de que como indica el TACRC (Resolución 196/2016), es necesario atender al caso concreto y que si el órgano de contratación considera que entre el principio de confidencialidad y el principio de publicidad ha de prevalecer el primero, *«ha de justificarlo y motivarlo adecuadamente, identificando qué concreto derecho o interés legítimo del adjudicatario puede verse comprometido por el acceso al expediente y explicando en qué medida la naturaleza de los datos contenidos en el expediente han de ser protegidos del conocimiento por otro licitador».*

Sin embargo, existen pronunciamientos de carácter general. A modo de ejemplo la citada Resolución 196/2016 del TACRC señala que:

«La doctrina considera información confidencial a los efectos que venimos enjuiciando aquella que afecte a secretos técnicos o comerciales, como por ejemplo la documentación relativa a las características técnicas específicas de un nuevo producto, las líneas generales de una campaña publicitaria estratégica, una fórmula, un compuesto químico, el modelo para una máquina o el nombre de una empresa que se pretende absorber, pero no la relación de trabajos, trabajadores, maquinaria, facturación o cuenta de resultados. También es confidencial aquella información que afecta a aspectos confidenciales, por la posibilidad de que se perjudiquen intereses legítimos o la competencia leal entre empresas, como los se-

*cretos técnicos o comerciales, las propuestas de ejecución que contienen
políticas empresariales que constituyen la estrategia original de la empresa y que no debe ser conocida por los competidores, su formulación
original de carácter técnico, de articulación de medios humanos o de
introducción de patentes propias (Acuerdo TACP Aragón 10/2015)».*

Sobre la confidencialidad de la documentación exigida en los pliegos
en orden a la acreditación de la capacidad o de la solvencia el Tribunal
Administrativo de Contratación Pública de la Comunidad de Madrid hace
algunas precisiones en la Resolución 8/2016. Esta Resolución que ya ha
sido citada en el epígrafe II.4.4, aclara que el artículo 12 RGLCAP no impone el carácter confidencial de dicha documentación en todo caso, pero
que tampoco se puede reconocer un acceso indiscriminado:

> *«Aunque el artículo 12 del RGLCSP no ofreciese dudas en cuanto
> establece el carácter confidencial de la documentación acreditativa de
> la solvencia, no podemos olvidar que se trata de una norma reglamen-
> taria, por lo tanto jerárquicamente inferior al TRLCSP y por otro lado
> que se trata de una norma que desarrolla la Ley de Contratos de las
> Administraciones Públicas (que quedó derogada con la entrada en vi-
> gor de la LCSP), por tanto previa al TRLCSP e incluso previa a la
> Directiva 2014/18/CE. Por tanto, no cabe su aplicación sin hacerlo
> bajo los criterios interpretativos, primero de la normativa nacional de
> contratación pública y luego de las Directivas de la Unión Europea en
> materia de contratación pública*

> *(…) En consecuencia, respecto de la solvencia acreditada, por cualquiera
> de los medios admitidos en la ley tendrán carácter confidencial los datos
> de carácter personal protegidos por la Ley orgánica 15/1999, de 13 de di-
> ciembre, de protección de datos de carácter personal, en los términos que
> regula la misma. El acceso a documentación acreditativa de la solvencia
> exigida no puede revelar, por ejemplo, cuestiones atinentes al know how
> o secretos técnicos o comerciales. En cambio no tendrá carácter confi-
> dencial los certificados de acreditación de calidad o medioambientales la
> información que conste en registros públicos y que, además, sea de acceso
> público como puede ser el depósito de cuentas en el Registro Mercantil».*

La Resolución 82/2016 del Tribunal Administrativo de Recursos Contractuales de Castilla y León recoge un resumen de los pronunciamientos de los distintos órganos administrativos de recurso especial sobre esta
materia[96].

---

96. Dice la Resolución: «*Los órganos encargados de la resolución de los recursos especiales en materia de contratación vienen señalando, como criterios generales, que no*

2.6. Aplicación supletoria al procedimiento contractual de la normativa del procedimiento administrativo común

Los tribunales administrativos han continuado planteándose cómo funciona la aplicación supletoria de la LRJPA en determinados supuestos específicos. Esta ley, actualmente derogada, ha sido sustituida en cuanto a la regulación del procedimiento administrativo común por la LPAC, pero los pronunciamientos siguen siendo aplicables en cuanto la redacción de ambas en las materias analizadas es la misma.

La Resolución 463/2016 del TACRC analiza el ejercicio por la Administración contratante de la facultad contemplada en el artículo 105.2 LRJPAC –con similar redacción el artículo 109.2 LPAC– de corregir los errores materiales, de hecho o aritméticos, en la valoración de las oferta. El TACRC exige que el error sea «meramente material», por un lado, y por otro, «ostensible, palmario o manifiesto», sin que quepa la aplicación de esta técnica «cuando la operación entraña un juicio valorativo».

Al lugar y forma de presentación de las ofertas y, en general, de la documentación exigida a los licitadores en el procedimiento de contratación, se refiere la Resolución 377/2016 TACRC:

> *«Pues bien, es cierto que, como indica el órgano de contratación, doctrina consolidada de este Tribunal ha señalado que no hay supletoriedad de la Ley 30/1992, ni en orden al lugar de presentación de ofertas, ni en*

---

es confidencial lo que el licitador no haya designado como tal previamente al recurso (Resolución del Tribunal Administrativo de Recursos Contractuales de Castilla y León 68/2016, de 24 de octubre) y que tal declaración debe ser sobre aspectos concretos, no sobre la totalidad de una proposición (por todas, la Resolución del Tribunal Administrativo de Recursos Contractuales de Castilla y León 15/2016, de 3 de marzo, la Resolución del Tribunal Administrativo de Recursos Contractuales de la Junta de Andalucía 183/2015 y el Acuerdo del Tribunal Administrativo de Contratos Públicos de Aragón 39/2015); la oferta económica (la apertura es pública); los certificados de cumplimiento de obligaciones tributarias y de Seguridad Social y, en general, los informes que ya consten en registros de acceso público (Resolución del Tribunal Central de Recursos Contractuales 710/2016).

Por el contrario, son confidenciales, como regla general, las informaciones no accesibles al público y los datos empresariales que afecten a los intereses legítimos y a la competencia desleal (Acuerdo del Tribunal Administrativo de Contratos Públicos de Aragón 10/2015); el listado de clientes de los servicios prestados a particulares; los listados de trabajadores; la titulación académica y experiencia profesional protegida por la normativa de protección de datos personales (Sentencia del Tribunal General de la Unión Europea 21 de septiembre de 2016, Asunto Secolux, T-363-14 y, entre otros, el Acuerdo del Tribunal Administrativo de Contratos Públicos de Aragón 81/2005, salvo que haya disociación de datos, o la Resolución del Tribunal Central de Recursos Contractuales 196/2016), salvo que sea necesario en el supuesto de subrogación laboral».

orden al lugar de presentación de documentos requeridos en subsanación de los inicialmente presentados conforme al art. 80 del Reglamento;

(…) Entendemos que esta doctrina es igualmente aplicable al requerimiento del art. 151.2 TRLCSP, ya que, por su naturaleza, los documentos presentados a su amparo son complementarios de la oferta, y, por tanto, subsanatorios; además de que subsisten todos los razonamientos antes expuestos sobre la imposibilidad de cumplir los plazos de la contratación pública, en el caso de que se admitiesen todos los registros indicados en el precitado art. 38. Del propio modo, carece de lógica que haya debido preverse de modo expreso la presentación de las ofertas por correo, como recuerda entre otras nuestra Resolución 116/2016, y ello en cumplimiento de una Directiva europea, y sin embargo se interpretase que para un trámite como el que nos ocupa queda abierta la posibilidad de elegir el lugar y medio de presentación documental entre los generales previstos por la legislación administrativa».

En esta misma resolución el TACRC concluye que el artículo 48.5 LR-JPAC –con similar redacción el artículo 30.6 LPAC– relativo al cómputo de los días hábiles es aplicable al procedimiento de contratación:

«Ello nos lleva al análisis de otro extremo: si es de aplicación el art. 48.5 de la Ley 30/1992 a los plazos del procedimiento de contratación. Y la conclusión no puede ser otra que su aplicabilidad en defecto de previsión expresa, ya que no existe ésta en orden a qué días deben considerarse hábiles en nuestro TRLCSP, ni en el pliego, ni en el propio requerimiento. Así lo hemos decidido, si bien en cuanto al plazo de presentación de este recurso especial, por ej. en nuestra Resolución 760/2014; Y si bien en la 177/2011 consideramos que no era aplicable a una subsanación, aquel caso tenía la peculiaridad de que se había especificado en el requerimiento una fecha concreta con "dies ad quem".

Ello determina que, si nuestro recurrente tuviera su residencia en el municipio de Membrío, el plazo vencería el día 17 de febrero, y no el 15, al haber dos días inhábiles más; y si ese mismo día 17 de febrero hubieran llegado los documentos al órgano de contratación, el requerimiento se habría cumplimentado en plazo».

Finalmente, hay que destacar que continúan las posiciones divergentes entre los órganos de recurso especial respecto de la naturaleza del plazo de diez días del artículo 151.2 TRLCSP[97]. Mientras el Tribunal Ad-

---

97. En lo que sí existe unanimidad es en el tratamiento del plazo para aportar la documentación acreditativa de los requisitos previos si se ha presentado declaración

ministrativo de Contratos Públicos de Aragón[98] y el Tribunal de Contratos Públicos de la Comunidad de Madrid[99] han sido claros admitiendo la prorrogabilidad de dicho plazo, el TACRC ha seguido manteniendo que es un plazo que no admite prorroga, ni mediante una ampliación ex artículo 49 LRJPAC –con similar redacción el artículo 32 LPAC–, ni mediante el trámite de subsanación[100], a no ser que la misma se haya previsto expresamente en los pliegos. A modo de ejemplo y por ser una de las más recientes podemos citar la Resolución del TACRC 917/2016.

Sin embargo, hay que resaltar que la Sentencia del Tribunal Superior de Justicia de Asturias de 23 de mayo de 2016 sobre la Resolución del TACRC 58/2015, en un supuesto en que se excluye al licitador propuesto como adjudicatario por no aportar la documentación acreditativa de disponer de los medios comprometidos para ser adscritos al contrato en plazo, entiende que resulta aplicable el artículo 76.3 LRJPAC –actual artículo 73.3 LPAC–, y que no obstante el incumplimiento del requerimiento en plazo, el órgano de contratación deberá darlo por cumplimentado si se produjera antes o dentro del día que se notifique la resolución.

2.7. Utilización de comunicaciones electrónicas

En un momento en que la utilización de comunicaciones electrónicas en los procedimientos de adjudicación no está generalizada, y de forma tímida se da opción en los pliegos a la utilización del correo electrónico, se

---

responsable. En estos casos el plazo es prorrogable y admite subsanación. Así en la Resolución del TACRC 121/2016:

> «Como pone de relieve la misma recomendación de la Junta Consultiva de Contratación Administrativa los documentos que acreditan el cumplimiento de los requisitos de admisión son de diferente naturaleza a los que consta expresamente en el artículo 151.2 y por ello se atempera los efectos de una presentación inadecuada: en concreto, antes de proceder a la exclusión se debe conferir plazo de subsanación. Por el contrario, cuando se trata de los documentos contemplados en el artículo 151.2, entre los que se encuentran expresamente los documentos que justifiquen disponer efectivamente de los medios que se hubiese comprometido a dedicar o adscribir a la ejecución del contrato conforme al artículo 64.2 del TRLCSP, la consecuencia inevitable es considerar que el licitador ha retirado su oferta. Llegando a esta conclusión no debe si no entenderse que la alegación del recurrente en este sentido debe prosperar, sin que sea necesario pronunciarse sobre si los documentos aportados en plazo de subsanación son o no suficientes para entender cumplido el requerimiento».

98. Acuerdo 43/2015.
99. Resolución 91/20014.
100. Criterio recogido en la Resolución del TACRC 58/2015 que ha sido confirmada por la Sentencia del TSJ de Asturias de 23 de mayo de 2016.

han producido algunos pronunciamientos sobre el valor de este medio de comunicación. El Órgano Administrativo de Recursos Contractuales de la Comunidad Autónoma de Euskadi en la Resolución 35/2016 entiende que la notificación por correo electrónico sirve como comunicación electrónica pero no como como notificación porque no contiene los requisitos del artículo 59 LRJPA pues no se certifica ni el envío, ni la entrega del mensaje, ni la autenticidad del emisor, ni la del receptor, ni la del acceso al contenido del acto notificado.

La AN revisó en la Sentencia de 27 de abril de 2016 el criterio seguido por el TACRC en la Resolución 584/2013, referida a un supuesto en que solicitada la subsanación a un licitador, este presenta la documentación por correo certificado urgente y da noticia de este envío por correo electrónico. La documentación en papel se recibe una vez han transcurrido los tres días de plazo concedidos y el licitador es excluido. El Tribunal considera correcta la exclusión. Sin embargo la AN considera:

> «Por de pronto que el canal electrónico no sólo es válido para la aplicación de lo establecido con carácter general en el artículo 6 a) de la Ley 11/2007 de 22 de junio de Acceso Electrónico de los Ciudadanos a los Servicios Públicos que, en principio, avalaría la tesis de la recurrente, sino que el propio pliego de Condiciones Administrativas Particulares, bajo la rúbrica "Convocatoria de la licitación, acceso a la documentación y comunicación con el órgano de contratación", en concreto, la cláusula 9 establece que: "… para los actos de presentación distintos de la presentación o el anuncio del envío de las proposiciones, los licitadores podrán emplear el correo electrónico contratacion@sepe.es …". No hay duda que tanto los derechos y garantías establecidos por la Ley 11/2007 que permitirían al ciudadano elegir el canal de comunicación con las Administraciones, sino que por estricta aplicación del propio Pliego de Condiciones que rige el concurso, la utilización del canal electrónico debe tener plena validez».

3. LOS ACTOS DE EXCLUSIÓN DE LICITADORES

Los actos de exclusión de los licitadores tienen una relevancia especial, pues determinan la imposibilidad de continuar en el procedimiento para el licitador excluido, y son objeto de numerosas resoluciones de los tribunales administrativos.

3.1. El conflicto de intereses

Una de las novedades de las Directivas de 2014 es que incorporan la figura del conflicto de intereses como causa de exclusión de los licitadores. El Tribunal Administrativo de Contratos Públicos de Aragón la analiza en su interesantísimo Acuerdo 108/2016, en el que después de reconocer que al artículo 24 de la Directiva 2014/24/UE, no le es aplicable el principio del «efecto directo» de las Directivas, entiende que el concepto de conflicto de intereses está contemplado de forma expresa en el artículo 7.4 de la Convención de las Naciones Unidas contra la corrupción, realizada en Nueva York el 31 de octubre de 2003, que es un Tratado Internacional refrendado por el Reino de España en 2006 y que, por tanto, despliega efectos jurídicos[101]. Lo que significa que la declaración como prohibición o exclusión de un procedimiento de licitación pública por existencia de conflicto de intereses debe respetar las exigencias y fundamento de esta técnica de carácter preventivo:

> *«Del Derecho europeo y de la Directiva 2014/24/UE se deduce, en relación al conflicto de intereses como causa de exclusión que: a) No se requiere que el conflicto sea "real" en cuanto que el interés particular influya de facto en el desempeño de la actividad pública, sino que pueda ser "percibido" como comprometedor de la objetividad, la imparcialidad y la independencia requerida en el procedimiento de contratación; b) No existe una obligación absoluta de los poderes adjudicadores de excluir sistemáticamente a los licitadores en situación de conflicto de intereses, dado que tal exclusión no se justifica en aquellos casos en que puede probarse que tal situación no ha tenido ninguna incidencia en su comportamiento en el marco del procedimiento de licitación, y que no supone un riesgo real de que surjan prácticas que puedan falsear la competencia entre los licitadores; c) La exclusión de un licitador en situación de conflicto de intereses resulta indispensable cuando no se dispone de un remedio más adecuado y menos restrictivo para evitar cualquier vulneración de los principios de igualdad de trato entre los licitadores y de transparencia.*

> *Esto significa que la existencia de un conflicto de intereses –que exige acreditación suficiente– no significa de modo automático la necesidad de su exclusión del procedimiento ni, mucho menos, la declaración de prohibición de contratar con alcance general. La pro-*

---

101. Ver Documento de estudio de los Tribunales Administrativos de Contratación Pública, sobre «Los efectos jurídicos de las Directivas de Contratación ante el vencimiento del plazo de transposición sin nueva Ley de Contratos del Sector Público» de 1 de marzo de 2016.

porcionalidad exigible a esta decisión impone a la Administración la obligación de justificar de forma indubitada que es la única opción jurídica posible para proteger adecuadamente los intereses públicos en juego».

3.2. Validez de las certificaciones expedidas a los efectos de acreditar estar al corriente de las obligaciones tributarias y de seguridad social

La Resolución 195/2016 del TACRC se ocupa de la contradicción entre los artículos 16.3 RGLCAP y 75.2 del Reglamento General de las actuaciones y los procedimientos de gestión e inspección tributaria y de desarrollo de las normas comunes de los procedimientos de aplicación de los tributos:

«En este punto, no puede dejar de recordarse que el artículo 16.3 del RGLCAP establece con claridad que las certificaciones expedidas a los efectos de acreditar estar al corriente de las obligaciones tributarias y de seguridad social en los procedimientos de contratación del sector público tendrán, una vez expedidas, "validez durante el plazo de seis meses a contar desde la fecha de expedición".

Conviene recordar que el citado artículo 16.3 RGLCAP es una norma de carácter básico, a tenor de la Disposición Final Primera del citado Reglamento, y por ende, de aplicación general a todas las Administraciones Públicas. Y también conviene recordar que, en su condición de norma sectorial específica, prevalece sobre la general previsión del artículo 75.2 del Reglamento General de las actuaciones y los procedimientos de gestión e inspección tributaria y de desarrollo de las normas comunes de los procedimientos de aplicación de los tributos, aprobado por Real Decreto 1065/2007, de 27 de julio, en el que se establece que "salvo que la normativa específica del certificado establezca otra cosa, los certificados tributarios tendrán validez durante 12 meses a partir de la fecha de su expedición mientras no se produzcan modificaciones de las circunstancias determinantes de su contenido, cuando se refiera a obligaciones periódicas, o durante tres meses, cuando se refiera a obligaciones no periódicas"».

Y concluye en ese caso concreto, que aunque el certificado aportado por el interesado expresase que su plazo de validez era de tres meses, debe necesariamente atribuírsele, en tanto que otorgado, como en su propio texto se expresaba, a los fines de la contratación con la administración pública, la mayor vigencia que resulta del artículo 16.3 RGLCAP.

3.3. El objeto social de las personas jurídicas

El TACRC resume en la Resolución 2/2016 su doctrina, basada en la jurisprudencia, sobre el artículo 57.1 TRLCSP, entendiendo que la relación que exige entre el contrato y el objeto social de las personas jurídicas debe de interpretarse de una manera flexible:

> *«El precepto exige así que el contrato al que se opta esté relacionado con el ámbito de actuación de la persona jurídica, una conexión entre el fin u objeto social propio de ésta y la naturaleza del servicio a prestar (Sentencia del TSJ de Madrid de 27 de septiembre de 2013 –Roj STSJ M 12455/2013–), lo que conduce, al menos en teoría, a que el candidato seleccionado sea una empresa especializada en el sector respectivo. El propósito del legislador es asegurar el buen fin de la ejecución con arreglo a estándares de eficacia (cfr.: Sentencia de la Audiencia Nacional de 1 de febrero de 2002 –Roj SAN 643/2002–, que, aun relativa a la legislación anterior al TRLCSP, es aplicable a éste), y, desde esta perspectiva, dicha cautela es imprescindible dada la capacidad general que el Ordenamiento privado reconoce a las personas jurídicas, que pueden llevar lícitamente a cabo actividades estatutarias, neutras y extraestatutarias, abstracción hecha de su objeto social o de la finalidad para la que se constituyeron (cfr.: Sentencias del Tribunal Supremo, Sala I, de 5 de noviembre de 1959 –Roj STS 1291/1959–, 15 de febrero de 1990 –Roj STS 1341/1990– y 29 de julio de 2010 –Roj STS 7753/2010–, entre otras). En cualquier caso, y al menos con carácter general, basta que las prestaciones del contrato tengan cabida en el objeto o ámbito propio de la entidad (cfr.: Sentencia de la Audiencia Nacional de 7 de octubre de 2015 –Roj SAN 3581/2015–), no siendo precisa en ningún caso la coincidencia literal de los términos en que están descritas las actividades del objeto social y las prestaciones que integran el contrato (cfr.: Sentencias de los TSJ de Cantabria de 25 de abril de 2011 –Roj STSJ CANT 928/2011– y de Extremadura de 6 de junio de 2012 –Roj STSJ EXT 899/2012–)».*

Y aplica ese criterio a un supuesto específico relativo a la prestación de servicios especializados en materia de igualdad entre hombres y mujeres:

> *«El Tribunal, entiende que actividades tales como la prestación de servicios de consultoría sobre el estado de magnitudes sociales, la redacción de proyectos o estudios sobre las posibles medidas para la mejora y desarrollo de las mencionadas magnitudes, la investigación y obtención de información sociológica sobre materia laboral empre-*

sarial y económica, la redacción de planes estratégicos de desarrollo, definición, diseño y evaluación de políticas públicas, y la formación relacionada con estas materias, abarcan sin dificultad el servicio especializado de apoyo para la incorporación de la igualdad de oportunidades entre hombres y mujeres a las políticas públicas que constituye la prestación del contrato».

Sobre el momento en que la modificación del objeto social de una empresa es válida a efectos de participar en el procedimiento de licitación, la resolución 614/2016 del TACRC mantiene que es aquel en que se produce la inscripción en el Registro Mercantil.

3.4. Integración de la solvencia por medios externos

Durante 2016 los tribunales han seguido pronunciándose sobre la posibilidad de integrar la solvencia por medios externos. El TACRC en la Resolución 525/2016, la admite respecto de los certificados acreditativos del cumplimiento de normas de garantía de calidad o de gestión medioambiental, y en la Resolución 791/2016 admite la integración mediante la clasificación de la empresa matriz: «... *para acreditar la solvencia de la licitadora debería admitirse el certificado de clasificación de la empresa matriz, junto con la declaración de esta empresa poniendo a disposición de la licitadora los medios que necesite para la ejecución del contrato si resulta adjudicataria».*

3.5. Acreditación de la condición de Centro Especial de Empleo a efectos de los contratos reservados: no es necesario que se refiera a la específica actividad objeto del contrato

La Resolución 538/2016 TACRC se refiere a la licitación de un servicio de limpieza como contrato reservado a Centros Especiales de Empleo, la adjudicataria tiene dicha calificación si bien para las actividades de lavandería y tintorería industrial. No obstante, considera el Tribunal que dicha circunstancia no debe determinar su exclusión por falta de capacidad:

«En efecto, del examen de las normas rectoras de los Centros Especiales de Empleo (en esencia, de los artículos 43 a 46 del Texto Refundido de la Ley General de derechos de las personas con discapacidad y de su inclusión social, aprobado por Real Decreto Legislativo 1/2013, de 29 de noviembre, así como del Real Decreto 2273/1985, de 4 de diciembre, por el que se aprueba el Reglamento de los tales Centros, y, en el concreto ámbito de la Comunidad Autónoma de Valencia, de la Orden de 10 de abril de 1986 de la Conselleria de Trabajo y Seguridad Social, por la que se crea el Registro de Centros Especiales de Empleo de Minus-

válidos de la Comunidad Valenciana) no se desprende en modo alguno que el reconocimiento de dicha condición se concrete taxativamente a unas u otras actividades específicamente señaladas.

(...) Teniendo en cuenta todo lo expuesto, atendido que la cláusula 7 del Pliego de Cláusulas Administrativas únicamente indicaba que "se deberá aportar certificación oficial acreditativa de disponer de la consideración de Centro Especial de Empleo", sin más detalles ni precisiones, y visto que, de acuerdo con la disciplina legal aplicable, la eventual mención expresa de ciertas actividades principales en la resolución de clasificación no excluiría el desarrollo adicional de otras actividades complementarias, debe concluirse en la pertinencia de desestimar el alegato hecho valer por la actora. En efecto, la adjudicataria habría acreditado, en términos indubitados y ajustados al Pliego, su condición de "Centro Especial de Empleo", siendo así que, en todo caso y con independencia de las concretas actividades referidas en el antecedente de hecho tercero de la resolución aportada para adverar dicha condición, extendería su objeto social a la prestación de servicios de limpieza que son objeto de contratación, tal y como se ha expresado en el fundamento precedente, por lo que debe convenirse en que reúne los requisitos de capacidad exigidos».

4. LAS RESOLUCIONES DE ADJUDICACIÓN

4.1. La aplicación de los criterios de adjudicación, la discrecionalidad técnica

En la Resolución 446/2016 el TACRC resume su doctrina sobre el alcance de la revisión que puede llevar a cabo respecto de la evaluación de los aspectos técnicos efectuada por los órganos competentes:

«*Sobre este punto, hemos señalado en reiteradas ocasiones que nuestro examen debe constreñirse a ciertos aspectos aledaños al núcleo de la decisión, como la competencia, el procedimiento, la ausencia de arbitrariedad o de error manifiesto en la valoración (cfr.: Resoluciones 176/2011, 189/2011, 257/2011, 269/2011, 282/2011, 296/2011, 33/2012, 51/2012, 80/2012, 261/2012, 2/2013, 36/2013, 42/2013, 107/2013, 168/2013, 325/2013, 549/2013, 13/2014, 437/2014, 519/2014, 276/2015, 435/2015, entre otras). Hemos asumido así la doctrina del Tribunal Supremo, que ha dejado sentado que el núcleo técnico de las decisiones adoptadas por los órganos administrativos especializados en materias como los procedimientos selectivos o la ad-*

judicación de contratos es inaccesible al control jurisdiccional, que debe ceñirse a los aspectos externos a aquél antes aludidos como los elementos reglados (cfr.: Sentencias del Tribunal Supremo, Sala III, de 20 de marzo de 2012 –Roj STS 1874/2012–, 9 de enero de 2013 –Roj STS 217/2013– y 9 de abril de 2014 –Roj STS 1507/2014–).

Esta limitación de las facultades revisoras de las decisiones de cariz técnico –cuya conformidad a la Constitución a ha sido expresamente reconocida por el Supremo Intérprete de ésta en sentencias 39/1983, 34/1995 y 86/2004, entre otras– es consecuencia del respeto al principio de discrecionalidad técnica, que, en último término, se basa en la presunción de razonabilidad o certeza de la actuación administrativa apoyada a su vez en la especialización e imparcialidad de los órganos administrativos encargados de llevar a cabo la labor evaluadora (cfr.: Sentencias del Tribunal Supremo, Sala III, de 4 de julio de 2003 –Roj STS 4724/2003–, 28 de diciembre de 2006 –Roj STS 8634/2006– y 23 de febrero de 2012 –Roj STS 1102/2012–). Es ésta una presunción "iuris tantum", susceptible de ser desvirtuada, pero para ello quien pretenda hacerlo habrá de acreditar "la infracción o el desconocimiento del proceder razonable que se presume en el órgano calificador, bien por desviación de poder, arbitrariedad o ausencia de toda posible justificación del criterio adoptado, entre otros motivos, por fundarse en patente error, debidamente acreditado por la parte que lo alega" (cfr.: Sentencias del Tribunal Supremo, Sala III, de 15 de enero de 2008 –Roj STS 51/2008–, 29 de enero de 2008 –Roj STS 193/2008– y 6 de marzo de 2008 –Roj STS 498/2008–), lo que, en último término, supone restringir el control de la actividad evaluadora a dos ámbitos, el de la inobservancia de los elementos reglados y el del error ostensible y manifiesto (cfr.: Sentencias del Tribunal Supremo, Sala III, de 14 de julio de 2000 –Roj STS 5828/2000– y 1 de abril de 2009 –Roj STS 1670/2009–).

Huelga decir que esta modulación del alcance del control de los criterios técnicos por parte de los órganos judiciales es predicable igualmente a este Tribunal, cuya posición es equiparable a los primeros (cfr.: Sentencia TJUE, Gran Sala, de 6 de octubre de 2015 –asunto C-203/14–), y a quien difícilmente podrían atribuirse más facultades que las que ostentan aquéllos.

Por lo demás, la restricción de la capacidad revisora de los juicios y apreciaciones de carácter técnico por parte de los órganos llamados a conocer de los recursos frente a actos dictados en el curso de la licitación de los contratos públicos se halla presente también en el Derecho Comunitario, en el que es un principio firmemente asentado el que *reconoce al órgano de contratación amplia facultad de apreciación, hallándose circunscrito el control de aquélla a comprobar el respeto de las normas de procedimiento y de motivación, la exactitud material de los hechos y la inexistencia de error de Derecho, de error manifiesto al apreciar los hechos o de desviación de poder (cfr.: Sentencias Tribunal General de la Unión Europea, Sala Primera, de 13 de diciembre de 2013 –asunto T-165/12– y de 20 de marzo de 2013 –asunto T-415/10–)».*

4.2. La presentación de una variante no permitida en los pliegos no conlleva automáticamente la exclusión de la totalidad de la oferta

La Resolución 86/2016 Tribunal Administrativo de Recursos Contractuales de la Junta de Andalucía, analiza este supuesto.

> *«Ahora bien, la consecuencia derivada de una oferta realizada en tales términos no debe ser la exclusión de la misma en las agrupaciones 31 y 32 y en los lotes 312 y 315. Los principios de proporcionalidad y concurrencia exigen una solución menos drástica que, respetando los restantes principios básicos de la contratación pública y en particular el principio de igualdad de trato, satisfaga igualmente el interés público que demanda la selección de la oferta económicamente más ventajosa. Por ello, la solución que se impone ante una oferta como la examinada es que no se tome en consideración, a efectos de valoración en la agrupación 31, el sembrador automático cuya cesión de uso aparece claramente condicionada a la adjudicación de aquellas agrupaciones y lotes. (…)En el sentido expuesto y ante un caso con similitud al aquí analizado, se pronuncia el Tribunal Administrativo de Contratación Pública de la Comunidad de Madrid en su Resolución 3/2012, de 18 de enero…».*

4.3. Facultades de la mesa de contratación en el supuesto de que la fórmula de valoración de las ofertas resulte inaplicable

El TACRC en la Resolución 482/2016 analiza un supuesto en que la Mesa de contratación tras comprobar que la fórmula de valoración del Pliego resulta inaplicable en la práctica, porque existe una oferta sin cuantía económica (0 euros) decide equiparar las ofertas de 0€, 0,1€ y 1€ para aplicar dicha fórmula:

> *«Sobre situaciones similares ya se ha pronunciado este Tribunal en anteriores ocasiones, como en la Resolución 693/2015, de 24 de julio, en la que se admitió que una oferta con precio de 0€, se valorara con*

un precio de 0,0001€, a fin de posibilitar la aplicación de la fórmula de valoración prevista en los pliegos. En este caso, las ofertas de 0€ no son indeterminadas, sino que, por el contrario, ofrecen gratuitamente la "creatividad y producción de los artes finales y adaptaciones, cuñas radiofónicas y sus variantes para internet".

En la resolución citada, con referencia a otra del Tribunal (Resolución 258/2011), se indicaba que éste criterio, "se considera correcto, ya que respeta los criterios de adjudicación establecidos en el Pliego de Prescripciones Técnicas. Así, en dicho Pliego se establece, respecto a la oferta económica, que se valorará con un máximo de 50 puntos a la oferta más baja de todas las presentadas, y las demás en forma proporcional, y no cabe duda que la aplicación del criterio que se sigue en el informe técnico satisface la finalidad que se persigue a la hora de fijar los criterios de adjudicación, puesto que se otorga la puntación mayor a la oferta más baja".

Por otra parte, la previsión del PCAP de que la puntuación se efectúe de forma inversamente proporcional al mejor precio, exige también que ofertas con precios distintos no sean objeto de igual valoración. Con igual justificación que la empleada por la mesa de contratación, para atribuir la máxima puntuación a ofertas de 0€, 0,01€ y de 1€, se habría podido extender esa máxima valoración hasta la oferta de 999€ que, al fin, apenas supone una repercusión del 0,3% en el contrato.

Por tanto, la actuación de la mesa de contratación de atribuir igual puntuación a ofertas distintas debe considerarse contraria a lo establecido en los pliegos. Para salvaguardar la aplicación de la fórmula a todas las ofertas y puntuar de manera diferenciada las ofertas distintas, la mesa debió atribuir a las ofertas de 0€, un valor distinto e inferior a la siguiente oferta (0,01€). Por ejemplo, 0,0099€.

El hecho de que la valoración en el subapartado impugnado dé lugar a que las restantes ofertas se puntúen con prácticamente 0 puntos, es consecuencia de la fórmula elegida por el órgano de contratación, que no es probablemente la más respetuosa con el principio de proporcionalidad. No obstante, los pliegos no fueron discutidos por ninguno de los licitadores, que aceptaron expresamente su validez y por tanto no puede dar lugar en ningún caso a la modificación de la fórmula.

En consecuencia, se deben estimar parcialmente los recursos interpuestos y retrotraer las actuaciones hasta la valoración de la oferta económica, para que la puntuación del subcriterio "Creatividad y producción" se haga de acuerdo con lo señalado».

4.4. La resolución de adjudicación no tiene porqué contener motivación sobre la admisión de los licitadores

La Resolución 238/2016 Tribunal Administrativo de Recursos Contractuales de la Junta de Andalucía analiza el alcance de artículo 151.4 TRLCSP:

> «*El alcance legal del precepto no abarca la motivación de aquellos aspectos relativos a la admisión de los licitadores, sino solo de los referidos a su exclusión o descarte. Es por ello que, en el supuesto examinado, el acto impugnado no puede considerarse carente de motivación por la circunstancia de no exponer las razones conducentes a la aceptación de la oferta adjudicataria –inicialmente incursa en valores anormales– o las razones de la admisión de la propia APTJA al considerar justificada su solvencia económica y financiera. Ninguno de estos dos extremos tiene que ver con "las características y ventajas de la proposición del adjudicatario determinantes de que haya sido seleccionada la oferta de este" que es la dicción literal del artículo 151.4 del TRLCSP.*
>
> *En el mismo sentido expuesto, la Resolución 41/2014, de 26 de febrero, del Tribunal Administrativo de Contratación Pública de la Comunidad de Madrid señala refiriéndose a la motivación de la adjudicación que "(…) no es necesario ninguna referencia a la aceptación de la oferta incursa en presunción de anormal o temeraria, dado que no se trata de una característica de la oferta determinante de la adjudicación"*».

4.5. Apreciación de temeridad en las ofertas

Han sido numerosas las resoluciones de los tribunales sobre la apreciación de temeridad en las ofertas. Destacaremos los pronunciamientos más relevantes.

En primer lugar se plantea si la identificación de ofertas incursas en presunción de temeridad, es obligatoria o potestativa para el órgano de contratación. En la Resolución 284/2016 el TACRC analiza este aspecto y concluye que cuando son varios los criterios de adjudicación es preceptivo que se establezcan en los pliegos los criterios para apreciar la posible temeridad de las ofertas; de no figurar en los pliegos, no es factible considerar como presuntamente temeraria una oferta. Cuando el precio es el único criterio de adjudicación, no es preciso que los pliegos hagan referencia alguna a los criterios para determinar las ofertas desproporcionadas o temerarias. El órgano de contratación, podrá apreciar tal circunstancia de acuerdo con los parámetros objetivos que establece el artículo 85 RGL-CAP. Ahora bien:

> «... la identificación de ofertas incursas en presunción de temeridad, a menos que se establezca en los pliegos con carácter obligatorio, es potestativa para el órgano de contratación. Así se desprende de la literalidad del artículo 152.1 transcrito: "el carácter desproporcionado o anormal de las ofertas **podrá apreciarse** de acuerdo con los parámetros objetivos que se establezcan reglamentariamente". En el PCAP, tampoco se establece la obligatoriedad de identificar las ofertas temerarias, sino que se limita a indicar que "se estará a lo establecido" en los preceptos transcritos (art. 152 del TRLCSP y art. 85 del RGLCAP). Nada impide por tanto que, como alega el MALE, a la vista de la solvencia de los licitadores y de los acuerdos y apoyos de SDLE, se optara por no aplicar los parámetros establecidos reglamentariamente para identificar las ofertas con valores anormales o desproporcionados».

La apreciación de si es posible el cumplimiento de la proposición inicialmente incursa en temeridad debe ser consecuencia de una valoración de los diferentes elementos que concurren en la oferta y de las características de la propia empresa licitadora, no siendo posible su aplicación automática sino que de acuerdo con el artículo 152 TRLCSP procede dar audiencia al licitador para que justifique la viabilidad de su oferta. El Órgano Administrativo de Recursos Contractuales de la Comunidad Autónoma de Euskadi precisa en su Resolución 118/2016 subraya con apoyo en la jurisprudencia europea que la solicitud de justificación al licitador debe hacerse precisando los puntos concretos que ofrecen dudas:

> «... la STJUE de 27 de noviembre de 2001 (asuntos acumulados C-285/99 y C-286/99. ECLI:EU:C:2001:640), en su considerando 5, viene a señalar que la identificación de una oferta desproporcionada exige al poder adjudicador que solicite por escrito las "(...) precisiones sobre los concretos elementos de la oferta sospechosa de anomalía que le hayan hecho albergar dudas y valore después dicha oferta a la luz de las justificaciones facilitadas por el licitador afectado en respuesta a la referida petición", y en su considerando 53 que es necesario que "(...) cada licitador sospechoso de haber presentado una oferta anormalmente baja disponga de la facultad de aportar todo tipo de justificaciones sobre los diferentes componentes de su oferta en un momento –que necesariamente ha de ser posterior a la apertura de todas las plicas– en el que tenga conocimiento no sólo del umbral de anomalía aplicable a la correspondiente licitación y del hecho de que su oferta haya parecido

anormalmente baja, sino también de los puntos precisos que hayan suscitado las dudas de la entidad adjudicadora"».

La Resolución del TACRC 311/2016, además de recoger de una forma exhaustiva su doctrina de este Tribunal en torno a la justificación de las bajas desproporcionadas, y plantea el distinto alcance que debe tener la justificación de la decisión de admitir o excluir la oferta, coincidiendo con el criterio del resto de los tribunales:

«*Y en cuanto al alcance de dicha justificación, el Tribunal viene entendiendo (por todas, Resolución 86/2016, de 5 de febrero), que "la finalidad de la Legislación de Contratos es que se siga un procedimiento contradictorio, para evitar rechazar las ofertas con valores anormales o desproporcionados, sin comprobar, antes, su viabilidad. No se trata de justificar exhaustivamente la oferta desproporcionada, sino de proveer de argumentos que permitan, al órgano de contratación, llegar a la convicción de que se puede llevar a cabo". En el mismo sentido cabe citar la Resolución 149/2016, de 19 de febrero, con arreglo a la cual "En cuanto al contenido y alcance de ese procedimiento contradictorio, también se ha dicho por este Tribunal, que debe estar dirigido exclusivamente a despejar las posibles dudas que pudiera haber al respecto, sin que sea necesario que por parte del licitador se proceda al desglose de la oferta económica, ni a una acreditación exhaustiva de los distintos componentes de la misma, sino que basta con que ofrezca al órgano de contratación argumentos que permitan explicar la viabilidad y seriedad de la oferta. A la vista de dicha documentación, el rechazo de la oferta exige de una resolución 'reforzada' que desmonte las justificaciones del licitador. Finalmente, es también doctrina de este Tribunal, que la exhaustividad de la justificación aportada por el licitador habrá de ser tanto mayor cuanto mayor sea la baja en que haya incurrido la oferta, por relación con el resto de ofertas presentadas. Y del mismo modo, a menor porcentaje de baja, menor grado de exhaustividad en la justificación que se ofrezca (Resolución n.° 559/2014 y 662/2014)"*».

Los tribunales de recurso especial han analizado a efectos de justificación de la oferta incursa en temeridad como operan los gastos generales y el beneficio industrial. Es especialmente reseñable la Resolución 35/2016 del Tribunal Administrativo de Recursos Contractuales de Castilla y León que analiza una cláusula del PCAP que establece que se admitirá como justificación de las ofertas desproporcionadas la renuncia del licitador a obtener beneficios del contrato, e incluso su disposición a incurrir en pérdidas controladas y cubiertas con resultados positivos y acreditados de la empresa en el resto de su actividad, como estrategia comercial para posicionarse en el mercado:

> «*Como ha sostenido el Tribunal Administrativo Central de Recursos Contractuales en diversas resoluciones, entre otras la 379/2014, de 9 de mayo, "las normas sobre presunción de temeridad no deben considerarse como un fin en sí mismas, sino como un elemento que permite valorar si el contrato se puede ejecutar por la empresa que lo propone. En este sentido, no vulnera las normas sobre temeridad el que se adjudique el contrato a una empresa que va a ejecutarlo disminuyendo sus beneficios por debajo de lo que sería esperable o incluso a pérdidas o porque pueden existir muchas y muy diferentes motivaciones para ejecutar el contrato en esas condiciones. Las normas sobre temeridad no imponen de manera absoluta la necesidad de valorar la congruencia económica de la oferta en sí misma, sino si es viable que la empresa licitadora la ejecute. En este punto cobran especial importancia las condiciones de la propia empresa licitadora".*

> *El pliego que se analiza acoge esta doctrina y admite que, a modo de justificación, los licitadores puedan apelar a una renuncia de beneficios en el contrato o a incurrir en pérdidas, lo que habrá de conllevar, llegado el caso, la valoración conjunta de las condiciones ofertadas y de la situación de la licitadora a los efectos de adoptar la decisión que corresponda acerca de la viabilidad de la proposición, con respeto, en cualquier caso, al límite que el pliego prevé para el caso de pérdidas, que habrán de ser "controladas y cubiertas con resultados positivos y acreditados de la empresa en el resto de su actividad, como estrategia comercial para posicionarse en el mercado"*».

También se han referido a cómo opera el cumplimiento del convenio colectivo a efectos de considerar la admisibilidad de la oferta desproporcionada. La Resolución del TACRC 261/2016 concluye que no es posible excluir una oferta por el hecho de que la proposición económica sea inferior a los niveles previstos en el Convenio Colectivo:

> «*... siguen hoy vigentes las acertadas consideraciones expuestas por la Junta Consultiva de Contratación Administrativa en su informe 34/99 (luego reiterado en el 34/01), en el que, después de recordar que lo único que exigía la entonces vigente Ley de Contratos de las Administraciones Públicas (como hoy el TRLCSP) es que las proposiciones económicas no superaran el presupuesto base de licitación, señaló:*

> *"Cumplido el requisito anterior la Administración contratante debe considerarse ajena a las cuestiones relativas a los componentes que*

los licitadores han tomado en consideración para llegar a un resulta-do concreto en cuanto a la cuantía de su proposición económica, en particular, en el caso consultado, si los licitadores en su proposición económica han tenido en cuenta los efectos derivados del artículo 77 del Convenio Colectivo de Empresas de Seguridad, puesto que ello desvirtuaría el sistema de contratación administrativa obligando a la Administración, concretamente al órgano de contratación, a realizar un examen y comprobación de elementos heterogéneos –la proposición económica, por un lado y los efectos del artículo 77 del citado Convenio Colectivo por otro– que por otra parte y por idénticas razones debería extenderse a otros elementos o componentes con influencia en la proposición económica, como pudiera serlo, por ejemplo, el pago de Impuestos, el disfrute de exenciones y bonificaciones, posibles subvenciones, otros aspectos de la legislación laboral, etc.".

A estas reflexiones, cabe, en fin, añadir hoy una más, derivada del propio régimen jurídico de los convenios colectivos. Es verdad que éstos vinculan a todas las empresarios y trabajadores comprendidos en su ámbito de aplicación (artículo 82.3, inciso inicial, del Estatuto de los Trabajadores, Texto Refundido aprobado por Real Decreto Legislativo 2/2015, de 23 de octubre; en adelante, ET), con lo que, en principio, las retribuciones fijadas en los mismos tendrán carácter obligatorio para todos aquéllos. Sin embargo, debe tenerse también en cuenta que nuestro Ordenamiento admite el llamado "descuelgue", que permite, en determinadas circunstancias, inaplicar, entre otras, las disposiciones de la norma convencional relativas al sistema de remuneración y a la cuantía salarial, entre otros extremos (artículo 82.3, párrafos segundo a noveno, del ET).

Más aun, en nuestro Derecho el convenio de empresa es de aplicación preferente a los convenios sectoriales, estatales, autonómicos o de ámbito inferior en cuanto concierne a la cuantía del salario base y de los complementos salariales, así como del abono o la compensación de las horas extraordinarias y la retribución específica del trabajo a turnos, entre otras materias (artículo 84.2 del ET).

En esta tesitura, se advierte sin dificultad que es improcedente exigir de las proposiciones económicas, bajo pena de exclusión, que se atengan en cuanto al coste de personal al convenio colectivo sectorial, dado que ni siquiera en el orden laboral cabe afirmar de manera apodíctica la obligatoriedad de sus cláusulas retributivas, al ser susceptibles de ser desplazadas en virtud de alguno de los mecanismos antes expuestos o serlo en el futuro».

Ahora bien, en Resoluciones posteriores el TACRC se plantea si la finalización del plazo de transposición de la Directiva 2014/24/UE impone un cambio de criterio. Así en la Resolución 1038/2016 estima que:

> «*La principal novedad del artículo 56.1 de la Directiva es la mención expresa de que una oferta puede ser excluida si no cumple las obligaciones medioambientales, sociales o laborales a las que se refiere el artículo 18.2 de la Directiva 2014/24, no obstante a efectos de apreciar el efecto directo, ha de entenderse que corresponde a cada Estado definir el marco de las medidas para garantizar el efecto útil de este precepto.*
>
> *La anterior conclusión no impide que el órgano de contratación pueda valorar la oferta económica del licitador a la luz de los previsibles costes económicos derivados del cumplimiento de las obligaciones salariales, generalmente a través de la tramitación prevista para las ofertas anormales o desproporcionadas, pero sin que esta valoración pueda ser determinante de la exclusión si la oferta es justificada por el licitador*».

5.   OTRAS CUESTIONES DE INTERÉS

5.1. El desistimiento del procedimiento de contratación

El desistimiento es una forma de finalización unilateral del procedimiento, previo a la adjudicación que solo cabe cuando se da el supuesto fundado en una infracción no subsanable de las normas de preparación del contrato o de las reguladoras del procedimiento de adjudicación. Los tribunales han incidido en que es una potestad cuyo ejercicio debe estar justificado por razones de interés público y han analizado en que supuestos concurre este. Son destacables los siguientes pronunciamientos.

El Tribunal Administrativo de Recursos Contractuales de la Junta de Andalucía en la Resolución 61/2016, examina un caso en que se ha producido el extravío en las dependencias del órgano de contratación de uno de los sobres que contenía parte de la oferta de un licitador por causa no imputable al mismo, y concluye que está justificado el desistimiento tanto para garantizar la igualdad de derechos de todos los licitadores como para salvar la vulneración del secreto de la proposición.

La Resolución 1/2016 del Tribunal Administrativo de Contratación Pública de la Comunidad de Madrid se refiere a un supuesto muy interesante en el que el órgano de contratación desiste de un procedimiento de licitación en base a la preexistencia de otros dos contratos cuyo objeto es coincidente, al menos parcialmente, con el que se va a licitar. El Tribunal ya se había pronunciado en una Resolución anterior en el sentido de que debía resolverse uno de los contratos antes de proceder a la nueva adjudicación. Sin embargo, después de 8 meses, en que no se han modificado las circunstancias inicialmente concurrentes, el órgano de contratación decide desistir del procedimiento de licitación, incluso una vez iniciado el procedimiento de resolución del anterior contrato. El Tribunal entiende que esta actuación es contraria al principio de confianza legítima:

«Por lo tanto, aplicando el principio rebus sic stantibus debe entenderse que siendo la situación la misma que en el momento en que se dictó la Resolución, nada autoriza a pensar que en este momento frente al anterior, sí concurre causa de nulidad de pleno derecho que no pueda enervarse, pudiendo considerarse vulnerado además el principio de confianza legítima.

Este principio que tiene su origen en el Derecho Administrativo Alemán, constituye desde las Sentencias del Tribunal de Justicia de la Comunidad Europea de 22 de Marzo de 1961 y 13 de Julio de 1965 (Asunto Lemmerz-Werk), un principio general del Derecho Comunitario, que finalmente ha sido objeto de recepción por nuestro Tribunal Supremo y por nuestra legislación (Ley 4/99 de reforma de la Ley 30/92, artículo 3.1.2).

Así, las Sentencias del Tribunal Supremo de 10 de Mayo de 1999 y la de 26 de Abril de 2012 recuerdan que "la doctrina sobre el principio de protección de la confianza legítima, relacionado con los más tradicionales en nuestro ordenamiento de la seguridad jurídica y la buena fe en las relaciones entre la Administración y los particulares, comporta, según la doctrina del Tribunal de Justicia de las Comunidades Europeas –hoy, de la Unión Europea– y la jurisprudencia de esta Sala, que la autoridad pública no puede adoptar medidas que resulten contrarias a la esperanza inducida por la razonable estabilidad en las decisiones de aquélla, y en función de las cuales los particulares han adoptado determinadas decisiones, o dicho en otros términos, la virtualidad del principio invocado puede suponer la anulación de un acto o norma y, cuando menos, obliga a responder, en el marco comunitario de la alteración (sin conocimiento anticipado, sin medidas transitorias suficientes para que los sujetos puedan acomodar su conducta y proporcionadas al interés público en juego, y sin las debidas medidas correctoras o compensatorias) de las circunstancias habituales y estables, generadoras de esperanzas fundadas de mantenimiento y este criterio se reitera en la STS de 16 de Mayo de 2012, al resolver el recurso de casación núm. 4003/20082".

Este principio ha de ser aplicado "no tan sólo cuando se produzca cualquier tipo de convicción psicológica en el particular beneficiado, sino más bien cuando se basa en signos externos producidos por la Administración lo suficientemente concluyentes para que le induzcan razonablemente a confiar en la legalidad de la actuación administrativa, unido a que, dada la ponderación de los intereses en juego –interés individual e interés general–, la revocación o la dejación sin efectos del acto hace crecer en el patrimonio del beneficiado que confió razonablemente en dicha situación administrativa unos perjuicios que no tiene por qué soportar, derivados de unos gastos o inversiones que sólo puede ser restituidos con graves perjuicios para su patrimonio, al no ser todos ellos de simple naturaleza económica".

Trasladando estos conceptos al supuesto que nos ocupa resulta patente que una vez apreciada por este Tribunal la existencia de una causa impeditiva de la adjudicación del contrato, que obligaba a su no adjudicación, hasta tanto se hubiera resuelto el mismo y adoptada por el órgano de contratación la opción ofrecida por el Tribunal en virtud del principio de proporcionalidad de continuar con la tramitación, no cabe, so pena de vulnerar el principio de confianza legítima y de vinculación de los actos propios, el desistimiento de la licitación, por lo que procede estimar el recurso».

5.2. La renuncia al contrato

El criterio de los tribunales de contratos sobre la renuncia al contrato, es exigir que se justifique la existencia de razones excepcionales de interés público como presupuesto para su validez[102].

El Tribunal Administrativo de Contratos Públicos de Aragón en el Acuerdo 32/2016 analiza la naturaleza de la renuncia:

«La renuncia, por motivos de interés público, implica la no realización de la prestación objeto de la licitación, por resultar innecesaria o no ser conveniente. Así lo advierte la STJUE de 11 de diciembre de 2014, Croce Amica One Italia Srl, que recuerda que la normativa europea no establece que la renuncia del poder adjudicador a adjudicar un contrato público se limite a casos excepcionales, o se base necesariamente en motivos graves. En todo caso, por razones de transparencia, sí se

---

102. Entre otras la Resolución 761/2016 del TACRC.

obliga a la entidad adjudicadora a comunicar, en el caso de que decida cancelar la licitación, los motivos de su decisión a los candidatos y a los licitadores, lo que no implica que la entidad adjudicadora esté obligada a llevar a término el procedimiento de adjudicación.

(...) En la renuncia al contrato estamos ante una causa habilitadora sobrevenida de una razón o motivo de interés público que hace desaparecer la causa del contrato, y cuyo límite es la arbitrariedad de la Administración.

(...) El interés público asume un papel fundamental como cláusula de habilitación para el ejercicio de potestades públicas, en especial cuando la Administración, en este caso el órgano de contratación, debe desarrollar funciones que comprometen el cumplimiento de otras necesidades que también debe atender. Ello normalmente ocurre cuando se trata de resolver "estados de necesidad" en el campo del Derecho público, o sea, obligaciones ineludibles e imperativas que una autoridad tiene de actuar, ya que de no hacerlo podrían en un momento dado sobrevenir males o perjuicios mayores.

(...) La renuncia a la celebración del contrato es una facultad que forma parte del propio procedimiento de licitación, por definición y atribución legal, y es precisamente debido a ello que, la propuesta de resolución de un procedimiento de concurrencia no constituya un acto declarativo de derechos ni defina la situación jurídica de los participantes, sino que constituye un mero trámite del procedimiento contractual que tiene por finalidad asegurar la más acertada resolución del mismo, y propicia la subsanación de las posibles deficiencias que puedan apreciarse, ya sea a instancia de los propios licitadores, ya sea de oficio por la propia Administración, como es en este caso.

Por ello no pueden prosperar las alegaciones relativas a la infracción de las normas de la potestad de revisión por la Administración. El órgano de contratación, no está revisando ninguna actuación, está ejerciendo las atribuciones que le otorga el ordenamiento jurídico en el seno del procedimiento de licitación del contrato».

En el supuesto analizado por este Acuerdo, el órgano de contratación renuncia a un contrato de concesión de obra pública para la construcción y explotación de un hospital con un plazo de duración de veinte años, y justifica su decisión en que la adjudicación del contrato compromete el cumplimiento de su estabilidad presupuestaria. La renuncia se produce después de un cambio de gobierno y el Tribunal Administrativo de

Contratos Públicos de Aragón se plantea si es una opción legítima. A su entender:

> «... la decisión administrativa por la que se adopta la forma de financiar una infraestructura pública es una decisión que tiene carácter discrecional. Es una decisión administrativa que tiene un marcado "contenido político", en el sentido de no vinculado o predeterminado por el Derecho, de modo que la Administración decide con cierto margen de libertad, siempre que se cumplan con determinados requisitos jurídicos formales y materiales, por cuanto toda actuación de la Administración, por exigencias jurídico-constitucionales, está sometida al servicio del interés general ex artículo 103.1 CE, y no puede ser arbitraria (artículo 9.3 CE). Y esta cuestión, tampoco puede ni debe ser objeto de controversia ante este Tribunal, ni directa, ni indirectamente».

Y concluye que:

> «... un nuevo gobierno democrático que representa, per se, el interés público, puede válidamente consistir en renunciar a un contrato que se considera innecesario. Y ello no supone un fraude a la técnica de revisión de oficio porque, en primer lugar, no existe ningún tipo de acto declarativo de derecho y, en segundo lugar, porque la lógica de la legitimidad política ampara disentir –y, por ello renunciar– de procedimientos no concluidos en los que manifestó su oposición de forma expresa.
>
> Existe, por tanto, el presupuesto habilitante de interés público en el ejercicio de la potestad de renuncia al contrato, por lo que procede desestimar la pretensión anulatoria de la recurrente».

También el Tribunal Administrativo de Recursos Contractuales de Castilla y León se plantea en la Resolución 5/2016, si un cambio de gobierno o la reestructuración de los servicios fundamenta la renuncia a la celebración de un contrato:

> «Un cambio de gobierno o la reestructuración de los servicios no afecta, en principio, al interés público ni fundamenta la renuncia a la celebración de un contrato, salvo que se ponga de manifiesto que la Corporación anterior, bajo cuyo mandato se preparó el contrato, hubiera incurrido en alguna infracción grave en dicha preparación, o que durante el procedimiento de adjudicación hubiera incumplido los principios de igualdad y libre concurrencia en la licitación, cuyos efectos se pusieran de manifiesto en la prestación del servicio a la colectividad por una empresa que no cumpliera debidamente y ocasionara

un trastorno para el bien común y a largo plazo un mayor gasto de los recursos públicos.

En el Acuerdo de renuncia recurrido no se justifica el motivo por el cual se decide sustituir por otra el Área encargada del contrato ni qué imposibilidad existe para que éste continúe tal y como estaba previsto, lo que pone de manifiesto una invocación genérica del interés general pero sin una justificación razonada. Un cambio de criterio sobre la articulación de la licitación no ampara la renuncia.

Respecto a la eficiencia alegada por el órgano de contratación en la gestión de los recursos públicos, al señalar que se tienden a cubrir las necesidades a satisfacer con los medios más adecuados con preferencia de los medios propios frente a los externos, este Tribunal considera que es una afirmación que no puede valorarse, puesto que no existen datos en el expediente que permitan tener por acreditados tales extremos.

No siempre la obtención de condiciones más ventajosas para el erario público justifica la renuncia a la celebración del contrato. En este sentido, la Sentencia del Tribunal Superior de Justicia de la Comunidad Valenciana, de 9 de enero de 2008 (…).

Además, es preciso tener en cuenta que, tal y como dispone para este supuesto el artículo 155.3 del TRLCSP, cuando se renuncie a la celebración de un contrato no podrá promoverse una nueva licitación de su objeto en tanto subsistan las razones alegadas para fundamentar la renuncia.

En el presente caso, una vez requerida a la empresa recurrente el 7 de agosto de 2015 con el fin de que presentara la documentación necesaria para la formalización del contrato y desde el momento en que ésta la presentó, el 8 de agosto, se celebraron contratos con el mismo objeto.

(…) Por todo lo expuesto la eficiencia en la ejecución del servicio no es un argumento de interés público que pueda aplicarse en el presente caso, ya que el Ayuntamiento, después del acuerdo de renuncia a celebrar el contrato, continúa contratando los mismos servicios con agentes externos, máxime cuando no es posible realizar contrataciones con el mismo objeto en tanto subsistan las razones alegadas para fundamentar la renuncia.

Por otra parte, la división del contrato en lotes está prevista en el artículo 86.3 del TRLCSP cuando el objeto del contrato admita fraccionamiento y así se justifique debidamente en el expediente, en cuyo caso podrá preverse la realización independiente de cada una de sus partes mediante la división en lotes, siempre que éstos sean susceptibles de utilización o aprovechamiento separado y constituyan una unidad funcional, o así lo exija la naturaleza del objeto. El unir las prestaciones de los dos lotes en uno solo, porque la existencia de los dos lotes actuales, según el Acuerdo impugnado, "no parece la forma más operativa de fraccionar el objeto del contrato", no puede, sin embargo, considerarse, a juicio de este Tribunal, como una justificación del interés público para la renuncia a la celebración del contrato.

El argumento relativo a la necesidad de realizar un inventario de las señales existentes y de su estado y de apostar así por las medidas de mantenimiento de las señales más que por su sustitución mecánica, carece igualmente de virtualidad para justificar la concurrencia del interés público en la renuncia, ya que, como pone de manifiesto la recurrente, el pliego de prescripciones técnicas incluye entre los trabajos a realizar por la contratista las "Labores de conservación, mantenimiento y limpieza de la señalización vertical", así como "La realización de un inventario" de esta señalización.

Por todo lo expuesto, los argumentos esgrimidos por el órgano de contratación no avalan un interés público que justifique la decisión adoptada sobre la renuncia a la celebración del contrato so pena de incurrir en arbitrariedad».

5.3. El procedimiento negociado

5.3.1. Supuestos de utilización de procedimiento negociado

Los supuestos de utilización del procedimiento negociado regulados en el TRLCSP se han visto afectados por el efecto directo de la Directivas de 2014. El Documento de trabajo de los Tribunales Administrativos de 6 de marzo de 2016, indica sobre el artículo 26 de la Directiva 2014/24 relativo a la elección de los procedimientos:

«La mayor parte de este precepto no goza de efecto directo por ser meramente enunciativo y desarrollarse en los siguientes artículos. Sí tiene efecto directo su apartado 4 (supuestos de utilización de la licitación con negociación y el diálogo competitivo), si bien, por aplicación de la prohibición del efecto directo vertical descendente, siguen vigentes los supuestos más restrictivos recogidos en el TRLCSP para el diálogo competitivo y para el procedimiento negociado».

Sobre el artículo 32 relativo al «Uso del procedimiento negociado sin publicación previa» entiende que no podrán ser empleados válidamente los supuestos no recogidos en la Directiva 2004/18 y que la nueva Directiva de contratos incorpora, mientras que aquellos que el TRLCSP recoge con alcance más amplio deberán ser objeto de interpretación conforme. La

Resolución del TACRC 1071/2016 admite la utilización del procedimiento negociado sin publicidad, en base a la letra f del artículo 170 y al artículo 15.3 de la Directiva 2014/24/UE.

5.3.2. *Aplicación al procedimiento negociado del artículo 26 del Real Decreto 817/2009*

La Resolución 426/2016 del TACRC analiza un supuesto en el que el pliego estableció que todos los aspectos de la oferta se incluirían en un mismo sobre, pese a que se habían de valorar tanto criterios evaluables mediante fórmula como criterios sujetos a juicios de valor, y considera que el artículo 150.2 (desarrollado por el artículo 26 del Real Decreto 817/2009) es:

> «... *un precepto aplicable tanto a los procedimientos abiertos como a los procedimientos restringidos y negociados, pues ninguna distinción hace el precepto y se encuentra sistemáticamente ubicado en la Sección primera del Capítulo 1.° del Libro III del TRLCSP, que regula las normas generales aplicables al procedimiento para la adjudicación de los contratistas. Por tanto, la introducción de las ofertas en el mismo sobre y su valoración conjunta por parte de la mesa de contratación constituye igualmente una vulneración de las normas de procedimiento exigibles, además del principio de transparencia e igualdad de trato que determina la nulidad de pleno derecho de la licitación*».

Sin embargo, posteriormente en la Resolución 1087/2016 sostiene el criterio contrario:

> «... *en el procedimiento negociado no es de aplicación lo dispuesto en el artículo 26 Real Decreto 817/2009, de 8 de mayo, por el que se desarrolla parcialmente la Ley 30/2007, de 30 de octubre, de Contratos del Sector Público, por lo que no cabe apreciar ninguna irregularidad en la tramitación del expediente de contratación derivada de que la apertura de los sobres que contengan la oferta económica y la que contenga la oferta técnica no se realice en fases sucesivas*».

5.3.3. *No hay temeridad en una licitación mediante procedimiento negociado*

En la resolución 171/2016 el TACRC entiende que:

> «... *en el procedimiento negociado, por sus propias características, resulta improcedente la aplicación de las reglas sobre bajas desproporcionadas, por cuanto en estos procedimientos las ofertas serán fruto de la fase de negociación*».

5.4. Cuestiones relativas a la infracción de la legislación de defensa de la competencia

La infracción de la legislación de defensa de la competencia afecta a la actividad de los órganos de recurso especial en dos sentidos, en primer lugar se plantea si el recurso especial puede basarse en que la oferta del adjudicatario incurre en estas prácticas, y por otro cual es el alcance de las obligaciones que la Disposición adicional vigésima tercera del TRLCSP les impone.

La Resolución 41/2016 Órgano Administrativo de Recursos Contractuales de la Comunidad Autónoma de Euskadi entiende que el recurso especial no puede basarse en que la oferta del adjudicatario incurre en prácticas anticompetitivas:

> «*El recurso solicita la anulación de la adjudicación por entender que la oferta del adjudicatario infringe las obligaciones que le impone la CNMC en materia de precios regulados; en concreto, la oferta de TELEFÓNICA, operador dominante, sería irreplicable para los demás licitadores e incluiría "reducciones de precios anticompetitivas (estrechamiento de márgenes o precios predatorios)". La pretensión no puede ser aceptada porque en el estado actual de la legislación europea o nacional sobre contratación pública no hay ninguna norma que permita la exclusión del procedimiento de una oferta por el solo hecho de incurrir en estas prácticas, careciendo de sentido entrar a valorar el fondo de la alegación de EUSKALTEL porque en ningún caso tal valoración podría concluir en la anulación de la adjudicación, incluso en el muy improbable caso de que este OARC/KEAO pudiera llegar a determinar con certeza suficiente la existencia de la práctica (sobre la dificultad de verificar en el procedimiento de adjudicación, y por extensión, en el de recurso especial, un abuso de posición dominante, ver las Conclusiones de la Abogada General, de 13 de marzo de 2008, en el asunto C-454/06, "PressetextNachrichtenagenturGmbH", ECLI:EU:C:2008:167).*
>
> *Cuestión distinta es que la resolución que en su día se dicte por la CNMC, en el caso de apreciar la ilicitud de las prácticas, pueda tener consecuencias que, dependiendo de su contenido, afecten a las relaciones jurídicas entre el adjudicatario (o contratista, si el contrato ya se ha perfeccionado con su formalización) y la Administración*».

La Disposición adicional vigésima tercera del TRLCSP obliga a los órganos competentes para resolver el recurso especial, a notificar a la Comisión Nacional de la Competencia cualesquiera hechos de los que tengan conocimiento en el ejercicio de sus funciones que puedan constituir infracción a la legislación de defensa de la competencia. En particular, comunicarán cualquier indicio de acuerdo, decisión o recomendación colectiva, o práctica concertada o conscientemente paralela entre los licitadores, que tenga por objeto, produzca o pueda producir el efecto de impedir, restringir o falsear la competencia en el proceso de contratación. El Tribunal Administrativo de Contratación Pública de la Comunidad de Madrid analiza el alcance de esa obligación en la Resolución 201/2016:

«*La enumeración del precepto, en su inciso final si bien va referida a prácticas concertadas es meramente enunciativa y no limitativa, debiendo practicarse la referida notificación en cualquier caso en que se aprecie posible infracción en materia de defensa de la competencia y cuando aún de forma individual se pueda producir el efecto de impedir, restringir o falsear la competencia en el proceso de contratación.*

(…) La obligación de notificar a la que se refiere la Disposición Adicional Vigésimo Tercera del TRLCSP surge al existir conocimiento de una posible infracción de la normativa en materia de defensa de la competencia. No se requiere por tanto una infracción acreditada, cuya apreciación corresponde a la CNMC, sino que basta que por este Tribunal se considere que puede existir tal infracción, para que se deba dar traslado del recurso.

(…) Si bien es cierto que la disposición adicional 23.ª del TRLCSP no tiene carácter básico (disposición final segunda apartado 3 del TRLCSP), la Comunidad de Madrid no cuenta con legislación propia. La dicción literal extiende la obligación de notificación a toda práctica presuntamente anticompetitiva que sea conocida en el ejercicio de sus funciones. Las entidades públicas y en especial los órganos encargados de la resolución del recurso especial en materia de contratación deben ser especialmente activos en la promoción y defensa de la competencia ante la CNMC. Considera el Tribunal que en aplicación de la obligación legal, ante una petición expresa deberá ser especialmente cuidadoso en apoyar la realización de la notificación si aprecia al menos indicios de prácticas contrarias a la ley, no pudiendo fundamentar su negativa a la remisión en una argumentación de que tales indicios no constituyen infracción de la Ley 15/2007, pues eso supondría un pronunciamiento sobre el fondo para el que no resulta competente.

Por otro lado, la resolución que dicte el Tribunal no ha de ser necesariamente posterior a la de la CNMC con suspensión del procedimiento de recurso hasta el pronunciamiento de la Comisión. Tal decisión de suspensión supondría que el Tribunal no se podría pronunciar hasta cono-

cer la decisión de la CNMC que puede dilatarse hasta 18 meses según la Ley 15/2007. Considera el Tribunal que se trata de ámbitos competenciales distintos y delimitados, por lo que nada obsta para dictar resolución, la dación de cuenta a la CNMC, y su posterior resolución y sin que ello suponga infracción del principio non bis in idem. Como hemos señalado más arriba la CNMC será competente para conocer las infracciones de la Ley 15/2007 y el Tribunal se limita a remitir los datos que posea, resolviendo el recurso conforme a las exigencias de legalidad y respeto de los principios generales del TRLCSP».

En el mismo sentido cuando en el procedimiento de contratación, se advierte una posible práctica anticompetitiva, *«habrá de estar a las previsiones de la Disposición adicional vigésimo tercera del TRLCSP, pero sin que ello afecte de por sí a las actuaciones del procedimiento de licitación»* como indica el TACRC en la resolución 541/2016.

5.5. Cuestiones relativas a la subcontratación

El Órgano Administrativo de Recursos Contractuales de la Comunidad Autónoma de Euskadi en la Resolución 92/2016, analiza cual es el ámbito propio de la subcontratación, señalando que no debe confundirse con los recursos adquiridos a otras empresas para integrarlos en el ciclo productivo y que no son una parte autónoma y diferenciable de la prestación. Y concluye para el supuesto concreto que no es subcontratación en el contrato de suministro encomendar la entrega de los bienes a un transportista.

La Resolución 43/2016 del TACRC señala respecto del límite a la subcontratación que:

«Si en los pliegos no se limita específicamente la posibilidad de subcontratación ni se obliga a que los licitadores indiquen específicamente la parte que pretenden subcontratar, será en la fase de ejecución del contrato cuando el órgano de contratación deba velar por que no se supere el 60% establecido en el artículo 227 del TRLCSP».

Capítulo 8

La contratación pública en la encrucijada

GERARDO GARCÍA ÁLVAREZ
Catedrático de Derecho administrativo
Universidad de Zaragoza

Articulada sobre las diversas perspectivas que abre la nueva legislación de contratos, la "I Jornada sobre nuevos escenarios de la contratación pública", celebrada en la Universidad de Zaragoza los días 2 y 3 de mayo de 2017, ha reunido a magistrados especialistas de lo contencioso-administrativo (Dimitri Berberoff Ayuda), presidentes de tribunales administrativos de contratos (Elena Hernáez), miembros de cámaras de cuentas autonómicas (Alfonso Ochoa), especialistas en competencia de la CNMC (Antonio Maudes), presidentes de organismos autonómicos de control (Miguel Ángel Gimeno), letrados del Tribunal de Cuentas (Pilar Jiménez Rius), altos funcionarios con responsabilidades en materia de PYMES (Antonio Fernández-Ecker) y, el grupo más numeroso, académicos (Joaquín Tornos, Andrés Betancor, Julio González, Patricia Valcárcel, Fabrizio Frachia, Michelle Cozio), aunque algunos de ellos desempeñando funciones en la presidencia de tribunales administrativos de contratos (José María Gimeno) o en la respectiva Administración autonómica (Miguel Ángel Bernal)[1].

La legislación de contratación pública presenta una clara línea de continuidad que discurre ininterrumpida desde el Decreto 923/1965, de 8 de

---

1. El video de las intervenciones puede verse en el canal de youtube del Observatorio de Contratación Pública: https://www.youtube.com/channel/UCSA1-Zane8PfwTrQ05Y2-Ig/featured

abril, por el que se aprueba el texto articulado de la *Ley de Contratos del Estado, no ya hasta la legislación vigente, sino que se prolonga en el proyecto de Ley actualmente objeto de tramitación en las Cortes Generales,* el notorio Proyecto de Ley de Contratos del Sector Público, por la que se transponen al ordenamiento jurídico español las Directivas del Parlamento Europeo y del Consejo, 2014/23/UE y 2014/24/UE, de 26 de febrero de 2014, presentado el 25 de noviembre de 2016. Esto, por supuesto, sin olvidar el elemento determinante de la evolución reciente del Derecho español, que es el Derecho comunitario, siendo la transposición de la "cuarta generación de directivas de contratación" la causa eficiente del proyecto de Ley en tramitación. No obstante, parecen más relevantes los elementos de continuidad que los de cambio.

Claramente, este proyecto de Ley, cuyo resultado final va probablemente a marcar el panorama de la contratación pública en España en la próxima década, está determinando el contexto en que se desarrolla cualquier discusión sobre la contratación pública en estos momentos. En este sentido, pueden clasificarse los contenidos del encuentro entre ponencias que establecen el marco jurídico, notablemente comunitario, que ponen en evidencia las líneas directrices del proyecto y, por tanto, del futuro inmediato en el campo de la contratación en España, que iluminan aspectos concretos, o que exponen la experiencia actual en diversos ámbitos, generalmente planteada como situaciones a superar o mejorar, que postulan cambios en el contenido actual del proyecto para acercarlo a la regulación necesaria en el momento presente o, incluso, que plantean un modelo completamente alternativo, que exigiría el cambio de algunos de los postulados técnicos asumidos como básicos por una mayoría de los especialistas en contratación pública. También una línea alternativa, explicada por las opciones asumidas por otro Estado miembro de la Unión Europea para incorporar la última generación de directivas, como es Italia, ha tenido un importante lugar en la jornada.

Una primera impresión, a la vista no sólo de las intervenciones realizadas sino del contexto general en que nos movemos, es que España tiene un problema de competitividad. Lo tiene en el ámbito privado, con un escaso peso del sector industrial, una infracualificación de la mano de obra y una dimensión media demasiado reducida de las empresas. También lo tiene en el ámbito público, con un personal a menudo sobrecualificado en los escalones inferiores de la Administración, con una escasa compensación por la asunción de responsabilidades y con una casi inexistente evaluación del desempeño, entre otras cosas. En este panorama, la reforma de la contratación pública es una oportunidad para mejorar tanto la eficiencia del sector público como la de los ámbitos privados. En este sentido, no sólo se aspira a un más eficiente abastecimiento de bienes y servicios, o a una eficiente externalización de determinadas funciones (externalización en la que la contratación es el principal mecanismo, pero no el único), sino a un uso "estratégico" de la contratación. Uso estratégico en este contexto supondría poner la contratación pública al servicio de fines que van más allá de los tradicionales –la adquisición de bienes y servicios–, utilizándola también para indirectamente conseguir fines de innovación tecnológica, sociales o ambientales. Estos objetivos generales, estratégicos, habrán de perseguirse sin perjudicar los fines básicos, primarios, de la contratación, no sólo por cuestiones prácticas y financieras, sino jurídicas, determinadas tanto por principios como la igualdad de oportunidades o, incluso, la prohibición comunitaria de las ayudas de Estado.

España tiene un problema de eficiencia en la contratación, una manifestación más de sus problemas generales de competitividad. Sus manifestaciones extremas son los casos de corrupción, supuestos tipificados en el Código Penal, pero la ineficiencia tiene otras muchas manifestaciones. Aunque España no parezca ser un país con niveles elevados de corrupción de acuerdo con indicadores objetivos, sí existe una difundida percepción en sentido contrario. Una causa de ello puede ser la existencia de una corrupción intensiva en determinados sectores, destacadamente en el ámbito de la contratación pública[2]. En todo caso, la contratación ocupa un lugar central en los informes de instituciones comunitarias sobre el problema de la corrupción[3].

---

2. M. VILLORIA MENDIETA, "Principales rasgos y características de la corrupción en España", en el libro col. *La corrupción en España: ámbitos, causas y remedios jurídicos*, Barcelona, Atelier, 2016, pp. 47-66

3. En este sentido, en el Informe de la Comisión al Consejo y al Parlamento Europeo. Informe sobre la lucha contra la corrupción en la UE, COM(2014) 38. Bruselas, 3.2.2014, se dedican específicamente a la corrupción diecisiete páginas de las cuarenta y cinco de que consta el documento, además de afirmar, en el apartado dedicado a las "principales conclusiones" lo siguiente: "Los análisis nacionales muestran que la contratación pública es especialmente proclive a la corrupción en los Estados miembros, debido a los deficientes mecanismos de control y de gestión de riesgos" (p. 8). También puede citarse, más recientemente, el Informe del Parlamento Europeo de 7 de octubre de 2016, sobre la lucha contra la corrupción y el seguimiento de la Resolución de la Comisión CRIM (2015/2110[INI]), se refiere en el considerando I) como fuente destacada de corrupción al "sector de la contratación y las obras públicas; la financiación pública, la eliminación de desperdicios y desechos; y los contratos directos para la adquisición de bienes de todo tipo y para la gestión de servicios". En las conclusiones, entre otras cosas, se pide "que se instaure un sistema completo de contratación pública electrónica para toda la Unión a fin de reducir el riesgo de corrupción en la contratación pública" o que se "utilicen instrumentos de supervisión de la contratación pública

I. EL CONTEXTO JURÍDICO DE LA REFORMA DE LA CONTRATACIÓN PÚBLICA

El enfoque conjunto no ha sido sistemático, sino problemático, abordando los elementos que pueden ser determinantes en la aplicación de la inminente nueva legislación del contratos. Entre estos condicionantes destaca en primer lugar el Derecho comunitario, por supuesto las directivas de contratación de "cuarta generación", pero sobre todo la jurisprudencia comunitaria, que en materia contractual ha tenido un protagonismo sustancial, hasta el punto de configurar el Derecho europeo de la contratación pública como un Derecho pretoriano. Ese papel puede incluso incrementarse como resultado de la nueva regulación del recurso de casación en el orden contencioso-administrativo (por Ley Orgánica 7/2015, de 21 de julio), que establece como uno de los "indicios" de interés casacional –y por tanto, de la posibilidad de que el Tribunal Supremo admita el recurso–, que la resolución impugnada "interprete y aplique el Derecho de la Unión Europea en contradicción aparente con la jurisprudencia del Tribunal de Justicia o en supuestos en que aun pueda ser exigible la intervención de éste a título prejudicial" (LJCA art. 88.2, f). Esta disposición va probablemente a contribuir a reforzar todavía más la relevancia del Derecho comunitario de contratos, como puso de manifiesto Berberoff. Esta previsión, en conexión con el criterio establecido en la STJUE de 6 de octubre de 2015, Consorci Sanitari del Maresme[4], de acuerdo con el cual los tribunales administrativos de contratos son órgano jurisdiccional a efectos de la posibilidad de interposición de una cuestión prejudicial, reforzando los mecanismos que han llevado a una expansión de la jurisprudencia comunitaria sobre contratos públicos. Por el contrario, el Tribunal de Justicia ha considerado que un Secretario Judicial, o Letrado de la Administración de Justicia en su denominación actual, no es órgano jurisdiccional a efectos del planteamiento de la cuestión prejudicial en la Sentencia de 16 de febrero de de 2017, Margarit[5], relativo no a una cuestión contractual, sino a un procedimiento de jura de cuentas, en el que el Secretario –competente para decidir el mismo– observaba que la regulación aplicable le impedía tener en cuenta cuestiones potencialmente relevantes, lo que podría

---

y elaboren listas negras de las empresas que tengan vínculos probados con la delincuencia organizada o estén implicadas en prácticas corruptas ..."

4. Sentencia del Tribunal de Justicia (Gran Sala) de 6 de octubre de 2015, Consorci Sanitari del Maresme contra Corporació de Salut del Maresme i la Selva, Asunto C-203/14. Petición de decisión prejudicial planteada por el Tribunal Català de Contractes del Sector Públic.

5. Sentencia del Tribunal de Justicia (Sala Quinta) de 16 de febrero de 2017, Ramón Margarit Panicello contra Pilar Hernández Martínez, Asunto C-503/15.

suponer una desprotección del cliente al que su abogado reclama una determinada cantidad por sus honorarios. Sin embargo, el Tribunal de Justicia inadmite la cuestión dada la naturaleza administrativa, no jurisdiccional, del procedimiento[6].

El contexto del proyecto de Ley de contratos públicos viene determinado de forma más inmediata por el hecho de que España está en trance de incorporar a su ordenamiento interno la cuarta generación de directivas en materia de contratación pública: la Directiva 2014/25/UE sobre contratos en los sectores agua, energía, transportes y servicios postales[7], la Directiva 2014/55/UE, relativa a la facturación electrónica en la contratación pública[8], la Directiva 2014/23/UE relativa a la adjudicación de contratos de concesión[9] y, finalmente, la muy relevante Directiva 2014/24/UE, sobre contratación pública[10].

Esta última con la relevante novedad de referirse a todas las fases de la contratación pública, lo que supone una regulación también de aspectos fundamentales de la fase de ejecución de los contratos, con su régimen

---

6. Fundamento 34: "... en virtud de los artículos 34, apartado 2, y 35, apartado 2, de la LEC, este procedimiento se sitúa al margen del sistema jurisdiccional nacional. En efecto, por una parte, la incoación del procedimiento de jura de cuentas no da lugar a que, por causa de litispendencia, pueda impedirse que un tribunal ordinario sustancie autónomamente un proceso declarativo o un procedimiento monitorio, ni tampoco constituye una causa de inadmisibilidad de los motivos que pudieran formularse, simultánea o sucesivamente, ante tal tribunal ordinario, y, por otra parte, el decreto por el que se pone fin al expediente de jura de cuentas es similar a una resolución de carácter administrativo, puesto que tal decreto, aun siendo firme e inmediatamente ejecutivo, sin que se admita contra él ningún recurso, no goza de los atributos de una resolución judicial, especialmente de la fuerza de cosa juzgada material ..."

    En otras resoluciones recientes, el tribunal ha reconocido la condición de órgano prejudicial a estos efectos a un "tribunal arbitral necessário" (Auto del Tribunal de Justicia, Sala Octava, de 13 de febrero de 2014, Merck Canada Inc. contra Accord Healthcare Ltd y otros, Asunto C-555/13) o un "Tribunal Arbitral Tributario" (Sentencia del Tribunal de Justicia, Sala Segunda, de 12 de junio de 2014.

    Ascendi Beiras Litoral e Alta, Auto Estradas das Beiras Litoral e Alta SA contra Autoridade Tributária e Aduaneira, Asunto C-377/13).

7. Directiva 2014/25/UE del Parlamento Europeo y del Consejo, de 26 de febrero de 2014, relativa a la contratación por entidades que operan en los sectores del agua, la energía, los transportes y los servicios postales y por la que se deroga la Directiva 2004/17/CE

8. Directiva 2014/55/UE del Parlamento Europeo y del Consejo, de 16 de abril de 2014, relativa a la facturación electrónica en la contratación pública

9. Directiva 2014/23/UE del Parlamento Europeo y del Consejo, de 26 de febrero de 2014, relativa a la adjudicación de contratos de concesión

10. Directiva 2014/24/UE del Parlamento Europeo y del Consejo, de 26 de febrero de 2014, sobre contratación pública y por la que se deroga la Directiva 2004/18/CE.

de modificados (fundamentalmente codificador de la jurisprudencia del TJUE), la subcontratación o las causas de resolución de los contratos, concretamente cuando la modificación del contrato que constituya una nueva adjudicación o cuando una sentencia del TJUE declare que un Estado miembro ha incumplido las obligaciones del Derecho europeo de los contratos.

Estos no son los únicos cambios cualitativamente relevantes: puede también destacarse lo relativo al "uso estratégico" de la contratación pública y a la necesidad de una específica "gobernanza" en esta materia. El uso estratégico se refiere en primer lugar a la mejora de la competitividad de las economías europeas, pero también a la posible incorporación de objetivos sociales y ambientales a la contratación. En realidad, quizá la expresión "uso estratégico" es demasiado rimbombante para algo que puede decirse más sencillamente: aparte de proveer los bienes y servicios necesarios para cubrir las funciones primarias de la Administración, dado el volumen de los recursos financieros públicos implicados en la contratación pública, ésta puede también ser utilizada para conseguir objetivos de política general, mientras no se perjudique su objetivo primario.

La Comisión Europea se ha referido en diversos documentos a la necesidad de utilizar la contratación pública como instrumento para incrementar la competitividad, sea ayudando a introducir en el mercado innovaciones[11] o incorporando plenamente a las pequeñas y medianas empresas[12]. En sentido coincidente el Informe especial núm. 17/2016 del Tribunal de Cuentas Europeo –significativamente titulado "Las instituciones de la UE pueden hacer más para facilitar el acceso a su contratación pública"–, que vincula la contratación con el desarrollo del mercado único, un "crecimiento inteligente, sostenible e integrador" y, por supuesto, un uso eficiente y eficaz de los fondos públicos. En línea con esta nueva misión de potenciar un crecimiento económico asentado sobre nuevas bases, en la última generación de directivas se postula un uso estratégico de la contratación pública en pos una competitividad mejorada, además de objetivos sociales o ambientales.

A las cuestiones sociales se ha referido específicamente Elena Hernaez, con referencia a la Directiva 2014/24/UE, en cuyo art. 18.2, se establece el

---

11. Comunicación de la Comisión «Innovation Union» (Unión por la innovación), SEC(2010) 1161.
12. Comunicación de la Comisión al Parlamento Europeo, al Consejo, al Comité Económico y Social Europeo y al Comité de las Regiones: Hacia un Acta del Mercado Único: Por una economía social de mercado altamente competitiva, de 27 de octubre de 2010, COM(2010) 608.

deber de los Estados miembros de tomar medidas para asegurar el respeto a las obligaciones ambientales, sociales o laborales en la ejecución de los contratos públicos. No es el único precepto que va en este sentido: puede destacarse el art. 56 permite no adjudicar el contrato a la mejor oferta, incluso no incurriendo en baja temeraria, si se verifica que es incompatible con el cumplimiento de las obligaciones del art. 18.2 o la posibilidad de prever condiciones especiales de ejecución del contrato, vinculadas al objeto del contrato, incluidas en la convocatoria o en los pliegos, finalizando el art. 70 con una habilitación específica: *"Dichas condiciones podrán incluir consideraciones económicas o relacionadas con la innovación, consideraciones de tipo medioambiental, social, o relativas al empleo"*. No obstante, como señala Hernaez, no es una cuestión nueva: tanto las juntas consultivas como los tribunales contractuales y los órganos jurisdiccionales vienen desde hace años, con cautelas, abriendo camino a la introducción de consideraciones sociales en los contratos públicos, aunque necesariamente vinculadas con el objeto del contrato. En este sentido, en la delicada cuestión del respeto a los convenios colectivos y la admisión del "descuelgue" como excepción al carácter vinculante del Convenio Colectivo por la legislación laboral (art. 82.3 del Real Decreto Legislativo 2/2015, de 23 de octubre, por el que se aprueba el texto refundido de la Ley del Estatuto de los Trabajadores), cabe concluir que no cabe legislar en los pliegos y que la imposición de un criterio social frente a otro que puede ser perfectamente legal implica una suerte de derogación normativa de las medidas legales que puedan haberse adoptado, singularmente el "descuelgue" de convenios que sí obedece a causas reales podría perjudicar a empresas en situación financiera delicada y especialmente a las PYMES[13].

La otra gran cuestión es la deficiente "gobernanza" en materia de contratación, puesta de manifiesto por la propia Comisión Europea en el Informe España 2017[14], como destaca MORENO MOLINA. En este sen-

---

13. Sentencia del Tribunal Supremo 1156/2016, de 18 de mayo, en el que señala que por medio de un contrato público no puede modularse la legislación laboral estatal.

14. "Informe sobre España 2017, con un examen exhaustivo relativo a la prevención y la corrección de los desequilibrios macroeconómicos", que acompaña al documento Comunicación de la Comisión al Parlamento Europeo, al Consejo, al Banco Central Europeo y al Eurogrupo "Semestre Europeo de 2017: evaluación de los avances en las reformas estructurales y la prevención y corrección de desequilibrios macroeconómicos, y resultados de los exámenes exhaustivos de conformidad con el Reglamento (UE) n.º 1176/2011 {COM(2017) 90 final}{SWD(2017) 67 final - SWD(2017) 93 final}. La Comisión señala literalmente: "El marco de contratación pública no fomenta la eficiencia y la conformidad con la legislación. España carece de una política de contratación pública nacional que garantice la eficiencia y la conformidad con la legislación y un alto nivel de competencia en

tido, es evidente que, como se señala en ese informe, España carece de una política de contratación pública a nivel nacional que garantice la competencia y la transparencia, a lo que se une la valoración negativa por la Comisión de la inexistencia de un organismo nacional encargado de asegurar la eficiencia y un cumplimiento uniforme de la legalidad. Debe tenerse en cuenta que entre las novedades de la Directiva 2014/24/UE está un Título IV, art. 83 a 86, conteniendo normas sobre gobernanza dirigidas a la Comisión, los Estados miembros y los poderes adjudicadores. Debe señalarse que la falta de estadísticas y datos fiables en materia de contratación administrativa no es un mal que se produzca únicamente en España, por lo que es una preocupación expresada con carácter general por la Comisión Europea y éste es el motivo de la introducción de las previsiones al respecto en la Directiva. En todo caso, en nuestro país el problema es grave: datos aportados por Transparencia Internacional y el Observatorio de la Contratación Pública, relativos al año 2016, respecto a la obligación legal de publicar licitaciones y contratos en la Plataforma de Contratación del Sector Público muestran que de los ciento diez grandes Ayuntamientos españoles sólo cumple un 30% y, todavía más llamativo, de las diecisiete Administraciones autonómicas sólo cumplen seis.

De acuerdo con las previsiones de la Directiva 2014/24/UE, los Estados miembros presentarán a la Comisión un informe de supervisión cada tres años, conteniendo información sobre las causas más frecuentes de aplicación incorrecta o de inseguridad jurídica, sobre el nivel de participación de las pequeñas y medianas empresas y, finalmente, sobre la prevención, detección y notificación adecuada de los casos de fraude, corrupción,

---

todo el país. Recientemente se han tomado algunas medidas para mejorar las prácticas en materia de contratación pública, pero subsisten deficiencias, tales como el bajo nivel de coordinación entre los distintos niveles de las Administraciones Públicas, la insuficiencia de los mecanismos de control, la falta de transparencia y una utilización relativamente baja de las adquisiciones centralizadas" (p. 4). En el apartado 4.6.1, específicamente dedicado a la contratación pública, se reitera nuevamente lo relativo a la falta de coordinación entre los diferentes niveles administrativos, afirmando literalmente que "en España no existe una política de contratación pública coherente. [...] En particular, la falta de un organismo independiente encargado de garantizar la eficiencia y el cumplimiento legal en materia de contratación pública en todo el país entorpece la correcta aplicación de las normas de contratación pública y puede dejar margen para cometer irregularidades (Comisión Europea, 2016d)." (p. 66). En el documento se hace un juicio mixto sobre el proyecto de Ley de contratos del sector público, aunque se señala, entre otras cosas, que "las medidas no parecen reforzar los controles ex ante, ya que no son capaces de hacer frente a la escasez de personal en los organismos pertinentes que llevan a cabo controles ex ante en los diferentes niveles de las Administraciones Públicas ni de garantizar la independencia de los organismos pertinentes a nivel subcentral que realizan estos controles" (pp. 66-67).

conflicto de intereses y otras irregularidades graves en la contratación. En el mismo sentido, cada tres años los Estados miembros deben remitir a la Comisión un informe estadístico sobre los contratos públicos sujetos a los umbrales comunitarios de acuerdo con la Directiva 2014/24/UE, en la que también se prevé que la Comisión analizará la calidad y la integridad de los datos de los anuncios y solicitará información complementaria a los Estados miembros.

En el nivel interno, en la Directiva se prevé la existencia de autoridades de supervisión, que en caso de detectar incumplimientos específicos o problemas sistémicos, por sus propios medios o por haber recibido información al respecto, estarán facultadas para señalar estos problemas a las autoridades de auditoría, órganos jurisdiccionales u otras autoridades, organismos o estructuras nacionales adecuadas, como el defensor del pueblo, los Parlamentos nacionales o las comisiones parlamentarias (art. 83.2).

La respuesta española, que parece completamente insuficiente, es la creación de la Oficina Nacional de Evaluación y el aumento de las competencias de la Junta Consultiva de Contratación Pública del Estado. La Oficina Nacional de Evaluación es un órgano consultivo cuya existencia está ya prevista en la disposición adicional 36 del vigente Texto refundido de la Ley de contratos del sector público, introducida por la Ley 40/2015, de 1 de octubre, aunque todavía no se haya constituido efectivamente. Se trata de un órgano colegiado con representación de los departamentos ministeriales más directamente implicados en los proyectos de colaboración público-privada y con participación del sector privado y de las Administraciones autonómicas y locales. Pese al carácter consultivo, Patricia VALCÁRCEL caracteriza a la Oficina Nacional de Evaluación como un mecanismo de "control" *ex ante* únicamente de ciertos tipos contractuales: su competencia no alcanza a todos los tipos contractuales, ni siquiera todas las formas de CPP, sino únicamente a los contratos de concesión de obras y servicios. Debe informar preceptivamente y con carácter previo a la licitación de los citados contratos en ciertos casos con la finalidad es analizar la "sostenibilidad financiera" de tales contratos.

En cuanto a la Junta Consultiva, se prevé la creación de un Comité de cooperación en materia de contratación pública, que además de homogeneizar los criterios de interpretación normativa, proponga los criterios de selección de actuaciones de supervisión y elaborar una propuesta de Estrategia nacional de supervisión. Además, deberá realizar la supervisión del funcionamiento de la Plataforma de Contratación del Sector Público y del Registro Oficial de Licitadores y Empresas Clasificadas del Sector Público.

En contraste con lo previsto en el proyecto de Ley de contratación pública, en otros Estados miembros se han creado auténticas administraciones independientes, pudiendo destacarse el caso de Italia, país en el que se ha creado un auténtico organismo regulador en materia de contratación pública. Entre nosotros no ha faltado alguna iniciativa para introducir un auténtico organismo regulador, si bien puesta en juego por un grupo parlamentario de la oposición, como es Ciudadanos, que por vía de enmienda ha propuesto la creación de una "Autoridad de Regulación del Mercado de la Contratación Pública"[15].

Esta nuevo enfoque, centrado en la gobernanza supondría un paso adelante en la evolución de la contratación pública. Como señaló BETAN-COR, en la evolución de la legislación de contratos se puede apreciar una etapa inicial centrada en la "lógica del comprador", que supuso que a la contratación de las Administraciones públicas dejase de aplicarse el Derecho civil, creándose la figura del contrato administrativo, basado en la prerrogativa. Una segunda etapa habría estado constituida por la "lógica del mercado", que ha caracterizado las tres primeras generaciones de directivas comunitarias, centradas fundamentalmente en la creación de un mercado interior único extendido a la contratación pública. La tercera etapa, actualmente en desarrollo, estaría basada en la "lógica del supervisor". En este sentido, el proyecto de Ley habría de ser considerado absolutamente insuficiente en palabras de BETANCOR: la Junta Consultiva de Contratación Administrativa, órgano consultivo por excelencia y carente de garantías suficientes de independencia no está en condiciones de actuar como organismo de supervisión. En consecuencia, el cumplimiento del mandato de la Directiva 2014/24/UE precisa de una solución diferente.

II. UNA ENMIENDA A LA TOTALIDAD: LA CALIDAD COMO OBJETIVO PRINCIPAL DE LA CONTRATACIÓN PÚBLICA EN UN MODELO NORMATIVO ALTERNATIVO

Los últimos años se han caracterizado por sucesivos intentos de objetivar los criterios de contratación, confinando la discrecionalidad a decisiones previas sobre la modalidad de prestación de los servicios o la prioridad en la contratación pública, configurando la redacción de los pliegos contractuales como manifestación de una discrecionalidad técnica y procurando acercar la adjudicación del contrato a la mera aplicación reglada, aunque subsistan aspectos concretos de aplicación de la discrecionalidad

---

15. Enmienda núm. 414, del Grupo Parlamentario Ciudadanos, de adición de nuevos artículos (BOCG. Congreso de los Diputados, Serie A, Núm. 2-2, de 16 de marzo de 2017).

técnica en la valoración de las ofertas. Lo anterior, en conjunción con la crisis económica iniciada en 2008 y la consiguiente escasez relativa de fondos públicos, ha llevado a un predominio del precio como criterio, incluso único, de adjudicación.

Lo primero constituye una tendencia general, como muestra la referencia hecha en el fundamento 90 de la Directiva 2014/24/UE del Parlamento Europeo y del Consejo, de 26 de febrero de 2014, sobre contratación pública y por la que se deroga la Directiva 2004/18/CE, aunque también se abra en ella un cierto campo para una mayor importancia relativa de la calidad:

> "La adjudicación de los contratos *debe basarse en criterios objetivos* que garanticen el respeto de los principios de transparencia, no discriminación e igualdad de trato con el fin de garantizar una *comparación objetiva del valor relativo de los licitadores* que permita determinar, en condiciones de competencia efectiva, qué oferta es la *oferta económicamente más ventajosa*. Debería establecerse explícitamente que la oferta económicamente más ventajosa debería evaluarse sobre la base de la mejor relación calidad-precio, que *ha de incluir siempre un elemento de precio o coste*. Del mismo modo debería aclararse que dicha evaluación de la oferta económicamente más ventajosa también podría llevarse a cabo solo sobre la base del precio o de la relación coste-eficacia. Por otra parte conviene recordar que los poderes adjudicadores gozan de libertad para fijar *normas de calidad adecuadas utilizando especificaciones técnicas o condiciones de rendimiento* del contrato.
>
> Para fomentar una mayor orientación hacia la calidad de la contratación pública, los Estados miembros deben estar autorizados a *prohibir o restringir el uso solo del precio o del coste* para evaluar la oferta económicamente más ventajosa cuando lo estimen adecuado [...]".

La propuesta de Julio GONZÁLEZ, catedrático de Derecho administrativo de la Universidad Complutense, tiene un carácter alternativo no sólo frente al proyecto de Ley, sino a la propia Directiva. La opción por la calidad es una opción política, aunque se vertebre a través, no sólo de toda la vida del contrato, sino incluso de fases anteriores al propio contrato, como sería la planificación, la redacción de la documentación contractual, la adjudicación, la ejecución y la obtención de enseñanzas y consecuencias para contratos posteriores. A partir de aquí se hacen propuesta que pueden generar un mayor consenso, junto con otras más alternativas. Entre las primeras, una mayor cualificación de los empleados públicos encargados de la contratación administrativa. Entre las otras, un reforzamiento de la discrecionalidad en la contratación, con un mayor uso de procedimientos de contratación alternativos al abierto, abandonando la búsqueda de una objetividad imposible en la práctica. En este sentido, diálogos competitivos y procedimientos negociados ofrecen mejores posibilidades de lograr objetivos de mayor calidad. Por otra parte, el historial del contratista debe tener una relevancia mucho mayor en las adjudicaciones, siendo preciso un mayor control reputacional del contratista, creando una base de datos en la que figure la calificación, otorgada en función del nivel de satisfacción, obtenida en la ejecución de contratos anteriormente adjudicados. Junto a ello es necesario una restricción de las posibilidades de subcontratación. Finalmente, el conocimiento previo del personal que vaya a ejecutar un contrato, debiendo tenerse en cuenta la "desagregación por razón de género" como elemento vinculado a la calidad.

III. UNA TRANSPOSICIÓN ALTERNATIVA: SIMPLIFICACIÓN NORMATIVA Y CREACIÓN DE UN ORGANISMO REGULADOR ÚNICO EN ITALIA

Dos aspectos merecen destacarse especialmente de la experiencia italiana, aportada por Fabrizio FRACHIA y Michelle COZZIO: la aprobación de un nuevo texto legal, no una mera adaptación de la legislación anterior, para la regulación de los contratos públicos sobre la base de las directivas comunitarias; y la creación de una nueva autoridad administrativa independiente, de ámbito nacional, con funciones fundamentalmente centradas en la contratación pública.

La transposición de las directivas de contratación de cuarta generación se ha hecho en Italia mediante la aprobación de un Código de los contratos públicos, mediante el Decreto Legislativo 50/2016, de 18 de abril[16], un texto articulado que ha entrado en vigor el 19 de mayo de 2017, producto de la delegación realizada mediante la Ley 11/2016, de 28 de enero. El nuevo Código contiene 219 artículos y 25 anexos, frente a los 274 artículos y 22 anexos del texto legal anterior, de 2006. Además el reglamento de desarrollo, que incluía 359 artículos y 15 anexos, es sustituido por las directrices aprobadas por la recientemente implantada Autoridad Nacional contra la corrupción, directrices, en principio con naturaleza jurídica de *soft law*, aunque su régimen no deje de plantear dudas, como expresó FRACHIA en su intervención. El Código de Contratación está

---

16. Decreto Legislativo 18 aprile 2016, n. 50. Attuazione delle direttive 2014/23/UE, 2014/24/UE e 2014/25/UE sull'aggiudicazione dei contratti di concessione, sugli appalti pubblici e sulle procedure d'appalto degli enti erogatori nei settori dell'acqua, dell'energia, dei trasporti e dei servizi postali, nonche' per il riordino della disciplina vigente in materia di contratti pubblici relativi a lavori, servizi e forniture. (16G00062) (GU n.91 del 19-4-2016, Suppl. Ordinario n. 10).

construido sobre la base de las directivas más que del Derecho italiano anterior y, como apunta COZZIO, incorpora los principios de integridad y eficiencia o corrección (correttezza) definido como la obligación de actuar de acuerdo con los principios de imparcialidad, buena fe y buena administración.

En el campo de la gobernanza destaca la creación de la ya citada Autoridad Nacional contra la corrupción, habitualmente citada como ANAC, que surge sobre la base de organismos anteriormente existentes, creada por Decreto Ley n. 90/2014, posteriormente convertido en la Ley n. 114/2014. Su misión es la prevención de la corrupción a través de la puesta en práctica de medidas de transparencia y la vigilancia y supervisión en los contratos públicos y en todos los ámbitos de la Administración Pública donde puedan darse fenómenos de corrupción.

Tiene funciones de regulación, entre las que destacan la elaboración de las ya citadas directrices, además de la elaboración de modelos de pliego, de contrato y "otras herramientas de regulación adaptables". También ejerce funciones de vigilancia y control en materia de contratos públicos, incluidos los de interés regional, con especial énfasis en cuestiones como la vigilancia de la adjudicación de contratos a través de procedimientos que no sean los ordinarios, con controles específicos sobre la correcta aplicación de las excepciones prevista en casos de extrema urgencia y protección civil, además de llevanzas de diversos registros administrativos. Cuando detecte irregularidades, deberá ponerlos en conocimiento del Gobierno y el Parlamento en los casos más graves, además de comunicar sus dictámenes al fiscal del Tribunal de Cuentas. A través de su presidente puede proponer al Prefecto competente la sustitución de administradores de una determinada sociedad contratista e, incluso, de persistir la empresa en el incumplimiento, proceder a la gestión temporal y extraordinaria de la misma en lo que se refiere al contrato en ejecución.

Además de lo anterior, de considerar que un procedimiento de licitación ha sido ilegal, propondrá al poder adjudicador ejercer la autotutela para eliminar los eventuales efectos de los actos ilegales en un plazo máximo 60 días cuyo incumplimiento acarreará la sanción del responsable con multa de 250 a 25.000 euros. La ANAC también puede imponer multas en los casos en los que se le deniegue información o documentos por parte de un sujeto sometido a supervisión. Finalmente, ejerce funciones arbitrales: puede emitir dictámenes sobre cuestiones que surjan en el curso de la licitación a petición de los órganos de contratación y las partes. El dictamen será preceptivo y vinculante, pero susceptible de impugnación ante el juez administrativo.

IV. EXPERIENCIAS SECTORIALES Y CONTROL DE LA CONTRATACIÓN

Diversas perspectivas del necesario control sobre la contratación fueron aportadas por Alfonso PEÑA, centrado en la transparencia; Miguel Ángel GIMENO, en la experiencia de la Oficina Antifraude de Cataluña; Pilar JIMÉNEZ RIUS, sobre el control externo; y Antonio MAUDES desde la perspectiva de la Comisión Nacional de los Mercados y la Competencia. La perspectiva de las pequeñas y medianas empresas fue aportada por Antonio FERNÁNDEZ-ECKER, quien señaló las dificultades que estas empresas siguen encontrando para acceder a la contratación pública, pese a los pasoso positivos daos a través de la Ley 14/2013, de 27 de septiembre, de apoyo a los emprendedores y su internacionalización, como la prohibición de clausulas a favor de contratistas previos, la garantía definitiva como retención en el precio, la comprobación de los pagos a subcontratistas, o la disminución de los umbrales clasificación, o la Ley 25/2013, de 27 de diciembre, de impulso de la factura electrónica y creación del registro contable de facturas en el Sector Público, con la supresión de la clasificación para los contratos de servicios, o la Ley 20/2013, de 9 de diciembre, de garantía de la unidad de mercado, con la creación de la Plataforma de contratos del sector público. Las nuevas directivas de contratación, que incorporan medidas como la división en lotes, la reducción de las cargas administrativas, la posibilidad de previsión de plazos ampliados para la presentación de ofertas en función de su complejidad, permiten dar pasos en la buena dirección. En este sentido, el proyecto de Ley de contratación pública incorpora diversas medidas que pueden considerarse un nuevo paso adelante en la incorporación de más pequeñas y medianas empresas a la contratación pública, lo que también redundará en un incremento de la competencia y de la eficiencia en la contratación pública.

Las especificidades de los servicios a las personas en el Derecho comunitario fueron abordadas por Miguel Ángel BERNAL. Concretamente, en la Directiva 2014/24/UE, los servicios a las personas, como sociales, sanitarios o educativos, aparecen en el fundamento 114, los art. 74 a 77, en los que se regula lo relativo a los "servicios sociales y otros servicios específicos", y en el anexo XIV, en el que se detallan cuales son los "servicios contemplados en el artículo 74". En tales casos existen tres posibilidades: gestión directa, gestión indirecta contractual a través de un contrato público de servicios y gestión indirecta concertada, regulada recientemente en el Decreto Ley 1/2016, de 17 de mayo, del Gobierno de Aragón, sobre acción concertada para la prestación a las personas de servicios de carácter social y sanitario, posteriormente convertido en la Ley 11/2016, de 15 de diciembre, de acción concertada para la prestación a las personas de servicios de carácter social y sanitario. Una regulación parcialmente coincidente, pero más restrictiva en cuanto a los sujetos susceptibles de una acción concertada es la valenciana Ley 7/2017, de 30 de marzo, sobre acción concertada para la prestación de servicios a las personas en el ámbito sanitario.

En la Directiva 2014/24/UE se flexibiliza lo relativo a este tipo de servicios, estableciendo umbrales específicos dado su limitado interés transfronterizo, la posibilidad de un régimen jurídico simplificado y la posibilidad de reserva de algunos servicios a favor de personas que incorporen a los empleados en las estructuras de dirección o propiedad. Como se señala en el fundamento 114, in fine, de la Directiva: "Los Estados miembros y los poderes públicos siguen teniendo libertad para prestar por sí mismos esos servicios u organizar los servicios sociales de manera que no sea necesario celebrar contratos públicos, por ejemplo, mediante la simple financiación de estos servicios o la concesión de licencias o autorizaciones a todos los operadores económicos que cumplan las condiciones previamente fijadas por el poder adjudicador, sin límites ni cuotas, siempre que dicho sistema garantice una publicidad suficiente y se ajuste a los principios de transparencia y no discriminación." En todo caso, la doctrina del Tribunal de Justicia ya había abordado esta problemática en las SSTJUE de 11 de diciembre de 2014, "Spezzino", y de 28 de enero de 2016, "CASTA", en las que se rechaza la adjudicación directa de contratos, incluso en el caso de servicios a las personas, cuando estén incluidos en el ámbito objetivo de las directivas de contratación, puesto que sería contrario al principio de igualdad. Sin embargo, pueden introducirse restricciones al principio de igualdad cuando estén justificadas por razones imperiosas de interés general –como riesgo de perjuicio grave para el equilibrio financiero del sistema de seguridad social– o excepciones por razones de salud pública, como mantener servicios médicos equilibrados y accesibles. Las organizaciones que participen en la gestión concertada de tales servicios no deberán percibir beneficios por sus prestaciones, aunque sí la recuperación de los costes variables, fijos y permanentes necesarios para suministrarlos, ni proporcionar beneficios a sus miembros.

Patricia VALCÁRCEL aborda la cuestión de la colaboración público-privada en el actual marco comunitario y específicamente la compatibilidad de la transferencia de riesgo con la figura del restablecimiento del equilibrio de la concesión. Las Directivas no regulan como tal el restablecimiento del equilibrio económico, pero al regular la admisibilidad de modificaciones permiten cierto grado de flexibilidad para adaptar el contrato a circunstancias externas imprevisibles sin necesidad de un nuevo procedimiento de contratación. En el art. 43 de la Directiva de Concesiones se admite la modificación concesional siempre que se cumplan acumulativamente tres condiciones: a) que la necesidad de la modificación derive de circunstancias que un poder o entidad adjudicador diligente no podía prever, es decir, la imprevisibilidad; b) que no se altere el carácter global de la concesión; y c) que el posible aumento de valor no supere el 50% del valor inicial de la concesión. La admisibilidad del *factum principis*, más complicada, podría fundamentarse en el hecho de que el artículo citado no exige que la circunstancia imprevisible sea "externa".

El problema de la remunicipalización o, mejor, internalización de servicios, fue abordado por TORNOS[17], quien rechazó el término remunicipalización, dado que se habla generalmente de servicios que nunca han dejado de ser de titularidad pública, para señalar que el debate que se está produciendo es entre una gestión indirecta contractual y la gestión directa por los propios servicios municipales, respecto a lo que apuntó la neutralidad del Derecho comunitario en este punto, aunque en el art. 2 de la Directiva 2014/23/UE pueda apreciarse una cierta proclividad hacia la gestión público-privada. En todo caso, no es una decisión puramente política, sino que deberá abordarse teniendo en cuenta que la legislación

---

17. La cuestión de la "internalización" o "remunicipalización" de los servicios públicos locales está siendo objeto de una considerable atención doctrinal, con publicaciones entre las que destacan las del propio Joaquín TORNOS: "La remunicipalización de los servicios públicos locales. Algunas precisiones conceptuales", El Cronista del Estado Social y Democrático de Derecho núm. 58-59, 2016, págs. 32-49, o "Servicios públicos y remunicipalización", Derecho PUCP: Revista de la Facultad de Derecho núm. 76, 2016 (Ejemplar dedicado a: Derecho Administrativo: Regulación de Servicios Públicos y Competencia), págs. 51-76. También la obra colectiva coordinada Tomás FONT I LLOVET y Juan José DÍEZ SÁNCHEZ, *Los servicios públicos locales. Remunicipalización y nivel óptimo de gestión: Actas del XXI Congreso de la Asociación Italo-Española de Profesores de Derecho Administrativo*, Benidorm-Alicante, 26 a 28 de mayo de 2016, Iustel, 2017, con notables aportaciones, incluida la del propio TORNOS. Son también destacables las aportaciones de José ESTEVE PARDO, "Perspectivas y cauces procedimentales de la remunicipalización de servicios", Revista de administración pública núm 202, 2017, págs. 305-336; José María GIMENO FELIÚ, "Remunicipalización de servicios locales y Derecho comunitario", El Cronista del Estado Social y Democrático de Derecho núm. 58-59, 2016, págs. 50-71; Federico Castillo Blanco, "Remunicipalización de servicios locales y situación del personal de los servicios rescatados", El Cronista del Estado Social y Democrático de Derecho núm. 58-59, 2016, págs. 72-95; Juli PONCE SOLÉ, "Remunicipalización y privatización de los servicios públicos y derecho a una buena administración. Análisis teórico y jurisprudencial del rescate de concesiones", Cuadernos de derecho local, Número 40, 2016, págs. 68-108; Julia Ortega Bernardo y María de Sande Pérez-Bedmar, "El debate sobre la remunicipalización de los servicios públicos: aspectos jurídicos, administrativos y laborales", Anuario de Derecho Municipal núm. 9, 2015, págs. 63-96.

local obliga a optar por la forma de gestión más eficiente (especialmente, art. 85.2 de la LBRL), lo que deberá motivarse en una memoria económica elaborada a la vista de las circunstancias del caso y teniendo en cuenta las normas sobre equilibrio presupuestario. En todo caso, algo que debe tenerse en cuenta en todo momento es que, se opte por la fórmula de gestión que se opte, la Administración no pierde la titularidad del servicio y, aunque de acuerdo con la tendencia actualmente generalizada, haya pasado de Administración prestadora a Administración garante, sigue teniendo responsabilidades en la fijación de la política tarifaria y en el control de la calidad del servicio.

V. CONCLUSIONES. HACIA UN NUEVO DERECHO DE LA CONTRATACIÓN PÚBLICA: LÍNEAS GENERALES Y CAMBIOS DESEABLES EN EL PROYECTO DE LEY

Existen ámbitos en los que el margen de mejora normativa es escaso, por lo que las ganancias en la eficiencia administrativa pueden producirse únicamente a través de mejoras organizativas, incremento de medios personales y materiales o aumento de la cualificación. Debe tenerse en cuenta que reiterados cambios normativos evitan la formación no sólo de una jurisprudencia que aporte seguridad interpretativa, sino incluso la consolidación de precedentes administrativos. Si los cambios normativos generan en general inseguridad jurídica –aunque esa desventaja inicial pueda ser compensada por otras ganancias a medio y largo plazo–, esto es especialmente cierto en el Derecho administrativo, en el que la Administración, como gran organización dotada de una muy considerable inercia aplicativa, se adapta con lentitud a la nueva legislación. Por ello es un principio general que deben sopesarse los cambios normativos y exprimir previamente las posibilidades de mejora de la eficiencia a través de mecanismos alternativos.

La situación es diferente en el ámbito de la contratación pública. Primero, porque el cambio en este campo es inevitable: la construcción de un mercado interior único europeo de bienes y servicios comporta una progresiva adaptación de las legislaciones nacionales a principios comunes. En este sentido, el proyecto de Ley de contratos públicos actualmente en tramitación en las Cortes Generales no es sino una respuesta renuente y tardía del legislador español a ese cambio impuesto por los compromisos internacionales asumidos por España. Tardía, como es evidente, porque su tramitación se ha iniciado mucho después de que se cumpliese el plazo de transposición de la cuarta generación de directivas de contratación pública. Renuente, porque el legislador –el protolegislador más bien, en forma de juristas mayoritariamente al servicio de la Administración General del Estado– no ha renunciado a una sistemática, procedimientos y conceptos que le son familiares, limitándose a insertar las adaptaciones mínimas necesarias para adecuarse a las directivas y construyendo una suerte de palimpsesto jurídico cuya interpretación requiere, más que un conocimiento profundo, de una larga experiencia en materia de contratación pública, de una memoria aplicativa que permita situar cada regla particular en el contexto en que fue introducida originariamente como regla de interpretación. Este hecho, la necesidad de una interpretación conforme a la regla de conflicto de "lex posterior derogat anterior", a la que se une la regla "lex superior derogat inferior" –porque parte de las normas proceden del Derecho comunitario, originario, derivado o jurisprudencial– que prevalecen sobre la interpretación sistemática, incluso aunque formalmente estemos ante un texto legislativo único, introduce una complejidad aplicativas totalmente incompatible con la seguridad jurídica. Estas dificultades interpretativas tienen consecuencias incluso en el ámbito penal, dificultando la aplicación de figuras delictivas dolosas, como la prevaricación administrativa, dada la facilidad con la que se pueden sostener interpretaciones absolutamente contradictorias del Derecho aplicable. La necesidad de un nuevo Derecho de la contratación pública, que debería partir únicamente del Derecho comunitario, netamente definido, para sobre esa base establecer una regulación complementaria diferenciada, se convierte en evidente en estas circunstancias.

Las conclusiones que pueden extraerse de lo discutido por una parte muy relevante de los principales especialistas en contratación pública se alinean en gran medida con las medidas propuestas por Gimeno Feliú como mecanismos de mejora de la legislación y de la práctica españolas en materia de contratos públicos[18]. No obstante, se va a alterar el orden de su exposición, adaptándola a una clasificación diferente de las medidas: mejoras esencialmente organizativas, aunque algunas de ellas precisen su introducción por ley, especialmente las medidas que pueden contribuir a un auténtico mercado nacional único de contratación pública, requisito necesario para cumplir con el requerimiento de un mercado interior único europeo; mejoras legislativas sustantivas, como la simplificación, pero también articulando medidas concretas que podrían mejorar sustancialmente el proyecto de Ley de contratos públicos actualmente en sede parlamentaria; y, finalmente, la posible colaboración de la sociedad civil, lo que no deja de plantear ciertas cuestiones problemáticas.

---

18. Además de la ponencia en las Jornadas de Zaragoza, vid. J. M. GIMENO FELIU, "Hacia una nueva Ley de Contratos del Sector Público. ¿Una nueva oportunidad perdida?", REDA núm. 182, 2017, pp. 181-221.

En cuanto a las cuestiones organizativas, la primera consiste en una mayor profesionalización en la aplicación de la contratación pública. En la doble vertiente de exigencia de cualificación de los responsables de aplicar la normativa en materia de contratación, a través de los mecanismos de provisión de los puestos de trabajo y de programas específicos de formación; y del carácter profesional, funcionarial, no político, de esos responsables. No se trata de pivotar hacia un régimen "burocrático" en la terminología de Max Weber: al político le corresponderá la priorización estratégica de los objetivos a alcanzar a través de la contratación, como con el resto de la acción pública, pero el diseño del contrato y su puesta en aplicación debe corresponder a profesionales cualificados y, como regla general, dotados de un estatus de funcionario de carrera que garantice su independencia.

Segundo, una mejora en la efectividad de la transparencia y la publicidad, que normalmente redundará en un incremento de la competencia. En este sentido, la claridad y difusión de las licitaciones. En este sentido, condiciones y regulación del procedimiento de licitación han de estar formuladas clara, precisa e inequívocamente en el anuncio de licitación o en el pliego de condiciones, lo que disminuiría el riesgo de favoritismo[19]. En línea con lo anterior, la obligación de publicar en la Plataforma de Contratos de Sector Público debe ir acompañada de la consecuencia de nulidad por su no cumplimiento al infringirse un trámite esencial de toda licitación pública. A ello deben acompañar otras medidas como una publicidad mínima del contrato menor, así como la fijación de un importe global máximo a favor de un determinado licitador.

Tercero, supervisión de la contratación pública por un organismo independiente. Se ha propuesto reiteradamente el reforzamiento de las funciones del Tribunal de Cuentas y de los órganos de control externo autonómicos, incluso residenciando en éstos los tribunales administrativos contractuales para garantizar su independencia. En el proyecto de Ley de contratos públicos se prevé un papel reforzado de la Junta Consultiva de Contratación Pública, lo que parece un planteamiento poco ambicioso. La existencia en otros países europeos de órganos de control especializados (el "Consejo para la Prevención de la Corrupción" portugués) o de administraciones independientes con funciones regulatorias (como la "Autoridad Nacional contra la corrupción" en Italia).

---

19. Sentencia del Tribunal de Justicia (Sala Sexta) de 2 de junio de 2016, Pippo Pizzo/CRGT Srl, Asunto C-27/15, petición de decisión prejudicial planteada por el Consiglio di Giustizia amministrativa per la Regione siciliana, respecto a la exclusión de un licitador por el impago de una contribución no expresamente prevista, sin posibilidad de subsanación.

Cuarto, contratación electrónica. El incremento de la transparencia y la reducción de los costes de participación en las licitaciones, junto con otras medidas como la simplificación de trámites y el fomento de la participación de las pequeñas y medianas empresas puede redundar en un saludable incremento de la competencia. No puede dejar de hacerse un paralelismo con los derechos del prestador de servicios previstos en la Directiva 2006/123/CE del Parlamento Europeo y del Consejo, de 12 de diciembre de 2006, relativa a los servicios en el mercado interior, en el que la relación a distancia, telemática, con las autoridades, así como la transparencia y accesibilidad a los requisitos de la actividad, como instrumento que permite prestar servicios transfronterizos con y sin establecimiento y, por tanto, avanzar hacia un mercado interior único en la Unión Europea.

En cuanto a las reformas de la legislación sustantiva, directamente relacionado con los dos puntos anteriores, sobre todo con el último, es la necesaria simplificación normativa, que puede suponer una sinergia positiva con la transparencia, el acceso electrónico a las licitaciones y la existencia de un regulador nacional único, para permitir un incremento de la competencia. La adopción de este tipo de iniciativas en otros Estados miembros de la Unión Europea, como Francia o Italia, es muestra de lo difundido de esta necesidad. La base que proporcionan las Directivas europeas en materia de contratación, más la elaboración jurisprudencial construida sobre las mismas y sobre los Tratados, que se ha caracterizado como un auténtico "Derecho pretoriano"[20], es lo suficientemente firme como para elaborar sobre esa base un Código de Contratación Pública que incremente la seguridad jurídica.

No obstante, junto a esa "enmienda a la totalidad", puesto que comportaría la redacción de un nuevo proyecto de Ley con unas bases metodológicas totalmente diferentes, es posible articular cambios concretos en el texto que muy probablemente va a convertirse en la nueva Ley de contratos públicos en los próximos meses que mejoraría muy sensiblemente su redacción inicial.

Primera medida legislativa concreta, la legislación de contratos públicos debe aplicarse a la contratación realizada por los partidos políticos. Aparece cada vez más claramente que la contratación pública ha sido utilizada en el pasado reciente como mecanismo de creación de redes clientelares y de captación de fondos para financiar la actividad de los partidos

---

20. La calificación ha sido puesta en uso en J. M. GIMENO FELIU, "La "codificación" de la contratación pública mediante el derecho pretoriano derivado de la jurisprudencia del TJUE", REDA núm. 172, 2015, pp. 81-122.

políticos. En este sentido, en los partidos concurren los requisitos establecidos por la jurisprudencia europea: personalidad jurídica, actividad de interés general y financiación pública mayoritaria. Lo cual viene corroborado negativamente por la existencia de una exclusión específica en la última directiva de contratación pública para las campañas electorales[21]. La aplicación de los mecanismos de contratación pública al funcionamiento ordinario de los partidos políticos, junto con medidas como la implantación efectiva de mecanismos de "compliance" como los que se aplican en el ámbito empresarial.

Segunda, incremento de la uniformidad del Derecho de la contratación pública. El régimen actual, al igual que el futuro, de aprobarse tal cual llegó al Congreso de los Diputados el proyecto de Ley en tramitación, está sujeto a divisiones internas, entre contratos armonizados y no armonizados, entre Administraciones públicas y poderes adjudicadores que no son Administración pública, que añade una complejidad innecesaria y poco compatible con la seguridad jurídica. Inseguridad jurídica que daña claramente la concurrencia, en especial en el ámbito de las empresas públicas, con sus "instrucciones internas".

Tercera, extensión del recurso administrativo especial contractual, prescindiendo de su importe y ampliando su objeto. La experiencia del recurso especial, con su carácter suspensivo, rapidez y especialización de los órganos que lo resuelven, ha mostrado una vez más que la existencia de mecanismos efectivos de reacción frente a las malas aplicaciones del Derecho aumenta enormemente su cumplimiento. Por eso, la aplicación de límites económicos muy elevados está absolutamente contraindicada, debiendo procederse a una bajada progresiva de esos umbrales, mientras de dota de mayores medios a los tribunales contractuales. Por otra parte, la experiencia positiva respecto al control de las fases previas de licitación y adjudicación, llevan a su extensión a la fase de ejecución que, como es sabido, está abierta a toda clase de irregularidades e, incluso, corrupción. No es meramente una cuestión de conveniencia: el control de las modificaciones contractuales, la cuestiones de subcontratación y la resolución del contrato o concesión es una exigencia derivada la "Directiva recursos" (89/665, modificada por la

---

21. Directiva 2014/24/UE del Parlamento Europeo y del Consejo, de 26 de febrero de 2014, sobre contratación pública y por la que se deroga la Directiva 2004/18/CE, artículo 10, relativo a las "Exclusiones específicas relativas a los contratos de servicios": "La presente Directiva no se aplicará a aquellos contratos públicos de servicios para: […] j) servicios relacionados con campañas políticas, incluidos en los códigos CPV 79341400-0, 92111230-3 y 92111240-6, cuando son adjudicados por un partido político en el contexto de una campaña electoral".

Directiva 2007/66), con efecto directo se establece en la Sentencia del Tribunal de Justicia (Sala Cuarta) de 5 de abril de 2017, Marina del Mediterráneo SL y otros contra Agencia Pública de Puertos de Andalucía, Asunto C-391/15.

Estas reformas fundamentales del recurso especial deberían ir acompañadas de otras: ampliación de la legitimación activa, reforzamiento de la independencia de los tribunales administrativos y dotación de medios suficientes.

Cuarta, regulación estricta de los modificados contractuales: la posibilidad de que los poderes adjudicadores no Administración pública puedan proceder a la libre modificación en los contratos no armonizados –como se prevé en el proyecto de Ley de contratos públicos– supone una regulación regresiva, puede suponer un incremento del descontrol en los sobrecostes, además de un incentivo para crear entes instrumentales que suponen excepciones a las reglas de control público[22].

Por último, puede aludirse a las iniciativas sociales que pueden coadyuvar al impulso de una práctica administrativa más conforme con el principio de integridad. Existen diversas iniciativas en este sentido, como las promovidas por Transparencia Internacional y en especial los llamados "Pactos de Integridad"[23]. En un sentido general, estas iniciativas pueden relacionarse con una tendencia general de "privatización de las funciones públicas", de la que son ejemplos los organismos de control en materia de seguridad industrial o los "independent compliance officers", con un papel cada vez más importante en la lucha contra la corrupción empresarial o el blanqueo de dinero. No obstante, pese a la opinión favorable expresada por un sector doctrinal muy cualificado, personificado en GIMENO FELIÚ, el hecho de que los "servicios" de garantía de la integridad tengan como destinatario directo una Administración pública no deja de plantear algunas dudas, tanto de redundancia con los mecanismos de control administrativo, internos y externos, como de la posible coincidencia con el objeto de un contrato de servicios.

---

22. Sobre la problemática de la modificación de los contratos, vid. J. M. GIMENO FELIÚ, "La modificación de los contratos: Límites y derecho aplicable", en libro col. *La contratación pública: problemas actuales*, Consejo Consultivo de Madrid, 2013, pp. 83-140; I. GALLEGO CORCOLES, "La modificación de los contratos en la cuarta generación de Directivas sobre contratación pública" en libro colectivo *Las Directivas de Contratación Pública*, número monográfico del *Observatorio de los Contratos Públicos 2014*, Aranzadi, Cizur Menor, 2015, pp. 107-167.

23. Vid. E. ARRIBAS REYES, "Pactos de integridad: tres décadas de experiencias en Europa como ejemplo para su implementación en España", Revista Internacional Transparencia e Integridad, núm. 1, 2016.

Sin dejar de reconocer las mejoras incorporadas por el proyecto de Ley de contratación pública, existe un margen de mejora en sus contenidos que puede empezar por eliminar algunos de los retrocesos que respecto a la situación actual se han deslizado en su articulado, además de los cambios puntuales que supondrían avances sin romper con la lógica general del sistema de contratación pública, respecto al que el Proyecto presenta un considerable continuismo. No obstante, incluso de conseguirse todos esos avances, una reforma integral de la contratación pública seguirá siendo una asignatura pendiente.

2.ª PARTE
Comunicaciones Congreso Cuenca de 2017

Capítulo 1

El principio de proporcionalidad como parámetro de interpretación y control en materia de contratación pública

BEATRIZ GÓMEZ FARIÑAS

Doctoranda del área de Derecho Administrativo
Universidad de Vigo

SUMARIO: 1. NOTA INTRODUCTORIA 2. LA PROPORCIONALIDAD COMO LÍMITE A LA ACTUACIÓN DISCRECIONAL DE LA ADMINISTRACIÓN 3. LA ESTRUCTURA TRIPARTITA Y ESCALONADA DEL PRINCIPIO DE PROPORCIONALIDAD 3.1. *Subprincipio de idoneidad o adecuacións* 3.2. *Subprincipio de necesidad* 4. EL PRINCIPIO DE PROPORCIONALIDAD EN LA JURISPRUDENCIA EUROPEA SOBRE CONTRATACIÓN PÚBLICA 5. CONCLUSIONES 6. BIBLIOGRAFÍA

RESUMEN: En la actualidad el principio de proporcionalidad se configura como un instrumento de control efectivo de la actividad discrecional de la Administración, que permite determinar la «idoneidad», la «necesidad» y la llamada «proporcionalidad en sentido estricto» de aquellas decisiones restrictivas de los derechos e intereses legítimos de los particulares a través de un discurso argumentativo lógico. La creciente importancia de este principio en materia de contratación pública ha alcanzado su máximo apogeo en la jurisprudencia del Tribunal de Justicia de la Unión Europea (en adelante, TJUE), lo cual se ha traducido en su formulación como principio autónomo entre el elenco de principios básicos que ahora enumera la Directiva 2014/24/UE y, en consecuencia, en una mayor seguridad jurídica para los licitadores.

I.   NOTA INTRODUCTORIA

Los principios rectores de la contratación pública constituyen los pilares básicos sobre los que descansa toda la actividad contractual del sector público, lo cual responde fundamentalmente al decisivo papel informador que desempeñan en la interpretación y aplicación de la normativa sobre contratos. En efecto, conviene tener presente que los órganos de contratación han de guardar el debido respeto a estos principios a lo largo de todo el proceso de adjudicación de un contrato, e incluso en la posterior fase de ejecución, evitando prácticas opacas, discriminatorias o desproporcionadas.

La efectividad del principio de proporcionalidad como parámetro de control de las potestades discrecionales de los órganos contratantes, así como su elevada adaptabilidad a las circunstancias concretas del caso, le ha procurado un hueco autónomo entre el elenco de principios nucleares de la contratación pública. A diferencia de los demás principios, la proporcionalidad no solamente presenta un sustrato material y finalista, sino también una estructura interna que garantiza la coherencia y racionalidad de la actuación administrativa.

Un punto de partida clave para afrontar el estudio de este principio es la definición de «proporcionalidad». No es sencillo acuñar una única noción de este concepto, si bien en términos generales puede definirse como *«la conformidad o proporción de unas partes con el todo o de cosas relacionadas entre sí»*, esto es, la relación de proporción entre dos o más magnitudes medibles. Como veremos más adelante, estas magnitudes se concretan en el medio y el fin y deben guardar una correspondencia lógica.

Partiendo de esta premisa, las consideraciones que a continuación se presentan tienen por finalidad analizar las manifestaciones de este principio en materia de contratación pública, especialmente su aplicación y su operatividad práctica en el seno de la jurisprudencia europea. Ahora bien, la complejidad del mismo hace preciso identificar con carácter previo sus elementos básicos como principio general del Derecho desde la perspectiva del ordenamiento jurídico interno. Este ejercicio de «repaso» permitirá esbozar con claridad un patrón sobre la funcionalidad y el correcto manejo de este principio, que luego trasladaremos al ámbito específico de los contratos públicos.

II. LA PROPORCIONALIDAD COMO LÍMITE A LA ACTUACIÓN DISCRECIONAL DE LA ADMINISTRACIÓN

La potestad discrecional de la Administración se concibe como una pieza clave para dar respuesta a situaciones en las que la aplicación de la ley requiere de una estimación subjetiva o un juicio de oportunidad, si bien la práctica ha venido demostrando la facilidad con la cual la discrecionalidad puede tornarse en arbitrariedad. Surge así la necesidad de controlar el subjetivismo de la Administración y uno de los mecanismos a través de los que articular ese control es la formulación de un esqueleto firme de principios que garanticen que la decisión adoptada descansa sobre un argumento lógico y racional y que cumple con el fin legalmente establecido[1].

En este contexto, el principio de proporcionalidad se erige como un parámetro fundamental de control de la actuación discrecional de los poderes públicos, que permite examinar la idoneidad, la necesidad y la correcta ponderación de sus decisiones a la luz de la finalidad que con ellas se pretende alcanzar. Este principio brinda un esquema de razonamiento[2] que ha de ser utilizado tanto por la Administración como por los órganos de control, significativamente los órganos jurisdiccionales, a la hora de adoptar o, en su caso, verificar la conformidad a Derecho de un determinado acto o disposición general que suponga una restricción de los derechos e intereses legítimos de los ciudadanos.

Antes de adentrarnos en el análisis de la proporcionalidad como herramienta argumentativa y de su operatividad práctica en el marco de la contratación pública, resulta imprescindible hacer una breve referencia a su status y fundamento. Tal y como ha venido defendiendo la doctrina más autorizada, el principio de proporcionalidad es un verdadero «principio general del Derecho» que vincula al conjunto de los poderes públicos en todas sus esferas de actividad y cuya función primordial es orientar el procedimiento de interpretación jurídica, aliviando las tensiones existentes entre la potestad fiduciaria de la Administración y el derecho de

---

1. La función de los principios generales del Derecho como soportes estructurales e instrumentos de interpretación del ordenamiento jurídico ha sido defendida por GARCÍA DE ENTERRÍA, Eduardo; FERNÁNDEZ, Tomás-Ramón; *Curso de Derecho Administrativo I*, 17.ª ed., Aranzadi, Cizur Menor, 2015, pp. 105-112. Asimismo, el Tribunal Supremo ha venido entendiendo que *«los principios generales del Derecho, esencia del ordenamiento jurídico, son la atmósfera en la que se desarrolla la vida jurídica, el oxígeno que respiran las normas, lo que explica que tales principios "informen" las normas –art. 1.º 4 del Título Preliminar del Código Civil– y que la Administración esté sometida no sólo a la Ley sino también al Derecho –art. 103.1 de la Constitución–. Y es claro que si tales principios inspiran la norma habilitante que atribuye una potestad a la Administración, esta potestad ha de actuarse conforme a las exigencias de los principios»* (véanse SSTS de 16 de mayo de 1990, ECLI:ES:TS:1990:12013, FJ 2; y de 18 de febrero de 1992, ECLI:ES:TS:1992:16534, FJ 4).

2. Acerca de la defensa de la proporcionalidad como modelo racional basado en un esquema de razonamiento, GARAT DELGADO, María Paula.; *El principio de proporcionalidad y su contrastación empírica. La resolución de casos sobre derechos fundamentales*, Ed. Athenaica, Sevilla, 2016, pp. 52-55.

los ciudadanos a no sufrir restricciones desproporcionadas en su esfera subjetiva.

Se trata, pues, de un principio con un claro fundamento constitucional y que es portador de una serie de valores jurídicos básicos de nuestro ordenamiento, como son la libertad y la dignidad de la persona[3]. Esta concepción se encuentra en íntima relación con las consideraciones efectuadas por la jurisprudencia del Tribunal Constitucional, según la cual este principio resulta inherente al Estado de Derecho[4] y al valor de justicia proclamado en el artículo 1.1 de nuestra Constitución[5], que demandan la satisfacción de los intereses generales con la menor incidencia posible en la esfera jurídica del ciudadano.

A su vez, la idea de justicia material implícita en el mismo proscribe todo sacrificio excesivo de la libertad y conduce a un control sustantivo de la actuación administrativa, no meramente formal, valorando las circunstancias concretas del caso para determinar si ésta es proporcionada o no.

La caracterización jurídica del principio de proporcionalidad como un principio rector en materia de contratación pública ha sido recientemente positivizada por la Directiva 2014/24/UE, la cual recoge en su artículo 18 la obligación de los poderes adjudicadores de actuar de forma proporcionada. Por lo que respecta al ordenamiento jurídico español, el vigente Texto Refundido de la Ley de Contratos del Sector Público (en adelante, TRLCSP) no le reconoce dicho status de forma expresa, si bien hace referencia al mismo en diversas ocasiones a lo largo de su articulado, especialmente en relación con los criterios de solvencia y las ofertas con valores anormales o desproporcionados. Con todo, esta disfunción tiene vocación de ser subsanada a través de la aprobación de la nueva Ley de Contratos del Sector Público, reconociendo el carácter vinculante de este principio para los órganos de contratación con un tenor literal prácticamente similar al de la normativa europea[6].

Sentado lo anterior, cabe señalar que nos encontramos ante un **principio relacional**, por cuanto compara dos magnitudes, el medio y el fin, que deben ser en todo caso lícitas. Si alguna de ellas es ilícita no procedería realizar un examen de proporcionalidad de la potestad discrecional, sino

---

3. LÓPEZ GONZÁLEZ, José Ignacio; *El principio general de proporcionalidad en Derecho administrativo*, Ed. Instituto García Oviedo, Sevilla, 1988, p. 108.
4. SSTC 85/1992, de 8 de junio, FJ 4; 111/1993, de 25 de marzo, FJ 9; y 55/1996, de 28 de marzo, FJ 3.
5. SSTC 50/1995, de 23 de febrero, FJ 7; y 173/1995, de 21 de noviembre, FJ 2.
6. Véase el artículo 132.1 del Proyecto de Ley de Contratos del Sector Público (Boletín Oficial de las Cortes Generales de 2 de diciembre de 2016, núm. 2-1, pp. 1-233).

que estaríamos ante una infracción de los elementos reglados y, en consecuencia, sería necesario analizarla a la luz del principio de legalidad[7]. Ello sin perjuicio de que, una vez comprobada la licitud de la magnitud en cuestión, pueda procederse a la verificación de su contenido material a través del principio de proporcionalidad.

Por otra parte, presenta un **carácter relativo** al no desprenderse del mismo prohibiciones abstractas o absolutas, sino vinculadas al caso concreto[8]. La ponderación de los intereses en conflicto debe ceñirse a las circunstancias concurrentes en cada supuesto, de tal modo que tanto el examen de magnitudes como la conclusión de proporción o desproporción a que se arribe han de ser individualizadas y en ningún caso pueden conducir a la proscripción general de un determinado instrumento jurídico.

Como ya se ha adelantado, el principio de proporcionalidad se configura como una herramienta que genera argumentación, fomentando una mayor racionalidad y coherencia en las decisiones adoptadas por los poderes públicos en el ejercicio de las potestades que le han sido conferidas, y que permite a su vez realizar un control efectivo de las mismas. De este modo, presenta una doble vertiente en Derecho administrativo, en función de si se concibe como una norma de mandato o como una norma de control[9], es decir, si quién hace uso del mismo es la propia Administración pública a la hora de ejercer sus potestades discrecionales o los órganos jurisdiccionales en su función controladora.

En lo que respecta a la proporcionalidad como norma de mandato dirigida a la Administración, ésta encuentra su sustento en el artículo 103.1 de la Constitución, que establece como fin último de su actuación el de servir con objetividad los intereses generales, con sometimiento pleno a la ley y al Derecho. Para lograr este propósito, es preciso que su actuación discrecional sea imparcial y plenamente coherente y respetuosa con las

---

7. Así lo entiende SARMIENTO RAMÍREZ-ESCUDERO, Daniel; *El control de proporcionalidad de la actividad administrativa*, Tirant lo Blanch, Valencia, 2004, pp. 309-310.

8. BARNES, Javier; «El principio de proporcionalidad. Estudio preliminar», *Cuadernos de Derecho Público*, núm. 5, 1998, p. 17.

9. Esta construcción bifásica del principio de proporcionalidad, que permite una plena realización del Estado de Derecho, ha sido defendida por SARMIENTO RAMÍREZ-ESCUDERO, Daniel; *El control de proporcionalidad (...), opus cit.*, pp. 206-21. Asimismo, el Tribunal Supremo ha manifestado de forma reiterada que el principio de proporcionalidad vincula igualmente a la Administración como a su control jurisdiccional; por todas, STS de 16 de febrero de 1988, ECLI:ES:TS:1988:13347, FJ 3.

normas existentes en el ordenamiento jurídico, incluido el principio de proporcionalidad.

Con este telón de fondo, el principio objeto de estudio orienta a la Administración en el buen uso de sus potestades discrecionales y le marca una serie de pautas de conducta genéricas que ha de seguir para alcanzar los fines que el Derecho le atribuye. Las potestades administrativas no son ilimitadas, sino que se encuentran estrictamente tasadas en cuanto a su extensión y contenido, y su ejercicio exige siempre un proceso previo de interpretación de la norma y de comprensión de la realidad. Es frecuente que este proceso interpretativo derive en una valoración de los diversos derechos o intereses en juego, generalmente fines públicos e intereses privados, cuya finalidad será discernir cuál de ellos ha de prevalecer en la concreta situación fáctica[10].

De acuerdo con este razonamiento, con anterioridad a la adopción de una medida restrictiva de derechos o intereses legítimos, los órganos administrativos deberán poner en una balanza los beneficios sociales que ésta lleva aparejados y el grado de incidencia en la esfera jurídica del ciudadano, buscando un equilibrio entre ambos factores; pero siempre sin perder de vista las circunstancias de hecho concurrentes, que serán

---

10. Sobre el deber de la Administración de ponderar los intereses en juego, resulta especialmente ilustrativa la STS de 5 de mayo de 2009, ECLI:ES:TS:2009:3083, que en su FJ 5 dispone lo siguiente: «*La Sala de instancia ha realizado una interpretación aplicativa infundada, contraria al canon hermenéutico pro civem del régimen jurídico de la caducidad, establecido en los artículos 83 a 88 de la LM y en los artículos 106 a 112 del RM, y disconforme con la jurisprudencia de esta Sala del TS, que [...] refiere que la caducidad [...] se engarza en una autorización de carácter constitutivo del derecho de investigación o explotación mineras, que se pierde por incumplimiento de las condiciones impuestas en el acto de otorgamiento o en la Ley, por lo que no reviste naturaleza sancionadora, sino que, congruente con el principio de proporcionalidad, principio general del derecho, que está reconocido implícitamente en el artículo 103 de la CE, en la cláusula de "servir con objetividad los intereses generales", vincula a la Administración a ejercer sus potestades de ordenación minera conforme a cánones de racionalidad, en cuanto que debió ponderar las específicas circunstancias concurrentes en este litigio, derivadas de la existencia de un supuesto de transmisión mortis causa de derechos mineros, en que la falta de diligencia de la Comunidad hereditaria en notificar a la Administración de minas el fallecimiento del titular de la concesión, atemperada por el pago del canon minero, que evidencia que no existe voluntad de renunciar voluntariamente a las concesiones, coincide con la inactividad de la Administración en ejercer las funciones de inspección y vigilancia de la regularidad y continuidad de los trabajos de aprovechamiento y explotación de las concesiones mineras "San Antonio", sancionando la falta de presentación de los planes de labores anuales. [...] La autoridad administrativa ha aplicado de forma desproporcionada la causa de caducidad tipificada en el artículo 109 f) del RM, en contradicción con la doctrina jurisprudencial formulada en la STS de 31 de enero de 2006*» (subrayados no originales).

determinantes para lograr dicha armonía. Esta labor de reflexión implica una importante reducción de las actuaciones irracionales, improvisadas y arbitrarias[11], garantizando la efectividad de los principios de integridad y buena administración.

En definitiva, la proporcionalidad como norma de mandato representa la medida exacta de las potestades administrativas y constituye un límite sustancial a la actividad de la Administración, delimitando para cada supuesto concreto los contornos que la discrecionalidad no puede rebasar.

En su segunda vertiente, la proporcionalidad se concibe como un instrumento de control de la actuación administrativa en manos de los órganos jurisdiccionales, los cuales, en cumplimiento del mandato previsto en el artículo 106.1 de la Constitución, deberán realizar un control teleológico de la misma y comprobar su adecuación a los fines que la justifican. Esta concepción del principio se corresponde con su *función negativa*, por cuanto no sirve para sustituir la voluntad de la Administración ni garantizar el trato más suave a los ciudadanos, sino para expulsar del ordenamiento jurídico aquellas resoluciones que supongan un sacrificio inútil, innecesario y desproporcionado de las libertades individuales[12].

La esencia de la discrecionalidad, como es bien sabido, radica en la facultad de la Administración de elegir entre varias soluciones posibles y todas ellas, en principio, igualmente aceptables[13]; por ende, el control jurisdiccional ha de limitarse a verificar si la decisión administrativa en cuestión es proporcionada o no, es decir, si procede su anulación o su declaración de ser conforme a Derecho. Para ello, el juez debe ponderar los distintos elementos en juego y valorar si la medida adoptada por la

---

11. La manifestación técnica del principio de proporcionalidad como instrumento de reducción de las decisiones irracionales de la Administración ha sido puesta de manifiesto por LÓPEZ GONZÁLEZ, José Ignacio; *El principio general de proporcionalidad (…), opus cit.*, p. 89.

12. BARNES, Javier; «El principio de proporcionalidad. Estudio preliminar», *opus cit.*, pp. 28-29.

13. En relación con el control de la discrecionalidad administrativa por los órganos jurisdiccionales, véase GARCÍA DE ENTERRÍA, Eduardo; FERNÁNDEZ, Tomás-Ramón; *Curso de Derecho (…), opus cit.*, pp. 523-526. Nuestro Tribunal Constitucional también se ha pronunciado sobre esta cuestión en múltiples ocasiones, entendiendo que el control judicial ha de limitarse por regla general a la anulación o no de la decisión adoptada por la Administración, sin poder sustituir su voluntad, salvo que tras el examen del caso se concluya que solamente una única solución resulta ya viable (SSTS de 11 de junio de 1991, ECLI:ES:TS:1991:15438, FJ 5; de 21 de septiembre de 1993, ECLI:ES:TS:1993:19539, FJ 3; y 11 de marzo de 1997, ECLI:ES:TS:1997:1732, FJ 5, entre otras muchas).

Administración es idónea, necesaria y proporcional al fin que se pretende alcanzar.

En este proceso de verificación, la propia **estructura tripartita y escalonada** del principio de proporcionalidad –a la que a continuación nos referiremos– veremos que sirve a los órganos de control como guía en el camino de la argumentación que le conducirá a la resolución sobre la proporción o desproporción de la medida administrativa. Cierto es que la conclusión a la que se ha de llegar presenta una configuración binomial, pero ello no excluye que sea fruto de un proceso de reflexión y racionalidad que desemboca en la formulación de reglas de prevalencia condicionada que operan como límites negativos a la discrecionalidad administrativa[14]. Es más, cuanto mayor sea el grado de discrecionalidad del que goza la Administración, mayor será el esfuerzo que tendrá que realizar el órgano de control para legitimar su actuación, y para ello se verá obligado a hacer uso de la teoría de la argumentación.

En síntesis, estamos ante un principio cuya principal virtud consiste en fomentar la argumentación en la toma de decisiones por parte de los poderes públicos y evitar que las posibles restricciones de los derechos e intereses legítimos del ciudadano sean desproporcionadas en relación con la finalidad que se pretende alcanzar.

III. LA ESTRUCTURA TRIPARTITA Y ESCALONADA DEL PRINCIPIO DE PROPORCIONALIDAD

Una vez que se ha analizado la funcionalidad del principio de proporcionalidad como máxima de argumentación y racionalidad, procede adentrarnos en su núcleo duro y examinar su configuración interna. Pues bien, el citado principio presenta una estructura lógica compuesta por tres subprincipios o niveles de examen: «idoneidad», «necesidad» y «proporcionalidad en sentido estricto»[15].

---

14. Sobre la construcción de reglas de prevalencia condicionada como resultado del examen de proporcionalidad, BERNAL PULIDO, Carlos; *El principio de proporcionalidad y los derechos fundamentales*, Centro de Estudios Políticos y Constitucionales, Madrid, 2007, pp. 798-799; y ALEXY, Robert; *Teoría de los Derechos Fundamentales*, Centro de Estudios Políticos y Constitucionales, Madrid, 1997, pp. 90 y ss.

15. La concepción actual del principio de proporcionalidad (*Verhältnismäßigkeitsprinzip*) y su estructura tripartita tiene su origen en la doctrina y jurisprudencia alemanas. Así, la existencia de los tres subprincipios ha sido reconocida por el Tribunal Constitucional germano en múltiples sentencias. *Vid.* BVerfGE 67, 157 (173); 30, 292 (316 y ss.); 63, 88 (115); 70, 1 (26); 76, 1 (51); 78, 232 (245); 80, 137 (159 y ss.). Sobre esta cuestión, resulta de especial interés el trabajo de KLUTH,

Estos subprincipios se aplican de forma sucesiva y escalonada, es decir, la medida sometida a la máxima de la proporcionalidad ha de superar cada nivel de examen para pasar al siguiente, pues en caso contrario será inmediatamente declarada no conforme a Derecho. De esta forma, los distintos subprincipios se configuran como elementos de criba de aquellas decisiones manifiestamente desproporcionadas, por lo que solamente las que generen una duda razonable acerca de su proporción o no lograrán llegar hasta los últimos estadios.

Ya se ha anticipado que a través del principio de proporcionalidad se realiza un examen sustantivo o de fondo que gira en torno a dos magnitudes: el medio y el fin. En este sentido, la decisión administrativa ha de ser enjuiciada a la luz de la finalidad que con ella se pretende alcanzar. La correcta identificación de estos dos elementos comparativos es esencial para la aplicación del principio, pues en caso contrario el desenfoque o desviación del juicio de proporcionalidad sería inevitable[16].

El medio sometido al examen de proporcionalidad coincide generalmente con la resolución administrativa y ha de incidir de forma negativa en la esfera jurídica del ciudadano[17]. Por su parte, el fin no es tan sencillo de determinar, pues resulta factible que una misma medida persiga diversas finalidades, tanto mediatas como inmediatas[18]. En este supuesto, habrá de atenderse a la finalidad más inmediata y directa, la cual ha de concretarse de acuerdo con las circunstancias fácticas concurrentes. Solamente en el caso de que no existiese un fin concreto sería conveniente recurrir a los fines generales y abstractos legalmente previstos y, en último término, al interés general previsto en la Constitución. Con todo, ha de

---

Winfried; «Prohibición de exceso y principio de proporcionalidad en Derecho alemán», *Cuadernos de Derecho Público*, núm. 5, 1998, pp. 219-237.

16. En esta línea de pronuncia BARNES, Javier; «El principio de proporcionalidad. Estudio preliminar», *opus cit.*, pp. 25-27.

17. A este respecto, SARMIENTO RAMÍREZ-ESCUDERO, Daniel; *El control de proporcionalidad (…)*, *opus cit.*, p. 305 sostiene que el principio de proporcionalidad es una máxima que tiene como finalidad la interdicción de las agresiones desproporcionadas en el patrimonio jurídico del ciudadano, de tal forma que una resolución declarativa o constitutiva de derechos imposibilitaría su aplicación.

18. A modo de ejemplo, la disposición de un Estado miembro que supedita el ejercicio de la actividad de recogida de apuestas a la obtención de una concesión y somete, en este contexto, a los licitadores a la obligación de aportar dos certificados de capacidad económica y financiera expedidos por dos entidades bancarias distintas, tiene como fin inmediato garantizar que el operador económico esté capacitado para cumplir las obligaciones que pudiera contraer con los apostantes ganadores. Sin embargo, su fin mediato será la lucha contra la criminalidad vinculada a los juegos de azar. *Vid.* STJUE de 8 de septiembre de 2016, *Domenico Politanò*, C-225/15, ECLI:EU:C:2016:645.

tenerse en cuenta que cuanto más genérico sea el fin, mayor será el riesgo de desviación y de subjetivismo.

A continuación procederemos al estudio de cada uno de los tres subprincipios que conforman el principio de proporcionalidad.

1. SUBPRINCIPIO DE IDONEIDAD O ADECUACIÓN

El juicio de idoneidad o adecuación presupone la existencia de una relación de causalidad positiva entre el medio y su fin inmediato[19], de tal modo que la medida adoptada por los poderes públicos ha de ser idónea para alcanzar la finalidad que la justifica. En este primer nivel del examen de proporcionalidad, caracterizado por su baja intensidad, resulta indiferente el grado de eficacia de la medida o la posible existencia de otra más adecuada, sino que lo esencial es que facilite de algún modo la realización del fin.

De conformidad con lo anterior, cabe afirmar que este subprincipio realiza un mero control de evidencia, en base al cual la medida solamente será anulada si su inadecuación es absolutamente manifiesta e inequívoca, es decir, si no contribuye en modo alguno a la consecución del fin. El órgano jurisdiccional no entra a valorar el juicio de oportunidad realizado por la Administración ni el mayor o menor éxito de la medida, sino que ha de ejercer un alto grado de autocontención o *self-restraint* y limitarse a verificar si, en el momento en que fue adoptada, era o no previsible su ineptitud para alcanzar el fin pretendido. En consecuencia, los actos administrativos declarados desproporcionados en base a este criterio son escasos.

2. SUBPRINCIPIO DE NECESIDAD

El segundo subprincipio de la proporcionalidad examina la necesidad del medio, es decir, si la medida elegida por la Administración para alcanzar su fin inmediato es la menos lesiva posible para los intereses del ciudadano o si, por el contrario, existe otra medida más benigna e igualmente idónea[20]. A diferencia del juicio de idoneidad, que se limitaba a ana-

---

19. En relación con el vínculo causal entre el medio y el fin inmediato en el examen de idoneidad, la doctrina ha venido defendiendo que se trata de un nexo empírico, es decir, que dicha conexión presenta un carácter fáctico. En este sentido, ALEXY, Robert; *Teoría de los Derechos (...)*, *opus cit.*, pp. 111 y ss.; y ATIENZA, Manuel; «A vueltas con la ponderación», *Anales de la Cátedra Francisco Suárez*, núm. 44, 2010, pp. 46-47.

20. El subprincipio de necesidad puede condensarse en la célebre frase de Lord Diplock, según la cual «*the principle of proportionality prohibits the use of a steam*

lizar la relación entre el medio y el fin, el examen de necesidad se centra en la comparación entre la medida adoptada y otras posibles medidas alternativas.

El primer paso del examen de necesidad consiste en comprobar la idoneidad de las medidas alternativas. Para ello, no solamente se tiene en cuenta su papel facilitador de la obtención del fin perseguido por la Administración, sino también la intensidad o eficacia con la que contribuye a su consecución, que ha de ser equivalente o incluso superior. Con todo, el hecho de que alguna de esas medidas revista un grado de idoneidad superior no es suficiente para declarar la innecesariedad de la medida objeto de examen, sino que ha de cumplir también con la exigencia de la menor restricción[21].

Así pues, una vez verificada la idoneidad de las medidas alternativas, procede determinar si alguna de ellas tiene una menor repercusión en los derechos e intereses legítimos del ciudadano. De este modo, se evalúa la incidencia de las diversas medidas en la esfera jurídica del individuo, así como su intensidad, y se realiza un estudio comparativo de las mismas. Si se comprueba que existe otra medida menos restrictiva pero que permite alcanzar el fin perseguido con igual grado de efectividad, la decisión administrativa cuestionada será declarada innecesaria y, por tanto, desproporcionada. En caso contrario, superará el juicio de necesidad y pasará al tercer nivel de examen: la proporcionalidad en sentido estricto.

Con todo, puede suceder que la medida menos restrictiva requiera recursos adicionales para su aplicación o que suponga la imposición de cargas o afecte negativamente a los intereses de terceras personas[22]. En estos casos no procede declarar la innecesariedad del acto, ya que las alternativas valoradas han de poder llevarse a la práctica y no resulta coherente paliar el perjuicio sufrido por un individuo a costa de transferirlo a otra persona o grupo de personas.

De acuerdo con lo expuesto, es posible afirmar que el juicio de necesidad reviste una mayor intensidad que el de idoneidad, por cuanto ahonda en la decisión discrecional de la Administración y explora posibles soluciones alternativas. Sin embargo, ambos subprincipios realizan un control

---

hammer to crack a nut if a nutcracker would do it».

21. BERNAL PULIDO, Carlos; *El principio de proporcionalidad (…), opus cit.,* pp. 747-748.

22. MÖLLER, Kai; «Proportionality: Challenging the critics», *International Journal of Constitutional Law,* vol. 10 (3), 2012, pp. 709-731.

ex ante, partiendo de los conocimientos y circunstancias concurrentes en el momento de adopción del acto, y se fundamentan en premisas empíricas.

3. SUBPRINCIPIO DE PROPORCIONALIDAD EN SENTIDO ESTRICTO

Una vez que se ha determinado que la medida adoptada es idónea y necesaria para alcanzar el fin perseguido, deberá ser sometida al tercer y último escalón del principio de proporcionalidad: la proporcionalidad *stricto sensu*. Para superar este nivel de examen, dicha medida ha de resultar equilibrada por derivarse de ella mayores beneficios para el interés general que limitaciones o restricciones de derechos[23]; es decir, las ventajas que se obtienen para la sociedad deben compensar el sacrificio individual.

El método utilizado para abordar la proporcionalidad de la medida en sentido estricto es la ley de la ponderación, que se puede estructurar en tres pasos y que pone a disposición del órgano jurisdiccional los criterios precisos para realizar el oportuno balance entre los intereses en conflicto. El primer paso de la ponderación estriba en determinar las magnitudes a ponderar, es decir, los intereses o valores enfrentados. Por su parte, el segundo paso consiste en atribuir a cada una de esas magnitudes un «peso» específico que permita medir su importancia en relación con el interés opuesto, lo cual se hará tomando en consideración las circunstancias fácticas concurrentes. Finalmente, se procederá a ponderar los intereses en juego en aras de determinar cuál de ellos tiene un peso mayor y, en consecuencia, ha de prevalecer.

En este sentido, se realiza un balance o comparación entre la intensidad de la intervención y el grado de realización del fin, que dará lugar al establecimiento de una regla de prevalencia condicionada entre ambos valores. Según Alexy, cuanto mayor sea el grado de la no satisfacción o afectación de uno de los principios, tanto mayor debe ser la importancia de la satisfacción del otro[24]. En otras palabras, cuanto mayor sea el perjuicio para el ciudadano, mayor ha de ser la importancia del fin público y los beneficios que ésta lleve aparejados. Por tanto, solamente si las ventajas derivadas de la realización del fin son equivalentes o superiores a los sacrificios ocasionados por la intervención, la medida será proporcionada. Aún en caso de empate, el debido respeto a la potestad discrecional de la

---

23. LÓPEZ GONZÁLEZ, José Ignacio; «El principio general de proporcionalidad en Derecho administrativo», *Cuadernos de Derecho Público*, núm. 5, 1998, pp. 156-157.
24. *Vid.* ALEXY, Robert; «Los derechos fundamentales y el principio de proporcionalidad», *Revista Española de Derecho Constitucional*, núm. 91, 2011, pp. 15-19.

Administración aconsejaría inclinar la balanza a favor de la preservación de la medida y declarar su conformidad a Derecho[25].

El subprincipio de proporcionalidad en sentido estricto es el juicio que presenta una mayor intensidad, por cuanto permite al juez valorar magnitudes tan susceptibles de libre apreciación como los fines de una política pública o una lesión subjetiva[26]. De hecho, la intensidad del control aumenta cuando mayor sea la incidencia de la medida en la esfera jurídica del individuo.

IV. EL PRINCIPIO DE PROPORCIONALIDAD EN LA JURISPRUDENCIA EUROPEA SOBRE CONTRATACIÓN PÚBLICA

Llegados a este punto y habiendo analizado los aspectos centrales de este principio, corresponde ahora desentrañar el papel que desempeña en el marco de la contratación pública. Como se ha indicado, aunque la Directiva 2014/24/UE acaba de sancionarlo como principio autónomo, siempre ha estado muy presente en los razonamientos que en este ámbito ha realizado el TJUE. En efecto, ha venido invocando este principio al hilo de aspectos tan significativos como la exclusión automática de licitadores del procedimiento de contratación[27], la acreditación de las condiciones de solvencia[28] o la valoración de ofertas[29].

Su reconocimiento como canon interpretativo y de validez ha supuesto un nuevo hito del derecho pretoriano derivado de la jurisprudencia europea, que dota de coherencia y seguridad jurídica al ordenamiento, tanto a nivel comunitario como nacional, y que exige una interpretación funcional y armonizada de los distintos conceptos incluidos en las Directivas sobre contratación pública[30].

---

25. A este respecto, GARAT DELGADO, María Paula.; *El principio de proporcionalidad (…)*, *opus cit.*, pp. 39-43.
26. SARMIENTO RAMÍREZ-ESCUDERO, Daniel; *El control de proporcionalidad (…)*, *opus cit.*, p. 353.
27. SSTJUE de 16 de diciembre de 2008, *Michaniki AE*, asunto C-213/07, ECLI:EU:C:2008:731; de 10 de julio de 2014, *Consorzio Stabile*, asunto C-358/12, ECLI:EU:C:2014:2063; y de 22 de octubre de 2015, *Impresa Edilux Srl*, C-425/14, ECLI:EU:C:2015:721.
28. SSTJUE de 18 de octubre de 2012, *Észak-dunántúli*, asunto C-218/11, ECLI:EU:C:2012:643; de 7 de julio de 2016, *Ambisig*, C-46/15, ECLI:EU:C:2016:530; y de 8 de septiembre de 2016, *Domenico Politanò*, anteriormente citada.
29. SSTJUE de 27 de octubre de 2005, *Contse*, asunto C-234/03, ECLI:EU:C:2005:644; y *Comisión contra Reino de España*, asunto C-158/03, ECLI:EU:C:2005:642.
30. Sobre este particular, véase en interesante trabajo de GIMENO FELIÚ, José María; «La "codificación" de la contratación pública mediante el derecho pretoriano

En lo relativo a la operatividad práctica del principio de proporcionalidad, el Tribunal ha interiorizado la estructura tripartita y escalonada del mismo como máxima de argumentación de sus pronunciamientos[31], si bien es cierto que la aplica de forma inconstante y con alto grado de *self-restraint*. Así, a la hora de resolver sobre la proporción o desproporción de una medida administrativa en materia de contratación pública, suele hacer uso de los subprincipios de adecuación y necesidad, reservando el examen de proporcionalidad en sentido estricto para aquellos supuestos que requieren un mayor nivel de control. Con todo, conviene señalar que incluso cuando recurre a este tercer subprincipio no lo hace de forma expresa, sino que es preciso leer entre líneas para hallar la ponderación de los intereses en conflicto.

La jurisprudencia europea realiza un control intenso de la idoneidad de la medida, por cuanto exige que ésta sea «adecuada para garantizar la consecución del objetivo perseguido», dejando atrás el examen de evidencia que se limitaba a constatar la mera facilitación de la realización del fin. Si bien es cierto que en la práctica no abundan los supuestos en los cuales la declaración de desproporción de la actuación administrativa responde a la aplicación de este parámetro, su efectividad ha quedado corroborada por la ya citada sentencia *Contse*. En este pronunciamiento, el Tribunal declaró la desproporción de dos de los criterios de valoración de las ofertas presentadas en el marco del procedimiento de licitación de un contrato de prestación de servicios sanitarios de terapias respiratorias domiciliarias y otras técnicas de ventilación asistida. A este respecto, consideró que la exigencia de que las instalaciones estuvieran ubicadas a una distancia inferior a 1.000 km. de las provincias de Cáceres y Badajoz, por un lado, y la atribución de más puntos adicionales cuanto mayor fuese la capacidad de producción, por otro, no eran adecuadas para garantizar el objetivo de la seguridad del abastecimiento.

El subprincipio de necesidad, por su parte, constituye la piedra angular del examen de proporcionalidad en la jurisprudencia del TJUE y ha

---

derivado de la jurisprudencia del TJUE», *Revista Española de Derecho Administrativo*, núm. 172, 2015, pp. 81-122.

31. La estructura tripartita del principio de proporcionalidad puede observarse con claridad en la STJUE de 5 de mayo de 1998, *National Farmers' Union*, C-157/96, ECLI:EU:C:1998:191, cuyo tenor literal es el siguiente: «*Debe recordarse que el principio de proporcionalidad, que forma parte de los principios generales del Derecho comunitario, exige que los actos de las Instituciones comunitarias no rebasen los límites de lo que resulta apropiado y necesario para el logro de los objetivos legítimamente perseguidos por la normativa controvertida, entendiéndose que, cuando se ofrezca una elección entre varias medidas adecuadas, deberá recurrirse a la menos onerosa, y que las desventajas ocasionadas no deben ser desproporcionadas con respecto a los objetivos perseguidos*» (aptdo. 60).

sido objeto expreso de control en la casi totalidad de los casos en que se ha aplicado este principio[32], hasta el punto en que, en ocasiones, solamente recurre al mismo para justificar su decisión[33]. La aplicación de este criterio se concreta en la comprobación de que la medida no vaya más allá de lo necesario para alcanzar el objetivo perseguido, pues en caso contrario el principio de proporcionalidad se verá vulnerado.

En este orden de consideraciones, la sentencia *Ambisig*, anteriormente citada, examina la proporcionalidad de la exigencia del órgano de contratación de que los operadores económicos acrediten su solvencia técnica mediante la declaración de un comprador privado, reservando la declaración unilateral para el supuesto de que no puedan obtener dicha declaración. Este pronunciamiento resulta especialmente ilustrativo por dos razones: por un lado, efectúa una comparación entre medios para determinar la necesidad de la medida y, por otro, parece llevar a cabo un examen de proporcionalidad *stricto sensu* de forma implícita, ya que pondera las cargas impuestas a los operadores y la necesidad de evitar una distorsión de la competencia y garantizar el respeto de los principios de transparencia, no discriminación e igualdad de trato. En los términos de la propia sentencia:

> «41. De lo anterior se deriva que, como ha señalado el Abogado General en el punto 50 de sus conclusiones y la Comisión en sus observaciones escritas, resultarían desproporcionadas las normas previstas en un anuncio de licitación que sólo autorizasen al operador económico a presentar una declaración unilateral para demostrar sus capacidades técnicas cuando acredite la absoluta imposibilidad de obtener un certificado del comprador privado. Estas normas impondrían al operador una carga excesiva en comparación con lo que resulta necesario para que el juego de la competencia no se vea falseado y para que se garantice la observancia de los principios de transparencia, de no discriminación y de igualdad de trato en el ámbito de la contratación pública.*
>
> *42. Por el contrario, no se menoscaba el principio de proporcionalidad si se incluyen en un anuncio de licitación normas que permitan al operador económico recurrir también a la declaración unilateral cuando demuestre, con elementos objetivos que habrán de verificarse caso

---

32. GALETTA, Diana-Urania; «El principio de proporcionalidad en el Derecho comunitario», *Cuadernos de Derecho Público*, núm. 5, 1998, pp. 91-94.

33. A modo de ejemplo, SSTJUE de 3 de marzo de 2005, *Fabricom*, C-21/03 y C-34/03, ECLI:EU:C:2005:127, aptdos. 33 y ss.; de 19 de mayo de 2009, *Assitur*, C-538/07, ECLI:EU:C:2009:317, aptdos. 24 y ss.; y de 23 de diciembre de 2009, *Serrantoni*, C-376/08, ECLI:EU:C:2009:808, aptdo. 33.

por caso, que existe una importante dificultad que le impide obtener el certificado en cuestión, debido, por ejemplo, a la falta de voluntad del comprador privado, siempre que esas normas no impongan al operador una carga de la prueba desmesurada en comparación con lo que se requiere para la consecución de esos mismos objetivos».

No es excepcional que los subprincipios de necesidad y proporcionalidad en sentido estricto se difuminen en el discurso argumentativo del Tribunal en el ámbito de la contratación pública, no así en otros ámbitos, alterando la secuencia aplicativa del principio. Esto se debe en gran medida a que la mayoría de los asuntos de los que conoce en esta materia se plantean en el marco de cuestiones prejudiciales, de tal modo que será el órgano jurisdiccional nacional el encargado de comprobar concienzudamente la proporcionalidad de la medida de acuerdo con las circunstancias fácticas existentes y con los requisitos resultantes de la jurisprudencia europea.

En síntesis, el incesante recurso del TJUE al principio de proporcionalidad a la hora de verificar la conformidad de las decisiones de los órganos de contratación con el Derecho europeo ha derivado en su proclamación como un parámetro de control efectivo en materia de contratación pública.

V. CONCLUSIONES

A lo largo de este trabajo se ha tratado de aquilatar los elementos fundamentales del principio de proporcionalidad y el lugar que ocupa en el ámbito de la contratación pública, poniendo de relieve su importancia como parámetro de interpretación y control de la actuación discrecional de la Administración.

El elevado grado de ductilidad de este principio constituye una de sus principales virtudes y ha supuesto un factor clave para su reconocimiento como principio autónomo en materia de contratación pública. A mayor abundamiento, el dinamismo inherente al juicio de proporcionalidad no sólo permite penetrar en lo más hondo de la decisión administrativa para verificar su conformidad con los fines que la justifican, sino que también posibilita la creación de estándares de control variables en función del contexto jurídico, adaptándose con precisión a las circunstancias fácticas concurrentes.

En efecto, la práctica ha venido demostrando el impacto más que positivo de una aplicación sistemática y ordenada de este principio en nuestro ordenamiento jurídico. Los órganos de contratación parecen mostrar una creciente predisposición a recurrir a la máxima de la proporcionalidad para ponderar los intereses en juego, lo cual se traduce en una mayor racionalidad y coherencia de sus decisiones. Además, la estructura tripartita y escalonada del mismo racionaliza el discurso jurídico de los órganos de control y fomenta la argumentación de un modo encomiable.

Por otra parte, la continua invocación del principio de proporcionalidad efectuada por la jurisprudencia europea ha supuesto un paso decisivo en el camino hacia un control efectivo de la contratación pública. Con todo, es preciso señalar que no son pocos los casos en los que el TJUE parece aplicar la estructura de dicho principio con más intuición que rigor, bien porque altera su secuencia aplicativa, bien porque argumenta su resolución acerca de la proporción o desproporción de la medida de forma insuficiente, con el consiguiente riesgo de subjetivismo y desviación que ello conlleva.

En definitiva, los operadores económicos encuentran en el principio de proporcionalidad una garantía jurídica esencial frente a la restricción desproporcionada de sus derechos e intereses legítimos, que permite expulsar del ordenamiento aquellas decisiones que no respondan a las exigencias de idoneidad, necesidad y proporcionalidad en sentido estricto, garantizando el derecho a una buena administración.

VI. BIBLIOGRAFÍA

– ALEXY, Robert; «Los derechos fundamentales y el principio de proporcionalidad», *Revista Española de Derecho Constitucional*, núm. 91, 2011.

– ALEXY, Robert; *Teoría de los Derechos Fundamentales*, Centro de Estudios Políticos y Constitucionales, Madrid, 1997.

– ATIENZA, Manuel; «A vueltas con la ponderación», *Anales de la Cátedra Francisco Suárez*, núm. 44, 2010.

– BARNES, Javier; «El principio de proporcionalidad. Estudio preliminar», *Cuadernos de Derecho Público*, núm. 5, 1998.

– BERNAL PULIDO, Carlos; *El principio de proporcionalidad y los derechos fundamentales*, Centro de Estudios Políticos y Constitucionales, Madrid, 2007.

– GALETTA, Diana-Urania; «El principio de proporcionalidad en el Derecho comunitario», *Cuadernos de Derecho Público*, núm. 5, 1998.

– GARAT DELGADO, María Paula.; *El principio de proporcionalidad y su contrastación empírica. La resolución de casos sobre derechos fundamentales*, Ed. Athenaica, Sevilla, 2016.

– GARCÍA DE ENTERRÍA, Eduardo; FERNÁNDEZ, Tomás-Ramón; *Curso de Derecho Administrativo I*, 17.ª ed., Aranzadi, Cizur Menor, 2015.

– GIMENO FELIÚ, José María; «La "codificación" de la contratación pública mediante el derecho pretoriano derivado de la jurisprudencia del TJUE», *Revista Española de Derecho Administrativo*, núm. 172, 2015.

–KLUTH, Winfried; «Prohibición de exceso y principio de proporcionalidad en Derecho alemán», *Cuadernos de Derecho Público*, núm. 5, 1998.

– LÓPEZ GONZÁLEZ, José Ignacio; *El principio general de proporcionalidad en Derecho administrativo*, Ed. Instituto García Oviedo, Sevilla, 1988.

– LÓPEZ GONZÁLEZ, José Ignacio; «El principio general de proporcionalidad en Derecho administrativo», *Cuadernos de Derecho Público*, núm. 5, 1998.

– MÖLLER, Kai; «Proportionality: Challenging the critics», *International Journal of Constitutional Law*, vol. 10 (3), 2012.

–SARMIENTO RAMÍREZ-ESCUDERO, Daniel; *El control de proporcionalidad de la actividad administrativa*, Tirant lo Blanch, Valencia, 2004.

Capítulo 2

Problemáticas y retos que evidencian dónde controlar la contratación pública

IVÁN OCHSENIUS ROBINSON

SUMARIO: 1. INTRODUCCIÓN. 2. PANORAMA ABREVIADO DE LAS PROBLEMÁTICAS EN LAS CONTRATACIONES PÚBLICAS Y SU NECESIDAD DE CONTROL 3. RETOS DEL CONTROL EN LAS COMPRAS DEL ESTADO 3.1. *Retos del control en la contratación pública española* REFERENCIAS

RESUMEN   El control en los sistemas de contrataciones públicas actuales dista de considerarse una función sustantiva y preponderante. Los paradigmas y obstáculos tradicionales que existen sobre esta función administrativa todavía no se rompen para dejar actuar a una gestión pública que necesita coordinar y optimizar, siendo demandada por las sociedades a hacer más.

Los grandes problemas de las adquisiciones estatales no sólo provienen de culturas funcionarias costumbristas, legislaciones rígidas o visiones sesgadas y poco participativas, sino también –y en gran parte– de mecanismos de control obsoletos, lentos e inefectivos, los cuales en muchos casos repiten cada año lo realizado sin adaptarse a las nuevas exigencias del presente.

El gran reto del control en nuestras contrataciones es que primero que todo se «haga», independiente de lo básico que este pueda ser en un comienzo y de los recursos que se tengan. No controlaremos nunca nuestras adquisiciones si estamos esperando mayores presupuestos para ello, una nueva legislación o que otros nos ayuden. El reto está en comenzar a hacerlo en este momento, y utilizar sus resultados en retroalimentar nuestros sistemas de información que nos posibilitarán en consecuencia tomar mejores decisiones.

El siguiente artículo desea evidenciar el lugar que debe tener el control en el sistema de contratación gubernamental actual, mostrar un breve panorama de las problemáticas presentes –de las cuales resumiremos algunas importantes que serán nuestros retos–, y resaltar los desafíos que debe enfrentar esta función administrativa en la materia, indagando particularmente en aquellos que debe encarar el Estado Español.

Palabras clave: contratación pública, problemas, control, retos.

Indicadores JEL: H11, H41, H57, H83.

ABSTRACT   At present, control very much plays a secondary role in public procurement systems. Traditional paradigms and barriers over this administrative function have yet to be shifted, enabling coordinated and optimised public management, to act in response to society's request for it to do more.

The central problems of public procurement are rooted not only in government organisational culture, rigid legislation or biased and narrow visions, but also –to a great extent– in obsolete, slow and ineffective control mechanisms, which, year after year, are applied in the same way without being adapted to new and current requirements.

The main challenge of controlling procurement is above all to «take the first step», even though it is just a small one and regardless of the resources available. If we are waiting for a greater budget, new law or assistance in this respect, we will never control our procurement system. The challenge is therefore to start now, and to use the results as feedback for our information systems, which will enable us to make better decisions.

This article aims to show the role that control should have in the current public procurement system; to provide a brief overview of the current problems, –some of the main problems will be summarised as our challenges– and; to highlight the challenges that must be faced, focusing in particular on those that the Spanish Government must address.

Keywords: public procurement, problems, control, challenges.

JEL-codes: H11, H41, H57, H83.

I.   INTRODUCCIÓN[1]

Hablar de problemáticas en las contrataciones públicas es indicar que tenemos situaciones que nos frenan nuestro buen hacer o dificultades que están latentes, donde mediante un buen diagnóstico hay que solucionarlas o disminuirlas al máximo, para posteriormente establecer parámetros de

---

1.   Licenciado en Administración Pública y Licenciado en Ciencias de la Administración de Empresas, Master en Gestión Pública y Master en Investigación de la Administración Pública, Diplomado en Compras Públicas, candidato a Doctor en Derecho por la Universidad de Zaragoza, España, y más de 10 años trabajando en esta temática. ivanochsenius@hotmail.com

control y evaluación continuos que posibiliten que el sistema en conjunto pueda desarrollarse óptimamente. Por consiguiente, si de tales problemáticas cogemos las más difíciles y/o complejas de cumplir, visualizando éstas como «compromisos o desafíos», podríamos entonces estar hablando de retos.

El control no debiese ser una problemática en la contratación pública y tampoco un reto, sino una función básica y estratégica que debe nacer con el sistema mismo. No debemos comprometernos a realizar un control; sino hacerlo y usar sus resultados para tomar mejores decisiones. Al presente debemos cambiar nuestras concepciones sobre la poca importancia que le damos al control en compras, y hacerlo un actor garante de los resultados que vamos a obtener, midiendo, evaluando y retroalimentando de tal información al propio sistema –incluyendo la información proveniente también desde las empresas y ciudadanos–.

Tenemos problemáticas que hay que enfrentar como necesidad y no sólo como retos; y un control que no podemos seguir viendo como un compromiso a realizar mañana. El lugar donde encontremos las fallas o problemáticas de la contratación pública, será el sitio donde hallemos los restos que debemos afrontar, no obstante como podemos inferir, aunque transformar las problemáticas en restos es un trabajo positivo, será también una irrealidad repetitiva en el discurso si no se ponen en ello planes, recursos y voluntad. Los retos del control requieren un compromiso; al igual que una priorización de ellos.

II. PANORAMA ABREVIADO DE LAS PROBLEMÁTICAS EN LAS CONTRATACIONES PÚBLICAS Y SU NECESIDAD DE CONTROL

> «Nadie duda hoy en día que el control del gasto público forma parte del entramado institucional de toda democracia. Por tanto, en estos momentos en los que toda acción o política pública se encuentra tan necesitada de elementos legitimadores, los órganos de control interno y externo constituyen, mediante el ejercicio de una fiscalización eficaz, uno de estos elementos de legitimación». (Juan Manuel Fabra Vallés, quién fue Presidente del Tribunal de Cuentas Europeo)[2].

Cuando existen problemas en las contrataciones uno de los primeros pasos racionales es diagnosticarlos, enfrentarlos con planes de acción precisos, y posteriormente controlarlos, manteniendo este control en el

---

2. Tomé Muguruza (2013), p. 74.

tiempo y no sólo implicándolo cuando salen a luz pública actos de corrupción. Hablar de control significa tácitamente que existen dificultades que debemos solucionar, y que como hemos mencionado parte de ellas podrían convertirse en nuestros retos, asumiendo un compromiso real en ello.

El control por lo tanto constata, mide las desviaciones respecto de la norma y rinde cuentas. Puede revelar irregularidades en la acción de los individuos, de no-conformidad material o de disfunciones patentes en la organización colectiva. Inevitablemente pone en cuestión a las personas y puede entrañar sanciones, lo que implica un tipo de relación particular entre controladores y controlados. El control se ejerce en referencia a reglas y criterios preestablecidos, conjunto llamado referencial. Estas reglas y criterios son explícitos, y deben ser conocidos por todos los actores concernientes a los que se les impone[3].

Desde una mirada global, el Banco Mundial (2016) nos dice que entre los elementos que constituyen un buen proceso de contratación se encuentra poseer mecanismos robustos para controlar el sistema. La claridad de las normas y disposiciones institucionales pueden valer muy poco si no existe la forma de hacer respetar las reglas. Los mecanismos deberían incluir auditorías del proceso de adquisición por parte del gobierno, y un mecanismo de quejas con el fin que los usuarios del sistema puedan tener confianza en el proceso. Además, esta institución añade la necesidad de distinguir un marco institucional que diferencie entre aquellos que llevan a cabo la función de compras, y los que tienen responsabilidades de supervisión. En este sentido, sostiene que es una buena práctica tener una agencia (organismo superior de contratación) que se encargue de la formulación de la política de contratación en general, y tenga la autoridad para ejercer el control en relación con la correcta aplicación de las normas y reglamentos de contratación[4].

En la Unión Europea (UE), uno de los organismos que ha medido los errores que ha mostrado el sistema de compras en los países miembros ha sido el Tribunal de Cuentas Europeo (2016), quien entre los hallazgos del año 2015 y 2016 ha identificado principalmente los siguientes[5]:

---

3. Agencia Estatal de Evaluación de las Políticas Públicas y la Calidad de los Servicios, AEVAL (2010), p. 57.
4. World Bank (2016).
5. Tribunal de Cuentas Europeo (2015), p. 22; y Tribunal de Cuentas Europeo (2016), pp. 8-9.

- En la fase previa a la licitación la mayoría de los errores detectados fueron graves. Se eludieron por completo los procedimientos de contratación pública mediante la adjudicación directa de contratos que exigían la utilización de procedimientos preestablecidos, dividiendo los contratos en licitaciones de menor envergadura.

- En la fase de licitación la mayoría de los errores graves se detectaron en la especificación y aplicación de los criterios de selección/adjudicación.

- En la fase de gestión de contratos los errores detectados fueron graves y se referían a modificaciones o ampliaciones del alcance de los contratos sin utilizar un procedimiento de contratación cuando este era obligatorio.

- Desde una visión macro, no todas las elecciones de procedimientos fomentaban la competencia de la manera más amplia posible.

- Se evidenciaron trabas innecesarias que complican a los potenciales licitadores para participar en los concursos públicos.

- Y por último a los operadores económicos que consideran haber recibido un trato injusto, les resultaba difícil lograr un recurso rápido y una indemnización por los perjuicios sufridos.

En concordancia con lo anterior, la Comisión Europea (2015) ha expresado que los errores en la aplicación de las normas de contratación pública son la principal fuente de irregularidades detectadas por los auditores nacionales y provenientes de este órgano, al comprobar cómo se han gastado los fondos de subvenciones que esta Comisión entrega a sus países miembros[6]. Este organismo mediante su Directiva 24/2014 en su Considerando 84, al igual que lo manifestado por Aymerich (2013)[7], añade además que: «*Muchos operadores económicos, y en concreto las pymes, consideran que un obstáculo importante para su participación en la contratación pública son las cargas administrativas que conlleva la obligación de presentar un número sustancial de certificados u otros documentos relacionados con los criterios de exclusión y de selección*[8]. *Limitar estos requisitos, por ejemplo mediante el uso de un documen-*

---

6. Comisión Europea (2015), preámbulo.
7. Aymerich Cano (2013), p. 154.
8. La Comisión facilita y administra un sistema electrónico, e-Certis, que las autoridades nacionales están actualmente actualizando y verificando de forma voluntaria. El objetivo de e-Certis es facilitar el intercambio de certificados y demás pruebas documentales a menudo solicitadas por los poderes adjudicadores. De la experiencia adquirida hasta la fecha se infiere que la actualización y la verificación voluntarias son insuficientes para que e-Certis desarrolle todo su potencial

to europeo único de contratación consistente en una declaración actualizada del propio interesado, podría aportar una simplificación considerable que beneficiaría tanto a los poderes adjudicadores como a los operadores económicos[9]».

Sobre este punto que es significativo por el efecto económico que posee en un país, Gimeno Feliu (2014) agrega que los problemas que las pymes encuentran sobre la materia, se localizan principalmente en el ámbito de la capacidad/solvencia que se exige para concurrir a las licitaciones, el acceso a la información sobre los contratos, y los retrasos de las instituciones en el cumplimiento de sus obligaciones (proceso de pago fundamentalmente). Indicando que las propias pymes han llegado a afirmar que lo más necesario para facilitar el acceso de las mismas a los contratos públicos no es tanto la introducción de modificaciones en la normativa sobre contratación pública, sino más bien un cambio en la mentalidad de los poderes adjudicadores[10].

Mencionando a otro organismo internacional como la Organización para la Cooperación y el Desarrollo Económico (OCDE, 2014), esta institución de acuerdo a un examen en los últimos años de los progresos realizados en compras públicas por los países que la forman, ha constatado un retraso en cinco áreas[11]: i) falta de profesionalización[12], ii) la adquisición no se plantea como un ciclo de medidas para garantizar la eficiencia y la integridad del sistema, iii) escaso control, iv) riesgos y costes de oportunidad rara vez son evaluados utilizando las adquisiciones como una palanca política para apoyar los objetivos socioeconómicos y ambientales, y v) el acceso a los mercados internacionales de contratación sigue siendo un reto importante[13].

Si complementamos las problemáticas visualizadas por los entes internacionales con algunas realidades particulares de países de Europa

---

de simplificación y facilitación de los intercambios de documentos en beneficio de las pymes en particular. Por lo tanto, como primer paso, el mantenimiento del sistema debe ser obligatorio (Directiva 2014/24/UE), Considerando 87; otras iniciativas de compras coordinadas por la UE son también el PEPPOL y Open e-PRIOR. Ver mayor detalle en Sistema Económico Latinoamericano y del Caribe, SELA, (2015). Las compras públicas como herramienta de desarrollo en América Latina y el Caribe. Reunión Regional sobre Sistemas de Compras Públicas en América Latina y el Caribe Quito, Ecuador 15 y 16 de julio, p. 21.

9. Directiva 2014/24/UE, op. cit., Considerando 84.
10. Gimeno Feliu (2013), pp. 58-59; y Gimeno Feliu (2014), p. 66.
11. Magina, Paulo (2014), p. 13.
12. También mencionada como necesidad por Gimeno Feliu (2016), p. 14.
13. Ver algunas problemáticas del sistema del Reino Unido en Cabinet Office (2011), pp. 4-7; De Alemania en Comisión Europea (2015), op. cit., p. 89.

como Reino Unido, Alemania, Francia y España, observamos sucintamente lo siguiente: el Reino Unido –y luego de realizar algunos diagnósticos de su sistema al año 2011–, evidenció que requería cambios radicales en la planificación de sus adquisiciones; la mejora de las cualificaciones de los profesionales de compras y profesionales comerciales; la asignación de recursos para proyectos de compras complejas; y el intercambio efectivo de mejores prácticas en todos los Departamentos de gobierno[14].

En Alemania, las dificultades más significativas de su sistema son las ineficiencias que resultan de la separación de las estructuras legales e institucionales, tanto entre ellas, como en las distintas administraciones federales y regionales; duplicación de tareas entre los cuatro organismos compradores federales centralizados y sus contrapartidas regionales; las múltiples plataformas de compras; requerimientos y procedimientos incongruentes entre categorías de productos, así como entre varios tipos de autoridades contratantes; y la falta de recolección de datos de compras a nivel nacional, entre otras[15].

Por su parte en Francia, y a pesar de los avances realizados en los últimos años, la contratación pública sigue sufriendo problemas estructurales. Parte de ellos radican en la complejidad de las normas de contratación, así como las responsabilidades superpuestas de los distintos cuerpos de apoyo; necesidad de simplificación de los procedimientos administrativos en relación con el proceso de contratación electrónica; la fragmentación del sistema; y el uso de muchas plataformas por territorios, entre otras debilidades más. Como resultado, los contratos públicos en Francia son cada vez más territorio privilegiado para las prácticas contrarias a la competencia[16].

Por último en España, el sistema de contratación se compone de un marco jurídico único y una amplia diversidad de instituciones contratantes[17], de gestión y de supervisión, debido en gran parte al sistema político descentralizado del país. La dispersión de la autoridad crea una oportunidad para la experimentación, al igual que el número de plataformas electrónicas y grupos compradores que se han creado en los últimos años a

---

14. Cabinet Office, op. cit., pp. 4-7.
15. Comisión Europea (2015), op. cit., p. 89. Estas deficiencias y problemáticas encontradas en el territorio germano según la Comisión Europea pueden ser solucionadas con: mejorar la coordinación, mejorar la recopilación de datos, y aumentar las ofertas en el sistema.
16. European Unión (2014), p77.
17. Ver mayor detalle en European Union (2015), pp. 211-212.

nivel nacional, regional y local, dando lugar a redundancias[18]. La falta de claridad y la transparencia de los gobiernos es una barrera adicional a la eficacia[19], aspecto que adolece de un control efectivo.

Sumado a estas dificultades, es necesario también adicionar que existe: una gran cantidad y variedad de normativas[20]; un excesivo foco en lo legal dejando temas de gestión interna y gestión con proveedores sin desarrollo; escasos equipos multidisciplinarios al interior de las áreas de contrataciones (variadas profesiones); carencia de formación y capacitación nacional permanente[21]; demasiados procedimientos y tiempos en los procesos de compras[22]; falta de planificación y coordinación normativa entre Administraciones[23], y a la vez coordinación para compras en conjunto[24]; escaso liderazgo nacional sobre la materia[25]; inexistencia de base de datos autonómica y nacional en compras[26]; grandes cargas administrativas para las pymes[27]; y muy importante, carencia de otros tipos de controles en los procesos y sistema de compra en su conjunto[28].

---

18. Ver mayor detalle en Comisión para la Reforma de las Administraciones Públicas (2013), p. 133.
19. European Union (2015), op. cit., pp. 206-212; Comisión Europea (2014), p. 13.
20. Moreno Molina y Pintos Santiago (2015), p. 208 y 211; Comisión Nacional de los Mercados y la Competencia, CNMC (2015), p. 27; Vásquez, Francisco (2016); Confederación Española de Organizaciones Empresariales, CEOE (2015), p. 3; Gómez Mateo (2016); Retortillo y Baquer (1983), p. 24 y 43; CEOE, op. cit., p. 3.
21. Gimeno Feliu (2016), p. 14; Bernal Blay (2013), p. 122; Almonacid Laminas en IESE (2013), pp. 50-52.
22. De la Morena López (2015), p. 8.
23. Moreno Molina y Pintos Santiago, op. cit., p. 208 y 211.
24. CNMC, op. cit., pp. 19-20; página web European Commission (2016a).
25. Observatorio de Contratación Pública (2016).
26. Página web European Commission, op. cit.
27. Soria Collado (2013), p. 1.
28. En relación a los precios pagados por bienes y servicios de las Administraciones españolas, la OCDE ha alertado de los precios excesivamente elevados en determinados ámbitos. Es el caso de las obras públicas, en relación con las cuales la OCDE ha advertido que en España se paga por ellas un precio que supera en casi un 50% de media al precio pagado en la Unión Europea (De la Morena López, op. cit., p. 8); ver mayores incidencias de la contratación pública en el país en Tribunal de Cuentas (2016), pp. 14-88; Página web Tribunal de Cuentas Español (2016); Comisión Europea (2014b), p. 24. Interesante es mencionar lo indicado por Gamero y Fernández (2016), quienes sostienen que desde una perspectiva más amplia que sólo las contrataciones –afectando a éstas de igual manera–, los controles desplegados sobre los poderes públicos españoles en general y sobre las Administraciones Públicas requieren de revisión por su manifiesto fracaso. Argumentando que existen tres factores que muestran esta necesidad. El primero es el *anacronismo de la jurisdicción contencioso-administrativa*, indicando la rígida estructura del proceso y su larga duración; el segundo es el *colapso de las*

En relación a esta última dificultad aludida, hay que subrayar que el escenario vigente la hace urgente de implementar. Tanto es así que la misma Comisión Europea al año 2014 realizó algunas recomendaciones al país sobre sus principales patologías existentes en el sistema, mencionando sobre el control[29]: la necesidad de un uso sistemático de las evaluaciones de riesgos de corrupción en la contratación pública; refuerzos de mecanismos de control interno y externo de la totalidad del ciclo de contratación, así como durante la ejecución de los contratos; garantizar una visión de conjunto coherente y conciliar sobre la necesidad y el conocimiento de la prevención y detección de las prácticas corruptas en todos los niveles; para finalmente advertir sobre el fortalecimiento de los regímenes sancionadores.

Luego al año 2016 y en relación a esta misma materia, la UE por medio de su Consejo formula una advertencia a España para que adopte medidas dirigidas a la reducción de su déficit, donde dentro de las medidas propone una reforma cualitativa de su normativa sobre contratación pública, advirtiendo que en el país existe una «*falta de mecanismos de control a priori y a posteriori suficientes obstaculizando la aplicación correcta y uniforme de la legislación en materia de contratación pública*». Mencionando además que hay una ausencia de efectiva transparencia dada la baja tasa de publicación de los anuncios de contratos, el correlativo abuso del procedimiento negociado sin publicación previa y las adjudicaciones directas, y el uso limitado de los instrumentos de contratación centralizada[30] o conjunta.

Por último –y al igual que la importancia que le ha dado el Banco Mundial antes citado–, este Consejo aludido también ha señalado la falta de un organismo independiente encargado de garantizar la eficacia y el cumplimiento de la legislación en materia de contratación pública en todo el país, lo cual obstaculiza la aplicación correcta de las normas y puede

---

estructuras de control, señalando que a pesar de la gran cantidad de organismos de control existentes, han sido ineficientes para evitar los abusos, indicando que esto ha traído también duplicidad de sus funciones; y en tercer lugar, señalan la *necesidad de una nueva herramienta de control,* aludiendo que esta es la que puede desplegar la sociedad civil mediante instrumentos de transparencia del poder público (Gamero casado y Fernández Ramos (2016), pp. 64-65.

29. Comisión Europea (2014b), pp. 38-39.
30. La utilización de sistemas de contratación centralizada permite, en caso de una utilización adecuada, un ahorro de costes para las Administraciones Públicas. Fundamentalmente en el ámbito de la contratación centralizada de suministros y servicios, sistema al que puedan sumarse las Comunidades Autónomas y Entidades Locales, además de sus organismos autónomos y entes públicos dependientes de ellas (Cea Ayala (2014), pp. 22-30.

generar oportunidades para cometer irregularidades, situación que tiene efectos negativos sobre la situación de la hacienda pública española. Todo lo indicado según opinión del Consejo, hace que la contratación pública española sea ineficiente[31].

Hacia América –particularmente Latinoamérica–, las dificultades están relacionadas básicamente con la necesidad de legislaciones de compras más integrales y menos voluptuosas[32]; mayores sistemas de control sobre malas prácticas y actos de corrupción; además de cómo indica el Banco Interamericano del Desarrollo (BID, 2013) –sobre proyectos financiados con sus fondos–, mejoras en los procedimientos internos y planificación de las adquisiciones, entre otras[33]. Una característica destacable de los sistemas de compras de la región es el uso de indicadores de gestión y desempeño, los cuales ya hace un tiempo han empezado a controlar y medir los sistemas de adquisiciones estatales, aunque todavía en algunos países –sobre todo en Centroamérica– este proceso ha sido lento y parcial.

Por último y con referencia a las problemáticas encontradas en la implantación de las contrataciones electrónicas, la UE (2010) considera que hay obstáculos que entorpecen la transición a este nuevo sistema, destacando entre ellos[34]:

- Inercia y temores de las entidades adjudicadoras y proveedores.

- Falta de normativa en los procesos de contratación electrónica.

---

31. Observatorio de Contratación Pública (2016).
32. Esto se desprende de lo mencionado por Moreno Molina, (2015). Este autor plantea que la proliferación normativa en el sector ha ocasionado una complejidad creciente de la normativa sobre adquisiciones, que se ha acrecentado además por la existencia en la actualidad de una gran cantidad de normas aplicables a la contratación pública, muchas específicamente referidas a los contratos administrativos pero también otras disposiciones legales y reglamentarias que afectan a la materia, como son las normas presupuestales y de administración financiera. Por ello, su conocimiento resulta bastante complejo. Pese a que en la actualidad estas normas están publicadas en los portales web públicos de contratación de los distintos países, para los operadores económicos y sociales en compras, especialmente las micro, pequeñas y medianas empresas, acceder a la legislación y reglamentación de la contratación pública puede resultar una labor de mucha dificultad. La seguridad jurídica se ve notablemente afectada por esta situación y con ello también mermada la aplicabilidad de las normas. Sumado a lo anterior, también hace alusión a la existencia de un gran número de regímenes especiales que se apartan de la legislación general.
33. Tique Andrade, et al (2013), p. 8.
34. European Union Law (2010), pp. 12-13.

- Requisitos técnicos engorrosos, especialmente para la autenticación del licitador.

- Transición hacia la contratación electrónica a varias velocidades.

Además de tales debilidades, hay que adicionar que el mercado único europeo de contratación electrónica también se enfrenta a la falta de interoperabilidad transfronteriza de sus sistemas de información, y a la complejidad de su interfaz[35].

Las Naciones Unidas (ONU, 2011) por su parte, sostienen que aunque ha habido muchas implementaciones de contratación electrónica exitosas, también han existido una serie de programas que han fallado. Los fracasos no sólo han tenido relación con cómo la tecnología es aplicada, sino también con la forma de gestionar la ejecución y el nivel de liderazgo, o el apoyo proporcionado de los organismos participantes y comunidades de proveedores. Muy a menudo, las fallas no han estado relacionadas con el sistema de contratación electrónica en sí mismo, sino con problemas de coordinación institucional y con el diseño de flujo de trabajo[36].

III. RETOS DEL CONTROL EN LAS COMPRAS DEL ESTADO

Lo primero que debemos destacar al comenzar este apartado, es indicar que los retos actuales de los sistemas de contratación en los diferentes Estados deberían alinearse en alcanzar los siguientes objetivos: una transposición completa de las nuevas Directivas de compras de la UE (sólo para países de la UE); adecuar una legislación a las necesidades y demandas de quienes utilizan el sistema; desarrollar compras sostenibles o sociales; tender a la innovación de todo el sistema; impulsar la máxima cooperación nacional e internacional; implantar una contratación electrónica integral; y por último, establecer sistemas de control interno y externo oportunos y confiables que garanticen el logro de los objetivos de compra.

Dicho lo anterior y entendiendo que la función de control permite que se cumplan los retos antes mencionados, diremos entonces que el lugar que se merece el control dentro del sistema de compras gubernamentales está dado por la importancia económica, política y social que posee la contratación pública al presente. Asimismo, los intereses financieros en juego y la estrecha interacción entre las áreas pública y privada, hacen de las contrataciones un ámbito peligrosamente expuesto a prácticas comerciales deshonestas, como el conflicto de intereses, el favoritismo y la

---

35. Moreno Molina (2015b), p. 74.
36. United Nations (2011), p. 3.

corrupción[37]. Por lo tanto, deberíamos preguntarnos al respecto ¿Qué ocurrirá si no controlamos efectivamente este contexto?

Los sistemas de adquisiciones estatales no pueden seguir apartando al control de su lugar dentro del sistema de compras. Esta función ya no puede ser una excusa de solución sólo cuando hay situaciones de corrupción o pérdida de recursos; ni tampoco fundamentar que no existen tales recursos para implementarla, cuando el problema pasa mayormente por priorizarlos. Dar un lugar al control en nuestras adquisiciones es dar un lugar a mejorar y avanzar, dejando de tropezarse con los mismos obstáculos.

El gran reto del control es tomar su lugar en los sistemas de compras como lo exige cualquier enfoque sistémico o sistema abierto[38], retroalimentando y aportando; el gran reto de la contratación pública es implementarlo sin autogenerarse barreras innecesarias ni esperando que primero lo hagan otros por ella. Hay aplicaciones del control tan simples que sólo requieren voluntad y compromiso. Por lo anterior, podemos decir entonces que uno de los primeros retos del control en las contrataciones es hacerlo. Aunque este en un inicio pueda ejecutarse muy básicamente y trascienda sólo en un monitoreo u observación del proceso, bastará para comenzar a entender su utilidad e ir generando una cultura de control al interior de los sistemas de compras.

La Federación de Expertos Contables Europeos –en un estudio de hace unos años– coincidió que existe un panorama marcadamente pesimista sobre el control, caracterizado por la ausencia de varios de dichos mecanismos, su carencia de funcionamiento en la práctica, o incluso, su inexistencia en diversos países europeos[39].

Hacia el sector público, ya hace años se desarrollan variados tipos de mediciones y mecanismos de control en las Administraciones, aunque hay que indicar también que estos difieren bastante de país a país, y están mayormente enfocados en lo normativo y presupuestario, destacándose entre ellos el control de legalidad, el control presupuestario, el control económico-financiero, el control contable y el control administrativo, entre otros. No olvidando mencionar particularmente el control social, el cual

---

37. Moreno Molina (2013), p. 58.
38. Enfoque organizacional que establece que un sistema está formado por: una entrada, un proceso, una salida y su retroalimentación de información (control). Ver mayor detalle de un sistema en Idalberto Chiavenato (1999). Administración de recursos humanos. Quinta edición, noviembre de 1999, editorial Mc Graw Hill, pp. 15-27.
39. Cañibano y Pedrosa (2009), pp. 69-75.

es una facultad ciudadana externa y directa sobre la acción pública, y está cada vez siendo más exigido.

Las contrataciones públicas por su parte desde hace años han sido reguladas esencialmente por un control normativo y también por un control presupuestario –el primero por ser una función de la Administración sujeta a derecho; y el segundo por administrar y utilizar recursos públicos directamente–. Tales controles que claramente son esenciales, deben al presente acompañarse y complementarse de otros que se están solicitando con mucha insistencia. El supervisar cómo se está aplicando la Ley respectiva, al igual que verificar como se está ejecutando contablemente el presupuesto, son mediciones que deben ir también acompañadas de controles que nos respondan además, *¿Cómo se están gastando los recursos? ¿Qué métodos se están usando? ¿Quiénes los están gastando? ¿Qué objetivos se están cumpliendo?*, y sobre todo, *¿Cómo podemos optimizar el uso de tales recursos?* El reto por lo tanto está en dar respuesta a tales preguntas, y buscar los mecanismos, tipos y herramientas de control que más se adapten a las realidades particulares.

El desafío del control de nuestro sistema de adquisiciones debiese abarcar todo lo importante, lo crítico, y aquello que puede hacer disminuir la calidad y oportunidad de los bienes adquiridos. Es así que hay que potenciar el control interno y externo de las auditorías, entregando más atribuciones y recursos si no las tienen, y comprometiéndolos a una medición no sólo de legalidad y/o reglamentaria.

Por último, en aditamento a lo manifestado y desde una visión macro, un reto que debemos alcanzar es configurar un liderazgo nacional, autónomo y trascendente sobre el sistema de adquisiciones en su conjunto. No pueden existir diversos y propios lineamientos en compras en un mismo país, sino una visión única y profesional que articule una coordinación intra institucional y extra regional. Tal desafío es una solución sustantiva a las grandes problemáticas que hoy en día aquejan a muchos países.

1. RETOS DEL CONTROL EN LA CONTRATACIÓN PÚBLICA ESPAÑOLA

Antes de comenzar con este punto debemos aludir a que las contrataciones públicas y sus áreas organizacionales son un componente intrínseco del aparato estatal, por lo cual, los avances que podamos realizar para legislar, modernizar y/u optimizar nuestra Administración Pública irán en directa ayuda a mejorar nuestros sistemas de compras; y por el contrario, las debilidades y problemas que posea nuestra estructura organizacional estatal y no se resuelvan oportunamente, afectarán sustantivamente al desarrollo de esta función estratégica.

Dicho esto, diremos entonces que en la realidad española y su Administración las exigencias sobre su gestión pública son cada vez mayores, y aún más en tiempos de crisis económicas. Ya no es suficiente con garantizar una adecuada vigilancia de la legalidad y de la regularidad contable, sino que es preciso avanzar hacia nuevas metas en materia de control operativo. Se debe evitar que el control sea excesivamente burocrático, exigiendo que esta función –en un sentido amplio– se desarrolle con garantías de efectividad y sin un coste excesivo[40].

Ya desde los años 80 Retortillo (1983) sostenía que en el país había que concientizar a la clase política sobre los problemas de gestión interna presentes en la Administración Pública, aludiendo que si estos no se abordaban con racionalidad –enfrentándose básicamente a los obstáculos que surgen en el seno de la propia Administración–, se correría el peligro de iniciar un proceso degeneracional imparable que conduciría a una «criollización» de los esquemas políticos administrativos y los haría incurables. Mencionando que en aquella fecha se estaba ya en retraso, y que el daño de no hacer nada al respecto era cada vez más irrecuperable[41]. En tales años el control interno de la Administración se caracterizaba por tener demasiadas mediciones formales, una firma detrás de otra que acarreaba lentitud, y muchas veces un innecesario control de los políticos, sin dejar de mencionar el poco seguimiento de los actos públicos[42].

Luego a mediados del año 2000, el control sobre la Administración se distinguía por ser de tipo interno y especialmente preocupado por la legalidad, caracterizándose esencialmente por[43]: i) un control formal de regularidad normativa; ii) supervisar documentos y actos aislados; iii) preocuparse por la justificación y detección de fraudes; iv) pretensión de universalidad; y v) solamente ocuparse del ámbito administrativo.

Al presente, la pregunta que se nos genera es *¿Se han resuelto en el país los problemas que evidenció Retortillo en los años 80? ¿O se siguen arrastrando gran parte de ellos?* Desde lo legislativo, podemos inferir que de acuerdo con Malaret (2016) tales falencias se siguen presentando, sosteniendo este autor que si hay un punto en el que existe un acuerdo en España, éste es la crítica a los actuales mecanismos de control interno. Los controles

---

40. Fernández Llera (2009), p. 149.
41. Retortillo y Baquer, op. cit., p. 29.
42. Ibíd., p. 64.
43. López Hernández y Ortiz Rodríguez (2005), pp. 504-505.

de este tipo lo constituyen fundamentalmente los tradicionales recursos administrativos, pero también mecanismos alternativos como los que se mencionan en el artículo 107.2 LRJPAC[44]. En general, estos controles administrativos internos y los recursos administrativos particulares reciben una valoración negativa. Se ha extendido la idea de ineficaces, como mecanismos de corrección de la actividad administrativa y de compensación de los ciudadanos afectados por actuaciones administrativas contrarias al ordenamiento jurídico. Lo ideal –como sostiene este autor–, hubiera sido configurarlo como un mecanismo de control no jerárquico, con un procedimiento no formalista, rápido y poco costoso[45].

De este modo, se puede decir que el fracaso de los mecanismos de control interno desde lo legal han contribuido a la centralización del control de la Administración en sede judicial y ha forzado la maximización de la tutela judicial en términos cuantitativos (número de casos), pero también cualitativos (intensidad de control) de la actividad pública. En la práctica, esto ha llevado a favorecer la masificación de la justicia y el incremento del tiempo, y de los costes necesarios para acceder a una resolución que dirima un conflicto jurídico[46]. No obstante lo anterior, existen algunas experiencias importantes en control interno de legalidad a través de órganos administrativos independientes, nombrando por ejemplo a los tribunales económicos administrativos, tribunales antidopaje y tribunales especiales en materia de contratación[47].

Desde el punto de vista de la gestión, está más que claro que el actual control de legalidad, el control contable y el presupuestario-financiero no cumplen a cabalidad con proteger y hacer más eficientes y eficaces los recursos de la Administración, evidenciándose así la necesidad de suplementar los existentes con mediciones más operativas y de gestión real, donde el denominador común sea la claridad del objeto de control, su flexibilidad para adaptarse a situaciones diferentes, el escuchar y hacer participar a quienes serán controlados, el retroalimentar al sistema de sus

---

44. Mencionamos también la legislación general que obliga y regula al control interno en España y su Administración, como lo son el art.103 de la Constitución y la Ley 47/2003 General Presupuestaria (LGP), añadiendo para las entidades locales el Texto Refundido de la Ley Reguladora de las Haciendas Locales, aprobado por Real Decreto 2/2004, de 5 de marzo, en su art. 213, donde distingue una triple acepción del control interno: función interventora, función de control financiero, y función de control de eficacia (Grajal Caballero (2011), p. 57).
45. Malaret (2016), p. 93.
46. Ibid, p. 93.
47. Ibid, p. 93.

resultados, y sobre todo, que tenga una utilidad que sea mayor que su coste.

La realidad del control en los sistemas de contrataciones públicas en España difiere muy poco del descrito. Distinguiéndose entonces por ser un control administrativo de legalidad, vigilante que los procedimientos que se lleven a cabo estén de acuerdo a lo establecido por la reglamentación imperante; sumado a un control contable, presupuestario y financiero que se hace de los fondos públicos desde siempre.

Sobre el primer tipo de control, la Comisión Nacional de los Mercados y la Competencia en España (CNMC, 2015)[48], ha señalado que la mayor parte de ellos adolecen de una excesiva focalización en un análisis sesgado de la legalidad, dejando de lado el cumplimiento del resto de consideraciones en relación con la eficiencia y competencia que han de inspirar la contratación pública presente. Así también en muchos casos el retraso en la realización de dichos controles los dota de poca utilidad. En cuanto al control presupuestario –que en la práctica aglutina en un sentido amplio al resto de controles mencionados–, debemos decir que es una medición ex post de los dineros públicos que se distingue entre: control político (Parlamento), control interno (Intervención General) y un control a través de los Órganos de Control Externo (OCEX)[49]. Este control sobre todo en las comunidades locales se hace muy necesario, siendo afectado por los insuficientes órganos para fiscalizar a todos los entes públicos. Sólo el número de Ayuntamientos existentes en España supera los 8000 organismos, donde algunas entidades locales en los más de treinta años de vida de las Instituciones de Control Externo (ICEX) no han sido nunca objeto de fiscalización[50].

Según un trabajo sobre el papel del control externo en España al año 2016, presentado al workshop organizado por la International Research Society on Public Management (IRSPM por sus siglas en inglés), se pone de manifiesto que el control externo –al igual que el control interno mencionado–, está más focalizado en el comportamiento financiero de las Administraciones, y todavía no se han hecho suficientes esfuerzos organizativos para focalizar el trabajo en la lucha y prevención de la corrupción, algo a lo que tampoco ayuda el marco legal existente. Sosteniéndose por último que en el territorio se mantiene la inercia de las fiscalizaciones de regularidad (legalidad), y el análisis de los estados contables antes aludidos[51].

---

48. CNMC, op. cit., p. 27.
49. Fernández Llera, op. cit., p. 140.
50. García Muñoz y Pérez Lema (2016), p. 35.
51. Benítez Palma (2016), p. 16.

Tanto el control interno como externo y su medición legal y presupuestaria-financiera, decantan mayormente en un control de carácter mecánico proveniente de la historia tradicional del servicio público. Las demandas, necesidades y nuevas realidades necesitan otras mediciones complementarias, donde la eficiencia y eficacia pasan a ser objetivos elementales. Por lo expuesto, vemos que los controles en el país no responden a medir permanentemente ni las malas prácticas de la Administración, ni tampoco su gestión interna, pudiendo encontrar por lo tanto en este escenario un factor clave del por qué el sistema presente de contrataciones español se encuentra debilitado. Esta realidad difiere de países como el Reino Unido, Irlanda, Estados Unidos, Alemania, Corea del Sur, entre otros. Además, es bastante distinta a algunos países de América, quienes ya hace años vienen adecuando controles de gestión e indicadores de desempeño para sus compras[52].

Conforme al parámetro con el cual deberíamos universalmente comparar cualquier sistema de contratación pública, que es «*el uso eficiente y eficaz de los recursos públicos, y las demandas y necesidades ciudadanas por saber quién, cuándo y cómo se están administrando sus dineros*», diríamos entonces que todo control actual en compras debe preocuparse tanto de sus aspectos de corrupción, como de su gestión interna, entendiendo que gran parte de los primeros problemas son derivados de un deficiente trabajo de los segundos, además de la inexistencia transversal de controles internos y evaluaciones efectivas.

¿Qué materias específicas en compras públicas deberían ser primero controladas en España? Una de las primeras es *controlar que la legislación actual se cumpla*. Tanto la Constitución vigente (art. 31.2), la Ley 30/1992, las normativas presupuestarias (art. 7 de la Ley Orgánica 2/2012 de 27 de abril de Estabilidad Presupuestaria y Sostenibilidad Financiera), y la Ley de Contrataciones (art.1 y art.22), entre otras, establecen que los fondos públicos deben ser administrados con eficiencia y eficacia, no obstante la realidad actual de las contrataciones en el país dibuja otro escenario.

Luego en la gestión propia del proceso operativo, es prioridad que el ciclo de vida de la compra en todas sus fases tenga *mecanismos de control que sean oportunos* y señalen si la etapa en cuestión ha cumplido con su objetivo. No puede ocurrir que un requerimiento mal diseñado, incompleto o subjetivo pase todas las fases de un proceso de compra, se adjudique y se pague, para luego darnos cuenta que la compra respectiva adolece de las características que se necesitaban.

---

52. Casos como en México, Brasil, Colombia y Chile.

Otra prioridad del control está dada por realizar un *seguimiento de los hitos importantes en la ejecución de un contrato*[53]. Esta falencia está generando además de no acabar exitosamente un servicio contratado, que por ejemplo no se tenga claridad de las sanciones y multas que se han dejado de cobrar por los organismos públicos a los proveedores por incumplimientos.

En sintonía con el punto anterior hay que nombrar también un *control sobre la modificación de los contratos*[54]. Está siendo reiterativo modificar los contratos por malas planificaciones en un comienzo, o por necesidades extras aparecidas durante su ejecución, no aplicando la Ley vigente que alude a realizar un nuevo proceso de compra.

En otra prioridad no podemos olvidar un *control sobre las conductas de los funcionarios, gestores o directivos* que están vinculados a las contrataciones. Rotación de funcionarios, cursos de ética, protocolos sobre buenas prácticas, canales de denuncia interna y anónima, auditorías internas sorpresivas, entre otras, son algunas de las medidas que podemos aplicar para disminuir malas prácticas. La aplicación de un control de riesgos en esta materia está siendo muy útil para tomar medidas sobre situaciones antes que se presenten.

Finalmente, una materia que más que medirla se debe potenciar y disponer para lograr un buen control de todo el sistema, es *dar prioridad de acción a los organismos de control externo y dotarlos de mayores atribuciones y recursos* en su cometido. De esta manera, podrán liderar un control efectivo asumiendo a la vez una fiscalización permanente de los programas y procesos que ejecutan las unidades de auditorías internas, quienes deben convertirse en la primera línea de control efectivo al interior de los organismos públicos.

Por todo lo manifestado, diremos para concluir que el primer gran reto del control en las compras españolas es «comenzar ya a controlar los otros aspectos mencionados» y no seguir esperando condiciones óptimas. Nadie conoce mejor el área de contratación que la misma gente que trabaja en ella, por consiguiente el primer paso para controlar debiese ser reunirse entre todos y analizar los sectores o partes críticas del proceso de contratación interno, identificando soluciones simples y concretas a los problemas recurrentes. Esto, irá desarrollando una conducta y disposición hacia el control que luego se podrá ir acrecentando y añadiéndole herramientas

---

53. Gimeno Feliu (2015), p. 153.
54. CNMC, op. cit., p. 17; Tribunal de Cuentas Español (2016), pp. 14-88; European Union (2015), op. cit., pp. 211-212; Comisión Europea (2014b), p. 24; Tribunal de Cuentas Español, op. cit., pp. 14-88.

efectivas y eficientes. El resto de desafíos del control sobre las compras del país los podemos visualizar en el siguiente cuadro:

«RETOS DEL CONTROL PARA LAS CONTRATACIONES PÚBLICAS EN ESPAÑA»	
DESDE	**DETALLE DE LOS RETOS**
POLÍTICA (GOBIERNO)	1. Generar voluntad para controlar las contrataciones. Un control efectivo y que trasciende debe comenzar de las cúpulas organizacionales, involucrando a cada uno de los empleados.
NORMATIVA	1. Monitorear que la normativa de compras se ejecute como está establecida[88].
	2. Controlar la incorporación integral de las Directivas Europeas en la materia[89].
	3. Incorporar mecanismos de control ex ante y ex post para la legislación sobre contrataciones[90]. Mayores controles procedimentales[91].
	4. Controlar el exceso de las normativas de contrataciones públicas (dispersión normativa)[92].
	5. Medir la eficacia en la actuación administrativa[93].
TRIBUNALES ADMINISTRATIVOS	1. Controlar la gestión entre los Tribunales Administrativos (Inexistencia de una política de coordinación entre Tribunales)[94].
SISTEMA GENERAL DE CONTRATACIONES	1. Controlar la eficiencia económica de las contrataciones[95].
	2. Un reto del control que más bien es una necesidad urgente, es crear un sistema de información en compras que permita compartir/intercambiar los datos entre organismos locales y a nivel nacional, además de ser interoperable con los sistemas de pagos y presupuestarios[96]. No hay un control efectivo sin información efectiva.
	3. Complementar el control de legalidad, presupuestario, contable y financiero, con al menos un control de gestión, eficiencia, eficacia y de riesgo.
	4. Fomentar y propiciar el autocontrol de los procesos de contratación por medio de un programa de formación continua para todos los funcionarios públicos del país.
	5. Insertar dentro de las áreas de compras profesionales de gestión para obtener otras visiones sobre control de procesos y sistema en su conjunto.
	6. Cambiar el foco de las compras hacia el ciudadano y las empresas. Concebir al interior de las áreas de contrataciones unidades de «atención al cliente» especializadas en contrataciones, las cuales permitan retroalimentar de información útil al sistema de contratación.
	7. Controlar las compras públicas con participación. Controlar las contrataciones «con» los funcionarios de compras; y no sólo «a» los funcionarios de compras.
	8. Buscar buenas prácticas de control interno (benchmarking) entre las instituciones del país y comunicarlas (idealmente estudiar también experiencias internacionales).

---

55. Página web Tribunal de Cuentas Español, op. cit.
56. Moreno Molina (2009), pp. 337-354; Moreno Molina (2016).
57. Observatorio de Contratación Pública (2016).
58. De la Morena López, op. cit., p. 8.
59. Santamaría Pastor (2013), p. 35; CNMC, op. cit., pp. 23-27; Moreno Molina (2013), p. 48; Vásquez, Francisco (2016); CEOE, op. cit., p. 3.
60. De la Morena López, op. cit., p. 8.
61. Gimeno Feliu (2015), op. cit., p. 154.
62. CNMC, op. cit., pp. 26-27; De la Morena López, op. cit., p. 8.
63. Página web European Commission, op. cit.

«RETOS DEL CONTROL PARA LAS CONTRATACIONES PÚBLICAS EN ESPAÑA»	
DESDE	**DETALLE DE LOS RETOS**
	9. Establecer una figura legal e institucional autónoma nacional que lidere, supervise, controle y evalúe, entregando pautas permanentes para las adquisiciones de todo el país[97].
	10. Controlar en base a «planificaciones de compras anuales» y «planificaciones estratégicas de compras» confeccionadas por los organismos públicos (estas son guías claras para medir el avance de las contrataciones y sus sistemas respectivamente).
	11. Controlar la contratación por medio de la transparencia de todo el sistema de adquisición en su conjunto y no sólo por partes. Implementar un sistema de contratación electrónica integral. Comenzar transparentando todo y luego restringir si es el caso, no al revés[98].
	12. Invitar a las áreas auditoras internas y externas a participar más activamente en el control de la contratación[99]. Aunque la legislación le asigna parciales atribuciones de control a estas áreas[100], eso no impide que se puedan gestionar reuniones de trabajo que permitan obtener apoyos y directrices para ser implementadas por las propias áreas de contrataciones.
	13. Dentro del *proceso interno* de contratación: • Controlar ex ante-durante y ex post todo el proceso o ciclo de vida de la compra. • Controlar la modificación de los contratos[101].

64. Observatorio de Contratación Pública, op. cit.; CNMC, op. cit., pp. 26-27.

65. Observatorio de Contratación Pública, op. cit.; CNMC, op. cit., pp. 9-11.

66. Haciendo alusión a una ponencia presentada por el Secretario General de la Cámara de Comptos de Navarra, tal personalidad resumía la situación del país y el control sobre la función pública –situación que afecta directamente al control de las contrataciones públicas–, en lo siguiente: *«debemos ser autocríticos y reconocer que, en los últimos años, la labor de nuestras instituciones de control, en muchos casos, no han estado a la altura de las circunstancias, ni han sabido dar respuesta a muchas cuestiones que la crisis ha puesto de relieve»* (Luis Ordoki en Benítez Palma (2016), op. cit., p. 13). Por lo anterior, los desafíos que se han impuesto los órganos de control externo han sido: (i) reforzar la independencia de las instituciones de control, potenciando la independencia de sus miembros, (ii) trabajar con el máximo grado de rigor y profesionalidad, procurando que los informes sean útiles y oportunos, (iii) trabajar estrechamente con los respectivos Parlamentos para que los informes tengan mayor difusión, (iv) abordar nuevos tipos de trabajos e informes, reforzando el control sobre las áreas de riesgo en la gestión pública: contratación, subvenciones, urbanismo, gestión patrimonial, gestión de ingresos, etc., (v) abrir estas instituciones a la sociedad, difundiendo su trabajo, y (vi) extender la función de fiscalización a todos los ámbitos de la gestión pública, llegando a áreas a las que no llega el control, reforzando si fuera necesario la colaboración con el control interno y con firmas privadas de auditoría.

67. Una gestión pública moderna exige una mayor atención a la fiscalización y control de los principios de eficacia, eficiencia y economía. Los Órganos de Control Externo en España han desarrollado una destacada labor de fiscalización de regularidad durante los últimos 30 años, no obstante, todavía es escasa en materia de control operativo, y al parecer, también es insuficiente en materia de contrataciones públicas. (Fernández Llera (2009), op. cit., p. 135)..

68. CNMC, op. cit., p. 17; Tribunal de Cuentas Español, op. cit., pp. 14-88; European Union (2015), op. cit., pp. 211-212; Comisión Europea (2014b), op. cit., p. 24; Tribunal de Cuentas Español, op. cit., pp. 14-88.

«RETOS DEL CONTROL PARA LAS CONTRATACIONES PÚBLICAS EN ESPAÑA»	
DESDE	**DETALLE DE LOS RETOS**
	• Control efectivo en la ejecución de los contratos[102]. • Diagnosticar y simplificar los procedimientos internos de contratación, controlando su optimización[103]. • Controlar las compras menores y el abuso de los procedimientos negociados[104]. • Controlar la aplicación de sanciones y cobro de multas efectuadas a los proveedores por incumplimientos[105]. • Controlar los pagos a proveedores (tiempos de retraso)[106].

Fuente. Elaboración propia

REFERENCIAS

1. Agencia Estatal de Evaluación de las Políticas Públicas y la Calidad de los Servicios, AEVAL (2010). «Fundamentos de Evaluación de Políticas Públicas». Equipo Técnico del Departamento de Evaluación. Madrid.

2. Aymerich Cano, Carlos (2013). Crisis económica y contratación pública. Contratación Pública Estratégica. Aranzadi.

3. Benítez Palma, Enrique (2016). «Auditoría y gestión de los fondos públicos». Revista Auditoría Pública n.° 67, pp. 7-22.

4. Bernal Blay, Miguel Ángel (2013). «Hacia una contratación pública local eficiente». Diputación de Zaragoza. Convocatoria de premios de investigación 2013. Desarrollo local, España.

5. Cabinet Office (2011). «Accelerating Government Procurement». February.UK.

6. Cañibano, Leandro y Pedrosa, Fernanda (2009). «El Control del Cumplimiento de la Información Financiera: Un Análisis Delphi de la Reacción Reformista Post-Enron». Universidad Autónoma de Madrid.

7. Cea Ayala, Ángel (2014). «La contratación administrativa y la reforma de la Administración pública. A propósito del informe de la Comisión para la Reforma de las Administraciones Públicas». N.° 130. Editorial Wolters Kluwer.

---

69. Gimeno Feliu (2015), op. cit., p. 153.
70. CNMC, op. cit., pp. 20-21; De la Morena López, op. cit., p. 8.
71. Comisión Europea (2014b), op. cit., p. 24; Observatorio de Contratación Pública (2016).
72. Esta falencia es inferida de la investigación en curso realizada.
73. Observatorio de Contratación Pública, op. cit.; CNMC, op. cit., pp. 26-27.

8. Comisión Europea (2014). «España. Informe de lucha contra la corrupción de la UE». Anexo 9.

9. Comisión Europea (2014b). Informe de la comisión al consejo y al parlamento europeo. Informe sobre la lucha contra la corrupción en la UE. Bruselas, 3.2.2014, COM (2014) 38.

10. Comisión Europea (2015). «Public Procurement Guidance for Practitioners. Unión Europea». Recuperado el 14 de diciembre de 2015 en: http://ec.europa.eu/regional_policy/index_en.cfm. Preámbulo.

11. Comisión Nacional de los Mercados y la Competencia, CNMC (2015). «PRO/CNMC/001/15 Análisis de la Contratación Pública en España: Oportunidades de mejora desde el punto de vista de la competencia». España.

12. Comisión para la Reforma de las Administraciones Públicas (2013). «Publicación en una Plataforma única de todas las licitaciones tanto del Sector Público Estatal como las de las comunidades Autónomas». http://www.obcp.es.

13. Confederación Española de Organizaciones Empresariales, CEOE (2015). Informes. Legislar menos, legislar mejor. Madrid.

14. De la Morena López, Julián (2015). «Principios generales de la contratación del sector público: (art. 1 TRLCSP; arts. 1 y 2 Directiva 2004/18/CE; art. 76 Directiva 2014/24/UE)». Revista Contratación Administrativa práctica, n.º 139, septiembre-octubre. Editorial la Ley.

15. Directiva 2014/24/UE del Parlamento Europeo y del Consejo. 26 de febrero de 2014. Diario Oficial de la Unión Europea. Organización Mundial del Comercio, recuperado el 18 de noviembre de 2015 de: https://www.wto.org/spanish/tratop_s/gproc_s/overview_s.htm.

16. European Union Law (2010). «Libro Verde sobre la generalización del recurso a la contratación pública electrónica en la UE», http://eur-lex.europa.eu/legal-content/ES/TXT/?uri=celex:52010DC0571.

17. European Unión (2014). «Public procurement-Study on administrative capacity in the EU. France Country Profile». http://ec.europa.eu/regional_policy/sources/policy/how/improving-investment/public-procurement/study/country_profile/fr.pdf.

18. European Union (2015). «Public procurement-Study on administrative capacity in the EU Spain Country» Profile.http://ec.europa.eu/regional_policy/sources/policy/how/improving-investment/public-procurement/study/country_profile/es.pdf.

19. European Commission (2016a). The EU Single Market. Single Market Scoreboard. Performance per policy area. Public Procurement. Recuperado al 13 de abril de 2016 en: http://ec.europa.eu/internal_market/scoreboard/performance_per_policy_area/public_procurement/index_en.htm. Datos al 10.2015. Página web.

20. Fernández Llera, Roberto (2009). «Fiscalización de la gestión pública en los Órganos de Control Externo de las Comunidades Autónomas. Presupuesto y Gasto Público 57/2009: 135-154». Secretaría General de Presupuestos y Gastos. Instituto de Estudios Fiscales.

21. Gamero casado, Eduardo y Fernández Ramos, Severino (2016). «Manual básico de derecho administrativo». Decimotercera edición. Tecnos.

22. García Muñoz, Julio y Pérez Lema, José (2016). «Hacia un new deal en control externo español. Evolución o distrofia». Revista Auditoría Pública n.º 67, pp. 31-38.

23. Gimeno Feliu, José María (2013). «Compra pública estratégica. Contratación Pública Estratégica». Aranzadi.

24. Gimeno Feliu, José María (2014). «Nuevas tendencias en la gestión de las compras públicas en la Unión Europea». Revista de Derecho de la Hacienda Pública. Vol. 2, San José Costa Rica, ISSN-2215-3624.

25. Gimeno Feliu, José María (2015). «Informe especial. Sistema de control de la contratación pública en España». www.obcp.es. Diciembre, p.153.

26. Gimeno Feliu, José María (2016). «La transposición de las Directivas de Contratación Pública en España». Congreso Internacional, Cuenca, España.

27. Gómez Mateo, Juan (2016). «Breves reflexiones en torno a los principios generales como base de un derecho global de la contratación pública». Diario La Ley, N.º 8887, Sección Tribuna, 22 de Diciembre de 2016, Ref. D-442, Editorial Wolters Kluwer.

28. Grajal Caballero, Inmaculada (2011). «El control de la contratación de las administraciones públicas. 1 parte». Revista Auditoría Pública n.º 54.

29. Instituto de Estudios Superior de la Empresa, IESE (2013). «Contratación electrónica en el sector público español». Business School. Universidad de Navarra. http://www.iese.edu/research/pdfs/estudio-302.pdf

30. López Hernández, A y Ortiz Rodríguez, D (2005). «El control de la gestión económico-financiera de las administraciones públicas», en La ciencia de la contabilidad. Doctor Mario Pifarré Riera.

31. Malaret, Elisenda (2016). «Hacia un modelo de justicia administrativa dual: tribunales administrativos y jurisdicción contencioso-administrativa. Justicia administrativa: instituciones administrativas e instancias jurisdiccionales, una perspectiva necesariamente de conjunto del control de la actividad administrativa». Control administrativo y justicia administrativa. Jorge Agudo González (Dir.). ISBN: 978-84-7351-517-7. Edita INAP.

32. Magina, Paulo (2014). «Towards public procurement key performance indicators. Paulo Magina Public Sector Integrity Division». http:// www.worldbank.org/content/dam/Worldbank/Event/ECA/public-procurement-forum10-eca/tr-procurement-oecd-paulo-magina. pdf

33. Moreno Molina, José Antonio (2009). «La falta de adecuación de la Ley española de contratos del sector público al derecho comunitario europeo, Agua, territorio, cambio climático y Derecho administrativo», monografía de la Revista Aragonesa de Administración Pública que recoge las ponencias del XVII Congreso Italo-Español de Profesores de Derecho Administrativo, 2009. ISSN 1133-4797. pp. 337-354.

34. Moreno Molina, José Antonio (2013). «La nueva Legislación Europea sobre contratación pública y su impacto sobre las administraciones locales». Número extraordinario de la Revista de estudios locales.

35. Moreno Molina, José Antonio (2015). «Panorama comparado de la Contratación Pública en América Latina». Observatorio de Contratación Pública. Recuperado el 17 de febrero de 2016 en http://www.obcp.es/ index.php/mod.opiniones/mem.detalle/id.183/relcategoria.121/relmenu.3/chk.9c44b3c71a7a23ca52f818dee2903807.

36. Moreno Molina, José Antonio (2015b). «El nuevo derecho de la contratación pública de la Unión Europea. Directivas 4.0». Chartridge Books Oxford.

37. Moreno Molina, José Antonio (2016). «Llegó por fin el 18 de abril de 2016. Y ahora, ¿qué Derecho de la Contratación Pública aplicamos?». Opinión en página web:www.obcp.es al 18 de abril de 2016.

38. Moreno Molina, José Antonio y Pintos Santiago, Jaime (2015). «El sistema de contratación pública español». Aletheia. Cuadernos Críticos del Derecho, ISSN-e 1887-0929, N.º. 1.

39. Observatorio de Contratación Pública (2016). «El Consejo lanza una advertencia a España para que adopte medidas de reducción del déficit».

Actualidad. Agosto. Texto proveniente desde Unión Europea, Bruselas, 27.7.2016. COM (2016).

40. Retortillo y Baquer, Sebastían Martín (1983). El reto de una administración racionalizada. Cuadernos Civitas.

41. Santamaría Pastor, J (2013). «La constante e interminable reforma de la normativa sobre contratación pública». Revista española de derecho administrativo n.° 159.

42. Soria Collado, Sandra (2013). «Reducción de cargas administrativas. La aprobación del modelo de declaración responsable por la Junta Consultiva de Contratación Administrativa». Revista contratación Administrativa Práctica N.° 123, Editorial Wolters Kluwer.

43. Tomé Muguruza, Baudilio (2013). «La respuesta de la Unión Europea a la crisis económica y el papel de las Instituciones de control externo». Revista española de control externo. N.° 43, pp. 73-101.

44. Tique Andrade, Alfonso, Mendoza Castro, Héctor, y Estol Peixoto, Rosina (2013). «Adquisiciones y eficiencia operativa Análisis de la ejecución de proyectos financiados por el BID». Banco Interamericano del Desarrollo, BID.

45. Tribunal de Cuentas Europeo (2015). «Informe especial: necesidad de intensificar los esfuerzos para resolver los problemas de contratación pública que afectan al gasto de la UE en el ámbito de la cohesión», n.° 10, Luxemburgo.

46. Tribunal de Cuentas Europeo (2016). «Las instituciones de la UE pueden hacer más para facilitar el acceso a su contratación pública». Unión Europea. Luxemburgo.

47. Tribunal de Cuentas Español (2016). «Informe de fiscalización de la contratación de las entidades locales de las comunidades autónomas sin órgano de control externo propio, periodo 2013-2014». N.° 1178. España.

48. Tribunal de Cuentas Español (2016). Recuperado el 15 de junio de 2016 en: http://www.tcu.es/tribunal-de-cuentas/es/sala-de-prensa/news/el-tribunal-de-cuentas-aprueba-el-informe-de-fiscalizacion-de-la-contratacion-de-las-entidades-locales-de-la-comunidad-autonoma-de-cantabria-2012/. Página web.

49. United Nations (2011). «E-Procurement: Towards Transparency and Efficiency in Public Service Delivery». 4-5 October, United Nations Headquarters, New York.

50. Vásquez, Francisco (2016). Opinión Diario el Mundo de España. Recuperado el 30 de junio de 2016en: http://www.elmundo.es/economia/2016/04/19/571605d0ca4741c7118b4591.htm

51. World Bank Group (2016). «Benchmarking Public Procurement 2016: Assessing Public Procurement Systems in 77 Economies», Washington, DC.

52. World Bank (2016). «Procurement. Assessment of Country's Public Procurement System». Recuperado el 12 de abril de 2016 en: http://web.worldbank.org/wbsite/external/projects/procurement/0,,contentmdk:20105527~menupk:84285~pagepk:84269~pipk:60001558~thesitepk:84266~iscurl:y,00.htm

Capítulo 3

La contratación pública como instumento de promoción de la igualdad entre hombres y mujeres

BEATRIZ BELANDO GARÍN

Profesora Titular de Derecho Administrativo
Universidad de Valencia-Estudio General

SUMARIO: I. LA CONEXIÓN ENTRE CONTRATACIÓN PÚBLICA E IGUALDAD. II. EL IM-
PACTO DE LAS DIRECTIVAS EUROPEAS. III. PROYECTO DE LEY DEL SECTOR
PÚBLICO. IV. CONCLUSIONES.

I. LA CONEXIÓN ENTRE CONTRATACIÓN PÚBLICA E IGUAL-DAD

La utilización por las Administraciones públicas de vías indirectas para lograr objetivos públicos (protección del medio ambiente, colectivos vulnerables, etc.) es una práctica habitual en las Administraciones públicas. Es cierto sin embargo, que el instrumento para lograr estos objetivos han sido las diversas modalidades de la actividad administrativa de fomento, desde las subvenciones[1] pasando por los premios o reconocimientos públicos[2].

La contratación, a pesar de su capacidad de condicionar o lograr objetivos sociales en nuestro caso, la igualdad efectiva entre hombres y mujeres, ha sido completamente desaprovechada, desconociendo el impacto que en la economía nacional posee la contratación pública y por tanto su capacidad para cambiar la realidad social actual.

La posibilidad de incorporar esta perspectiva de género en la contratación pública apareció claramente[3] por primera vez en la Ley Orgánica 3/2007, de 22 de marzo[4], para la igualdad efectiva de mujeres y hombres (LOI), que en diversos artículos incide sobre la relevancia y significación del principio de igualdad de trato y oportunidades entre hombres y mujeres (art. 4 y11), destacando la obligación de las las Administraciones públicas a integrar dicho principio en el desarrollo del conjunto de todas sus actividades[5]

---

1.   Un ejemplo reciente de lo anterior es la Orden 25/2016, de 21 de noviembre, de la Generalidad Valenciana, donde se aprecia este objetivo en varios de sus preceptos. Por ejemplo, el art. 20.3. a): valora como criterio de adjudicación de la subvención, la contratación laboral por la solicitante de personas con dificultades de acceso al mercado laboral, entre los que incluye «(…) *mujeres víctimas de violencia de género, (…) a las mujeres contratadas dentro de los 36 meses siguientes al nacimiento, adopción o acogimiento de un hijo (…); 20.3.c): Por disponer la solicitante de certificaciones oficiales, en materia de igualad o como entidad colaboradora en igualdad de oportunidades entre hombres y mujeres (…)»; art. 20.3.d): Por contar en sus consejos u órganos de dirección con un porcentaje de mujeres no inferior al 40% del número total de miembros de dichos órganos,* 2 puntos, *que se incrementarán en 1 punto adicional cuando la dirección general o gerencia de la entidad se haya encomendado a una mujer».*

2.   En el caso de la igualdad, la LO 3/2007, asocia por primera vez la igualdad de oportunidades entre hombres y mujeres con la calidad empresarial (art. 50) creando en el ámbito de la Administración General del Estado el distintivo «Igualdad en la empresa», cuya última convocatoria de concesión se recoge en la Orden SSI/1996/2016, de 29 de diciembre. Esta previsión ha sido objeto de numeros desarrollos autonómicos, vid. sobre esta cuestión, MELERO BOLAÑOS, Rosa y NÚÑEZ-CORTÉS CONTRERAS, Pilar, «El distintivo de igualdad: un nuevo indicador de calidad en la gestión de los recursos humanos», Temas Laborales, Revista Andaluza de trabajo y Bienestar Social, n.° 110, 2011, pp. 127-148.

3.   En principio era posible su inclusión tras la Directiva 2004/18/CE, aunque ello no provocó en nuestro país una posición clara en esta cuestión.

4.   La primera medida adoptada en el sentido de la utilización de la contratación con estos objetivos será la Orden PRE/525/2005, de 7 de marzo, por la que se da publicidad al Acuerdo de Consejo de Ministros de 4 de marzo de 2005 en los siguientes términos: «*introducir en los pliegos de cláusulas de contratación con la Administración pública criterios que favorezcan la contratación de mujeres por parte de las empresas que concursen».* Su impacto como es de sobra conocido fue nulo.

5.   ZAMBONINO PULITO, Maria, «La igualdad efectiva de mujeres y hombres y la contratación de las Administraciones Públicas en la Ley Organica 3/2007, de 22

(artículo 15). En materia de contratación pública la Ley incluye dos preceptos específicos (art. 33 y 34) que establecen:

«Artículo 33. Contratos de las Administraciones públicas.

Las Administraciones públicas, en el ámbito de sus respectivas competencias, a través de sus órganos de contratación y, en relación con la ejecución de los contratos que celebren, podrán establecer condiciones especiales con el fin de promover la igualdad entre mujeres y hombres en el mercado de trabajo, de acuerdo con lo establecido en la legislación de contratos del sector público».

Artículo 34:

«1. Anualmente, el Consejo de Ministros, a la vista de la evolución e impacto de las políticas de igualdad en el mercado laboral, determinará los contratos de la Administración General del Estado y de sus organismos públicos que obligatoriamente deberán incluir entre sus condiciones de ejecución medidas tendentes a promover la igualdad efectiva entre mujeres y hombres en el mercado de trabajo, conforme a lo previsto en la legislación de contratos del sector público. En el Acuerdo a que se refiere el párrafo anterior podrán establecerse, en su caso, las características de las condiciones que deban incluirse en los pliegos atendiendo a la naturaleza de los contratos y al sector de actividad donde se generen las prestaciones».

En definitiva, la LOI posibilita que los órganos de contratación establezcan cláusulas que valoren la integración de la perspectiva de género: como condición de ejecución contractual y como criterio adicional de adjudicación en el supuesto de empate en la valoración de las ofertas, pero no como un criterio de adjudicación[6]. A pesar de las posibilidades que ofrecía ya entonces la Directiva 2004/18/E como la Ley de igualdad, han

---

de marzo», RAP, n.º 175, 2008, pp. 463-488; GARCÍA NINET, Jose Ignacio (dir.), *Comentarios a la Ley de igualdad*, CISS/Wolters Kluwer, Bilbao, 2007, pp. 301-303; MORENO MOLINA, «Disposiciones en materia de contratación administrativa y de subvenciones públicas», en GARGÍA-PERROTE, I., Y MERCADER UGUINA, (coords.), *La Ley de Igualdad: consecuencias prácticas en las relaciones labores y en la empresas*, Lex Nova, 2007, pp. 205-206.

6.   PEREZ DEL RIO, Teresa y ZAMONINO PÚLITO, MARÍA, «La acción positiva y sus instrumentos: la inclusión de cláusulas sociales de género en la contratación de las Administraciones Públicas», Revista de Derecho Social, n.º 43, 2008, pp. 31-59.

sido poco los contratos que han incluidos estos criterios como condición de ejecución o como criterio de adjudicación, de ahí la excasez de jurisprudencia[7] que sobre esta cuestión existe en nuestro país. En concreto por ejemplo la Directiva establece:

Directiva 2004/18/CE (art. 26):

«Los poderes adjudicadores podrán exigir condiciones especiales en relación con la ejecución del contrato siempre que éstas sean compatibles con el Derecho comunitario y se indiquen en el anuncio de licitación o en el pliego de condiciones. Las condiciones en que se ejecute un contrato **podrán referirse, en especial, a consideraciones de tipo social y medioambiental**».

La Directiva permite la incorporación de obligaciones que se imponen en los pliegos a cualquier adjudicatario por igual y no constituye un criterio a ponderar para determinar la oferta más ventajosa y seleccionar al contratista. Es decir:

- Es una condición de ejecución del contrato.

- No menciona expresamente la igualdad de género aunque se considera incluida entre las clausulas sociales.

La forma en que deben aplicarse los criterios de adjudicación[8] en virtud de la normativa comunitaria y la posibilidad de atender a objetivos sociales en la adjudicación de contratos públicos han sido objeto de distintas sentencias del Tribunal de Justicia de la Unión Europea (TJUE), en particular en sus sentencias de 20 de septiembre de 1988; *Gebroeders Beentjes*, C-31/87, Rec. pg. I-4635, de 20 de marzo de 1990; *Du Pont de Nemours Italiana*, C-21/88, Rec. pg. I-889, de 11 de julio de 1991; *Laboratori Bruneau*, C-351/88, Rec. pg. I-3641, de 26 de septiembre de 2000[9]. Es cierto sin embargo, que las clausulas a las que suele aludirse en la jurisprudencia comunitaria son ambientales o relativas a las condiciones de los empleados (sujección al convenio colectivo en vigor, mantenimiento del salario mínimo, etc.) siendo prácticamente inexistentes las relativas específicamente a las cláusulas de género.

---

7. Hay que destacar sin embargo que desde los últimos tres o cuatro años empiezan a producirse resoluciones del Tribunal Administrativo Central de recursos contractuales y de los distintos Tribunales Administrativos de Contratación, aunque sigue sin haber un núcleo relevante de sentencias sobre esta materia y que comentaremos más adelante.

8. DOMENECH PASCUAL, Gabriel, «La valoración de las ofertas en el derecho de los contratos públicos», RGDA, n.º 30, 2012.

9. Sobre las mismas con detenimineto, SANCHEZ MORON, Miguel, «Discriminacion positiva...», op. cit.

II.   EL IMPACTO DE LAS DIRECTIVAS EUROPEAS

Las nuevas Directivas europeas, Directiva 2014/23/UE y 2014/24/UE, de 26 de febrero han cambiado este panorama, habilitando más claramente este instrumento para lograr objetivos sociales y medio ambientales, aunque con una limitaciones significativas dirigidas a evitar especialmente adjudicaciones discriminatorias. El cambio de rumbo viene impuesto por los nuevos conceptos de «contratación estratégia», esto es, sin olvidar que el objetivo de toda contratación es la adquisición de obras, bienes o servicios en las mejores condiciones posibles, la inclusión de criterios sociales o medioambientales favorecen los objetivos impuestos por la propia Unión europea[10]. La Directiva se posiciona por tanto en línea con la Comunicación de la Comisión Europa 2020: «Una estrategia para un crecimiento inteligente, sostenible e integrador[11]». En concreto la Comisión identifica tres prioridades que se refuerzan mutuamente:

–   Crecimiento inteligente: desarrollo de una economía basada en el conocimiento y la innovación.

–   Crecimiento sostenible: promoción de una economía que haga un uso más eficaz de los recursos, que sea más verde y competitiva.

–   Crecimiento integrador: fomento de una economía con alto nivel de empleo que tenga cohesión social y territorial.

De esta forma, la Directiva 2014/24/UE configura la contratación como un instrumento para alcanzar dichas prioridades europeas. De forma más concreta el propio artículo 70 de la Directiva 2014/24/UE, establece la posibilidad por ejemplo:

> *«Los poderes adjudicadores podrán establecer **condiciones especiales relativas a la ejecución del contrato**, siempre que estén **vinculadas al objeto** del contrato, en el sentido del artículo 67, apartado 3, y se indiquen en la convocatoria de licitación o en los **pliegos** de la contratación. Dichas condiciones podrán incluir consideraciones económicas o relacionadas con la innovación, consideraciones de **tipo medioambiental**, **social**, o relativas al empleo».*

En definitiva, la contratación es considerado un instrumento importante para la consecuencia de la igualdad, dado su clara conexión con un crecimiento integrador. Esta afirmación sin embargo, no permite obviar el

---

10.   BERNAL BLAY, Miguel Ángel, «Principales novedades del borrador de anteproyecto de Ley de contratos del Sector Público», en RODRIGUEZ CAMPOS, Sonia (coord.), *Las nuevas Directivas de contratos públicos y su transposición*, Marcial Pons, Madrid, p. 244. GIMENO FELIU, Jose Maria, «Compra pública estratégica» en *Contratación Pública estratégica*, Thomson Reuters Aranzadi, Cizur Menor (Navarra), 2013, pp. 45 y ss.

11.   COM (2010)2020, de 3 de marzo de 2010.

hecho de que dichas compras «estratégicas» no han de vulnerar los principios comunitarios de contratación, en especial, generar discriminación o trato no igualitario entre los países.

Quizás sin embargo la clave es la necesidad de que dichas condiones o cláusulas sociales estén vinculadas con el objeto del contrato[12]. Esta vinculación se ha venido interpretando de forma más estricta pero está siendo objeto de evolución por las jurisprudencia comunitaria, avalandose actualmente una vinculación mas difuminada. Tal es el caso por ejemplo de la Sentencia del Tribunal de Justicia de 10 de mayo de 2012, en el Asunto C-368/10 que versa sobre un contrato de suministro que no atiende a las propias características del producto a suministrar o de su proceso de puesta a disposición, sino que permite atender a una circunstancia totalmente ajena al objeto del contrato como es la procedencia del producto del comercio justo[13]. El tribunal acaba avaló la citada previsión[14].

Por tanto, partiendo de la posibilidad reconocida por la Unión Europea de incorporar clausulas sociales en los contratos suscritos por los poderes adjudicadores, siempre que éstos sean objetivos, se encuentren tasados y vinculados al contrato y se incluyan en los anuncios de licitación y en los pliegos subsiguientes, la perspectiva de género puede incorporarse con la normativa actual a través de dos instrumentos:

1. Criterio de adjudiciación[15]: A la hora de identificar la «Oferta economicamente más ventajosa», la promoción de la igualdad efectiva puede aparecer reflejada en dos supuestos

---

12. Es por ello conveniente la necesidad de describir con detalle los elementos que definen el contrato, para facilitar la conexión entre el objeto del contrato y la cláusula social. Así se recomienda en la *Guía práctica para la inclusión de cláusulas*, op. cit., poniendo como ejemplo real del Pliego de clásulas administrativas particulares que regulan la contratación, mediante procedimiento abierto, del servicio de escola matí i vesprada, Curso 2012-2013, en cuyo punto 3.º destaca que las mecesidades a satisfacer por este contrato son «Facilitar la conciliación de la vida familiar (….); Favorecer la incorporación de las mujeres y hombres al mundo laboral en condiciones de igualdad en especial la de mujeres víctimas de violencia de género», p. 10 y 13.

13. Esta Sentencia dictada en relación con un contrato público de suministro, instalación y mantenimiento de máquinas expendedoras de bebidas calientes, y de suministro de té, café y otros ingredientes, para el que se establecía que los productos con las etiquetas EKÓ y MAX HAVELAAR 3, tendrían una determinada puntuación.

14. La STSJUE de 16 de septiembre de 2016 recuerda de nuevo que: «*Los criterios de adjudicación deben estar vinculados al objeto del contrato y tener como finalidad la determinación de la oferta economicamente más ventajosa para la Administración contratante, sin que quepa incluir criterios de carácter social, como la estabilidad en el empleo, salvo que estos estuvieran efectivametne vinculados al objeto del contratos y supongan una mejor relación entre la calidad y el precio*».

15. No desconocemos la posibilidad de aludir a la igualdad en la fase previa en cuanto a las solvencia que han de acreditar los candidatos pero esta posibilidad en

El primero es incluirlo como criterio de valoración si está conectado y es proporcionado. Así lo determina por ejemplo, la STS de 2 de junio de 2016, sala tercera (n.º rec. 852/2016) considera que la remisión al Convenio Colectivo vigente incluida en la norma foral de las Juntas Generales de Guipúzcoa 4/2013, de 17 de julio, de incorporación de cláusulas sociales en los contratos de obras del sector público foral, no es contraria a Derecho, «*Tampoco explica por qué decir que los pliegos han de comprender esa sujeción a la legislación laboral vigente, inclusiva del convenio singular, menoscaba la libertad de pactos del artículo 25 de la Ley de contratos del Sector Público, en especial si se trata de una cláusula a incorporar en los pliegos de todos los contratos de obras del sector público foral guipuzcoano*» (FJ.6).

En el mismo sentido se pronuncia la Resolución del Tribunal administrativo central de recursos contractuales, de 18 de marzo de 2016 (Resolución n.º 210/2016), que avala la inclusión como criterio de adjudiciación a la oferta economicamente más ventajosa, la valoración del compromiso de la empresa adjudicataria de contratar a «(…) *mujeres víctimas de violencia de género*». Considera que dicha previsión guarda relación con el objeto de contrato (contrato de servicios «Limpieza de edificios públicos, centros docentes e instalaciones deportivas de Xática») y la debida proporcionalidad en su puntuación (5 puntos). Con lo que concluye «*No resultan contrarias a Derecho porque no introducen elementos distorsionadores de la igualdad y la concurrencia ni desvirtúan el principio general de adjudiciación a la oferta economicamente más ventajosa, que rigen esta fase de la contratación administrativa, la de la adjudiciación*».

Finalmente cabe citar el Acuerdo 45/2016, de 8 de agosto de 2016, del Tribunal Administrativo de contratos públicos de Navarra que declara nulo como criterio de adjudicación el pliego de condiciones economico adminsitrativas de contrato de asistencia para la gestión de huertos ecológicos al incorporar como criterio adjudicador la composición mayoritariamente femenina del equipo de ejecución del contrato. El argumento fundamental para alcanzar dicha conclusión es entender que no existe conexión con el objeto del contrato dado que dicha presencia femenina no conllleva por si misma la mejora en la prestación del servicio. En concreto señala: «*Así mismo, debe señalarse que no se justifica en el expediente que la contratación de mujeres para la prestación del servicio suponga una mejora en la prestación del servicio, ni su incidencia en el objeto*

---

el caso de la igualdad es dificultosa salvando por supuesto la posibilidad de la conexión directa del objeto del contrato y las cuestiones de igualdad (objeto del contrato: elaborar planes, protocolos de prevención, etc.).

del contrato, cuando es un criterio que supone 25 puntos sobre un total de 100[16]» (F.J.7.°).

La segunda de las posibilidades actuales en caso de la fase de adjudicación es que una vez evaluadas las ofertas presentadas por los licitadores o licitadoras, y en el supuesto de igualdad entre dos o más proposiciones, tendrían preferencia en la adjudicación las empresas que mostrasen un mayor compromiso con el cumplimiento del principio de igualdad. En este sentido se pronuncia la Sentencia Tribunal Superior de 17 de julio de 2012[17] donde se otorgaban puntos a las empresas licitadoras que respetaban porcentaje de personal femenino de la empresa y el Tribunal lo entiende admisible siempre que se configure como un criterio en caso de empate entre dos empresas en igualdad de condiciones.

2. Condiciones esenciales de ejecución

En este campo es donde es menos conflictos[18] genera la inclusión de la perspectiva de género y provoca su incorporación en las clausulas[19]

---

16. Sin mencionarlo expresamente, el Acuerdo parece invocar igualmente a la proporcionalidad de este criterio de valoración, al entender no adecuado valorarlo con 25 puntos sobre 100.

17. SANCHEZ MORÓN, Miguel, «Discriminación positiva por razón de género y adjudicación de contratos públicos», Revista Justicia Administrativa: Revista de Derecho Administrativo, n.° 58, 2012, pp. 7-15.

18. Caso por ejemplo de las SSTJUE de 17 de noviembre de 2015 (asunto C-115 y de 3 de abril de 2008 (asunto C346/06). A pesar de la existencia de menor conflictividad, no dejan de existir resoluciones que no avalan determinadas condiciones de ejecución. Tal es el caso de la Resolución del Tribunal Administrativo Central de recursos contractuales de 7 de octubre de 2016 (Resolución n.° 786/2016), al entender que la inclusión de una condición de ejecución relativa a la antigüedad de los trabajadores de sustitución era una ingerencia en la libertad del empresario y no cumplía con los límites derivados de las Directivas de contratación. En concreto afirma: «*En el presente supuesto, es evidente que la previsión establecida en los pliegos sobre la antigüedad que ha de tener el trabajador que se incorpora al servicio contratado sustituyendo a otro no se acomoda a los objetivos previstos en el art. 118 del TRLCSP*» (FJ.8.°).

19. Ejemplo por ejemplo, Pliego de prescripciones técnicas del servicio de limpieza de las dependencia de los servicios centrales del SERVEF, de la Dirección Territorial de Valencia y de la Dirección territorial de Alicante, «*Se contemplan las siguientes obligaciones específicas como condiciones de ejecución: La empresa asjudicataria se obliga a favorecer la estabilidad de la ocupación y la igualdad de oportunidades entre hombres y mujeres (Cláusula 2.5.PPT)* (…)». Dicho ejemplo se encuentra recogido por la *Guía práctica para la inclusión de cláusulas de responsabilidad social en la contratación y en subvenciones de la Generalitat y en su sector Público*, de 4 de agosto de 2016. En la Circular 2/2016, de 15 de abril de 2016, de la Junta de Gobierno Local de Valencia, relativa a las clausulas sociales, establece la referencia en su punto 5.° a la inclusión de clausulas que fomenten la ocupación entre personas con dificultades de insercción en el mercado laboral entre las que menciona expresamente a las

a las que se comprete el futuro contratista[20]. Sin embargo, al no ser un criterio de adjudicación sino de ejecución, no será de aplicación a las entidades del sector público que no puedan ser consideradas Administración públicas, es decir, no será de aplicación a las Fundaciones, sociedades mercantiles y demás entidades del sector público por lo que su impacto es en definitiva relativo. De ello deriva que solo será de aplicación a los contratos administrativos celebrados por las Administraciones públicas en sentido estricto.

Al margen de ello, es necesario respetar en todo caso los principios comunitarios que inciden de forma especial en este ámbito: el principio de transparencia (necesidad de inclusión en los pliegos de forma clara), no discriminación (exigencia por ejemlo de exigir el distintivo de igualdad de una región concreta[21]).

Entre las posibles condiciones especiales de ejecución conectadas con la promoción de la igualdad de género que serían admisibles incorporar se podrían citar a modo de ejemplo:

- Obligación de aprobar Planes de igualdad en el caso de aquellas empresas que debido a su dimensión (menos de 250 empleados) carezcan del mismo

- Solicitar distintivos de igualdad de género, ya sea el estatal o uno equivalente autonómico siempre que no se exija uno concreto.

- Imponer que se asuma por el contratista la obligación de realizar cursos de formación en materia de lenguaje no sexista, sobre acoso sexual o en general, sobre igualdad de género.

- Establecer procolos internos para detectar la violencia de género o el acoso sexual.

---

personas que tengan reconocida la condición de víctima de violencia de género en los términos de la Ley Orgánica 1/2004, de 28 de diciembre. Se acredita mediante la correspondiente resolución judicial.

20. GALLEGO CÓRCOLES, ISABEL, «Cláusulas sociales, contratación pública y jurisprudencia del TJUE», Contratación Administrativa Práctica, n.° 113, 2011, p. 64 y ss.

21. Ejemplo comentado por la profesora VALCARCER, en relación a la normativa gallega, VALCARCEL FERNÁNDEZ, Patricia, «Promoción de la igualdad de género a través de la contratación pública», en el libro Contratación Pública estratégica, Thomson Reuters Aranzadi, Cizur Menor (Navarra), 2013, p. 358, siguiendo en este punto a MENÉNDEZ SEBASTIÁN, EVA., «Posibles medidas de fomento de la Administración: la preferencia en la contratación, las subvenciones y el distintivo de igualdad», AAVV., La Administración promotora de la igualdad de género, Tirant Lo Blanch, Valencia, 2012.

- Establecer en el futuro (con un plazo determinado) un Plan de conciliación de la vida profesiona y familiar.

- Aumento progresivo de la plantilla femenina de la empresa

En estos casos las consecuencias que puedan establecerse en caso de incumplimiento dependen de la calificación que la misma se haya realizado e incluido en los correspondientes pliegos. En concreto, y de conformidad con el TRLCSP caben las siguientes opciones:

a) Que se le atribuya a la condición el carácter de obligación contractual esencial en cuyo caso su incumplimiento será causa de resolución del contrato (Artículo 223 TRLCSP).

b) Que, de no darle tal carácter de obligación esencial, se prevea la posibilidad de imponer penalidades de acuerdo a lo dispuesto en el artículo 212.1, TRLCSP.

c) Que el incumplimiento sea considerado como infracción grave a los efectos previstos en el artículo 60.2.e, TRLCSP.

Lo más razonable sería optar por dos de ellas de forma gradual: imposición de penalidades y, en su caso, resolución del contrato. En ningún caso parece razonable que el incumplimiento de estas condiciones puedan ser consideradas como causas para no prorrogar las anualidades previstas (Informe Junta Consultiva de Contratación administrativa de la Comunidad Autónoma de Aragón, Informe 16/20014, de 1 de octubre), salvo, por supuesto, que se aprueben Instrucciones o Circulares por el ente de contratación para la inclusión de cláusulas sociales que en los contratos se prevea. Las Administraciones comienzan a atender a estos criterios en sus contrataciones[22]. En todo caso, la eficacia real de estas condiciones especiales de ejecución, no es su mera inclusión en los pliegos correspondientes, sino la supervisión por parte de la Administración contratante de su cumplimiento. Tal y como recuerda el dictamen anterior:

> «*Es decir, de nada sirve recoger en la documentación de la licitación, una codición especial de ejecución tendente a mantener condiciones de*

---

22. Ejemplos: Instrucción 1/2016 relativa a la incorporación de cláusulas sociales en los contratos celebrados por el Ayuntamiento de Madrid, sus Organismos autónomos y entidades del sector público municipal (art.3.5); Instrucción 2/2016, Ayuntamiento de Valencia. Inclusió claúsules socials i lingüístiques en els plecs de condicions que tramite l'Ajuntament de València, Jta. Govern 15-4-2016; Modificació cláusules socials en plecs, cláusules administrativas de l'Ajuntamente de València. Jta. Govern 3-6-2016. La primera de estas instrucciones ha sido objeto de una solicitud de suspensión denegada en el Auto de 26 de septiembre de 2016 del TSJ de Madrid.

trabajo de los trabajadores adscritos al contrato en el que se incorpora la misms, si en la ejecución de la prestación su cumplimiento no es verficado por la Adminsitración, ni se aplican las consecuencias prestas en el contrato para su cumplimiento».

La realidad sin embargo demuestra que es muy poco habitual que la Administración verifique el cumplimiento de las condiciones de ejecución relativas a la igualdad de género, por lo que hasta el momento la inclusión de este tipo de condiciones no ha sido un instrumento eficaz para promover este objetivo social[23]. En este sentido es posible por ejemplo proponer que las Unidades de Igualdad de las distintas Administraciones reciban información anual de aquellos contratos que tuviesen incluidas algunas de estas condiciones de género y puedan realizar su seguimiento[24], con el objeto de garantizar su efectivo cumplimiento.

Otra cuestión que surge sobre este tipo de cláusulas deriva de la duración del contrato, en caso de contratos de escasa duración (tres meses por ejemplo) es bastante improbable que el contratista pueda cumplir con dichas condiciones dado que el tiempo que la preparación o su establecimiento conllevan. En estos supuestos quizás la alternativa más eficaz sería poder exigirlo como criterio de empate en caso de igualdad entre distintos licitadores (algo bastante irrelevante en la práctica) o en el caso que el objeto de contrato esté directamente conectado con la igualdad de género, exigirlo como criterio de solvencia técnica. Supuestos por ejemplo, de contratos destinados a preparar cursos de formación sobre igualdad, atención a vícitmas de violencia de género, etc. Más allá de estos casos, hay que asumir las dificultades de incluir este tipo de obligaciones como condiones especiales de ejecución

III. PROYECTO DE LEY DEL SECTOR PÚBLICO

La Directiva 2014/2016, debía haber sido traspuesta en abril de 2016, pero la transposición a nuestro ordenamiento no se ha producido todavía

---

23. Tal y como destaca el profesor GIMENO FELIÚ (GIMENO FELIÚ, José María, *El nuevo paquete legislativo comunitario sobre contratación pública. De la burocración a la estrategia. (El contrato público como herramientoa de liderazgo institucional de los poderes públicos)*, Thomson Reuters/Universidad de Zaragoza/Ministerio de Economía y Competitividad, Cizur Menor, 2014, p. 43), no cabe descuidar la fase de ejecución: *«aquí radica el cumplimiento de los fines públicos que debe prestar la Administración Pública. Por todo ello, la normativa de los contratos debe tener una "visión completa" de todas las fases del contrato (...)».*

24. En definitiva, es algo parecido a la constitución de Comisión de seguimiento de los Planes de Igualdad de las distintas Administraciones que son una forma de garantizar y evaluar el grado de cumplimiento de los citados Planes.

aunque se ha remitido ya al Congreso de los Diputados el Proyecto de Ley de Contratos del Sector Público. El Proyecto[25] de Ley de Contratos de Sector Público, de 2 de diciembre de 2016, recoge al igual que el TRLCSP actual, tanto lo referente a la posibilidad de incorporar la igualdad de oportunidades como criterio de adjudicación (art. 145.7.g) como criterio en caso de desempate 145.9.e). Más interesante nos parecen otras cuestiones.

La primera de ellas es el artículo 85 relativa a la prueba de los empresarios de no estar incursos en prohibiciones de contratar. En el caso de los cuestiones de igualdad, ya ha sido destacado por la doctrina[26] las dificultades que para la Administración supone la verificación del cumplimiento de las posibles prohibiciones de contratar conectadas con la igualdad: la existencia de sentencia firme o de sanción administrativa (art. 7.13 y art. 8.12, 13 y 13 bis ley de infracciones y sanciones del orden social[27]) sobre cuestiones como el acoso por razón de género, etc. En este caso el nuevo precepto permite que dicha circunstancia pueda producirse a través de *«testimonio judicial o certificación administrativa» según los casos. Cuando dicho documento no pueda ser expedido por la autoridad competente, podrá ser sustituda por una declaración resposable otorgada ante una autoridad administrativa, notario público u organismo profesional cualificado».*

En este sentido, sería conveniente que los pliegos exigiesen entre la documentación que se encuentran obligados a presentar los licitadores, la certificación o la declaración responsable[28] de no estar incursa en alguna

---

25. Según el profesor MORENO MOLINA, José, (*El nuevo Derecho de la contratación pública de la Unión Europea*, Chartridge Books, Oxford, 2015, p. 43): *«Las directivas relativas a la contratación pública y a los contratos en los conocidos como sectores especiales tienen dos grandes objetivos: incrementar la eficiencia del gasto público para garantizar los mejores resultados posibles de la contratación en términos de relación calidad/precio (lo que implica, en particular, simplificar y flexibilizar las normas sobre contratación pública vigentes) y permitir que los compradores utilicen mejor la contratación pública en apoyo de objetivos sociales comunes como la protección del medio ambiente, una mayor eficiencia energética y en el uso de los recursos, la lucha contra el cambio climático, la promoción de la innovación, el empleo y* **la integración social** *y la prestación de servicios sociales de alta calidad en las mejores condiciones posibles».*

26. VALCARCER, P., op. cit.

27. Relativos dichos preceptos al incumplimiento de planes de igualdad, acoso sexual, discriminaciones por razón de género, etc), VALCARCER, p, op. cit., p. 342-343. Sobre esta cuestión también ZAMBONINO PULITO, Maria, «La igualdad efectiva de mujeres y hombres y la contratación de las administraciones públicas en la Ley Orgánica 3/2007, de 22 de marzo», rap, N.° 175, 2008, P. 487.

28. Posibilidad derivada por el art. 59 de la directiva, GIMENO FELIÚ, José María, *El nuevo paquete legislativo…*, op. cit., p. 95.

de estas circunstancias, lo que facilitará la verificación de este requisito subjetivo por parte de la Administración.

En segundo lugar cabe destacar la referencia a las etiquetas contenidas en el art. 127, que en el caso de la promocion de la igualdad puede suponer el impulso de los distintivos de igualdad. En concreto, el art. 127.2 permite incluir una etiqueta en las prescripciones técnicas de los contratos destinados a adquirir obras, suministros o servicios, como medio de prueba de que cumplen determinadas caracterísiticas de tipo medioambiental o social u otro. En el caso de la igualdad ello puede derivarnos a los distintivos públicos de igualdad otorgados por las distintas administraciones[29] siempre obviamente lo anterior tenga vinculación directa con el objeto del contrato.

Obviamente la posibilidad de incorporar estas «etiquetas»[30] (definidas en el apartado 1 del mismo precepto), está sujeta a significativas limitaciones por su posible incidencia en la libre concurrencia y la prohibición de discriminación. Es por ello que se exige como con anterioridad su vinculación al objeto del contrato, su carácter no discriminatorio, su posible verificación, pero sobre lo que cabe sin duda destacar es la obligación de detallar con claridad las caracteristicas a las que se alude con la referida etiqueta (apartado 5). Las etiquetas en las que aparentemente está pensado el legislador es la ecologica o medioambiental, pero la referencia a etiqueta de carácter «social», no solo permite incluir el comercio justo sino igualmente los distintivos de igualdad si el servicio o suministro objeto del contrato está conectado por ejemplo con las mujeres (centro de atención mujeres 24 horas, casas de acogida, puntos de encuentro, etc.).

En el caso de los distintivos de igualdad, son una manifestación de la responsabilidad social de la empresa[31] y su solicitud es voluntaria. Esta co-

---

29.   La Ley Orgánica de Igualdad efectiva de Mujeres y Hombres asocia por primera vez la Igualdad de Oportunidades a la calidad empresarial (art. 50) y a pesar de sus diversos desarrollos autonómicos con carácter estatal este distintivo se regula en la actualidad por el RD 1615/2009, de 26 de octubre, reformado por el RD 850/2015, de 28 de septiembre. Sobre el mismo, MELERO BOLAÑOS, Rosa y NÚÑEZ-CORTÉS CONTRERAS, Pilar, «El distintivo de igualdad: un nuevo indicador de calidad en la gestión de los recursos humanos», Temas Laborales, Revista Andaluza de trabajo y Bienestar Social, n.º 110, 2011, pp. 127-148.

30.   El art. 127.1 del Proyecto establece: «*A los efectos de esta Ley, se entenderá por "etiqueta": cualquier documento, certificado o acreditación que confirme que las obras, productos, servicios, procesos o procedimientos de que se trate cumplen con determinados requisitos*».

31.   MELERO BOLAÑOS, Rosa y NÚÑEZ-CORTÉS CONTRERAS, Pilar, «El distintivo de igualdad: un nuevo indicador de calidad en la gestión de los recursos humanos», Temas Laborales, Revista Andaluza de trabajo y Bienestar Social, n.º

nexión con la responsabilidad social de la empresa explica también ciertas iniciativas legislativas autonómicas que pretenden crear distintivos genéricos de responsabilidad social que serán debidamente registrados[32].

En materia de igualdad, al margen del distintivo estatal que posee una vigencia de tres años, otras Comunidades Autónomas han creado los distintivos correspondientes que suelen ser de vigencia menor (un año). En todo caso, para evitar una eventual discriminación, el propio texto recuerda que se permite distintivos equivalentes que reunan las caracterísitcas del específicamente señalado.

En tercer lugar, otra cuestión que es interesante resaltar es la posibilidad de incluir la existencia de Planes de Igualdad en los pliegos, bien como criterio de solvencia técnica, bien como criterio de preferencia en la adjudicación. Sobre esta cuestión surgen dos asuntos, el primero el relativo a las empresas que de conformidad con la ley de Igualdad han de poseer dichos planes (empresas de más de 250 empleados) en cuyo caso la duda que surge es si dicha referencia podría incluirse como criterio de solvencia técnica si esta circunstancia está directamente conectada con el objeto del contrato. En este primer supuesto entiendo que ello sería posible siempre que fuese claramente establecido en los pliegos y fuese objeto de publicación. La duda que surge es si la imposición de este requisito puede ser discriminatorio para las empresas no nacionales y que por tanto no están sujetas a la LO 3/2007[33].

Al margen de las empresas que se encuentran a elaborar dichos Planes de Igualdad, la existencia de dichos planes podría incluirse tanto como criterio de mejora, como criterio de desempate entre dos licitadores en caso de nuevo que estuvise conectado con el objeto del contrato, o simplemente como condición especial de ejecución[34].

110, 2011, pp. 127-148; MENÉNDEZ SEBASTIÁN, Eva, «Posibles medidas de fomento de la Administración: la preferencia en la contratación, las subvenciones y el distintivo de igualdad como ejemplo», AAVV., *La Administración promotora de la igualdad de género*, Tirant Lo Blanch, Valencia, 2012.

32. Tal es el caso por ejemplo del Anteproyecto de ley de la Generalidad para el fomento de la responsabilidad social (4 de julio de 2016) que incluye en diversos preceptos referencias a la contratación que favorezca la igualdad de oportunidades, caso por ejemplo del art. 13 o menciona expresamente la creación de un distintivo de «Empresa socialmente responsable».

33. Puede incluirse en el objeto del contrato si tiene conexión directa.

34. También se alude a la posibilidad de incluir Planes de Conciliación. Este es el caso por ejemplo de la prescripción técnica 11, del Pliego de Prescripciones técnicas que habrán de regir el contrato administrativo de atención a la infancia en el entorno familiar en diez distritos el municipio de Madrid, de 13 de abril de 2016: «*La empresas adjudicataria deberá establecer medidas que favorezcan la conciliación de*

IV. CONCLUSIONES

La inclusión de perspectivas de género en la contratación se encuentra en la realidad rodeada de una significativa inseguridad. Sin embargo, es conveniente recordar con el profesor RODRIGUEZ ARANA[35] que los principios generales del Derecho comunitario de la contratación otorgan certeza en la aplicación e interpretación que permiten que los Estados alcancen los objetivos públicos. Por tanto, será la invocación a los principios generales comunitarios de transparencia (reativos a los criterios de género en la adjudiciación), no discriminación (vinculación con el objeto del contrato) y trato no discriminatorio, los que permitan una interpretación clara de las posibilidades de instrumentalizar la contratación para alcanzar una igualdad efectiva entre hombres y mujeres.

---

la vida personal y laboral de las personas adscritas a la ejecución del contrato, tales como: realiación de la formación interna de la organización en horario laboral; no establecer reuniones en tiempos límites de horario de salida (…)». O la condición especial de ejecución número 2 que impone formación en materia de igualdad y conciliación de 2 horas conn carácter anual.
35. RODRIGUEZ ARANA, Jaime, «Los principios del Derecho Global de la contratación pública», REDA, n.° 179, 2016, p. 47.

Capítulo 4

Desvirtuando la naturaleza del contrato menor

BEATRIZ VÁZQUEZ FERNÁNDEZ

Técnico de la Administración General
*Doctorando en la Universidad de Oviedo-Área de Derecho Público**

SUMARIO: I. NATURALEZA Y SENTIDO DE LOS CONTRATOS MENORES II. EVOLUCIÓN HISTÓRICA III. PERSPECTIVA ACTUAL: PRESENTE Y FUTURO DEL CONTRATO MENOR IV. CONCLUSIONES

RESUMEN Si en nuestro ordenamiento jurídico existe un procedimiento contractual que se caracteriza por la sencillez y agilidad en su tramitación, ese es el contrato menor. Ahora bien, la necesidad de fomentar la transparencia de las administraciones públicas en su actividad contractual, las ha llevado en los últimos años a aumentar los requisitos exigidos para la celebración de dichos contratos, imponiéndose voluntariamente una serie de exigencias que pueden desvirtuar la naturaleza de los mismos .

Frente a estas nuevas exigencias autoimpuestas por los órganos de contratación, nos encontramos con la regulación de las últimas Directivas Europeas en materia contractual y con el Proyecto de Ley de Contratos del Sector Público español, en los que se fomenta la simplificación de los procedimientos y la eliminación de trabas administrativas para favorecer la participación de las PYME en las licitaciones.

La reflexión que ahora llevamos a cabo, consiste en examinar una realidad que parece estar derivando hacia una mayor rigidez de la figura del contrato menor, tal y como está regulada en la legislación vigente y en la que, lo más apropiado sería encontrar un equilibrio que permita conservar su naturaleza mejorando al mismo tiempo, aspectos que favorezcan su publicidad y transparencia.

INTRODUCCIÓN El objetivo de la presente comunicación consiste en plantear cómo ha evolucionado la figura del contrato menor en la práctica diaria de las administraciones públicas desde su creación hasta la actualidad, y si la constante preocupación de las administraciones públicas

---

* Director: Javier García Luengo, Profesor Titular de Derecho Administrativo de la Universidad de Oviedo.

por obtener una mayor transparencia en su actividad contractual, está alterando su esencia.

Este tipo de contratos, que nació como una excepción a los procedimientos ordinarios –por razones no solamente económicas– y con el que se obtiene una importante simplificación en la tramitación del expediente, puede estar convirtiéndose en una pseudoespecie de procedimiento abierto que altere notablemente su naturaleza, pero no por voluntad del legislador sino por parte de quienes lo utilizan de forma habitual y que, voluntariamente, han decidido imponerse una serie de obligaciones que superan a lo establecido en la regulación. Esto es así porque frente a la naturaleza de este tipo de contratos que favorece la adjudicación directa al empresario seleccionado por el órgano de contratación; se encuentra la necesidad de dichos órganos, de hallar mecanismos que aporten a sus actuaciones una mayor seguridad jurídica con el objetivo de lograr una mayor transparencia y objetividad.

Por ello, nos planteamos si se está forzando la transformación de este tipo de contratos, haciendo que pierdan su naturaleza original; y si es así, debemos analizar si esta alteración viene exigida en los nuevos cambios legislativos, o si son las propias administraciones, usuarias de este tipo de contrato, las que han fomentado esa transformación.

I. NATURALEZA Y SENTIDO DE LOS CONTRATOS MENORES

La figura del contrato menor es un instrumento que, por razón de su cuantía disfruta de una tramitación especial que agiliza y simplifica el procedimiento establecido para aquellos otros contratos que superen dicha cuantía económica, fijada por la norma en vigor.

A pesar de la magnitud del actual texto normativo en materia contractual, de sus 334 artículos, 36 disposiciones adicionales, 10 disposiciones transitorias y 6 disposiciones finales; el Real Decreto Legislativo 3/2011, de 14 de noviembre, por el que se aprueba el texto refundido de la Ley de Contratos del Sector Público, en adelante TRLCSP; solamente dedica dos artículos a este tipo de contratos[1] dando así el legislador evidencias de que debido a su simplicidad, no requiere de un mayor detenimiento; y así continúa en la redacción del Proyecto de Ley de Contratos del Sector Público, por el que se transponen al ordenamiento jurídico español las Directivas del Parlamento Europeo y del Consejo, 2014/23/UE y 2014/24/UE, de 26 de febrero de 2014, en el que nuevamente, sólo se dedican dos artículos a los contratos

---

1. Art. 111 y 138 del Real Decreto Legislativo 3/2011, de 14 de noviembre, por el que se aprueba el texto refundido de la Ley de Contratos del Sector Público.

menores[2]. Ahora bien, los principios fundamentales de la contratación del sector público[3], también resultan aplicables a este tipo de contratos.

Pues bien, en tan sólo dos artículos, el legislador otorga a este tipo de contratos una serie de características que permiten desarrollar una inmensa actividad contractual; así, además de unos límites económicos, –inferior a 18.000 € para los contratos de servicios y suministros, e inferior a 50.000 € para los contratos de obras– se caracteriza el contrato menor por un límite temporal, ya que no puede exceder el año, y porque no cabe la prorroga ni la revisión de precios.

Junto con los límites anteriormente indicados, se recogen una serie de particularidades en cuanto a su perfección y formalización. En primer lugar, permite no realizar formalización alguna del contrato, siendo únicamente exigible la aprobación del gasto, y la incorporación al expediente de la factura correspondiente; y para el caso de los contratos de obras, se añade la necesidad de incorporar el presupuesto además de la existencia del correspondiente proyecto cuando lo establezcan normas específicas.

Así mismo, admite la posibilidad de eludir la necesidad de dar publicidad previamente a la licitación, permitiendo al órgano de contratación la posibilidad de seleccionar al contratista con la única exigencia de cumplir los requisitos necesarios para contratar con la administración, esto es, que posea capacidad de obrar y que cuente con la habilitación profesional necesaria para realizar la prestación de que se trate en cada caso.

Por lo tanto, no se exigen prácticamente, ninguno de los requisitos del procedimiento ordinario, es decir, la necesidad de elaboración de pliegos particulares que vayan a regir la posterior formalización y ejecución del contrato; la obligación del contratista de constituir garantía definitiva, dar publicidad a la licitación, etc. y desaparece la posibilidad de que una licitación quede desierta, favoreciendo además, la contratación con PYMES y autónomos del ámbito territorial más cercano a la administración contratante, mejorando así el mercado local.

Como resultado, nos encontramos con un tipo de contrato que ofrece la posibilidad de agilizar las necesidades del órgano de contratación respetando una serie de requisitos muy elementales.

---

2. Art. 29.8 y 118 del Proyecto de Ley de Contratos del Sector Público, por el que se transponen al ordenamiento jurídico español las Directivas del Parlamento Europeo y del Consejo, 2014/23/UE y 2014/24/UE, de 26 de febrero de 2014.

3. Real Decreto Legislativo 3/2011, de 14 de noviembre, por el que se aprueba el texto refundido de la Ley de Contratos del Sector Público. Art. 1 «*La presente Ley tiene por objeto regular la contratación del sector público, a fin de garantizar que la misma se ajusta a los principios de libertad de acceso a las licitaciones, publicidad y transparencia de los procedimientos, y no discriminación e igualdad de trato entre los candidatos...*».

II. EVOLUCIÓN HISTÓRICA

A pesar de la abundante regulación en materia contractual que ha sido aprobada a lo largo de nuestra historia –el primer texto escrito en materia contractual que ha llegado a nuestros días data de mediados del siglo XIX[4]–, la primera referencia a la denominación **contratos menores** propiamente dicha, no se produce hasta la Ley 13/1995, de 18 de mayo, de Contratos de las administraciones públicas, en cuyo artículo 57 señala que los contratos menores *se definirán exclusivamente por su cuantía,* característica principal que define a estos contratos y que ha permanecido inalterable hasta nuestros días, restringiendo así su naturaleza a una cuestión esencialmente económica.

Previamente, el Decreto 923/1965, de 8 de abril, por el que se aprueba el texto articulado de la Ley de Contratos del Estado, mencionaba los «suministros menores» en su artículo 86 entendiendo como tal, los que no excedieran de 25.000 ptas., y el Reglamento General del año 1967[5] para la aplicación de la Ley de Contratos del Estado, habla de «obras de reparaciones menores» en su artículo 57 apartado b).

A pesar de estas menciones, podemos afirmar que el antecedente directo de los contratos menores se encuentra en las excepciones que a lo largo de los años se venían enumerando en las normas de materia contractual, entendiendo como tales a aquellos que no han de seguir la misma tramitación exigida al resto de contratos.

Así, en el Real Decreto de Juan Bravo Murillo del año 1852, se hace referencia a una serie de supuestos tasados que se exceptúan *de las solemnidades de las subastas y remates públicos,* pero en los que no sólo se toma como criterio la cuantía económica, que también; sino que se incluyen asuntos como los siguientes:

– Objetos cuyo productor disfrute de privilegio de invención o introducción.

– Aquellos en que no haya más que un solo productor, o los que versen sobre objetos que no haya más de un poseedor.

– Supuestos de reconocida urgencia o de seguridad jurídica.

---

4. Gaceta de Madrid núm. 6460 de 29 de febrero de 1852. http://www.boe.es/datos/pdfs/BOE/1852/6460/A00001-00002.pdf

5. Decreto 3354/1967, de 28 de diciembre, por el que se aprueba el Reglamento General de Contratación para la aplicación de la Ley de Contratos del Estado, texto articulado, aprobado por Decreto 923/1965, de 8 de abril.

- Contratos de explotación, fabricación o abastecimiento que se hagan por vía de ensayo.

- Aquellos casos en los que se hayan realizado dos subastas consecutivas sin haber licitadores, respetando el precio fijado en las condiciones.

Estos supuestos fueron variando moderadamente en las leyes posteriores en las que se introdujeron asuntos como *la elaboración de objetos de arte cuya ejecución solo pueda ser confiada a artistas especiales; causas excepcionales que hagan que no convenga promover la concurrencia; transporte de personal, material y efectos para servicios de la Administración Públicas; ejecución o reparación de obras de notorio carácter artístico; aquello que se tenga que realizar, necesariamente en el extranjero*; etc.

Sin embargo, refiere una mención especial, el hecho de que el Real Decreto del año 1852, en lo que a límites económicos se refiere, recoja en los primeros apartados de su artículo 6, y en orden de importancia, de mayor a menor, tres excepciones diferentes por razón de su cuantía y por número de suministros, en función del órgano con el que se verifique el concierto. Así se establece lo siguiente:

* En primer lugar, si se verifica con uno de los Ministros de la Corona, quedarán exceptuados los contratos que no excedan de 30.000 reales en su importe total o seis mil entregas anuales.

* En segundo lugar, si se verifica por las Direcciones Generales, los límites se reducen a 15.000 reales o tres mil entregas anuales.

* Finalmente, si el contrato se celebra por delegación en las provincias y se autorizase para ello por el Gobierno o su delegado, se reduce aún más, a 5.000 reales y mil entregas anuales.

Resulta significativo que esta diferenciación, que ya se establecía en el siglo XIX en función del órgano que celebrase el contrato y vinculada muy probablemente no solo a la autoridad del mismo, sino también a su capacidad de gasto; no haya llegado hasta nuestros días, ya que de ser así, se podrían distinguir diferentes tipos de contratos menores en función de la capacidad económica de la administración actuante y no solo por la clasificación del contrato. Esa posible diferenciación aportaría una mayor transparencia y seguridad jurídica a las actuaciones de administraciones con recursos económicos limitados. Resulta evidente que no se puede dar la misma importancia a dos contratos menores de la misma cuantía pero celebrados por administraciones con presupuestos significativamente diferentes; por poner un ejemplo, la obra menor de un Ministerio como el de Fomento, puede suponer, con la misma cuantía en un municipio de tercera categoría y con un presupuesto significativamente inferior, la obra principal del gasto de su presupuesto anual. Al equiparar con la misma cuantía a todos los contratos menores no se ha logrado un equilibrio sino más bien, todo lo contrario.

III. PERSPECTIVA ACTUAL: PRESENTE Y FUTURO DEL CONTRATO MENOR

Desde el año 2013, con la aprobación de la Ley 19/2013, de 9 de diciembre, de transparencia, acceso a la información pública y buen gobierno, en adelante LTBG, las administraciones públicas se han visto obligadas a aumentar la transparencia en sus actuaciones.

Por lo que se refiere a la materia contractual, el artículo 8.1 LTBG señala que: «*Los sujetos incluidos en el ámbito de aplicación de este título deberán hacer pública, como mínimo, la información relativa a los actos de gestión administrativa con repercusión económica o presupuestaria que se indican a continuación:*

> *a) Todos los contratos, con indicación del objeto, duración, el importe de licitación y de adjudicación, el procedimiento utilizado para su celebración, los instrumentos a través de los que, en su caso, se ha publicitado, el número de licitadores participantes en el procedimiento y la identidad del adjudicatario, así como las modificaciones del contrato. Igualmente serán objeto de publicación las decisiones de desistimiento y renuncia de los contratos. La publicación de la información relativa a los contratos menores podrá realizarse trimestralmente.*
>
> *Asimismo, se publicarán datos estadísticos sobre el porcentaje en volumen presupuestario de contratos adjudicados a través de cada uno de los procedimientos previstos en la legislación de contratos del sector público*».

Tras la entrada en vigor de la LTBG, el Ministerio de la Presidencia publicó una nota informativa sobre la aplicación de la ley respecto a la publicidad de los contratos menores[6], evidenciando de nuevo, que goza de particularidades diferentes frente al resto de contratos.

Por su parte, las administraciones públicas, han querido aumentar el grado de transparencia en la celebración de sus contratos menores más

---

6. https://contrataciondelestado.es/wps/wcm/connect/23e65f92-e30e-45ed-8cf1-49cc0e9c77dd/MenoresTransparencia.pdf?MOD=AJPERES

allá de lo establecido en las leyes, y la tendencia ha sido la imposición voluntaria de una serie de requisitos para la tramitación de los mismos. Así, mientras que la regulación estatal establece una serie de mínimos para este tipo de contratos, nada impide que las administraciones se autoimpongan unos sistemas más rígidos para celebrar contratos menores, con el ánimo de favorecer el acceso a las licitaciones a un mayor número de empresarios, incluso más allá de las fronteras nacionales; obtener una oferta más económica en las adjudicaciones, y reforzar el cumplimiento de los principios de publicidad y transparencia. Para ello, se introducen reglas de actuación en las que será necesaria la petición de ofertas a varias empresas, la presentación de las mismas por parte de los empresarios en sobre cerrado en el Registro General del órgano de contratación, la aprobación formal de la adjudicación, etc. Ello ha supuesto la pérdida de la agilidad y sencillez del procedimiento, tal y como se contempla en el TRLCSP y el aumento de cargas administrativas; al mismo tiempo se ha abierto la posibilidad de recurso a los licitadores.

Sin embargo, si este cambio se ha propiciado, es porque se ha considerado, por quienes han decidido llevarlo a cabo, que es preferible aumentar las cargas administrativas para favorecer la transparencia, frente a la posible imagen de oscurantismo que podrían parecer mostrar las administraciones en caso de llevar a cabo una adjudicación directa, que no olvidemos, está permitida por la ley.

Además, en los últimos tiempos, el nivel de auto exigencia ha ido en aumento con la implantación de plataformas informáticas para la adjudicación de los contratos menores, abriendo la posibilidad de presentar ofertas no sólo a los licitadores invitados por el órgano de contratación sino a todos aquellos que deseen acceder a la licitación. Así, Ayuntamientos como Gijón, Langreo, Madrid, el Concejo de Burela o la Diputación de Orense han puesto en marcha estos sistemas de licitación electrónica para los contratos menores.

La transformación ha consistido en un incremento paulatino de los requisitos exigidos en este tipo de contratos. Así, inicialmente se lleva a cabo una petición de ofertas a varias empresas –habitualmente un mínimo de tres–, preferiblemente por correo electrónico para que conste formalmente la petición y las empresas invitadas. Desaparece por tanto la adjudicación directa. Posteriormente se exige que las ofertas se presenten en sobre cerrado en un plazo de tiempo determinado, al igual que ocurriría si estuviésemos tramitando un procedimiento ordinario, aunque este suele ser más reducido para que no se demore excesivamente en el tiempo. También suele ser habitual, que para lograr mayor objetividad se indiquen las características técnicas demandadas por la administración contratante, así como los criterios de ejecución; todo ello trae consigo un aumento de la rigidez en el momento de la apertura y valoración de las ofertas, llegando a solicitar la presentación de una declaración responsable para poder participar en el procedimiento. Para dejar constancia de dicha apertura, se puede redactar un acta; y tras la selección del contratista, este deberá depositar una garantía definitiva, y presentar la documentación correspondiente a su situación fiscal. Los requisitos aumentan, dando formalización a la adjudicación a través de una Resolución, abriendo así la posibilidad al resto de los invitados a la licitación, a presentar recurso.

Pues bien, con las licitaciones informáticas de contratos menores, todas estas exigencias no se suavizan sino que se pueden incrementar, ya que con la publicidad que se le da al procedimiento, no es necesario llevar a cabo una invitación directa a los empresarios, sino que, cualquiera puede acceder y presentar su oferta, ya sean empresas de cualquier parte del territorio nacional e internacional.

En este sentido, la aprobación de las Directivas de cuarta generación en materia de contratación pública ha supuesto el impulso definitivo para la utilización de medios electrónicos en las licitaciones públicas, al establecer la obligación de garantizar que todas las comunicaciones y todos los intercambios de información, en particular la presentación de ofertas, se lleven a cabo utilizando medios de comunicación por medios electrónicos[7]. En este sentido, el Proyecto de Ley de Contratos del Sector Público, por el que se transponen al ordenamiento jurídico español las Directivas del Parlamento Europeo y del Consejo, 2014/23/UE y 2014/24/UE, de 26 de febrero de 2014, se ocupa de las normas relativas a los medios de comunicación utilizables en los procedimientos regulados en esta ley, en las Disposiciones adicionales decimoquinta, decimosexta y decimoséptima.

Ahora bien, debemos plantearnos si esta obligación resulta de aplicación a los contratos menores y, en caso afirmativo, hasta qué punto. Es

---

7. DIRECTIVA 2014/24/UE DEL PARLAMENTO EUROPEO Y DEL CONSEJO de 26 de febrero de 2014 sobre contratación pública y por la que se deroga la Directiva 2004/18/CE. Artículo 22 Normas aplicables a las comunicaciones 1. *Los Estados miembros garantizarán que todas las comunicaciones y todos los intercambios de información en virtud de la presente Directiva, y en particular la presentación electrónica de ofertas, se lleven a cabo utilizando medios de comunicación de conformidad con los requisitos establecidos en el presente artículo. Las herramientas y dispositivos que deban utilizarse para la comunicación por medios electrónicos, así como sus características técnicas, serán no discriminatorios, estarán disponibles de forma general y serán compatibles con los productos informáticos de uso general, y no restringirán el acceso de los operadores económicos al procedimiento de contratación.*

decir, ¿se han de incorporar necesariamente todos los requisitos de los procedimientos ordinarios, eliminando así la esencia del contrato menor o solamente algunos de ellos? En todo caso, esta alteración del procedimiento de los contratos menores, trae consigo una pérdida, en mayor o menor medida, de sus rasgos característicos de sencillez y agilidad.

En este punto, hay que recordar que el artículo 31.2 de la Constitución Española se refiere a la utilización del gasto público conforme a los criterios de eficiencia y economía[8]; artículo que ha de ponerse en relación con el artículo 22 del TRLCSP referido a la eficiencia en la contratación pública. Así mismo, la propia Directiva 2014/24/UE habla de las cargas administrativas en la contratación pública como un obstáculo para muchos operadores económicos, en concreto las PYME[9] y por ello potencia la posibilidad de los poderes adjudicadores de gozar de una mayor flexibilidad favoreciendo las negociaciones y el comercio transfronterizo[10]. Por su parte el apartado II, de la Exposición de Motivos del Proyecto de Ley de Contratos del Sector Público, establece como objetivos que inspiran la regulación de la presente ley, lograr una mayor transparencia en la contratación pública, la necesidad de simplificación de los trámites y con ello, de imponer una menor burocracia para los licitadores y mejor acceso para las pymes, además de un proceso de licitación que debe resultar más simple, con la idea de reducir las cargas administrativas; y para ello se crea un nuevo procedimiento abierto simplificado[11] que, como dice en el apartado IV de dicha Exposición de Motivos «nace con la vocación de convertirse en un procedimiento muy ágil».

Por eso, si en el contrato menor, tal y como está regulado actualmente, esos objetivos ya existen, puede resultar contradictorio este nuevo planteamiento, en el que las administraciones han decidido aumentan los requisitos para su tramitación frente a la necesaria reducción de cargas administrativas y simplificación de los procedimientos de la que nos habla la nueva regulación.

IV. CONCLUSIONES

Como hemos visto, a pesar de la sencilla regulación que las normas contractuales han establecido para la figura de los contratos menores, con

---

8. Art. 31.2 CE: «*El gasto público realizará una asignación equitativa de los recursos públicos, y su programación y ejecución responderán a los criterios de eficiencia y economía*».
9. Considerando 84 de la Directiva 2014/24/UE.
10. Considerandos 42 y 44 de la Directiva 2014/24/UE.
11. Art. 157 del Proyecto de Ley de Contratos del Sector Público.

la que se facilita la agilidad del procedimiento, la eliminación de cargas administrativas y la posible adjudicación directa al empresario seleccionado por el órgano de contratación; la tendencia de los últimos años por parte de las administraciones públicas, consiste en establecer sus propios requisitos, por encima de los mínimos establecidos en la propia norma que los regula, con el fin de alcanzar una mayor transparencia y seguridad jurídica en sus actuaciones; y ello, a pesar de que dichas exigencias, supongan mayores trabas administrativas, retrasos en las adjudicaciones, licitaciones desiertas,…

La entrada en vigor de la nueva Ley de Contratos, traerá consigo la obligación transpuesta de las Directivas Comunitarias, de llevar a cabo las relaciones en materia contractual a través de medios informáticos, pero es cuestionable si la totalidad de la tramitación de los contratos menores ha de llevarse a cabo a través de estos medios o si solamente, sería necesario llevar a cabo por la vía telemática las comunicaciones referidas a la petición de ofertas y la adjudicación del contrato.

Además, las exigencias de eficiencia en la contratación pública, junto con la necesidad de simplificar los trámites e imponer una menor burocracia para los licitadores y mejorar el acceso a las pyme, al tiempo que lograr una reducción de cargas administrativas, chocan con el establecimiento de nuevos requisitos en los contratos menores, ya que, si en algún procedimiento se puede hablar de reducción de cargas administrativas y simplificación de trámites es, sin lugar a dudas, en la contratación menor.

En todo caso, parece que la naturaleza del contrato menor, tal y como fue concebido en su origen, se ha desvirtuado en los últimos años en un intento de hacer prevalecer otros requisitos de la contratación de los que el contrato menor se veía exceptuado. Por tanto, si la demanda establece la necesidad de un cambio, se debería intentar conseguir un equilibrio en el que, fomentando una mayor participación empresarial, al mismo tiempo resultase factible conservar la agilidad que los caracteriza sin incrementar excesivamente las cargas administrativas, y todo ello de la mano de las nuevas tecnologías; y no debería desecharse recuperar las excepciones del Real Decreto de 1852, y clasificar los contratos menores no sólo por su cuantía sino también en función del tipo de órgano de contratación que los aplique y de su presupuesto.

Capítulo 5

Los postestad dictaminadora de la Contraloría General de la República de Chile como mecanismo de tutela administrativa de los derechos de los contratistas

ROCÍO PARRA CORTÉS*

SUMARIO: I. CONSIDERACIONES PRELIMINARES II. ANÁLISIS NORMATIVO, DOCTRI-
NARIO Y JURISPRUDENCIAL JUDICIAL III. LÍMITE A LA POTESTAD DICTAMI-
NADORA: ASUNTOS DE CARÁCTER LITIGIOSO IV. ANÁLISIS CASUÍSTICO V.
CONCLUSIÓN

RESUMEN   La presente comunicación da cuenta de una de las atribuciones con que cuenta la
Contraloría General de la República para controlar el principio de legalidad de los
órganos de la Administración del Estado en Chile: su potestad dictaminadora.
    A través de un análisis normativo, doctrinal y jurisprudencial, el objetivo de este
trabajo es abordar tal potestad desde la visión del particular, es decir, como un mecanismo de tutela administrativa de los derechos de los contratistas.

I.   CONSIDERACIONES PRELIMINARES

La Constitución Política de la República contempla un órgano superior de fiscalización de la Administración del Estado, que goza de autonomía frente al Poder Ejecutivo y demás órganos públicos, denominado
Contraloría General de la República (CGR)[1].

---

1.   CPR, art. 98.° inc. I

Su rol es eminentemente fiscalizador de carácter jurídico, contable y financiero, destinado a cautelar el principio de legalidad, es decir, verificar que los órganos de la Administración del Estado actúen dentro del ámbito de sus competencias, con sujeción a los procedimientos que la ley contempla y utilizando los recursos públicos eficiente y eficazmente[2].

La Constitución radica expresamente en él el control de legalidad de los actos administrativos, entre cuyas manifestaciones están el trámite de toma de razón[3] y la potestad dictaminadora de la CGR.

II. ANÁLISIS NORMATIVO, DOCTRINARIO Y JURISPRUDENCIAL JUDICIAL

Normativamente, la potestad dictaminadora encuentra su sustento constitucional en el art. 98.° inc. I de la CPR en virtud del cual se le encomienda a la CGR un control amplio de legalidad de los actos de la Administración del Estado.

En cumplimiento de tal mandato constitucional, el inc. II del art. 5.° de la LOCCGR reconoce la potestad de la CGR de emitir informes –denominados dictámenes– a petición de las jefaturas de los órganos públicos, de otras autoridades y de particulares, con el propósito que el órgano contralor resuelva sus consultad jurídicas.

La doctrina ha definido un dictamen como «un informe en Derecho o interpretación jurídica emanada de la Contraloría General de la República sobre materias que son de su competencia, (...) cuya emisión constituye

---

2. Ver www.contraloria.cl (Última revisión: 18 de enero de 2017), en relación con los arts. 1°, 5°, 6°, 9° y 16 de la Ley N° 10.336 de organización y atribuciones de la Contraloría General de la República –en adelante, LOCCGR–.

3. BERMÚDEZ SOTO, Jorge, *Derecho Administrativo General3* (Santiago, Thomson Reuter-Abeledo Perrot, 2014), p. 395. En base a lo prescrito en el art. 99.° de la CPR, el trámite de toma de razón –cuyo examen excede el propósito de la presente comunicación–, en base a lo prescrito en el art. 99.° de la CPR, es aquel mecanismo a través del cual la CGR materializa su función de control preventivo de la legalidad de los actos de la Administración del Estado ejercido por la CGR. En materia de compras públicas, la Resolución N.° 1.600 de 2008 de la CGR, en su Título III, establece como regla general la exención de dicho trámite. Excepcionalmente, sí deberán someterse a toma de razón licitaciones públicas cuyo monto sea superior a las 5.000 UTM, mientas que en el caso de las licitaciones privadas y los compras por trato directo, se deberán someter aquellas cuyo monto sea superior a 2.500 UTM. En los casos previamente expuestos, cuando hayan sido celebrados a través de convenios marcos suscritos por ChileCompra estarán exentos del trámite de toma de razón.

una verdadera interpretación de la ley, relativa a la forma en que ésta debe ser entendida, siendo instrucciones para los jefes de servicios y fiscales, y, por tanto, vinculantes»[4].

Es dable entender entonces que se trata de manifestaciones de voluntad del órgano controlar con poder de compeler y corregir el actuar de los órganos de la Administración, especialmente en lo que interesa, para corregir el actuar de las entidades licitantes en los procesos de compras públicas.

En este punto, y de conformidad a lo prescrito en el art. 3.° inc. VI de la Ley de Bases de Procedimiento Administrativo –en adelante, LBPA–, los dictámenes no se tratan únicamente de meras declaraciones del órgano contralor, sino que son actos administrativos ejecutables respecto de sus destinatarios[5].

Así, no solo representan un informe respecto de la legalidad del actuar de los órganos públicos, sino que también, en el evento de que así sean planteados, se trata de «órdenes expresas en virtud de las cuales la CGR instruye a los entes de la Administración del Estado a apegar su actuar al criterio jurídico del órgano contralor, so pena de incurrir en una falta disciplinaria en caso de desobediencia, la cual acarreará la correspondiente responsabilidad administrativa del funcionario emplazado. Lo anterior, en el entendido de que los dictámenes se integran a la ley interpretada y son aplicables a todas las situaciones de contexto análogo y/o entidades de la Administración del Estado a las cuales les sean aplicables, aún de forma indirecta, desde el momento de su entrada en vigencia»[6].

En el fondo, como puede advertirse ya, «el camino interpretativo de la CGR deviene, en argumentos tanto de orden constitucional como legal. En efecto, como se ha visto, la potestad dictaminadora es uno de los mecanismos que ha entregado el Legislador a la CGR para que cumpla con su mandato constitucional de vigilar la adecuación de los actos de la administración al principio de legalidad»[7].

---

4. BERMÚDEZ SOTO, Jorge, cit. (n 3), p. 404,
5. LBPA, art. 3.° inc. VI dispone «*Constituyen, también, actos administrativos los dictámenes o declaraciones de juicio, constancia o conocimiento que realicen los órganos de la Administración en el ejercicio de sus competencias*» (énfasis añadido).
6. GEPP MURILLO, Ignacio y MUÑOZ BALHARRY, Alfonso, *Potestad dictaminadora de la Contraloría General de la República* (Santiago, Memoria Escuela de Derecho, Universidad de Chile, 2013), p. 96
7. Ibíd., p. 46 y 47

En línea con lo previamente señalado, la jurisprudencia judicial ha señalado que cuando la CGR emite un dictamen lo hace «en ejercicio de la potestad dictaminadora del órgano contralor que, entre otras facultades, le permite fijar la correcta interpretación de las normas jurídicas que rigen la actividad de los órganos administrativos cuando ella ha sido realizada de modo erróneo por éstos últimos»[8].

Ello normalmente presupone una discrepancia de criterios entre un particular y un órgano de la Administración que la CGR viene en resolver, lo que conlleva ser una especie de mecanismo de tutela administrativa que, en opinión de Gepp Murillo y Muñoz Balharry, pasaría a ser un «tipo particular de contencioso-administrativo»[9].

En definitiva, es posible considerar a la potestad dictaminadora de la CGR como uno de los mecanismos de tutela administrativa con los que cuentan los contratistas a la hora de impugnar aquellos actos administrativos que, en el marco de los procesos licitatorios, se han apartado del derecho.

Se trata de una vía concreta en virtud de la cual un particular puede recurrir al órgano contralor si sus derechos e intereses son vulnerados al no ser, por ejemplo, tratado igualitariamente en la aplicación de las bases administrativas de un determinado proceso licitatorio; o bien en caso que se restrinja la libertad de concurrencia de los oferentes al llamado administrativo.

La principal razón es que toda persona es un potencial contratante del Estado. En efecto, el ordenamiento jurídico le reconoce a tal individuo el derecho a participar en una licitación y de contratar con la Administración, «sin que autoridad o persona alguna pueda impedirlo, puesto que ello sería manifestación de una discriminación arbitraria»[10]. Actuar en forma contraria implicaría, entonces, vulnerar las garantías constitucionales reconocidas en los numerales 2.° y 22.° de la CPR.

Así, no solo se transgredirían normas de rango constitucional, sino directamente principios generales de la contratación pública, consagrados en la Ley de Bases Generales de la Administración del Estado, cuyo art. 8.°

---

8. Corte de Apelaciones de Santiago, Rol N.° 196-2011, sentencia de fecha 19 de diciembre de 2012, considerando 3.°. Tal sentencia fue confirmada por la Corte Suprema de Chile, en fallo de fecha 30 de enero de 2013, Rol N.° 17-2013.

9. Gepp Murillo, Ignacio y Muñoz Balharry, Alfonso, cit. (n. 6), p. 47

10. Moraga Klenner, Claudio, *Contratación Administrativa* (Santiago, Editorial Jurídica de Chile, 2007), p. 108

bis inc. II prescribe que «*el procedimiento concursal se regirá por los principios de libre concurrencia de los oferentes al llamado administrativo y de igualdad ante las bases que rigen el contrato*».

En conclusión, la potestad dictaminadora de la CGR permite proteger al particular frente al actuar anti jurídico de la Administración, en el entendido que tal órgano fiscalizador tiene la atribución de determinar exactamente y de forma vinculante cómo debe interpretarse una norma administrativa a efectos de que se respete el principio de legalidad.

III. LÍMITE A LA POTESTAD DICTAMINADORA: ASUNTOS DE CARÁCTER LITIGIOSO

La potestad dictaminadora de la CGR tiene competencia sobre un importante número de materias del desarrollo del actuar de los órganos público.

Sin embargo, en base a lo dispuesto en el inc. III del art. 6° de la LOC-CGR en relación con el inc. III del art. 54.° de la LBPA, no corresponde que la CGR informe o intervenga en asuntos sometidos al conocimiento de los Tribunales de Justicia[11].

En el ámbito de la contratación pública, la Ley de Bases sobre Contratos Administrativos de Suministro y Prestación de Servicios N° 19.886 crea, en su Capítulo V, el Tribunal de Contratación Pública, órgano jurisdiccional al que le compete, de acuerdo con lo señalado en el art. 24.° de la referida norma, conocer de la acción de impugnación contra actos u omisiones, ilegales o arbitrarios, ocurridos en los procedimientos administrativos de contratación con organismos públicos regidos por el citado texto legal, que tengan lugar entre la aprobación de las bases de la respectiva licitación y su adjudicación, ambas inclusive.

Tal prescripción normativa ha sido uniformemente respaldada por la jurisprudencia administrativo[12]. En efecto, el órgano contralor ha estimado que «debe abstenerse de emitir pronunciamientos respecto a actos desarrollados en tal contexto, por cuanto sólo le cabe pronunciarse con el fin, entre otros, de establecer los hechos sujetos a investigación, las eventuales infracciones, los involucrados, sus grados de culpabilidad y aplicar o proponer, según sea el caso, las medidas disciplinarias que correspondan»[13].

---

11. CGR, Dictámenes N.°s 25.352 (2012); 77.724 (2014); 14.496, 47.314 y 67.147 (todos 2015).
12. CGR, Dictamen N.° 19.160 (2013).
13. Ibíd.

No obstante, el deber de inhibirse en asuntos de carácter litigioso, «debe entenderse sin perjuicio de las eventuales responsabilidades administrativas de los funcionarios que hayan intervenido en el referido proceso licitatorio y que esta Entidad de Control pueda determinar en un control posterior, en ejercicio de sus facultades fiscalizadoras»[14].

En línea con lo anterior, la CGR ha considerado cierta competencia en la materia. De esta forma, puede conocer aquellos aspectos donde pudiese verse vulnerado el principio de juridicidad de los actos administrativos. En este sentido, ha dispuesto que «el hecho de que las materias denunciadas sean por su propia naturaleza de carácter litigioso o que estén sometidas al conocimiento de los Tribunales de Justicia, no impide que este Órgano de Control pueda referirse al estricto acatamiento del principio de juridicidad de las decisiones administrativas que adopten los servicios públicos, en virtud del control amplio de legalidad que le encomienda el artículo 98 de la Constitución Política de la República»[15].

De esta forma, los asuntos de competencia del Tribunal de Contratación Pública no han sido sustraídos del ámbito sobre el cual la CGR ejerce sus potestades, salvo las excepciones que expresamente contempla el ordenamiento jurídico, por lo que es dable entender que se encuentra facultada para practicar sus funciones, con el fin, entre otros, «de velar por el cumplimiento de las normas jurídicas, el resguardo del patrimonio público y la probidad administrativa, además de establecer los hechos que el ejercicio de tales atribuciones requiera, y las responsabilidades administrativas involucradas»[16].

Es permitible entonces plantear que, por ejemplo, en los casos en que la CGR recibe una impugnación de una adjudicación, cuyo vicio podría haber sido conocido por el Tribunal de Contratación Pública en una licitación anterior, pero que en este nuevo caso no ha conocido aún, no implicaría un deber de abstención. Por el contrario, es dable entender que sobre ella debiese ejercitar su potestad dictaminadora, si así se le ha solicitado, atendido a que no configura el límite por litigiosidad del asunto, en vistas a que se trata de una licitación distinta, con partes distintas.

---

14. Esta jurisprudencia administrativa ha sido uniforme los últimos veinte años. Solo a título de ejemplo, ver: CGR, Dictámenes N.ᵒˢ 19.957 (1996); 15.191 (1998); 43.535 (1999); 39.570 (2000); 23.688 y 35.624 (ambos 2001); 11.752 y 18.779 (ambos 2003); 18.712 (2005); 56.773 (2009); 25.352 (2012); 19.160 (2013); 47.314 (2015).
15. CGR, Dictámenes N.ᵒˢ 32.643 y 78.661(ambos 2013); 1.960 (2015).
16. CGR, Dictámenes N.ᵒ 20.710 (2011); 13.131 (2013); 87.775(2014).

IV. ANÁLISIS CASUÍSTICO

Como se ha señalado, la potestad dictaminadora de la CGR abarca un amplio espectro de las temáticas que confluyen en el ámbito de las compras públicas[17].

Sin embargo, en las siguientes líneas únicamente se realizará un análisis comparativo de los razonamientos contenidos en recientes dictámenes que versan sobre el mismo objeto: la vulneración del principio de estricta sujeción a las bases en el proceso de compras públicas, consagrado en el inc. III del art. 10.° de la LBCA.

i. Dictamen N.° 94.296 de 27 de noviembre de 2015

El supuesto de hecho consiste en que dos ofertas formuladas por un mismo proponente en dos procesos licitatorios distintos fueron declaradas inadmisibles por el órgano licitante –en este caso, la Municipalidad de Cerro Navia–.

La razón de tal declaración de inadmisibilidad obedeció a que dicho proponente, en opinión de la Municipalidad, no se había sujetado a las bases administrativas.

En concreto, lo que sucedió es que el proponente que quedó fuera de ambos procesos licitatorios por haber señalado la palabra «neto» en el campo «Especificaciones del Proveedor». Sin embargo, las bases administrativas que rigieron los procesos respectivos no señalaron qué tipo de información era necesario que indicaran los oferentes en ese acápite.

Es más, el órgano contralor en el dictamen en comento, dispuso que no correspondía exigirles suponer que lo que allí debía replicarse era el nombre del servicio que se contrataba»[18].

Es decir, si las bases administrativas que rigieron los procesos contenían discordancias de información, no era de cargo de los proponentes solucionarlo, ni menos, que quedasen fuera aquellos proponentes que cometían tal error. Lo anterior además, resultaba inoficioso, pues la identificación de la licitación ya se encontraba creada en el portal www.mercadopublico.cl, por lo que la omisión de dicha reiteración, en todo caso, hubiera constituido una omisión que no invalidaba la oferta.

---

17. En materia de Convenios Marco, Dictámenes N.°s 65.248 (2011); 21.035 (2012); 65.788 (2014); 54.692 (2016), entre otros. Respecto de licitaciones, Dictámenes N.os 28.036 (2011); 39.954 (2014); 94.296 (2015), entre otros. Y, respecto de tratos directos, Dictámenes N.os 63.030 (2013); 70.438 (2014) 35.861 (2016), entre otros.
18. CGR, Dictamen N.° 94.296 (2015).

Pese a ello, el ente licitante declaró inadmisibles las ofertas, quedando así el oferente reclamante fuera de los procesos licitatorios.

Con posterioridad, la Municipalidad adjudicó las licitaciones a otros proponentes, suscribiendo los respectivos contratos. De lo anterior informó a CGR, en el siguiente tenor: «a la fecha de emisión del mencionado dictamen (...) las prestaciones a las que obligaron las respectivas convenciones habían sido cumplidas por los proveedores y pagadas a los mismos, de manera que esa autoridad edilicia estimó que no era procedente invalidar el acto administrativo que adjudicó las convocatorias aludidas».

En resumen, la entidad licitante declaró inadmisible, de forma indebida, las ofertas de un determinado oferente, transgrediendo el principio de igualdad de trato de los contratistas, adjudicando, posteriormente las licitaciones a otros proponentes. Una vez que toma conocimiento de su actuar, determina no invalidar los respectivos actos de adjudicación, pues estima que aquello habría lesionado derechos adquiridos por los contratantes, «quienes de buena fe ya habían suscritos los acuerdos de voluntades»[19]. Arguye que haber obrado en forma diferente habría afectado situaciones jurídicas consolidadas.

Ante esto, la CGR, expresamente reconoce en el dictamen en comento que el proceso licitatorio se encontraba viciado. Sin embargo, únicamente ordena que, para el futuro, la Municipalidad deberá ser más precisa en la redacción de las bases administrativas, «a fin de que contengan reglas claras, precisas y objetivas, evitando que en lo sucesivo se repitan situaciones como la descrita»[20]. Le impone también el deber de informar a la Unidad de Seguimiento de la División de Municipalidades del ente contralor, claro que no establece plazo para realizar tal informe.

Respecto a la decisión de no invalidación por parte de la entidad licitante, la CGR aplicó un criterio uniforme en la materia hasta ese momento, en virtud del «la jurisprudencia administrativa ha sostenido reiteradamente que si una entidad licitante se encuentra en el imperativo de invalidar el acto de adjudicación, en los términos del artículo 53 de la ley N° 19.880, debe proceder de ese modo siempre que no se lesionen los derechos adquiridos por terceros o se afecten situaciones consolidadas, lo que deberá ser ponderado en la especie»[21].

---

19. Ibíd.
20. Ibíd.
21. Se aplica criterio de los Dictámenes N.os 46.234 (2001); 80.286 (2012); 74.850 (2013); 33.010 y 46.435 (ambos 2015), entre otros.

ii. Dictamen 93.759 de 29 de diciembre de 2016

El supuesto de hecho no varía sustancialmente del caso anterior, toda vez que también se trata de la aplicación del principio de estricta sujeción a las bases.

En ambos casos la potestad dictaminadora se suscita respectos de asuntos ocurridos una vez que las adjudicaciones de las licitaciones se han concretado y los contratos perfeccionado.

Sin embargo, en la situación ya examinada, las bases omitían cierta información relevante, en cambio aquí se trata de una licitación pública que se adjudicó a un oferente que presentó antecedentes confeccionados en forma manuscrita, pese a que el respectivo pliego de condiciones lo prohibía. Además, en este evento, la comisión evaluadora solicitó al proponente adjudicado adjuntar documentos de carácter esencial luego del cierre de recepción de ofertas.

En lo que interesa, lo que el pliego de condiciones permitía, en concordancia con lo preceptuado en el art. 40.° inciso II del RBCA, es que se solicitasen certificaciones o antecedentes y no documentos, los cuales debían ser presentados necesariamente junto con la oferta, por haber sido calificados como esenciales en el respectivo pliego de condiciones. Dicha omisión originaba que esta oferta debiese ser declarada inadmisible.

Sin embargo, la Dirección de Vialidad de la Región Metropolitana, como entidad licitante, solicitó el documento de carácter esencial al oferente, con posterioridad a la recepción de la oferta. Y, posteriormente, fue a ese oferente a quien adjudicó la licitación y con quien, en definitiva, celebró el pertinente contrato. De esta forma, la Dirección infringió la preceptiva que regía el proceso concursal en comento, el principio de estricta sujeción a las bases.

A mayor abundamiento, las entidades licitantes no están habilitadas para solicitar antecedentes calificados como esenciales después del plazo establecido para el cierre de recepción de ofertas, de conformidad a lo expresamente señalado en los pliegos de condiciones.

En consecuencia, y de forma acertada en opinión de la autora, la CGR dictaminó el deber de la entidad licitante –en este caso, la Dirección de Vialidad de la Región Metropolinana– de iniciar un procedimiento de invalidación conforme con lo previsto en el inciso I del art. 53.° de la LBPA, que dispone que la autoridad administrativa podrá, de oficio o a petición de parte, invalidar los actos contrarios a derecho, previa audiencia del interesado, siempre que lo haga dentro de los dos años contados desde la notificación o publicación del acto.

Además, el órgano contralor le exige al órgano licitante la carga de informar documentadamente de la decisión adoptada a su Unidad de Seguimiento de la División de Auditoría dentro del plazo de 30 días contado desde la fecha de recepción del dictamen en cuestión[22].

iii. Análisis crítico

Habiendo examinado estas dos situaciones concretas y similares, es interesante profundizar sobre la forma en que la CGR ejerce su potestad dictaminadora, atendido a que las soluciones arribadas en uno y otro caso son diametralmente distintas. Soluciones que inciden directamente y con especial consideración, en los derechos e intereses de todos los particulares involucrados.

Resulta necesario preguntarse qué es lo que permite que en un caso se decida iniciar un proceso invalidatorio y en el otro sólo se limite a prescribir asuntos a futuro.

Si bien es cierto, en el primer caso en estudio, la Municipalidad había tomado la determinación de no invalidar el proceso licitatorio, aduciendo que se debía proteger la buena fe de los oferentes que habían suscrito los acuerdos de voluntades, en opinión de la autora, vulnera el principio de igualdad de trato. Por una parte, se protegen los derechos e intereses del oferente adjudicado, pero no los intereses y derechos del oferente declarado inadmisible, quien, de buena fe concurrió a ofertar en tales licitaciones públicas. En este sentido, Moraga Klenner, planteamiento al que adhiere la autora, dispone que «no está permitido a la Administración hacer diferencias entre los distintos licitantes sobre el acceso efectivo a los antecedentes de la licitación y a los actos y hechos que se sucedan en el mismo o a modificar las bases de licitación en perjuicio de uno o más licitantes»[23].

En cambio, en el segundo caso, aun existiendo adjudicatarios de buena fe, la potestad dictaminadora de la CGR tutela efectivamente los derechos de todos los oferentes –de los adjudicatario, como de los oferentes restantes–, en el entendido que ordena a la Dirección invalidar los actos contrarios a Derecho, lo que implica retrotraer todo el procedimiento a fin de volver a realizarlo en conformidad a las normas previamente establecidas que resguardan los intereses de cada uno de los oferentes.

---

22. CGR, Dictamen N.° 93.759 (2016).
23. Moraga Klenner, Claudio, cit. (n. 10), p. 112

En este sentido, se podría considerar que el Dictamen 93.759 de 29 de diciembre de 2016 es un avance importante en materia jurisprudencial administrativa, toda vez que marca un evidente límite en el obrar de la entidad licitante.

V.   CONCLUSIÓN

Estudiados los rasgos principales de la potestad dictaminadora de la CGR, y revisada su reciente jurisprudencia –especialmente las novedades contempladas en Dictámenes como el N.° 93.759 de 29 de diciembre de 2016–, es posible aducir que se trata de un efectivo mecanismo para tutelar los derechos de los contratistas en los procesos de compras.

El valor que puede sentar la jurisprudencia administrativa para el actuar de los órganos del Estado en materias de compras públicas es muy amplio y decisivo. Manifestación de ello se encuenta en la forma como los dictámenes pueden interpretar el sentido y alcance de los principios generales de la contratación pública, a fin de controlar la juridicidad del actuar de los órganos de la Administración del Estado. Y, además, tutelar los derechos e intereses de los contratistas, evitando así las injusticias ocasionadas que se pueden ocasionar en procesos de compras viciados.

En concreto, y de acuerdo con Gepp Murillo y Muñoz Balharry[24], ante el actuar de un órgano de la Administración Pública que no se ajusta a los criterios expuestos en la jurisprudencia administrativa de la CGR, un contratista tiene la facultad de invocar los dictámenes previos del ente contralor para que, en el contexto de la producción del acto administrativo que corresponda, éste se ajuste a dichos criterios. Y, en el evento que aquello no acontezca, la forma de hacer justiciable dichos criterios es por medio de la solicitud a la propia CGR de aplicar su jurisprudencia administrativa, mediante la emisión de uno nuevo que ordene directamente al órgano que corresponda su aplicación.

Finalmente, la obligatoriedad de la jurisprudencia administrativa y su publicidad afianza la seguridad jurídica, toda vez que el ciudadano puede conocer de antemano los criterios que debe obedecer la Administración del Estado en el evento que se requiera de un pronunciamiento cuya solución esté contenida precisamente en el corpus interpretativo de la CGR.

---

24.   Gepp Murillo, Ignacio y Muñoz Balharry, Alfonso, cit. (n. 6), p. 127

Capítulo 6

Los conflictos de interés tras las directivas de contratación de 2014

JAVIER MIRANZO DÍAZ
Investigador predoctoral en formación
Email: Javier.miranzo@uclm.es
ORCID ID: orcid.org/0000-0002-3186-2848

SUMARIO: 1. INTRODUCCIÓN 2. LA DEFINICIÓN DEL CONFLICTO DE INTERESES Y SUS IMPLICACIONES: EL ARTÍCULO 24 3. EL CONFLICTO DE INTERÉS COMO CAUSA DE EXCLUSIÓN Y LA IMPORTANCIA DE PRINCIPIO DE PROPORCIONALIDAD 4. CONCLUSIONES 5. BIBLIOGRAFÍA

RESUMEN: La aprobación de las Directivas de contratación de 2014 supusieron la apertura de una nueva etapa de oportunidades en la materia en la UE. En el presente trabajo trataremos de analizar las principales novedades en materia de prevención y detección de conflicto de intereses. Centrándonos especialmente en los artículos 24 y 57 de la Directiva 2014/24/UE, estudiaremos las previsiones en relación al conflicto de interés, los problemas a los que pueden dar lugar, sus implicaciones, posibles líneas de interpretación y posibilidades de implementación. De igual modo, realizaremos un breve primer análisis sobre las novedades que incorporará la nueva LCSP.

ABSTRACT: The approval of the procurement directives in 2014 meant the opening of a new era in European public procurement. This paper will analyse the main innovations in terms of conflicts of interest prevention and detection, which is one of the main measures taken by the directives towards integrity in public procurement. Specially focussing on articles 24 and 57 of Directive 2014/24/EU, we will study the provisions regarding conflicts of interest, the problems they could give place to and their implications, interpretation lines and possibilities of implementation. At the same time, we will briefly analyse the novelties on the subject of the new Public Sector Contracts Act to be approved.

I. INTRODUCCIÓN

Los peligros que conllevan los conflictos de intereses para un correcto y efectivo funcionamiento del servicio público no son nuevos ni exclusivos del área de la contratación pública. De hecho, ya desde el nacimiento mismo del Estado Moderno –y por tanto de la Administración Pública moderna– en los últimos años del siglo XVIII, uno de los problemas que debía enfrentar su regulación era la prevención y detección de los posibles conflictos de interés existentes en sus funcionarios públicos. En este sentido, muchos de los estados europeos aprobaron, a lo largo del siglo XIX, pero sobre todo durante el siglo XX, leyes diversas sobre la regulación de los conflictos de intereses de jueces y funcionarios públicos. Y así lo confirma la OCDE en sus *Directrices para gestionar los conflictos de intereses en el sector público* de 1999, en las que señalaba que la mayoría de los Estados miembros de la OCDE habían tomado, para entonces, algún tipo de medida legal en relación a la regulación de los conflictos de interés en los empleados públicos[1].

Sin embargo, la problemática que presentaba toda esta regulación – incluyendo, a pesar de sus innegables avances, las propias directrices de la OCDE citadas–, fue que estaba basada principalmente en la tradicional división público-privada, derivada de la concepción clásica de funcionario público y Administración Pública.

La complejidad de los procedimientos de contratación conforma un sistema que se sitúa lejos de la concepción clásica de sector público, y que no responde a la tradicional dicotomía público-privada. La estrecha y compleja colaboración entre el sector público y el privado se configura como una de las características principales de la contratación, lo que hace que sea especialmente difícil trazar una línea divisoria entre el ámbito público y el privado[2], y por ende entre los intereses públicos y privados dentro de los propios empleados públicos.

En una política pública como la contratación pública, en la que el uso profesionales externos, expertos, asesores, y otro tipo de profesionales del sector privado para beneficio del interés general en la elaboración y

---

1. Para más información en cuanto a las medidas adoptadas por cada Estado miembro, véase el documento de la OCDE. *Managing Conflict of Interest in the Public Service: OECD guidelines and country experiences.* Paris: OECD Publications service, 2003, pp. 45 y ss.

2. GIMENO FELIÚ, J.M. «El nuevo paquete legislativo comunitario de contratación pública: principales novedades. La transposición en España». Working paper (conferencia). En el Curso de Verano *Las nuevas Directivas de contratación pública de la Unión Europea.* OPORTO, 7TH SEPTIEMBRE 2015 P. 43

evaluación de los contratos es una práctica habitual, y en la que la participación de entidades privadas en las fases preliminares del contrato a través de consultas preliminares está de hecho promovida por la legislación europea[3], una legislación general sobre los conflictos de intereses, basada en un concepto tradicional de funcionario público, queda la mayor parte de las veces corta para hacer frente a la fenomenología de los conflictos de interés en el sector.

Una regulación explícita del conflicto de interés en la contratación pública que tuviese en cuenta la situación de cada actor presente en el procedimiento de contratación, su relación con el sector público, su capacidad de decisión, su injerencia en el proceso y, en definitiva, las características específicas que la contratación, era, en definitiva, necesaria para el objetivo de alcanzar una completa integridad en las actuaciones en contratación pública.

En este sentido se pronunciaba ya la OCDE, subrayando la importancia de desarrollar la legislación en áreas sensibles como la contratación pública y la contratación para asociaciones sin ánimo de lucro e incluso entidades privadas en las que está implicado dinero público[4]. Y es que, si bien una política general sobre los conflictos de intereses puede ser, de hecho, deseable para la armonización y coordinación de la regulación de un concepto tan complejo en una sociedad tendente a la heterogeneización y a la especialización, lo cierto es que un desarrollo legislativo en determinados sectores, y fundamentalmente en la contratación pública, es necesario para responder a las necesidades especiales del fenómeno[5].

Con la inclusión de especificaciones sobre el conflicto de interés en la Directiva 2014/24/UE, la UE trata de dar respuesta a una de las

---

3.   Véase el artículo 40 de la Directiva 2014/24/UE

4.   OECD, *Managing Conflict of... Op. Cit.* at pp. 91

5.   «El sector de la contratación pública es el más expuesto a los riegos de gestión irregular, fraude y corrupción y que estas conductas ilícitas distorsionan el mercado, provocan un aumento de los precios y de las tarifas abonadas por los consumidores para la adquisición de bienes y servicios, y siembran la desconfianza con respecto a la Unión Europea». Apartado 27 de la Resolución del Parlamento Europeo, de 6 de mayo de 2010, sobre la protección de los intereses financieros de las Comunidades y la lucha contra el fraude, P7_TA (2010) 0155 (DOUE C 81E, de 15 de marzo de 2011.; Véase a su vez GIMENO FELIÚ, J.M. «Decálogo de Reglas para prevenir la corrupción en los Contratos Públicos». En Observatorio de Contratación Pública. [consulta el 19 de enero de 2017] Disponible en: http://www.obcp.es/index.php/mod.opiniones/mem.detalle/id.180/relcategoria.201/relmenu.3/chk.7e86b5e21ba5b19849b3088aecee5e60; GIMENO FELIÚ, J.M. «El necesario big-bang contra la corrupción en materia de contratación pública y su modelo de control». *Revista Internacional Transparencia e Integridad. R.I.T.I.* no 2 Septiembre-Diciembre 2016. p. 1-5

irregularidades más complejas que pueden darse en la contratación pública, una de las áreas de la actividad pública más expuestas a las prácticas corruptas, y en la que eran necesarias unas directrices europeas sobre cómo prevenir, detectar, y afrontar este tipo de irregularidades. Y se ha hecho a través de una elección estratégica, tomando una aproximación descriptiva del fenómeno que sirva para sentar las bases del problema, pero que permita un prudente margen de actuación a los Estados Miembros para respetar las legislaciones nacionales en la materia.

II. LA DEFINICIÓN DEL CONFLICTO DE INTERESES Y SUS IMPLICACIONES: EL ARTÍCULO 24

Probablemente, el mayor avance introducido por la Directiva 2014/24/UE en relación con los conflictos de interés es el texto del artículo 24. La inclusión de este precepto regulatorio del conflicto de interés en la contratación pública responde, en buena parte, al marco legal creado en 2012 por la revisión del Acuerdo sobre Contratación Pública (ACP) de la Organización Mundial de Comercio (OMC). Este texto, que influenció notablemente la elaboración final del articulado de las directivas de contratación, y que es legalmente vinculante para la UE y todos los Estados Miembros, incluye en su artículo IV.4 la obligación, para las autoridades de contratación, de conducir los procedimientos de contratación de manera que eviten la aparición de conflictos de intereses.

No obstante, aunque representa un gran paso adelante en la lucha contra la corrupción y hacia la integridad en la contratación pública, este texto legal –como la mayoría de la legislación internacional, que se caracteriza principalmente por su tendencia de alcance universal y que por tanto no incluye disposiciones específicas– no contiene una definición de conflicto de interés ni mayores novedades en cuanto a su implementación práctica.

La Directiva 2014/24/UE, aunque también adolece, como hemos mencionado, de algunos de los «defectos» del Derecho Internacional, como el amplio ámbito de aplicación al que aspira y la heterogeneidad de los sistemas legales a los que va dirigida, sí que introduce un cierto grado de desarrollo superior al del ACP. Y así, el texto de su artículo 24 reza:

> *«Los Estados miembros velarán por que los poderes adjudicadores tomen las medidas adecuadas para prevenir, detectar y solucionar de modo efectivo los conflictos de intereses que puedan surgir en los procedimientos de contratación a fin de evitar cualquier falseamiento de la*

competencia y garantizar la igualdad de trato de todos los operadores económicos.

El concepto de conflicto de intereses comprenderá al menos cualquier situación en la que los miembros del personal del poder adjudicador, o de un proveedor de servicios de contratación que actué en nombre del poder adjudicador, que participen en el desarrollo del procedimiento de contratación o puedan influir en el resultado de dicho procedimiento tengan, directa o indirectamente, un interés financiero, económico o personal que pudiera parecer que compromete su imparcialidad e independencia en el contexto del procedimiento de contratación».

El artículo puede ser dividido en dos partes que se corresponden con los dos párrafos. En el primero, impone una obligación crítica a los Estados Miembros de asegurarse de que «*los poderes adjudicadores tomen las medidas adecuadas para prevenir, detectar y solucionar de modo efectivo los conflictos de intereses que puedan surgir*». Del tenor literal del texto podría considerarse, ya que la obligación se dirige únicamente a los Estados Miembros[6], que las autoridades de contratación tienen un mero papel pasivo en la implementación de la política contra el conflicto de intereses, no existiendo, así, imposición legal de actuación o responsabilidad directa en caso de incumplimiento de las prerrogativas contenidas en la Directiva.

Una interpretación literal de lo anterior supondría que las entidades adjudicadoras no tendrían obligación ni responsabilidad alguna emanada de la Directiva en materia de prevención de conflictos de interés, y que por tanto, si el Estado falla en su obligado control sobre los poderes adjudicadores, éstos estarían exentos de responsabilidad por una eventual existencia de conflictos de interés. Sin embargo, dada la naturaleza del problema regulado en el artículo (los conflictos de interés), que supone uno de los mayores desafíos a los que hacer frente en la lucha anticorrupción, y cuya prevención es esencial para el respeto del principio de integridad, parece arriesgado afirmar que los entes públicos no tienen por sí mismos ninguna obligación o responsabilidad en la prevención de conflictos de intereses.

Más bien al contrario, la prevención y la identificación del conflicto de intereses bajo la Directiva 2014/24/UE, y especialmente las disposiciones del artículo 24, deben considerarse como una regla general ligada de manera directa al principio de integridad, que debe ser respetada por todas

---

6.   SEMPLE, A. «Classification, Conflicts of Interest and Change of Contractor: A critical Look at the Public Sector Procurement Directive». *European Procurement & Public Private Partnership Law Review (EPPPL)* Número 3/2015. pp. 171-186 en p. 182

las partes inmersas en el procedimiento de contratación. Esto es, además, confirmado por el hecho de que el Capítulo II, en el que se encuentra emplazado el artículo 24, recibe el nombre de «Normas Generales». En este capítulo se encuentran regulados aspectos como los principios rectores de la contratación pública (art.18), operadores económicos (art.19), los contratos reservados (art. 20), o la confidencialidad (art.21), entre otros; siendo todos ellos reglas generales que se aplican en un sentido amplio a los contratos públicos.

Consecuentemente, aunque es cierto que el artículo 24 está dirigido expresamente a los Estados Miembros, debemos clarificar que ello no impide que la definición de conflictos de interés, así como su prevención y las posibles responsabilidades que puedan derivarse un excesivamente laxo control, sea de aplicación, de igual manera, a las entidades contratantes.

Y en este mismo sentido, una correcta interpretación del artículo 24 no podría hacerse sin atender al considerando 16, en el que la Directiva 2014/24/UE expone:

> «Los poderes adjudicadores deben hacer uso de todos los medios que el Derecho nacional ponga a su disposición con el fin de evitar que los procedimientos de contratación pública se vean afectados por conflictos de intereses. Ello puede suponer hacer uso de procedimientos destina dos a detectar, evitar y resolver conflictos de intereses».

Esto implica que las entidades adjudicadoras no están limitadas a respetar el Derecho nacional, sino que deben aprovechar todas las ventajas que éste ofrezca para prevenir y detectar conflictos de intereses. Es decir, deben tomar una posición activa en la regulación de los conflictos de interés.

A través de esta interpretación, es razonable apuntar que la referencia que realiza el artículo 24 a los Estados Miembros está dirigida exclusivamente a subrayar que los mismos deberán tomar nuevas medidas activas en la prevención de estas situaciones. Es decir, que no es suficiente con que se apliquen las medidas existentes, sino que la Directiva 2014/24/UE exige un mayor esfuerzo a los Estados Miembros, que deberá traducirse en medidas concretas, las cuales además deberán ser además reportadas a la Comisión Europea en base a las disposiciones contenidas en el artículo 83.3, siendo por tanto los Estados Miembros los responsables en este sentido.

El segundo párrafo del artículo, por su parte, incluye por primera vez en la legislación europea de contratos una definición de conflicto de interés. Un aspecto esencial para la integridad en la contratación pública, ya que la misma determina el alcance de la regulación sobre prevención y control de conflictos de interés.

En primer lugar, debe destacarse que se trata de una definición de mínimos, pues la expresión «comprenderá al menos» indica que el legislador nacional podrá extender la regulación sobre el conflicto de interés a los casos que estime oportuno, siempre y cuando comprenda también aquellos contemplados por la Directiva.

En lo que se refiere a la definición, pueden destacarse las siguientes características:

a) En primer lugar, la definición fija un ámbito subjetivo de aplicación que determina las personas que podrán incurrir en conflicto de intereses[7]. Es esencial, en este punto, que junto con los funcionarios y empleados públicos tradicionales –que se encuentran, por otra parte incluidos en la mayoría de definiciones de conflicto de interés tradicionales[8]–, la definición amplia el alcance subjetivo del fenómeno al incluir a «*cualquier situación en la que los miembros del personal del poder adjudicador, o de un proveedor de servicios de contratación que actúe en nombre del poder adjudicador, que participen en el desarrollo del procedimiento de contratación o puedan influir en el resultado de dicho procedimiento*». Es decir, que cualquier persona que tenga funcionalmente cualquier capacidad de influenciar el desarrollo o la adjudicación final del contrato debe ser sometida a la política de prevención y control de conflictos de intereses, independientemente de su relación formal con la entidad adjudicadora (ya sea funcionario, trabajador temporal, consejero, experto externo, etc.)

b) En segundo lugar, se establece la naturaleza objetiva del concepto[9]. Esto quiere decir que el poder o la intención de la persona en cuestión es irrelevante de cara a la calificación de una situación cono conflicto de intereses[10]. Y no es necesario, pues, que

7. FERNÁNDEZ MALLOL, A.L. «La integridad del procedimiento de contratación pública en el derecho de la Unión Europea. El conflicto de interés y su incidencia sobre la regulación de las prohibiciones para contratar, las causas de incompatibilidad y las disposiciones sobre transparencia y buen gobierno». *reALA nueva época*, n.º 2, Julio-Diciembre 2014. p. 3 [Consultado el 05/07/2016] Disponible en http://revistasonline.inap. es/index.php?journal=REALA&page=issue&op=view&path%5B%5D=686&path%5B%5D=showToc

8. Véase p. 1

9. MEDINA ARNÁIZ, T. «Los conflictos de intereses en la regulación contractual». En *Congreso Internacional de Contratación Pública*. Cuenca, 23 de enero de 2015.

10. *Report from the Commission de réflexion pour la prévention des conflits d'intérêts dans la vie publique. Pour une nouvelle déontologie de la vie publique*. Presentado al Presidente

la persona tenga la intención de sacar alguna ventaja de dicha situación irregular, sino que basta con su propia existencia objetiva.[11]. En otras palabras, es la mera situación objetiva la que crea el conflicto.

c) En tercer lugar, debemos señalar que la definición del artículo 24 puede interpretarse en el sentido de que no sólo incluye aquellos supuestos de *conflictos de intereses reales*, sino también aquellos *percibidos*[12].

En primer lugar, conviene diferenciar entre ambas topologías de conflictos[13]. Así, los conflictos de interés reales serían aquellos en los que realmente existe, de facto, un conflicto de interés de manera evidente; mientras que los conflictos e interés percibidos los formarían aquellas situaciones en las que, independientemente de que exista o no realmente la situación de conflicto, es percibida como tal[14].

Pues bien, el artículo 24 parece incluir, entre los conflictos de interés regulados, aquellos denominados conflictos de interés percibidos, al incluir la expresión *«que pudiera parecer que compromete su imparcialidad e independencia»*, la cual hace entender que es suficiente con que se perciba una situación de conflicto de interés para poder entender que nos encontramos en un supuesto de los regulados en el artículo 24, y que por tanto debería aplicarse la legislación de prevención y control correspondiente. Así pues, el artículo 24 parece hacer suya la célebre interlocución de César, y entiende que la Administración no sólo debe ser íntegra, sino que además debe parecerlo[15].

---

de la República Francesa el 26 enero 2011. p. 15

11. SEMPLE, S. «Conflicts of interest under EU procurement law». En *OLAF/Freedom House Seminar*. Cluj-Napoca, Romania, 27 noviembre de 2015.

12. GIMENO FELIÚ, J.M. «El nuevo paquete legislativo...» *Op. Cit.* en p. 45; MEDINA ARNÁIZ, T. «Los conflictos de...» *Op. Cit.*; and SEMPLE, S. «Conflicts of interest...» *Op. Cit.*

13. Por ejemplo, un empleado público que es titular de capital en la sociedad XYZ, mientras esa misma compañía se encuentra inmersa en un procedimiento de contratación destinado a abastecer de servicios al propio organismo del empleado público, puede ser acusado de tener un conflicto de interés aparente o, en el caso de que el empleado esté inmerso en el proceso decisorio de la licitación, un conflicto de intereses real. OECD, *Managing Conflict of... Op. Cit.* en p. 58

14. BAENA GARCÍA, L. [et al.] *La gestió dels conflictes d'interès en el sector públic de Catalunya*. Barcelona: Oficina Antifrau de Catalunya, 2016. pp. 34-36

15. La conocida cita de César reza «la esposa de César no sólo debe ser honorable, sino parecerlo», haciéndose referencia a ciertos escándalos, de dudosa veracidad, que habían salpicado la honorabilidad de su esposa.

La obligación del artículo 24, interpretada en este sentido, podría parecer excesivamente amplia hasta el punto de permitir aplicar medidas tan rigurosas como la exclusión del procedimiento por situaciones en las que no se tiene constancia, ya no del aprovechamiento corrupto de un conflicto de intereses, sino de la propia existencia del conflicto. Pero esta aparente carta blanca para aplicar medidas de prevención y control de conflictos de interés, debemos recordar, no es tal, pues las medidas adoptadas deben en todo momento respetar el principio de proporcionalidad, como expondremos a lo largo de las próximas páginas.

d) Finalmente, una de las últimas características que introduce el artículo 24 es incluir los conflictos de interés *directos* e *indirectos*. Esto significa que el conflicto de intereses puede surgir entre intereses de dos –o más– personas diferentes, es decir, que el beneficiario de un eventual acto corrupto fruto de un conflicto de interés, no tiene por qué ser la misma persona en la que se genera el conflicto. Esto sucedería en los casos en los que se producen conflictos de interés por cuestiones familiares, de amistad, etc.

La importancia de una definición del conflicto de interés para la contratación pública es evidente.[16]. Una definición adecuada es esencial para una correcta comprensión del problema y para sentar las bases para un desarrollo legislativo en cuanto a medidas de control y prevención de estas situaciones que presentan características altamente complejas[17].

Pero no sólo la política de prevención del conflicto de interés está fuertemente condicionada por esta definición, sino que influye considerablemente en toda la política anticorrupción, ya que, aunque la existencia de un conflicto de interés no implica que haya corrupción, éste actúa generalmente como antesala de la corrupción[18] y requisito previo para que esta exista[19]. Y así, el conflicto de interés se configura como requisito «*sine*

---

16. MARTINI, M. *Conflict of interest in public procurement.* Anti-corruption Helpdesk, Transparency International and European Commission, 2013. p. 12 [consulta el 08/07/2016] Disponible en: http://www.transparency.org/files/content/corruptionqas/Conflict_of_interest_in__public_procurement.pdf

17. OECD, *Managing Conflict of... Op. Cit.* en p. 53

18. CERRILLO I MARTÍNEZ, A. *El principio de Integridad en la Contratación Pública.* Ciruz Menor (Navarra): Thomson Reuters Aranzadi, 2014. p. 30; CERRILLO I MARTÍNEZ, A. «Los conflictos de intereses y los pactos de integridad: la prevención de la corrupción en los contratos públicos». En VILLORIA MENTIETA, M.; GIMENO FELIÚ, J.M. y TEJEDOR BIELSA, J. (Directors). *La corrupción en España. Ámbitos causas y remedios jurídicos.* Barcelona: Atelier, 2016. pp. 187 et seq.

19. Véase MORENO MOLINA (et al.) *Claves para la aplicación de la Directiva 2014/24UE sobre contratación pública* Las Rozas (Madrid): Wolters Kluwer, 2016. p. 51.

qua non» para la corrupción, y por tanto su definición es un aspecto clave en la política anticorrupción.[20].

Sin embargo, debemos señalar que, aunque el artículo 24 supone un gran paso adelante en la regulación del conflicto de interés y en la lucha contra la corrupción, es más limitado que el artículo 21 del propuesta de Directiva aprobada en 2012[21], y que, adicionalmente a lo establecido en el artículo 24 de la Directiva 2014/24/UE, establecía una lista no exhaustiva de personas a las cuales era de aplicación el artículo[22], una lista no exhaustiva de medidas y herramientas para la detección de conflictos de interés[23], y una lista no exhaustiva de medidas para poner fin a un conflicto de interés detectado[24].

Adicionalmente, como algunos autores han apuntado[25], en determinados aspectos el artículo 24 no hace más que reproducir en ciertos aspectos

---

20. *Ibídem.*
21. FERNÁNDEZ MALLOL, A.L. «La integridad del...» Op. Cit. en. p. 3
22. Artículo 21.2 de la propuesta de Directiva sobre contratación pública (COM(2011) 896 final: Las normas mencionadas en el apartado 1 se aplicarán a los conflictos de intereses que afecten al menos a las siguientes categorías de personas:

    (a) miembros del personal del poder adjudicador, proveedores de servicios de contratación o miembros del personal de otros proveedores de servicios que participen en el desarrollo del procedimiento de contratación;

    (b) el presidente del poder adjudicador y los miembros de sus órganos decisorios que, sin intervenir necesariamente en el desarrollo del procedimiento de contratación, podrían no obstante influir en su resultado.

23. Artículo 21.3 de la propuesta de Directiva sobre contratación pública (COM(2011) 896 final: En particular, los Estados miembros velarán por que:

    (a) los miembros del personal a los que se hace referencia en el apartado 2, letra a) estén obligados a revelar la existencia de cualquier conflicto de intereses que pueda existir en relación con los candidatos o los licitadores, tan pronto como tengan conocimiento de ese conflicto, a fin de permitir al poder adjudicador adoptar medidas correctoras;

    (b) los candidatos y los licitadores estén obligados a presentar, al inicio del procedimiento de contratación, una declaración sobre la existencia de vínculos privilegiados con las personas a las que se hace referencia en el apartado 2, letra b), que puedan colocar a esas personas en una situación de conflicto de intereses; el poder adjudicador indicará en el informe individual contemplado en el artículo 85 si algún candidato o licitador ha presentado esta declaración.

24. En caso de existir conflicto de intereses, el poder adjudicador tomará las medidas apropiadas, que podrán consistir en la denegación de la participación del miembro del personal en cuestión en el procedimiento de contratación afectado o en la reasignación de sus funciones y responsabilidades. Cuando un conflicto de intereses no pueda solucionarse de manera eficaz por otros medios, el candidato o el licitador en cuestión será excluido del procedimiento.

25. Véase AYMERICH CANO, C. «Corrupción y contratación pública: análisis de las nuevas directivas europeas de contratos y concesiones públicas». En *Revista*

el texto del artículo 57 de la Regulación 966/2012[26], en la que se impone, junto con algunas sanciones administrativas para aquellos participantes que otorguen información falsa, que cuando una situación de conflicto de intereses es detectada, la persona en cuestión inmersa en dicho conflicto deberá cesar todas las actividades en el procedimiento.

Pero, en líneas generales, podemos afirmar que la inclusión del considerando 16 y el artículo 24 en la Directiva 2014/24/UE es de vital importancia para la lucha contra la corrupción en la contratación pública, ya que traen a la primera línea de actuación en las políticas sobre contratación un problema tan complejo y esencial en la materia como son los conflictos de interés.

III. EL CONFLICTO DE INTERÉS COMO CAUSA DE EXCLUSIÓN Y LA IMPORTANCIA DE PRINCIPIO DE PROPORCIONALIDAD

Aunque el conflicto de intereses representa una de las principales novedades que introdujo la Directiva 2014/24/UE, su regulación se reduce casi exclusivamente a la definición del artículo 24, y no encontramos grandes soluciones en el texto legislativo más allá de este marco conceptual.

Sin embargo sí que podemos encontrar, aparte de dicho artículo base, otras referencias regulatorias que afectan de una u otra forma a la problemática de los conflictos de intereses, como son los artículo 57.4 y 58.4. En estos preceptos, como decimos, los únicos que desarrollan la definición del artículo 24, la regulación del conflicto de interés presenta algunas singularidades sobre las que conviene llamar la atención.

En primer lugar, debemos advertir sobre las particularidades del conflicto de intereses como motivo de exclusión, recogido en el artículo 57.4. Mientras el resto de causas de exclusión contenidas en la directiva son aspectos que afectan únicamente al operador económico, dependen exclusivamente de él y se derivan de su actividad (hablamos de delitos de fraude, corrupción, blanqueo de capitales, incumplimiento de las obligaciones legales en materia medioambiental, etc.), la situación de conflicto de

---

Aragonesa de Administración Pública. n 45-46, Zaragoza, 2015, pp. 209-239. En p. 222

26. TRONOS, J. (et al.). «Detección y reducción de irregularidades en la gestión e implementación de los fondos europeos: el correcto cumplimiento de la normativa de la UE en el ámbito de la contratación pública». En OLAF and ESADE. *HERCULE II PROGRAMME TRAINING, SEMINARS AND CONFERENCES PROPOSAL. Prevención del fraude en la política de cohesión 2014-2020: estudio comparado sobre el correcto cumplimiento e implementación de la normativa de la UE en el ámbito de la contratación pública por las autoridades de gestión y contratación.* p. 30

intereses como la definida en el artículo 24 se genera en el seno del poder adjudicador, pues el ámbito subjetivo del conflicto de intereses son aquellas personas que tienen algún tipo de poder de influencia en el procedimiento de contratación, y que por tanto se encuentran de un modo u otro ligados a la autoridad contratante: «*los miembros del personal del poder adjudicador, o de un proveedor de servicios de contratación que actúe en nombre del poder adjudicador, que participen en el desarrollo del procedimiento de contratación o puedan influir en el resultado de dicho procedimiento*» (art.24). Explicado con otras palabras, podríamos decir que el conflicto de intereses definido en el artículo 24 se da entre los intereses del órgano de contratación –o de la Administración en general– y del empleado o persona que se encarga de gestionarlos, que tiene unos intereses particulares que entran en conflicto con los primeros; y no, por tanto, entre el órgano de contratación y el operador económico, cuyos intereses siempre están, y así debe ser en base a las leyes del libre mercado (como cliente por un lado –administración–, y prestador de servicios por otro –operador económico–), en cierto modo enfrentados[27]. La posición que desempeña el operador económico en un conflicto de intereses es, pues, meramente pasiva, y por tanto un operador económico no debe ser, en principio, culpabilizado por dicha anomalía.

Así, mientras el resto de las causas de exclusión tratan de sancionar a empresas por realizar prácticas que se consideran no deseables o perjudiciales para los intereses generales, fomentando que aquellas pongan fin o eviten dichas situaciones, el conflicto de intereses supone una situación que, si bien puede ser igualmente indeseable, no es responsabilidad del operador económico, y que además éste no tiene capacidad real de evitar.

La exclusión de un operador económico a causa de una situación de conflicto de intereses, sanciona a dicha empresa (restringiendo su participación en el procedimiento) por una situación de la cual no se le puede responsabilizar, sin olvidar que, como toda exclusión, limita la competencia y lesiona el principio de libre concurrencia, disminuyendo la capacidad de eficiencia del procedimiento de contratación.

Esta falta de responsabilidad convierte esta causa de exclusión en una herramienta que debe ser utilizada con especial cautela, y así lo considera la propia Directiva al incluir en su artículo 57.4.e), que regula la exclusión

---

27. Para una mejor comprensión de la distribución de los intereses en juego en la contratación pública puede ser de gran utilidad la aplicación de teoría de agencia. Sobre el tema, véase SÁNCHEZ GRAELLS, A. «La aplicación de la teoría de agencia a la prevención de conflictos de interés en contratación pública bajo la Directiva 2014/24/UE». En *Economía Industrial: análisis económico del Derecho.* n.º 398. pp. 103-110

por conflictos de interés, al establecer que ésta únicamente deberá llevarse a cabo «*cuando no pueda resolverse por medios menos restrictivos*». Dicha afirmación, que no deja de ser la materialización del principio de proporcionalidad que debe aplicarse a todas las causas de exclusión potestativas[28], únicamente se expone de manera expresa en la letra e), relativa al conflicto de intereses, y f), relativa a la exclusión por participación previa en el la preparación del procedimiento de contratación[29], reforzando la idea de que un operador sólo debe ser excluido por dichas causas como última instancia y el principio de proporcionalidad debe ser especialmente observado en la aplicación del mencionado párrafo[30].

Sin embargo, el aspecto que ofrece más problemas interpretativos sobre la inclusión del conflicto de intereses como causa de exclusión es la aplicación a dichas situaciones de las medidas de self-cleaning contenidas en el artículo 57.6. Según este artículo, todo operador que se encuentre en causa de exclusión de los apartados 1 y 4:

> «[...] *podrá presentar pruebas de que las medidas adoptadas por él son suficientes para demostrar su fiabilidad pese a la existencia de un motivo de exclusión pertinente. Si dichas pruebas se consideran suficientes, el operador económico de que se trate no quedará excluido del procedimiento de contratación.*
>
> *A tal efecto, el operador económico deberá demostrar que ha pagado o se ha comprometido a pagar la indemnización correspondiente por*

---

28. En este sentido se pronuncia la propia Directiva 2014/24/UE en su considerando 101, en el que expone que «*al aplicar motivos de exclusión facultativos, los poderes adjudicadores deben prestar especial atención al principio de proporcionalidad. Irregularidades leves deberían llevar a la exclusión del operador económico únicamente en circunstancias excepcionales. Con todo, casos reiterados de irregularidades leves pueden dar lugar a dudas acerca de la fiabilidad de un operador económico, lo que puede justificar su exclusión*». En el mismo sentido puede verse la sentencia del TJUE *Pizzo*, de 2 de junio de 2016, C-27/15, y las opiniones del Abogado General Campos Sánchez-Bordona en el Caso *Connexion Taxi Drivers*, 30 de junio de 2016, C171/15.

29. Precisamente porque, al igual que en el caso del conflicto de intereses, al excluir a un operador económico por haber participado previamente en la preparación del procedimiento, estamos sancionándolo por una situación que no implica ninguna culpabilidad por su parte.

30. En este punto, conviene señalar que el artículo 35 de la Directiva 2014/23/UE de concesiones, que por lo demás es una reproducción del artículo 24 estudiado en el presente trabajo, incluye un párrafo adicional que establece: «*en lo relativo a los conflictos de interés, las medidas adoptadas no irán más allá de lo estrictamente necesario para impedir posibles conflictos de interés o eliminar los conflictos detectados*». Desconocemos la razón por la que este último párrafo fue eliminado del artículo 24 de la Directiva 2014/24, pero parece irracional suponer, tras lo expuesto, que dicha supresión implica que no se aplica el principio de proporcionalidad bajo la Directiva 2014/24.

cualquier daño causado por la infracción penal o la falta, que ha aclarado los hechos y circunstancias de manera exhaustiva colaborando activamente con las autoridades investigadoras y que ha adoptado medidas técnicas, organizativas y de personal concretas, apropiadas para evitar nuevas infracciones penales o faltas».

En relación al conflicto de intereses tal y como se define en el artículo 24, la aplicación de las medidas de self-cleaning plantea algunas dudas. La primera es, una vez que hemos visto que la naturaleza del conflicto de intereses poco o nada tiene que ver con el resto de causas de exclusión, hasta qué punto un operador económico puede tomar medidas efectivas y demostrables para erradicar un conflicto de intereses existente. Y es que en efecto, ya que, como hemos comprobado, el conflicto de intereses encuentra su foco en el poder adjudicador y no en el operador económico, éste tiene apenas una mínima capacidad para modificar la situación existente –salvo, quizá, a través de la expulsión total de la empresa de la persona o personas en cuestión inmersas en conflicto de interés, algo que, además de ser legalmente cuestionable, es una solución poco realista si tenemos en cuenta que los conflictos de intereses, las más de las veces, surgen en relación al propietario de la empresa o los miembros de la dirección de la misma, que difícilmente pueden ser apartados de la entidad–. El operador económico es pues, a pesar de lo que se desprende del artículo 57.6, incompetente para poder resolver un conflicto de intereses, ya que éstos sólo pueden ser rectificados de manera efectiva por parte del poder adjudicador, principalmente a través de la exclusión del procedimiento del empleado público que genera el conflicto, o mediante la regulación de la publicidad de las informaciones del procedimiento y la información que se califica como confidencial.

Por su parte, las mismas características especiales que venimos mencionando, hacen que el párrafo segundo del precepto sea aún más difícil de aplicar a la casuística del conflicto de interés. Y es que el mencionado párrafo prevé que, para que una medida de self-cleaning deba ser considerada suficiente, el operador económico ha de demostrar que ha pagado la indemnización, ha colaborado con las autoridades investigadoras y ha tomado las medidas para que «el delito o falta» no vuelva a acontecer en su entidad. Estos escenarios son de imposible aplicación a los conflictos de interés, en primer lugar, porque no existe ninguna falta o delito que afecte a las empresas en base a un conflicto de intereses, por tanto no existe indemnización a pagar, ni daño que reparar, ya que no existe ilícito alguno. Y, en nuestra opinión, así debe seguir siendo, pues una situación de conflicto de interés, si bien debe ser regulada, por ser potencialmente peligrosa, no produce por sí misma ningún daño, y en caso de devenir alguna responsabilidad por su mera existencia, ésta nunca podría ser exigida al operador económico, ya que de él no depende ni su nacimiento ni su erradicación. Así, a modo ilustrativo, podemos ver como las únicas sanciones contempladas en nuestro ordenamiento en materia de conflicto de interés lo son con respecto a los trabajadores públicos[31], pues es de ellos, y no del sector privado, de dónde surgen estas situaciones anómalas.

Tras lo expuesto, se antoja evidente que las causas de exclusión por causa de conflicto de intereses y su correspondiente posibilidad de introducir medidas de self-cleaning, tal y como están reguladas en la Directiva 2014/24/UE, implican una serie de complicaciones interpretativas que hacen cuestionarse si la forma en la que dichas medidas han sido reguladas era la más conveniente de cara a ofrecer claridad, eficiencia en la aplicación y seguridad jurídica, a los procedimientos de contratación pública en general, y a las situaciones de conflicto de intereses en particular, especialmente en lo relativo a las medidas self-cleaning, cuya futura aplicación práctica a los casos de conflictos de interés del artículo 24 se antoja de escasa utilidad. Y esta duda se hace más poderosa si lo relacionamos con la regulación de otro tipo de conflicto de interés recogido, si bien de manera tangencial, en la Directiva, concretamente el referido en su artículo 58.4. relativo a los criterios de selección de capacidad técnica y profesional, que en su párrafo segundo establece:

> «[...] *Los poderes adjudicadores podrán suponer que un operador económico no posee las capacidades profesionales necesarias si han establecido que este tiene conflictos de interés (que) pueden incidir negativamente en la ejecución del contrato*».

El conflicto de intereses aquí referido parece desmarcarse de la definición del artículo 24, puesto que no localiza el conflicto de intereses en la entidad adjudicadora, como sí hace aquel, sino en el operador económico[32]. Por tanto, estaríamos hablando de conflictos en el seno de la actividad del licitador, entre la actividad que éste deberá realizar si resulta adjudicatario

---

31. La Ley 5/2006, de 10 de abril, de regulación de los conflictos de intereses de los miembros del Gobierno y de los Altos Cargos de la Administración General del Estado establece en su artículo 3.1 que su ámbito de aplicación afecta a «*los miembros del Gobierno, a los Secretarios de Estado y al resto de los altos cargos de la Administración General del Estado y de las entidades del sector público estatal, de derecho público o privado, vinculadas o dependientes de aquélla*». Y de igual manera sucede con la Ley 53/1984, de 26 de diciembre, de Incompatibilidades del Personal al Servicio de las Administraciones Públicas, cuyo artículo segundo enumera una serie de personas a las que será de aplicación las incompatibilidades de la ley dirigidas a evitar conflictos de interés, siendo todas las tipologías funcionarios pertenecientes al Sector Público.

32. SEMPLE, A. «Classification, Conflicts of Interest...», op. cit. en p. 181

del contrato, por un lado, y otros intereses que la propia empresa tenga en su actividad económica, por otro.

Por consiguiente, a diferencia de lo que ocurría con el conflicto de interés del artículo 24, en base a la mencionada teoría agente-principal, el conflicto de intereses del artículo 58.4 estaría entre el poder adjudicador (principal) y la empresa adjudicataria o contratista (agente)[33]. El conflicto surge cuando el agente no persigue los intereses del principal, a los que está obligado por contrato, y por tanto en este caso emana de la actividad del operador económico y de su libre albedrío para actuar en el mercado desarrollando las actividades que considere más beneficiosas, por lo que sí que puede responsabilizarse de su existencia al operador económico, o por lo menos hacer recaer en él la posibilidad de subsanarlo, ya que de él depende poner fin a esta anomalía.

Aunque no se encuentre dentro del articulado dedicado a las causas de exclusión, éste criterio de selección puede actuar, en la práctica, como un motivo de exclusión, pues si una empresa está desarrollando actividades que entran en conflicto con los intereses a defender en el contrato licitado, se considerará que no cumple con los requisitos de capacidad técnica o profesional y será de manera automática apartada del procedimiento.

La diferencia estriba en que, en caso de que una empresa sea excluida del procedimiento por este tipo de conflicto, no podrán aplicarse medidas de self-cleaning, pues dichas medidas solo pueden aplicarse a las situaciones contenidas en los artículo 57.1 y 57.4. Y sin embargo, es en este tipo de conflictos de interés, y no en los regulados por el artículo 24, en los que el operador económico tiene una mayor capacidad de actuación para subsanar la irregularidad –medidas organizativas, por ejemplo, para asegurar que el poder decisorio en una y otra actividad está totalmente diferenciado–, dado que la anomalía surge del seno de la actividad de la empresa, y no de la Administración Pública, como ocurría con la anterior tipología.

Las características de los dos diferentes conflictos de intereses y de las propias medidas self-cleaning hacen que sea, al menos, cuestionable, si la regulación de las mismas es la más idónea, o si por el contrario otra configuración normativa hubiera sido más apropiada –especialmente en lo que se refiere a la aplicación de las medidas self-cleaning a estas situaciones– de cara a asegurar la correcta regulación de ambos casos de conflictos de interés de la mejor manera posible para preservar los principios de libre concurrencia y eficiencia que actúan como pilares de la contratación pública.

---

33. Recordemos que en el conflicto de interés del artículo 24 el conflicto existía entre el poder adjudicador o la Administración Pública (principal) y el empleado público (agente).

IV. CONCLUSIONES

La inclusión de la regulación del conflicto de intereses en la Directiva 2014/24/UE supone toda una declaración de intenciones por parte de la UE. La lucha anticorrupción en la contratación pública pasa por una correcta regulación de las situaciones de riesgo que pueden propiciarla, y el conflicto de intereses, es sin duda, la antesala de la corrupción. Con la exhortación a los Estados Miembros a ampliar y mejorar las medidas al respecto, se está poniendo sobre la mesa una de las claras prioridades de la UE para el desarrollo de la contratación pública en los próximos años: eliminar las prácticas deshonestas y los favoritismos de los contratos públicos. Otro de los objetivos de su regulación es, sin lugar a dudas, la homogeneización de su prevención y control en los diferentes Estados Miembros de la UE, ya que el concepto de conflicto de interés varía considerablemente de un sistema legislativo a otro.

Para ello, la Directiva se apoya en dos pilares básicos, la definición de conflicto de interés y su inclusión como causa de exclusión potestativa. La definición del artículo 24 sienta las bases sobre la que se desarrollará toda la política de prevención posterior, con aspectos tan decisivos como qué personas pueden incurrir en un conflicto de interés. Por tu parte, el artículo 57.4 enfatiza la importancia del principio de proporcionalidad en la aplicación de medidas correctoras y preventivas del conflicto de interés, incluyendo por primera vez el conflicto de interés como causa de exclusión.

Sin embargo, la regulación planteada por la Directiva presenta algunas características cuestionables, especialmente en lo que se refiere a la aplicación de las medidas self-cleaning. Y es que las características que la propia Directiva 2014/24/UE establece para definir el conflicto de interés, hacen que dichas medias sean de complicada aplicación en este tipo de fenómenos. Y, sin embargo, regula de manera marginal otro tipo de conflictos de interés, que podemos denominar «conflictos de actividad» (regulados en su artículo 58.4) que se antojan más propicios para la posibilidad de aplicar medidas self-cleaning, y a los cuales excluye de la aplicación de este tipo de medidas.

En definitiva, en el presente artículo pone de manifiesto que, si bien es cierto que la regulación del conflicto de intereses representa un gran paso adelante en la lucha anticorrupción al regular por vez primera dicha situación irregular en el sector de la contratación pública europea, algo que se venía demandando en los últimos años, la estructuración de la regulación de los conflictos de intereses en la Directiva 2014/24/UE, presenta algunas especialidades y posibles carencias, que conviene al menos tener presentes de cara a su interpretación, desarrollo legislativo y aplicación práctica.

V. BIBLIOGRAFÍA

- AYMERICH CANO, C. «Corrupción y contratación pública: análisis de las nuevas directivas europeas de contratos y concesiones públicas». En *Revista Aragonesa de Administración Pública*. n 45-46, Zaragoza, 2015

- BAENA GARCÍA, L. [et al.] *La gestió dels conflictes d'interès en el sector públic de Catalunya*. Barcelona: Oficina Antifrau de Catalunya, 2016

- CERRILLO I MARTÍNEZ, A. *El principio de Integridad en la Contratación Pública*. Cizur Menor (Navarra): Thomson Reuters Aranzadi, 2014.

- CERRILLO I MARTÍNEZ, A. «Los conflictos de intereses y los pactos de integridad: la prevención de la corrupción en los contratos públicos». En VILLORIA MENTIETA, M.; GIMENO FELIÚ, J.M. y TEJEDOR BIELSA, J. (Directors). *La corrupción en España. Ámbitos causas y remedios jurídicos*. Barcelona: Atelier, 2016.

- FERNÁNDEZ MALLOL, A.L. «La integridad del procedimiento de contratación pública en el derecho de la Unión Europea. El conflicto de interés y su incidencia sobre la regulación de las prohibiciones para contratar, las causas de incompatibilidad y las disposiciones sobre transparencia y buen gobierno». reALA nueva época, n.° 2, Julio-Diciembre 2014. p. 3 [Consultado el 05/07/2016] Disponible en http://revistasonline.inap.es/index.php?journal=REALA&page=issue&op=view&path%5B%5D=686&path%5B%5D=showToc

- GIMENO FELIÚ, J.M. «Decálogo de Reglas para prevenir la corrupción en los Contratos Públicos». En Observatorio de Contratación Pública. [consulta el 19 de enero de 2017] Disponible en: http://www.obcp. es/index.php/mod.opiniones/mem.detalle/id.180/relcategoria.201/relmenu.3/chk.7e86b5e21ba5b19849b3088aecee5e60

- GIMENO FELIÚ, J.M. «El nuevo paquete legislativo comunitario de contratación pública: principales novedades. La transposición en España». Working paper (conferencia). En el Curso de Verano *Las nuevas Directivas de contratación pública de la Unión Europea*. Oporto, 7th Septiembre 2015

- GIMENO FELIÚ, J.M. «El necesario big-bang contra la corrupción en materia de contratación pública y su modelo de control». *Revista Internacional Transparencia e Integridad. R.I.T.I.* no 2 Septiembre-Diciembre 2016

- MARTINI, M. *Conflict of interest in public procurement*. Anti-corruption Helpdesk, Transparency International and European Commission,

2013. [consulta el 08/07/2016] Disponible en: http://www.transparency.org/files/content/corruptionqas/Conflict_of_interest_in_public_procurement.pdf

– MEDINA ARNÁIZ, T. «Los conflictos de intereses en la regulación contractual». En *Congreso Internacional de Contratación Pública*. Cuenca, 23 de enero de 2015.

– MORENO MOLINA (et al.) *Claves para la aplicación de la Directiva 2014/24UE sobre contratación pública* Las Rozas (Madrid): Wolters Kluwer, 2016.

– OCDE. *Managing Conflict of Interest in the Public Service: OECD guidelines and country experiences*. Paris: OECD Publications service, 2003.

– *Report from the Commission de réflexion pour la prévention des conflits d'intérêts dans la vie publique. Pour une nouvelle déontologie de la vie publique.* Presentado al Presidente de la República Francesa el 26 enero 2011

– SÁNCHEZ GRAELLS, A. «La aplicación de la teoría de agencia a la prevención de conflictos de interés en contratación pública bajo la Directiva 2014/24/UE». En *Economía Industrial: análisis económico del Derecho*. n.° 398. pp. 103-110

– SEMPLE, A. «Classification, Conflicts of Interest and Change of Contractor: A critical Look at the Public Sector Procurement Directive». *European Procurement & Public Private Partnership Law Review (EPPPL)* Número 3/2015. pp. 171-186

– SEMPLE, S. «Conflicts of interest under EU procurement law». En *OLAF/Freedom House Seminar*. Cluj-Napoca, Romania, 27 noviembre de 2015

– TRONOS, J. (et al.). «Detección y reducción de irregularidades en la gestión e implementación de los fondos europeos: el correcto cumplimiento de la normativa de la UE en el ámbito de la contratación pública». En OLAF and ESADE. *HERCULE II PROGRAMME TRAINING, SEMINARS AND CONFERENCES PROPOSAL. Prevención del fraude en la política de cohesión 2014-2020: estudio comparado sobre el correcto cumplimiento e implementación de la normativa de la UE en el ámbito de la contratación pública por las autoridades de gestión y contratación*

Capítulo 7

Régimen especial de contratación de las sociedades municipales urbanísticas de capital íntegramente público

JUAN ALEMANY GARCÍAS

Doctor en Derecho. Abogado
Profesor Asociado de Derecho Administrativo de la
Universidad Roviara i Virgili de Tarragona

SUMARIO: I. COMUNICACIÓN: RÉGIMEN ESPECIAL DE CONTRATACIÓN DE LAS SOCIE-DADES MUNICIPALES URBANÍSTICAS DE CAPITAL ÍNTEGRAMENTE PÚBLICO. II. DETERMINACIÓN DE LAS OPERACIONES DE LAS SOCIEDADES MERCANTI-LES INCOMPATIBLES CON LOS PRINCIPIOS DE PUBLICIDAD Y CONCURREN-CIA. III. EVOLUCIÓN DE LA LEY CONTRACTUAL EN NUESTRO ORDENAMIEN-TO CON ESPECIAL INTERÉS EN LAS SOCIEDADES URBANÍSTICAS COMO PODERES ADJUDICADORES QUE NO SON ADMINISTRACIÓN PÚBLICA. IV. EL CONCEPTO DE PODER ADJUDICADOR EN LA LEY DE CONTRATOS DEL SEC-TOR PÚBLICO ACTUAL RESUMEN COMUNICACIÓN. V. RÉGIMEN ESPECIAL DE CONTRATACIÓN DE LAS SOCIEDADES MUNICIPALES URBANÍSTICAS

I. COMUNICACIÓN: RÉGIMEN ESPECIAL DE CONTRATACIÓN DE LAS SOCIEDADES MUNICIPALES URBANÍSTICAS DE CA-PITAL ÍNTEGRAMENTE PÚBLICO

Para empezar a estudiar, el régimen específico de contratación de las sociedades municipales urbanísticas, debemos tener en cuenta, y realizar un análisis comparativo en relación al RD legislativo 2/2000 de 16 de ju-nio, por el que se aprueba la Ley de contratos actualmente derogada, y la actual ley de contratación pública, ya que, el perfil del contratante en combinación con el criterio de la noción de interés general bajo los parámetros del poder adjudicador, establecerán el régimen actual de contratación de dichas sociedades. Así pues, la disposición adicional sexta del RD legislativo 2/2000 señalaba, *que las sociedades mercantiles, en cuyo capital sea mayoritaria la participación directa o indirecta de las administraciones públicas o de sus organismos autónomos o entidades de derecho público, se ajustaran en su actividad contractual, a los principios de publicidad y concurrencia, salvo que la naturaleza de la operación a realizar sea incompatible con estos principios.* Dicho precepto en mi opinión, era un tanto desconcertante, ya que existen diferentes conceptos jurídicos indeterminados que necesitan de una posterior explicación por parte de la doctrina y la jurisprudencia ¿Qué significa realmente ajustar la contratación los principios de publicidad y concurrencia? ¿Significa ello aplicar toda la Ley contractual, o solamente los principios inspiradores de la misma bajo un régimen de flexibilidad contractual? Y la posterior coletilla, «*salvo que la naturaleza de la operación a realizar sea incompatible con estos principios*». ¿Qué significa? Para comprenderlo en primer lugar creemos que debería dejarse claro cómo deben aplicarse, y en qué medida los principios de publicidad y concurrencia, porque una cosa es ajustar la actividad contractual y otra totalmente diferente es aplicar de manera taxativa todos los principios[1] contractuales que hacen referencia a la publicidad y a la concurrencia, y ¿Cuándo es incompatible la realización con estos principios? Del contexto de la Ley se deduce que esa coletilla de la operación a realizar, es un cajón de sastre para eludir nuevamente la normativa contractual pública. Y hasta ahora, derivada de la praxis administrativa en régimen contractual de las sociedades municipales, podemos deducir que estos principios de publicidad y concurrencia, se aplican a la preparación de los pliegos de condiciones, que sirven de soporte al contrato, siguiendo las pautas y principios administrativos de la legislación contractual. En segundo lugar, que la publicidad aun no siendo necesaria

---

1.   Dictamen del Consejo Consultivo de Castilla-La Mancha n.º 64/1999, de 21 de septiembre indica que: «Igualmente debe tenerse en cuenta que la propia Ley de Contratos de las Administraciones Públicas, en el artículo 1.3 y en la Disposición adicional sexta, ha excluido de su ámbito de aplicación a "las sociedades mercantiles en cuyo capital sea mayoritaria la participación directa o indirecta de las Administraciones Públicas o de sus Organismos autónomos o entidades de derecho público", cuya actividad contractual se sujeta tan sólo a los principios de publicidad y concurrencia, "salvo que la naturaleza de la operación a realizar sea incompatible con estos principios"». En definitiva, se trata de una somera referencia a unos principios generales cuya articulación carece de regulación legal, dado que el legislador no se remite a las prescripciones de la LCAP, principios que incluso la norma permite que sean excepcionados siempre que la naturaleza de la operación a realizar incompatible con aquéllos.

publicarla en el Boletín Oficial del Estado, o el de la Comunidad Autónoma respectiva, se haga con una extensa difusión para facilitar la libre concurrencia. Todo ello, nos conducirá a tener que estudiar de manera pormenorizada, todos y cada uno de los principios contractuales, en relación al poder adjudicador y a los organismos públicos, en especial entidades mercantiles, al amparo de dicha normativa y a la actividad realmente prestada.

El Real Decreto Legislativo 2/2000, de 16 de junio, por el que se aprobaban el Texto Refundido de la Ley de Contratos de las Administraciones Públicas, (en adelante, LCAP), contenía dos previsiones normativas en relación con las sociedades mercantiles creadas por las Administraciones Públicas, que resultarán aplicables en los términos que veremos para las entidades locales, ya que el art. 3.1., se enmarcaba en un precepto que lleva por título «adjudicación de determinados contratos de Derecho privado», que establecía[2] que las «entidades de derecho público o de derecho privado con personalidad jurídica propia no comprendidas en el ámbito definido en el artículo anterior quedarán sujetas a las prescripciones de esta Ley relativas a la capacidad de las empresas, publicidad, procedimientos de licitación y formas de adjudicación, cuando celebren contratos de obras de cuantía igual o superior a 5.278.00 euros, excluido el Impuesto sobre el Valor Añadido, y contratos de suministro, de consultoría y asistencia y de servicios de cuantía igual o superior a 211.000 euros, con exclusión, igualmente, del referido impuesto, siempre que tales entidades hubieses sido

---

2. En la redacción dada a este artículo por la disposición final 4.1. de la Ley 42/2006, de 28 de diciembre. Resulta criticable la gran volatilidad de este precepto que ha sido modificado en diversas ocasiones, sin que parezca que el legislador encuentre su redacción adecuada. La redacción originaria del apartado primero del artículo 2.º de la LCAP era: «Las entidades de Derecho público no comprendidas en el ámbito definido en el artículo anterior quedarán sujetas a las prescripciones de esta Ley relativas a la capacidad de las empresas, publicidad, procedimientos de licitación y formas de adjudicación, respecto de los contratos en los que concurran los siguientes requisitos: a) Que se trate de contratos de obras y de contratos de consultoría y asistencia y de servicios relacionados con los primeros, siempre que su importe, con exclusión del Impuesto sobre el Valor Añadido, sea igual o superior a 891.521.645 pesetas (5.358.153 euros equivalentes a 5.000.000 de derechos especiales de giro), si se trata de contratos de obras, o a 35.660.846 pesetas (214.326 euros equivalentes a 200.000 derechos especiales de giro), sí se trata de cualquier otro contrato de los mencionados; b) Que la principal fuente de financiación de los contratos proceda de transferencias o aportaciones de capital provenientes directa o indirectamente de las Administraciones Públicas». Esta redacción primigenia, además de la adaptación de las cuantías realizada por diversas órdenes ministeriales en virtud de lo previsto en la disposición adicional segunda de la LCAP, ha sido modificada por el art. 67.1 de la Ley 62/2003, de 30 de diciembre, por el art. 34.1 del Real Decreto Ley 5/2005, de 11 de maro y, finalmente, por la disposición final 4.1. de la Ley 42/2006, de 28 de diciembre.

creadas específicamente para satisfacer necesidades de interés general que no tengan carácter industrial o mercantil y concurra en ellas alguno de los requisitos referidos en el párrafo b) del apartado 3 del artículo anterior»[3]. Cabe destacar que, en el art. 2.1. LCAP, se descartaba la sujeción de la legislación de contratos de las Administraciones públicas para aquellas entidades de derecho público o de derecho privado, entre las que pueden incluirse sin dificultad las sociedades municipales de gestión urbanística, que tengan carácter industrial o mercantil y ello aunque pudieran cumplir genéricamente fines de interés general, puesto que si tienen carácter industrial o mercantil quedarán exceptuadas de la aplicación del supuesto de hecho de la norma con base en la dirección general del precepto («necesidades de interés general que no tengan carácter industrial o mercantil»). Por su parte, la referencia a las entidades de derecho público o de derecho privado que satisfacen «específicamente» necesidades de «interés general» (que no tengan «carácter industrial o mercantil») debe entenderse equivalente a la que se contiene en el art. 5.2 letra b) de la propia LCAP que se refiere a aquellos contratos que resultan vinculados «al giro o tráfico específico de la Administración contratante, por satisfacer de forma directa o inmediata una finalidad pública». Resulta claro que se pretende establecer un régimen de sujeción a la LCAP de aquellas entidades de derecho público o de derecho privado creadas por la Administración Pública que tienen por objeto la prestación de servicios públicos, entendido en un sentido amplio, o funciones públicas en lo que se refiere el art. 2.1 LCAP

---

3.   Esta redacción simplifica notablemente la redacción anterior dada por el art. 34.1 del Real Decreto-Ley 5/2005, de 11 de marzo, y que establecía que las entidades de derecho público no recogidas en el artículo primero de la LCAP, las sociedades mercantiles a que se refieren los párrafos c) y d) del apartado 1 del artículo 166 de la Ley 33/2003, de 3 de noviembre, del Patrimonio de las Administraciones Públicas (en adelante, «LPAP»), y otras sociedades mercantiles equivalentes de las demás Administraciones Públicas creadas «para satisfacer específicamente necesidades de interés general que no tengan carácter industrial o mercantil» quedaban sujetas a las prescripciones de la LCAP relativas a capacidad de las empresas, publicidad, procedimientos de licitación y formas de adjudicación para los contratos de obra, de suministro, de consultoría y asistencia y de servicios de cuantía igual o superior a un valor determinado. La letra c) del artículo 166 de la LPAP entiende por sociedades mercantiles estatales aquellas en las que la participación, directa o indirecta, en su capital social de las entidades que, conforme a lo dispuesto en el Real Decreto Legislativo 1091/1998, de 23 de septiembre, por el que se aprueba el Texto Refundido de la Ley General Presupuestaria, integran el sector público estatal, sea superior al 50 por 100. En la letra d) del mismo artículo, se contempla a las sociedades que, al no cumplir las condiciones exigidas por la letra c) descrita, no puedan ser consideradas como sociedades mercantiles estatales, pero se encuentren en el supuesto previsto en el art. 4 de la Ley 24/1988, de 28 de julio, del Mercado de Valores respecto de la Administración General del Estado o sus organismos públicos.

y para su configuración como contratos administrativos especiales en el supuesto del art. 5.2.b) LCAP.

La disposición adicional sexta, en la redacción dada por la disposición final 4..4 de la Ley 42/2006, de 28 de diciembre[4], de presupuestos Generales del Estado para el año 2007, titulada principios de contratación en el sector público, establecía dos supuestos de hecho distintos: a) las sociedades mercantiles en cuyo capital social la participación, directa o indirecta, de una Administración Pública, o de un Organismo autónomo o Entidad de derecho público dependiente de ella o vinculada a la mima, sea superior al 50 por 100, así como las fundaciones que se constituyan con una aportación mayoritaria, directa o indirecta, de una de estas entidades, o cuyo patrimonio fundacional, con un carácter de permanencia, esté formado en más de un 50 por 100 por bienes o derechos aportados o cedidos por las mismas, se ajustaran en su actividad contractual, cuando no estén sometidas a las previsiones del artículo 2.1, a los principios de publicidad y concurrencia, salvo que la naturaleza de la operación a realizar sea incompatible con estos principios; b) en segundo lugar, las sociedades sujetas el art. 2.1. de la LCAP. Para las sociedades incluidas en el supuesto de hecho de esta disposición adicional, se establece que su actividad contractual se ajustara a los principios de publicidad y concurrencia, salvo que la naturaleza de la operación a realizar sea incompatible con estos principios. Por cierto, la norma no aclara cómo ha de articularse el cumplimiento de los principios de publicidad y concurrencia, aunque ha de tenerse en cuenta que no se hace reenvío alguno al régimen jurídico específico de la LCAP. En este sentido, el Informe 24/1995, de 24 de octubre[5], de la Junta consultiva de contratación administrativa del Ministerio de Economía y Hacienda afirma de forma expresa que «aparte de las salvedades de que

---

4. También la disposición adicional sexta ha sufrido constantes cambios de redacción, hasta un total de cuatro redacciones diferentes en siete años de vigencia. La redacción originaria era la siguiente «Las sociedades mercantiles en cuyo capital sea mayoritaria la participación directa o indirecta de las administraciones públicas o de sus organismos autónomos, o Entidades de Derecho público, se ajustarán en su actividad contractual a los principios de publicidad y concurrencia, salvo que la naturaleza de la operación a realizar sea incompatible con estos principios». Ha modificado su redacción sucesivamente: i) el artículo 67.2 de la Ley 62/2003, de 30 de diciembre, ii) el artículo 34.2 del Real Decreto-Ley 5/2005, de 11 de marzo y, finalmente, la disposición final 4.4 de la Ley 42/2006, de 28 de diciembre. Estos cambios, al igual que los relativos el art. 2.1 de la LCAP, traen causa de diversas Sentencias del Tribunal de Justicia de la UE, en concreto las Sentencias de 19 de mayo de 2003 y de 13 de enero de 2005.
5. El informe se titula «Aplicación de la disposición adicional sexta de la ley de contratos de las Administraciones Públicas a las sociedades integradas en el grupo ENA».

la naturaleza de la operación a realizar sea incompatible con los principios de publicidad y concurrencia la disposición adicional sexta de la Ley de Contratos de las Administraciones Públicas sujeta la actividad contractual a los reseñados principios e, insistiendo en que la misma regulación existía con anterioridad a su entrada en vigor. Por lo que cabe únicamente resaltar que la sujeción a los principios de publicidad y concurrencia no supone en modo alguna la sujeción a las normas concretas sobre publicidad y concurrencia de la Ley de contratos de las Administraciones Públicas, pues de haber querido el legislador este efecto lo hubiera consignado expresamente». Vemos que la interpretación del legislador en relación a la aplicación de las normas concretas de contratación era mucho más flexible en la legislación anterior que en la actual, pero sembraba demasiadas dudas en relación a conceptos jurídicos indeterminados que distorsionaban el principio de transparencia que toda legislación contractual debe cumplir. El análisis de las dos normas que acabamos de reseñar relativas a la regulación por la LCAP de las entidades de derecho público o de derecho privado, incluidas las sociedades mercantiles que se distinguen por el especial régimen jurídico a que se sujeta su contratación. Las sociedades mercantiles, que cumplan el supuesto de hecho de aplicación del art. 2.1 LCAP, creadas para satisfacer específicamente necesidades de interés general que no tengan carácter industrial o mercantil, la aplicación de la LCAP para estas sociedades dependerá del tipo de contrato ante el que nos encontramos. Si se trata de alguno de los contratos enunciados en el art. 2.1 LCAP obras, suministro, consultoría y asistencia y de servicios con cuantía igual o superior a la fijada en el propio artículo), quedarán sujetos a las prescripciones de la propia LCAP relativas a la capacidad de las empresas, publicidad, procedimientos de licitación y formas de adjudicación art. 2.1 LCAP. El resto de contratos de estas sociedades mercantiles quedarán sujetos en su actividad contractual a los principios de publicidad y concurrencia, salvo que la naturaleza de la operación a realizar sea incompatible con estos principios (D.A. 6.ª). El resto de sociedades mercantiles en cuyo capital sea mayoritaria la participación directa de las Administraciones Públicas no comprendidas en el apartado anterior, incluidas también las sociedades que tengan carácter industrial o mercantil, dado que no se excluyen expresamente de su amplia definición por la D.A. 6.ª. La actividad contractual de estas sociedades mercantiles deberá ajustarse a los principios de publicidad y concurrencia, salvo que la naturaleza de la operación a realizar sea incompatible con estos principios. Ha de destacarse que los citados art. 2.1 y D.A 6.ª eran los únicos preceptos que regulaban el régimen de contratación de las sociedades mercantiles creadas por las Administraciones públicas y que expresamente el art. 1.2 LCAP no incluye a estas sociedades dentro del concepto de «Administración Pública» a efectos de la LCAP. Esta exclusión ha sido recogida por varios autores de forma crítica, siendo destacable la opinión de Ariño Ortiz[6] que afirma que:

«Las sociedades mercantiles con participación mayoritaria de capital público no han sido incluidas, como se ve, en el régimen de contratación propio del derecho público, ni en su preparación y adjudicación, ni en la regulación de su contenido. Quedan una vez más remitidas a la inoperante solución contenida en la disposición adicional sexta. Ya hemos dicho que, como acreditan 20 años de experiencia (1975 a 1995) ésta es una fórmula perfectamente inútil, por lo que resulta muy criticable la solución finalmente acordada es este aspecto por el Congreso». Asimismo, ha de tenerse en cuenta que el régimen jurídico de las sociedades mercantiles creadas por la Administración no pueden ser, por ejemplo, en materia de enajenación de inmuebles, el régimen previsto por la normativa local para las entidades locales o la Administración que corresponda, dado que la sociedad mercantil es una persona jurídica diferente del Ayuntamiento y no es Administración entendida en sentido orgánico. Finalmente, cabe hacer referencia a la figura del poder adjudicador (también entidad adjudicadora) que ha utilizado la normativa comunitaria para definir la aplicación del derecho europeo de contratación pública y que la jurisprudencia del Tribunal de Justicia de las Comunidades Europeas ha vinculado, entre otros caracteres, con la inexistencia en el poder adjudicador de un carácter industrial y mercantil (vid. Por todas la Sentencia de 13 de octubre de 2003, Asunto C-280/00, caso SIEPSA). Dado que las sociedades municipales de gestión urbanística, lo adelantamos ya, se configuran como un supuesto nítido de sociedades de carácter industrial y mercantil, no cabrá incluirlas en el concepto jurídico de poder adjudicador. En este sentido, se manifiesta Noguera de la Muela[7] al afirmar que del concepto de ente de Derecho público utilizado por la normativa estatal tan sólo es posible «excluir las empresas públicas con forma societaria que realizaran una actividad mercantil, en el sentido más estricto del término y en régimen de libre competencia», requisitos que, en nuestra opinión, se cumplen en el caso de las sociedades municipales de gestión urbanística, que inmediatamente analizaremos, aunque personalmente difiero enormemente de la interpretación realizada por el autor citado en relación a que dichas sociedades no puedan ser poder adjudicador, por las razones que argumentaremos más adelante.

---

6. ARIÑO ORTIZ, G: Comentarios a la Ley de Contratos de las Administraciones públicas, Tomo I, Ed. Comares, Granada, 2002. Pág. 116.
7. NOGUERA DE LA MUELA, B; El ámbito subjetivo de aplicación de la nueva Ley de contratos de las Administraciones públicas. Ed. Atelier, Barcelona, 2001.

II. DETERMINACIÓN DE LAS OPERACIONES DE LAS SOCIEDA-DES MERCANTILES INCOMPATIBLES CON LOS PRINCIPIOS DE PUBLICIDAD Y CONCURRENCIA

Ciertamente, la expresión salvo que la naturaleza de la operación a realizar sea incompatible con estos principios» (se refiere, como hemos dicho, a los de publicidad y concurrencia) utilizada por la Disposición Adicional 6.ª LCAP resulta oscura y su interpretación no resulta especialmente sencilla. Desde luego, establece una regla cuya concreción ha de ser realizada por cada operador jurídico y caso por caso. Llama la atención la utilización del vocablo «operación» que no es utilizada en el resto del texto de la LCAP, pero que razonablemente debe ir más lejos del propio concepto de contrato, puesto de que de otra forma habría utilizado esta expresión, abarcando también, en nuestra opinión, actuaciones puramente materiales.

Una buena forma de determinar el verdadero sentido de la expresión que analizamos y de perfilar los supuestos en los que debe utilizarse, en los términos previstos en el art. 3.1 del Código Civil, reside en el análisis de la tramitación parlamentaria de la propia LCAP. Resulta especialmente significativa, a estos efectos, las intervenciones del representante del PSOE, Sr. Varela, en la Comisión del Congreso correspondiente en la defensa de una enmienda presentada al proyecto de Ley para adecuar la Ley a las exigencias de las Directivas Comunitarias[8] y que dio lugar a la redacción primigenia de la disposición adicional sexta de la LCAP y cuyos principios básicos se mantienen en la redacción actual. En concreto, el Sr. Varela afirma[9]:

> *Dicho esto, voy a analizar de qué forma las enmiendas socialistas tratan un tema tan importante que todos los Grupos han convenido que era el punto fundamental en el debate de esta Ley, como es el ámbito de aplicación subjetiva. Al decir esto, hay que tener en cuenta que todos los entes públicos y no públicos que reciben fondos de carácter público de manera mayoritaria tienen que someterse de alguna forma a las prescripciones o principios de esta Ley, pero lo hacen, evidentemente, como debe ser, con un grado muy diferente. No es lo mismo, desde luego, una Administración pública como puede ser un determinado Ministerio o una Dirección General que una sociedad anónima que se dedica a producir bienes, que tiene que poner en el mercado en un régimen de libre competencia con las sociedades privadas.*

8. Vid. La enmienda núm. 179 en BOCG-CD, V legislatura, A-56-11, del día 12 de septiembre de 1994.
9. Vid. Diario de sesiones del Congreso de los Diputados, Comisiones –Régimen de las Administraciones Públicas–, V legislatura, sesión de 16 de noviembre de 1994.

*Por tanto, en estos tres niveles de sujeción podemos señalar, el prime-
ro, la sujeción total a la Ley de las Administraciones Públicas Administración del Estado, Comunidades Autónomas, Entidades locales,
organismos autónomos en todo caso, entidades de Derecho público
creadas con fines de interés general que no tengan carácter mercantil
o industrial financiadas mayoritariamente con fondos públicos, o controladas o dirigidas mayoritariamente por alguna Administración. En
un segundo nivel, la sujeción a los preceptos más importantes que la
Ley contiene sobre capacidad de las personas para contratar, publicidad, procedimiento de licitación y de formas de adjudicación, en donde
estarían las entidades de Derecho público no comprendidas en el ámbito anterior, es decir las entidades que tienen carácter mercantil o industrial. En un tercer nivel, la sujeción a los principios de publicidad y
concurrencia de la Ley, salvo incompatibilidades de la naturaleza de la
propia operación, en donde estarían incluidas las sociedades mercantiles con participación en su capital, exclusiva o mayoritariamente, de
una administración, organismo autónomo o ente de Derecho público.*

El momento más relevante de la intervención es el que justifica qué
ha de tenderse por entidades de Derecho público que no tienen carácter
mercantil o industrial, sosteniendo el Sr. Varela en relación con los entes
públicos del segundo nivel de sujeción que ha definido[10].

*¿a qué entes excluye? A los que producen bienes y servicios para su
venta en el mercado y que concurren con éste, por tanto, con las empresas privadas, de forma tal que de sujetarlas a la Ley quedaría entorpecido su tráfico ordinario, situándolas en posición de desventaja.
Un tema polémico, no cabe duda, es el de las sociedades mercantiles.
La legislación que debe regir a estas sociedades, es evidente, es la de
sociedades anónimas, por varias razones. La sujeción de estas sociedades a procedimientos de contratación más complejos y costosos que
los usuales para otras sociedades supondrían situarlas en una posición
desventajosa, pero la no sujeción a la Ley que regula los contratos administrativos no significa que los gestores de estas sociedades puedan
actuar de forma incorrecta en perjuicio de los intereses de sus socios.
La Ley General Presupuestaria y la legislación del Tribunal de Cuentas establecen los mecanismos de información y control a que están
sujetas estas sociedades.*

La referencia expresa a las sociedades mercantiles no puede ser más
tajante y clarificadora de las verdaderas intenciones del legislador. De

---

10. Vid. Diario de sesiones, cit.

forma directa, se asume que las sociedades mercantiles que producen bienes y servicios y que concurren en el mercado no pueden estar sujetas a las limitaciones que rigen la contratación pública, puesto que, de otra forma, se encontrarían en una posición de desventaja. De esta forma, cabe identificar las operaciones incompatibles con los principios de publicidad y concurrencia con aquellas que tienen por objeto la venta directa en el mercado en concurrencia con empresas privadas de forma que, continuando con el razonamiento que realizaba el defensor de la enmienda citada, si se exige a la sociedad mercantil en mano pública, en sectores en los concurre en competencia con las privadas, mayores requisitos procedimentales que los exigidos por el derecho privado, quedaría entorpecido «su tráfico ordinario» quedando las sociedades mercantiles creadas[11] por las Admi-

---

11. La STS de 30 de enero 2008, TOL1.268.783, rec. de casación núm. 548/2002, FFDD 3.° y 4.° en aplicación de esta Sentencia del Tribunal de Justicia, del Asunto TRAGSA, que se acaba de mencionar, analizó si los contratos públicos que celebre la Administración con la sociedad TRAGSA deben estar sometidos o no a licitación obligatoria. La sentencia afirma –después de la decisión del Tribunal de Justicia de la Comunidad Europea en resolución de la cuestión perjudicial planteada por el propio Tribunal Supremo– que la sociedad TRAGSA se configura como un medio propio de la Administración, sin autonomía para rechazar la ejecución de las obras que se encomiendan o para decidir los precios de las mismas. Dado que su régimen jurídico está determinado por norma con rango de ley (art.88 de la Ley 66/1997, de 30 de diciembre) y queda comprendida en el supuesto previsto por el art. 153 de la Ley de Contratos de las Administraciones Públicas (Ley 13/1995, de 18 de mayo); y, en definitiva, que dicho régimen jurídico excluye a TRAGSA del sometimiento a la regulación ordinaria sobre contratación pública establecida por la citada Ley 13/1995. Y además, al respecto aclara el Tribunal Supremo que «desde el punto de vista del derecho interno, el hecho de que el régimen jurídico de TRAGSA esté configurado por la referida Ley 66/1997 y expresamente contemplado por la propia Ley de Contratos de las Administraciones Públicas (art. 153)» –ratione temporis no es aplicable la Ley 30/2007, de 30 de octubre, de Contratos del Sector Público (vid. Su Disposición final duodécima sobre entrada en vigor) cuya Disposición adicional trigésima establece el «Régimen jurídico de la "Empresa de transformación Agraria, Sociedad Anónima" (TRAGSA), y de sus filiales»– hace que debamos partir de la conformidad a derecho de la inaplicación a TRAGSA y sus filiales de la regulación ordinaria sobre contratación pública, salvo que entendiésemos que dicho régimen es contrario a la Constitución o al derecho comunitario». El régimen expuesto finalmente se concretó en la Disposición Adicional 30 de la Ley de Contratos del Sector Público (vid. La vigente DA 25 TRLCSP), que regula la consideración de TRAGSA y sus filiales como medios propios instrumentales de la Administración del Estado y de las Administraciones autonómicas, –así como de sus respectivos organismos dependientes–, a efectos de su exclusión del régimen comunitario de la contratación pública, cuya dicción literal es la que sigue: «Disposición Adicional 25 TRLCSP, las sociedades del grupo TRAGSA también estarán obligadas a satisfacer las necesidades de los poderes adjudicadores de los que son medios propios instrumentales en la consecución de sus objetivos de interés púbico mediante la realización, por encargo de los mismos, de la planificación, organización, investigación, desarrollo,

nistraciones públicas en clara «posición de desventaja» con respecto a sus competidoras privadas. En el fondo, esta interpretación identifica el objeto mercantil o industrial de las sociedades mercantiles constituidas por las Administraciones Públicas con la exención de la necesidad de someter la actividad de estas sociedades a los principios de publicidad y concurrencia o a otros requisitos exigidos por la LCAP dado que, lógicamente, toda la actividad de estas sociedades será identificable con «operaciones» incompatibles con los principios de publicidad y concurrencia. Pero esta situación no pone en tela de juicio las conclusiones que hemos obtenido con anterioridad, sino que pone de manifiesto la deficiente redacción de la normativa aplicable que, al final, es el resultado de sucesivos cambios normativos llevados a cabo sin una reflexión de conjunto. Si aplicamos los argumentos anteriores a las actuaciones que, en su actividad ordinaria lleva a cabo una sociedad urbanística, cabe concluir de nuevo que sus actividades, en la medida que concurren en el mercado con sociedades de titularidad privada y no suponen el ejercicio de funciones públicas, resultan incompatibles con los principios de publicidad y concurrencia, puesto que, de otra forma, las sociedades municipales de gestión urbanística se encontrarían en peor condición que las sociedades privadas en su concurrencia en el mercado, resultando en una clara posición de desventaja con éstas. En concreto, si las sociedades municipales de gestión urbanística tuvieran que someterse a las reglas de publicidad y concurrencia para la elaboración de proyectos de urbanización o para enajenar las parcelas resultantes de la urbanización, reales ejemplos de las labores habituales de estas sociedades, su actuación quedaría en franca desventaja con respecto a la de los competidores[12] privados en el mercado.

---

innovación, gestión, administración y supervisión de cualquier tipo de asistencias y servicios técnicos en los ámbitos de actuación señalados en el apartado anterior, o mediante la adaptación y aplicación de la experiencia y conocimientos desarrollados en dichos ámbitos a otros sectores de la actividad administrativa. Asimismo, las sociedades del grupo TRAGSA estarán obligadas a participar y actuar, por encargo de los poderes adjudicadores de los que son medios propios instrumentales, en tareas de emergencia y protección civil de todo tipo, en especial, la intervención en catástrofes medioambientales o en crisis o necesidades de carácter agrario, pecuario o ambiental; a desarrollar tareas de prevención de riesgos y emergencias de todo tipo; y a realizar actividades de formación e información pública en supuestos de interés público y, en especial, para la prevención de riesgos, catástrofes o emergencias».

12. La Resolución del TDC de 30 de diciembre de 1993 abordó, igualmente, la problemática de una empresa pública (SEPIVA, dependiente de la Comunidad Autónoma Valenciana) que actuaba en el mercado de la ITV. La citada empresa fue denunciada por empresas privadas competidoras que alegaban que la citada empresa pública abusaba del ejercicio de una posición dominante. La situación de posición dominante, para los recurrentes, tenía lugar, ente otras cosas, por las

III. EVOLUCIÓN DE LA LEY CONTRACTUAL EN NUESTRO ORDENAMIENTO CON ESPECIAL INTERÉS EN LAS SOCIEDADES URBANÍSTICAS COMO PODERES ADJUDICADORES QUE NO SON ADMINISTRACIÓN PÚBLICA

Es importante destacar que a raíz del Real Decreto legislativo 2/2000 de 16 de junio de contratos del sector público, fue una Ley que no satisfago a las instituciones Europeas, sobre todo en relación al ámbito o delimitación subjetiva, así como también por la inadecuada regulación de los procedimientos negociados y el deficiente sistema de garantías, que el ámbito español remitía a los recursos regulados en la Ley 30/1992 –bajo el aserto de que era un sistema de recursos rápido y efectivo–, y que fue objeto de diversas modificaciones de consideración[13]57, tras la disconformidad de la Comisión que denunció ante el TJUE al Reino de España, resultando condenado a lo largo de los últimos años, provocando finalmente la aprobación de una nueva Ley 30/2007, de Contratos del Sector Público, tampoco exenta, en su corto periodo de vida, de diversas reformas de calado, que han desembocado en la aprobación del ya citado Texto Refundido en noviembre de 2011[14]. La influencia del Derecho comunitario fue, como se ha puesto de manifiesto en otros momentos, el impulso definitivo –aunque no el único motivo– para la aprobación de la nueva Ley de Contratos del Sector Público en el año 2007, si bien debe recordarse que inicialmente el ámbito de los contratos no fue estrictamente un ámbito de interés para el derecho comunitario, cuyo principal objetivo era asegurar a través de la normativa comunitaria el libre mercado. Como decíamos la adecuación nacional era perentoria no sólo por las condenas que pesaban sobre el reino de España, sino también porque nuevas realidades hacían imperativa la remodelación del derecho nacional, como es l necesaria publicidad y transparencia de la contratación, la apertura a la libre competencia, la intervención de particulares en la realización de

---

especialidades posicionales que el carácter público otorgada a SEPIVA. En este caso, el TDC declaró que no había abuso de posición dominante de la empresa, ya que ésta actuaba legitimada por disposiciones legales y reglamentarias. A pesar de que éste fue el pronunciamiento principal, el TDC, en su fundamento jurídico 8.°, se permite recomendar a la Conselleria de la Generalit valenciana. Debería, por tanto, eliminar el sistema de ayudas públicas que pueden distorsionar la determinación de los precios en función de los costes reales de producción, alterando la posición competitiva de las empresas. Las empresas, en su actuación, deben fijarse como objetivo optimizar su gestión y dicho objetivo puede quedar mediatizado si cabe la posibilidad de acceder a transferencia.

13. Más ampliamente, OLLER RUBERT, M.; Saneamiento de aguas residuales y reforma del Derecho administrativo, Atelier, Madrid, 2008, p. 167 y ss.

14. Sobre las múltiples y sucesivas reformas, vid. MORENO MOLINA, J.A.; en «Presentación del nuevo Texto Refundido», p. 5 y ss.

contratos públicos o la introducción de medios electrónicos en la contratación pública[15]. De hecho la vigente legislación de contratos regula además de la contratación de los poderes adjudicadores por encima de los umbrales económicos, otras cuestiones determinantes como el régimen jurídico de contratos no sujetos a regulación armonizada, los contratos celebrados por sujetos no afectados por las Directivas, así como otras fases del procedimiento de contratación no reguladas por el Derecho comunitario, como son los efectos y la extinción, aunque en ese caso solo en relación con las Administraciones Públicas[16]. Desde su aprobación numerosos trabajos han analizado la nueva Ley, a los que nos remitimos[17], fruto de su carácter novedoso, pero también del tortuoso camino que ha seguido la misma, plagado de reformas; por ello, pasamos a destacar los aspectos novedosos que son necesarios para el entendimiento de nuestro estudio centrado en la sujeción de los poderes adjudicadores que no son Administración Pública a ciertas normas en los procedimientos de contratación.

IV. EL CONCEPTO DE PODER ADJUDICADOR EN LA LEY DE CONTRATOS DEL SECTOR PÚBLICO ACTUAL

Una de las novedades de la Ley 30/2007 fue la incorporación de terminología comunitaria y en este sentido la de los sujetos denominados «poderes adjudicadores». Un concepto elemental que ha planteado notables problemas jurídicos y que es esencial para el cumplimiento del principio de igualdad de trato en el procedimiento de contratación, principalmente en las fases de preparación y adjudicación[18].

---

15. Sobre el impulso que se ha dado a la contratación electrónica desde la Unión Europea y el ámbito nacional, vid. ESCRIBUELA MORALES, F.J.; La contratación del sector público; También, Moreno Molina, J.A. «La utilización de medios electrónicos en l contratación pública», en La Administración electrónica en España: experiencias y perspectivas de futuro, Fabra Valls, M./ BLASCO DÍAZ, J.L; Universitat Jaume I, Castellón, 2007, p. 123 a 159

16. Así lo señala DÍEZ SASTRE, S.; evidenciándose con ello la complejidad de la normativa española sobre contratos del sector público «La contratación pública por debajo del umbral europeo en España y Alemania. El problema de las instrucciones internas», en Revista CEFLEGAL, también en «Las instrucciones internas de contratación vinculan» en REDA. Pág. 361 y ss.

17. Entre otros, GIMENO FELIU, M.ª Novedades de la Ley de Contratos del Sector Público, de 30 de octubre de 2007 en la regulación de la adjudicación de los contratos públicos, Civitas, 2010. p. 240

18. Vid. El prólogo de GÓMEZ-FERRER MORANT, R. a la obra Derecho administrativo en la contratación entre privados (sociedades, fundaciones, concesionarios y sectores excluidos), Marcial Pons, Madrid, 2005.

Los poderes adjudicadores, como decíamos, es el eje sobre el que pivota el derecho de la contratación pública europea, y, por ende, nacional. Es a ellos a los que se les aplica las exigencias establecidas en las directivas de contratos de 2004 y por eso, es al ámbito europeo al que debemos remitirnos para entender su significación, a la que también ha dedicado esfuerzos notables la jurisprudencia del Tribunal de Justicia de la Unión Europea, ante los numerosos incumplimientos e intensos de evasión de aplicación de la normativa por parte de los Estados miembros, de entre los cuales España lamentablemente se convirtió en un ejemplo a no seguir, a tenor de lo dispuesto en las STJUE de 15 de mayo de 2003, de 16 de octubre de 2003 y de 13 de enero de 2005[19].

La explicación y entendimiento de los poderes adjudicadores se basa, como ha destacado la doctrina, en la adopción de un criterio funcional, en el que se pretende incluir de manera amplia a los poderes públicos, y también a determinados sujetos privados, prescindiendo, por tanto, de la forma de personificación de los mismos, ya que fundamental es la finalidad de su actuación, lo que determina la aplicación de las normas sobre contratación pública[20].

Es en el artículo 1.9 de la Directiva en donde encontramos su definición[21].

> *«Son considerados poderes adjudicadores»: el Estado, los entes territoriales, los organismos de Derecho público y las asociaciones constituidas por uno o más de dichos entes o de dichos organismos de Derecho público.*
>
> *Es considerado «organismo de Derecho público» cualquier organismo:*
>
> *Creado específicamente para satisfacer necesidades de interés general que no tengan carácter industrial o mercantil.*

---

19. GIMENO FELIU, J. M.ª «El nuevo ámbito subjetivo de aplicación de la Ley de Contratos del Sector público: luces sombras», en RAP, 2008, núm. 76, p.15 y ss.

20. GARCIA-ANDRADE GOMEZ, J., Derecho administrativo en la contratación., p.21; BLAQUER CRIADO, D, Derecho Administrativo 1.ª. El fin, los medios y el control, Tirant lo Blanch, Valencia 2010, p. 566; GIMENO FELIU, J. M.ª La nueva contratación pública europea y GIMENO FELIU, J. M.ª La necesaria interpretación subjetivo-funcional del concepto de poder adjudicador en la contratación pública», cit. VILLALBA PÉREZ, F; La contratación de entidades y organismos, p.47.

21. Un amplio estudio jurisprudencial puede verse en CARBONELL PORRAS, E., «Las sociedades mercantiles públicas y los contratos con terceros en las Directivas comunitarias y en el Derecho español», en Noticias de la Unión Europea, núm. 267, 2007, p. 30-35. También en FERNÁNDEZ ASTUDILLO, J. M.ª, Contratación Pública, Tomo I. p. 102 ss.

*Dotado de personalidad jurídica y cuya actividad este mayoritaria-
mente financiada por el Estado, los entes territoriales u otros organismos de Derecho público, o bien cuya gestión se halle sometida a
un control por parte de estos últimos, o bien cuyo órgano de administración, de dirección o de vigilancia esté compuesto por miembros
de los cuales más de la mitad sean nombrados por el Estado, los entes
territoriales u otros organismos de Derecho público.*

De la definición anterior merece una mayor atención el desarrollo de
lo que es «organismo de Derecho público», pues tal calificación la merecen
los organismos que cumplan de manera acumulativa las tres condiciones
allí establecidas, como ha tratado el Tribunal en la Sentencia de 13 de abril
de 2010 (Asunto C 91798, FJ 4), de manera que «un Organismo que no cumpla alguno de los requisitos no podrá ser calificado como Organismo de
Derecho público y, por tanto, como entidad adjudicadora en el sentido de
la Directiva» (también la Sentencia del TJUE de 22 de mayo de 2003, Kor-
honer y otros, asunto C-18/01, apartado 33). El primero de los requisitos
es el que ofrece una mayor complejidad en cuanto a su aplicación, si bien
el TJUE ha adoptado una interpretación amplia, con el fin de incluir en el
ámbito de aplicación de las Directivas al mayor número posible de entes[22].
En este sentido ya la sentencia de 15 de enero de 1998 (Mannesmann) señaló que «el requisito exigido en el primer guion del párrafo segundo de la
letra b9 del artículo 1 de la directiva, según el cual el organismo debe haber sido creado para satisfacer "específicamente" necesidades de interés
general que no tengan carácter industrial o mercantil, no implica que esté
únicamente encargado de satisfacer dichas necesidades» (apartado 26,) y
aún más, aclara el TJUE en la Sentencia de 10 de noviembre de 1998 (BFI
Holding) en relación con este requisito que «debe destacarse, en primer
lugar, que el primer guion del párrafo segundo de la letra b) del artículo
1 de la Directiva 92/50 solo se refiere a las necesidades que el organismo
ha de satisfacer y no se refiere en modo alguno a la circunstancia de que
dichas necesidades también puedas ser satisfechas o no por empresas privadas» (apartado 40), de manera que entiende el tribunal que la existencia
en el mercado de otras empresas que realicen las mismas prestaciones,
no excluye la cualidad de organismos de derecho público atribuida, en
este caso, a BFI Holding,. En esa misma línea más recientemente las Sentencia del TJCE de 13 de diciembre de 2007 (Bayerischer) y la Sentencia
de 10 de abril de 2008 (Asunto C-392/06, apartado 479. Para finalizar las

---

22. Nos remitimos a la enumeración de jurisprudencia que trata sobre este asunto
    que S. Del Saz realiza y que pone de manifiesto la apreciación amplia que el TJUE
    hace del concepto «necesidades de interés general», vid. «La nueva Le de Contra-
    tos» p. 360-361.

reflexiones sobre este primer requisito es necesario reproducir, ante la indefinición de las Directivas de qué es una necesidad de carácter mercantil, los razonamientos del TJUE que consideran que el carácter industrial, se deduce si el organismo opera en condiciones normales de mercado, tiene ánimo de lucro como objetivo principal y soporta las pérdidas derivadas del ejercicio de su actividad (Sentencias Adolf Truley, 2003, y Korhonen, 2002)[23].

Sobre el requisito de la personalidad jurídica, el tenor literal del art. 2.9 de la Directiva no deja duda sobre la intrascendencia de si se adopte una personalidad jurídico pública o privada, requisito que parece ser que ha costado a España aceptar, pues tradicionalmente se ha escudado en la personificación privada de determinados entes para excluirlos de la aplicación de la normativa comunitaria. Esta fue la cuestión abordada también por TJUE en la Sentencia de 1 de febrero de 2001 (Comisión/Francia) cuando considera a la sociedad anónima de viviendas de alquiler moderado francesa, como «organismo de derecho público» y también en la condena que el Tribunal de Justicia realizó de España en la Sentencia de 15 de mayo de 2003 (apartado 55), como se ha dicho anteriormente. Y, finalmente en cuanto a la influencia determinante estableció la Sentencia de 27 de febrero de 2003, Adolf Truley (apartado 69): «Más concretamente, en cuanto al criterio relativo al control de la gestión, el Tribunal de Justicia ha declarado que dicho control debe originar una dependencia del organismo de que se trate frente a los poderes públicos, equivalente a la que existe cuando se cumple uno de los poderes públicos, equivalente a la que existe cuando se cumple uno de los otros dos criterios alternativos, a saber, que la financiación proceda mayoritariamente de los poderes públicos o que éstos nombren a la mayoría de los miembros del órgano de administración, de dirección o de vigilancia de ese organismo, permitiendo así a los poderes públicos influir en las decisiones de dicho organismo en materia de contratos públicos (véase la sentencia Comisión/Francia, antes citada, apartados 48 y 49)». Sin embargo, además del control en la gestión o toma de decisiones, la Directiva incluye dentro de «influencia dominante» otros supuestos como es el de la financiación mayoritaria, entendiendo por tal aquellas que supone «más de la mitad» según estableció el TJCE en la Sentencia de 3 de octubre de 2000. Asunto que también fue objeto de condena e España en los pronunciamientos de 15 de mayo de 2003, de 16 de octubre de 2003 y de 13 de enero de 2005.

---

23. Así lo entienden, PLEITE GUADAMILLAS, F; El ámbito de aplicación subjetiva, y MESA VILA, M, Manual de Contratación de las Entidades Instrumentales de la Administración, La ley, Madrid 2011. Pág.41

Como se desprende de la definición de «poder adjudicador», en este tipo se puede incluir un amplio elenco de organismos, que va desde una Administración territorial, una Universidad pública a una fundación pública, entidad pública empresarial o una sociedad estatal, pero can la matización de que la sujeción a la Ley de Contratos de todos ellos difiere en intensidad según aquellos sean o no Administración pública, a efectos del TRLCSP. Por eso, es necesario dedicar unas líneas destinadas a aclarar la subcategoría de «poderes adjudicadores que no son Administración pública», porque ello supone una sujeción parcial de los mismos al TRLCSP[24] y es así sustancial delimitar cuáles son esos sujetos, pues podemos adelantar que se incluye entre los mismos a las entidades públicas empresariales, a las empresas públicas (en las que la participación del sector público sea superior al 50% del capital), las fundaciones (también cuando las aportaciones del sector público superen el 50% del capital), así como las sociedades de las anteriores[25], entes que tradicionalmente en el Derecho español han escapado de las reglas de contratación pública.

Además, otro rasgo propio del derecho interno que ha de tenerse en cuenta en el análisis de esta categoría, es que ésta abarca, a efectos de nuestro estudio, principalmente a dos entes que se consideran tradicionalmente en el Derecho administrativo español, como Administración instrumental[26], esto es la creación de personificaciones jurídicas con el fin de realizar competencias propias, pero con un régimen de control más flexible que el de las Administraciones en sentido estricto. Una aproximación sobre el significado actual de la Administración instrumental, que no ha cambiado mucho desde sus orígenes, la proporciona la Sentencia del Tribunal Supremo de 24 de mayo de 2005 que dice «La Administración instrumental comprende una importante variedad de Entes, dotados de

---

24. BLANQUER CRÍADO, D., Derecho Administrativo 1.°, Los sujetos la actividad y los principios: Los ciudadanos y las Administraciones Públicas, Valencia, Tirant Lo Blanch, 2009. Pág.570 ss.

25. Sobre este tema véase el Informe de la Junta Consultiva de Contratación Administrativa 74/2008, de 2 de diciembre

26. En la Obra Saneamiento de aguas residuales, se parte y acepta la diferenciación que LÓPEZ MENUDO,F, realiza entre Administración Instrumental e institucional, de manera que la primera se considera una categoría general caracterizada por su instrumentalidad y en la que se incluyen también a las entidades con forma societaria, mientras que la segunda, la Administración institucional, se define como el conjunto complejo de entidades de Derecho Público que sirven funciones propias de las Administraciones Publicas territoriales. Régimen jurídico de los organismos autónomos y de las entidades públicas empresariales, en Administración institucional, CGPJ, Madrid, 2004, p.96 y ss.

personalidad jurídica y cierta independencia[27]del ente matriz que desempeña funciones o ser vicios encomendados a éste». Sin embargo y recogiendo el desarrollo desmesurado de estas instituciones advierte también el Alto Tribunal que «la proliferación de dichos Entes y la interrelación con el fenómeno conocido como huida del Derecho administrativo ha contribuido, entre otros factores, a que permanezcan sin despejar importantes dudas en torno a dicha Administración, hasta el punto que ni siquiera hay seguridad sobre su ámbito, sobre lo que, en realidad, constituye la Administración instrumental».

Para finalizar el apartado de la contratación pública, y debido a la importancia y a las modificaciones sustanciales que se han ido produciendo, quiero exponer brevemente las siguientes conclusiones a modo de cierre de la temática

Primera. La Ley de contratos del sector público, ha generado un importante cambio en el Derecho Administrativo General y en particular en la contratación, por que delimita ampliamente el concepto subjetivo para incrementar ciertas garantías entre los licitadores y la ciudadanía en general. Creemos que realmente todos estos cambios en el régimen contractual de estas sociedades, se debe principalmente a las exigencias del Derecho comunitario y especialmente a la confusión, que desde mi punto de vista traía a análisis la Redacción de la Disposición Adicional Sexta de la Ley de Contratos del 2000, en el cual se indicaba que las sociedades mercantiles se someterán en materia de contratación a los principios de publicidad y concurrencia, salvo que la naturaleza de la operación a realizar sea incompatible con estos principios. Desde mi opinión, creo que la incompatibilidad con los principios era un concepto jurídico indeterminado, que

---

27. En la práctica y de la experiencia podemos señalar que esta independencia es más nominal que real. No obstante, señala ORTIZ MALLOL, J, dos notas que caracterizan precisamente las entidades instrumentales a las que nos referimos. Una es la personalidad jurídica propia, si bien matiza diciendo que se trata de una «personalidad rebajada» o «semipersonalidad», ya que la misma es válida en las relaciones frente a terceros, pero no invocable frente al ente matriz, del que depende; y la otra es su carácter instrumental derivado del propio nombre que las define. De nuevo ajusta ORTIZ MALLOL, J., su tesis y acentúa la circunstancia de que la instrumentalidad implica que la finalidad perseguida por el ente instrumental no es un fin propio, sino que es una finalidad perseguida por el ente instrumental un es un fin propio, sino que es una finalidad de la Administración matriz, la cual, por ende mantiene su responsabilidad en cuanto la organización y el rendimiento del servicio público necesario. Más ampliamente puede consultarse el estudio exhaustivo, y con interesantes perspectivas, en «La relación de dependencia de las entidades instrumentales de las Administración pública, algunas notas», en RAP núm. 163, 2004, p. 245 a 278.

generaba inseguridad jurídica y que daba pie a numerosas interpretaciones jurisprudenciales.

Segunda. Hemos de señalar, que ya desde los Tribunales de Justicia Europeos y de sus Directivas, se habían pronunciado expresamente a través de la jurisprudencia comunitaria en Sentencias de 15 y 22 de mayo y 16 de octubre de 2003, que en el Estado Español había incumplido claramente la normativa contractual. Así, la Justicia Europea determino claramente que España, incumplía claramente en materia de contratación, básicamente en dos principios, en primer lugar, en excluir a entidades de Derecho privado, participadas por administraciones públicas, como son las sociedades municipales urbanísticas, y que formaban parte del sector público en especial de las normas vigentes de contratación, y que en numerosas ocasiones no cumplían con los principios constitucionales, de ahí la interpretación funcional y de las directivas europeas, ya que no se tenía en cuenta que estos entes, no respetaban los principios de libre competencia y sobre todo de no discriminación, dando lugar todo ello, a importantes referencias en lo que se refiere al Derecho de la competencia.

Tercera. El principal objetivo que ha perseguido la Ley de Contratación Pública, es la transposición de la directiva comunitaria, especialmente la Directiva 2004/81 de la Comunidad Europea, así pues la LCSP, no solamente está en su ámbito de aplicación las Administraciones publicas territoriales, sino aquellos entes que sin tener la categoría de Administración publica territorial, forman ese concepto más amplio del sector público, inspirado todo ello en el concepto del poder adjudicador.

Cuarta. La abundante jurisprudencia del Tribunal de Justicia de las Comunidades Europeas, en el ámbito de aplicación subjetivo de la ley, incorpora el concepto de poder adjudicador para suavizar y conceptualizar toda la normativa comunitaria en materia de contratación pública. Siguiendo la Ley de contrato del sector público, son poderes adjudicadores aquellos entes, entidades u organismos que no tengan la consideración de Administración pública y hayan sido creados para satisfacer necesidades de interés público que no tengan carácter industrial o mercantil.

Quinta. A estos efectos aquellos entes del sector público que a pesar de no ser Administración pública, tenga como objetivo responder a necesidades de interés general, tendrán la consideración de poder adjudicador y les resulta de aplicación respecto a su régimen de contratación la LCSP, que determinará cuáles son las normas que habrán de regir en función de la actividad realmente realizada y de la cuantía-tipo de contrato, todo respetando los principios básicos de contratación pública, a saber, igualdad, libre concurrencia, publicidad y no-discriminación.

Sexta. Así, la LCSP distingue tres tipos de sujetos de contratación: aquellos que tienen la consideración de Administración Pública, y por lo tanto son poder adjudicador, los entes que no tienen la consideración de administración pública, pero tienen la consideración de poder adjudicador y finalmente aquellos organismos que forman parte del sector público, pero no son poder adjudicador. Todos los organismos que forman parte del sector público, aunque no tengan la consideración de administración pública, les resulta de aplicación la LCSP, ya que la misma Ley en función de diversos criterios, entre los cuales se encuentra la fórmula jurídica del sujeto contratante, modulará el grado de exigencia y requisitos procedimentales de contratación a seguir. Por tanto cabe destacar que todas las administraciones públicas son poderes adjudicadores pero no todos los poderes adjudicadores son administración pública.

Séptima. Respecto a las sociedades mercantiles locales, pasan a ser consideradas, poder adjudicador según la definición de la LCSP y la opinión de diferentes informes emitidos por las Juntas consultivas de contratación, a razón de consultas formuladas por diferentes entes locales. La relevancia de este hecho, viene dada por el hecho que la sujeción actual de estas sociedades a la LCSP, es más fuerte que con la normativa anterior. El carácter básico de esta norma, hace que tengan que considerar derogadas disposiciones de régimen local anteriores y contrarias a la norma.

Octava. Las sociedades mercantiles locales, se pueden dotar de instrucciones internas de contratación, para garantizar que en la adjudicación en los contratos no armonizados se garantizan los principios de publicidad, concurrencia, transparencia, confidencialidad, igualdad y no discriminación.

V. RESUMEN COMUNICACIÓN. RÉGIMEN ESPECIAL DE CONTRATACIÓN DE LAS SOCIEDADES MUNICIPALES URBANÍSTICAS

Las sociedades mercantiles de capital íntegramente público constituyen una modalidad de gestión directa de servicio público y tiene como limitación importante los actos investidos de *auctoritas,* que están reservados a las Administraciones territoriales, en nuestro caso a los consistorios. La actual crisis económica ha puesto de relieve la actual existencia de una proliferación de entidades instrumentales, especialmente en el campo del urbanismo. Ello ha hecho que los poderes públicos se hayan replanteado si la Administración local se encuentra sobredimensionada y con multitud de duplicidades. Por ello, recientemente se aprobó, hace escasamente un año, la Ley de Racionalización y Sostenibilidad de la Administración Local, en la que se plantea un control exhaustivo en la cotidiana de las mismas, potenciando la figura del interventor y secretario municipal, como elementos de control interno (a priori), ya que muchas sociedades urbanísticas se han convertido en un pozo de endeudamiento sin fondo para las entidades locales, no pudiendo ser controladas de manera exhaustiva por el Tribunal de Cuentas, que siempre es un control a posteriori, y quizá menos eficaz que la función del interventor municipal, respecto a las cuentas públicas del consistorio.

Capítulo 8

Los convenios interadministrativos en el Proyecto de Ley de Contratos del Sector Público

MARC VILALTA REIXACH
Universidad de Barcelona
marc.vilalta@ub.edu

SUMARIO: I. INTRODUCCIÓN; II. EL ÁMBITO DE APLICACIÓN MATERIAL DE LA LEGIS-
LACIÓN CONTRACTUAL: *los contratos públicos*; 1. LA NECESARIA EXISTENCIA
DE UN CONTRATO; 2. EL CARÁCTER ONEROSO DE LA RELACIÓN CONTRAC-
TUAL; 3. EL REQUISITO SUBJETIVO: LAS ENTIDADES DEL SECTOR PÚBLICO;
III. EL TRATAMIENTO DE LOS CONVENIOS ENTRE ENTIDADES PÚBLICAS TE-
RRITORIALES A EFECTOS DEL PLCSP: LA EXCLUSIÓN DE LAS RELACIONES DE
COLABORACIÓN; V. BIBLIOGRAFÍA CITADA.

RESUMEN: Este trabajo tiene por objeto analizar el tratamiento contractual que reciben los convenios entre administraciones públicas territoriales en el Proyecto de Ley de Contratos
del Sector Público actualmente en tramitación (PLCSP). A tal efecto, se examina, en
primer lugar, la posibilidad de considerar dichos convenios como contratos públicos;
para pasar a cuestionar, seguidamente, qué consecuencias prácticas pueden derivarse
de esta consideración y sobre la conveniencia de someter estas relaciones convencionales a la normativa contractual.

I.   INTRODUCCIÓN

Como se ha repetido en muchas ocasiones, los mecanismos de colaboración entre las diferentes entidades públicas territoriales constituyen una

pieza clave del sistema administrativo español. En efecto, partiéndose de la consideración que la satisfacción del interés general no puede ser asumida de una forma totalmente independiente por los distintos niveles de gobierno y administración, se pone de relieve la necesidad de establecer mecanismos de carácter relacional que, además de contribuir a dotar de coherencia y unidad al sistema, permitan garantizar una gestión eficaz y eficiente de los asuntos públicos.

Como sabemos, nuestro ordenamiento jurídico ha venido regulando una gran variedad de instrumentos o técnicas de colaboración. Sin embargo, podemos afirmar que, con toda seguridad, dentro de ellos han cobrado una especial relevancia los convenios interadministrativos. Y es que, como se ha subrayado por la doctrina (por ejemplo, Rodríguez de Santiago 1997, p. 19), éstos se han convertido en la técnica de colaboración por excelencia; confirmándose como una verdadera forma de administrar asuntos de interés común.

De todos modos, a pesar de su extensión e importancia, lo cierto es que hasta hace muy poco no podíamos hablar propiamente de la existencia de un concepto legal –siquiera dogmático– de los convenios entre administraciones públicas. Al contrario, se hacía evidente que en muchas ocasiones dicha denominación se utilizaba de un modo meramente genérico pero sin remitir a un único y preciso concepto (Rodríguez de Santiago 1997, p. 95-96). De ahí que, ante la variopinta magnitud de la institución convencional, incluso se llegara a afirmar que los convenios administrativos no existían como categoría jurídica (Bustillo Bolado 2004, p. 171).

No obstante, la reciente Ley 40/2015, de 1 de octubre, de Régimen Jurídico del Sector Público (en adelante, LRJSP) ha marcado un punto de inflexión importante en esta materia. Aunque es cierto que la LRJSP no es absolutamente innovadora, sí que introduce por primera vez en la legislación básica estatal una regulación jurídica completa y una definición legal precisa de lo que debe entenderse por convenio en el ámbito jurídico-administrativo. Así, el artículo 47.1 de la LRJSP establece que

> «Son convenios los acuerdos con efectos jurídicos adoptados por las Administraciones Públicas, los organismos públicos y entidades de derecho público vinculadas o dependientes o las Universidades públicas entre sí o con sujetos de derecho privado para un fin común […]».

De este modo, y partiendo de este nuevo contexto, nuestra comunicación pretende centrarse en el estudio de los convenios interadministrativos.

Pero no a efectos de ofrecer una exposición completa y detallada de su régimen jurídico[1] sino con un propósito mucho más concreto: analizar dichos instrumentos relacionales desde un punto de vista contractual y, en particular, examinar su tratamiento en el Proyecto de Ley de Contratos del Sector Público actualmente en tramitación en el Congreso de los Diputados (en adelante PLCSP)[2].

A primera vista podría pensarse que la asociación de estas dos ideas –*colaboración* y *contratación*– es completamente equivocada. Y es que tradicionalmente el recurso a mecanismos colaborativos se ha venido considerando como una forma de provisión de bienes o servicios alternativa a la contratación externa[3]. Ahora bien, como veremos a continuación, actualmente la frontera entre la colaboración administrativa y el mercado (o la contratación pública) no es tan nítida. Más bien al contrario. La decidida apuesta por la construcción de un mercado interior europeo y la necesidad de asegurar la existencia de un marco jurídico uniforme y sin exclusiones que garantice su funcionamiento, han llevado a una notable extensión del ámbito de aplicación de la normativa reguladora de los contratos públicos y, con ella, la necesidad de precisar en qué casos concretos los acuerdos celebrados entre entidades públicas territoriales deben quedar sujetos a dichas normas.

Y es que –tal y como puso claramente de relieve la Sentencia del Tribunal de Justicia de la Unión Europea (en adelante, TJUE) de 13 de enero de 2005, asunto C-84/03, *Comisión de las Comunidades Europeas/Reino de España*– hoy en día no resulta posible excluir, *a priori*, dichos instrumentos relacionales de la normativa contractual. Sino que, en la medida que éstos pudieran configurarse como un mecanismo de *adjudicación* de determinadas prestaciones a otra entidad diferenciada, podríamos plantearnos si no estaríamos realmente ante un «contrato público».

Asimismo, la propia extensión del Mercado y de las actividades susceptibles de explotación económica por los particulares nos lleva, cada vez

---

1. Sobre la nueva regulación de los convenios administrativos nos remitimos a Pascual García 2016, p. 157-186 o Vilalta Reixach 2016.
2. Para la elaboración de esta comunicación tomaremos como referencia el Proyecto de Ley de Contratos del Sector Público, por la que se transponen al ordenamiento jurídico español las Directivas del Parlamento Europeo y del Consejo, 2014/23/UE y 2014/24/UE, de 26 de febrero de 2014, publicado en el Boletín Oficial de las Cortes Generales, núm. 2-1, de 2 de diciembre de 2016.
3. De ahí que, tradicionalmente, la legislación española en materia de contratación viniera excluyendo de su ámbito de aplicación las relaciones de colaboración entre administraciones públicas. Sin remontarnos a antecedentes más lejanos, podemos citar, por ejemplo, el artículo 3.1 c) del Real Decreto 2/2000, de 16 de junio, por el que se aprobó el Texto refundido de la Ley de Contratos de las Administraciones Públicas.

con más frecuencia, a una relativización de las funciones públicas, en el sentido que se encomiendan a empresas privadas la realización de tareas que, hasta hace poco, parecían pertenecer en exclusiva al Estado. A pesar de que los motivos de este traspaso pueden ser muy diversos –desde la recurrente falta de medios materiales y personales de las diferentes administraciones, pasando por la falta de conocimientos técnicos de la Administración para la realización de tareas cada vez más complejas, hasta llegar a la necesidad de mejora de la calidad y eficacia en la gestión en el marco de procesos de simplificación administrativa– lo cierto es que ello supone reconocer el carácter económico de muchas de las funciones administrativas actuales.

De ahí que debamos preguntarnos: ¿cuál es la diferencia –si es que la hay– entre un convenio administrativo y un contrato del sector público? Y, en tal caso, ¿Cuál es el tratamiento contractual que debemos dar a estos acuerdos les a efectos del nuevo PLCSP?

II. EL ÁMBITO DE APLICACIÓN MATERIAL DE LA LEGISLACIÓN CONTRACTUAL: LOS «CONTRATOS PÚBLICOS»

Para poder examinar con más detalle todas estas cuestiones resulta imprescindible fijar el punto de partida de nuestra exposición. Esto es, concretar cuál es el ámbito material de aplicación de la legislación contractual y, con ello, a qué nos referimos cuando hablamos de *contratos públicos*.

En este sentido, debemos tener muy presente que, como viene sucediendo hasta ahora, de acuerdo con su artículo 1, el PLCSP solamente tiene por objeto regular la *contratación del sector público*. A tal efecto, el PLCSP entiende como tales todos los contratos onerosos, cualquiera que sea su naturaleza jurídica, que celebren los entes, organismos y entidades comprendidos en su ámbito de aplicación (art. 2.1 PLCSP).

De esta manera, se fijan con claridad los elementos necesarios para determinar la aplicabilidad de la normativa contractual, articulándola alrededor de tres elementos: 1) la existencia de un contrato, 2) que tenga carácter oneroso y 3) celebrado por una de las entidades comprendidas dentro del sector público. Estos tres elementos tienen que concurrir de forma acumulativa, de modo que si un determinado negocio jurídico carece simultáneamente de alguno de ellos entonces no podremos hablar de la existencia de un *contrato del sector público* a efectos del PLCSP y, por lo tanto, su regulación quedaría fuera del ámbito de aplicación de dicha norma jurídica.

En consecuencia, debemos comenzar este apartado descomponiendo cada uno de estos tres elementos para analizar si la figura de los convenios entre entidades públicas, tal y como los hemos configurado hasta ahora, son susceptibles de ser calificados realmente como un contrato del sector público a efectos del PLCSP.

1. LA NECESARIA EXISTENCIA DE UN CONTRATO

El primer requisito lógico para poder aplicar el PLCSP reside en la necesaria existencia de un *contrato*. Ahora bien, la definición de qué debemos entender como tal es una tarea que el PLCSP no asume directamente sino que remite a la idea de contrato como una categoría conceptual preexistente.

En este sentido, ante la inexistencia en nuestro Derecho Administrativo de un concepto propio de *contrato*, debemos partir de la definición general del artículo 1254 del Código Civil que define como tales a todo acuerdo de voluntades entre dos o más personas, dirigido a la configuración, modificación o extinción de un vínculo obligatorio entre ellas.

En este punto, además, debemos añadir que desde las instituciones europeas tampoco se ha ofrecido una definición general del concepto *contrato* en el ámbito administrativo. Sin embargo, el TJUE cuando se ha referido a esta institución lo ha hecho también de una forma muy amplia, definiéndolo como «cualquier convenio entre dos personas diferentes»[4]. Por lo tanto, entendiendo la institución contractual como la prestación voluntaria de un consentimiento entre dos personas diferenciadas, dirigida al establecimiento de una relación jurídica entre ellas.

Pues bien, desde esta perspectiva amplia de la institución contractual nuevamente debemos formularnos otra pregunta: ¿puede un convenio administrativo configurarse como un *contrato*? Para responder este interrogante debemos partir de los requisitos que el artículo 1261 del Código Civil exige para poder hablar de la existencia de un contrato: esto es, que concurra un acuerdo de voluntades entre dos personas distintas, un objeto cierto y una causa.

1.1. Los convenios interadministrativos como un acuerdo de voluntades de carácter bilateral

En nuestra opinión, la conceptualización de los convenios entre entidades públicas como un acuerdo de voluntades de carácter bilateral y voluntario no resultaría excesivamente problemática. En efecto, desde un

---

4. En este sentido, por ejemplo, la STJUE de 18 de noviembre de 1999, asunto C-107/98, *Teckal Srl.*, o la STJUE de 11 de mayo de 2006, asunto C-340/04, *Carbotermo SpA*.

punto de vista formal, en los convenios interadministrativos nos encontraríamos ante un negocio jurídico celebrado entre dos personas jurídicas distintas, con plena capacidad de obrar, que libremente convienen la realización de determinadas prestaciones[5].

Por lo demás, tampoco podría ponerse en cuestión la propia voluntariedad del convenio, por cuanto el consentimiento de las partes no sólo tiene valor constitutivo de la relación obligatoria (art. 48.8 LRJSP) sino que, además, se nos presenta como totalmente autónomo respecto del consentimiento de la otra parte. En este sentido, no podemos olvidar que en el caso de los convenios entre administraciones públicas territoriales la autonomía para la gestión de sus respectivos intereses que nuestro ordenamiento jurídico reconoce a los diferentes niveles de gobierno y administración en los que se organiza territorialmente nuestro Estado (art. 137 CE) implica situar a las partes intervinientes en una posición jurídica de igualdad.

De ahí que, desde un punto de vista abstracto, los convenios interadministrativos no puedan considerarse como un mero acto unilateral de imposición de la voluntad de una administración pública sobre otra, ni tampoco como una sucesión de actos unilaterales propios de cada una de los sujetos públicos que intervienen. Más bien al contrario, por cuanto, a pesar de que es cierto que la actuación de las administraciones públicas se encuentra siempre supeditada tanto al ordenamiento jurídico como a la satisfacción de los intereses generales (art. 103.1 CE), la libertad decisoria de las entidades públicas intervinientes jugaría un papel decisivo y regulador del contenido del convenio, proyectándose hacia una doble vertiente: en primer lugar, para decidir libremente la formalización de dicha relación jurídica y, en segundo lugar, la determinación de su contenido concreto[6].

1.2. El objeto contractual

El segundo elemento al que debemos hacer referencia para poder hablar de la existencia de un contrato es el relativo a su objeto, es decir, al

---

5. El propio artículo 47.1 de la LRJSP define los convenios como acuerdos de voluntades entre dos, o más, sujetos diferenciados; ya sean éstos entidades públicas o bien sujetos de Derecho Privado. Por lo que quedan fuera de la definición legal como convenios los pactos o acuerdos que pudieran establecerse entre órganos de una misma administración pública.
6. En este punto, como se ha puesto de relieve muy acertadamente (BUSTILLO BOLADO 2004, p. 84-85), no debe confundirse la voluntariedad de la relación jurídica con la existencia de una negociación real entre las partes. Y es que, aunque la negociación puede ser prueba de la autonomía decisoria de los contratantes, no es un requisito indispensable para afirmar su existencia.

sector de la realidad social sobre el que recae el consentimiento de las partes. Como señala el Código Civil, en todo contrato las partes consienten en obligarse a dar alguna cosa o prestar algún servicio (art. 1251 CC). Por lo que, junto con el consentimiento y la causa, el objeto se convierte en uno de los requisitos indispensables de todo negocio jurídico contractual.

En este sentido, es evidente que el acuerdo de voluntades que supone un convenio administrativo se produce también para la realización de un objeto concreto y determinado. En efecto, mediante el convenio las partes se comprometen recíprocamente a la realización de una serie de prestaciones, la determinación de las cuáles constituye el ámbito objetivo de la relación jurídica[7].

En muchas ocasiones, dichas prestaciones pueden no revestir un verdadero carácter contractual, por cuanto pueden integrar contenidos que quedan fuera del ámbito mercantil. Sería el caso, por ejemplo, de los llamados *convenios de competencias*, a través de los cuales las partes pretenden incidir en el sistema de distribución de competencias entre las diversas organizaciones jurídico-públicas, los *convenios normativos* por los cuales las partes pactan el texto de una determinada norma y se comprometen a adoptarla en su respectivo ordenamiento interno o los *convenios para la creación de órganos u organizaciones mixtas*[8]. Sin embargo, en otros muchos supuestos, el objeto de los convenios entre administraciones públicas sí que puede llegar a confundirse fácilmente con la descripción de los diferentes tipos contractuales.

Por ejemplo, ello es especialmente frecuente en los convenios de colaboración mediante los cuales una entidad pública realiza una determinada actuación positiva en favor de otra. En estos casos, se articularía una suerte de relación prestación-contraprestación sobre una actividad –susceptible de poseer contenido económico– que se asemejaría mucho a las relaciones contractuales privadas. Más si tenemos en cuenta que la gama de prestaciones que las empresas privadas o los particulares pueden llevar a cabo es cada vez más extensa, pudiendo abarcar la gran mayoría de actividades que hoy en día desarrolla la Administración Pública.

---

7. De hecho, el artículo 49 c) de la LRJSP, al fijar el contenido mínimo de los convenios administrativos, prevé que, entre otros aspectos, éstos deban incluir necesariamente el objeto del convenio y las actuaciones a realizar por cada sujeto para su cumplimiento.

8. En el ámbito doctrinal, se han planteado numerosas clasificaciones de los convenios administrativos en atención a su objeto. Sirvan como muestra las previstas en Pascual García 2012, p. 43-46; Rodríguez de Santiago 1997, p. 143-331; Martín Huerta 2000, p. 121-179 o González-Antón Álvarez 2002, p. 131-175.

No obstante, en este punto la nueva Ley de Régimen Jurídico del Sector Público introduce una novedad importante, si bien no exenta de dudas interpretativas. Así, el artículo 47.1 de la LRJSP, *in fine*, prevé que «los convenios no podrán tener por objeto prestaciones propias de los contratos. En tal caso, su naturaleza y régimen jurídico se ajustará a lo previsto en la legislación de contratos del sector público».

¿Significa esto que, a partir de ahora, debemos considerar nulos todos aquellos convenios administrativos que tengan contenido contractual? A primera vista, podría pensarse que sí. Más cuando el artículo 50.1 de la LRJSP prevé que la tramitación de los convenios deba de acompañarse de una memoria en la que no sólo debe justificarse su necesidad y oportunidad, sino también «el carácter no contractual de la actividad en cuestión».

Sin embargo, no creo que esta sea la interpretación más adecuada. Y es que si tenemos en cuenta la amplitud del ámbito de aplicación objetivo de la normativa contractual, en la práctica, ello supondría una limitación muy notable a las posibilidades de colaboración entre los diferentes niveles de gobierno y administración.

Para hacernos una idea de dicha amplitud, basta con tomar en consideración la definición del *contrato de servicios* que se prevé en el nuevo artículo 17 del PLCSP, según la cual este tipo contractual comprende «prestaciones de hacer consistentes en el desarrollo de una actividad o dirigidas a la obtención de un resultado distinto de una obra o suministro». Desde esta perspectiva, podríamos preguntarnos ¿qué clase de actividades administrativas no resultarían susceptibles de ser subsumidas, siquiera residualmente, dentro de esta categoría contractual?

Por lo tanto, en nuestra opinión el artículo 47.1 de la LRJSP en realidad no pretende establecer una prohibición en cuanto al objeto de los convenios administrativos sino diferenciar un doble régimen jurídico en función de este elemento: así, por un lado, encontraríamos los convenios cuyo objeto sea no contractual, que se regirán esencialmente por lo previsto en la LRJSP; y, por otro, encontraríamos los convenios que tengan un objeto contractual –este sería el sentido del último apartado del artículo 47.1 de la LRJSP al afirmar que «en tal caso», esto es cuando los convenios tengan por objeto prestaciones propias de los contratos–, los cuales deberán sujetar su régimen jurídico a lo previsto en la legislación de contratos del sector público.

La justificación de dicha interpretación vendría dada por el hecho que, cuando los convenios tengan por objeto una prestación propia de un contrato, no puede negarse *a priori* su consideración como un verdadero *contrato público*. En consecuencia, su régimen jurídico quedaría atraído necesariamente hacia lo previsto en la legislación básica en materia contractual.

1.3. La causa contractual

Finalmente, para poder hablar de la existencia de un contrato el artículo 1261 del Código Civil exige un último elemento: la causa contractual. A pesar de que la causa del contrato es una de las instituciones más complejas y controvertidas del Derecho Civil, podemos afirmar que con esta denominación haríamos referencia al fundamento jurídico que justifica la producción de las obligaciones que nacen del contrato. Así, todo negocio jurídico requiere de una causa o razón suficiente que ampare su tutela por parte del ordenamiento jurídico y le imprima su carácter vinculante.

En el caso que estamos examinando, creemos que no habría ningún obstáculo para extender la aplicación de este esquema contractual a la figura de los convenios administrativos. En su condición de acuerdo de voluntades sobre un objeto concreto podríamos entender también que éste exige la existencia de un nexo causal entre las obligaciones que asume cada una de las partes.

En este sentido, concretando un poco más, podemos considerar que los convenios administrativos tendrían, por un lado, una causa específica (o causa inmediata) que coincidiría con el propósito concreto o resultado típico que persiguen las partes con su celebración y, por otro, una causa genérica (o causa mediata), vinculada a la idea de colaboración para la consecución de un fin común a las partes intervinientes. Y es que, como prevé expresamente el artículo 47.1 de la LRJSP, dichos acuerdos no deben verse solamente como un modo de proveer una determinada entidad de una actividad o servicio del que carece, sino que, desde un punto de vista general, se nos presentan también como un instrumento de colaboración administrativa –para la consecución de un «fin común» a las partes intervinientes (art. 47.1 LRJSP)–[9].

Es cierto que, a partir de esta ineludible finalidad colaborativa de los convenios administrativos, algunos autores (por ejemplo, MORELL OCAÑA 1998, p. 265-267) han cuestionado la existencia de un verdadero el nexo causal. En estos supuestos, se parte de la idea que una de las características esenciales a todo negocio jurídico contractual sería la de ordenar

---

9.   Se han referido también a la causa de los convenios interadministrativos como un elemento definitorio de este tipo de negocios jurídicos, entre otros, SANTIAGO IGLESIAS 2014, p. 924-925 y PASCUAL GARCÍA 2014, p. 37-43.

situaciones jurídicas presididas por una contraposición de intereses. De manera que deberían excluirse de tal calificativo todos aquellos supuestos en que los intereses en juego no son contrapuestos sino paralelos.

No obstante, no podemos compartir dicha opinión, por dos razones fundamentales. En primer lugar, por cuanto entendemos que la contraposición de intereses no es un elemento determinante para la existencia de un contrato (*ex* art. 1254 del Código Civil). La existencia de posiciones contrapuestas puede ser un elemento común a los contratos de intercambio, pero no es ni un requisito esencial a todo contrato, ni el único nexo causal previsto en nuestro ordenamiento. Al contrario, la colaboración entre las partes para la consecución de un objetivo común constituye también un vínculo contractual lícito y plenamente admitido por nuestro ordenamiento jurídico [piénsese, por ejemplo, en los contratos de mandato (art. 1709 CC) o los contratos asociativos (art. 1665 CC)].

Es más, podríamos preguntarnos incluso si resulta posible desligar cualquier actuación contractual de la voluntad de colaboración entre las partes. Pues, como se advirtió tempranamente por la doctrina (ENTRENA CUESTA 1957, p. 65), a pesar de los intereses privativos que pueden perseguir las partes, no es menos cierto también que un componente de colaboración se encuentra siempre presente o implícito en toda actuación contractual.

Por lo tanto, podemos entender que aquello determinante para hablar de un *contrato* es la presencia de intereses «distintos» –que es lo que genera la existencia de diferentes situaciones jurídicas (las partes) en una relación obligatoria–; pero sin que sea necesario que éstos sean, al mismo tiempo, contrapuestos. Así, los convenios se nos presentan como un acuerdo de voluntades generador de verdaderas obligaciones recíprocas –concretas y exigibles (art. 47.1 LRJSP)–, en virtud de las cuales las partes asumen posiciones jurídicas distintas a las que tenían con anterioridad a la celebración de dicho acuerdo. En definitiva, como un negocio jurídico bilateral dirigido a la creación de obligaciones para las partes.

2. EL CARÁCTER ONEROSO DE LA RELACIÓN CONTRACTUAL

En segundo lugar, el artículo 2.1 del PLCSP limita su ámbito de aplicación únicamente a los contratos que tengan carácter oneroso. A diferencia del anterior TRLCSP, el PLCSP nos define expresamente qué debemos entender como tales, considerando que existirá onerosidad «en los casos en que el contratista obtenga algún tipo de beneficio económico, ya sea de forma directa o indirecta».

El TJUE se ha referido, en varias ocasiones a la onerosidad de los contratos públicos. Por ejemplo, en la Sentencia de 12 de julio de 2001, asunto C-399/98, *Ordine degli Archittetti delle Province di Milano y Lodi*, en la que el TJUE afirma que el carácter oneroso de un contrato público se refiere a la prestación que ofrece el contratista para la realización del objeto del contrato (FJ. 77). O, también en la Sentencia de 25 de marzo de 2010, asunto C-451/08, *Helmut Müller GbmH*, en la que el TJUE ha considerado que, para que pueda hablarse de la existencia de un contrato público, es necesario que el poder adjudicador reciba una prestación a cambio de una contraprestación (FJ. 45).

Desde esta perspectiva, si aplicamos estos razonamientos al supuesto que nos ocupa, podremos comprobar como en muchos supuestos –sobre todo en aquellos en los que el convenio supone la prestación de una asistencia activa de una administración pública sobre otra– éstos pueden configurarse como un negocio jurídico de carácter oneroso, ya que cada una de las partes de la relación asume un sacrificio patrimonial propio que, como decíamos anteriormente, se explica y justifica en atención a la contraprestación que recibe de la otra parte.

En este punto, además, hay que recordar que el carácter oneroso que se exige a la institución contractual no debe confundirse con la existencia de una finalidad de lucro para las partes contratantes. Como ha puesto de relieve el TJUE –por ejemplo, en la Sentencia de 23 de diciembre de 2009, asunto C-305/2008, *Consorzio Nazionale Interuniversitario para le Scienze*– bajo el concepto de operador económico utilizado por las Directivas europeas pueden incluirse organismos la finalidad principal de los cuales no sea la obtención de un lucro ni tan siquiera la actuación en el mercado, como pueden ser las universidades o los centros de investigación (FJ. 30). Al mismo tiempo, como se ha destacado en la Sentencia del TJUE de 19 de diciembre de 2012, asunto C-159/11, *Azienda Sanitaria Locale di Lecce, Università del Salento*, el contrato no perdería tampoco su carácter oneroso por el simple hecho de que éste no sea lucrativo y su retribución se limite solamente al reembolso de los gastos realmente soportados por la realización de la prestación acordada (FJ. 29).

III. EL REQUISITO SUBJETIVO: LAS ENTIDADES DEL SECTOR PÚBLICO

Por último, el PLCSP sólo califica como *contratos del sector público* aquellos que hayan sido celebrados por los entes, entidades y organismos comprendidos dentro de su ámbito subjetivo de aplicación (art. 2.1

PLCSP). Por lo que la participación como adjudicador del contrato de una entidad que pertenezca al sector público se configura como una condición *sine qua non* para poder hablar de la existencia de un contrato público a efectos del PLCSP.

En el caso de los convenios entre administraciones públicas que estamos comentando es evidente que nos encontramos ante sujetos que entran plenamente dentro del ámbito subjetivo de aplicación de la Ley. Ahora bien, ¿el hecho que el sujeto pasivo de esta relación convencional sea también una entidad del sector público puede afectar a su consideración como contrato? A nuestro entender, no. A pesar de que, obviamente, el PLCSP regula la posición del contratista de la Administración Pública pensando principalmente en la figura del empresario mercantil, hoy en día se admite con normalidad que esta condición puedan asumirla todas aquellas personas –tanto públicas como privadas– que puedan actuar como parte, ofreciendo la realización de obras, el suministro de productos o servicios.

De hecho, las propias Directivas europeas en materia de contratación pública así lo prevén expresamente cuando, por ejemplo, en el artículo 2.8 de la nueva Directiva 2014/24/UE, de 26 de febrero, sobre contratación pública, se considera como posible contratista (*operador económico*) «toda persona física o jurídica, *entidad pública* o agrupación de tales personas o entidades».

Al mismo tiempo, esta conclusión ha sido plenamente compartida por el TJUE cuando –por ejemplo, y entre otras muchas, en la citada Sentencia de 18 de noviembre de 1999, asunto C-107/99, *Teckal Srl.*– afirma: «la Directiva 93/63 es aplicable cuando una entidad adjudicadora, como un ente territorial, proyecta celebrar por escrito, con una entidad formalmente distinta de ella […] un contrato a título oneroso […] independientemente de que dicha entidad sea o no, en sí misma, una entidad adjudicadora». (FJ. 51). O, más recientemente, en la STJUE de 18 de diciembre de 2014, asunto C-568/13, *Azienda Ospedaliero-Universitaria di Careggi-Firenze*, se subraya el hecho que cualquier entidad que se considere apta para garantizar la ejecución de un contrato público tiene derecho a participar en el mismo, con independencia de que su estatuto jurídico sea público o privado, o de si opera sistemáticamente en el mercado o si sólo interviene de manera ocasional (FJ. 35).

IV. RECAPITULACIÓN

Una vez analizados los diferentes elementos que configuran la noción de *contrato público* a efectos del PLCSP podemos llegar a la conclusión que, efectivamente, algunos de los convenios que pueden suscribirse entre administraciones públicas territoriales pueden encajar en su definición, en cuanto se nos presentan como acuerdos de voluntades de carácter bilateral y oneroso sobre un objeto de naturaleza contractual, celebrados por una entidad que forma parte del sector público.

Por lo que, llegados a este punto, se nos plantea una nueva pregunta: ¿cuál es la regulación concreta que el PLCSP prevé para estos supuestos? En otras palabras, ¿el hecho de que estos convenios puedan considerarse como un contrato público significa, necesariamente, que su preparación y adjudicación se someterán siempre a los procedimientos de licitación y exigencias previstos en el PLCSP?

V. EL TRATAMIENTO DE LOS CONVENIOS ENTRE ADMINISTRACIONES PÚBLICAS A EFECTOS DEL PLCSP: LA EXCLUSIÓN DE LAS RELACIONES DE COLABORACIÓN

Para responder las preguntas anteriores debemos partir de una premisa previa muy importante: a pesar de que el PLCSP pretende aplicarse generalmente a todos los contratos onerosos y celebrados por escrito por los sujetos pertenecientes al sector público (art. 2.1 PLCSP), hay determinadas relaciones jurídicas que –aunque pudieran definirse teóricamente como *contratos públicos* a efectos de la legislación contractual– quedan *ex lege* fuera de su ámbito de aplicación (art. 4-11 PLCSP). Por lo tanto, no todas las relaciones contractuales formalizadas por entidades pertenecientes al sector público quedan automáticamente sujetas al PLCSP sino que podemos encontrar un conjunto heterogéneo de figuras que, por motivos diversos y por propia decisión del legislador, quedan fuera del ámbito de aplicación de dicha norma.

Uno de estos supuestos es el relativo a «los convenios que celebre la Administración General del Estado con las entidades gestoras y servicios comunes de la Seguridad Social, las mutuas colaboradoras con la Seguridad Social, las Universidades Públicas, las Comunidades Autónomas, las Entidades locales, organismos autónomos y restantes entidades públicas, o los que celebren estos organismos y entidades entre sí, siempre que su contenido no esté comprendido en el de los contratos regulados en esta Ley o en normas administrativas especiales» (art. 6.1 PLCSP).

Antes de entrar a examinar más detalladamente esta exclusión y su posible aplicación al supuesto que nos ocupa, debemos comenzar recordando una idea que, a pesar de ser obvia, en ocasiones parece pasar desapercibida. Y es que el PLCSP –como el vigente TRLCSP– no prevé una exclusión absoluta e incondicionada de su ámbito de aplicación de todas las relaciones convencionales entre entidades públicas sino solamente de aquellas que, por su *contenido*, no estén comprendidas en el ámbito de los contratos regulados por la Ley (art. 6.1 PLCSP).

En este punto, como puede observarse, el Proyecto de Ley introduce una novedad relevante: la sujeción de los convenios a la normativa contractual ya no se hace depender de una noción tan indeterminada y confusa como es su «naturaleza jurídica» [art. 4.1 c) TRLCSP][10] sino de «su contenido» (art. 6.1 PLCSP).

De todos modos, la determinación del significado de dicha terminología sigue resultando compleja, por cuanto ¿a qué se refiere el PLCSP cuando habla del *contenido* de un convenio?

Una primera interpretación lógica podría consistir en entender que con esta expresión el PLCSP pretende sujetar a sus prescripciones todos aquellos negocios jurídicos celebrados entre entidades jurídico-públicas que tengan un objeto contractual. Es decir, el contenido del convenio se identificaría con su objeto. De este modo, se incluiría dentro del ámbito de aplicación de la Ley todo acuerdo de voluntades entre dos personas diferenciadas –independientemente de que ésta sea también otra entidad pública– de carácter oneroso y cuyo objeto encaje con alguna de las prestaciones materiales previstas por el propio PLCSP.

No obstante, con esta interpretación nuevamente se nos ponen de relieve algunas de las dificultades a las que habíamos ya hecho referencia anteriormente. Y es que, teniendo en cuenta la notable amplitud del ámbito de aplicación material de la legislación contractual, podríamos llegar también fácilmente a la conclusión de que, en muchos supuestos, las actuaciones que actualmente son objeto de convenio entre administraciones públicas podrían ser susceptibles de encajar en alguno de los distintos tipos contractuales regulados por el PLCSP.

Las consecuencias que esto conllevaría para su régimen jurídico, como fácilmente puede imaginarse, serían de enorme trascendencia, hasta el

---

10. En otras ocasiones, hemos criticado la actual regulación prevista en el TRLCSP, pues hace depender la sujeción de los convenios de colaboración entre entidades públicas a dicha norma de una noción tan indeterminada como es su «naturaleza jurídica». Todo ello sólo contribuye a añadir más confusión a su régimen jurídico. Sobre todo si se tiene en cuenta que, ante la ausencia de una definición legal de esta figura, una de las cuestiones que más se habían venido discutiendo había sido, precisamente, la naturaleza jurídica de los convenios interadministrativos. Podemos citar, por ejemplo, Vilalta Reixach 2012, p. 355-371 o Vilalta Reixach 2016, p. 104-105.

punto de llevarnos a cuestionar la propia funcionalidad de esta institución. Y es que se perderían algunos de los argumentos que, tradicionalmente, han justificado el recurso a esta figura: en particular, su flexibilidad e inmediatez. En efecto, las entidades públicas territoriales que quisieran formalizar dichos convenios ya no dispondrían de plena libertad para elegir la forma de articular esta colaboración, sino que, para la preparación y adjudicación de estos acuerdos, deberían acudir inexcusablemente a los procedimientos competitivos de adjudicación previstos en la legislación contractual.

Por lo que, más allá de su objeto concreto, entendemos que, cuando el PLCSP se refiere al *contenido* de los convenios administrativos, en realidad, pretende poner en valor su específica finalidad como instrumentos de colaboración para la consecución de finalidades de interés público. De este modo, podríamos considerar que, a pesar de su posible configuración teórica como un *contrato público* oneroso, en los convenios entre administraciones públicas concurre un elemento causal que nos permite modular su necesaria sujeción a la legislación contractual.

En efecto, las obligaciones que se asumen a través de un convenio interadministrativo no se nos presentan solamente como una forma de intercambio patrimonial o como una manera de abastecerse de unos determinados recursos de los que no se dispone sino que, en realidad, se configuran como una manifestación de la capacidad organizativa y relacional del conjunto del sistema administrativo. Es decir, como una forma de administrar el complejo organizativo público.

Aunque, efectivamente, en muchos casos este tipo de convenios presuponen una dualidad de sujetos que acuerdan entre sí la realización de una determinada prestación a cambio de una contraprestación –lo que, desde un punto de vista teórico, nos llevaba a afirmar la existencia de un *contrato del sector público* a efectos del PLCSP–, tanto la naturaleza pública de las personas que intervienen en este negocio como, sobre todo, los fines de interés general que se persiguen por ambas partes son elementos que, necesariamente, caracterizan esta figura y que determinan el *contenido* de estos negocios a efectos del artículo 6.1 del PLCSP. Permitiéndonos diferenciarlos de los simples contratos de subordinación entre las administraciones públicas y el resto de operadores económicos.

En realidad, esta interpretación que se propone no resulta nada novedosa. Simplemente recoge algunos de los planteamientos recientemente realizados por el TJUE en esta materia[11] y que actualmente se encuentran po-

---

11. Podemos citar, por ejemplo, la STJUE de 29 de junio de 2009, asunto C-480/06, Comisión Europea/ República Federal de Alemania (F.J. 37); la STJUE de 19 de

sitivizados en el artículo 12.4 de la nueva Directiva 2014/24/UE, de 26 de febrero, sobre contratación pública. En ambos casos, aunque se parte de la consideración que una competencia leal y abierta en el Mercado Interior impide que los contratos celebrados entre entidades públicas puedan quedar automáticamente excluidos del ámbito de aplicación de las Directivas en materia de contratación pública se admite, sin embargo, que pueden existir también otras fórmulas de cooperación que –siempre que cumplan determinados requisitos– queden fuera del ámbito de aplicación de la legislación contractual.

Es precisamente a estos requisitos –que no son sino reproducción literal del mencionado art. 12.4 de la nueva Directiva– a los que se refiere también el artículo 6.1 del PLCSP cuando, para que pueda aplicarse dicha exclusión, exige que el convenio que se celebre entre los poderes adjudicadores cumpla acumulativamente los siguientes requisitos:

> «[...] desarrolle una cooperación entre aquellas con la finalidad de garantizar que los servicios públicos que les incumben se prestan de modo que se logren los objetivos que tienen en común; que el desarrollo de dicha cooperación se guíe únicamente por consideraciones relacionadas con el interés público; y que las citadas entidades realicen en el mercado abierto menos del 20 por ciento de las actividades objeto de la colaboración».

Por lo tanto, para excluir del ámbito de aplicación de la Ley, las partes del convenio tendrán que acreditar expresamente que el negocio jurídico que pretende celebrarse –aunque aparentemente pueda tener un contenido contractual– no se configura como un simple contrato público sino que, en realidad, instrumenta una relación de cooperación entre ellas, dirigida a garantizar una misión de servicio público común a las entidades participantes.

En efecto, si se cumplen todos estos condicionantes, podríamos entender que el *contenido* de dicho acuerdo –a efectos del citado art. 6.1 del PLCSP– no sería de carácter contractual sino de colaborativo. Así, el elemento económico que pudiera llevar implícito tendría un carácter meramente

---

diciembre de 2012, asunto C-159/11, *Azienda Sanitaria Locale di Lecce, Università del Salento* (FJ 34-35) o la STJUE de 13 de junio de 2013, asunto C-386/11, *Piepenbrock Diensleistungen GmbH & Co. Kg* (FJ 34). Sobre estas cuestiones, véase también el «Libro verde sobre la modernización de la política de contratación pública en la UE. Hacia un Mercado europeo de la contratación pública más Eficiente» [Comunicación de la Comisión Europea COM (2011) 15, de 27 de enero] y el «Documento de trabajo de los servicios de la Comisión relativo a la aplicación de la normativa sobre contratación pública de la UE en las relaciones entre poderes adjudicadores, especialmente en la cooperación dentro del sector público» [SEC (2011) 1169, de 4 de octubre].

accidental, en cuanto la actuación de los sujetos participantes no responde a pautas comerciales o mercantiles, ni a la obtención de un lucro, sino que debe obedecer solamente a criterios compartidos de interés público[12]. De ahí que el mencionado art. 6.1 del PLCSP excluya de este supuesto las relaciones entre poderes públicos que pudieran tener vocación de mercado, así como aquéllas en que haya participación del capital privado.

En todo caso, lo que parece evidente es que, a partir de ahora, adquiere una especial relevancia la motivación o justificación de la utilización de dicho instrumento convencional, que se nos presenta como un elemento clave para justificar y controlar el recurso a esta figura. Y es que, si como hemos ido argumentando, el tratamiento contractual de estos negocios jurídicos podría modularse a partir de su elemento causal –esto es su orientación a la consecución de un específico interés público que excede de la materia contractual–, resulta más que nunca imprescindible que el convenio exponga de manera clara todas las circunstancias que habilitan su utilización, así como las finalidades de interés público que pretenden conseguirse con él.

De hecho, este requisito teleológico no quedaría solo como una mera exigencia abstracta, sino que, al amparo del artículo 50.1 de la LRJSP –que prevé que será necesario que el convenio se acompañe de una memoria justificativa donde se analice su necesidad y oportunidad– podríamos entender que se configuraría como un requisito de validez. Así, como ha quedado dicho, al formalizar el convenio, las partes deberían de concretar expresamente los objetivos de interés público compartidos que se persiguen con su suscripción.

---

12. En este punto, hay que tener presente que uno de los aspectos que el TJUE ha tenido en cuenta a la hora de valorar la necesidad de someter o no un determinado negocio jurídico entre entidades públicas a la legislación contractual han sido los movimientos financieros entre las partes intervinientes. Véase, por ejemplo, la ya mencionada Sentencia de 29 de junio de 2009, *Comisión Europea / República Federal de Alemania,* en la que el TJUE entiende que la relación de colaboración que se establecía en dicho convenio no respondía al típico carácter contractual de pago de un precio por la prestación de unos servicios porque el acuerdo celebrado no daba lugar a más movimientos financieros que aquellos dirigidos a reembolsar los gastos realizados por la entidad pública adjudicataria (F.J. 44).

Por otro lado, las conclusiones del Abogado General, Sr. Paolo Mengozzi, as. C-15/13, *Datenlotsen Informationssysteme GMBH/Technische Universität Hamburg-Harburg,* de 23 de enero de 2014, se refirieron también al carácter de misión *común* que debe presidir el establecimiento de estas relaciones de colaboración. Así, se afirma que el desarrollo de una función pública común entre las partes no quiere decir que ésta tenga que ser absolutamente coincidente. A su entender, también podría existir esta relación de colaboración administrativa cuando la actuación de una de las partes sea un complemento específico de las funciones de interés público de la otra (FJ 59).

VI. BIBLIOGRAFÍA CITADA

Bustillo Bolado, R. (2004). *Convenios y contratos administrativos: transacción, arbitraje y terminación convencional del procedimiento.* Navarra: Thomson Reuters-Aranzadi.

Entrena Cuesta, R. (1957). «Consideraciones sobre la teoría general de los contratos de la Administración», en *Revista de Administración Pública*, núm., 24, p. 39-74.

González-Antón Álvarez, C. (2002). *Los convenios interadministrativos de los entes locales.* Madrid: Ed. Montecorvo.

Gosálbez Pequeño, H. (2000). *El contratista de la Administración Pública.* Madrid: Ed. Marcial Pons.

Martín Huerta, P. (2000). *Los convenios interadministrativos.* Madrid: Instituto Nacional de Administración Pública.

Morell Ocaña, L. (1998). *Curso de Derecho Administrativo*, T. I. Navarra: Ed. Aranzadi, tercera edición.

Pascual García, J. (2010). *Las encomiendas de gestión a la luz de la Ley de Contratos del Sector Público.* Madrid: Boletín Oficial del Estado (BOE).

Pascual García, J. (2012). *Convenios de colaboración entre entidades públicas y convenios con administrados.* Madrid: Agencia Estatal Boletín Oficial del Estado.

Pascual García, J. (2016). «La regulación de los convenios administrativos en la Ley de régimen jurídico del sector público», en Revista Española de Control Externo, vol. XVIII, núm. 54, 2016, p. 157-186.

Rodríguez de Santiago, J.M. (1997). *Los convenios entre administraciones públicas.* Madrid: Marcial Pons.

Santiago Iglesias, D. (2014). «Los convenios interadministrativos», en *Contratos. Civiles, mercantiles, públicos, laborales e internacionales, con sus implicaciones tributarias.* Navarra: Thomson Reuters-Aranzadi, p. 891-937.

Vilalta Reixach, M. (2012). *La encomienda de gestión. Entre la eficacia administrativa y la contratación pública.* Navarra: Thomson Reuters-Aranzadi.

Vilalta Reixach, M. (2016). «Los convenios interadministrativos en el ordenamiento jurídico español desde un punto de vista contractual», en *Revista Digital de Derecho Administrativo* [En línea], núm. 15, 2016, p. 83-114.

Capítulo 9

El control de la ejecución del contrato: una asignatura pendiente

TERESA MOREO MARROIG

SUMARIO: I. INTRODUCCIÓN. II. UN RÉGIMEN JURÍDICO ADECUADO PARA EL CONTROL III. EL CONTROL CORRESPONDE EN PRIMERA INSTANCIA AL ÓRGANO DE CONTRATACIÓN IV. EL CONTROL PREVIO DEL GASTO DERIVADO DE LAS OBLIGACIONES DEL CONTRATO V. EL PAPEL PROTAGONISTA DEL DIRECTOR DEL CONTRATO. VI. LA FALTA DE CONTROL SE DETECTA DEMASIADO TARDE. VII. MEDIDAS QUE PODRÍAN ADOPTARSE

RESUMEN El tema del control constituye el núcleo del tercer panel de este congreso internacional titulado: *Los retos del control en la contratación pública*. Existe un antes y un después de la Ley 34/2010. Resulta evidente que la creación y puesta en funcionamiento de órganos de recursos contractuales ha supuesto un notable avance en la necesidad de un efectivo control de los contratos públicos en las fases de preparación y adjudicación. Con esta comunicación pretendo aportar una visión algo diferente a la de los ponentes de este panel ya que me centraré exclusivamente en la fase de ejecución del contrato, señalando las principales áreas de riesgo y algunas recomendaciones que permitan evitarlas, todo ello desde un punto de vista de la Intervención, es decir, del control del gasto público.

I. INTRODUCCIÓN

El concepto de control aparece en el artículo 1 del TRLCSP relacionado con el gasto público y la eficiente utilización de los fondos destinados a la provisión de bienes y servicios. La gestión eficiente en la contratación (*value for money*) es una obligación de los poderes adjudicadores y se debe entender como un plus respecto del concepto de eficacia que le añade un extra de racionalidad, basada en el uso adecuado de todos los recursos disponibles y la elección no de una solución eficaz cualquiera sino de la solución eficaz que mejor resuelva los problemas y lleve mejor al cumplimiento de los objetivos de la Administración. El Estado juega un rol importante en la provisión de bienes y servicios lo cual obliga a los poderes públicos a establecer los incentivos y controles necesarios para que el gasto sea hecho de forma eficiente. Los principios de publicidad y concurrencia son instrumentos que coadyuvan a la consecución de la gestión eficiente porque permiten la elección de la oferta económicamente más ventajosa, pero no son en sí mismos suficientes. Es necesario un cuidado seguimiento de la ejecución del contrato que asegure el cumplimiento por parte del contratista de todas y cada una de las obligaciones que se derivan de su oferta y la aplicación de las medidas coercitivas que el marco jurídico permita en el caso de que no cumpla debidamente. De nada sirve que el licitador ofrezca mejoras o la incorporación de cláusulas sociales y medioambientales o de condiciones especiales de ejecución si su cumplimiento se deja a la voluntad de la empresa adjudicataria por falta de control de los órganos de contratación. Para un control exhaustivo del cumplimiento de los contratos los pliegos deben incorporar mandatos claros y precisos y parámetros objetivos para el ejercicio de la función de supervisión[1].

II. UN RÉGIMEN JURÍDICO ADECUADO PARA EL CONTROL

La Ley ofrece herramientas suficientes para el control de la ejecución de los contratos. El Libro IV del TRLCSP vertebra la respuesta jurídica a las innumerables incidencias que se producen durante el proceso de ejecución y dedica 112 artículos a los efectos y cumplimiento del contrato administrativo. A pesar de ello, el tema sigue siendo la asignatura pendiente en la práctica de la contratación pública. Es cierto que gran parte del gasto contractual se lleva a cabo a través de entes instrumentales del sector público que carecen de la condición de administración pública, con independencia de que deban ser considerados en muchas ocasiones poder adjudicador. Los contratos que formalizan estos entes siempre son contratos privados y por tanto no les resulta de aplicación directa las disposiciones de la normativa en materia de contratos que se refieren exclusivamente

---

1. En este sentido debe considerarse el Informe 16/2014, de 1 de octubre, de la Junta Consultiva de Contratación de Aragón, sobre incorporación en los Pliegos de los contratos de una entidad local de determinadas cláusulas sociales, y consecuencias de su eventual incumplimiento

a los contratos administrativos, como ocurre con gran parte de los preceptos que disciplinan los efectos de los contratos, especialmente en aquello que significa el ejercicio de potestades públicas que confieren a la Administración la facultad de actuar investida de poder o autoridad y a través de medios jurídicos excepcionales o exorbitantes respecto de los propios del derecho civil. Con todo, se ha de tener en cuenta que tanto la Administración como las entidades del sector público mercantil y fundacional persiguen la consecución del interés general en su actuación y por tanto se debe considerar la posibilidad de introducir prerrogativas en los contratos que suscriban los poderes adjudicadores que no tienen la condición de Administración Pública, en virtud del principio de libertad de pactos reconocido tanto en la normativa de contratación como en derecho civil, sin que ello signifique un cambio en la naturaleza privada de estos contratos y sin embargo coadyuve al control en su ejecución[2].

No existe la cultura del control de la ejecución del contrato. Sería muy favorecedor para su creación que se dictaran documentos que contengan instrucciones muy precisas dirigidas tanto a los órganos de contratación como a la Intervención, responsables del control del contrato, teniendo en cuenta los recursos humanos asignados para efectuar el seguimiento de cumplimiento de obligaciones contractuales[3].

III. EL CONTROL CORRESPONDE EN PRIMERA INSTANCIA AL ÓRGANO DE CONTRATACIÓN

A pesar de disponer de un marco jurídico apropiado la ejecución «anómala» de los contratos y el abuso de los modificados de produce con demasiada frecuencia. Una de las causas apunta a un cambio de perfil profesional de las personas que intervienen en la fase de ejecución respecto a las que se ocuparon de la preparación, licitación y adjudicación. Estas fases transcurrieron por una senda jurídico-formal –bajo el control en muchos casos de los servicios jurídicos, la Intervención y los tribunales administrativos de recursos contractuales– no obstante, una vez adjudicado el contrato parece que no se sabe muy bien por donde discurre.

---

2. Ver el Informe 3/2014, de 27 de noviembre de 2015. Posibilidad de introducir prerrogativas en los contratos que formalicen los poderes adjudicadores que no tienen la condición de Administración Pública. Naturaleza jurídica de los contratos.

3. Merita señalar en este foro internacional que en el ámbito latinoamericano puede destacarse el «*Manual de Supervisión de contratos de la Contraloría de Bogotá D.C. por un control fiscal efectivo y transparente*», Contraloría de Bogotá DC Colombia 2012, como señala Bernabé Palacín Sáenz en su interesante trabajo publicado en Gabilex, setiembre de 2016, *La supervisión de la ejecución de los contratos. En especial de las cláusulas sociales y ambientales. ¿Potencia sin control?*

El responsable del control de su ejecución o el director facultativo de las obras queda solo frente al contratista. Su perfil profesional le atribuye, en el mejor de los casos, amplios conocimientos a propósito de la materia contratada, pero esto resulta insuficiente si no se asegura una correcta coordinación entre el personal promotor del contrato y el personal asistente al órgano de contratación (unidades de contratación, de gestión económica, servicios jurídicos,...), con el fin de garantizar el cumplimiento del procedimiento legal en cada una de las incidencias que puedan surgir durante la vida del contrato y responsabilizar a quien corresponda de su incumplimiento. Para conseguir este control resulta muy importante mantener en la fase de ejecución la unidad del expediente, evitando la desmembración y la dispersión de los documentos que lo integran creando «falsos expedientes» que se archivan en diferentes unidades del órgano de contratación (construcción, servicios médicos, servicios jurídicos, unidad de gestión económica,...) sin sobresalto de nadie hasta que el expediente, con motivo de una investigación, es reclamado por la fiscalía y debe ser «reconstruido» para su remisión. No debemos olvidar que el control de la ejecución de los contratos corresponde en primera instancia al órgano de contratación. Todo ello, con el fin de garantizar una buena gestión de los fondos públicos, porque es en la ejecución del contrato donde el principio de eficiencia adquiere carta de naturaleza.

Merece destacar que el Tribunal de Cuentas Europeo, en su informe anual sobre el presupuesto de la UE relativo al año 2013 (DOUE de 12/11/2014), advirtió de que el sistema presupuestario está demasiado orientado a gastar los fondos exclusivamente cuando debería centrarse más en la obtención de resultados. El Tribunal subraya que la gestión del gasto de la Unión Europea no es aún suficientemente satisfactoria en términos generales, ni en la Unión ni en los Estados miembros. Según los auditores, en todo el período 2007-2013 se concedió prioridad a gastar los fondos disponibles («se usan o se pierden») y no a conseguir buenos resultados. En este sentido, puede verse el Informe del Tribunal de Cuentas de España, «Informe de fiscalización de la contratación realizada por los ministerios del área politicoadministrativa del Estado y sus organismos dependientes durante el ejercicio 2013», cuyo apartado IV «Conclusiones», punto 4, recoge la siguiente afirmación: «En numerosos expedientes no consta la documentación acreditativa de la realización total del contrato a satisfacción de la Administración». Y, seguidamente, en su Recomendación 2 dice: «Sería recomendable llevar a cabo un mayor seguimiento de la ejecución de los contratos y del cumplimiento de los plazos, haciendo efectivas las garantías en caso de incumplimiento y, en su caso, la imposición de penalidades».

IV. EL CONTROL PREVIO DEL GASTO DERIVADO DE LAS OBLI-GACIONES DEL CONTRATO

Además de los controles externos posteriores efectuados por el Tribunal de Cuentas y organismos similares a nivel regional, que se realizan una vez se ha ejecutado el contrato y producido su abono a la empresa por parte de la Administración, la Intervención tiene entre sus funciones el control interno del gasto público. La Ley 47/2003, General Presupuestaria, el Texto Refundido de la Ley Reguladora de las Haciendas Locales, aprobado por Real Decreto Legislativo 2/2004, así como las diferentes leyes autonómicas que regulan las finanzas públicas, señala que la Intervención ejercerá el control interno de la gestión económico financiera del sector público. Dentro de estas funciones, durante la ejecución del contrato, la Intervención fiscalizará la fase de reconocimiento de la obligación y llevará a cabo la comprobación material de las inversiones realizadas, en todo caso, concurriendo al acto de recepción de la obra, suministro o servicio de que se trate. Si no existe una corresponsabilidad del control en la ejecución del contrato por parte del centro gestor que es en primer lugar el responsable del control, la función de la Intervención o de las instituciones de control externo resultará insuficiente. Las comprobaciones que la Intervención ha de llevar a cabo en la fiscalización previa de los documentos contables que recogen la fase de reconocimiento de la obligación (OP/OK) consistirá en constatar que el documento recoge fielmente la fase de ejecución del presupuesto que corresponda, que son correctos los importes y las partidas presupuestarias y que constan las firmas correspondientes. La documentación justificativa que acompaña el documento contable, ya sea en papel o en forma electrónica, será la factura de la empresa adjudicataria y la certificación del órgano correspondiente valorando el trabajo parcial ejecutado[4]. Según lo dispuesto en el artículo 154.3 de la Ley General Presupuestaria, sólo procederá la formulación de reparo cuando no se cumpla alguno de los extremos de necesaria comprobación establecidos en el apartado 1 del artículo 152 de dicha ley. Ir más allá corresponde a un control financiero o auditoría pero no a la fase de control previo de las obligaciones. Según el citado artículo 154.3, aquellos aspectos que el interventor considere que debe manifestar en relación a la tramitación de los pagos al contratista podrían dar lugar a la formulación de observaciones complementarias, sin que las

---

4.   Así lo dispone el Acuerdo del Consejo de Ministros, de 30 de mayo de 2008, por el que se da aplicación a la previsión de los artículos 152 y 147 de la Ley 47/2003, de 26 de noviembre, General Presupuestaria, respecto al ejercicio de la función interventora en régimen de requisitos básicos. (Última actualización: ACM 1-7-2011)

mismas tengan, en ningún caso, efectos suspensivos en la tramitación del expediente[5].

V. EL PAPEL PROTAGONISTA DEL DIRECTOR DEL CONTRATO

El artículo 52 del TRLCSP determina que los órganos de contratación podrán designar un responsable del contrato, que podrá ser persona física o jurídica, al que corresponda la supervisión de la ejecución y la adopción de las medidas, decisiones o instrucciones necesarias para la correcta ejecución de la prestación. En los contratos de obras, las facultades del responsable del contrato, se entenderán sin perjuicio de las que correspondan al director facultativo de las obras. A modo de ejemplo, en un contrato de obras será el responsable del contrato, si se hubiese designado, quien deba proponer al órgano de contratación la imposición de penalidades por incumplimiento culpable del plazo o los plazos de ejecución de las obras, todo ello sin perjuicio de las competencias del director facultativo en la buena ejecución de las obras.

Este *tête à tête* o mano a mano entre la empresa y el director de las obras, o entre la empresa y el responsable del contrato –sin la intervención de otros agentes que participaron en su día en la licitación y adjudicación pero que ahora parece que permanecen en la sombra– crea un clima altamente peligroso y favorecedor de prácticas corruptas. Solo la integridad de los sujetos que intervienen puede garantizar que no se produzcan. ¿Quién cuestiona la certificación de obra de un facultativo o la conformidad a la prestación de un servicio que plasma el responsable del contrato? Son documentos que, siempre que estén elaborados por servidores públicos, gozan de presunción de validez por estar realizados en el ejercicio de funciones públicas, salvo prueba en contrario que exigirá acreditar error de derecho o incorrección jurídica en la que incide dicho documento. Pero esto exige al director facultativo o al responsable del contrato un plus profesional porque, además de sus conocimientos en la materia, debe controlar la normativa vigente de aplicación a los contratos, cosa que en los entes del sector público empresarial y fundacional muchas veces no ocurre porque sus empleados no son funcionarios públicos. ¿Quién confecciona las relaciones valoradas? ¿Quién redacta las certificaciones de obra?

---

5. Informe de la IGAE, de 28 de julio de 2016, resuelve discrepancia con motivo de la intervención previa de la liquidación para determinar si los trabajos no facturados han sido realizados con posterioridad al momento de la recepción del servicio objeto del encargo y, por otro lado, si dichos trabajos han sido incluidos en alguna relación valorada donde se indique su realización.

En los contratos públicos los créditos de los contratistas no los deben cuantificar los propios operadores económicos, sino que es la Administración la que, previa comprobación de la prestación efectuada o de los bienes entregados, ha de certificar su importe, de forma que el contratista sólo podrá expedir factura con base y por el importe certificado por el director facultativo de las obras o el responsable del contrato en los demás supuestos.

En los contratos de obras, las certificaciones periódicas no suponen ni aprobación ni recepción de las obras que comprendan, pero gozan de la presunción de veracidad propia de los actos administrativos, tal como resulta de una reitera la jurisprudencia. (STS de 4 de abril de 1990, STS 4 de julio de 2000, STS de 20 de julio 2000). Para poder expedir las correspondientes certificaciones, la dirección de la obra realizará mensualmente y en la forma y condiciones que establezca el proyecto, la medición de las unidades de obra ejecutadas durante el período de tiempo anterior. El contratista podrá presenciar la realización de tales mediciones. Respecto a las obras o partes de obra cuyas dimensiones y características hayan de quedar posterior y definitivamente ocultas, el contratista está obligado a avisar a la dirección con la suficiente antelación (la carga de la prueba de la existencia del aviso corresponde al contratista), a fin de que ésta pueda realizar las correspondientes mediciones y toma de datos, levantando los planos que las definan, cuya conformidad suscribirá el contratista. A falta de aviso anticipado, algo que se da muy a menudo, el contratista queda obligado a aceptar las decisiones de la Administración sobre el particular.

La certificación de obra aprobada en los términos establecidos, si bien es el título jurídico que legitima al contratista a hacer efectivos los derechos económicos derivados de la prestación, no constituye un documento definitorio de derecho alguno, sino la justificación de una entrega parcial a buena cuenta y con las reservas pactadas para la recepción de la obra. De esta provisionalidad de la certificación de obra se deriva una importante consecuencia que la jurisprudencia ha puesto de relieve, como es que estos documentos pueden ser modificados o anulados directamente por la Administración sin necesidad de declararlos lesivos por no ser de aplicación el principio de irrevocabilidad de los actos declarativos de derechos. Tal criterio debe ser tenido en cuenta por el responsable del contrato en el caso de aplicación de penalidades establecidas en los pliegos.

En este sentido se pronuncia el Consejo de Estado al afirmar: «Debe llamarse la atención sobre el hecho de que las certificaciones mensuales tienen la naturaleza ya expresada, pagos a buena cuenta, y es claro, igualmente, que tales abonos están sujetos a las variaciones y rectificaciones a que haya lugar tras la liquidación final de la obra. Sin embargo, las certificaciones mensuales que expide la autoridad contratante deben responder a la obra realmente ejecutada. Como señalaba en el Dictamen núm. 822/93, de 8 de julio de 1993, la realización de estos pagos está sujeta a un procedimiento de medición de la obra ejecutada, su valoración y certificación; la medición de la obra no es una pura operación aritmética de fijación de las unidades realizadas sino que tiene el carácter de una verdadera comprobación de las prestaciones ejecutadas por el contratista en un determinado período de tiempo. En otros términos, se concluía en el dictamen citado, la certificación debe siempre responder a una realidad ejecutada y valorada, y no puede convertirse en un mero instrumento de financiación de la obra futura mediante su expedición por trabajos no llevados a efecto»[6].

En este mismo sentido se ha manifestado el Tribunal Supremo en la Sentencia de 4 de abril de 1990, al afirmar que la certificación es un acto de conocimiento o de dación de fe de la Administración de lo ejecutado por el contratista, sin que pierda este carácter por el hecho de que puede haber rectificaciones o variaciones posteriores. «A la certificación habrá que concederle la presunción de veracidad propia del acto administrativo correspondiente a su naturaleza, como acto no de voluntad o decisorio, sino de conocimiento y de dación de fe, ya que la misma viene suscrita por la dirección técnica de la obra, encarnada por persona o personas del propio Ayuntamiento».

La profesionalización es uno de los factores clave para promover la integridad[7]. Se debe potenciar la figura del responsable del contrato y del director facultativo de las obras para que ejerzan sus funciones con plena independencia, lo cual no significa que se les deba de investir de poderes que no les corresponden, como es el caso de la autorización de modificaciones en el contrato sin el debido procedimiento y control.

La modificación de los contratos es un área especialmente proclive a la producción de actos de corrupción. La facultad de modificar el contrato por parte de la Administración se encuentra fundada en la necesidad del mantenimiento de la finalidad del mismo y del interés público sobre el que descansa, pero esta facultad no puede ejercitarse sin límite alguno o

6. Consejo de Estado. Dictamen de 11 de octubre de 1995, referencia 1836/1995. Gobierno de La Rioja.

7. Son palabras del Profesos Gimeno Feliu en su post: Decálogo de Reglas para prevenir la corrupción en los Contratos Públicos, disponible en este enlace http://www.obcp.es/index.php/mod.opiniones/mem.detalle/id.180/relcategoria.201/relmenu.3/chk.7e86b5e21ba5b19849b3088aecee5e60, a partir de 12/11/2014.

de forma arbitraria pero, sobre todo, no pueden ejercerse de forma incompatible con los principios y las normas de contratación de la Unión Europea y la jurisprudencia del Tribunal de Justicia, aprobando modificados que, en definitiva, lo que realmente suponen es una nueva adjudicación sin publicidad y concurrencia. No se trata meramente de una cuestión dogmática pues tiene importantes repercusiones en el escenario económico presupuestario, resultando ser la causa más importante del sobrecoste de los contratos.

Una vez que el contrato está formalizado, la finalidad básica es cumplir con lo pactado, sin embargo en el devenir de su ejecución, principalmente en contratos de cierta complejidad y larga duración, irrumpen multitud de incidencias que en muchas ocasiones se resuelven con la aprobación de un modificado. El problema surge cuando se utiliza el modificado de forma torticera para compensar bajas temerarias, que nunca debieron ser aceptadas, corregir groseros errores padecidos en los proyectos pese a la conformidad otorgada por la oficina de supervisión, restablecer el equilibrio económico de una concesión cuando lo que ha fallado no es el reparto de riesgos pactado sino la irreal oferta del contratista, etc. En definitiva «incidencias» que no debían de haberse producido si el contrato hubiera sido bien diseñado y planificado y el principio de integridad hubiera informado todas y cada una de las decisiones del órgano de contratación.

VI. LA FALTA DE CONTROL SE DETECTA DEMASIADO TARDE

El Informe n.° 1.178, de 27 de octubre de 2016, del Tribunal de Cuentas, de fiscalización de la contratación de las entidades locales de las comunidades autónomas sin órgano de control externo propio, periodo 2013-2014, advierte que los órganos de contratación deberían llevar a cabo un seguimiento cercano de la ejecución de los contratos para asegurar que esta se ajusta a las necesidades que la motivaron que debería requerirse por las entidades locales una mayor diligencia en la vigilancia y control de la ejecución de los contratos, para que estos se cumplan con las condiciones y en los plazos establecidos. Para ello resultaría conveniente detallar suficientemente en los pliegos el modo en que se ha de llevar a cabo dicha supervisión, pudiendo nombrar un responsable del contrato. Asimismo, deberían detectarse y resolverse con celeridad e inmediatez las incidencias producidas durante la ejecución, tramitándose, con rigor y celeridad, los expedientes de imposición de penalidades y la reclamación de daños y perjuicios a los contratistas por demoras o por cualquier otro incumplimiento contractual que les fuese imputable (sic).

Son recomendaciones que, en el mejor de los casos, procurarán en el futuro una mejora en el control de la ejecución de los contratos por parte del órgano de contratación pero que en nada afectan a la ejecución de los contratos fiscalizados.

La ejecución «anómala» de los contratos sale a la luz muchas veces entre los casos de corrupción. También aparece en el momento de la medición general de las obras, tras la recepción y como paso previo a la expedición y aprobación de la certificación final. Otras veces se descubre en pronunciamientos de órganos consultivos y tribunales cuando, el contratista reclama el cobro de una indemnización o del restablecimiento del equilibrio económico y de los hechos aflora un descontrol exacerbado durante la ejecución del contrato. En muchos casos la ejecución defectuosa está precedida de una licitación pública que, por lo menos, tiene un aura de legalidad. A modo de ejemplo, en la Operación Frontino (Caso Acuamed) se está investigando la producción de certificaciones falsas que rondan los 25 millones de euros. Haciendo una revisión de algunos de los contratos investigados desde su gestación a través del Perfil de contratante de dicha sociedad pública, nada se deduce de los documentos de licitación que pueda apuntar hacia un futuro fraude ya que, analizados los pliegos publicados, muy probablemente habrían superado un control previo de legalidad sin objeciones. No obstante, las actuaciones fraudulentas que ahora se investigan se produjeron durante la adjudicación y la ejecución del contrato. Es importante señalar que esta sociedad pública cuyo objeto es la construcción, explotación o ejecución de las obras públicas hidráulicas, dispone de un presupuesto de 3.199.932 en miles de euros para el periodo 2015-2018. Si bien el caso fue, según los medios de comunicación, denunciado por el ex director de Ingeniería y Obras de la sociedad, ya anteriormente voces importante había puesto el dedo en la llaga. El análisis que hizo el Tribunal de Cuentas sobre las sociedades estatales del agua, incluida Acuamed, fue demoledor. El Informe de fiscalización de los convenios de gestión directa vigentes en las sociedades estatales de aguas y el Ministerio de Medio Ambiente y Medio Rural y Marino durante los ejercicios 2010-2011 (BOE 6/05/15), apuntaba la necesidad de que se valorara la necesidad de seguir manteniendo esta modalidad de instrumentos de gestión, en particular si se tiene en cuenta que estas sociedades se encuentran sometidas en un grado significativamente menor que la Administración General del Estado a las normas del derecho presupuestario y administrativo.

VII. MEDIDAS QUE PODRÍAN ADOPTARSE

A modo de conclusión de esta comunicación quiero proponer una serie de medidas o de buenas prácticas que coadyuvan a la buena ejecución del contrato. Un recetario sintético y básico que, si bien no garantiza el total control, evitará que resulte imposible.

1. ***Favorecer la cultura del control de la ejecución.*** Dictando normas que contengan instrucciones muy precisas dirigidas tanto a los órganos de contratación como a la Intervención, responsables del control del contrato.

2. ***Definir perfectamente el objeto del contrato.*** Se debe determinar el objeto del contrato evitando los pliegos confusos profusos y difusos. Difícilmente se podrá exigir al contratista el cumplimiento de sus obligaciones si no están perfectamente definidas. Hay que pensar que la ejecución de un contrato siempre se desarrolla en un ámbito de intereses contrapuestos[8].

3. ***Precio adecuado y abonado al contratista sin demoras.*** La justificación de las necesidades a satisfacer con fondos públicos exige que se acompañe de los previos estudios económicos necesarios para cuantificar la actividad y determinar que el precio que se paga por ella es adecuado al mercado. Se ha de tener presente que toda estimación, por definición, incluye elementos de intuición que no responden a realidades ciertas y veraces de las magnitudes sobre las que se proyectan, y menos cuando se trata de conocer el comportamiento de esas magnitudes en el futuro. Si el coste de la obra o del servicio es superior al presupuesto de licitación estaremos abocados a una defectuosa ejecución. Cuando se producen bajas temerarias la decisión sobre si la oferta puede cumplirse o no corresponde al órgano de contratación, sopesando las alegaciones formuladas por la empresa licitadora y los informes emitidos por los servicios técnicos. Se debe justificar la viabilidad de la oferta. Aceptar ofertas incursas presuntamente en temeridad sin la debida justificación puede conducir a una mala ejecución del contrato. Por otro lado es necesario evitar la morosidad en el pago de las obligaciones derivadas del contrato con el fin de impedir que la empresa plantee su suspensión o incluso su resolución, en virtud de los apartados 5 y 6 del artículo 216 del TRLCSP.

4. ***Elegir bien al responsable del contrato y definir su cometido.*** Ya he comentado la importancia de director facultativo de las obras y del responsable del contrato en el control de su ejecución. No existe

---

8.   ESCRITO-CIRCULAR de 31 de marzo de 2016, de la IGAE, sobre la necesidad de definir con precisión el objeto de los contratos y encomiendas de prestación de servicios.

una reserva legal de estas funciones al personal funcionarial, sin embargo, en mi opinión, para la mejor garantía de objetividad, imparcialidad e independencia en el ejercicio de sus funciones, estas tareas deberían ser encomendadas funcionarios de carrera y no a personal laboral. En contratos especialmente complejos debería estudiarse la conveniencia de nombrar un comité técnico formado por tres funcionarios. Los pliegos deberán establecer herramientas organizativas, formales y materiales para llevar a cabo su función. Sería interesante realizar auditorías sistemáticas de las tareas de supervisión llevadas a cabo por los responsables de contrato.

5. *Evitar la desconexión entre burócratas y técnicos facultativos. ¿No somos todos servidores públicos?* Son muchas y variadas las causas (internas y externas) que requieren de una perfecta coordinación entre el facultativo promotor del contrato (responsable del contrato/director de las obras) y las unidades de gestión económica, con el fin de asegurar que se lleven a cabo los ajustes presupuestarios necesarios.

6. *Penalidades.* Para un control exhaustivo del cumplimiento de los contratos los pliegos deben incorporar mandatos claros y precisos para el ejercicio de la función de supervisión. Los pliegos deberían contemplar penalidades con la finalidad de estimular la correcta ejecución del contrato y, por supuesto, aplicarlas cuando el contratista incurra en cumplimiento defectuoso o mora. Introducir prerrogativas en los contratos que suscriban los poderes adjudicadores que no tienen la condición de Administración Pública coadyuve al control en su ejecución.

7. *Control de la ejecución de las mejoras.* Las mejoras, entendidas como dádivas o prestaciones adicionales que el licitador en su oferta se compromete a ejecutar y que, en muchos casos, son decisivas para determinar la oferta económicamente más ventajosa, deben ser exigidas a la empresa adjudicataria del contrato. Si no existe un control sobre su cumplimiento es muy posible que no se ejecuten.

8. *Control de la subcontratación.* La subcontratación facilita la participación de las pequeñas y medianas empresas pero puede significar un riesgo para la correcta ejecución del contrato. Los pliegos deberían establecer medidas de control de la subcontratación[9].

---

9. Por la actualidad del asunto en los medios de comunicación resulta de interés el dictamen del Consejo de Estado, n.º 481/2016, en relación a la solicitud de indemnización formulada por los familiares de los militares españoles, fallecidos en el accidente aéreo ocurrido el día 26 de mayo de 2003, en Turquía (Yak 42). Entre sus conclusiones afirma que a lo largo de esta cadena de subcontrataciones

9. *El deber de certificar. Una facturación en base a la certificación y no viceversa.* El órgano de contratación tiene la obligación de redactar las correspondientes certificaciones en los períodos que fije en los pliegos, a la vista de los trabajos realmente ejecutados y de los precios contratados. Dicha obligación no puede trasladarse a la empresa adjudicataria. La tarea puede ser muy sencilla cuando se trate de contratos de servicios de actividad contratados a tanto alzado, o muy complicada si intervienen factores, entre otros, como variación de precios en función del cumplimiento de determinados objetivos de plazos o rendimientos que pueda aplicarse a las certificaciones, cuando el contrato se ha configurado a precios variables. Los créditos de los contratistas no los deben cuantificar los propios operadores económicos. La factura que deben presentar solo se podrá expedir en base y por el importe certificado por el director facultativo de las obras o el responsable del contrato en los demás supuestos.

10. *Recepción del contrato.* La recepción del contrato es un acto del que se derivan importantes consecuencias y que consiste principalmente en la constatación de la correcta ejecución del contrato. La suscripción de un acta de recepción favorable cuando debía haber sido desfavorable por no encontrarse las obras en buen estado o no ajustarse a las condiciones generales o particulares previstas en el proyecto, así como, en su caso, en las mejoras ofertadas por el adjudicatario que hayan sido aceptadas por el órgano de contratación o en las modificaciones debidamente aprobadas, puede derivar responsabilidades contables[10]. Es muy importante invertir en la formación permanente del personal que desempeña funciones de control. Sería deseable que la Intervención dispusiera del asesoramiento de personal facultativo para llevar a cabo la comprobación material de las inversiones, que se realiza básicamente en el acto de recepción de los contratos.

Palma, 18 de enero de 2017

---

tuvo lugar una progresiva reducción del precio que afectó a las condiciones exigidas al contratista. Es cierto que el recurso a la subcontratación estaba aceptado por las partes y también que la legislación española la pero lo importante a efectos de este dictamen no es el hecho de la subcontratación, cuya posibilidad no se cuestiona, sino la elección misma del subcontratista y el precio finalmente satisfecho.

10. En la Sentencia 4/2015 de la Sección de Enjuiciamiento del Tribunal de Cuentas (BOE de 14 de julio de 2015), sobre procedimiento de reintegro por alcance en el Ayuntamiento de Cangas de Narcea, se declara la responsabilidad contable directa del alcalde, por 24.758 €, por el pago de obras no ejecutadas en un proyecto de saneamiento y pavimentación.

Capítulo 10

El control externo de la contratación administrativa. Resultados de los trabajos de fiscalización realizados por el Consejo de Cuentas de Castilla y León

ROSARIO P. RODRÍGUEZ PÉREZ
Funcionaria de Administración local con habilitación de carácter nacional: Intervención-Tesorería, categoría superior. Inspectora de Finanzas de la Comunidad Autónoma de La Rioja Auditora del Consejo de Cuentas de Castilla y León

SUMARIO: 1. FISCALIZACIÓN DE LA ACTIVIDAD CONTRACTUAL EN EL SECTOR PÚBLICO LOCAL 2. FISCALIZACIÓN DE LA ACTIVIDAD CONTRACTUAL CELEBRADA EN EL ÁMBITO DE LA ADMINISTRACIÓN GENERAL E INSTITUCIONAL DE CASTILLA Y LEÓN

RESUMEN: De acuerdo con el Art. 1 de la Ley 2/2002, reguladora del Consejo de Cuentas de Castilla y León, el Consejo de Cuentas es la institución dependiente de las Cortes de Castilla y León que realiza las funciones de fiscalización externa de la gestión económica, financiera y contable del sector público de la Comunidad Autónoma y demás entes públicos de Castilla y León. Están sometidos a la fiscalización del Consejo de Cuentas de Castilla y León, además de la Administración regional, las Universidades Públicas, y las Entidades Locales del ámbito territorial de la Comunidad Autónoma.

En lo que afecta al ámbito de la contratación pública, como es sabido, el art. 29 del Real Decreto Legislativo 3/2011, de 14 de noviembre, por el que se aprueba el texto refundido de la Ley de Contratos del Sector Público (en adelante TRLCSP), impone la obligación de remitir al Tribunal de Cuentas o al órgano externo de fiscalización de la Comunidad Autónoma determinada información relacionada con los contratos administrativos formalizados por los entes fiscalizados. En virtud de ello, los entes que integran el Sector Público Local y Autonómico han remitido la referida información que ha sido objeto de análisis en el Informe Anual sobre las cuentas del sector público local de Castilla y León ejercicio 2014, aprobado por el Pleno del Consejo mediante Acuerdo 69/2016, de 13 de julio y en el Informe sobre la fiscalización de la contratación administrativa celebrada en el ámbito de la Administración General e Institucional de la Comunidad Autónoma durante el ejercicio 2014, aprobado por el Pleno del Consejo mediante Acuerdo 115/2016, de 20 de diciembre.

En la presente comunicación se expondrán los resultados de los trabajos de fiscalización[1], que se han realizado siguiendo las normas técnicas ISSAI-ES (Nivel III) aprobadas por la Conferencia de Presidentes de las Instituciones Autonómicas de Control Externo el 26 de junio de 2014, y ordenada su aplicación por el Acuerdo 64/2014 del Pleno del Consejo de Cuentas. Supletoriamente, se han aplicado los Principios y Normas de Auditoría del Sector Público, elaborados y aprobados por la Comisión de Coordinación de los Órganos Públicos de Control Externo del Estado Español.

I. FISCALIZACIÓN DE LA ACTIVIDAD CONTRACTUAL EN EL SECTOR PÚBLICO LOCAL

Con la finalidad de simplificar la obligación legal contemplada en la normativa estatal de Contratos del Sector Público, el artículo 18.2 del Reglamento de Organización y Funcionamiento del Consejo de Cuentas de Castilla y León, faculta a esta Institución para acordar la sustitución de la mencionada remisión documental, por una relación certificada de carácter periódico y con el ámbito y contenido que se determine. Esta determinación se contiene en el Acuerdo de Pleno n.° 46/2013, de 30 de mayo (BOCYL n.° 119, de 24 de junio de 2013) cuyo Anexo VI regula la forma y el contenido de la información y documentación contractual que los órganos de contratación de las Entidades Locales(en adelante EELL) sujetas al régimen general de contabilidad pública local, deben remitir a este Consejo de Cuentas, y que se concreta en una relación anual certificada, comprensiva de todos los contratos formalizados por ellas y sus entidades dependientes en el ejercicio anterior, con independencia del régimen jurídico al que estén sometidas, exceptuados los contratos menores.

La información que las EELL vienen obligadas a remitir habrá de contener, entre otros, los datos relativos a la entidad y órgano contratante, y los básicos del contrato o sus modificaciones, descriptivos del objeto, procedimiento, adjudicatario, publicidad, precio y plazo. Esta relación ha

---

1. Los datos que aparecen en esta comunicación han sido extraídos de los siguientes informes «Fiscalización de la contratación administrativa celebrada en el ámbito de la Administración General e Institucional de la Comunidad Autónoma, ejercicio 2014» y «Informe anual sobre las cuentas del Sector público local de Castilla y León ejercicio 2014» ambos pueden ser consultados a través de la web del Consejo de Cuentas de Castilla y León www.consejodecuentas.es.

de remitirse a través de la Plataforma de Rendición de Cuentas, antes del 15 de octubre del ejercicio siguiente al de formalización de los contratos. En el supuesto de que no se hubiese celebrado ningún contrato, se hará constar dicha circunstancia mediante la comunicación negativa.

Respecto a las comunicaciones recibidas, a 15 de octubre de 2015, únicamente 192 entidades del Sector Público Local (3,9%), habían remitido a este Consejo de Cuentas la contractual correspondiente al ejercicio 2014, cifra que se eleva a 280 (5,7%), si la fecha de referencia se extiende a 31 de diciembre de 2015. En el cuadro siguiente se desglosa esta información, por tipo de entidad y plazo de presentación.

INFORMACIÓN CONTRACTUAL DE 2014 (Relaciones anuales de contratos/certificaciones negativas) REMITIDA AL CONSEJO DE CUENTAS DE CASTILLA Y LEÓN EN 2015

Clase de Entidad	N.° Entes	Comunicaciones Recibidas en plazo. (15/10/2015)		Comunicaciones Recibidas fuera de plazo. (15/10/2015)		Totales	
		N.°	%	N.°	%	N.°	%
Ayuntamientos	2.248	73	3,2%	29	1,3%	102	4,5%
Mayor de 50.000 hab.	9	3	33,3%	3	33,3%	6	66,7%
De 20.000 a 50.000 hab.	6	1	16,7%	0	0,0%	1	16,7%
De 5.000 a 19.999 hab.	43	3	7, 0%	1	2,3%	4	9,3%
De 2.000 a 4.999 hab.	70	6	8,6%	0	0,0%	6	8,6%
De 1.000 a 1.999 hab.	134	11	8,2%	3	2,2%	14	10,4%
De 500 a 999 hab.	239	9	3,8%	0	0,0%	9	3,8%
Menor de 500 hab.	1.747	40	2,3%	22	1,3%	62	3,5%
Diputaciones	9	4	44,4%	2	22,2%	6	66,7%
Consejo Comarcal	1	0	0,0%	0	0,0%	0	0,0%
Mancomunidades	277	5	1,8%	2	0,7%	7	2,5%
Entidades Locales Menores	2.224	83	3,7%	42	1,9%	123	5,6%
Consorcios	56	1	1,8%	1	1,8%	2	3,6%
TOTAL Entidades Locales	**4.815**	**166**	**3,4%**	**105**	**2,2%**	**242**	**5,0%**
Organismos Autónomos	42	11	26,2%	6	14,3%	17	40,5%
Sociedades Mercantiles	67	15	22,4%	6	9,0%	21	31,3%

Clase de Entidad	N.º Entes	Comunicaciones Recibidas en plazo. (15/10/2015)		Comunicaciones Recibidas fuera de plazo. (15/10/2015)		Totales	
		N.º	%	N.º	%	N.º	%
EPES	2	0	0,0%	0	0,0%	0	0,0%
TOTAL Entes dependientes	111	26	23,4%	12	10,8%	38	34,2%
TOTAL	4.926	192	3,9	88	1,8	280	5,7

Fuente: Informe anual sobre las cuentas del Sector público local de Castilla y León ejercicio 2014.

De las 4.815 Entidades Locales comprendidas en el ámbito subjetivo del sector público local, el 95% ha incumplido la obligación de remitir la información contractual correspondiente al ejercicio 2014, lo que supone una limitación a la función fiscalizadora del Consejo de Cuentas. Del total de la información remitida, en el caso de las Entidades Locales, del total de 242 comunicaciones, 40 corresponden a relaciones de contratos y 202 a certificaciones negativas y el caso de los entes dependientes del total de 38 informaciones remitidas, 17 corresponden a relaciones de contratos y 21 a certificaciones negativas.

Una vez depurada la información recibida y refiriéndonos a los datos agregados de la contratación del sector público local, el número de contratos formalizados y comunicados ascendió a 586 por un importe total de adjudicación de 122.280.685 €. Tanto por número como por importe el primer lugar lo ocupan los contratos de servicios (238 formalizados por un importe total de adjudicación de 49.359.158 €), seguidos de los contratos de obras (190 formalizados por un importe total de adjudicación de 46.101.944 €), y por los contratos de suministro (107 formalizados por un importe total de adjudicación de 10.187.712 €). Finalmente, los contratos administrativo especiales ascendieron a 17 y los contratos de gestión de servicio público a 15 que se adjudicaron por un importe total de 15.369.833 €. No se ha comunicado ningún contrato relativo a concesión de obra pública o de colaboración público privada.

Respecto a los procedimientos de adjudicación, algo que es común en todas las Administraciones, las entidades fiscalizadas utilizaron mayoritariamente el procedimiento negociado sin publicidad (55,3% de los contratos formalizados) para adjudicar sus contratos, seguido del procedimiento abierto (41,8%). Sin embargo, atendiendo al importe de adjudicación, el mayor volumen corresponde a los contratos adjudicados a través del procedimiento abierto, por un importe de adjudicación de 96.125.549 € que representa un 78,6% del total, y ocupando el segundo lugar el procedimiento negociado sin publicidad, por un importe de adjudicación de 24.009.463 € que representa un 19,6 % del total.

Finalmente, refiriéndonos a los criterios de valoración de las ofertas en el procedimiento abierto el sistema más aplicado es de criterios múltiples (54,7%), frente al criterio precio más bajo (45,3%).

Para terminar con el análisis del sector público local conviene señalar que el Pleno del Consejo de Cuentas mediante Acuerdo n.° 5/2016, de 22 de enero, ha aprobado una nueva regulación de la remisión telemática de los extractos expedientes de contratación y de las relaciones anuales de los contratos celebrados por las entidades del Sector Público Local de Castilla y León, y así, anualmente, y dentro de los dos primeros meses de cada ejercicio, deberán remitirse las relaciones certificadas comprensivas de los contratos formalizados en el ejercicio precedente, que superen el importe del contrato menor y además, dentro de los tres meses siguientes a la formalización de cada contrato, deberá enviarse copia del documento de formalización acompañada del extracto del expediente, de acuerdo con lo prescrito en el Acuerdo cuando los importes de los contratos superen los umbrales previstos en el art. 29.1 del TRLCSP. Y dentro de los tres meses siguientes a la fecha en la que tengan lugar, deberán comunicarse al Consejo de Cuentas las modificaciones, prórrogas o variaciones de plazos, las variaciones de precio y el importe final, la nulidad y la extinción normal o anormal de los contratos, de acuerdo con lo dispuesto en este Acuerdo. Finalmente, se enviarán los extractos de los contratos administrativos de importe superior a 60.000 euros, que hubieran sido objeto de modificaciones posteriores a su celebración, las cuales, aislada o conjuntamente, eleven el precio total del contrato por encima de los límites antes señalados incluyendo la documentación relativa a las mencionadas modificaciones.

Este cambio normativo, así como otras medidas adoptadas recientemente (Acuerdo 50/2016, de 18 de mayo de 2016, por el que se proponen a las Cortes de Castilla y León actuaciones al objeto de impulsar la rendición de cuentas de las entidades locales, y entre ellas el condicionamiento de la entrega de subvenciones a la rendición o la posibilidad de imponer multas coercitivas) a mi juicio constituye una nueva oportunidad para lograr reforzar las funciones de control que desempeñan los órganos de control externo.

II. FISCALIZACIÓN DE LA ACTIVIDAD CONTRACTUAL CELE-BRADA EN EL ÁMBITO DE LA ADMINISTRACIÓN GENERAL E INSTITUCIONAL DE CASTILLA Y LEÓN

La fiscalización de la actividad contractual consiste en la realización de una auditoría de cumplimiento de la legalidad sobre la gestión contractual en relación con la aplicación de los principios de publicidad y transparencia de los procedimientos, así como los de concurrencia, no discriminación e igualdad de trato a los licitadores.

El ámbito subjetivo de la fiscalización se extiende a las nueve Consejerías que integran la Administración General, a cuatro Organismos Autónomos y cinco entes públicos de derecho privado.

Para la determinación del universo a fiscalizar se cotejaron los datos procedentes del Registro Público de Contratos de la Administración de la Comunidad de Castilla y León con los facilitados por cada órgano de contratación, tramitados a través de las aplicaciones para la gestión de expedientes, denominadas COAD y DUERO, depurando las duplicidades e identificando aquellos contratos que no constan en la relación comunicada por el Registro. De todo ello, resulta que el número total de contratos adjudicados en 2014 ascendió a 2.463 contratos, con un importe total adjudicado de 565.586.455,37 euros.

Sobre este universo, la fiscalización se realiza sobre una muestra de contratos que debe cumplir con el objetivo fijado en la en la reunión de la Comisión Técnica de Coordinación del Informe Anual, que requiere que represente al menos el 25% de los precios de adjudicación tratando de incluir todos los tipos contractuales y todos los órganos de contratación. La muestra seleccionada de forma aleatoria afectó a 70 contratos que supone un importe total adjudicado de 141.063.683,76. €

La contratación menor también fue incluida en el alcance de la fiscalización a efectos de analizar la existencia de fraccionamiento y el cumplimiento de la legalidad, si bien su ámbito subjetivo abarcó únicamente a la Consejería de Sanidad y el Ente Regional de la Energía (en adelante EREN). A tal efecto, la Consejería de Sanidad comunicó 6.077 contratos tramitados (747 tramitados por los Servicios Centrales y 5.330 por los Servicios Territoriales) por un importe total de adjudicación de 3.015.161,73 €, seleccionándose como muestra 152 pagos que ascendieron a un importe total de 854.920,58 €. En el caso de EREN el numero comunicado ascendió a 370 registros por un importe total de 487.277,57 €, seleccionándose como muestra 9 contratos cuyo importe ascendió a 93.379,23 €

Las principales conclusiones de los trabajos de fiscalización realizados son las siguientes:

- Respecto al Registro Público de contratos, la contratación no comunicada ha ascendido a 163 contratos por importe de 67.437.665,46 euros, que representan el 11,92% del importe de la contratación total adjudicada. Esta falta de comunicación ha sido detectada principalmente, en cuanto al número de contratos, en la Gerencia Regional de Salud y en la Consejería de Educación.

- De los contratos analizados de los Entes Públicos de Derecho Privado, se llega a la conclusión de que se les encomiendan funciones que según la legislación estatal deberían reservarse a la Administración de la Comunidad Autónoma, siendo su asimilación a la categoría «entidad empresarial» meramente formal, debiendo haber aplicado íntegramente el Texto Refundido de la Ley de Contratos del Sector Público.

- Respecto a la introducción de cláusulas sociales en la contratación pública, no se introducen regularmente dichas cláusulas sociales y tampoco se realiza un adecuado seguimiento, en su caso, del cumplimiento de las condiciones especiales de ejecución de naturaleza social.

- Respecto a los procedimientos de contratación, las principales deficiencias detectadas afectan a:

  - la ausencia o deficiente indicación de los medios para acreditar la solvencia económica y financiera y/o técnica y profesional, conforme al artículo 62 del TRLCSP, en trece contratos de la muestra.

  - entre los criterios de valoración de las ofertas se incluyeron, en dos expedientes, aspectos no relacionados con el objeto del contrato, sino referidos a la selección o solvencia de los licitadores, en contra de lo establecido en el artículo 150 del TRLCSP.

  - de los cuarenta y siete contratos adjudicados por procedimiento abierto, en veintiséis de ellos se aprecia un insuficiente desarrollo de los criterios de adjudicación no evaluables mediante fórmulas, que no permiten valorar las ofertas solo con lo expuesto en los Pliegos, o bien no se detalla la forma de reparto de las puntuaciones máximas, siendo necesario el establecimiento de subcriterios, tramos y/o ponderaciones no contemplados en los mismos y, por tanto, desconocidos para los licitadores en el momento de presentar sus ofertas.

- en relación con los criterios de adjudicación valorables mediante la aplicación de fórmulas, en veintitrés contratos se ha producido una incorrecta ponderación del criterio referente a la oferta económica, por no atribuir la mayor puntuación posible a la mayor baja o bien por no repartir todos los puntos establecidos para este criterio, o por atribuir puntuación a las ofertas que igualan el presupuesto de licitación, distorsionando la inicial ponderación atribuida al mismo.

- en cuatro contratos de gestión de servicios públicos, no figura en el expediente el régimen jurídico básico del contrato, conforme al artículo 132 del TRLCSP, o el pliego no incluye el contenido establecido en el artículo 133.1 del citado texto refundido.

- en siete contratos adjudicados mediante procedimiento negociado la definición de los aspectos de negociación contiene deficiencias, o no hay constancia en el expediente de haberse realizado una efectiva negociación de las proposiciones recibidas o de las razones tenidas en cuenta para su aceptación o rechazo por el órgano de contratación, conforme determinan los artículos 169 y 178 del TRLCSP.

- en cuanto a la publicidad de las convocatorias, en veintitrés expedientes los anuncios de licitación publicados omitieron en su contenido alguno o algunos de los aspectos del contrato que debían ser, según la normativa vigente, objeto de publicidad.

- el Informe Técnico de valoración de los criterios cuantificables mediante la aplicación de juicios de valor, en 25 contratos, no está suficientemente motivado o introduce aspectos no previstos en el PCAP.

- en once contratos, la resolución de adjudicación no está suficientemente motivada, o incurre en otros defectos u omisiones, según el artículo 119 del TRLCSP. Además, en alguno de ellos no se notificó correctamente la resolución de adjudicación al adjudicatario, al resto de licitadores, o bien no se publicó adecuadamente en los boletines oficiales o en el perfil del contratante.

- por lo que respecta a la ejecución de los contratos, el Consejo opina que existen incumplimientos de los plazos de ejecución, en la tramitación de las suspensiones, así como en los modificados y las prórrogas, pues no se motivan adecuadamente las causas que justifican estas circunstancias. A título de ejemplo, mencionar que se han tramitado tres modificaciones del objeto del contrato sin que se hayan justificado adecuadamente la existencia de causas imprevistas o razones de interés público, conforme a los artículos 219 y 234 del TRLCSP, o se han aprobado una vez concluida la vigencia del contrato.

Respecto a la contratación menor que ha sido objeto de análisis, el fraccionamiento del gasto se ha puesto de manifiesto en doce pagos en los que se produce la coincidencia en el objeto de las contrataciones y su importe conjunto elude los requisitos de publicidad y los relativos al procedimiento de adjudicación establecidos en el artículo 86.2 del TRLCSP. Los citados gastos deberían ser objeto de contratación conjunta conforme a la clasificación recogida en el artículo 5 del TRLCSP, sin perjuicio de la división, en su caso, en los lotes que sean necesarios, y con la garantía de los principios de libertad de acceso a las licitaciones, publicidad y transparencia de los procedimientos recogidos en el artículo 1 del mismo texto legal.

En la contratación menor tramitada por el Ente Regional de Energía no se evidencian incumplimientos de la normativa aplicable.

Los trabajos de fiscalización finalizan con la formulación de una serie de recomendaciones y una opinión sobre las actuaciones de contratación realizadas.

Respecto a las recomendaciones señaladas, considero de especial interés las siguientes:

- la necesidad de depurar las deficiencias detectadas en la información que figura en el Registro Público de Contratos, especialmente en relación con los contratos no comunicados.

- reforzar la objetividad de los criterios de adjudicación evaluables mediante juicios de valor, estableciendo en los pliegos con el suficiente detalle todos los baremos de reparto y subcriterios que serán tenidos en cuenta, de tal forma que se garantice el conocimiento por parte de los licitadores de la forma en que van a ser valoradas sus ofertas y que la Mesa de contratación asigne las puntuaciones aplicando estos criterios y baremos de reparto, dejando constancia de todo ello en el expediente, lo que redundaría en una mayor transparencia y objetividad del proceso.

- evitar distorsiones en la definición y ponderación de los criterios de adjudicación valorables automáticamente mediante la aplicación de fórmulas, en especial del criterio referente a la oferta económica, atribuyendo la mayor puntuación posible a la mayor baja y no atribuyendo puntuación a las ofertas que igualan el presupuesto de licitación.

– asegurarse de que la aportación de la documentación a presentar por el licitador propuesto como adjudicatario, incluida la constitución de la garantía definitiva, se realizase en plazo y sin defectos u omisiones. Igualmente deben garantizar que la adjudicación se efectúa dentro del plazo establecido, así como su correcta motivación de las resoluciones de adjudicación, su notificación, en plazo y forma, al adjudicatario y al resto de interesados, así como su correspondiente publicación. También deben velar para que la ejecución de los contratos se adecúe a lo previsto en la normativa y en los PCAP en lo que se refiere a la tramitación de suspensiones, prórrogas y modificaciones, justificando adecuadamente las causas que los motivan y tramitando únicamente las modificaciones por las causas previstas en los pliegos o que respondan a necesidades nuevas y causas imprevistas.

– Finalmente, a la Consejería de Sanidad, se le requiere para que realice un análisis pormenorizado y una adecuada planificación de los gastos que se tramitan como contratos menores, evitando coincidencias de objeto y ajustado su adjudicación a los principios de publicidad, transparencia y libre concurrencia.

Finalmente, la opinión formulada por el Consejo de Cuentas de Castilla y León, en función de los expedientes examinados, es que se cumple razonablemente con la legalidad aplicable a la contratación adjudicada en el ejercicio 2014 excepto por las limitaciones señaladas en el informe y las salvedades siguientes que afectan, principalmente, al principio de publicidad y de transparencia:

– En las actuaciones preparatorias de los contratos: incumplimiento del artículo 150 del TRLCSP en cuanto a los criterios de valoración de las ofertas presentadas, elaborando informes técnicos en los que se puntúan aspectos no previstos en los Pliegos o que no están suficientemente motivados.

– En la publicidad de las licitaciones se omiten aspectos del contrato que deberían constar en los correspondientes anuncios.

– En el incumplimiento de los plazos de ejecución, en la tramitación de las suspensiones, así como en los modificados y las prórrogas, pues no se motivan adecuadamente las causas que justifican estas circunstancias.

– Finalmente, en la Consejería de Sanidad, el fraccionamiento del objeto de algunos contratos, que conlleva la tramitación como menores de aquéllos contratos que no lo son, incumpliendo el artículo 86.2 del TRLCSP.

Capítulo 11

La publicidad contractual a través de la plataforma de contratación del sector público

SARA RAMOS ROMERO

Doctoranda en Derecho, Universidad de Alcalá

SUMARIO: 1. PLANTEAMIENTO GENERAL. 1.1. *El principio de publicidad, principio rector de la contratación pública.* 1.2. *Fortalecimiento de la publicidad contractual por el uso de medios electrónicos. La publicidad electrónica y el perfil del contratante* 2. LA PLATAFORMA DE CONTRATACIÓN DEL SECTOR PÚBLICO. 2.1. *Origen: la plataforma de contratación del Estado.* 2.2. *Naturaleza jurídica de la plataforma de contratación del sector público* 2.3. *Funcionamiento de la plataforma de contratación del sector público* 2.4. *El valor de la publicidad a través de la plataforma de contratación del sector público* 3. LA PLATAFORMA DE CONTRATACIÓN DEL SECTOR PÚBLICO EN EL PROYECTO DE LEY DE CONTRATOS DEL SECTOR PÚBLICO 4. EL PROBLEMA DE LA DESCOORDINADA PUBLICIDAD ELECTRÓNICA CONTRACTUAL 5. CONCLUSIÓN

RESUMEN: El estudio parte del análisis del principio de publicidad, principio rector de la contratación pública, y su fortalecimiento a través del empleo de sistemas electrónicos como medio de divulgación de información contractual. Con la transposición de las Directivas de 2004, se introdujo en nuestro ordenamiento la figura del perfil del comprador que constituye antecedente inmediato de la plataforma de contratación del sector público e íntimamente relacionado con la misma, dado que esta centraliza los perfiles en un portal único. Se lleva a cabo un estudio evolutivo de la plataforma de contratación del sector público, desde su origen, sus reformas, hasta la más novedosa regulación, en fase de proyecto legal. Asimismo, se proponen medidas para atajar el problema de la descoordinación de la publicidad electrónica que redunden en la simplificación y descenso de cargas en el acceso a la información por parte de ciudadanos y empresas.

I. PLANTEAMIENTO GENERAL

1. EL PRINCIPIO DE PUBLICIDAD, PRINCIPIO RECTOR DE LA CONTRATACIÓN PÚBLICA

La normativa de contratación pública está informada de forma transversal por una serie de principios rectores[1]. Entre los mismos, adquieren una destacada dimensión los principios de publicidad, transparencia, concurrencia, libertad de acceso, igualdad y no discriminación.

Estos principios están íntimamente interrelacionados, de tal manera que unos son medio para conseguir otros. Ello ocurre con el principio de publicidad y su carácter instrumental ya que, en última instancia, es instrumento para un trato igualitario y no discriminatorio, al posibilitar la libre concurrencia[2].

De este modo, se explica que el principio de publicidad sobrepase el mero valor formal y declarativo del principio y fundamente el sistema de contratación pública. Tal y como bien señala la Sentencia del Tribunal de Justicia de la Unión Europea, de 6 de abril de 2006, ANAV apartado 21, *«los principios de igualdad de trato y de no discriminación por razón de la nacionalidad implican, en particular, una obligación de transparencia que permita que la autoridad pública concedente se asegure de que los mencionados principios son respetados. Esta obligación de transparencia que recae sobre dicha autoridad consiste en garantizar, en beneficio de todo licitador potencial, una publicidad adecuada que permita abrir a la competencia la concesión de servicios y controlar la imparcialidad de los procedimientos de adjudicación (véanse, en este sentido, las sentencias antes citadas Teleaustria y Telefonadress, apartados 61 y 62, y Parking Brixen, apartado 49)».*

Para una adecuada publicidad y, por ende, adecuada transparencia en la contratación pública, como principios instrumentales, es necesaria la puesta en marcha de sistemas accesibles de información que reduzcan los costes de entrada a la contratación pública. Los eventuales operadores

---

1. *Vid.* La plasmación normativa de los mismos en el considerando 1 y art. 18 de la Directiva 2014/24, de 26 de febrero de 2014 y en el art. 1 del texto refundido de la Ley de Contratos del Sector Público.

2. En este sentido, la Sentencia del TS, Sala 3.ª, de lo Contencioso-Administrativo, de 17 de octubre de 2000 afirmó que «el procedimiento de selección de contratistas ha de estar orientado en la legislación para garantizar un trato igual a todos los que siendo capaces y no estando incursos en causas de prohibición, aspiren a ser contratistas, puesto que los principios y procedimientos de contratación han de suscitar la libre concurrencia, basada en el presupuesto de la publicidad, lo que constituye la máxima garantía para los intereses públicos».

han de contar con la suficiente información de cada licitación y sus reglas, al tiempo que se han de evitar las excesivas cargas y sobrecostes para los mismos. En este extremo, cobra especial relevancia la utilización de medios electrónicos en la contratación pública debido a su potencial en la difusión de información contractual.

2. FORTALECIMIENTO DE LA PUBLICIDAD CONTRACTUAL POR EL USO DE MEDIOS ELECTRÓNICOS. LA PUBLICIDAD ELECTRÓNICA Y EL PERFIL DEL CONTRATANTE

Como se ha puesto de manifiesto, el cometido de la publicidad contractual está directamente vinculado a los principios generales de la contratación del sector público, especialmente al principio de concurrencia cuya premisa básica está constituida, a su vez, por el mismo principio de publicidad.

La contratación pública electrónica en sentido amplio[3], incluye herramientas e instrumentos para potenciar y fortalecer el principio de publicidad en la contratación. Las Directivas de 2004 iniciaron el recorrido de las técnicas de publicidad electrónica en los contratos públicos. Ya en el Considerando 35 de la Directiva 2004/18/CE se puso de relieve la interrelación entre las nuevas tecnologías de la información y comunicación y las simplificaciones de publicidad en términos de eficiencia y transparencia. El art. 35 de la misma Directiva reguló, por primera vez, el perfil del comprador, consistente en un especio en Internet en el cual el poder adjudicador publica información relativa a los procedimientos de contratación. Según el Anexo VIII 2. b), el perfil de comprador puede incluir además de anuncios de información previa, contemplados en el párrafo primero del apartado 1 del artículo 35, información sobre las licitaciones en curso, las compras programadas, los contratos adjudicados, los procedimientos anulados y cualquier otra información útil de tipo general, como, por ejemplo, un punto de contacto, los números de teléfono y de telefax, una dirección postal y una dirección electrónica.

El perfil del comprador previsto en la Directiva de 2004 se introdujo en el art. 42 de la Ley 30/2007, de 30 de octubre, de Contratos del Sector Público como perfil del contratante, con el fin de asegurar la transparencia y el acceso público a la información relativa a la actividad contractual.

---

3. Vid. Martínez Gutiérrez, R., «La contratación pública electrónica. Análisis y propuesta de transposición de las Directivas Comunitarias de 2014», Ed. Tirant lo Blanch, Valencia, 2015, pp. 49 y 50.

Actualmente, este se encuentra regulado en el art. 53 del texto refundido de la Ley de Contratos del Sector Público (TRLCSP). *El perfil de contratante podrá incluir cualesquiera datos e informaciones referentes a la actividad contractual del órgano de contratación, tales como los anuncios de información previa contemplados en el artículo 141, las licitaciones abiertas o en curso y la documentación relativa a las mismas, las contrataciones programadas, los contratos adjudicados, los procedimientos anulados, y cualquier otra información útil de tipo general, como puntos de contacto y medios de comunicación que pueden utilizarse para relacionarse con el órgano de contratación. En todo caso deberá publicarse en el perfil de contratante la adjudicación de los contratos* (Art. 53.2 del TRLCSP). Sin embargo, hay que tener en cuenta que el contenido del perfil del contratante se concreta a lo largo del Título I del Libro III del TRLCSP[4]. Pero, como advierte Miguel Ángel Blanes Climent[5], *los datos publicados únicamente se refieren a la fase de preparación y adjudicación de los contratos. No se difunde información sobre las posteriores fases de ejecución y extinción; en concreto, las modificaciones del contrato ni el coste final.*

En el Proyecto de Ley de Contratos del Sector Público, por la que se transponen al ordenamiento jurídico español las Directivas del Parlamento Europeo y del Consejo, 2014/23/UE y 2014/24/UE, de 26 de febrero de 2014, se da una nueva redacción a la figura del perfil del contratante (art. 63) cuya exposición de motivos califica *de más exhaustiva que la anterior, que le otorga un papel principal como instrumento de publicidad de los distintos actos y fases de la tramitación de los contratos de cada entidad.* La información objeto de publicación en el perfil del contratante se ve considerablemente elevada, dada la redacción de los apartados 3, 4, 5, y 6 del art. 63 del Proyecto[6],

---

4. Vid. Pintos Santiago, J., «Génesis, regulación y calendario obligatorio de la contratación pública electrónica», Contratación Administrativa Práctica, n.° 137, Ed. La Ley, mayo 2015.

5. Blanes Climent, M. A., «La información activa en la nueva ley de transparencia y en la legislación sectorial», Revista española de Derecho Administrativo num.165/2014, ed. Civitas, Pamplona. 2014.

6. En todo caso, art. 63.3, deberá publicarse el objeto del contrato, duración, el presupuesto base de licitación, el valor estimado, el importe de adjudicación, incluido el Impuesto sobre el Valor Añadido, el procedimiento utilizado para su adjudicación, los instrumentos a través de los que, en su caso, se ha publicitado, el número de licitadores participantes en el procedimiento y la identidad del adjudicatario, así como las modificaciones del contrato. También, las decisiones de desistimiento y renuncia de los contratos, la declaración de desierto, así como la interposición de recursos y la eventual suspensión de los contratos con motivo de la interposición de recursos. Asimismo, y, del mismo modo, en todo caso, deberán publicarse en el perfil de contratante, en los casos en los que este Proyecto de Ley obligue a su publicidad, los anuncios de información previa, las convocatorias de licitaciones y los anuncios de formalización de los contratos, los anuncios de modificación, los anuncios de concursos de proyectos y de resultados de

redacción notablemente influenciada por la Directiva 2014/24/UE que obliga a la transmisión y publicación de anuncios en formato electrónico (arts. 48 y siguientes) y a la puesta a disposición de los pliegos del contrato a través de medios electrónicos (art. 53).

Desde su incorporación al ordenamiento jurídico, el perfil del contratante se ha constituido como herramienta electrónica de publicidad que permite una mayor visualización de la contratación pública por los operadores frente a los sistemas clásicos (boletines), lo cual posibilita, a su vez, un mayor grado de concurrencia competitiva. Sin embargo, en España, esta figura jurídica, en la *praxis,* ha proliferado de tal forma, debido a la creación de miles de perfiles del contratante (al preverse que todo órgano contratante pudiese crear su propio perfil), que ha desembocado en *una clara fragmentación del mercado (al fragmentar la información)*[7].Esta *auténtica odisea de perfiles*[8], derivada en gran medida por la descentralización administrativa, representa una traba al acceso de los licitadores a la publicidad contractual.

En este contexto, y como solución a la problemática planteada, surge la plataforma de contratación del sector público como un nuevo sistema electrónico que incrementa y centraliza, a través de un único portal en Internet, la información contractual.

II. LA PLATAFORMA DE CONTRATACIÓN DEL SECTOR PÚBLICO

1. ORIGEN: LA PLATAFORMA DE CONTRATACIÓN DEL ESTADO

La plataforma de contratación del Estado, que apareció regulada por vez primera en el art. 309 de la Ley 30/2007, de 30 de octubre, de Contratos del Sector Público, constituye el antecedente inmediato de la actual plataforma de contratación del sector público.

---

concursos de proyectos, así como los pliegos y demás documentos que configuren una contratación.

7. Gimeno Feliu, J.M., «La obligación de publicidad de todas las licitaciones en la plataforma de contratos del sector público. Hacia una efectiva política de transparencia», Observatorio Contratación Pública, 2014. Disponible en: http://www.obcp. es/ index.php/mod.opiniones/mem.detalle/id.153/relcategoria.208/relmenu.3/ chk.9f26cb78a6854aec63e8d48670c3e57f

8. García Jiménez, A., «Contratación pública electrónica: un instrumento de buen gobierno». En: La nueva contratación pública: actas del I Congreso de la Red Internacional de Derecho Europeo, Toledo, 13 y 14 de noviembre de 2014, Almeida Cerreda, M. y Martín Delgado, I., coord., 2015.

Como señalan Bocanegra Requena y Bocanegra Gil[9], *la regulación de esta Plataforma se añadió a última hora a la Ley para dar cumplimiento, en mi opinión, de una forma incluso más amplia a lo legalmente preceptuado, a las obligaciones que en cuanto a publicidad y transparencia establece la nueva Ley de Contratos del Sector Público, fundamentalmente en lo que a la figura del Perfil del Contratante (…) se refiere.*

El mencionado art. 309 de la Ley 30/2007 encomendó a la Junta Consultiva de Contratación Administrativa del Estado la puesta a disposición, para todos los órganos de contratación del sector público, de una plataforma electrónica que permitiese *dar publicidad a través de Internet a las convocatorias de licitaciones y sus resultados y a cuanta información consideren relevante relativa a los contratos que celebren, así como prestar otros servicios complementarios asociados al tratamiento informático de estos datos*; estando, en todo caso, obligados a publicar en esta plataforma su perfil del contratante los órganos de contratación de la Administración General del Estado, sus Organismos autónomos, Entidades gestoras y Servicios comunes de la Seguridad Social y demás Entidades públicas estatales.

La operatividad de esta plataforma se produjo el día 2 de mayo de 2008, fecha de entrada en vigor de la Orden EHA/1220/2008, de 30 de abril, por la que se aprueban las instrucciones para operar en la Plataforma de Contratación del Estado.

Sin embargo, la pretensión del legislador de agregar en la plataforma todos los perfiles del contratante del sector público no fue satisfecha. Si bien, como se ha puesto de manifiesto, se impuso la obligación para los órganos de contratación de la Administración General del Estado, sus Organismos autónomos, Entidades gestoras y Servicios comunes de la Seguridad Social y demás Entidades públicas estatales, pero hubo escasa participación del resto de órganos de contratación del sector público cuya publicación del perfil en la plataforma era potestativa.

Este problema fue puesto de manifiesto en el Informe CORA sobre la Reforma de las Administraciones Públicas de 2013, a través del cual se propuso que, con la Ley de Garantía de Unidad de Mercado, la Plataforma de Contratación del Estado pasara a denominarse Plataforma de Contratación del Sector Público y, así, permitir facilitar a los operadores económicos el acceso a información agregada sobre contratación

---

9. Bocanegra Requena, J. M. y Bocanegra Gil, B., «Administración electrónica en España: implantación y régimen jurídico», Ed. Atelier, Barcelona, 2011.

pública mediante la publicación de todas las licitaciones del sector público

Tal y como se advertía en el Informe CORA, la Ley de Garantía de Unidad de Mercado, Ley 30/2013, de 9 de diciembre, en su Disposición adicional tercera, cambia la denominación de la Plataforma de Contratación del Estado (regulada en el artículo 334 del texto refundido de la Ley de Contratos del Sector Público, TRLCSP) que pasa a denominarse Plataforma de Contratación del Sector Público y, por consiguiente, amplía el ámbito de aplicación de la Plataforma.

2. NATURALEZA JURÍDICA DE LA PLATAFORMA DE CONTRATACIÓN DEL SECTOR PÚBLICO

La Orden EHA/1220/2008, de 30 de abril, por la que se aprueban las instrucciones para operar en la Plataforma de Contratación del Estado, en su exposición de motivos, señala que *la Plataforma de Contratación del Estado sirve así de espacio virtual de contacto entre los órganos de contratación del sector público y los interesados, pudiendo estos últimos acceder a la misma a través de un portal único.*

Sin embargo, no queda claro qué debe entenderse por plataforma de contratación y ello plantea la duda sobre la naturaleza jurídica de la misma.

La plataforma de contratación del sector público es accesible desde un portal único (art. 334.4 TRLCSP), en concreto, desde la dirección http://www.contrataciondelestado.es y tiene encaje en el art. 39 de la Ley 40/2015 de 1 de octubre, de Régimen Jurídico del Sector Público que define portal de internet como *el punto de acceso electrónico cuya titularidad corresponda a una Administración Pública, organismo público o entidad de Derecho Público que permite el acceso a través de internet a la información publicada y, en su caso, a la sede electrónica correspondiente.*

Para Martín Delgado[10], se trata de un *tertium genus, a camino entre sede electrónica y punto de acceso electrónico, pues posee notas características de ambos (…). Se trata de una dirección electrónica para la gestión de la publicidad contractual (punto de acceso electrónico) que está habilitada para prestar otros servicios de Administración electrónica (como sede electrónica).*

---

10. Martín Delgado, I., «Los contratos del sector público (2): formación y vicisitudes» en Contratos civiles, mercantiles, públicos, laborales e internacionales, con sus implicaciones tributarias / coord. por José Manuel Almudí Cid, Miguel Ángel Martínez Lago; Mariano Yzquierdo Tolsada (Dir.), Ed. Aranzadi, 2014

3. FUNCIONAMIENTO DE LA PLATAFORMA DE CONTRATACIÓN DEL SECTOR PÚBLICO

Según la disposición adicional 3 de la Ley 20/2013, de 9 de diciembre, de garantía de la unidad de mercado, *en la Plataforma se publicará, en todo caso, bien directamente por los órganos de contratación o por interconexión con dispositivos electrónicos de agregación de la información de las diferentes administraciones y entidades públicas, la convocatoria de licitaciones y sus resultados de todas las entidades comprendidas en el apartado 1 del artículo 3 del texto refundido de la Ley de Contratos del Sector Público.*

Por tanto, las convocatorias de licitaciones y sus resultados son de obligada publicación en la plataforma de contratación para todo el sector público definido en el ámbito subjetivo de aplicación del TRLCSP.

Para articular esta obligación de publicidad de alcance general, *en todo caso, los perfiles de contratante de los órganos de contratación del sector público estatal deberán integrarse en esta plataforma, gestionándose y difundiéndose exclusivamente a través de la misma* (art. 334.1 TRLCSP), mientras que los órganos de contratación no pertenecientes al sector público estatal cuentan con dos alternativas: en primer lugar, la adhesión a la Plataforma de Contratación del Sector Público, alojando su perfil del contratante en la misma; en segundo lugar, la agregación de información en la Plataforma de Contratación del Sector Público, mediante mecanismos de interconexión, manteniendo su perfil del contratante fuera de la Plataforma de Contratación del Sector Público, pero notificando a esta la información que se publica, en este caso, deberán notificar la publicación de las convocatorias y sus resultados mediante mecanismos agregación de contenidos[11].

Los perfiles de contratante dados de alta en la Plataforma de Contratación del Sector Público a fecha 31 de diciembre de 2015 se detallan en la siguiente tabla:

Tipo de Administración	Órganos de Contratación hasta el 31/12/2014	Órganos de Contratación hasta 31/12/2015	Altas en el año 2015
Administración General del Estado	1.180	1.269	89
Entidades Locales	1.647	1.939	292

---

11. Vid. Guía explicativa de la Administración General del Estado para la adhesión o interconexión a la Plataforma de Contratación del Sector Público.

Tipo de Administración	Órganos de Contratación hasta el 31/12/2014	Órganos de Contratación hasta 31/12/2015	Altas en el año 2015
Comunidades Autónomas	76	144	68
Entidades de Derecho Público	181	192	11
Otras Entidades del Sector Público	380	442	62
Total...	3.464	3.986	522

Fuente: Plataforma de contratación del sector público. Estadísticas.

La Guía explicativa de la Administración General del Estado para la adhesión o interconexión a la Plataforma de Contratación del Sector Público, a propósito de la adhesión los órganos de contratación no pertenecientes al sector público estatal a la Plataforma de Contratación del Sector Público, señala una serie de ventajas, servicios de valor añadido, que ofrece la Plataforma a los mismos (no disponibles para los órganos que mantengan sus perfiles del contratante fuera de la Plataforma de Contratación del Sector Público). Ello porque, según se desprende de la redacción del art. 334 del TRLCSP, la plataforma no se limita a dar publicidad a través de internet a las convocatorias de licitaciones y sus resultados, sino que ha de prestar otros servicios complementarios asociados al tratamiento informático de estos datos. Estos servicios de valor añadido o ventajas son:

- Publicación de anuncios en el Boletín Oficial del Estado, y en el Diario Oficial de la Unión Europea de forma automática.

- Envío de notificaciones electrónicas a los licitadores, relativos al procedimiento de licitación

- Intercambio de preguntas y respuestas con los licitadores a través de formularios web

- Descarga de certificados del Registro Oficial de Licitadores y Empresas Clasificadas del Estado

- Consulta al servicio de consulta de bastanteos de apoderamientos de la Caja General de Depósitos

- Licitación electrónica

Por todo ello, la misma Guía recomienda esta vía de adhesión para organismos con un bajo volumen de contratación, que no tengan en sus organizaciones suficiente estructura informática.

En todo caso, la reforma operada por la Ley de Unidad de Mercado con respecto a la plataforma de contratación del sector público promueve la centralización de información facilitando su acceso a todos los potenciales licitadores del sector público. Tal y como pone de manifiesto el Observatorio de Administración electrónica[12], *esto se traduce en: reducción de cargas administrativas para las empresas, que pueden encontrar toda la información que necesitan a través de un acceso único, ahorros para las administraciones al evitar duplicidades y mayor transparencia, al hacer más accesible la información a ciudadanos y empresas.*

4. EL VALOR DE LA PUBLICIDAD A TRAVÉS DE LA PLATAFORMA DE CONTRATACIÓN DEL SECTOR PÚBLICO

Ex apartado tercero del art. 334 TRLCSP, *la publicación de anuncios y otra información relativa a los contratos en la plataforma surtirá los efectos previstos en la Ley.* Esta previsión aclara que la información publicada en la Plataforma tiene plena validez legal.

De este modo, al dotar a la publicación de efectos jurídicos (variables según la clase de información), se prevé en el art. 334.2 del TRLCSP que *la plataforma deberá contar con un dispositivo que permita acreditar fehacientemente el inicio de la difusión pública de la información que se incluya en la misma.* Para ello, se presta un servicio de sellado de tiempo a través de la FNMT (Fábrica Nacional de Moneda y Timbre) de todos los documentos publicados en la Plataforma (art. 5.1.d Orden EHA/1220/2008, de 30 de abril, por la que se aprueban las instrucciones para operar en la Plataforma de Contratación del Estado).

III. LA PLATAFORMA DE CONTRATACIÓN DEL SECTOR PÚBLICO EN EL PROYECTO DE LEY DE CONTRATOS DEL SECTOR PÚBLICO

En el TÍTULO III, *Gestión de la publicidad contractual por medios electrónicos, informáticos y telemáticos,* del Libro Cuarto del Proyecto de Ley de Contratos del Sector Público, por la que se transponen al ordenamiento jurídico español las Directivas del Parlamento Europeo y del Consejo, 2014/23/UE y 2014/24/UE, de 26 de febrero de 2014 se regula, en el art. 340, la Plataforma de Contratación del Sector Público.

Respecto de esta sistemática, es trasladable la crítica que, con respecto al TRLCSP, hace Martínez Gutiérrez[13]: *el actual TRLCSP ha regulado en*

---

12. Observatorio de Administración electrónica, Nota Técnica: La Plataforma de Contratación del Sector Público, mayo 2014.
13. Vid. Martínez Gutiérrez, R., «La contratación pública electrónica. Análisis y propuesta de transposición de las Directivas Comunitarias de 2014», op. cit., p. 265.

momentos muy distintos de su articulado el perfil del contratante (art.53) y la plataforma de contratación del sector público (art. 334), cuando realmente se trata de mecanismos para el fomento de la transparencia y el acceso a la información y documentación contractual que deberían regularse de una forma coordinada y en un mismo lugar de la legislación de contratos.

Respecto al contenido del mencionado precepto (art. 340 del Proyecto de Ley de Contratos del Sector Público), se pone en valor la plataforma de contratación del sector público como instrumento de transparencia y publicidad contractual y se mejora la redacción de su regulación, al unificar normativa dispersa. En concreto, se regula, ahora, la relación de la plataforma con las Comunidades Autónomas (y las Ciudades Autónomas) así como con las Entidades Locales.

Con respecto a las Comunidades Autónomas y las Ciudades Autónomas de Ceuta y Melilla, estas podrán establecer servicios de información similares a la Plataforma de Contratación del Sector Público en los que deberán alojar sus perfiles de contratante de manera obligatoria, tanto sus propios órganos de contratación como los de sus entes, organismos y entidades vinculados o dependientes, gestionándose y difundiéndose exclusivamente a través de los mismos y constituyendo estos servicios un punto de acceso único a los perfiles de contratante de los entes, organismos y entidades adscritos a la Comunidad Autónoma correspondiente. No obstante, mediante convenio al efecto, se mantiene la posibilidad de que alojen sus perfiles del contratante directamente en la Plataforma de Contratación del Sector Público. En cualquier caso, e independientemente de la opción elegida deberán publicar la convocatoria de todas las licitaciones y sus resultados en la Plataforma de Contratación del Sector Público. En caso de una eventual discrepancia entre la información recogida en el servicio de información de la Comunidad Autónoma y la de la Plataforma de Contratación del Sector Público, prevalecerá la primera.

Por su parte, los órganos de contratación de las Administraciones locales, así como los de sus entidades vinculadas o dependientes podrán optar, de forma excluyente y exclusiva, bien por alojar la publicación de sus perfiles de contratante en el servicio de información que a tal efecto estableciera la Comunidad Autónoma de su ámbito territorial, o bien por alojarlos en la Plataforma de Contratación del Sector Público.

De esta manera, los perfiles de contratante de los órganos de contratación de todas las entidades del sector público estatal deberán alojarse obligatoriamente en la Plataforma de Contratación del Sector Público, gestionándose y difundiéndose exclusivamente a través de la misma. En las páginas web institucionales de estos órganos se incluirá un enlace a su perfil de contratante situado en la Plataforma de Contratación del Sector Público.

El apartado 7.° del art. 340 del Proyecto de Ley de Contratos del Sector Público remite a Orden del Ministerio de Hacienda y Función Pública para definir las especificaciones relativas a la operación y utilización de los servicios prestados por la Plataforma de Contratación del Sector Público.

IV. EL PROBLEMA DE LA DESCOORDINADA PUBLICIDAD ELECTRÓNICA CONTRACTUAL

Como se ha puesto de manifiesto, progresivamente, y, en gran medida, propiciado por la reforma operada con la Ley de garantía de la unidad de mercado, la plataforma de contratación del sector público ha evolucionado de forma satisfactoria para convertirse en un instrumento de centralización de información contractual.

Sin embargo, existen funcionalidades potenciales de esta plataforma como repositorio general de información centralizada que, en último extremo, solventarían el problema de la descoordinada publicidad electrónica contractual al que muchos operadores económicos que pretenden acceder a la contratación del sector público se enfrentan en la práctica. Entre estas funcionalidades potenciales, siguiendo a Martínez Gutiérrez[14], podemos señalar cuatro:

1. *Que los poderes adjudicadores deban elaborar los anuncios y la documentación contractual con unos formatos de documentos estándar.*

2. *Que los poderes adjudicadores deban remitir a la plataforma de contratación del sector público la información y documentación contractual elaborada conforme a los formatos determinados, y, simultáneamente, publicarla en su perfil del contratante.*

3. *Debería crearse una plataforma interconectada de plataformas de contratación del Estado (PCSP) y de las Comunidades Autónomas (en las que se han creado plataformas propias, como por ejemplo la Comunidad Valenciana) en la que la PCSP sea la plataforma base, y a través de ella las Administraciones puedan publicar los anuncios y demás información contractual cuando sea preceptivo en los boletines y diarios oficiales.*

---

14. Vid. Martínez Gutiérrez, R., «La contratación pública electrónica. Análisis y propuesta de transposición de las Directivas Comunitarias de 2014», op. cit., pp. 265 a 268.

4. *El sistema español de información contractual creado sobre estas premisas y sobre el funcionamiento de la PCSP debería interconectarse con el sistema de la UE articulado mediante la Plataforma SIMAP.*

El art. 51.1 de la Directiva 2014/24 obliga a los poderes adjudicadores al envío de anuncios de información previa, de licitación y de adjudicación a la Oficina de Publicaciones de la Unión Europea mediante la utilización obligatoria de formularios normalizados. Para simplificar el acceso a la publicidad contractual, sería óptimo que el legislador español, teniendo en cuenta este precepto, obligase a los poderes adjudicadores al uso de formularios normalizados en la remisión de anuncios y documentación contractual a la plataforma de contratos del sector público. Además, la interoperabilidad e interconexión de la plataforma del sector público, concebida como plataforma tecnológica base de la contratación pública, con el resto de plataformas de diferentes Administraciones es medio para la concentración simplificada de la publicidad con relevancia contractual.

V. CONCLUSIÓN

La contratación pública electrónica, en concreto, los sistemas electrónicos de divulgación de información contractual, permite un mayor grado de accesibilidad a la contratación del sector público, cuya premisa básica es el principio de publicidad, y en consecuencia mayor grado de transparencia.

Como acertadamente señala el Libro Verde sobre la generalización del recurso a la contratación pública electrónica en la UE, SEC (2010) 1214, *la contratación electrónica puede mejorar el acceso de las empresas a la contratación pública gracias a la automatización y centralización del flujo de información sobre las oportunidades de licitación concretas. La búsqueda de estas oportunidades en línea se lleva a cabo con mayor rapidez y a menor coste que el estudio de las distintas publicaciones. Los sistemas de contratación electrónica pueden configurarse asimismo de modo que alerten a los proveedores sobre oportunidades específicas y que faciliten el acceso inmediato a la documentación sobre las licitaciones. También se logra una mayor transparencia, puesto que el proceso de contratación es más abierto, está mejor documentado y es objeto de una mayor divulgación. Como consecuencia, mejoran el seguimiento y la eficiencia global de la contratación pública, lo que conduce a la apertura de los mercados a una mayor competencia y al incremento del número de proveedores en competición.*

En España, la plataforma del sector público surge, máxime tras la reforma operada por la disposición adicional 3 de la Ley 20/2013, de 9 de diciembre, de garantía de la unidad de mercado, como sistema electrónico de publicidad contractual que aglutina en un portal único los, hasta entonces, dispersos perfiles del contratante.

A la vista del Proyecto de Ley de Contratos del Sector Público, por la que se transponen al ordenamiento jurídico español las Directivas del Parlamento Europeo y del Consejo, 2014/23/UE y 2014/24/UE, de 26 de febrero de 2014, no se ha aprovechado la oportunidad de mejorar la sistemática normativa y regular conjuntamente el perfil del contratante y la plataforma de contratación del sector público como medios electrónicos de gestión de la publicidad contractual. No obstante, sí se ven ampliadas, en el texto, las obligaciones de publicidad a través del perfil del contratante (disponibilidad de pliegos, anuncios de modificación...) y, también, se unifica y clarifica la, hasta ahora dispersa, normativa reguladora de la plataforma de contratación del sector público.

Sin embargo, el legislador español debería centralizar toda la información contractual en la plataforma de contratación del sector público para coordinar eficazmente la publicidad de las compras públicas a través de formularios homogéneos para todo poder adjudicador y a través de una mayor interconexión con las plataformas de contratación de otras Administraciones, ya sea de una Comunidad Autónoma o de la plataforma SIMAP de la UE. De esta forma, se potenciaría la plataforma de contratación del sector público como plataforma base, interoperable e interconectada y se simplificaría el acceso de los potenciales licitadores a la contratación pública, que es, en última instancia, el cometido de la publicidad electrónica contractual.

BIBLIOGRAFÍA

Avezuela Cárcel, J., «Los principios generales de la contratación pública», Revista Española de la Función Consultiva, Consell Jurídic Consultiu de la Comunitat Valenciana, enero-junio 2005.

Blanes Climent, M. A., «La información activa en la nueva ley de transparencia y en la legislación sectorial», Revista española de Derecho Administrativo num.165/2014, ed. Civitas, Pamplona. 2014.

Bocanegra Requena, J. M. y Bocanegra Gil, B., «Administración electrónica en España: implantación y régimen jurídico», Ed. Atelier, Barcelona, 2011

García Jiménez, A., «La plataforma de contratos del sector público y su incidencia en las entidades locales», El Consultor de los Ayuntamientos, N.° 24, Quincena del 30 Dic. 2014 al 14 Ene. 2015.

García Jiménez, A., «Contratación pública electrónica: un instrumento de buen gobierno». En: La nueva contratación pública: actas del I Congreso de la Red Internacional de Derecho Europeo, Toledo, 13 y 14 de noviembre de 2014, Almeida Cerreda, M. y Martín Delgado, I., coord., 2015

Gimeno Feliu, J. M., «La obligación de publicidad de todas las licitaciones en la plataforma de contratos del sector público. Hacia una efectiva política de transparencia», Observatorio Contratación Pública, 2014. Disponible en: http://www.obcp. es/index.php/mod.opiniones/mem.detalle/id.153/relcategoria.208/relmenu.3/chk.9f26cb78a6854aec63e8d48670c3e57f

González Alonso, A., «La contratación pública electrónica», Cuadernos de Derecho Público, n.° 37, mayo-agosto, 2009.

Martín Delgado, I., «Los contratos del sector público (2): formación y vicisitudes» en Contratos civiles, mercantiles, públicos, laborales e internacionales, con sus implicaciones tributarias/coord. por José Manuel Almudí Cid, Miguel Ángel Martínez Lago; Mariano Yzquierdo Tolsada (Dir.), Ed. Aranzadi, 2014

Martínez Gutiérrez, R., «La contratación pública electrónica. Análisis y propuesta de transposición de las Directivas Comunitarias de 2014», Ed. Tirant lo Blanch, Valencia, 2015

Moreno Molina, J. A., «Principios generales de la contratación pública, procedimientos de adjudicación y recurso especial en la nueva ley estatal de contratos del sector público», Revista Jurídica de Navarra, enero-junio 2008.

Observatorio de Administración electrónica, Nota Técnica: La Plataforma de Contratación del Sector Público, mayo 2014

Pintos Santiago, J., «Génesis, regulación y calendario obligatorio de la contratación pública electrónica», Contratación Administrativa Práctica, n.° 137, Ed. La Ley, mayo 2015.

Capítulo 12

La participación de los operadores económicos y licitadores en la fase de preparación y adjudicación del contrato en el proyecto de ley de contratos del sector público[1] y el principio de transparencia: consultas preliminares de mercado. Redacción de prescripciones técnicas y respuestas a consultas

MARÍA DEL CARMEN RODRÍGUEZ MARTÍN-RETORTILLO

Profesora interina de Derecho Administrativo e Investigadora
de la Universidade da Coruña

SUMARIO: I. LA NECESIDAD DEL CONTRATO EN EL MARCO DE UNA ADECUADA PLANIFICACIÓN II. LOS CONTRATOS DE SERVICIOS PARA LA REDACCIÓN DE PRESCRIPCIONES TÉCNICAS U OTROS DOCUMENTOS III. CONSULTAS Y ESTUDIOS PRELIMINARES DE MERCADO 3.1. *Introducción* 3.2. *Su regulación en las directivas* 3.3. *Consultas preliminares del mercado en el PLCSP* VI. EL PROCEDIMIENTO PARA REALIZAR LAS CONSULTAS PRELIMINARES DE MERCADO 4.1. *Requisitos subjetivos* 4.2. *Finalidad de los estudios preliminares de mercado.* 4.3. *Forma. Garantía de confidencialidad* 4.4. *Medio para la realización de las consultas* 4.5. *Plazo* 4.6. *Gratuidad* 4.7. *Destino. Aplicación de los principios de la contratación. Prohibiciones de trato privilegiado* 4.8. *Propiedad intelectual* V. LAS CONSULTAS Y RESPUESTAS EN LA FASE DE LICITACIÓN 5.1. *Información a interesados* 5.2. *Solicitud de aclaraciones y respuestas*

---

1.   Texto publicado en el BOCG de 2 de diciembre de 2016.

I. LA NECESIDAD DEL CONTRATO EN EL MARCO DE UNA ADECUADA PLANIFICACIÓN

Cuando un ente del Sector Público precisa llevar a cabo determinada actividad, encaminada a satisfacer necesidades de interés público o propias, para un mejor funcionamiento de los servicios de su competencia y para el cumplimiento de sus objetivos, dentro del marco general de planificación[2] que debe observar la entidad, el planteamiento inicial parte de la premisa de si esa actividad la va a realizar con sus propios medios o a través de un contrato[3]. Para ello son significativos los artículos 1[4], 28[5]

---

2. El Consejo de Estado ha señalado que «El proceso de planificación de compras y adquisición de bienes y servicios requiere la existencia de una certeza sobre la necesidad de llevarlas a cabo. Esta certeza se alcanza tras un examen de sus pros y contras, de la imposibilidad de satisfacer las necesidades por los propios medios de la organización y de definir los requisitos de los bienes y servicios a adquirir». Asimismo, matiza que «El proceso de planificación de la contratación tiene dos ámbitos: uno, material, encaminado a determinar con exactitud las características del objeto del contrato –de manera que puedan ser satisfechas de la manera más adecuada para el comprador por los oferentes–, y a establecer los criterios de evaluación de las ofertas; otro, formal, para aprobar los instrumentos documentales en los que se especifican las condiciones jurídicas y técnicas de la prestación y para asegurar la existencia de fondos económicos con los que afrontar el pago de los servicios a contratar» (Dictamen Consejo de Estado N.º: 1.116/2015, 10 marzo 2015).

3. Vid. Exposición de motivos del PLCSP: «Así, esta Ley, teniendo como punto de partida dicha transposición, no se limita a ello, sino que trata de diseñar un sistema de contratación pública, más eficiente, transparente e íntegro, mediante el cual se consiga un mejor cumplimiento de los objetivos públicos, tanto a través de la satisfacción de las necesidades de los órganos de contratación, como mediante una mejora de las condiciones de acceso y participación en las licitaciones públicas de los operadores económicos, y, por supuesto, a través de la prestación de mejores servicios a los usuarios de los mismos».

4. Vid. Artículo 1 PLCSP: «(…) una eficiente utilización de los fondos destinados a la realización de obras, la adquisición de bienes y la contratación de servicios mediante la exigencia de la definición previa de las necesidades a satisfacer (…)».

5. Vid. Artículo 28 PLCSP (que se corresponde con el Artículo 22 del Real Decreto Legislativo 3/2011, de 14 de noviembre, por el que se aprueba el texto refundido de la Ley de Contratos del Sector Público, en adelante TRLCSP), que bajo el rótulo «Necesidad e idoneidad del contrato y eficiencia en la contratación» dispone lo siguiente en su primer apartado:
    «1. Las entidades del sector público no podrán celebrar otros contratos que aquellos que sean necesarios para el cumplimiento y realización de sus fines institucionales. A tal efecto, la naturaleza y extensión de las necesidades que pretenden cubrirse mediante el contrato proyectado, así como la idoneidad de su objeto y contenido para satisfacerlas, cuando se adjudique por un procedimiento abierto, restringido o negociado sin publicidad, deben ser determinadas con precisión, dejando constancia de ello en la documentación preparatoria, antes de iniciar el procedimiento encaminado a su adjudicación».

y 116[6] del Proyecto de Ley de Contratos del Sector Público (en adelante PLCSP), que determinan la exigencia de la motivación de la necesidad del contrato. De la lectura de estos tres artículos podemos extraer una primera conclusión[7]:

La necesidad del contrato tiene un componente de decisión de oportunidad, dentro del campo de la actuación política, pero ello no exime de justificarla. Así, podemos decir que la necesidad del contrato responde a las siguientes preguntas:

1.º ¿Por qué hay que realizar esa obra, servicio o suministro, etc.?, es decir, cuáles son las razones de interés general que lo hacen necesario.

2.º ¿Qué gastos conlleva, no solo de ejecución, sino también de mantenimiento ulterior?

3.º ¿Cuenta la Administración con medios propios o su coste[8] sería mayor o menor a través de un contrato?

4.º ¿En qué condiciones de calidad se va a realizar la obra, servicio o suministro?

Ello implica que cuando la Administración decide acudir a la celebración de un contrato es porque:

1.º Existen razones de interés general

---

6. Vid. Artículo 116 PLCSP (que se corresponde con el Artículo 109 TRLCSP), que bajo el rótulo «Expediente de contratación: iniciación y contenido» establece en su primer apartado que:
   «1. La celebración de contratos por parte de las Administraciones Públicas requerirá la previa tramitación del correspondiente expediente, que se iniciará por el órgano de contratación motivando la necesidad del contrato en los términos previstos en el artículo 28 de esta Ley».

7. Vid. RODRÍGUEZ FERNÁNDEZ, L.J. y RODRÍGUEZ MARTÍN-RETORTILLO, M., «Reflexiones sobre las Nuevas Directivas Europeas de Contratos y su incidencia en el TRLCSP y Anteproyecto de Ley de Contratos del Sector Público», REDICOP, http://www.redicop.com/propuestas/consecuencias-de-la-incorporacion-al-ordenamiento-juridico-espanol-de-las-nuevas-directivas-de-la-ue-sobre-contratacion-publica-el-efecto-directo-espana/.

8. Vid. GIMENO FELIÚ, J.M., «Nuevos paradigmas de la contratación Pública», http://greensproject.eu/wp-content/uploads/2016/06/160419_Jos%C3%A9-Mar%C3%ADa-Gimeno-Feliu-Nuevos-paradigmas-de-la-contrataci%-C3%B3n-p%C3%BAblica.pdf.
   En el mismo indica que «El principio de eficiencia debe ser visualizado no desde una monolítica perspectiva económica (o estrictamente presupuestaria) sino que deberá valorarse atendiendo a su conexión ineludible con el cumplimiento efectivo de sus fines o sus políticas públicas: se debe articular atendiendo a objetivos sociales, ambientales o de investigación, en la convicción de que los mismos comportan una adecuada comprensión de cómo deben canalizarse los fondos públicos».

2.° No cuenta con los medios suficientes para realizar la obra, servicio o suministro con sus medios propios (insuficiencia de medios, inadecuación, falta de idoneidad), o porque a través del contrato se alcancen menores costes (por ejemplo, adquirir un vehículo ya existente en el mercado en lugar de fabricarlo la Administración).

En este sentido también es necesaria, como en cualquier organización, la adecuada planificación, previsión y programación de los contratos en el tiempo y de acuerdo con la financiación comprometida, con unas adecuadas herramientas de gestión a fin de evitar terminaciones de vigencia de contratos sin la tramitación de un nuevo expediente, o no tener que recurrir a tramitaciones de urgencia que en ocasiones encubren imprevisiones.

Si se llega al convencimiento de que, por carencia, insuficiencia de medios[9] o por falta de idoneidad o complejidad, la Administración tiene que acudir a la celebración de un contrato, la siguiente cuestión importante es la definición de su objeto así como de las prescripciones técnicas del mismo y la concreción de los derechos y obligaciones que integraran el pliego de cláusulas administrativas.

Para ello la Administración debe, en principio, determinar con sus propios medios esta documentación. Sin embargo, ante situaciones complejas o por conveniencia de mejorar la definición de los aspectos sustanciales del contrato, la Administración puede verse en la necesidad de solicitar la participación de las empresas, participación que puede ir desde solicitar cuál puede ser el coste económico o presupuesto del contrato o la necesidad de fijar las características, forma de prestación o prescripciones técnicas.

Por lo tanto, podemos decir que en la fase de preparación[10]existen 3 vías de participación de las empresas:

1. Tramitando un contrato para la redacción de las prescripciones técnicas, proyectos o documentación preparatoria.

---

9. En la Ley 30/2007, de 30 de Octubre, de Contratos del Sector Público (en adelante, LCSP) ya se suprimió la referencia expresa a la justificación de dicha insuficiencia, que se exigía para los contratos de consultoría y asistencia (ver como antecedente el Artículo 202.1 del Real Decreto Legislativo 2/2000, de 16 de junio, por el que se aprueba el Texto Refundido de la Ley de Contratos de las Administraciones Públicas, en adelante TRLCAP), modalidad contractual suprimida en la LCSP e integrada en los contratos de servicios.

10. Por razón de espacio no tratamos la participación de las empresas en la fase de licitación en el dialogo competitivo y en la asociación para la innovación (ver guía https://www.innovation-procurement.org/fileadmin/editor-content/Guides/PPI-Platform-Guide-ES-final-lowres.pdf).

2. A través de los estudios preliminares de mercado.

3. A través de la iniciativa privada en estudios de viabilidad[11].

II. LOS CONTRATOS DE SERVICIOS PARA LA REDACCIÓN DE PRESCRIPCIONES TÉCNICAS U OTROS DOCUMENTOS

Al no existir hasta el PLCSP una regulación expresa sobre las consultas preliminares de mercado, que analizamos en el apartado III de este trabajo, las entidades del Sector Público han acudido como vía alternativa a la formalización de contratos de servicios para la redacción de las prescripciones técnicas u otros documentos preparatorios del contrato[12] que se regulaba en el TRLCSP, donde se establecía una prohibición para concurrir a las empresas que hubieran elaborado las prescripciones técnicas o los documentos preparatorios del contrato, siempre que dicha participación pudiera provocar restricciones a la libre concurrencia o suponer un trato privilegiado con respecto al resto de las empresas licitadoras[13]. Ahora el PLCSP regula esta materia en el artículo 70.1, que dispone lo siguiente:

«1. El órgano de contratación tomará las medidas adecuadas para garantizar que la participación en la licitación de las empresas que hubieran participado previamente en la elaboración de las especificaciones técnicas o de los documentos preparatorios del contrato o hubieran asesorado al órgano de contratación durante la preparación del procedimiento de contratación, no falsee la competencia. Entre esas medidas podrá llegar

---

11. Vid. Artículo 245 PLCSP (que se corresponde con el Artículo 128.5 TRLCSP), cuyo apartado 5 indica que se admitirá la iniciativa privada en la presentación de estudios de viabilidad de eventuales concesiones.

12. Vid. Artículo 56 TRLCSP, que bajo la rúbrica «Condiciones especiales de compatibilidad», señala en su primer apartado lo que a continuación se indica:
    «1. Sin perjuicio de lo dispuesto en relación con la adjudicación de contratos a través de un procedimiento de diálogo competitivo, no podrán concurrir a las licitaciones empresas que hubieran participado en la elaboración de las especificaciones técnicas o de los documentos preparatorios del contrato siempre que dicha participación pueda provocar restricciones a la libre concurrencia o suponer un trato privilegiado con respecto al resto de las empresas licitadoras».

13. Como antecedente podemos considerar el Acuerdo sobre Contratación Pública de la Organización Mundial del Comercio, cuyo artículo VI en su último párrafo sirve de argumento interpretativo sobre el alcance de la prohibición contenida en la Ley: «Las entidades no recabarán ni aceptarán de una empresa que pueda tener un interés comercial en el contrato, asesoramiento susceptible de ser utilizado en la preparación de especificaciones respecto de un contrato determinado, de forma tal que su efecto sea excluir la competencia».

a establecerse que las citadas empresas, y las empresas a ellas vinculadas, entendiéndose por tales las que se encuentren en alguno de los supuestos previstos en el artículo 42 del Código de Comercio, puedan ser excluidas de dichas licitaciones, cuando no haya otro medio de garantizar el cumplimiento del principio de igualdad de trato.

En todo caso, antes de proceder a la exclusión del candidato o licitador que participó en la preparación del contrato, deberá dársele audiencia para que justifique que su participación en la fase preparatoria no puede tener el efecto de falsear la competencia o de dispensarle un trato privilegiado con respecto al resto de las empresas licitadoras.

Entre las medidas a las que se refiere el primer párrafo del presente apartado, se encontrarán la comunicación a los demás candidatos o licitadores de la información intercambiada en el marco de la participación en la preparación del procedimiento de contratación o como resultado de ella, y el establecimiento de plazos adecuados para la presentación de ofertas.

Las medidas adoptadas se consignarán en los informes específicos previstos en el artículo 329».

Esta vía ya contaba con regulación en la normativa contractual y planteó cuestiones sobre la compatibilidad de redactar las prescripciones técnicas y la posibilidad de licitar al contrato en cuanto pudiera suponer una restricción a la libre concurrencia o un trato privilegiado.

Sobre esta cuestión ya se pronunció la Junta Consultiva de Contratación Administrativa en informe 38/12 de 7 de mayo de 2013[14]:

«Como punto de partida, cabe señalar que la introducción de la prohibición contenida en el artículo 56.1 del TRLCSP tiene por objeto garantizar la igualdad de trato entre los licitadores, principio reconocido tanto a nivel UE por el Tratado (artículo 6) y las directivas en materia de contratación pública (artículo

---

14. El informe de 10 de mayo de 1996 del Pleno de la Junta Consultiva de Contratación Administrativa de la Generalidad de Cataluña se había pronunciado sobre este tema, pero sobre la redacción original del antiguo Artículo 53 de la Ley 13/1995, de 18 de mayo, de Contratos de las Administraciones Públicas, que fue modificada por la Ley 53/1999, de 28 de diciembre, que añadió el párrafo «siempre que dicha participación pueda provocar restricciones a la libre concurrencia o suponer un trato privilegiado con respecto al resto de las empresas licitadoras».

2 de la Directiva 2004/18, de 31 de marzo[15]), como por nuestro Derecho en el artículo 14 de la CE y en el artículo 1 del TRLCSP.

Dicho principio implica, en particular, de acuerdo con la Jurisprudencia del TJUE, la obligación de que los licitadores se encuentren en igualdad de condiciones tanto en el momento en que preparan sus ofertas como en el momento en que éstas se someten a la evaluación de la entidad adjudicadora (véanse, en este sentido, las sentencias del TJUE Universale-Bau y otros, apartado 91, y de 19 de junio de 2003, GAT, C-315/01, apartado 73), constituyendo un deber que incumbe a las entidades adjudicadoras garantizar la observancia de dichos principios que deriva de la propia esencia de las directivas en materia de contratación (véanse las sentencias de 17 de septiembre de 2002, Concordia Bus Finland, C-513/99, apartado 81, y de 3 de marzo de 2005, Fabricom, C-21/03 y C-34/03, apartado 26).

En este sentido, se entiende que, en principio, la participación de una empresa en la elaboración de las especificaciones técnicas o en los documentos preparatorios del contrato puede otorgar a la misma un conocimiento más preciso de las características del mismo y previo al resto de posibles licitadores, que sólo conocerían las mismas en el momento de abrirse el procedimiento de licitación. Ello puede dar una ventaja competitiva a esta empresa frente al resto de empresas licitadoras y, por otro lado puede condicionar la propia elaboración inicial de las especificaciones técnicas y documentos.

Ahora bien, la aplicación de las cautelas precisas debe hacerse conforme al principio de proporcionalidad, que constituye un principio general del Derecho comunitario, de forma que estas medidas no deben exceder de lo necesario para alcanzar este objetivo. En este sentido, la sentencia Fabricom, antes citada, de acuerdo con este principio, declara que no es conforme con el Derecho comunitario la prohibición de presentar una solicitud de participación o formular una oferta para un contrato público de obras, de suministro o de servicios a una persona que se haya encargado de la investigación, la experimentación, el estudio o el desarrollo de tales obras, suministro o servicios, sin que se conceda a esa persona la posibilidad de demostrar que,

---

15. Directiva 2004/18 derogada por la Directiva 2014/24/UE del Parlamento Europeo y del Consejo de 26 de febrero de 2014 sobre contratación pública.

en las circunstancias del caso concreto, la experiencia adquirida por ella no ha podido falsear la competencia.

Por ello el TRLCSP, en su artículo 56.1 no establece la exclusión sin más de estas empresas, sino que condiciona la exclusión del procedimiento a que «dicha participación pueda provocar restricciones a la libre concurrencia o suponer un trato privilegiado con respecto al resto de las empresas licitadoras». Es decir, la mera participación de una empresa en la elaboración de las especificaciones técnicas o de los documentos preparatorios del contrato no determina por sí misma y de forma automática la exclusión de la misma del procedimiento, sino que ha de acreditarse que dicha participación puede provocar restricciones a la libre concurrencia o suponer un trato privilegiado con respecto al resto de las empresas licitadoras, circunstancia que deberá ser adecuadamente motivada en la resolución de exclusión. Para ello, ha de concederse previamente a esa empresa la posibilidad de ofrecer explicaciones sobre ello, justificando que la experiencia adquirida no supondrá una ruptura de la competencia en ese procedimiento de contratación».

La Sentencia del Tribunal de Justicia de la Unión Europea de 3 de marzo de 2005, asunto Fabricom, señala:

27. Por otra parte, según reiterada jurisprudencia, el principio de igualdad de trato exige que no se traten de manera diferente situaciones que son comparables y que situaciones diferentes no sean tratadas de manera idéntica, salvo que este trato esté justificado objetivamente (sentencias de 14 de diciembre de 2004, Arnold André, C-434/02, Rec. pg. I-0000, apartado 68 y la jurisprudencia que allí se cita, y Swedish Match, C-210/03, Rec. pg. I-0000, apartado 70 y la jurisprudencia que allí se cita).

28. Ahora bien, una persona que se haya encargado de la investigación, de la experimentación, del estudio o del desarrollo de obras, suministros o servicios relativos a un contrato público (en lo sucesivo, una «persona que haya realizado determinados trabajos preparatorios») no se encuentra forzosamente, respecto de la participación en el procedimiento de adjudicación de dicho contrato, en la misma situación que una persona que no haya realizado tales trabajos.

29. En efecto, por una parte, la persona que haya participado en determinados trabajos preparatorios puede verse favorecida a la

hora de formular su oferta, en virtud de la información que haya podido obtener sobre el contrato público en cuestión al realizar los mencionados trabajos. Pues bien, todos los licitadores deben disponer de las mismas oportunidades al formular el contenido de sus ofertas (véase, en este sentido, la sentencia de 25 de abril de1996, Comisión/Bélgica, C-87/94, Rec. pg. I2043, apartado 54).

30. Por otra parte, dicha persona puede encontrarse en una situación que dé lugar a un conflicto de intereses, en el sentido de que, tal y como señala acertadamente la Comisión de las Comunidades Europeas, si licita en el mismo contrato público, puede influir involuntariamente en las condiciones de éste, orientándolo en un sentido que le sea favorable. Esta situación podría falsear la competencia entre los licitadores.

31. Por tanto, teniendo en cuenta que la persona que haya efectuado determinados trabajos preparatorios podría hallarse en tal situación, no cabe afirmar que el principio de igualdad de trato obligue a tratarla del mismo modo que a cualquier otro licitador.

36. En tales circunstancias, procede responder a la primera cuestión planteada en los asuntos (...) que la Directiva 92/50, en particular su artículo 3, apartado 2, la Directiva 93/36, en particular su artículo 5, apartado 7, la Directiva 93/37, en particular su artículo 6, apartado 6, y la Directiva 93/38, en particular su artículo 4, apartado 2 (directivas cuyas previsiones en este punto hoy se recogen en el artículo 2 de la Directiva 2004/18, que las deroga[16]), se oponen a una norma (...), conforme a la cual se prohíbe presentar una solicitud de participación o formular una oferta para un contrato público de obras, de suministro o de servicios a una persona que se haya encargado de la investigación, la experimentación, el estudio o el desarrollo de tales obras, suministro o servicios, sin que se conceda a esa persona la posibilidad de demostrar que, en las circunstancias del caso concreto, la experiencia adquirida por ella no ha podido falsear la competencia».

De igual modo se había manifestado el Informe 9/2010, de 15 de septiembre de 2010, de la Junta Consultiva de Contratación Administrativa de la Comunidad Autónoma de Aragón.

---

16. Directiva 2004/18 derogada por la Directiva 2014/24/UE del Parlamento Europeo y del Consejo de 26 de febrero de 2014 sobre contratación pública.

Por su parte, el Tribunal Administrativo Central de Recursos Contractuales en Resolución 139/2012 de 28 de junio de 2012, señaló que:

> «Ante todo, debe aclarase que, en contra de lo que parecen entender la recurrente y el presidente de la Mesa única de Contratación de la xxx la incompatibilidad no deriva solamente de la participación directa en la redacción de los pliegos que deben regir la licitación, sino que al referirse el artículo 56.1 tanto a los pliegos como a los documentos preparatorios del contrato, debe entenderse incurso en la condición especial de incompatibilidad a todo aquél que participe de forma directa o indirecta en la determinación del contenido de los citados documentos.
>
> Séptimo. El segundo requisito exigido para que resulte de aplicación la incompatibilidad especial que regula el artículo 56.1 del Texto refundido de la Ley de Contratos del Sector Público, es que la participación en la elaboración de los documentos pueda provocar restricciones a la libre concurrencia o suponer un trato privilegiado con respecto al resto de las empresas licitadoras.
>
> Afirma la recurrente que su participación en tales documentos no puede considerarse atentatoria a la libre concurrencia ni es determinante de trato privilegiado, sobre todo porque para mayor transparencia el órgano de contratación dio publicidad al documento de especificaciones funcionales.
>
> Sin embargo, debemos entender que la redacción del precepto pone de manifiesto que su objeto no es sino prevenir un posible trato privilegiado que derive de la participación en la elaboración de los documentos preparatorios del contrato, y precisamente por ello dice «pueda provocar restricciones a la libre concurrencia o suponer un trato privilegiado», con lo cual se previene del hecho de que la tal participación pueda colocar a alguno de los licitadores en posición de ventaja respecto de los otros por conocer de forma previa o con mayor detalle los pormenores de la prestación. Se trata de evitar una situación que resulta difícilmente compatible con los principios de libre concurrencia, no discriminación y transparencia, y ello aún en el caso de que en el órgano de contratación no exista premeditación alguna en cuanto a la determinación de la persona del adjudicatario».

A su vez, la Sentencia del TS de 18 de abril de 2013 dispuso que:

> «La previsión del artículo 45 de la Ley de Contratos del Sector Público tiene la finalidad de prevenir que haya desigualdades entre las empresas licitadoras porque una o varias de ellas gocen de una situación de privilegio en relación con el contrato. La cita jurisprudencial que sostiene la resolución no es de aplicación al caso, puesto que se trata de una sentencia dictada años antes de la entrada en vigor de la ley 30/2007 y que resuelve un supuesto de hecho diferente al de autos. Ahora bien: la conclusión que la situación descrita permite alcanzar no es la que propugna la recurrente. Si lo que la ley persigue es evitar distorsiones a la libre competencia o evitar el trato privilegiado, en este caso la solución no es impedir a xxx participar en el concurso, sino entregar a todas y cada una de las empresas que participan en la licitación el estudio completo elaborado por xxx. De este modo desaparecería la denunciada situación de privilegio y se evitaría que, por haber sido adjudicataria de un contrato quedase automáticamente impedida de participar en cualquier otra contratación pública relativa al mismo bien, finalidad no buscada por la norma, y que produciría una discriminación en contra de la demandada. En consecuencia procede mantener la declaración de nulidad del procedimiento de contratación del expediente objeto de recurso, retrotrayendo el procedimiento a fin de permitir la participación de xxx. La retroacción debe alcanzar a la fase de formulación de las ofertas técnicas para que las empresas licitadoras, si lo solicitan, puedan acceder al «Estudio del alfarje policromado del Palacio Episcopal de Huesca» a fin de garantizar los principios de igualdad de trato y no discriminación contenidos en los artículos 1 y 123 de la Ley de Contratos del Sector Público».

Finalmente, el Tribunal Administrativo Central de Recursos Contractuales en Resolución 51/2015 de 13 de febrero de 2015 ha concluido lo siguiente[17]:

> «Dos son los requisitos que exige el artículo en cuestión (56): de una parte, la participación de la empresa en la redacción de las especificaciones técnicas o de los documentos preparatorios del contrato y, de otra, que de tal participación se derive restricción para la concurrencia o trato privilegiado. A tenor de lo señalado en ese precepto, la incompatibilidad no deriva solamente de la participa-

---

17. Vid. Resoluciones del TACRC 607/2013, 139/2012; 290/2012; 105/2013.

ción directa en la redacción de los pliegos que deben regir la licitación, sino que debe entenderse incurso en la condición especial de incompatibilidad a todo aquél que participe de forma directa o indirecta en la determinación del contenido de los citados documentos. Asimismo, el segundo requisito exigido para que resulte de aplicación la incompatibilidad especial que regula este artículo es que la participación en la elaboración de los documentos pueda provocar restricciones a la libre concurrencia o suponer un trato privilegiado con respecto al resto de las empresas licitadoras».

III. CONSULTAS Y ESTUDIOS PRELIMINARES DE MERCADO[18]

1. INTRODUCCIÓN[19]

Cuando la Administración, en la fase de preparación del contrato, no podía disponer de todos los datos o estudios de coste para fijar el pre-

---

18. El Consejo de Estado en su Memoria de 2012 ya había indicado que no existe obstáculo legal a utilizar este instrumento. No obstante, sugirió que sería conveniente que se promoviera la correspondiente iniciativa normativa a fin de articular el mismo. (Vid. Págs. 367 a 374).

19. El Consejo de Estado ha apuntado que «En ocasiones, el adquirente de los bienes y servicios tiene conocimiento exacto tanto de las características de estos como de las técnicas y modos de prestación ofrecidas en el mercado por las empresas que pueden suministrarlos. Pero, de ordinario, el comprador carece de ese conocimiento completo y cabal de las cosas. Esta situación se da también con frecuencia en el caso de las Administraciones públicas. Así, a los compradores les resulta útil conocer la experiencia y los saberes de los eventuales oferentes para aprovecharlos a la hora de definir las características del bien o servicio a adquirir y así satisfacer mejor sus necesidades» (Dictamen Consejo de Estado N.°: 1.116/2015, 10 marzo 2015).
En este mismo Dictamen indica que «Los instrumentos empleados en el ámbito de la contratación para obtener información de los eventuales oferentes son varios, a saber:
a) Request for information (RFI): solicitud de información o consultas preliminares;
b) Request for proposal (RFP): solicitud de propuesta;
c) Request for quotation (RFQ): solicitud de presupuesto; y
d) Invitation for Bid (IFB): solicitud para ofertar». Asimismo, tal y como explica, «El Anteproyecto regula por primera vez, como se ha dicho, el primero de los instrumentos citados: las consultas preliminares o el requerimiento de información». Por lo que respecta a las consultas preliminares, cabe aludir a que «son una figura contemplada por las normas jurídicas europeas, que preconizan su establecimiento con carácter general en el ámbito de las relaciones contractuales públicas y privadas como método adecuado para favorecer la eficiencia económica. Así, se contempla en el artículo 2.302 del Proyecto de Código Contratual Privado Europeo, en el Plan de Acción sobre un derecho europeo de contratos más coherentes, hecho por la Comisión Europea en enero de 2003, y en el Draft Common Frame

supuesto del contrato o definir mejor las características o prescripciones técnicas, se veía en la necesidad de hacer estas consultas preliminares de mercado, bien para fijar el presupuesto del contrato o para definir el contenido o parte del mismo, se encontraba con que no existía regulación sobre la materia, pues en la normativa vigente ha existido una laguna al respecto, al carecer de un marco normativo expreso[20].

Por ello, en algunos casos, los órganos de contratación o el personal de la Administración consultaba a determinada o determinadas empresas especializadas en la materia sobre el coste del contrato o sobre las características de las prestaciones o prescripciones técnicas. Estas consultas se hacían en ocasiones sin constancia escrita, pues algunas veces se efectuaban vía verbal (presencial o telefónica). Las empresas facilitaban la información desde su perspectiva y por eso, en muchas ocasiones, se solía contrastar la opinión con varias empresas, para de alguna manera equilibrar el futuro contenido del contrato, tanto su coste como sus prestaciones.

Esta práctica, no es la adecuada y ajustada a los principios de la Ley[21] (igualdad de trato de los licitadores), dado que la empresa o futuro posible licitador que era consultado ya podía tener un conocimiento previo, antes de la convocatoria de la licitación, de la intención por parte de la Administración de realizar un determinado contrato o incluso de las condiciones del mismo

---

of Reference de 2008. Constituyen, por otra parte, un instrumento adecuado para satisfacer las necesidades perseguidas con los contratos y la idoneidad de sus objetos y contenidos deben determinarse con exactitud, velándose en todo caso por la eficiencia, valorando la innovación y la incorporación de la alta tecnología y promoviendo la participación de las empresas». El Consejo de Estado apunta que «El proceso de solicitud de información suele venir definido en la práctica contractual por las dos siguientes características: de un lado, el establecimiento de mecanismos que generen incentivos a las empresas para participar en las consultas previas —establecer un criterio de evaluación que otorgue puntos adicionales a los participantes en el proceso, sin que esta participación comporte una barrera de entrada al proceso de licitación—. Y, de otro, la amplia difusión del proceso, a fin de asegurar la celebración de intercambio de información —a través de reuniones de discusión y contacto— entre el futuro comprador y el eventual ofertante».

20. Tan solo los Artículos 87 y 88.2 y la Disposición Adicional 9.ª del TRLCSP aludían a que los precios han de ser adecuados al mercado. En esta línea, Vid. Artículo 199.1 TRLCSP (ahora Artículo 221 del PLCSP), que postula que «Los órganos de contratación del sector público podrán articular sistemas dinámicos para la contratación de obras, servicios y suministros de uso corriente cuyas características, generalmente disponibles en el mercado, satisfagan sus necesidades, siempre que el recurso a estos instrumentos no se efectúe de forma que la competencia se vea obstaculizada, restringida o falseada».

21. Respecto a los principios de la contratación, Vid. MORENO MOLINA, J.A., *Los principios generales de la contratación de las Administraciones Públicas*, Bomarzo, Albacete, 2006.

o predeterminar las condiciones de la licitación. Además, los licitadores en la mayoría de los casos desconocían que se habían formulado estas consultas.

Mantenemos el criterio de que estas consultas deben realizarse siempre aplicando los principios de publicidad y concurrencia, a través del perfil de contratante y plataforma de contratación del sector público[22](en este sentido se ha avanzado en el texto publicado en el BOCG el 2 diciembre 2016, respecto al texto de abril de 2015).

Algunas Administraciones ya se adelantaron al respecto[23], al prever la publicación en el perfil del contratante de estas consultas.

2.   SU REGULACIÓN EN LAS DIRECTIVAS

Antecedente: Considerando 8 Directiva 2004/18/CE[24], que establecía una regulación muy escueta, concretamente señalaba lo siguiente:

> «Antes del lanzamiento de un procedimiento de adjudicación de un contrato, los poderes adjudicadores pueden mediante un «diálogo técnico» solicitar o aceptar asesoramiento que podrá utilizarse para determinar el pliego de condiciones, siempre que dicho asesoramiento no tenga como efecto impedir la competencia».

A.   DIRECTIVA 2014/24/UE[25]

Artículo 40 Directiva 2014/24/UE[26]: Consultas preliminares del mercado:

---

22. Como ya señalaron RODRÍGUEZ FERNÁNDEZ, L.J. y RODRÍGUEZ MARTÍN-RETORTILLO, M., en «Reflexiones sobre las Nuevas Directivas Europeas de Contratos y su incidencia en el TRLCSP y Anteproyecto de Ley de Contratos del Sector Público», 31 de marzo de 2016, REDICOP, http://www.redicop.com/propuestas/consecuencias-de-la-incorporacion-al-ordenamiento-juridico-espanol-de-las-nuevas-directivas-de-la-ue-sobre-contratacion-publica-el-efecto-directo-espana/.   En igual sentido se ha pronunciado recientemente VAZQUEZ MATILLA, J., en «Las consultas preliminares al mercado. Clave para la eficiencia en la contratación pública», CSP.

23. En este sentido, en la Diputación de A Coruña en 2008, en el Perfil de contratante se abrió un apartado para consultas de mercado.

24. Directiva 2004/18/CE del Parlamento Europeo y del Consejo, de 31 de marzo de 2004, sobre coordinación de los procedimientos de adjudicación de los contratos públicos de obras, de suministro y de servicios, derogada por la Directiva 2014/24/UE.

25. Directiva 2014/24/UE del Parlamento Europeo y del Consejo de 26 de febrero de 2014 sobre contratación pública y por la que se deroga la Directiva 2004/18/CE.

26. Documento de Estudio Tribunales Contractuales (en adelante DETAC), Artículo 40 Directiva 2024/24: Consultas preliminares del mercado.
    «Tiene efecto directo al ser claro, preciso e incondicionado (el carácter potestativo de la consulta no se refiere a los Estados miembros, sino a cada uno de

«Antes de iniciar un procedimiento de contratación, los poderes adjudicadores podrán realizar consultas del mercado con vistas a preparar la contratación e informar a los operadores económicos acerca de sus planes y sus requisitos de contratación.

Para ello, los poderes adjudicadores podrán, por ejemplo, solicitar o aceptar el asesoramiento de expertos o autoridades independientes o de participantes en el mercado, que podrá utilizarse en la planificación y el desarrollo del procedimiento de contratación, siempre que dicho asesoramiento no tenga por efecto falsear la competencia y no dé lugar a vulneraciones de los principios de no discriminación y transparencia».

Artículo 41 Directiva 2014/24/UE[27]: Participación previa de candidatos o licitadores:

«Cuando un candidato o licitador, o una empresa vinculada a un candidato o a un licitador, haya asesorado al poder adjudicador, sea o no en el contexto del artículo 40, o haya participado de algún otro modo en la preparación del procedimiento de contratación, el poder adjudicador tomará las medidas adecuadas para garantizar que la participación de ese candidato o licitador no falsee la competencia.

Estas medidas incluirán la comunicación a los demás candidatos y licitadores de la información pertinente intercambiada en el marco de la participación del candidato o licitador en la preparación del procedimiento de contratación, o como resultado de ella, y el establecimiento de plazos adecuados para la recepción de las ofertas. El candidato o el licitador en cuestión solo será excluido del procedimiento cuando no haya otro medio de garantizar el cumplimiento del principio de igualdad de trato.

---

los poderes adjudicadores). Los poderes adjudicadores podrán en consecuencia, acudir a esta técnica para planificar adecuadamente la licitación». http://www.obcp.es/index.php/mod.documentos/mem.descargar/fichero.documentos_Documento_final__ESTUDIO_aplicacion_directa_de_las_Directivas_b43ec509%232E%23pdf/chk.a1819767e7f5371f26dd16ff0f1edcf3.

27. Vid. DETAC, Artículo 41: Participación previa de candidatos o licitadores:
«Este precepto regulador de las medidas a adoptar para evitar el falseamiento de la competencia en los casos de licitadores que hayan participado en consultas preliminares del mercado o cualquier otra forma de asesoramiento, o preparación previa de la licitación, goza de efecto directo al ser claro, preciso e incondicionado, siendo, además, un mandato dirigido a los poderes adjudicadores, que deberán implementar las medidas a tal efecto, que, en todo caso, incluirán la audiencia al afectado».

Antes de proceder a dicha exclusión, se dará a los candidatos o licitadores la oportunidad de demostrar que su participación en la preparación del procedimiento de contratación no puede falsear la competencia. Las medidas adoptadas se consignarán en el informe específico previsto en el artículo 84[28]».

B. DIRECTIVA 2014/25/UE[29]

Esta Directiva también prevé las consultas preliminares del mercado[30] y la participación previa de candidatos o licitadores[31].

---

28. Vid. Artículo 84 Directiva 2014/24/UE: Informes específicos sobre los procedimientos para la adjudicación de los contratos:

    «1. Los poderes adjudicadores redactarán un informe escrito, sobre cada contrato o acuerdo marco regulado por la presente Directiva y cada vez que establezcan un sistema dinámico de adquisición, que incluya al menos lo siguiente: (...)

    i) en su caso, los conflictos de intereses detectados y las medidas tomadas al respecto (...)».

29. Directiva 2014/25/UE del Parlamento Europeo y del Consejo de 26 de febrero de 2014 relativa a la contratación por entidades que operan en los sectores del agua, la energía, los transportes y los servicios postales y por la que se deroga la Directiva 2004/17/CE.

30. Vid. Artículo 58 de la Directiva 2014/25/UE:

    «Antes de iniciar un procedimiento de contratación, las entidades adjudicadoras podrán realizar consultas del mercado con vistas a preparar la contratación e informar a los operadores económicos acerca de sus planes y requisitos de contratación.

    Para ello, las entidades adjudicadoras podrán, por ejemplo, solicitar o aceptar el asesoramiento de expertos o autoridades independientes o de participantes en el mercado, que podrá utilizarse en la planificación y el desarrollo del procedimiento de contratación, siempre que dicho asesoramiento no tenga por efecto falsear la competencia y no dé lugar a infracciones de los principios de no discriminación y transparencia».

31. Vid. Artículo 59 de la Directiva 2014/25/UE:

    «Cuando un candidato o licitador, o una empresa vinculada a un candidato o a un licitador, haya asesorado a la entidad adjudicadora, en el contexto del artículo 58 o no, o haya participado de algún otro modo en la preparación del procedimiento de contratación, la entidad adjudicadora tomará las medidas adecuadas para garantizar que la participación de ese candidato o licitador no distorsione la competencia.

    Estas medidas incluirán la comunicación a los demás candidatos y licitadores de la información pertinente intercambiada en el marco de la participación del candidato o licitador en la preparación del procedimiento de contratación, o como resultado de ella, y el establecimiento de plazos adecuados para la recepción de las ofertas. El candidato o el licitador en cuestión solo será excluido del procedimiento cuando no haya otro medio de garantizar el cumplimiento del principio de igualdad de trato.

    Antes de proceder a dicha exclusión, se deberá dar a los candidatos o licitadores la oportunidad de demostrar que su participación en la preparación del

3.   CONSULTAS PRELIMINARES DEL MERCADO EN EL PLCSP[32]

Es preciso analizar en este punto el Artículo 115 del PLCSP, que postula lo siguiente:

«1. Los órganos de contratación podrán realizar estudios de mercado y dirigir consultas a los operadores económicos que estuvieran activos en el mismo con la finalidad de preparar correctamente la licitación e informar a los citados operadores económicos acerca de sus planes y de los requisitos que exigirán para concurrir al procedimiento. Para ello los órganos de contratación podrán valerse del asesoramiento de terceros, que podrán ser expertos o autoridades independientes, colegios profesionales, representantes sectoriales o, incluso, con carácter excepcional operadores económicos activos en el mercado. A dichas actuaciones se les dará, en la medida de lo posible, difusión en internet a efectos de que pudieran tener acceso y posibilidad de realizar aportaciones todos los posibles interesados.

2. El asesoramiento a que se refiere el apartado anterior podrá ser utilizado por el órgano de contratación para planificar el procedimiento de licitación y, también, durante la sustanciación del mismo, siempre y cuando ello no tenga el efecto de falsear la competencia o de vulnerar los principios de no discriminación y transparencia. De las consultas realizadas no podrá resultar un objeto contractual tan concreto y delimitado que únicamente se ajuste a las características técnicas de uno de los consulta-

---

procedimiento de contratación no puede falsear la competencia. Las medidas adoptadas se consignarán en el informe individual previsto en el artículo 100».

32.   El Anteproyecto de abril de 2015 tenía la siguiente redacción:

«Los órganos de contratación podrán realizar estudios de mercado y dirigir consultas a los operadores económicos que estuvieran activos en el mismo con la finalidad de preparar correctamente la licitación e informar a los citados operadores económicos acerca de sus planes y de los requisitos que exigirán para concurrir al procedimiento. Para ello los órganos de contratación podrán valerse del asesoramiento de terceros, que podrán ser expertos o autoridades independientes o, incluso, operadores económicos activos en el mercado. Dicho asesoramiento podrá ser utilizado por el órgano de contratación para planificar el procedimiento de licitación y, también, durante la sustanciación del mismo, siempre y cuando ello no tenga el efecto de falsear la competencia o de vulnerar los principios de no discriminación y transparencia.

Cuando el órgano de contratación haya realizado las consultas a que se refiere el párrafo anterior, hará constar en un informe las actuaciones realizadas. En el informe se relacionarán los estudios realizados y sus autores, las entidades consultadas, las cuestiones que se les han formulado y las respuestas a las mismas. Este informe formará parte del expediente de contratación».

dos. El resultado de los estudios y consultas debe, en su caso, concretarse en la introducción de características genéricas, exigencias generales o fórmulas abstractas que aseguren una mejor satisfacción de los intereses públicos, sin que en ningún caso, puedan las consultas realizadas comportar ventajas respecto de la adjudicación del contrato para las empresas participantes en aquéllas.

3. Cuando el órgano de contratación haya realizado las consultas a que se refiere el presente artículo, hará constar en un informe las actuaciones realizadas. En el informe se relacionarán los estudios realizados y sus autores, las entidades consultadas, las cuestiones que se les han formulado y las respuestas a las mismas. Este informe formará parte del expediente de contratación. En ningún caso durante el proceso de consultas al que se refiere el presente artículo el órgano de contratación podrá revelar a los participantes en el mismo las soluciones propuestas por los otros participantes, siendo las mismas solo conocidas íntegramente por aquél, que las ponderará y las utilizará, en su caso, a la hora de preparar correctamente la licitación».

Entendemos que la forma más adecuada de realizar estas consultas preliminares de mercado es hacerlo con publicidad a través del perfil de contratante, de tal modo que cualquier operador interesado pueda formular sus sugerencias y observaciones, en condiciones de igualdad.

IV. EL PROCEDIMIENTO PARA REALIZAR LAS CONSULTAS PRELIMINARES DE MERCADO

Trataremos de exponer y sistematizar los requisitos y el procedimiento.

1. REQUISITOS SUBJETIVOS

A. SOLICITANTE

El solicitante será el órgano de contratación[33].

En cuanto a la entidad entendemos que será un poder adjudicador, tal y como indica la Directiva 2014/24/UE[34].

---

33. Vid. Artículo 115 del PLCSP.
34. Vid. Artículo 40 de la Directiva 2014/24/UE, si bien en la Directiva 2014/25/UE se habla de entidades adjudicadoras.

B. DESTINATARIO

La Directiva 2014/24/UE habla de operadores económicos[35], expertos o autoridades independientes o de participantes en el mercado[36].

El PLCSP señala que «Los órganos de contratación podrán realizar estudios de mercado y dirigir consultas a los operadores económicos que estuvieran activos en el mismo con la finalidad de preparar correctamente la licitación e informar a los citados operadores económicos acerca de sus planes y de los requisitos que exigirán para concurrir al procedimiento. Para ello los órganos de contratación podrán valerse del asesoramiento de terceros, que podrán ser expertos o autoridades independientes, colegios profesionales, representantes sectoriales o, incluso, con carácter excepcional operadores económicos activos en el mercado. (...)»[37].

No se indica nada de si pueden participar en los estudios preliminares empresas vinculadas[38], y en consecuencia entendemos que pueden participar, otra cuestión es si pueden hacerlo en la fase de licitación[39].

Tampoco se indica que no pueden participar las empresas inhabilitadas para contratar con la administración. Pensamos que aunque en esta fase de estudio preliminar no se produce una relación contractual debería establecerse por norma esta prohibición.

---

35. «Operador económico»: «una persona física o jurídica, una entidad pública, o una agrupación de tales personas o entidades, incluidas las agrupaciones temporales de empresas, que ofrezca en el mercado la ejecución de obras o una obra, el suministro de productos o la prestación de servicios» (Vid. Artículo 2.10 Directiva 2014/24/UE).
36. Vid. Artículo 40 de la Directiva 2014/24/UE.
37. Vid. Artículo 115.1 del PLCSP.
38. Vid. Artículo 145.4, párrafo 3.º del TRLCSP, empresas vinculadas (ahora Artículo 70.1 del PLCSP).
39. Sin embargo, el Artículo 41 de la Directiva 2014/24/UE señala que: «Cuando un candidato o licitador, o una empresa vinculada a un candidato o a un licitador, haya asesorado al poder adjudicador, sea o no en el contexto del artículo 40, o haya participado de algún otro modo en la preparación del procedimiento de contratación, el poder adjudicador tomará las medidas adecuadas para garantizar que la participación de ese candidato o licitador no falsee la competencia».
    De igual modo el Artículo 70.1 del PLCSP dispone que «(...) podrá llegar a establecerse que las citadas empresas, y las empresas a ellas vinculadas, entendiéndose por tales las que se encuentren en alguno de los supuestos previstos en el artículo 42 del Código de Comercio, puedan ser excluidas de dichas licitaciones, cuando no haya otro medio de garantizar el cumplimiento del principio de igualdad de trato».

2. FINALIDAD DE LOS ESTUDIOS PRELIMINARES DE MERCADO

Según la Directiva 2014/24/UE será con vistas a preparar la contratación e informar a los operadores económicos acerca de sus planes y sus requisitos de contratación[40].

En la exposición de motivos del PLCSP se indica que «en el Libro II, dentro de la parte correspondiente a la preparación de los contratos, se incorpora la regulación de las consultas preliminares del mercado»[41]. En la parte dispositiva del PLCSP se indica que se efectuarán con la finalidad de preparar correctamente la licitación e informar a los citados operadores económicos acerca de sus planes[42] y de los requisitos que exigirán para concurrir al procedimiento[43]. De ahí que el contenido de las consultas puede ir desde la determinación del presupuesto del contrato (en varios artículos del PLCSP se habla de precios adecuados al mercado, así en los Artículos 100, 101 y 102) hasta la formulación de sugerencias a los pliegos, soluciones alternativas, o mejoras en la definición del objeto, reformulación de características o prescripciones técnicas o determinados aspectos de los documentos contractuales.

3. FORMA. GARANTÍA DE CONFIDENCIALIDAD

No se indica expresamente que se harán por escrito[44]. Por ello sería conveniente que se detallara en la norma, si bien parece deducirse de la redacción del Artículo 115, en especial cuando habla que cuando el órgano de contratación haya realizado las consultas, hará constar en un informe las actuaciones realizadas. En el informe se relacionarán los estudios realizados y sus autores, las entidades consultadas, las cuestiones que se les han formulado y las respuestas a las mismas. Este informe formará parte del expediente de contratación.

---

40. Vid. Artículo 40 de la Directiva 2014/24/UE. De igual modo, el Artículo 58 de la Directiva 2014/25/UE (con vistas a preparar la contratación e informar a los operadores económicos acerca de sus planes y requisitos de contratación).

41. «Con la finalidad de preparar correctamente la licitación e informar a los operadores económicos acerca de los planes de contratación del órgano correspondiente y de los requisitos que exigirá para concurrir al procedimiento» (Vid. Exposición de Motivos del PLCSP).

42. No confundir con anuncios de información previa, regulados en los Artículos 134; 135.5; 154.3; 162.1.ª; Disposición Adicional 20.ª y 37.ª y anexo III del PLCSP.

43. Vid. Artículo 40 de la Directiva 2014/24/UE.

44. «El modo de recibir la información de los participantes en el proceso puede ser formal –por escrito por parte de los invitados a facilitarla– o informal –verbal o mediante reuniones–, conjunta –de todos o varios de los participantes– o individual» (Consejo de Estado-Dictamen 1116/2015).

La información que se proporcione debe ser igual para todos.

Por lo que respecta a la confidencialidad[45], se hace hincapié en que en ningún caso durante el proceso de consultas al que se refiere el Artículo 115 del PLCSP el órgano de contratación podrá revelar a los participantes en el mismo las soluciones propuestas por los otros participantes, siendo las mismas solo conocidas íntegramente por aquél, que las ponderará y las utilizará, en su caso, a la hora de preparar correctamente la licitación.

4. MEDIO PARA LA REALIZACIÓN DE LAS CONSULTAS[46]

Ni la Directiva 2014/24/UE ni el Anteproyecto de abril de 2015 indicaban el medio a través del cual se debían realizar las consultas, ni el número mínimo de operadores a consultar. Sin embargo, el PLCSP, mejorando la redacción y contenido, expone que «a dichas actuaciones se les dará, en la medida de lo posible, difusión en internet a efectos de que pudieran tener acceso y posibilidad de realizar aportaciones todos los posibles interesados».

Como hemos indicado, entendemos que la difusión debe hacerse abierta a todos los operadores, a través del perfil del contratante y la plataforma del sector público[47], concretando el concepto más ambiguo y amplio

---

45. Ya había sugerido el Consejo de Estado que: «Debería incluirse en el anteproyecto la previsión de que, durante el proceso –y aún después–, la Administración no puede revelar a los participantes en el proceso las soluciones propuestas por los otros intervinientes, de tal suerte que las soluciones aportadas solo serán conocidas íntegramente por aquélla quien las ponderará y las incorporará, en su caso, a la hora de definir el objeto del contrato» (Dictamen C. E, 1116/2015).

46. En el Dictamen 1116/2015 el Consejo de Estado «considera adecuada la regulación proyectada. Prevé que las consultas preliminares se dirijan a una pluralidad de sujetos –no es admisible el requerimiento a uno único– y que se puede articular, bien mediante su difusión o publicación general –de tal suerte que cualquier empresa pueda participar–, bien mediante invitaciones concretas –a la manera de las invitaciones a ofertar propias del procedimiento restringido–. La regulación proyectada es tan pormenorizada que resulta excesivamente prolija. Se hace aquí patente el exceso de reglamentismo que informa todo el anteproyecto y que ha sido objeto de consideración general. Por ello, considera este Consejo que algunas de las previsiones contempladas deberían ser deferidas a la disposición reglamentaria que desarrolle el anteproyecto. Ahora bien, debe quedar claro que, a la hora de practicarse, la Administración debe proporcionar los mismos datos sobre las necesidades que hay que satisfacer a todos los invitados a participar. Deben ser también iguales para todos los requeridos, asegurando su igualdad de trato. Pueden estar referidas a todos o sólo a algunos de los aspectos del contrato».

47. RODRÍGUEZ FERNÁNDEZ, L.J. y RODRÍGUEZ MARTÍN-RETORTILLO, M., en «Reflexiones sobre las Nuevas Directivas Europeas de Contratos y su incidencia en el TRLCSP y Anteproyecto de Ley de Contratos del Sector Público», http://

de internet, y sugiriéndose que se suprima la expresión «en la medida de lo posible», a fin de garantizar los principios de igualdad de trato y transparencia y que todos los interesados puedan participar.

5. PLAZO

En la Directiva 2014/24/UE[48] se indica que se realizará antes de iniciar el procedimiento de licitación. Pero ni la Directiva ni el PLCSP establecen un plazo para que los operadores económicos presenten sus aportaciones o estudios. Entendemos que debe ser proporcional y adecuado a las características de los datos que precise la Administración.

6. GRATUIDAD

Entendemos que las aportaciones de sugerencias o de datos por parte de los participantes no tiene coste alguno, por la naturaleza y voluntariedad de su aportación, pues en otro caso habría que acudir al contrato de servicios para la redacción de los documentos o prescripciones correspondientes.

7. DESTINO. APLICACIÓN DE LOS PRINCIPIOS DE LA CONTRATACIÓN. PROHIBICIONES DE TRATO PRIVILEGIADO

El Artículo 115 del PLCSP indica que «El asesoramiento podrá ser utilizado por el órgano de contratación para

→ planificar el procedimiento de licitación

→ y, también, durante la sustanciación del mismo, siempre y cuando ello no tenga el efecto de

Δ   falsear la competencia[49]

---

www.redicop.com/propuestas/consecuencias-de-la-incorporacion-al-ordenamiento-juridico-espanol-de-las-nuevas-directivas-de-la-ue-sobre-contratacion-publica-el-efecto-directo-espana/.

48.   Vid. Artículos 40-41 de la Directiva 2014/24/UE.

49.   El Artículo 41 de la Directiva 2014/24/UEseñala que: «Cuando un candidato o licitador, o una empresa vinculada a un candidato o a un licitador, haya asesorado al poder adjudicador, sea o no en el contexto del artículo 40, o haya participado de algún otro modo en la preparación del procedimiento de contratación, el poder adjudicador tomará las medidas adecuadas para garantizar que la participación de ese candidato o licitador no falsee la competencia. Estas medidas incluirán la comunicación a los demás candidatos y licitadores de la información pertinente intercambiada en el marco de la participación del candidato o licitador en la preparación del procedimiento de contratación, o como resultado de ella, y el establecimiento de plazos adecuados para la recepción de las ofertas».

Δ   o de vulnerar los principios de no discriminación y transparencia.

De las consultas realizadas no podrá resultar un objeto contractual tan concreto y delimitado que únicamente se ajuste a las características técnicas de uno de los consultados[50].

El resultado de los estudios y consultas debe, en su caso, concretarse en

→ la introducción de características genéricas,

→ exigencias generales

→ o fórmulas abstractas

que aseguren una mejor satisfacción de los intereses públicos,

sin que en ningún caso, puedan las consultas realizadas comportar ventajas respecto de la adjudicación del contrato para las empresas participantes en aquéllas[51]. Por ello no puede reconocerse como criterio preferente de adjudicación haber participado en este proceso».

La Directiva 2014/24 añade un texto que es clarificador en cuanto a la posible exclusión de licitadores, al manifestar que «El candidato o el licitador en cuestión solo será excluido del procedimiento cuando no haya otro medio de garantizar el cumplimiento del principio de igualdad de trato. Antes de proceder a dicha exclusión, se dará a los candidatos o licitadores la oportunidad de demostrar que su participación en la preparación del procedimiento de contratación no puede falsear la competencia. Las medidas adoptadas se consignarán en el informe específico previsto en el artículo 84».

En la línea de esta Directiva, el Artículo 70.1 del PLCSP dispone que:

> «(…) En todo caso, antes de proceder a la exclusión del candidato o licitador que participó en la preparación del contrato, deberá dársele audiencia para que justifique que su participación

---

50. Tampoco cabe que, del proceso de consultas preliminares, resulte un objeto contractual tan concreto y delimitado que solo se ajuste a las características técnicas de uno de los requeridos, de tal suerte que, de facto, queden excluidos otros eventuales oferentes. El resultado del requerimiento de información debe concretarse en la introducción de características genéricas, exigencias generales o fórmulas abstractas que aseguren una mejor satisfacción de los intereses públicos.

51. «Finalmente, las consultas preliminares no pueden comportar la generación de incentivos o ventajas para las empresas participantes a la hora de adjudicarse los contratos. En otros términos, no pueden reconocerse como criterio preferente de adjudicación o como valor ponderable favorable a la misma el hecho de haber participado en el proceso de requerimiento de información» (Consejo de Estado-Dictamen 1116/2015).

en la fase preparatoria no puede tener el efecto de falsear la competencia o de dispensarle un trato privilegiado con respecto al resto de las empresas licitadoras. (…)».

La Jurisprudencia del Tribunal de Justicia de la Unión Europea ya se había pronunciado al respecto[52]. La STS 7659/2004 de 24 noviembre de 2004[53] ya señaló que «El texto del artículo 53.3 (del TRLCAP, en redacción dada por ley 53/1999) es claro y explícito: no basta con participar en la elaboración de las especificaciones técnicas de los contratos sometidos a la Ley 13/95 para quedar excluido de la licitación; es necesario que esa participación pueda provocar restricciones a la libre competencia o la obtención de un trato de favor».

8. PROPIEDAD INTELECTUAL

Ni la Directiva ni el PLCSP dicen nada al respecto. En la solicitud de estudio preliminar se debe incluir la referencia a que la Administración podrá utilizar, sin coste alguno, con ámbito mundial y con carácter indefinido todos los estudios y documentos aportados por los participantes.

V. LAS CONSULTAS Y RESPUESTAS EN LA FASE DE LICITACIÓN

1. INFORMACIÓN A INTERESADOS

Representa un avance muy importante que se establezca en el Artículo 138 del PLCSP la obligatoriedad de que el órgano de contratación facilite, desde la fecha de la publicación del anuncio, el acceso a los pliegos y demás documentación por medios electrónicos, a través del perfil de contratante[54], si bien se establecen en el apartado 2 del Artículo 138 algunas excepciones[55]. En este sentido sigue la línea del Artículo 53 de la Directiva 2014/24/UE.

---

52. Vid. Sentencias Universale-Bau y otros, apartado 91, y de 19 de junio de 2003, GAT, C-315/01, apartado 73, 17 de septiembre de 2002, Concordia Bus Finland, C-513/99, apartado 81, y de 3 de marzo de 2005, Fabricom, C-21/03 y C-34/03, apartado 26.
53.
54. Vid. 138.1 del PLCSP: «1. Los órganos de contratación ofrecerán acceso a los pliegos y demás documentación complementaria por medios electrónicos a través del perfil de contratante, acceso que será libre, directo, completo y gratuito, y que deberá poder efectuarse desde la fecha de la publicación del anuncio de licitación o, en su caso, del envío de la invitación a los candidatos seleccionados».
55. Vid. 138.2 del PLCSP:
«2. Excepcionalmente, en los casos que se señalan a continuación, los órganos de contratación podrán dar acceso a los pliegos y demás documentación com-

En el apartado tercero se señala el plazo para facilitar información adicional[56].

2. SOLICITUD DE ACLARACIONES Y RESPUESTAS

Se generaliza la posibilidad de establecer respuestas vinculantes[57] en todos los contratos.

---

plementaria de la licitación, valiéndose de medios no electrónicos. En ese caso el anuncio de licitación o la invitación a los candidatos seleccionados advertirán de esta circunstancia; y el plazo de presentación de las proposiciones o de las solicitudes de participación se prolongará cinco días, salvo en el supuesto de tramitación urgente del expediente a que se refiere el artículo 119. El acceso no electrónico a los pliegos y demás documentación complementaria de la licitación estará justificado cuando concurra alguno de los siguientes supuestos:

a) Cuando se den circunstancias técnicas que lo impidan, en los términos señalados en la disposición adicional decimoquinta.

b) Por razones de confidencialidad, en aplicación de lo dispuesto en el artículo 133.

c) En el caso de las concesiones de obras y de servicios, por motivos de seguridad excepcionales».

56. Vid. 138.3 del PLCSP:

«3. Los órganos de contratación proporcionarán a todos los interesados en el procedimiento de licitación, a más tardar 6 días antes de que finalice el plazo fijado para la presentación de ofertas, aquella información adicional sobre los pliegos y demás documentación complementaria que estos soliciten, a condición de que la hubieren pedido al menos 12 días antes del transcurso del plazo de presentación de las proposiciones o de las solicitudes de participación, salvo que en los pliegos que rigen la licitación se estableciera otro plazo distinto. En los expedientes que hayan sido calificados de urgentes, el plazo de seis días a más tardar antes de que finalice el plazo fijado para la presentación de ofertas será de 4 días a más tardar antes de que finalice el citado plazo en los contratos de obras, suministros y servicios sujetos a regulación armonizada siempre que se adjudiquen por procedimientos abierto y restringido. (...)».

57. Como precedentes, en primer lugar encontramos el Artículo 131.2 del TRLCSP, referido al contrato de concesión de obra pública:

«El órgano de contratación podrá incluir en el pliego, en función de la naturaleza y complejidad de éste, un plazo para que los licitadores puedan solicitar las aclaraciones que estimen pertinentes sobre su contenido. Las respuestas tendrán carácter vinculante y deberán hacerse públicas en términos que garanticen la igualdad y concurrencia en el proceso de licitación».

En segundo lugar, el Artículo 133. 3 del TRLCSP referido al contrato de gestión de servicios públicos:

«El órgano de contratación podrá incluir en el pliego, en función de la naturaleza y complejidad de éste, un plazo para que los licitadores puedan solicitar las aclaraciones que estimen pertinentes sobre su contenido. Las respuestas tendrán carácter vinculante y deberán hacerse públicas en términos que garanticen la igualdad y concurrencia en el proceso de licitación».

En los casos en que lo solicitado sean aclaraciones a lo establecido en los pliegos o resto de documentación y así lo establezca el pliego de cláusulas administrativas particulares, las respuestas tendrán carácter vinculante y, en este caso, deberán hacerse públicas en el correspondiente perfil del contratante en términos que garanticen la igualdad y concurrencia en el procedimiento de licitación (Artículo 138)[58].

No se establece, por tanto, la obligatoriedad de publicar las respuestas a las solicitudes de aclaraciones formuladas por posibles licitadores en el perfil del contratante, solo si así lo establece el pliego. Entendemos que en aras al principio de transparencia debería recoger la norma la obligatoriedad en todos los casos.

Debe quedar claro en el pliego que la respuesta tiene carácter vinculante. En este sentido resulta de interés la Resolución del Tribunal Administrativo Central de Recursos Contractuales n.° 212/2015 de 6 de marzo de 2015, que distingue reunión informativa y criterio vinculante[59].

En el PLCSP no se indica quien debe formular las respuestas, aunque entendemos que debe ser el órgano de contratación. Reglamentariamente se debería fijar que debe ser el órgano de contratación, previos los informes técnicos y jurídicos correspondientes, según la naturaleza de la consulta (de las asesorías jurídicas, o secretarios de administración local en las entidades locales, técnicos, etc.).

---

58. Considera el Tribunal que una interpretación sistemática de la Ley conduce a entender que la publicidad a que se refiere el artículo 133.3 debe hacerse en los términos del artículo 158, es decir, al menos con seis días de antelación a la fecha final de presentación de proposiciones (Acuerdo Del Tribunal Administrativo de Contratación Pública de la Comunidad de Madrid, n.° 196/2013, 18 dic 2013).

59. «Ni el TRLCSP ni el PCAP justifican que en esta "reunión informativa" puedan establecerse criterios vinculantes para los licitadores. Bien es cierto que el Artículo 131.2 del TRLCSP para el contrato de concesión de obra pública y el Artículo 133.3 del mismo para el contrato de gestión de obra pública acogen la posibilidad de que el órgano prevea la facultad de los licitadores de solicitar al órgano de contratación aclaraciones sobre el contenido del pliego, cuyas respuestas tendrán carácter vinculante. Estos preceptos no son aplicables al contrato de gestión de servicios públicos, sin que la analogía permita trasladar a él la regulación descrita, pues se trata de contratos diferentes, con objeto distinto, entre los cuales no existe una identidad de razón exigida por el Artículo 4.1 del Cc que autorice la utilización de la interpretación analógica. Además, aun admitiendo la aplicación de estos preceptos, el pliego no previó expresamente el carácter vinculante de las respuestas, por lo que su efecto ha de quedar reducido, como claramente refiere la rúbrica de la cláusula 10.3, al meramente informativo» (Resolución del Tribunal Administrativo Central de Recursos Contractuales n.° 212/2015, 6 marzo 2015).

La respuesta pública de la consulta, que se debe hacer garantizando el anonimato del consultante, si se publica en el perfil del contratante permite que todos los licitadores sepan cual es la interpretación de la Administración, máxime cuando tienen carácter vinculante. En algunos casos ha podido ocurrir que distintos funcionarios consultados verbalmente respondan a distintos licitadores consultas de tal modo que involuntariamente puedan producir diferentes interpretaciones[60]. De ahí que la respuesta escrita unifica criterios y representa una mayor transparencia y seguridad jurídica.

Finalmente, debe tenerse en cuenta que las aclaraciones en ningún momento pueden suponer modificaciones expresas o implícitas del pliego[61].

---

60. La sentencia del Tribunal de Justicia de la Unión Europea de 10 de mayo de 2012, asunto C-368/10 afirma que: «109. El principio de transparencia implica que todos los requisitos y modalidades del procedimiento de adjudicación se formulen de manera clara, precisa y unívoca, en el anuncio de licitación o en el pliego de condiciones, de forma que, por una parte, todos los licitadores razonablemente informados y normalmente diligentes puedan comprender su alcance exacto e interpretarlos de la misma forma y, por otra parte, la entidad adjudicadora pueda comprobar efectivamente que las ofertas presentadas por los licitadores responden a los criterios que rigen el contrato de que se trata».

61. Vid. Resolución 133/2014, de 21 de febrero, FJ decimotercero: Tribunal Administrativo Central de Recursos Contractuales: «El artículo 75 del RGLCAP refiere dos conceptos, aclaración y rectificación. El segundo queda reconducido al artículo 105 de la Ley 30/1992 (ahora artículo 109 de la Ley 39/2015). El término aclaración permite un mejor entendimiento de la resolución, pero no permite la modificación del acuerdo o disposición».

Capítulo 13

La Contraloría General de la República de Chile, como foro de tutela de la contratación pública*

ENRIQUE DÍAZ BRAVO**

SUMARIO: 1. LA CONTRALORÍA GENERAL DE LA REPÚBLICA 1.1. *Remedios de la CGR* 1.1.1. Remedios preventivos 1.1.1.1. La Toma de Razón 1.1.1.2. La Representación 1.1.1.3. Remedios restitutivos 1.1.1.4. Remedios Mixtos. Los Dictámenes. 1.2. Remedios de la CGR aplicados en procesos licitatorios de contratos administrativos de suministro y prestación de servicios

I. LA CONTRALORÍA GENERAL DE LA REPÚBLICA[12]

La Contraloría General de la República ocupa un lugar fundamental dentro del sistema constitucional chileno cuando se trata de dar cumplimiento a uno de los elementos del Estado Democrático de Derecho que es el respeto, promoción y protección al principio de juridicidad, articulándose en la ingeniería constitucional como un órgano de control externo que garantiza la separación y el equilibrio de poderes.

La Constitución Política diseña a la CGR como un organismo autónomo de la Administración del Estado (art. 98), otorgándole el poder-deber de ejercer el control de la legalidad de los actos de la Administración; de fiscalizar el ingreso, la inversión y la administración de los fondos y

---

* El presente trabajo forma parte de la tesis doctoral en desarrollo, que el autor realiza bajo la dirección del profesor Dr. José Antonio Moreno Molina.
** Profesor de Derecho Administrativo y Contratación Pública, Universidad Santo Tomás, Chile. Doctorando en Derecho, Universidad de Castilla-La Mancha, España.

bienes públicos; y de llevar la contabilidad general de la Nación, además de aquellas otras que se encuentran contenidas en su Ley Orgánica Constitucional, de Organización y Atribuciones de la Contraloría General de la República, N.° 10.336.

Es en el cumplimiento de dichos mandatos que, especialmente en el ámbito de la contratación pública, ejerce una serie de controles, tanto en la verificación de la legalidad de los actos de la Administración, como de la correcta inversión y utilización de los fondos y bienes públicos, encontrándose sujetos a la fiscalización de la CGR (art. 16, LOCGR) todos los Servicios, Instituciones Fiscales, Semifiscales, Organismos Autónomos, Empresas del Estado y empresas privadas en que el Estado o sus empresas, sociedades o instituciones centralizadas o descentralizadas tengan aportes de capital mayoritario o en igual proporción, o, en las mismas condiciones, representación o participación, y en general todos los Servicios Públicos creados por ley.

La CGR forma parte del sistema del denominado sistema de administración financiera del Estado, regulado por Decreto Ley Orgánico de Administración Financiera del Estado, N.° 1.263/1975, el que regula los procesos administrativos de obtención de recursos públicos y su utilización para alcanzar fines públicos, abarcando todos los procesos presupuestarios, de contabilidad y administración de los mismos. A la CGR le cabe un rol en el sistema de control financiero del Estado, donde opera como fiscalizador del cumplimiento normativo respecto de la administración de los recursos públicos, contando con un instrumento directo para alcanzar tales efectos, cuáles son las auditorías, donde debe verificar la correcta recaudación, percepción e inversiones de los ingresos y entradas de los diversos servicios públicos (art. 52, D.L. N.° 1.263/1975). Así mismo, la CGR velará porque todo acto que comprometa la responsabilidad fiscal, incluida la aprobación de contratos, se encuentre debidamente autorizado por la Ley de Presupuestos o, bien, por una ley especial (art. 147, LOCGR).

Ahora bien, en un sentido literal, la Constitución Política pareciera limitar las facultades de la Contraloría General a un control exclusivamente de rango legal, sin embargo, las facultades del Ente Contralor consisten verdaderamente en un control de la juridicidad de los actos de la Administración, ello en el entendido que debe examinar no solo la legalidad de dichos actos, sino que debe controlar la constitucionalidad de los mismos, es decir la sujeción integral de los actos de la Administración del Estado al ordenamiento constitucional. Este deber de verificación de juridicidad queda expresado en su propia Ley Orgánica cuando dispone que dentro de sus objetos o funciones se encuentran *el pronunciarse sobre la constitucionalidad y legalidad de los decretos supremos y de las resoluciones de los Jefes de Servicios* (art. 1). Es más, la propia Resolución N.° 1.600/2008 de la Contraloría General, que fija normas sobre exención del trámite de toma de razón, sostiene que en el ejercicio de sus potestades de control debe ejercer un *control preventivo de juridicidad*[1] sobre los actos de las Administración.

Nos encontramos entonces con un órgano constitucional que tiene como objeto central la verificación del principio de juridicidad en el ordenamiento constitucional respecto de los actos de la Administración del Estado, lo que se expresa en sus diversas facultades de control, como se verá a continuación.

1. REMEDIOS DE LA CGR

La Contraloría General ejerce el control de juridicidad de los actos de la Administración, y para ello puede intervenir en toda actuación de la Administración con el objeto de verificar que dichos actos se lleven a cabo dentro de las competencias y de acuerdo a la forma que prescribe la ley, además de verificar la sujeción a las normas constitucionales y legales. Así, se encuentra facultada para intervenir en diversas instancias de un procedimiento administrativo, respecto de los procedimientos de contratación pública la CGR interviene, desde la perspectiva de las etapas procedimentales de una licitación pública, en la fase que se denominará como jurídico-técnico.

La CGR cuenta con diversos instrumentos o remedios para el ejercicio de sus potestades de control, los que se pueden ordenar atendido el momento en que el Ente de Control los ejerce respecto del acto, en **remedios preventivos, en remedios restitutivos de legalidad**, y en una tercera categoría a la que se denominará **remedios mixtos**.

Las medidas o remedios del tipo preventivo de juridicidad son aquellos que tienen por objeto proteger al ordenamiento jurídico ciertos actos contrarios a derecho, los que pudieran provocar daño en el patrimonio público o a los derechos fundamentales de las personas, impidiendo que dichos actos nazcan a la vida del derecho.

Por su parte, los remedios restitutivos de juridicidad son aquellos que tienen por objeto verificar que ciertos actos que han nacido a la vida del derecho, que ya forman parte del ordenamiento jurídico, hayan sido

---

1. Considerando N.° 5, Resolución N.° 1.600/2008, Contraloría General de la República.

dictados conforme a derecho y que su aplicación se enmarque dentro del ordenamiento jurídico.

Y, en tercer lugar, los remedios mixtos de juridicidad son aquellos que se manifiestan a través de la potestad dictaminante de la CGR, que puede ser ejercitada preventivamente a través del sistema del precedente administrativo, o bien represivamente a través del examen de juridicidad respecto de la aplicación de una norma en un caso concreto.

Estas herramientas o remedios de control de la CGR encuentran su límite, principalmente en dos materias, por una parte, ante la imposibilidad de *evaluar los aspectos de mérito o de conveniencia de las decisiones políticas o administrativas.* (art. 21, B. LOCGR), ello resulta del principio de separación de poderes y funciones, donde la Administración del Estado tiene la potestad exclusiva y excluyente, de disponer respecto del mérito o conveniencia política de una decisión, y respecto del mérito o conveniencia administrativa de su actuación. Ello se manifiesta, además, dentro del sistema de control financiero del Estado, cuando dispone el D.L. N.° 1.263/1975 que únicamente corresponde al Poder Ejecutivo la verificación y evaluación del cumplimiento de los fines y metas de los servicios públicos. Y, por otra parte, no puede la CGR pronunciarse sobre la constitucionalidad de las leyes, toda vez que ello se encuentra entregado constitucionalmente al Tribunal Constitucional (art. 93), es decir la CGR debe realizar el contraste normativo respecto de toda norma que se encuentre vigente en el ordenamiento jurídico sin más, todo otro pronunciamiento se realizaría en exceso de sus facultades constitucionales y legales.

1.1. Remedios preventivos

1.1.1. *La Toma de Razón*

La Toma de Razón consiste en aquel trámite de verificación de la juridicidad de un decreto supremo o de una resolución de un Jefe Superior de Servicio, que por disposición legal se encuentra sujeto a control preventivo por parte de la Contraloría General de la República, cuyos efectos consisten en integrar las decisiones de la autoridad administrativa al ordenamiento jurídico como actos administrativos, y consecuencialmente a ello provocarán todos sus efectos, y especialmente, gozarán de los atributos de presunción de legalidad, imperio y exigibilidad[2], una vez hayan sido *debidamente notificados o publicados.*

---

2.   En virtud de lo dispuesto en la LBPA, en el inc. final del artículo 3.°.

Como se ha indicado anteriormente, el examen que realiza la CGR consiste en un examen de juridicidad, en el que se debe verificar la correspondencia de la voluntad de la Administración del Estado, manifestada en un decreto o resolución, tanto en sus aspectos de fondo o sustantivos respecto de las normas y principios constitucionales y legales que constituyen el Estado Democrático de Derecho, como la correspondencia en sus aspectos formales respecto del cumplimiento de las formas y procedimientos prescritos por la ley, tanto para la dictación del acto como de la competencia de la autoridad de la que el acto emana. Este examen de correspondencia entre la voluntad de la Administración y el derecho ha sido calificado por la propia CGR como «esencial para la preservación del Estado de Derecho y el resguardo del patrimonio público, desde el momento en que evita que lleguen a producir sus efectos actos que lesionen derechos fundamentales de las personas, o actos irregulares de la Administración que comprometan recursos públicos»[3], es decir el proyecto de acto administrativo no nacerá a la vida del derecho, y por tanto no producirá ninguno de sus efectos[4].

El principal efecto de la toma de razón es que, al dictaminarse sobre un acto, este se transforma, como se ha dicho, en un acto administrativo, y la toma de razón le otorga presunción de legalidad, y dicha presunción provoca que sean obligatorios, tanto para la Administración como para los particulares, y que deban cumplirse obligatoriamente, aun cuando se considere que son contrarios a derecho, ello bajo la regla de *solve et repete*.

Por tanto, la toma de razón no limita la potestad revisora de la CGR, sino que más bien abre una nueva oportunidad de revisión a través de las fiscalizaciones, de modo que el ordenamiento jurídico se protege generando un remedio preventivo de juridicidad, la toma de razón, y como se verá, remedios restitutivos de la juridicidad, a través de la potestad fiscalizadora por medio de las auditorias, y remedios mixtos de juridicidad por medio de la potestad dictaminante, a través de los dictámenes.

---

3. Considerando tercero Res. N.° 1.600/2008 CGR.
4. Ésta última afirmación no ha estado lejos de la polémica en la doctrina jurídica nacional, así algunos sostienen, a los que me sumo, que el trámite de toma de razón es un elemento esencial del propio acto administrativo, es decir sin dicho trámite no ingresa al mundo del derecho; mientras que para otros el trámite de toma de razón confiere eficacia a un acto administrativo. Véase por los primeros Eduardo Soto Kloss, *Derecho Administrativo. Temas Fundamentales.* (Chile: Thomson Reuters, 2012), 786. Por los segundos Luis Cordero Vega, «La Contraloría General De La República Y La Toma De Razón: Fundamento De Cuatro Falacias», *Revista de Derecho Público* II, no. 69 (2007): 159 y siguientes.

Sin perjuicio de la obligatoriedad del control preventivo de juridicidad de los actos indicados, por razones de fuerza mayor, *a causa de terremotos, inundaciones, incendios, desastres, calamidades públicas u otras emergencias*, y/o de eficiencia y eficacia en la administración, a efectos que toda dilación en la aplicación inmediata de un acto administrativo implique, el Contralor General podrá, fundadamente, autorizar que decretos o resoluciones comiencen a surtir sus efectos inmediatamente una vez dictados y antes de su toma de razón, todo con la limitación que ellos no afecten los derechos esenciales de las personas (art. 10, inc. 7.° LOCGR).

Del mismo modo, otro efecto que se produce es el desasimiento de la CGR respecto de los actos tomados de razón, o incluso de aquellos que han sido representados, por lo que no podrá volver a revisar su decisión, careciendo de facultades de revocarlo o modificarlo, ello en virtud, como ha sostenido Bermúdez[5], de la *coherencia administrativa*.

1.1.1.   La Resolución N.° 1.600/2008 de la CGR

En materia de control de los actos administrativos, la regla general es que dichos actos sean sometidos al control preventivo de juridicidad o toma de razón, a menos que el propio Contralor General de la República, o bien el legislador en su caso, puedan librar a un determinado acto de dicho trámite.

Así las cosas, no todos los decretos y resoluciones se encuentran necesariamente sometidos a control preventivo de juridicidad, debido a que, tal como lo explica la CGR en la Res. N.° 1600/2008, el Ente Contralor debe concentrar sus esfuerzos en aquellos actos, decretos y resoluciones, que se consideren *esenciales* en y para el ordenamiento jurídico, de modo que el alto volumen de actos administrativos que se producen día a día obliga a efectuar una rigurosa selección de aquellos actos considerados como esenciales, los que son desarrollados en la mencionada resolución, la que dicta el Contralor haciendo uso de sus facultades para eximir de control preventivo a ciertos actos de la Administración.

Fue a través de la Ley N.° 14.832/1962, que reformó la LOCGR, que se le confirió al Contralor General, la facultad de eximir del trámite de toma de razón a ciertos decretos supremos o resoluciones que no considere esenciales (actual art. 10, inc. 5.°, LOCGR) estableciéndose como condiciones para el ejercicio de la facultad lo siguiente: «La resolución del Contralor deberá ser fundada y en ella se fijarán las modalidades por las

---

5.   Jorge Bermúdez Soto, *Derecho Administrativo General* (Santiago, Chile: LegalPublishing, 2014).

cuales se fiscalice la legalidad de dichos decretos o resoluciones y, además, deberá dar cuenta a la Cámara de Diputados, cada vez que haga uso de esta facultad...».

Así, y en virtud de los principios de eficacia y eficiencia, contenidos, principalmente, en el art. 3.° de la LOBGAE, que los fija como principios de la Administración; en el art. 9.° LBPA, principio de economía procedimental; y en el art. 13 del mismo cuerpo normativo, principio de no formalización, es que la Contraloría, como parte integrante de la Administración del Estado, debe adaptar sus procedimientos para alcanzar dichos principios, y es así como a partir de la modificación anotada en el párrafo anterior, es que la CGR actualiza permanentemente los actos administrativos que serán sujetos al control de toma de razón.

De este modo, la Res. N.° 1.600/2008 de la CGR, en su art. 9.°, establece que los actos que versen respecto de materias sobre personal, sobre materias financieras y económicas, sobre contrataciones, y sobre otras materias denominadas atribuciones generales, así como reglas especiales para las empresas públicas, se encontrarán exentas del trámite de toma de razón, fijándose como excepción la verificación del control preventivo de juridicidad en aquellas materias que el Ente de Control considera como esenciales, las que son determinadas en la Resolución citada, por vía de excepción. Así, los actos que sí se encuentran sometidos al control preventivo de juridicidad, son los siguientes:

A. **Respecto de Bienes**: 1. aquellos actos relativos a contratos realizados bajo la modalidad de trato directo o licitación privada, con una cuantía superior a 2.500 UTM, y que tengan por objeto la adquisición de bienes inmuebles y para la adquisición o suministro de bienes muebles, de créditos, instrumentos financieros y valores mobiliarios, y, en su caso, aquellos contratos realizados bajo modalidad de contratación pública con una cuantía superior a 5.000 UTM,[6]; 2. Los contratos para la adquisición de acciones u otros títulos de participación en sociedades; 3. La aceptación de donaciones modales que excedan de 5.000 UTM; 4. Los contratos para la enajenación de inmuebles con cuantía superior a 2.500 UTM, realizados bajo modalidad de trato directo o licitación privada y, en su caso, aquellos realizados bajo modalidad de licitación pública si su cuantía excede de 5.000 UTM; 5. Los contratos para la transferencia gratuita de

---

6. Quedando exentas las siguientes materias: a) Las adquisiciones o suministros efectuados en ejecución de un convenio marco suscrito por la Dirección de Compras y Contratación Pública; y b) Las que se efectúen por las Fuerzas Armadas para fines de seguridad nacional.

inmuebles cuyo avalúo fiscal exceda de 2.000 UTM; 6. Los contratos con una cuantía superior a 2.500 UTM para la enajenación, bajo modalidad de trato directo o licitación privada, de créditos, instrumentos financieros, valores mobiliarios, acciones u otros títulos de participación en sociedades, y, en su caso, aquellos realizados bajo modalidad de licitación pública si su cuantía excede de 5.000 UTM.

B. **Respecto de Servicios**: 1. Los convenios de prestación de servicios entre entidades públicas, cuyo monto total exceda de 5.000 UTM; 2. Los convenios cuya cuantía total exceda las 2.500 UTM, para la ejecución de acciones relacionadas con los fines del Servicio, de acciones de apoyo, y otros de prestación de servicios celebrados por trato directo o licitación privada y, en su caso, aquellos realizados bajo licitación pública si su cuantía total excede de 5.000 UTM[7].

C. **Respecto de Obras Públicas**: 1. Las adquisiciones cuya cuantía exceda las 5.000 UTM, para la ejecución de obras públicas bajo modalidad de trato directo o licitación privada y, en su caso, aquellos realizados bajo licitación pública si su cuantía excede las 10.000 UTM; 2. La ejecución de obras públicas o su contratación, incluida la reparación de inmuebles, cuya cuantía exceda las 5.000 UTM, bajo modalidad de adjudicación directa o por propuesta privada, y la ejecución de obras públicas o su contratación, incluida la reparación de inmuebles y el sistema de concesiones, bajo modalidad de propuesta pública, cuya cuantía exceda de 10.000 UTM; 3. Las siguientes medidas que se refieran a estas ejecuciones o contrataciones de obras: pago de indemnizaciones y gastos generales; devolución de retenciones; término anticipado del contrato y su liquidación final; compensaciones de saldos de distintos contratos de un mismo contratista y traspaso de contratos; 4. Los proyectos y estudios que estén directamente relacionados con la ejecución de una obra específica, cuya cuantía exceda de 2.500 UTM, contratados bajo modalidad de trato directo o por propuesta privada y, en su caso, aquellos realizados bajo modalidad de licitación pública si su cuantía excede de 5.000 UTM; y 5. Las que digan relación con sanciones a contratistas y consultores.

D. **Respecto de otras contrataciones**: 1. Los convenios de traspaso de servicios, o para la administración de establecimientos o de bienes; 2. Los convenios de encomendamiento de funciones entre servicios

---

7. Quedando exentos los celebrados en ejecución de un convenio marco suscrito por la Dirección de Compras y Contratación Pública.

públicos. Los convenios mandato, cuando la ejecución del mismo[8]; 3. Los contratos especiales de operación petrolera; y 4. Las transacciones extrajudiciales cuya cuantía exceda de 1.000 UTM[9].

Los montos establecidos responden a ciertos parámetros o umbrales que la CGR ha entendido como razonables para proceder al control preventivo. Del mismo modo, en aquellos casos en que la cuantía de un convenio sea indeterminada, se fija la regla (art. 5.°) que el gasto será aquel estimado por el respectivo Servicio de la Administración, cuantía que siempre deberá responder a parámetros objetivos, los que deberán encontrarse disponibles para el análisis de la CGR cuando ésta lo estime. Dicha disposición de la Res. N.° 1.600/2008 resulta de toda importancia en materia de contratación regulada bajo la Ley N.° 19.886, ya que en su Reglamento N.° 250/2004, se dispone que en los procesos licitatorios de alta complejidad técnica y en aquellos superiores a 5.000 UTM, el poder adjudicador o entidad licitante debe obtener y analizar información referida, entre otros, a los precios y costos asociados, con anterioridad a la elaboración de los pliegos o bases de licitación, lo que obliga a la Administración a contar con un sustento técnico respecto a la determinación de la cuantía de una licitación, limitando así la discrecionalidad administrativa, y evitando que se pretenda eludir el control preventivo, por ejemplo fijando un monto inferior a los umbrales fijados por la CGR[10].

En consonancia con lo anterior, aun cuando con un alcance mayor, los actos sujetos al trámite de toma de razón deben ser remitidos junto a todos aquellos antecedentes que han servido de fundamento a la Administración para adoptar dicha decisión (art. 6.°, inc. 1.°)[11], en caso contrario la CGR deberá abstenerse de dar curso al procedimiento de toma de razón, representando el acto sometido a su conocimiento[12].

Cuando se ha señalado que la norma anterior tiene un alcance mayor, se entiende que ello se da en el contexto de conocer los fundamentos de un decreto o resolución de la Administración que pretende obtener la calidad de visado respecto de su juridicidad, pero además, con el objetivo de

---

8. Quedarán exentos los convenios mandato, cuando la ejecución del mismo importe la emisión de actos administrativos afectos a toma de razón.

9. Quedarán exentas las transacciones acordadas conforme al procedimiento de mediación previsto en el Párrafo II del Título III de la Ley N° 19.966, cuya cuantía no exceda de 2.000 UTM.

10. Véase dictamen N° 90.716/2015 CGR.

11. No deberán remitirse materialmente los antecedentes respecto de los cuales se pueda acceder a través de los sistemas electrónicos institucionales.

12. Véase dictamen N.° N° 75.253/2016 CGR.

otorgar coherencia, unidad y seguridad a los operadores jurídicos y a los ciudadanos, de modo que puedan conocer las decisiones de la Administración y todos los antecedentes de que se vale para decidir en una u otra dirección. Es así como también, y en relación con los contratos públicos, la Res. N.° 1.600/2008 fija en su artículo 6.°, incisos segundo y final, dos condiciones específicas que, aun cuando parecieran ser meramente formales y que su omisión pudiera ser dada por buena atendidos los principios de eficiencia y eficacia del procedimiento administrativo de contratación pública, la CGR expresamente ha exigido su cumplimiento como un requisito que se ha elevado a la categoría de esencial, y consisten en: 1. Los convenios o contratos con personas naturales, bajo la modalidad de honorarios, deberán transcribirse en el decreto o resolución que los apruebe; y 2. Las bases administrativas de un concurso deberán ser transcritas íntegramente en el cuerpo del decreto o resolución que las aprueben.

Finalmente, la existencia de actos que no se encuentran sometidos al control de juridicidad preventivo, por decisión de la propia CGR, no sustrae a dichos actos ni obsta el control del Ente Contralor, es más, en los controles de reemplazo, en lo referido a remedios restitutivos de juridicidad, como se verá, es la propia CGR la que fija ciertas condiciones y/u obligaciones para la Administración respecto de los actos no sujetos al control preventivo, de modo de facilitar los controles restitutivos, especialmente los controles de reemplazo.

1.1.1. Formatos tipo de bases y contratos

Como regla general, en lo referido al acto que contenga la aprobación de bases administrativas, la Res. N.° 1.600/2008 establece que se debe tomar razón de ellas y de todo acto que las modifique, siempre que, a su vez, se refieran a contratos que se encuentren sometidos al trámite de toma de razón. La CGR adoptó en este punto una importante innovación (art. 9.5.), para dar eficacia al ordenamiento administrativo en materias de contratación pública, al establecer un sistema de exención del control preventivo de juridicidad respecto de la utilización de formatos tipo de bases administrativas, los que deben ser previamente aprobados por la CGR, y cuya utilización por parte de la Administración permite que únicamente se tome razón de la resolución de adjudicación de la licitación respectiva.

En el mismo sentido, la Resolución indicada en el párrafo anterior, establece que los actos, decretos y resoluciones, aprobatorios de los contratos de las materias que se indican a continuación, y que, cumplan con ciertas condiciones, 1. que provengan de un procedimiento de licitación pública y, 2. que dicho procedimiento se haya ajustado a un formato tipo de bases administrativas, previamente aprobado por la CGR, no serán objeto de control preventivo, es decir se encontrarán exentos del trámite de toma de razón, y únicamente se someterá a toma de razón el acto de adjudicación[13].

Así las cosas, cuando la Administración utiliza formatos tipos de bases y/o contratos imprime un sello de juridicidad a dichos actos, por lo aquella que se encuentra liberada de concurrir al trámite de toma de razón, lo que reduce considerablemente los plazos de tramitación de los procedimientos licitatorios, manteniéndose sometido a control el acto más importante del procedimiento concursal, la adjudicación. De esta manera, se reserva la CGR la potestad de revisión de juridicidad de dicho acto, con el objeto de resguardar el ordenamiento jurídico, el patrimonio fiscal, disuadiendo los intentos, o al menos intentando hacerlo, de arbitrariedad o ilegalidad en el acto de adjudicación de una licitación, sin restar celeridad al procedimiento concursal, ya que el contrato, al igual que las bases, se encuentra exento de control preventivo.

1.1.2. La Representación

La representación consiste en la verificación por parte de la CGR de falta de conformidad de un decreto o resolución a derecho, es decir que dicha manifestación de voluntad de la Administración del Estado no se sujeta integralmente al principio de juridicidad, ya sea por contravenir normas constitucionales o legales (art. 10 LOCGR), por lo que dicho acto no ingresará a formar parte del ordenamiento jurídico.

La distinción entre contravención de normas constitucionales o legales anotadas en el párrafo anterior es importante, atendido que la Administración puede adoptar diferentes actitudes frente a la representación de un acto realizado por la CGR. A saber: 1. puede allanarse a la decisión de representación, por lo que dicho acto no nacerá a la vida del derecho; 2. En caso que el vicio representado sea de legalidad el Presidente de la República, en su calidad de Jefe de la Administración, tiene la facultad privativa de forzar a la CGR para que tome razón de un decreto o resolución que ha sido representado. Ello se realiza a través del denominado decreto de insistencia, previsto constitucionalmente (art. 90 CPR), a través del cual el Contralor General de la República deberá cursar un acto previamente representado, cuando el Presidente de la República, junto a la firma de todos sus ministros de estado, insista en que dicho acto o resolución deba ser tenido por conforme con el ordenamiento jurídico.

---

13. Para las reglas especiales remítase al Párrafo 6 del Título III de la Res. N.º 1.600/2008 CGR.

Respecto de lo anterior, la regulación constitucional del decreto de insistencia prevé: a). Un mecanismo de control posterior, esta vez de carácter político, ya que el Contralor debe remitir todos los antecedentes a la Cámara de Diputados para que ésta ejerza sus facultades de control y fiscalización de los actos del gobierno (art. 52 CPR y Art. 10 LOCGR); b). Una limitación de especie presupuestaria, ya que no procederá el decreto de insistencia respecto de decretos de gastos que excedan el límite señalado en la Constitución, debiendo, igualmente remitir los antecedentes a la Cámara Baja; y. 3.°. Una limitación respecto de ciertos actos tales como decretos con fuerza de ley, decretos promulgatorios de una ley o reforma constitucional por apartarse del texto aprobado, o de todo decreto o resolución contraria a la Constitución. En este tercer tipo de limitación el presidente de la república carece, como se ha dicho, de la facultad de forzar a la CGR a través de un decreto de insistencia, pero cuenta con la posibilidad de poder someter la controversia ante el Tribunal Constitucional.

Entonces, en su principal función de controlar la juridicidad de los actos de la Administración Pública, el Contralor General debe verificar la sumisión a derecho de todos aquellos actos que el ordenamiento jurídico pone en la esfera de sus atribuciones, tales como decretos y resoluciones, ya sea aprobándolos, mediante el denominado trámite de Toma de Razón, cuando en el examen de juridicidad se contraste la sujeción a derecho; o bien rechazándolos cuando se verifique la falta de sumisión a derecho, a través de la denominada representación de los actos de la Administración del Estado.

1.1.3. *Remedios restitutivos*

Como se ha indicado, no todos los actos de la Administración se encuentran sujetos al control preventivo de juridicidad o toma de razón, de acuerdo a lo previsto por la Resolución N.° 1.600/2008 de la CGR, lo que no implica bajo ningún modo que aquellos actos administrativos exentos de dicho control preventivo queden abstraídos del control de juridicidad del Ente Contralor. Es así como la CGR ejerce sus atribuciones, respecto de aquellos actos administrativos que ya forman parte del ordenamiento jurídico, mediante los denominados controles de reemplazo y las auditorias.

1.1.3.1. Controles de reemplazo

Los controles de reemplazo son aquellos que se efectúan con el objeto de examinar la juridicidad de aquellos decretos y resoluciones exentos de control preventivo de toma de razón, y, además, con el objeto de hacer efectivas las responsabilidades administrativas que procedieren, todo lo que se realizará en *forma selectiva y rigurosa* de acuerdo a los principios de eficiencia y eficacia que guían el actuar de la Administración.

La potestad de control respecto de los controles de reemplazo, importan una serie de obligaciones para la Administración, las que se encuentran en el Título VI de la Resolución N.° 1.600/2008 de la CGR, debido a que, al encontrarse sustraídos ciertos actos del control preventivo de juridicidad, haciendo más expedito el procedimiento administrativo, la CGR ha estimado que debe la Administración cumplir con un mínimo de trámites que no obstan a la eficiencia del procedimiento. Así la Administración debe cumplir con las siguientes obligaciones y/o condiciones mínimas respecto de los actos exentos del trámite de toma de razón, las que facilitarán los controles restitutivos de legalidad: 1. Numeración correlativa especial y distinta de las resoluciones afectas, y deben ser identificadas, precedentemente a la numeración, con la palabra «Exenta»; y 2. Dichos decretos o resoluciones deberán ser archivados separadamente de los actos afectos, y deberán, además guardarse con todos sus antecedentes. Adicionalmente y entre otras materias, en lo que respecta a la contratación de personas naturales bajo la modalidad de honorarios, ciertos decretos y resoluciones de la Administración que se encuentran exentos del trámite de toma de razón, deberán ser remitidos, en original, dentro del plazo de 15 días a la CGR, para su conocimiento y eventual control de juridicidad, cuando ellos se encuentren en las siguientes circunstancias: a) Que se paguen por mensualidades, por un monto mensual e inferior a setenta y cinco Unidades Tributarias Mensuales; b) Contratos a suma alzada o cualquier otra modalidad de pago, por un monto igual o inferior a ciento cincuenta unidades tributarias mensuales; y c) Las renovaciones de contratos a honorarios asimilados a grados que cumplan las condiciones indicadas precedentemente.

La remisión obligatoria del decreto o resolución exento de control preventivo a la CGR no obsta a su ejecución inmediata, para lo cual podrán utilizarse copias de los mismos, sin afectar, por tanto, la eficacia en la puesta en marcha de dichos actos ni del procedimiento administrativo a que se refiere.

1.1.3.2. Auditorías

Otra herramienta de remedio con que cuenta la CGR son las auditorías, las que le otorgan la potestad (art. 21, A. LOCGR) de velar por el cumplimiento de las normas jurídicas, el resguardo del patrimonio público y de la probidad administrativa.

Dichas facultades de control se ejercen a través de la evaluación del control interno de los servicios y entidades; de la fiscalización de la aplicación de las normas relativas a la administración financiera del Estado, especialmente respecto de aquellas referidas a la ejecución presupuestaria de los recursos públicos; del examen de las operaciones efectuadas y la exactitud de los estados financieros y de la comprobación de veracidad de la documentación que la sustente; y, mediante la verificación del cumplimiento de la normativa estatutaria de los funcionarios públicos.

Las auditorías son un mecanismo que, además, permite un doble verificación de juridicidad de los actos administrativos, incluso en aquellos casos que en un acto administrativo habiendo sido tomado de razón por la CGR tuviera, igualmente, vicios de juridicidad, ya que tal como ha señalado el Ente Contralor en su dictamen N.° 7.091/1967, «… si Contraloría en uso de funciones fiscalizadoras que le competen para vigilar cumplimiento de normas… comprueba que un acto administrativo, del cual ya había tomado razón, no se encontraba ajustado a derecho, puede dirigirse a la autoridad que lo dicto, para que ella a su vez, en uso de sus atribuciones privativas, adopte la decisión de dejar sin efecto la resolución ya tramitada».

Son entonces las auditorias el mecanismo a través del cual la CGR ejerce sus facultades de control como remedios restitutivos de la juridicidad por medio de la fiscalización y examen de los actos administrativos de los organismos públicos sujetos a su control, con el objeto de resguardar el patrimonio público, con especial énfasis en la ejecución de dichos recursos escasos, agregando además una importante perspectiva de análisis, cual es la perspectiva técnica.

1.1.4. Remedios Mixtos. Los Dictámenes

La CGR se encuentra dotada de la potestad dictaminante la que consiste en la facultad de interpretar el ordenamiento jurídico administrativo, ello configura un sistema basado en el precedente administrativo, el que entrega, con carácter general, una orientación uniforme y obligatoria del ordenamiento jurídico[14]. Dicha potestad se expresa a través de los Dictámenes los que consisten en remedios de juridicidad de tipo mixto, ya que son ejercidos preventivamente a través del sistema del precedente administrativo, orientando a la administración, y a la ciudadanía, sobre cómo se debe interpretar una norma determinada permitiendo la previsibilidad

---

14. Al respecto véase el dictamen N.° 61.817/2006, el que en el número I desarrolla las competencias de la CGR.

sobre el alcance de una disposición normativa en situaciones que pueden calificarse como equivalentes. Y también, los dictámenes, pueden ser ejercidos represivamente, cuando la CGR examina que la aplicación de una norma a un caso concreto ha sido efectuada en conformidad al ordenamiento jurídico administrativo.

Ahora bien, los dictámenes son aquellos pronunciamientos que realiza la CGR a petición de parte, tanto de particulares como de jefaturas de servicio u otras autoridades (art. 5.° LOCGR), sobre las materias sometidas a su conocimiento, a través de los cuales la CGR interpreta las normas, *esto es determina, precisa, establece, el sentido y alcance de preceptos legales o reglamentarios para ser aplicado «por» la Administración o «a» ella*[15], y estos pronunciamientos vienen a constituir la denominada jurisprudencia administrativa. (art. 6.° LOCGR, inciso final). Estos pronunciamientos de la CGR son de carácter vinculatorio tanto para el caso específico como para casos similares, dirigiéndose a la Administración del Estado como normas de obligado cumplimiento (arts. 9.° inciso final y 19, LOCGR), es en este sentido que la CGR ha sostenido que «... la sujeción a los pronunciamientos de esta Contraloría General resulta obligatoria para la Administración tanto para el caso concreto a que se refirieron como también en todas aquellas situaciones que se encuadren dentro del contexto del dictamen, extendiéndose el efecto de los mismos a todos los casos análogos a los que resuelven»[16].

Es así como se manifiesta la potestad dictaminante de la CGR, por medio de la que crea la doctrina administrativa constituida por los pronunciamientos emitidos por la CGR, los que con base en un sistema de precedentes de obligado cumplimiento permiten, por una parte, dar mayor certeza al derecho, por medio de la interpretación de las normas jurídicas, como se sabe generales y abstractas, a casos determinados y concretos, proveyendo soluciones específicas, pero también orientando, tanto a la Administración para la aplicación de las normas en casos futuros, lo que, a su vez contribuye a que la Administración ejerza sus funciones en forma más eficaz y más efectiva, como al propio ciudadano, el que tendrá mayores herramientas para interactuar con la Administración, teniendo mayor seguridad jurídica a la hora de relacionarse con ella, ya que como sostiene Ortiz Díaz el precedente administrativo «implica la resolución

---

15. Eduardo Soto Kloss, «Acerca De Los Dictámenes De La Contraloría: Un Error Supremo Es Un Supremo Error. (Municipalidad De Valparaíso Con Contraloría General De La República, Corte Suprema, Sentencia De Protección, 2 De Enero De 2014, Rol 7210-2013)», *Revista Derecho Público Iberoamericano*, no. 6 (2015): 288.

16. Dictamen N.° 62.378/2009 CGR.

sustantiva de la Administración sobre cuestiones sometidas a la misma y generadora de derechos e intereses para los particulares»[17 y 18].

Importante es resaltar que los particulares mediante los requerimientos al Ente Contralor han provocado que éste se transforme en una especie de instancia adicional de impugnación de las decisiones de la Administración, al accionar contra ésta mediante una vía indirecta buscando la invalidación de un determinado acto administrativo. Aun cuando la CGR no puede disponer la invalidación de un acto administrativo, atendido que dicha potestad se encuentra reservada a la Administración de acuerdo a lo previsto en el art. 53 de la LBPA[19], puede, sin embargo, ordenarle a la Administración, por medio de su potestad dictaminante, que invalide un acto si es contrario a derecho, pero, como se ha sostenido, no puede realizarlo por sí[20].

Sobre lo anterior, encontramos una primera limitación que tiene la CGR respecto de la Administración, ya que la facultad para ordenar a aquella la invalidación de un acto determinado se encuentra limitada por el plazo de dos años, contados desde la notificación o publicación del acto, que tiene la Administración para invalidar los actos contrarios a derecho (arts. 13 y 53 LBPA), esto en atención a la protección de los derechos de terceros y, además, por el principio de seguridad jurídica.

Otra limitación, y más bien la primera y principal, para la emisión de dictámenes por la CGR es la prohibición de intervenir en materias o asuntos de carácter litigioso (inciso 3.°, art. 6.° LOCGR), ni tampoco podrá informar respecto de aquellos asuntos que se encuentren sometidos a conocimiento de los tribunales de justicia, ya sea que exista un juicio pendiente o que se haya dictado sentencia. Todo ello en el entendido de la posición y rol constitucional de la CGR, de modo de no intervenir ni interferir en materias propias del Poder Judicial[21].

---

17. José Ortiz Díaz, «El Precedente Administrativo», *Revista de administración pública*, no. 24 (1957): 80.

18. El precedente administrativo se debe diferenciar de las prácticas administrativa, no solo por su fuerza obligatoria, sino que, además, porque estas últimas «no se relacionan con la interpretación o elección de los criterios sustantivos que conducen a la resolución directa de casos», como sostiene Silvia Díez Sastre, *El Precedente Administrativo. Fundamentos Y Eficacia Vinculante.* (Madrid: Marcial Pons, 2008), 36.

19. Dictamen N.° 76.198/2016 CGR.

20. Dictamen N.° 47.645/2016 CGR.

21. Dicha limitación no obsta que la CGR pueda ejercer sus facultades sobre las materias de su competencia, aun cuando exista un asunto litigioso sobre una materia principal, tales como el *ejercicio de las facultades de inspección y de auditoría, a fin*

Así, los dictámenes resultan de la interpretación que la CGR realiza del ordenamiento jurídico, interpretación que pasa a formar parte de la jurisprudencia administrativa, que como se ha visto, es de cumplimiento obligatorio para la Administración del Estado. Sin perjuicio de lo anterior, ello no garantiza que la interpretación administrativa realizada por la CGR sea justa, conforme a derecho, o bien que, en virtud de la realidad, o bien de las particularidades de un caso determinado, no corresponda aplicar un precedente administrativo, de modo que para la propia garantía del principio de igualdad debe ser recurrible la interpretación que la CGR realice de un caso particular, pudiendo, entonces, recurrirse la regla del precedente.

En virtud de lo anterior, todo particular afectado por un dictamen tiene la posibilidad de recurrir a los tribunales de justicia para buscar la impugnación de la decisión de la CGR. El particular agraviado por el dictamen podrá recurrir a distintas herramientas jurisdiccionales en su pretensión de obtener la impugnación de la decisión de la CGR. Uno de las herramientas con que cuenta el particular es el Recurso de Protección, herramienta de amparo y protección de ciertos los derechos y garantías constitucionales, la que se encuentra prevista en el art. 20 de la CPR.

1.2. Remedios de la CGR aplicados en procesos licitatorios de contratos administrativos de suministro y prestación de servicios

Como ya se ha examinado, el principal rol de la CGR en el ordenamiento constitucional es el de verificar la juridicidad de ciertos actos de la Administración del Estado, y ello lo realiza en diferentes momentos de la fase jurídico-técnica de una contratación pública, y para ello el Ente de Control cuenta con diferentes mecanismos o remedios de juridicidad.

A continuación, se analizarán los diferentes remedios aplicados con los que cuenta la CGR para controlar la juridicidad de los actos de la Administración durante procedimientos de licitación pública objeto de este estudio[22], de acuerdo al momento de efectuarse el control, ya sean remedios preventivos o restitutivos de juridicidad, en el presente trabajo trataremos respecto de los remedios preventivos aplicados por la CGR.

1.2.1. *Remedios preventivos aplicados*

Dentro de la fase jurídico-técnica corresponde, por mandato constitucional, a la CGR controlar a la Administración, verificando, por mandato legal y

---

de verificar eventuales infracciones funcionarias que pudiesen dar lugar a responsabilidad administrativa. Véase dictamen N.° 13.131/2003 CGR.
22. Procedimientos licitatorios regulados por la Ley N.° 19.886.

reglamentario, la juridicidad de aquellos actos que considera esenciales. Así, y de acuerdo a lo disposición en la ley N.° 19.886, artículo 6.°, la Administración debe establecer en las bases de licitación *las condiciones que permitan alcanzar la combinación más ventajosa entre todos los beneficios del bien o servicio por adquirir y todos sus costos asociados, presentes y futuros*[23], y dichas condiciones, tanto administrativas como técnicas, deben estar contenidas en un acto administrativo aprobado por la autoridad administrativa correspondiente[24].

Es en este contexto normativo que la CGR debe efectuar el control preventivo dentro de los procesos licitatorios, lo que se cumple en dos etapas o momentos del procedimiento de contratación, el primero por medio del control de la propuesta de acto a través del cual se aprueban las respectivas bases o pliegos de licitación; y un segundo momento, respecto del control que se ejerce sobre el proyecto de acto que aprueba la adjudicación o que contiene el contrato, según se verá.

Un elemento que facilita el proceso de control por parte de la CGR, es la existencia de formatos tipo o preaprobados de bases de licitación, los que permiten realizar un control preventivo altamente eficaz por parte de la CGR, al fijar un texto ajustado a derecho que permite, por una parte, acelerar los procesos de contratación haciendo que su procedimiento administrativo sea más eficiente y eficaz; y por otra, que los particulares conozcan anticipadamente el marco normativo general aplicable a los concursos de un tipo determinado de bien o servicio. Esto, por otra parte, tiene como ventaja la adaptabilidad y versatilidad técnica de las bases tipo, ya que cada entidad licitante o poder adjudicador fija los aspectos técnicos de su requerimiento y necesidades, no debiendo comprometer recursos humanos en los aspectos administrativo de elaboración del concurso, atendido que las condiciones administrativas, como plazos, cuantía, garantías, entre otras, ya se encuentran contenidas en las bases tipo. Como contrapartida la entidad licitante pierde cierta autonomía al momento de la utilización del formato de base tipo, atendido que debe ceñirse estrictamente a su contenido preaprobado por la CGR, y en el evento de estimar necesaria una modificación del contenido del documento tipo deberá solicitar su modificación, ya sea emitiendo una nueva resolución que sea similar a la de las bases tipo, la que atendida la cuantía de la licitación pudiera ser objeto de control preventivo de juridicidad por la CGR, duplicándose el tiempo y los recursos invertidos, perdiéndose el objetivo principal de imprimir mayor eficiencia y eficacia al procedimiento administrativo concursal.

---

23. Lo que luego es reproducido en el inciso primero del art. 20 del Reglamento.
24. Ello de acuerdo a lo dispuesto en el art. 19 del Reglamento N.° 250/2004.

Finalmente, el único acto que es controlado por la CGR en el caso de bases tipo que contengan el contrato, es el acto o resolución que adjudica la Resolución.

Así, el examen de juridicidad que realiza la CGR dice relación con el cumplimiento de ciertos requisitos formales y de fondo dirigidos a la Administración del Estado, esto en los dos momentos principales del procedimiento licitatorio, la aprobación de las bases de licitación, y la aprobación del contrato. Una notable diferencia que se debe tener en cuenta al momento de efectuar el control o verificación de la juridicidad respecto de la resolución que aprueba las bases y la resolución que adjudica y aprueba el contrato, es respecto del catálogo normativo que se debe aplicar para la verificación de la legalidad en el segundo tipo de resolución, ya que en dicho catálogo se debe incluir el cuerpo normativo de primera y principal aplicación para el procedimiento concursal, las Bases de Licitación, las que previamente cuentan con la aprobación de la CGR, dotando así al proceso de una completa certificación de juridicidad, lo que permite la materialización de los principios constitucionales de igualdad y de juridicidad.

1.2.1. Control sobre la propuesta de acto a través del cual se aprueban las respectivas bases o pliegos de licitación

El control preventivo de juridicidad que realiza la CGR en esta etapa puede ser analizado desde el punto de vista del control o examen de cumplimiento de los requisitos formales y desde el control o examen de los requisitos de fondo.

1.2.1.1. Examen de requisitos formales

Respecto de los requisitos formales, algunos de ellos han sido considerados como requisitos esenciales y mínimos de forma, es decir que sin su cumplimiento no se verifica la sujeción a derecho del acto, por lo que cabe su representación, mientras tanto que, otros requisitos formales son considerados de menor cuantía y cuyo incumplimiento puede ser subsanado.

Dentro del primer grupo objeto de control preventivo, de aquellos **requisitos esenciales y mínimos de forma**, se encuentran los siguientes:

A. Que las bases administrativas se encuentren transcritas íntegramente en el cuerpo de la Resolución o Decreto[25]. Esta disposición responde a la necesidad de dar certeza jurídica y transparencia al proceso concursal, a los operadores jurídicos, y especialmente a los

---

25.   Art. 6.°, inciso final, Res. N.° 1.600/2008.

potenciales oferentes, quienes así podrán conocer y asegurarse de las condiciones del concurso.

A través del dictamen N° 21.881/2008 la CGR ha manifestado su criterio, al representar un acto que incumplía dicha disposición, sosteniendo que: «Por razones de certeza jurídica, los documentos de la licitación debieron transcribirse en las resoluciones señaladas, resultando insuficiente la sola mención de que forman parte integrante de las mismas».

B. **La Administración debe someter a control la totalidad del contenido de las bases de licitación, ello comprende tanto los aspectos administrativos como técnicos**, ya que ambos conforman el conjunto normativo aplicable al procedimiento concursal de que se trate, tal como dispone el art. 2. N.° 3, del Reglamento N.° 250/2004. La CGR ha fijado como criterio que, en virtud de los principios de eficiencia y eficacia, y de economía procedimental «... el acto que sanciona el pliego de condiciones que rige una licitación pública y que debe contener tanto sus bases administrativas como técnicas, (es) el que tiene que ser sometido al control preventivo de juridicidad que ejerce esta Contraloría General...»[26].

C. **Que se adjunten la totalidad de documentos que sirven de fundamento al acto**[27], cuestión aplicable tanto a aquellos decretos y resoluciones que aprueban las bases de la licitación, como a aquellos que aprueban el contrato. Respecto de actos que aprueban bases, la CGR en su dictamen N° 75.253/2016, entre otros motivos, se abstuvo de tomar razón de un acto aprobatorio de bases al no dar cumplimiento a los mínimos de forma: «por cuanto no se han remitido los antecedentes que sirven de fundamento al mencionado acto administrativo, lo que contraviene lo dispuesto en el artículo 6°, inciso primero, de la resolución N° 1.600, de 2008, de esta Entidad de Control, que fija normas sobre exención del trámite de toma de razón». Mientras que, la misma disposición se aplica en la jurisprudencia administrativa, a través del dictamen N.° 29.856/2016 respecto de actos que pretenden aprobar contratos: «Esta Contraloría General ha debido abstenerse de dar curso al documento del epígrafe, mediante el cual se aprueba el contrato para la prestación del servicio que indica, por cuanto no se han remitido los antecedentes fundantes del acto... lo que contraviene lo dispuesto en el artículo 6°, inciso

---

26. Dictamen N.° 15.909/2014 CGR.
27. Art. 6.°, inciso primero, Res. N.° 1.600/2008.

primero de la resolución...», de modo tal que dicho acto fue representado.

D. **Que se cuente con la debida autorización presupuestaria**, que como se ha dicho, uno de los principales elementos que la CGR debe controlar es el referido al ingreso, la inversión y la administración de los fondos públicos, y para ello, entre otras medidas, durante el examen de juridicidad preventivo que se realiza del acto que aprueba un contrato público, se examina que la Administración de cumplimiento al mandato contenido en el art. 3.° del Reglamento 250/2004, que ordena que la entidad licitante cuente con la autorización presupuestaria pertinente, debiendo acompañar siempre los antecedentes que permitan acreditarlo, lo que se realiza por medio del denominado certificado de disponibilidad presupuestaria, instrumento que acredita la existencia de recursos suficientes y que ellos, además, son utilizables para dicho proceso. Y por otra parte, dentro del grupo objeto de control preventivo de requisitos formales pero, ésta vez de **requisitos formales no considerados como esenciales**, sino que, de menor entidad, que no afectan derechos de terceros, ni alteran ni afectan el principio de igualdad de los oferentes, de estricta sujeción a las bases, y en definitiva el principio de juridicidad, se encuentran todas aquellas observaciones que realiza la CGR respecto de materias tales como omisiones de referencia[28], errores de transcripción[29], de cálculo[30], sobre hojas o folios en blanco[31], entre otras, todas las que a juicio de dicha entidad no son suficientes para su abstención y representación, tomándose razón de ellos, pero con la indicación, en la mayoría de los casos, que deben ser enmendados en lo sucesivo por la entidad administrativa a fin de cautelar el correcto marco normativo del proceso.

1.2.1.2. Examen de requisitos de fondo

Los requisitos de fondo dicen relación con el examen que la CGR debe realizar respecto de las normas especiales de la contratación pública objeto de estudio, y de la normativa general aplicable, incluidos los principios aceptados e incorporados por la jurisprudencia administrativa, de aplicación obligada para la Administración como se ha señalado anteriormente. De este modo la CGR contrasta el proyecto de acto administrativo con

---

28. Dictamen N.° 88.687/2016 CGR.
29. Dictamen N.° 77.131/2016 CGR.
30. Dictamen N.° 88.692/2016 CGR.
31. Dictamen N.° 87.380/2016 CGR.

el marco jurídico aplicable, el que se compone, como se ha dicho, por la Constitución, por las leyes aplicables, especialmente la Ley N.° 19.886 y su Reglamento, así como por las bases de licitación, cuerpo normativo principal del procedimiento en cuestión, y por los principios de la contratación pública.

La verificación de la juridicidad de las Bases de Licitación es de primera importancia, ya que no solo se regula en ellas el procedimiento concursal, sino que en ellas se contienen los derechos y obligaciones que regularán la vida del contrato, debiendo coincidir el contenido del contrato con el contenido de las bases, en lo que corresponda, de modo tal que en estas encontramos el catalogo principal de normatividad tanto de la licitación como del contrato.

Ahora bien, no puede pretenderse separar el análisis de los principios y de las normas aplicables para la verificación de juridicidad que la CGR efectúa, ya que todo principio aplicable debe tener un sustento normativo y debe ser el reflejo de una norma, de este modo efectuaremos el análisis del control preventivo de los requisitos de fondo siguiente los principios de la contratación pública que la CGR en su reiterada doctrina ha elevado a la categoría de esenciales, de modo tal que su contravención provoca el rechazo del acto propuesto por atentar contra la juridicidad, lo que se efectuará a través del control sobre: 1. la resolución que aprueba las bases de licitación; y 2. la resolución que adjudica la licitación y/o aprueba el contrato, según sea el caso.

Algunos de los principales aspectos del control preventivo de fondo que realiza la CGR respecto de las bases de licitación consisten en una serie de contenidos mínimos[32], debiendo consignarse todos en un *lenguaje preciso y directo*[33]:

A. Control de las resoluciones aprobatorias de las bases de licitación, de la adjudicación y/o del contrato.

Respecto de esta materia, se debe tener presente que la CGR efectúa una doble verificación, primero verifica si corresponde el control preventivo de juridicidad de las bases, ello en conformidad al art. 9.5 de la Res. N.° 1.600/2008, que fija como regla general que se someterán a toma de razón los actos que aprueben las bases de una licitación, y todo acto que las modifique, cuando se trate de contratos afectos a control preventivo, a menos que se trate de bases que se ajusten a formato tipo previamente aprobado por el Ente de Control.

---

32. Según lo dispuesto en el artículo 22 del Reglamento N.° 250/2004.
33. Véase dictamen N.° 37.117/2016 CGR.

Luego de aquello, efectúa una verificación que dependerá del tipo de acto y su cuantía, lo que determinará si debe controlar la resolución de adjudicación del concurso o el acto aprobatorio del contrato. Así entonces, se observan dos situaciones:

i. **Bases no sujetas a formato tipo**: Las bases de licitación siempre serán objeto de control preventivo de juridicidad, cuando el contrato de que se trate sea objeto de toma de razón, en razón de su materia y cuantía. En este caso la adjudicación de la oferta es materia exenta, debiendo tomarse razón del acto que aprueba el contrato. Si el texto del contrato se encontrase contenido en las bases administrativas tomadas de razón por el Ente Contralor, únicamente se someterá al trámite de toma de razón la propuesta de acto administrativo de adjudicación, de lo contrario se deberá remitir el acto que aprueba el contrato para toma de razón[34].

ii. **Bases sujetas a formato tipo**. Aquellas licitaciones públicas en que se han utilizado formatos tipo, no se requerirá la toma de razón de las bases, atendido que han sido previamente aprobadas por la CGR. En estos casos se someterá a control preventivo de juridicidad el acto de adjudicación del concurso, encontrándose el contrato exento de control preventivo[35].

B. Control de requerimiento genérico de bienes y servicios.

La CGR debe verificar que los bienes y/o servicios requeridos para su adquisición o suministro en el proceso concursal, y definidos en las bases, no se encuentren previamente determinados por marcas comerciales específicas, ya que los requerimientos deben ser efectuados en forma genérica. En caso que resulte necesario efectuar referencias a productos específicos se deberán admitir siempre productos equivalentes.

La aplicación de esta disposición puede apreciarse en los dictámenes N.os 27.519/2015 y 9.769/2014, cuando la CGR observa que en las propuestas de bases de licitación órganos de la Administración efectuaron referencias a marcas específicas de ciertos productos y maquinarias. Así, y aun habiendo tomado razón de los actos, la CGR efectúa un alcance sobre la infracción al artículo 20 N.° 2 del Reglamento N.° 250/2004, modificando derechamente las Bases de licitación, al ampliar el sentido de dicha disposición, fijando que deberá entenderse que pueden contemplar bienes

---

34.   Véase dictamen N.° 52.602/2016 CGR.
35.   Sobre el punto los dictámenes N.° 64.218/2011 y N.° 77.353/2013 CGR.

(productos o maquinarias, según sea en caso) equivalentes al indicado por la entidad licitante. Ello resulta del todo interesante, ya que la CGR no representa la Resolución, aun cuando la mención a una marca específica de un bien determinado esté prohibida por el Reglamento, aplicando un remedio para dichos casos consistente en efectuar un alcance en la toma de razón, modificando directamente el sentido de las bases, al aclarar preventivamente que se deberán tener por aceptados los bienes equivalentes o genéricos.

C. Control de etapas y plazos.

La CGR debe verificar se dé cumplimento, en las propuestas de Bases de Licitación sometidas a su control preventivo, a lo dispuesto en los números 3, 4 y 5 del artículo 22 del Reglamento, los que se refieren a que las bases deberán contener indicación precisa y clara de cada una de las etapas y los plazos de la licitación incluidos el de duración del contrato, así como de las modalidades para proceder a la apertura y evaluación de las ofertas, como de la adjudicación y suscripción del contrato.

Con el objeto de garantizar la mayor concurrencia de oferentes se dispone la existencia de plazos mínimos entre el llamado a la licitación y el plazo de recepción de ofertas (art. 25 Reglamento) que, de no ser respetados, deberán ser representados por la Entidad de Control[36].

De igual manera, las bases deben contemplar los plazos de entrega de los bienes o servicios, y las condiciones, plazos y modos de pago de los respectivos contratos. De modo que en caso de omisión de alguno de dichos elementos se debe proceder a la representación de la propuesta de acto administrativo[37].

D. Control de criterios de adjudicación.

El Ente de Control debe verificar que las bases de licitación contengan criterios objetivos para la adjudicación del concurso a un oferente. Dichos criterios son establecidos por la entidad licitante o poder adjudicador, los que deben considerar como premisa el propender a la igualdad de los oferentes a través de un proceso evaluativo objetivo e imparcial, fijando elementos para ello que permitan discriminar entre una oferta y otra por medio del *análisis económico y técnico de los beneficios y los costos presentes y futuros del bien y servicio ofrecido en cada una de las ofertas*[38].

---

36. Véase dictamen N.° 95.413/2015 CGR.
37. Véase dictamen N.° 49.263/2015 CGR.
38. Art. 37 Reglamento N.° 250/2004.

Como se ha apuntado anteriormente, la CGR encuentra limitada su competencia para entrar a examinar los aspectos de mérito, conveniencia u oportunidad de los criterios de evaluación, incluida su ponderación y asignación de puntajes, competencia atribuida exclusivamente a la Administración[39], con la excepción que la entidad licitante haya fijado como criterio de evaluación únicamente el precio del bien o servicio, cuestión que infringiría lo dispuesto en el inciso segundo del artículo 20 del Reglamento.

E. Control de formalidades exigidas.

La CGR verifica que en las bases de licitación no se consideren exigencias que consistan en requerimientos meramente formales y que no tengan un propósito determinado, en virtud de lo establecido en el inciso final del art. 20 del Reglamento que dispone que las bases de licitación *evitarán hacer exigencias meramente formales*, ello en consonancia con los establecido en la ley N.° 19.880, que en su art. 13 establece que los procedimientos administrativos *deben desarrollarse con sencillez y eficacia, de modo que las formalidades que se exijan sean aquéllas indispensables para dejar constancia indubitada de lo actuado y evitar perjuicios a los particulares.* Es así como la exigencia de presentación, en la oferta, de copias legalizadas ante notario vulnera, como ha dicho la CGR, *los principios de libre concurrencia y de no formalización que rigen los procesos licitatorios*[40], bastando la presentación de copias simples de los documentos, en dicha etapa.

F. Garantías requeridas.

Las bases de licitación deben contemplar la presentación de garantías por parte de los oferentes, en la etapa de adjudicación, y del contratista, una vez adjudicado, todo con el objeto de asegurar la seriedad de las ofertas, por una parte, y del correcto y fiel cumplimiento de las obligaciones que emanan del contrato, por otra parte (artículos 22 N.° 6 y 79 ter del Reglamento), y del mismo modo las bases deben contemplar el monto, el plazo de vigencia, la descripción de la glosa, y la moneda o unidad monetaria en que debe expresarse.

Así, la CGR debe verificar no solo se contemplen dichas garantías en las bases, sino que, además, se contemplen una serie de condiciones:

    i. Se debe contemplar el monto, el plazo de vigencia, la descripción de la glosa, y la moneda o unidad monetaria en que debe expresarse. (art. 68, inciso cuarto, Reglamento).

---

39. Véase dictámenes N.° 37.984/2015 y N° 84.937/2016 CGR.
40. Dictamen N.° 82.707/2014 CGR.

ii. Que no exijan montos de garantía desproporcionados respecto de la cuantía de la licitación, a efectos que no desincentive a los potenciales oferentes a participar (art. 22, N.° 6, inciso final, Reglamento), cuestión que tiene por fin proteger el principio de libre concurrencia.

iii. Siempre se debe requerir que las garantías sean pagaderas a la vista y tengan el carácter de irrevocables. (art. 68, inciso quinto, Reglamento).

iv. Los montos de las garantías ascenderán a un porcentaje del monto total del contrato, el que podrá oscilar entre un 5% y un 30%[41]. (art. 68, inciso primero, Reglamento).

v. Las bases no se pueden establecer restricciones sobre el tipo de instrumento de la garantía, debe atenerse a cualquiera que asegure el pago de las obligaciones de manera rápida y efectiva. (art. 68, inciso sexto, Reglamento).

vi. Las bases deben considerar que las garantías de seriedad de la oferta de los participantes que no sean adjudicados, sean devueltas oportunamente[42].

G. Comisiones de evaluación de ofertas.

La Entidad de Control debe verificar que las bases de licitación contengan disposiciones que regulen la designación de los integrantes de las comisiones de evaluación[43] (art. 22, N.° 10 Reglamento) y la forma de integración de las mismas[44], especialmente en aquellas licitaciones de gran complejidad y en aquellas cuya cuantía sea superior a las 1.000 UTM cuya comisión deberá estar integrada por a lo menos tres funcionarios públicos. En caso que la comisión sea integrada por personas que no tengan la calidad de funcionarios públicos siempre deben encontrarse en minoría frente a los funcionarios públicos que integren la comisión. (art. 37, incisos 4.° y 5.°, Reglamento).

Palabras finales

La labor que realiza la CGR en el ámbito de la contratación pública en Chile ha sido y es determinante, tanto en el control de la juridicidad en las materias de su órbita de competencia, como en la labor interpretativa

---

41. Véase dictamen N.° 12.351/2016 CGR.
42. Aplica dictámen N.° 76.503/2015 CGR.
43. Véase dictamen N.° 84.990/2016 CGR.
44. Véase dictamen N.° 3.437/2011 CGR.

del amplio catálogo de normas y principios que regulan esta disciplina jurídica, donde sus opiniones han tenido y tienen un importante impacto en la forma como la Administración del Estado ha mejorado sus prácticas administrativas de contratación. Es así, como en el ámbito de los contratos regulados por la Ley N.° 19.886 el actuar de la CGR, conjunta y complementariamente con la jurisprudencia del Tribunal de Contratación Pública, permite afirmar, y así gran parte de la doctrina nacional[45], que el derecho de la contratación pública es un derecho de fuerte creación jurisprudencial.

ABREVIATURAS

1. CGR: Contraloría General de la República de Chile.

2. CPR: Constitución Política de la República de Chile.

3. D.L.: Decreto Ley.

4. LOCGR: Ley Orgánica Constitucional, de Organización y Atribuciones de la Contraloría General de la República, N.° 10.336.

5. LBPA: Ley N.° 19.880, Establece Bases de los procedimientos administrativos que rigen los actos de los Órganos de la Administración del Estado.

6. LOBGAE: D.F.L. Núm. 1/19.653, FIJA TEXTO REFUNDIDO, COORDINADO Y SISTEMATIZADO DE LA LEY No 18.575, ORGANICA CONSTITUCIONAL DE BASES GENERALES DE LA ADMINISTRACION DEL ESTADO.

7. Res. N.° 1.600/2008: Resolución N.° 1.600, fija normas sobre exención del trámite de toma de razón, Contraloría General de la República.

8. Estatuto Administrativo: D.F.L. Núm. 29/2004, FIJA TEXTO REFUNDIDO, COORDINADO Y SISTEMATIZADO DE LA LEY N.° 18.834, SOBRE ESTATUTO ADMINISTRATIVO.

9. UTM: Unidad Tributaria Mensual.

10. Reglamento N.° 250/2004: Decreto N.° 250/2004, Ministerio de Hacienda, APRUEBA REGLAMENTO DE LA LEY No19.886 DE BASES SOBRE CONTRATOS ADMINISTRATIVOS DE SUMINISTRO Y PRESTACION DE SERVICIOS.

---

45. Por todos: Claudio Moraga Klenner, *Contratación Administrativa* (Santiago: Editorial Jurídica, 2007).

REFERENCIAS BIBLIOGRÁFICAS

Aróstica Maldonado, Iván. «El Trámite De Toma De Razón De Los Actos Administrativos». *Revista de Derecho Público;* II, no. No. 49 (1991): Ene/ Jun «XXI Jornadas de Derecho Público 1990» (2016): 131-68.

Bermúdez Soto, Jorge. *Derecho Administrativo General.* Santiago, Chile: LegalPublishing, 2014.

Cordero Vega, Luis. «La Contraloría General De La República Y La Toma De Razón: Fundamento De Cuatro Falacias». *Revista de Derecho Público* II, no. 69 (2007): 153-66.

Díez Sastre, Silvia. *El Precedente Administrativo. Fundamentos Y Eficacia Vinculante.* Madrid: Marcial Pons, 2008.

Gascón Abellán, Marina. *La Técnica Del Precedente Y La Argumentación Racional.* Madrid: Tecnos, 1993.

Moraga Klenner, Claudio. *Contratación Administrativa.* Santiago: Editorial Jurídica, 2007.

Ortiz Díaz, José. «El Precedente Administrativo». *Revista de administración pública,* no. 24 (1957): 75-116.

Pallavicini Magnère, Julio. «Control De Constitucionalidad De La Contraloría General De La República». *Revista de Derecho Público,* no. 72 (2010): 108-32.

Soto Kloss, Eduardo. «Acerca De Los Dictámenes De La Contraloría: Un Error Supremo Es Un Supremo Error. (Municipalidad De Valparaíso Con Contraloría General De La República, Corte Suprema, Sentencia De Protección, 2 De Enero De 2014, Rol 7210-2013)». *Revista Derecho Público Iberoamericano,* no. 6 (2015): 247-60.

– *Derecho Administrativo. Temas Fundamentales.* Chile: Thomson Reuters, 2012.

Capítulo 14

La contratación pública de servicios a las personas tras la aprobación de las directivas europeas de cuarta generación. Especial referencia a Galicia

JORGE LÓPEZ-VEIGA BREA

Doctorando del Programa de Doctorado en Derecho Administrativo Iberoamericano
Investigador del Observatorio de políticas públicas en materia de discapacidad,
atención a la diversidad e igualdad de oportunidades (www.ce10udc.com)
Secretario académico de la Red Iberoamericana de Contratación
Pública (www.redicop.com)

SUMARIO: I. LA INCORPORACIÓN DEL RÉGIMEN DEL «CONCIERTO SOCIAL» 1. *Conside-raciones introductorias* 2. *El escenario actual en el Estado español: Las Comunidades Autónomas que han dado el paso al frente* 3. *La colaboración con entidades sin ánimo de lucro* II. NOVEDADES EN LA CONTRATACIÓN PÚBLICA SOCIAL EN GALICIA V. LA ADECUACIÓN DEL PROYECTO AL DERECHO INTERNACIONAL EN MATERIA DE CONTRATOS PÚBLICOS

RESUMEN: Las nuevas Directivas de contratación pública UE han revelado que los «servicios a las personas» tienen características específicas que hacen que la aplicación de los procedimientos habituales para la adjudicación de contratos públicos de servicios resulte inadecuada en esos casos, correspondiendo a cada Estado miembro, al otorgarles facultades discrecionales para ello, el elegir la forma de organización y prestación de dichos servicios sociales. Se van a introducir dos novedades destacables para este tipo de servicios: un tratamiento contractual diferenciado del propio de los demás servicios y la posibilidad de prestarse mediante fórmulas no contractuales. Con este nuevo panorama, las Comunidades Autónomas, que son las dotadas de competencia en este ámbito en el Estado español, irán adaptando sus leyes de Servicios Sociales a esta nueva realidad. Del análisis realizado respecto a los progresivos avances normativos autonómicos –hasta la fecha de manera minoritaria– destaca la incorporación de la nueva fórmula para la prestación de los servicios sociales: el «concierto social» y el tratamiento con las entidades de iniciativa social (sin ánimo de lucro). De manera más pormenorizada se hará un estudio de las últimas novedades introducidas en Galicia, una de las pocas comunidades autónomas que sí ha afrontado el proceso de adaptación a esta nueva realidad del tratamiento de la «contratación pública socialmente responsable».

I.   LA INCORPORACIÓN DEL RÉGIMEN DEL «CONCIERTO SOCIAL»

1.   CONSIDERACIONES INTRODUCTORIAS

Con anterioridad a la irrupción de las nuevas Directivas de contratación de cuarta generación[1] la prestación de los servicios sociales se articulaba mediante fórmulas contractuales (siendo la figura predominante el concierto), convenios y convenios singulares de vinculación de hospitales privados. El concierto es un subtipo de contratación de la gestión de los servicios públicos que se encuentra regulado en el art. 277 del TRLCSP[2]. A modo de recordatorio, esta modalidad general supone que se contrata la gestión con una «*persona natural o jurídica que venga realizando prestaciones análogas a las que constituyen el servicio público de que se trate*». El concierto presupone que una empresa realice con anterioridad al contrato actividades privadas análogas al servicio público de que se trate. En cualquier caso, el concierto va a suplir la «incapacidad» actual de la Administración para la prestación de un servicio, por lo que, por definición, se caracteriza por la nota de interinidad o transitoriedad.

Los ejemplos más destacados se encuentran en la esfera educativa y sanitaria. Cuando la Administración concierta con un colegio la prestación del servicio educativo, o con un hospital la prestación de servicios sanitarios, opta por un modelo de gestión que introduce la competencia del sector privado en servicios tradicionalmente públicos. Será el usuario, el destinatario del servicio, el que podrá decidir entre los colegios y hospitales públicos o por contra los privados concertados, siendo este un instrumento de evaluación objetivo a emplear por la Administración para

---

1. Denominadas así las Directivas de contratación pública (23, 24 y 25/2014) que fueron publicadas en el DOUE el 28 de marzo de 2014.
2. Texto refundido de la Ley de contratos del sector público, aprobado por el Real decreto legislativo 3/2011, del 14 de noviembre. Actualmente (enero de 2017) está a punto de ser modificado, ya que se encuentra un Proyecto de Ley de Contratos del Sector Público en vía de urgencia para su aprobación en las Cortes Generales.

dilucidar qué modalidad de prestación del servicio es la que resulta más ventajosa.

La evaluación del impacto y la eficacia de la legislación sobre contratación pública de la UE han revelado que los «servicios a las personas», los relacionados con la salud y la educación, tienen características específicas que hacen que la aplicación de los procedimientos habituales para la adjudicación de contratos públicos de servicios resulte inadecuada en esos casos. Estos servicios tienen, por naturaleza, una dimensión transfronteriza muy limitada y se prestan normalmente en un contexto específico que varía mucho de un Estado miembro a otro, debido a la existencia de distintas circunstancias administrativas, organizativas y culturales. Ergo, corresponde a cada Estado miembro, al otorgarles amplias facultades discrecionales para ello, el elegir la forma de organización y prestación de dichos servicios. La asimilación del régimen de los conciertos al propio de una determinada modalidad de contrato público, en la práctica ha dificultado que en la organización de la prestación de servicios no económicos pero de interés general –como los sociales–, pudieran participar en mayor medida las entidades del Tercer Sector sin ánimo de lucro[3]. Teniendo todo esto en consideración, las nuevas Directivas de contratación pública van a introducir dos novedades relevantes en relación a los servicios sociales:

– La primera, un tratamiento contractual específico y diferenciado (de los demás servicios) caracterizado por: a) se aplica únicamente a aquellos servicios individualizados en los Anexos IV, XIV y XVII de las Directivas europeas 23, 24 y 25 de 2014; b) se establecen umbrales específicos para estos contratos sociales los cuales, por regla general, son muy superiores a los fijados para los contratos de servicios no prioritarios u «ordinarios»[4]; c) la implantación de un régimen muy flexible y simplificado, casi reglas mínimas para la licitación de estos contratos sociales[5]. Existe entonces una indicación directa a los legisladores de los Estados miembros para establecer una regulación específica que garantice los valores propios de estos «servicios

---

3. *Vid.* GIMENO FELIÚ. J.M., «La Contratación Pública en los contratos sanitarios y sociales», en www.obcp.es (mayo 2015).

4. El art. 4 letra «d» de la Directiva 24/2014, establece: *«esta Directiva se aplicará a las contrataciones cuyo valor estimado, IVA excluido, sea igual o superior a (...) 750.000 €, en los contratos públicos de servicios para servicios sociales y otros servicios específicos enumerados en el anexo XIV».* En relación a los contratos de concesiones, al contrario, los umbrales se encuentran igualados.

5. *Vid.* art. 76.1 Directiva 24/2014 *«(...) Los Estados miembros serán libres de determinar las normas de procedimiento aplicables, siempre que tales normas permitan a los poderes adjudicadores tener en cuenta la especificidad de los servicios en cuestión».*

a las personas» (calidad, continuidad, accesibilidad, asequibilidad, disponibilidad y exhaustividad) pudiendo además disponer que la elección del proveedor de servicios se realice sobre la base de la «oferta económicamente más ventajosa, teniendo en cuenta criterios de calidad y sostenibilidad» (76.2 de la Directiva 24/2014). El legislador europeo no predetermina estos aspectos sino que otorga libertad para que cada Estado miembro diseñe el marco jurídico que considere más apropiado.

– La segunda novedad, la declaración formal de que tales servicios pueden prestarse igualmente mediante fórmulas no contractuales: «*los Estados miembros siguen teniendo libertad para prestar por sí mismos esos servicios u organizar los servicios sociales de manera que no sea necesario celebrar contratos públicos, por ejemplo, mediante la simple financiación de estos servicios o el otorgamiento de licencias o autorizaciones a todos los operadores económicos que cumplan unas condiciones establecidas de antemano, sin imponer límites o cuotas y siempre que se garantice una publicidad suficiente y se ajuste a los principios de transparencia y no discriminación*»[6]. Es decir, la propia Directiva 2014/24/UE, en el marco de las previsiones del Tratado de Funcionamiento de la Unión Europea, afirma expresamente que la aplicación de la normativa contractual pública no es la única posibilidad de la que gozan las autoridades competentes para la gestión de los servicios a las personas. En consecuencia, no parece oportuno que se restrinjan las posibilidades de organización de dichos servicios con terceros, admitiéndose únicamente las que derivan de la legislación de contratos del sector público[7].

2. EL ESCENARIO ACTUAL EN EL ESTADO ESPAÑOL: LAS COMUNIDADES AUTÓNOMAS QUE HAN DADO EL PASO AL FRENTE

La posibilidad de gestionar servicios a las personas al margen de la vía contractual ha sido el elemento determinante para impulsar el proceso de reforma de la legislación autonómica. El cambio es significativo y afecta de lleno a la figura tradicional de colaboración privada con el sistema público de servicios sociales: el concierto. De forma sintética, los puntos más relevantes de la reforma son: a) Se ha acuñado una nueva denominación, ahora se habla mayoritariamente de «concierto social»; b) se declara

---

6. Véanse los Considerandos 54 de la Directiva 23/2014, 114 de la Directiva 24/2014 y 120 de la Directiva 25/2014.

7. LAZO VITORIA, X., «La figura del "concierto social" tras las Directivas europeas de contratación pública», en www.obcp.es (noviembre 2016).

expresa y formalmente que el concierto social está excluido del ámbito de las normas de contratación del sector público; y c) la ausencia de beneficio en la gestión privada irrumpe como elemento clave de la remodelación de los sistemas sociales autonómicos. Dicha remodelación ha exigido la reforma de las correspondientes leyes autonómicas de Servicios Sociales (el artículo 148.1.20.° de la Constitución española establece que las Comunidades Autónomas podrán asumir competencias exclusivas en materia de asistencia social)[8].

Algunas CC.AA. ante la falta de transposición de la Directiva 2014/24/UE al ordenamiento jurídico español, decidieron aprobar una legislación que regulase ese nuevo régimen del «concierto social» ante la posibilidad de que, con el marco jurídico vigente, no adaptado a las disposiciones de la citada Directiva, pudiera seguir interpretándose que el régimen jurídico de la acción concertada debe equipararse al propio de alguna de las modalidades previstas en la legislación de contratos públicos, resultando perentorio clarificar que el concierto presenta una naturaleza distinta de los contratos públicos, así como determinar los principios a los que deberá ajustarse su celebración. A continuación se relata el proceso temporal del antedicho desarrollo normativo autonómico:

La primera comunidad autónoma en dar un reconocimiento especial al régimen de acción concertada fue el País Vasco con su Ley 12/2008, del 5 de diciembre, de Servicios Sociales del País Vasco. Se puede considerar que el País Vasco fue un adelantado a la hora de incorporar un régimen de concierto diferenciado, en su art. 61.1 *«se establece un régimen de concierto diferenciado de la modalidad contractual de concierto regulada en la normativa de contratación de las administraciones públicas»*. De la misma manera se establecerán en su art. 60.1 las siguientes fórmulas para la prestación de los servicios sociales: *«gestión directa, régimen de concierto previsto en la presente Ley, gestión indirecta en el marco de la normativa de contratación de las administraciones públicas, y convenios con entidades sin ánimo de lucro»*.

Este germen del nuevo concierto regulador de los servicios sociales, ya con el argumentario y reconocimiento posterior de las Directivas y de la jurisprudencia del TJUE, se verá refrendado con la Ley 6/2016, de 12 mayo, del Tercer Sector Social de Euskadi (véase su art. 15).

La segunda comunidad fue Baleares con la Ley 10/2013, del 23 de diciembre, de modificación de la Ley 4/2009, de servicios sociales de las Islas Baleares. Es la primera vez que se hace referencia a la nomenclatura

---

8.   LAZO VITORIA, X., «La figura del "concierto social" tras las Directivas europeas de contratación pública», en www.obcp.es (noviembre 2016).

«concierto social» (aunque no de manera rotunda, sólo lo hace el art. 89 *ter* en el momento de tratar el objeto de este tipo de concierto), pero sí se establece que el régimen de concierto previsto en esa ley se establece como diferenciado de la modalidad contractual de concierto que regula la normativa de contratación del sector público (art. 89 *bis* 3)[9]. De la misma manera, se va a introducir una novedosa distinción en la prestación de los servicios sociales, a través de las siguientes fórmulas: *«gestión directa, régimen de concierto previsto en esta Ley, gestión indirecta en el marco de la normativa de contratación de las administraciones públicas y convenios con entidades sin ánimo de lucro»* (art. 89.1). Es conveniente destacar el Decreto 18/2015, de 10 de abril, por el que se establecen las normas básicas de los conciertos sociales, que supondrá el desarrollo de los principios establecidos en la Ley 4/2009 y, concretamente, en los artículos específicos sobre este régimen de concertación diferenciado de lo que estipula el TRLCSP (del artículo 89 *bis* al 89 *septies*). Por todo este exhaustivo desarrollo, la Comunidad Autónoma de las Islas Baleares se convirtió en el referente a seguir en este paulatino proceso de reforma de los Servicios Sociales autonómicos.

Apenas dos años después, Asturias aprobó su Ley 9/2015, de 20 marzo, de modificación de la Ley del Principado de Asturias 1/2003, de Servicios Sociales. Se establece, tras esta modificación, el concierto social como modalidad diferenciada, a modo de una modulación o especialidad con respecto a la modalidad contractual del concierto general recogida en el TRLCSP –toda vez que la aplicación general de la vigente normativa de contratos del sector público no establece ninguna especificidad vinculada a la singularidad de los servicios sociales–, garantizando, a su vez, el cumplimiento de los principios informadores de la normativa estatal y europea en materia de concertación entre la iniciativa pública y la privada.

Ahora bien, hay que destacar la redacción de las formas de prestación de los servicios sociales que aparecen en su art. 44.1 *«El Principado de Asturias, en el ámbito de sus competencias, puede organizar la prestación de los servicios sociales del Catálogo de Prestaciones o de su planificación autonómica a través de las siguientes fórmulas: gestión directa, gestión indirecta*

---

9. Diferenciación posteriormente corroborada por Disposición Adicional segunda del Decreto 18/2015, de 10 de abril, por el que se establecen las normas básicas de los conciertos sociales, cuyo título ya deja claras las intenciones: Diferenciación respecto al concierto previsto en el Texto Refundido de la Ley de Contratos del Sector Público. *«El régimen de concierto regulado en este decreto se establece como diferenciado de la modalidad contractual de concierto que regula el Texto Refundido de la Ley de Contratos del Sector Público (…), y, por tanto, está excluido del ámbito de aplicación de este texto refundido».*

en el marco general de la normativa de contratación del sector público incluido el régimen de concierto social previsto en esta ley, y convenios con entidades de iniciativa social». Se configura al concierto social como una fórmula contractual aunque su régimen jurídico se asemeje al aprobado por el resto de Comunidades Autónomas para el concierto social, de fórmula no contractual.

En medio de esta paulatina reforma legislativa autonómica el Estado español aprobó la Ley 43/2015, de 9 octubre, del Tercer Sector de Acción Social. Esta nueva Ley estatal, que deberá respetar la competencia exclusiva de las Comunidades Autónomas que tengan asumida la misma en la materia de asistencia social en sus Estatutos, insta al Gobierno, a través de los Ministerios que tengan competencias sobre la materia, a promover actuaciones de fomento, apoyo y difusión del Tercer Sector de Acción Social. Por su parte tanto la Administración General del Estado como las Comunidades Autónomas y las Entidades Locales han de colaborar en la promoción de los principios del Tercer Sector de Acción Social. Destaca en este punto la letra f de su art. 7, en este precepto se pretende dar un impulso, otorgando especial atención al uso de los conciertos y convenios, a los mecanismos de colaboración entre la Administración General del Estado y las entidades del Tercer Sector de Acción Social, para el desarrollo de programas de inclusión social de personas o grupos vulnerables en riesgo de exclusión social y de atención a las personas con discapacidad o en situación de dependencia[10].

La Ley 16/2015, de 9 noviembre, que modifica la Ley 3/2003, del Sistema de Servicios Sociales de la Región de Murcia, va a suponer otro nuevo paso adelante autonómico en adaptar su legislación al tratamiento de los servicios sociales. Se introduce un art. 7 *bis*, (que posteriormente tuvo una nueva modificación con la Ley 5/2016, de 2 mayo, que modifica la Ley 3/2003, del sistema de Servicios Sociales de la Región de Murcia[11])

---

10. Como aspecto positivo de la nueva Ley estatal se ha de destacar el intento de clarificación que lleva a cabo del ratio competencial a través del cual se distribuyen con nitidez las competencias entre la Administración General del Estado y las Comunidades Autónomas y el hecho de que se refuerce la consideración de que el papel de las entidades que integran el Tercer Sector de Acción Social no puede, en ningún caso, diluir la responsabilidad de la Administración General del Estado. CALVO VÉRGEZ, J. «La nueva Ley 43/2015, de 9 de octubre, del tercer sector de acción social: un nuevo marco de actuación para las entidades del tercer sector», Revista Aranzadi Doctrinal, num.11/2015 parte Tribuna.

11. Se modifica nuevamente el artículo 7 *bis*, en el sentido de eliminar la exclusividad y establecer la preferencia de las entidades declaradas de interés asistencial en el establecimiento de los conciertos sociales. Ya que la posibilidad de celebrar conciertos debería estar abierta a todas las entidades prestadoras de servicios

en el que se organiza la prestación de los servicios sociales a través de las siguientes fórmulas: «*a) Gestión directa. b) Gestión indirecta en el marco general de la normativa de contratación del sector público. c) Mediante conciertos sociales con entidades privadas con o sin ánimo de lucro, teniendo preferencia las declaradas de interés asistencial según lo establecido en el artículo 7. d) Y mediante convenios con entidades de iniciativa social, entendiendo como tales las fundaciones, asociaciones, cooperativas, organizaciones de voluntariado y demás entidades e instituciones sin ánimo de lucro que realizan actividades de servicios sociales, siempre que sobre dichas entidades no ostente el dominio efectivo una entidad mercantil que opere con ánimo de lucro*». También se dejará claro que el régimen de concierto es diferenciado de la modalidad contractual del concierto regulado en la normativa de contratación del sector público (art. 25 *bis* 3).

Se llega así al 18 de abril de 2016, fecha límite para la transposición de las Directivas, con un panorama en el que el Estado español no ha realizado una transposición plena de las Directivas de cuarta generación y, respecto al tratamiento de la gestión de los servicios sociales, sólo un número insignificante de CC.AA. han adaptado sus leyes a este nuevo régimen otorgado por el legislador europeo. Se instaura la institución del efecto directo[12], con el que las citadas Directivas ya producen efecto en los ordenamientos de los Estados miembros de la UE.

En este contexto, destaca el modelo *sui generis* de Cataluña, ya que a través de su Decreto-ley 3/2016, del 31 de mayo, de medidas urgentes en materia de contratación pública de Cataluña (convalidado en julio de 2016), ha introducido entre las figuras no contractuales de gestión de servicios sociales el concierto social sin modificar su Ley 12/2007, de 11 de octubre, de servicios sociales. De este modo, en la Disposición adicional

---

sociales, y no quedar limitada a aquellas entidades que obtengan, por desarrollar actuaciones de especial interés y trascendencia para los servicios sociales de la Región de Murcia, la declaración de entidades de interés asistencial.

12. El efecto directo preserva la nota de primacía propia del Ordenamiento jurídico de la Unión Europea (establecida por primera vez en la STJUE del 15 de julio de 1964, *Costa-Enel*, asunto C-6/64), y garantiza que el efecto útil del Derecho de la UE, es decir, su funcionalidad, no se vea desvirtuado por una eventual inejecución de las Directivas por un Estado miembro, quedando además reforzada la esfera jurídica de los particulares, beneficiarios del contenido de la Directiva. Se trata de un criterio ampliamente consolidado en la jurisprudencia del TJUE, tanto con carácter general (ver la STJUE del 5 de abril de 1979, *Ratti*, asunto C-148/78, y la STJUE del 19 de enero de 1982, *Becker* asunto C-8/81), como en expresa referencia a las sucesivas Directivas de contratación pública (ver la STJUE del 24 de septiembre de 1998, *Walter Tögel*, asunto C-76/97, y la STJUE del 2 de junio de 2005, *Koppensteiner*, asunto C-15/04).

tercera del citado Decreto expone la siguiente formulación: «(...) *los servicios sociales regulados en la Ley 12/2007, de 11 de octubre, de servicios sociales, se podrán gestionar mediante fórmulas no contractuales, tal como se define a continuación:*

1. *Concierto social: la prestación de servicios sociales de la red de servicios sociales de atención pública a través de terceros titulares de los servicios y establecimientos en los que se presten servicios con financiación, acceso y control públicos. En el establecimiento de los conciertos sociales para la provisión de servicios sociales se tienen que atender los principios de atención personalizada e integral, arraigo de la persona al entorno de atención social, elección de la persona y continuidad en la atención y la calidad. Por eso, se podrán establecer como requisitos, cláusulas, medidas de preferencia o medidas de discriminación positiva, criterios sociales, de calidad, de experiencia y trayectoria acreditada, y otros que se determinen reglamentariamente.*

2. *Gestión delegada: la prestación de servicios sociales de la red de servicios sociales de atención pública en establecimientos de titularidad de la Administración pública, a través de terceros, en los términos y en las condiciones que le encomiende la Administración pública titular del establecimiento o servicio».*

La Comunidad Autónoma de Aragón modificará la Ley 5/2009, de 30 de junio, de Servicios Sociales de Aragón, en un primer momento, y con una naturaleza de urgencia, a través del Decreto-ley 1/2016, de 17 mayo, de acción concertada para la prestación a las personas de servicios de carácter social y sanitario. Posteriormente también, por medio de la Ley 11/2016, de 15 diciembre, de acción concertada para prestación de servicios de carácter social y sanitario de Aragón (y que derogará al Decreto-ley 1/2016).

En el apartado 1 del art. 21 de la Ley de Servicios Sociales modificada quedan redactadas las nuevas formas de proveer a las personas de los servicios sociales: «*a) Mediante gestión directa o medios propios, que será la forma de provisión preferente. b) Mediante gestión indirecta con arreglo a alguna de las fórmulas establecidas en la normativa sobre contratos del sector público. c) Mediante acuerdos de acción concertada con entidades públicas o con entidades privadas de iniciativa social*». Formas que serán las mismas que las reflejadas en el art. 2 de la Ley 11/2016 de acción concertada, con la salvedad de que ya no se le otorga el carácter de preferente a la gestión directa.

Las formas de prestación de los servicios a las personas de carácter social o sanitario que se establecen mediante esta Ley se basan en una concepción equilibrada de gestión directa, indirecta y acción concertada, que garantiza la aplicación de la normativa de contratación del sector público, con la economía que genera, siempre que los operadores económicos actúen en el mercado con ánimo de lucro y, consecuentemente, incorporando a los precios beneficio industrial. La acción concertada se circunscribe por ello, en el marco de la reciente jurisprudencia del TJUE, a entidades sin ánimo de lucro, limitándose su retribución al reintegro de costes y siempre en el marco del principio de eficiencia presupuestaria. De este modo, la posible prestación de servicios en régimen de gestión directa, objetivando los costes, en gestión indirecta, recurriendo al mercado para la determinación de los precios, y en régimen de acción concertada mediante módulos, permitirá un adecuado control de los costes de las diferentes prestaciones que, además, conforme a esta Ley, deberán ser transparentes y publicarse periódicamente. Este sistema de régimen de acción concertada es, en todo caso, complementario y no excluyente del régimen establecido en la normativa sobre contratación[13].

Galicia y Andalucía, se han convertido en la últimas CC.AA. en adaptar su normativa a las consideraciones de las Directivas de 2014. De la primera haremos mención más adelante y, respecto a la segunda, el desarrollo legislativo se produce con la Ley 9/2016, de 27 de diciembre, de Servicios Sociales de Andalucía. En la citada ley el concierto social se establece como una modalidad diferenciada del concierto regulado en la normativa de contratación del sector público, siendo necesario establecer condiciones especiales, europea en materia de concertación (art. 101.3). En su artículo 100.1 se establecen las fórmulas para organizar la prestación de los servicios sociales andaluces: «*gestión directa, régimen de concierto social previsto en esta ley y gestión indirecta en el marco de la normativa de contratación del sector público, garantizando, en todo caso, los principios de igualdad y no discriminación, publicidad y transparencia*». De la nueva ley se desprende una preferencia clara hacia la figura del concierto social, ya que salvo un *numerus clausus* de prestaciones contempladas para la gestión directa (art. 44), en los demás casos se deberá aplicar este régimen de concierto específico, a no ser que motivadamente no sea posible tal aplicación, por lo que habría que recurrir a la gestión indirecta (con clausulado social) y a convenios con entidades de iniciativa social con experiencia acreditada («*por razones de urgencia, la singularidad de la actividad o prestación de que se trate, o su carácter innovador y experimental*») arts. 108 y 110, respectivamente.

---

13. Preámbulo de la Ley 11/2016, de 15 diciembre, de acción concertada para prestación de servicios de carácter social y sanitario de Aragón.

3. LA COLABORACIÓN CON ENTIDADES SIN ÁNIMO DE LUCRO

En lo concerniente a la nueva modalidad de gestión de los servicios sociales mediante convenios con entidades sin ánimo de lucro, denominadas también entidades de iniciativa social, las citadas CC.AA. han reconocido la forma de gestión con convenios o acuerdos con este tipo de entidades.

Las Islas Baleares (en su art. 89 *quinquies* apartado 4 de la Ley 10/2013), Cataluña (en su Disp. Adicional Tercera apartado 9 del Decreto-ley 3/2016) y Asturias (art. 44 *bis* apartado 1 de la Ley 9/2015) establecen que, para el establecimiento de conciertos, las administraciones públicas darán prioridad, cuando existan análogas condiciones de eficacia, calidad y rentabilidad social, a las entidades sin ánimo de lucro.

Interesa citar también que Asturias (art. 44 *octies*) y el País Vasco (arts. 69 y 70 de la Ley 12/2008 de Servicios Sociales) contemplan la celebración de convenios con entidades de iniciativa social con experiencia acreditada en aquellos supuestos en que por razones de urgencia, la singularidad de la actividad o prestación de que se trate, o su carácter innovador y experimental, aconsejen la no aplicación motivada del régimen de concierto social. También en ambas CC.AA., se podrán establecer con las entidades de iniciativa social acuerdos de colaboración que recojan los conciertos, convenios o cualesquiera otras formas de colaboración que se suscriban respectivamente con cada una de ellas[14].

Respecto a Andalucía conviene destacar que las Administraciones Públicas competentes darán prioridad, no sólo en los conciertos sino también en los contratos de gestión directa y los de gestión indirecta (cuando existan análogas condiciones de eficacia, calidad y rentabilidad social), a las entidades de la iniciativa social, a las entidades de cumpliendo con los principios informadores de la normativa economía social, a las cooperativas y a las pequeñas y medianas empresas (art. 100.4 de la Ley 9/2016 de Servicios Sociales de Andalucía).

El caso de la Comunidad Autónoma de Aragón presenta la peculiaridad de que su legislación faculta a celebrar conciertos sociales exclusivamente con entidades sin ánimo de lucro.

---

14. El País Vasco fue también un pionero en la colaboración y reconocimiento de las entidades sin ánimo de lucro, dedicando un capítulo titulado «Apoyo público a la iniciativa social sin ánimo de lucro» (arts. 73 a 75 de la Ley 12/2008 de Servicios Sociales). Además de aprobar el Decreto 424/2013, de 7 de octubre, de declaración de interés social de las entidades sin ánimo de lucro de servicios sociales.

Por último, comentar que en Murcia hay una regulación algo diferente, debido a que, como ya se señaló anteriormente (art. 7 *bis* Ley 3/2003), para el establecimiento del régimen de concierto social tienen preferencia las declaradas entidades de interés asistencial, que pueden ser entidades privadas con o sin ánimo de lucro (a diferencia de lo establecido en las demás CC.AA.). Ahora bien, el art. 25.3 señala que las Administraciones públicas, podrán establecer conciertos, convenios u otras fórmulas de cooperación para la prestación de servicios sociales, en las que darán prioridad, cuando existan análogas condiciones de eficacia, calidad y costes, a los servicios y centros dedicados a la prestación de servicios sociales de los que sean titulares entidades de iniciativa privada sin fin de lucro y atiendan preferentemente a personas de condición socioeconómica desfavorable.

Las entidades de iniciativa social sin ánimo de lucro, además de encontrar su apoyo en las nuevas Directivas de contratación pública (resultando paradójico el reconocimiento de una vía no contractual en una norma propia de contratación –aunque sea en la parte de los Considerandos–), gozan ya de jurisprudencia del TJUE al respecto que va a refrendar esta modalidad de gestión. Hay que hacer referencia a la STJUE (sala quinta) del 28 de enero de 2016, *CASTA* y otros, asunto C-50/14, que abre nuevas perspectivas a la colaboración de entidades sin ánimo de lucro en el ámbito de prestaciones a personas en los sectores sanitarios y sociales[15].

La cuestión elevada al TJUE en lo referente a que si es posible oponer el Derecho de la Unión en el ámbito de los contratos públicos a una normativa nacional que permite la adjudicación directa del servicio de transporte sanitario a asociaciones de voluntariado, el Tribunal advierte que la regla genérica es la de que un contrato no puede quedar excluido del concepto de contrato público solo por el hecho de que la retribución prevista se limite al reembolso de los gastos soportados por la prestación del servicio o de que sea celebrado con una entidad sin ánimo de lucro. Esto implica que los principios de la contratación pública, a destacar el de la transparencia y publicidad, deben ser esenciales en favor de respetar la libre competencia de las demás empresas de otros Estados miembros. No obstante, según el análisis de cada supuesto existen un conjunto de aspectos, como son el marco jurídico nacional, la naturaleza de las

---

15. Esta sentencia resuelve la petición de decisión prejudicial –tiene por objeto la interpretación de los arts. 49 y 56 TFUE– sobre la adjudicación, sin licitación, del servicio de transporte de las personas en tratamiento de diálisis a diferentes centros sanitarios, a varias asociaciones de voluntariado organizadas sobre la base de prestaciones de trabajo no retribuido y a cambio de un efectivo reembolso de los gastos.

prestaciones consideradas, la eficiencia económica y el interés general, entre otros, que se tendrán en consideración. Con todo esto, se concluye que los arts. 49 y 56 TFUE no impiden que una normativa nacional habilite a las autoridades locales atribuir la prestación de servicios de transporte sanitario mediante adjudicación directa, sin forma alguna de publicidad, a asociaciones de voluntariado; significa esto, que esta clase de adjudicación es compatible con el Derecho de la Unión siempre que se cumpla lo siguiente: primero, que el marco legal y convencional en el que se desenvuelve la actividad de esos organismos contribuya realmente a una finalidad social y no persigan objetivos distintos a los de solidaridad y de eficacia presupuestaria que lo sustentan; segundo, que no consigan ningún beneficio directo o indirecto de sus prestaciones, ni proporcionen ningún beneficio a sus miembros, en lo que respecta al reembolso de los costes variables, fijos y permanentes necesarios para prestarlas, debe procurarse que el participante pueda obtener únicamente la devolución de los gastos efectivamente soportados como consecuencia de la prestación de la actividad, dentro de los límites establecidos previamente por las propias asociaciones; y tercero, si bien es admisible el recurso a trabajadores, puesto que, en su defecto, se privaría a esas asociaciones de la posibilidad efectiva de actuar en numerosos ámbitos en los que puede ponerse en práctica normalmente el principio de solidaridad, la actividad de esas asociaciones debe respetar estrictamente las exigencias que les impone la normativa nacional[16].

Admitida así esta posibilidad, el TJUE añade que cuando concurren todas las condiciones que a la luz del Derecho de la Unión permiten a un Estado miembro prever el recurso a asociaciones de voluntariado, se puede atribuir a éstas la prestación de servicios de transporte sanitario mediante adjudicación directa, sin forma alguna de publicidad sin que resulte necesario realizar una comparación previa de las ofertas de varios operadores homogéneos (en su caso, también comunitarios) que puedan obtener la adjudicación directa. Con la objeción de que deben ser respetados dos límites. El primero, que tal opción se justifique en el principio de eficiencia, es decir, que ese medio de actuación contribuya efectivamente al objetivo de eficiencia presupuestaria. En segundo lugar, que esas actividades comerciales sean marginales en relación con el conjunto de las

---

16. El TJUE establece una importante cautela de ámbito general y recuerda que el principio general del Derecho de la UE de prohibición del abuso de Derecho no habilita una aplicación de esa normativa que ampare prácticas abusivas de las asociaciones de voluntariado o de sus miembros. Así pues, la actividad de las asociaciones de voluntariado solo puede ser ejercida por trabajadores dentro de los límites necesarios para su funcionamiento normal.

actividades de tales asociaciones y que apoyen la prosecución de la actividad de voluntariado de éstas.

En conclusión, el Derecho europeo de la contratación pública habilita que en un contrato de prestaciones personales de carácter sanitario o social, se pueda adjudicar a entidades de iniciativa social sin ánimo de lucro (Tercer Sector) que colaboran con los fines públicos, dado el marcado carácter estratégico de esa colaboración. Esta posibilidad, con los límites ya descritos por el TJUE, exige una norma legal (como se vio, dentro del ámbito competencial español, de las Comunidades Autónomas) que prevea y regule esta posibilidad. Sin ese marco legal expreso se deberán aplicar las

reglas ordinarias de la contratación pública, lo que puede conducir a ciertos efectos no deseables[17].

II. NOVEDADES EN LA CONTRATACIÓN PÚBLICA SOCIAL EN GALICIA

El Estatuto de autonomía de Galicia a través de su artículo 27.23 asumió la competencia exclusiva de la Comunidad Autónoma de Galicia en asistencia social. Teniendo en cuenta esta premisa, el Parlamento de Galicia manifestó su voluntad de establecer una regulación legal propia en materia de servicios sociales, mediante la aprobación de la Ley 3/1987, del 27 de mayo, de servicios sociales, y posteriormente mediante la Ley 4/1993, del 14 de abril, de servicios sociales. Estas leyes, especialmente la última, posibilitaron el nacimiento y posterior desarrollo de un sistema de servicios sociales con identidad propia, en el que se identificaban niveles y contenidos y en el que se implicaban a las administraciones públicas y entidades privadas; teniendo por objeto estructurar y regular como servicio público los servicios sociales de Galicia para la construcción del Sistema gallego de bienestar.

La vigente ley de servicios sociales de Galicia es la Ley 13/2008, del 3 de diciembre. Esta Ley tuvo una importante modificación en el ámbito de la contratación pública en julio de 2016, pero antes de abordar esta modificación hay que hacer mención a otra ley que también incorporó medidas en esta temática. Ésta fue la Ley 14/2013, del 26 de diciembre, de racionalización del sector público autonómico, que bebe directamente del proyecto de la Directiva 2014/24/UE sobre contratación pública y fue tramitada de manera paralela a esta, la cual impuso a los poderes

---

17. GIMENO FELIÚ, J.M., «Un paso firme en la construcción de una contratación pública socialmente responsable mediante colaboración con entidades sin ánimo de lucro en prestaciones sociales y sanitarias», en www.obcp.es (febrero 2016).

adjudicadores de todo el sector público autonómico la obligación de realizar, en la medida de lo posible, contrataciones públicas socialmente responsables. En este sentido, el artículo 25 establece que con el objeto de promover una contratación pública ecológica y socialmente responsable, los poderes adjudicadores de la Administración deberán tener en cuenta criterios sociales y de sostenibilidad medioambiental al diseñar las especificaciones técnicas y administrativas del contrato. Además, estos poderes ponderarán la inclusión de criterios sociales y medioambientales como criterios de adjudicación y como condiciones especiales de ejecución del contrato, debiendo tener, tales criterios, relación directa con el objeto del contrato[18].

En 2016 la Xunta de Galicia publicó la «Guía para una contratación pública socialmente responsable en el sector público autonómico gallego», la Guía se centra en los aspectos esenciales que se deberán tener en cuenta para diseñar contratos del sector público autonómico y facilita a los adjudicadores llevar a cabo una contratación pública socialmente responsable, mediante una contratación que incorpora criterios sociales como la igualdad de género, la inclusión social y los derechos de las personas con discapacidad, entre otros.

Tras esa acertada incorporación de una «Contratación pública socialmente responsable» llegó la Ley 8/2016, de 8 de julio, por la que se modifica la Ley 13/2008, de 3 de diciembre, de servicios sociales de Galicia. Se considera necesaria una modificación de la Ley de servicios sociales de Galicia con el objeto de potenciar el papel de las entidades de iniciativa social en la prestación de servicios y dotarlas de un nuevo mecanismo que permita impulsar las relaciones entre éstas y las administraciones públicas, a la vez que dote de una mayor seguridad jurídica las actividades económicas de este sector.

Por lo tanto, teniendo en cuenta la regulación comunitaria y a la vista de la legislación de otras comunidades autónomas, en la medida en que corresponde a la Comunidad Autónoma de Galicia la configuración del sistema propio de servicios sociales, se acomete la modificación parcial de la Ley de servicios sociales con la introducción del concierto social como modalidad diferenciada con respecto a la modalidad contractual del concierto general recogida en el TRLCSP, garantizando también el cumplimiento de los principios informadores de la normativa estatal y europea

---

18. Este precepto debe completarse con los artículos 26 y 27 de la Ley. El art. 26 establece la reserva de contratos a centros especiales de empleo y empresas de inserción sociolaboral, y el art. 27, por su parte, relata la participación de las asociaciones y fundaciones en los contratos del sector público.

en materia de concertación entre la iniciativa pública y privada, así como la figura de los acuerdos marco para la gestión de servicios sociales con las entidades, con la finalidad de atender la libre elección de la persona destinataria del servicio de que se trate.

En el artículo 29 se regulan las formas de prestación de los servicios sociales en Galicia y se dispone que los servicios sociales los prestarán las administraciones públicas gallegas directamente o, de manera indirecta, a través de las diversas modalidades de contratación de la gestión de servicios públicos establecidas en la normativa reguladora de los contratos del sector público, nombrada mediante la modalidad de concierto[19].

Dicho art. 29 tuvo dos modificaciones, una primera con la disposición final 3.1 de la Ley 6/2016, de 4 de mayo, de la economía social de Galicia, en la que se añade al apartado 2 los tres últimos párrafos, quedando vigente desde el 7 de junio de 2016[20]. La segunda modificación del artículo 29 vino de la mano de la Ley 8/2016, del 8 de julio, por la que se modifica

---

19. Exposición de motivos de la Ley 8/2016, del 8 de julio, por la que se modifica la Ley 13/2008, del 3 de diciembre, de servicios sociales de Galicia.

20. «*Art. 29.2. Las personas físicas y jurídicas privadas, de iniciativa social o de carácter mercantil, podrán actuar como entidades prestadoras de servicios sociales y, en consecuencia, crear centros de servicios sociales, así como gestionar programas y prestaciones de esta naturaleza, de conformidad con lo establecido en el presente título. Por razones de salud pública directamente vinculadas con la garantía de la adecuada atención y protección de los usuarios de los servicios sociales, siempre que incluyan prestaciones ligadas a la salud de acuerdo con las respectivas normativas sectoriales que los regulan, la prestación de los servicios para personas mayores, con discapacidad y/o con dependencia, de los servicios para la infancia y la adolescencia, y de los servicios de acogida o inclusión está sujeta, con carácter previo al inicio de la actividad, a la correspondiente autorización dictada por el órgano con atribuciones en materia de autorización e inspección de la consejería de la Xunta de Galicia con competencia en materia de servicios sociales, en los términos previstos en la presente ley y en su normativa de desarrollo.*

La prestación de los servicios que supongan el ejercicio privado de funciones públicas relativas al acogimiento residencial de menores o a la aplicación de medidas judiciales a menores, así como la prestación de servicios de educación infantil sujetos a autorización de conformidad con las leyes en materia educativa que los regulan, está sujeta con carácter previo al inicio de la actividad a la correspondiente autorización dictada por el órgano con atribuciones en materia de autorización e inspección de la consejería de la Xunta de Galicia con competencia en materia de servicios sociales, en los términos previstos en la presente ley y en su normativa de desarrollo.

La prestación de los restantes servicios sociales está sujeta, con carácter previo al inicio de la actividad y en los términos previstos en la presente ley y en su normativa de desarrollo, a la presentación de la correspondiente declaración responsable o comunicación previa, de acuerdo con lo previsto en la normativa sectorial de aplicación, sin perjuicio de las facultades de control, comprobación e inspección que corresponden al órgano con atribuciones en materia de autorización e inspección de la consejería de la Xunta de Galicia con competencia en materia de servicios sociales. Dichas facultades de control, comprobación e inspección podrán ejercitarse en cualquier momento».

la Ley 13/2008, del 3 de diciembre, de servicios sociales de Galicia, y que afectará al apartado 1, entrando en vigor esta modificación el 1 de agosto de 2016. En esta nueva redacción –que modifica la letra c) y añade la letra d)– literalmente se expone que: Los servicios sociales serán prestados por las administraciones públicas gallegas a través de las siguientes fórmulas: «*a) la gestión directa, b) la gestión indirecta en el marco de la normativa reguladora de los contratos del sector público, c) mediante el régimen de concierto social previsto en esta ley, y d) mediante convenios con entidades sin ánimo de lucro*».

La citada Ley 8/2016 incorporó a la ley gallega de Servicios Sociales en los arts. 33 *bis, ter, quater, quinquies, sexies, septies* y *octies* la nueva modalidad de concierto social, que se establecerá como modalidad diferenciada de la del concierto general regulado en la normativa de contratación del sector público, dadas las especiales circunstancias que concurren en el ámbito de los servicios sociales.

El concierto social se define como el instrumento por medio del cual se produce la prestación de servicios sociales de responsabilidad pública a través de entidades, cuyo financiamiento, acceso y control sean públicos. Siendo las entidades que ofrecen servicios sociales previstos en las carteras de servicios vigentes las que podrán acogerse a este régimen de conciertos específico.

El objeto del concierto social es, por un lado, la reserva y la ocupación de plazas para uso exclusivo de las personas usuarias de servicios sociales o los colectivos vulnerables, cuyo acceso sea autorizado por las administraciones públicas, y por otro, la gestión integral de prestaciones técnicas, tecnológicas, de servicios, programas o centros.

En el establecimiento de los conciertos para la provisión de servicios sociales se atenderán los principios de atención personalizada e integral, arraigamiento de la persona en el contorno de atención social, elección de la persona y continuidad en la atención en su ciclo vital y la calidad. Por eso, se podrán establecer como criterios para la formalización de los conciertos determinadas medidas de preferencia o medidas de discriminación positiva, criterios sociales, de calidad, y de experiencia y trayectoria acreditada. Específicamente, en la atención a la selección de los cuadros de personal la formación específica y la experiencia en atención a menores, en particular derechos de la infancia, maltrato infantil, atención a personas menores de edad, víctimas de violencia de género y abuso sexual.

Además de la obligación al titular de la entidad que concierta a proveer las prestaciones y los servicios en las condiciones estipuladas en la legislación aplicable y en el pliego técnico del concierto social, el concierto social tiene como efectos: que no se les puede cobrar a las personas usuarias por las prestaciones propias del sistema de servicios sociales de responsabilidad pública ninguna cantidad al margen del precio público establecido. Las prestaciones no gratuitas no podrán tener carácter lucrativo. El cobro a las personas usuarias de cualquier cantidad por servicios complementarios a mayores de los precios públicos estipulados tendrá que ser autorizado por la administración competente.

Los requisitos que se establecen para acceder al régimen del concierto social en Galicia son: a) Para poder subscribir conciertos las entidades tendrán que contar con la oportuna autorización administrativa de sus centros y con la tramitación de la oportuna autorización, declaración responsable o comunicación previa de sus servicios. b) Deben estar inscritas en el Registro Único de Entidades Prestadoras de Servicios Sociales. c) Las entidades tendrán que acreditar, en todo caso, la disposición de medios y recursos suficientes para garantizar el cumplimiento de las condiciones establecidas para cada servicio, así como el cumplimiento de la normativa que con carácter general o específico les sea aplicable. d) Aquellas entidades con las cuales se suscriban conciertos de ocupación o de reserva de plazas tendrán que acreditar la titularidad del centro o su disponibilidad por cualquier título jurídico válido por un período no inferior al de vigencia del concierto.

Los órganos de contratación del sector público autonómico podrán y procurarán concluir acuerdos marco con las entidades prestadoras de servicios sociales al objeto de fijar las condiciones a las cuales habrá de ajustarse la prestación de determinados servicios sociales durante un concreto periodo de tiempo. En particular, el sector público autonómico promoverá la formalización de los acuerdos marco, con la finalidad de atender, de forma prioritaria, y en la medida en la que sea posible, a la libre elección de la persona destinataria del servicio de que se trate[21].

---

21. Se deja a un posterior desarrollo reglamentario los siguientes aspectos del concierto social del sector público gallego:

La determinación de principios o medidas de preferencia, siempre que se garantice la libre concurrencia y se respeten los principios de igualdad de trato, de no discriminación y de transparencia.

Los aspectos y criterios a los que se tienen que someter los conciertos sociales, los cuales preverán siempre los principios establecidos en el punto anterior. Estos aspectos se referirán al cumplimiento de los requisitos previstos en esta ley, a la tramitación de la solicitud, a la vigencia o duración máxima del concierto y las causas de extinción, a las obligaciones de las entidades que presten el servicio concertado y las administraciones públicas que hayan otorgado el concierto

Por último, se abordará el tratamiento a los acuerdos con entidades de iniciativa social. A los efectos de la Ley gallega de Servicios Sociales, las entidades de iniciativa social son aquellas organizaciones o instituciones no gubernamentales que gestionan centros o desarrollan actuaciones y programas de servicios sociales sin ánimo de lucro (art. 30).

Ya en el art. 2 apartado 3 se anuncia la obligación a los poderes públicos de fomentar, en el ámbito de los servicios sociales, el desarrollo de actuaciones solidarias por entidades de iniciativa social siempre que se ajusten a los requisitos de autorización, calidad y complementariedad (a mayor abundamiento de esta tendencia véanse sus arts. 31 y 33 titulados «Fomento de la iniciativa social» y «Fomento de previsiones de índole social en la contratación pública», respectivamente).

Al igual que la mayoría de las CC.AA. que introdujeron la adaptación legislativa en favor de estas entidades sin ánimo de lucro, la Ley gallega expone que «*Para el establecimiento de conciertos, las administraciones públicas darán prioridad a las entidades sin ánimo de lucro cuando existan análogas condiciones de efectividad, calidad y rentabilidad social, siempre que, en todo caso, se garantice la libre concurrencia y se respeten los principios de igualdad de trato, de no discriminación y de transparencia*» (art. 33 *quinquies* 5).

El artículo 33 apartado 3 expone que podrá establecerse una preferencia en la adjudicación de los contratos relativos a prestaciones de carácter social o asistencial para las proposiciones presentadas por entidades sin ánimo de lucro, con personalidad jurídica, siempre que su finalidad o actividad tenga una relación directa con el objeto del contrato en los términos previstos en la normativa de contratación pública. Al final de su exposición se añade al precepto (a través de una modificación hecha a la Ley 13/2008, vigente desde el 1 de agosto de 2016) «*o así figure definido en el concierto social previsto en la presente ley*», por lo que se establecerá la posibilidad de prioridad a las entidades sin ánimo de lucro en dos vertientes la contractual y la no contractual (concierto social).

---

social, a la sumisión del concierto al derecho administrativo, al número de plazas concertadas y a otras condiciones.

Las condiciones que permitan establecer precios de referencia para las prestaciones no gratuitas (ya que estas no pueden tener carácter lucrativo). Establecer otros requisitos específicos de acceso al régimen de concierto social.

Las condiciones para la renovación de los conciertos.

El documento administrativo con la forma y el contenido que implique la formalización de los conciertos. Las condiciones de subscrición del concierto único que se permite para cuando la reserva y la ocupación de plazas en varios centros o para a gestión integral de una pluralidad de prestaciones o servicios –cuando todos ellos– dependan de una misma entidad titular.

Crónica y conclusiones del Congreso Internacional sobre Contratación Pública (CICP): «Hacia una nueva Ley de Contratos del Sector Público»

JAVIER MIRANZO DÍAZ,
Investigador predoctoral de la Universidad de Castilla-La Mancha

RESUMEN: El evento, organizado por el Máster en Derecho de la Contratación Pública de la UCLM, el Observatorio de Contratación Pública y Wolters Kluwer, se celebró los días 24 y 25 de enero de 2017, reuniendo en la Facultad de Ciencias Sociales de Cuenca a más de 200 profesionales relacionados con la contratación pública.

CRÓNICA. Un año más, el Congreso Internacional sobre Contratación Pública, organizado por el Máster en Derecho de la Contratación Pública de la UCLM, el Observatorio de Contratación Pública y Wolters Kluwer, cumplió con lo que es ya una tradición en el mundo académico y profesional de la contratación pública abriendo el ejercicio anual de Congresos, concentrando en dos días de ponencias a algunas de las voces con más autoridad en la materia.

El Congreso, que reunió a más de 200 profesionales y académicos relacionados con la contratación pública, se dividió en cinco paneles en los que se trataron algunos de los temas de mayor actualidad en el sector, generando un gran debate e interés entre los asistentes. En este sentido, y aunque no deja de ser anecdótico, es de destacar la importante actividad que se produjo a través de la red social «twitter» gracias al impulso de Wolters Kluwer, que provocó que el Congreso fuera «trending topic» en España durante determinados periodos.

A la gran expectación que provocó el Congreso contribuyeron, indudablemente, los temas seleccionados para su desarrollo. La edición de 2017 del Congreso estuvo dedicada al análisis del Proyecto de Ley de Contratos del Sector Público, aprobado por Consejo de Ministros el 25 de noviembre de 2016, y al horizonte que se puede presentar tras la eventual aprobación del texto legal definitivo.

La inauguración del Congreso estuvo a cargo de M. Ángeles Zurilla, Vicerrectora de la Extensión Universitaria de la Universidad de Castilla-La Mancha y de Luis María Romero Flor, Vicedecano de la Facultad de Ciencias Sociales de la Universidad de Castilla-La Mancha, junto a los directores del congreso, los catedráticos de Derecho Administrativo, José María Gimeno Feliú y José Antonio Moreno Molina.

El congreso se dividió en cinco paneles de gran interés y de candente actualidad.

El primero de ellos, con el mismo título que el Congreso («Hacia una nueva ley de contratos del sector público») contó con las brillantes intervenciones de José Antonio Moreno Molina (UCLM) y José María Gimeno Feliú (Universidad de Zaragoza), que analizaron las principales novedades del proyecto de ley y sus carencias, que pueden suponer, si el texto definitivo no cambia sustancialmente, una decisiva pérdida de oportunidad para regular de manera definitiva el sector de la contratación pública en España.

La segunda mesa, titulada «Contratación electrónica e innovación», moderada por la profesora Isabel Gallego Córcoles (profesora titular de la UCLM), contó con la participación de los expertos Miguel Ángel Bernal Blay (*Profesor Contratado Doctor de la Universidad de Zaragoza y Director General de Contratación Pública, Patrimonio y Organización del Gobierno de Aragón*), Ignacio Alamillo (*Director General de Astrea y experto en Administración electrónica*), y Jaime Domínguez-Macaya (*Concejal Delegado y de Hacienda y finanzas y Secretario de la Junta de Gobierno Local del Ayuntamiento de Donostia*). En esta sesión, jugó un papel esencial la contratación pública electrónica –tanto en lo que se refiere a sus ventajas y posibilidades como a los problemas o retos que pueda presentar para la contratación pública debido a las bases tradicionalmente físicas en las que se sustenta el sistema–, la simplificación y reducción de las cargas administrativas (a través, entre otros, de la declaración responsable), el uso de la firma electrónica, la acreditación de la identidad y la huella electrónica en los procedimientos de contratación, la utilización del perfil del contratante, los catálogos electrónicos, la subasta electrónica, el procedimiento de asociación para la innovación, los sistemas dinámicos de adquisición, las consultas preliminares de mercado, etc.

Ya en la tarde del 24 de enero se desarrolló el tercer panel, titulado «Pilares de la Nueva Ley de Contratos: las directivas y la jurisprudencia». Moderado por Antonio Villanueva Cuevas (*Profesor Titular acreditado de la UCLM*), contó con las lúcidas intervenciones de Patricia Valcárcel Fernández (*Profesora Titular de Derecho Administrativo. Universidad de Vigo*), Ximena Lazo Vitoria (*Profesora Titular de Derecho Administrativo. Universidad de Alcalá de Henares*), Teresa Medina Arnáiz (*Profesora de Derecho Administrativo. Universidad de Burgos*)

y Maria Pilar Batet (*Jefa del Servicio de Contratación y Central de Compras en la Diputación Provincial de Castelló*). Entre otros temas, se abordaron las relaciones de las Directivas de contratación de 2014 con el Reglamento 1370/2007, sobre los servicios públicos de transporte de viajeros por ferrocarril y carretera; y otros temas de regulación armonizada y jurisprudencia del TJUE, como la legitimación de los licitadores excluidos, la regulación europea de las prohibiciones de contratar y su aplicación según la jurisprudencia del Tribunal de Justicia de la Unión Europea, etc., que deberían servir como base para culminar la configuración del texto definitivo de la nueva LCSP y de cara a conseguir una correcta aplicación de la futura legislación de contratos.

El miércoles 25 comenzó con el cuarto panel del Congreso, «Retos del control de la contratación pública», moderado por Javier Vázquez Matilla (*Consultor en contratación pública. Miembro del grupo de expertos en contratación pública de la Comisión Europea*) y que contó con las ponencias de Elena Hernaez (*Presidenta Tribunal Administrativo Contratación Pública Madrid*) M.ª José Santiago Fernández (*Presidenta del Tribunal Administrativo de Recursos Contractuales de la Junta de Andalucía*) y Juan Antonio Gallo Sallent (*Presidente del Tribunal Catalán de Contratos Públicos*). Desde la autoridad de conocimiento de la práctica administrativa que les otorgan sus respectivos cargos, los ponentes desarrollaron una minuciosa y rigurosa revisión de los principales problemas interpretativos a los que tienen que hacer frente los tribunales de contratos públicos en diferentes puntos de nuestro país, entre los que podemos destacar: la aplicación del efecto directo de las directivas, la corrección y objetividad de los criterios de adjudicación, las obligaciones de subrogación de trabajadores, la suficiencia del importe de licitación, la división del contrato en lotes, el reto de controlar la eficiencia y el déficit en los contratos (contratación pública estratégica), la inclusión de aspectos sociales, la justificación de la solvencia de los licitadores mediante declaración responsable etc.

Por último fue turno para las experiencias comparadas, que conformaron el quinto y último panel, moderado por Jaime Pintos (*Doctor en Derecho. Jurista y funcionario de carrera*). En él, los profesores Rodolfo Barra (*Profesor de Derecho Administrativo. Universidad Católica Argentina*), Luis José Béjar (*Profesor de Derecho Administrativo. Universidad Panamericana de México*), César Augusto Romero (*Profesor de Derecho Administrativo. Universidad Santo Tomás de Colombia*), y Alberto Biglieri (*Profesor de Derecho Administrativo en la Universidad Nacional de Lomas de Zamora, Argentina*) nos ilustraron sobre el estado de la materia en diferentes países de América Latina, aportando conocimiento comparado en temas de indudable trascendencia como la corrupción, los principios de la contratación pública, o el impacto de las reglas internacionales en contratos de infraestructuras.

Otro aspecto a destacar del CIPC17 fue la presentación de la primera edición del premio Ruiz De Castañeda, convocado por Revista Contratación Administrativa Práctica (Wolters Kluwer) y el Máster en Contratación Pública de la Universidad de Castilla-La Mancha, que premiará al mejor artículo en materia de contratación pública y que incluirá una mención al mejor «post» sobre contratación pública[22].

Debemos subrayar que la gran capacidad de convocatoria del Congreso revirtió también en la creación de conocimiento a través del elevado número de comunicaciones presentadas al mismo, todas ellas de gran interés científico, y las cuales citamos, junto con sus autores, a continuación:

1. EL PRINCIPIO DE PROPORCIONALIDAD COMO PARÁMETRO DE INTERPRETACIÓN Y CONTROL EN MATERIA DE CONTRATACIÓN PÚBLICA Beatriz Gómez Fariñas, *Doctoranda del área de Derecho Administrativo. Universidad de Vigo*

2. LA CONTRATACIÓN PÚBLICA COMO INSTUMENTO DE PROMOCIÓN DE LA IGUALDAD ENTRE HOMBRES Y MUJERES. Beatriz Belando Garín. *Profesora Titular de Derecho Administrativo. Universidad de Valencia-Estudio General*

3. DESVIRTUANDO LA NATURALEZA DEL CONTRATO MENOR. Beatriz Vázquez Fernández, *Técnico de la Administración General. Doctoranda en la Universidad de Oviedo-Área de Derecho Público.*

---

22. Más información en: http://www.wolterskluwer.es/MK/email/2016/dic_Emailing_CICP/img/Bases_I_Premio_RuizdeCastaneda.pdf

4. LA POTESTAD DICTMINADORA DE LA CONTRALORÍA GE-NERAL DE LA REPÚBLICA DE CHILE COMO MECANISMO DE TUTELA ADMINISTRATIVA DE LOS DERECHOS DE LOS CON-TRATISTAS. Rocío Parra Cortés. *Abogada investigadora. Facultad de Derecho. Pontificia Universidad Católica de Valparaíso*

5. LOS CONFLICTOS DE INTERÉS TRAS LAS DIRECTI-VAS DE CONTRATACIÓN DE 2014. Javier Miranzo Díaz *. Investigador predoctoral en formación y doctorando en Derecho. Universidad de Castilla-La Mancha.*

6. LA NECESARIA REVISIÓN DEL ARTÍCULO 115.1 DEL PROYEC-TO DE LEY DE CONTRATOS DEL SECTOR PÚBLICO. María del Carmen de Guerrero Manso. *Contratada Doctora Interina. Universidad de Zaragoza*

7. EL CONTROL EXTERNO DE LA CONTRATACIÓN ADMINISTRA-TIVA. RESULTADOS DE LOS TRABAJOS DE FISCALIZACION REALIZADOS POR EL CONSEJO DE CUENTAS DE CASTILLA Y LEÓN. Rosario P. Rodríguez Pérez. *Funcionaria de Administración local con habilitación de carácter nacional: Intervención-Tesorería, categoría superior. Inspectora de Finanzas de la Comunidad Autónoma de La Rioja. Auditora del Consejo de Cuentas de Castilla y León*

8. LA PUBLICIDAD CONTRACTUAL A TRAVÉS DE LA PLATA-FORMA DE CONTRATACIÓN DEL SECTOR PÚBLICO. Sara Ramos Romero. *Doctoranda en Derecho, Universidad de Alcalá.*

9. LA PARTICIPACIÓN DE LOS OPERADORES ECONÓMICOS Y LI-CITADORES EN LA FASE DE PREPARACIÓN Y ADJUDICACIÓN DEL CONTRATO EN EL PROYECTO DE LEY DE CONTRATOS DEL SECTOR PÚBLICO Y EL PRINCIPIO DE TRANSPARENCIA: CONSULTAS PRELIMINARES DE MERCADO. REDACCIÓN DE PRESCRICIONES TÉCNICAS Y RESPUESTAS A CONSULTAS. María del Carmen Rodríguez Martín-Retortillo. *Profesora interina de Derecho Administrativo e Investigadora de la Universidade da Coruña*

10. La Contraloría General de la República de Chile, como foro de tutela de la contratación pública. Enrique Díaz Bravo. *Profesor de Derecho Administrativo y Contratación Pública, Universidad Santo Tomás, Chile. Doctorando en Derecho, Universidad de Castilla-La Mancha, España*

11. LOS CONVENIOS INTERADMINISTRATICOS EN EL PROYEC-TO DE LEY DE CONTRATOS DEL SECTOR PÚBLICO.. Marc Vilalta Reixach. *Profesor asociado. Universidad de Barcelona*

12. EL PROYECTO DE LEY DE CONTRATOS DEL SECTOR PÚNLICO DE NOVIEMBRE DE 2016 Y LA GESTIÓN CONTRACTUAL DE SERVICIOS PÚBLICOS: ANÁLISIS DE SU PLANTEAMIENTO Y PROPUESTA ALTERNATIVA. José Luis Martínez-Alonso Camps. *Director de Servicios de Secretaría. Diputació de Barcelona. Profesor asociado de Derecho Constitucional y Ciencia Política . Universitat de Barcelona.*

13. PROBLEMÁTICAS Y RETOS QUE EVIDENCIAN DÓNDE CONTROLAR LA CONTRATACIÓN PÚBLICA. Iván Ochsenius Robinson. *Doctoranda del área de Derecho Administrativo. Universidad de Zaragoza*

14. LA NUEVA LEY DE CONTRATOS DEL SECTOR PÚBLICO. Juan Alemany Garcías. *Doctor en Derecho. Abogado. Profesor Asociado de Derecho Administrativo de la Universidad Roviara i Virgili de Tarragona.*

15. EL CONTROL DE LA EJECUCIÓN DEL CONTRATO: UNA ASIGNATURA PENDIENTE. Teresa Moreo Marroig. *Interventora delegada. Intervención general de la Comunidad Autónoma Illes Balears. Funcionaria del cuerpo superior de la Administración General de la CAIB.*

16. LA CONTRATACIÓN PÚBLICA DE SERVICIOS A LAS PERSONAS TRAS LA APROBACIÓN DE LAS DIRECTIVAS EUROPEAS DE CUARTA GENERACIÓN. ESPECIAL REFERENCIA A GALICIA. Jorge López-Vaiega Brea. *Doctorando del Programa de Doctorado en Derecho Administrativo Iberoamericano. Investigador del Observatorio de políticas públicas en materia de discapacidad, atención a la diversidad e igualdad de oportunidades. Secretario académico de la Red Iberoamericana de Contratación Pública.*

CONCLUSIONES. Por último, cabe resaltar las conclusiones alcanzadas tras las ponencias y los debates del Congreso y que reflejan las principales carencias del Proyecto de Ley de Contratos del Sector Público. Son varias las medidas para mejorar el texto a lo largo de su tramitación parlamentaria, desde la perspectiva de mayor transparencia y de prevención de la corrupción:

1. Extensión del recurso especial en contratación pública al margen del importe: La no extensión del recurso especial a cualquier contrato con indiferencia de su importe y su limitación a los contratos de importe armonizado con carácter exclusivo, impide corregir las debilidades detectadas de nuestro modelo de contratación pública.

2. Ampliación de la legitimación para impugnar. La legitimación debe ser amplia, para favorecer la propia función de depuración que se encomienda al sistema de recursos, e impulsar una doctrina clara que preserve los principios de seguridad jurídica y predictibilidad, de especial impacto en un sector tan sensible como el de los contratos públicos.

3. Estructura independiente y planta cerrada de los órganos administrativos de recursos contractuales. Debe diseñarse una planta de órganos de recursos contractuales cerrada, para evitar las actuales asimetrías (poco compatibles con el principio de seguridad jurídica). Y la posible al ámbito local debe ser eliminada que genera una indebida distorsión que cuestiona la esencia del modelo.

4. Impulso de los medios electrónicos como herramienta de transparencia. La regla de la transparencia no es una formalidad y exige una implementación compatible con su finalidad.

5. Nulidad por incumplimiento de publicidad. La obligación de publicar en la Plataforma de Contratos de Sector Público debe ir acompañada de la consecuencia de nulidad por su no cumplimiento.

6. Introducción de transparencia en el contrato menor. Es un acierto la supresión del procedimiento negociado sin publicidad por la cuantía. Sin embargo, se mantiene en el Proyecto la figura del contrato menor y sus cuantías, cuando su práctica y abusiva utilización (en muchas ocasiones como contratación directa) aconseja, cuando menos, cierta exigencia de publicidad para que exista competencia así como la fijación de un importe global máximo a favor de un mismo licitador.

7. Uniformidad de reglas jurídicas para todos los poderes adjudicadores. El actual sistema dual normativo español en función de que se trate de contratos armonizados o no armonizados (en función de superar o no el importe fijado como «armonización» en la Unión Europea), junto con la distinción entre entes que son Administración pública, frente a quienes adoptan formas privadas aunque se financien con fondos públicos o estén sometidos a control público (fundaciones, empresas públicas, etc.), a los que se dota de un régimen de contratación «flexible» para estas últimas, siempre que no sea contratos con sujeción europea –lo que ha llevado a la proliferación de entes público con forma privada

para poder contratar con «comodidad»–, ha derivado en la práctica en la inaplicación de las previsiones y principios de la contratación pública. La publicidad, en un contexto de «dispersión de normas jurídicas», no puede cumplir su función. Urge, por tanto, una reforma que unifique el régimen normativo de todas las entidades contratantes en lo relativo a los procedimientos de adjudicación y de control, con indiferencia de su naturaleza o no de Administración pública y del importe del contrato.

8. Regulación y límite de los modificados contractuales. La posibilidad de libre modificación en los contratos no armonizados para los poderes adjudicadores no Administración pública – frente a la actual situación que obliga con indiferencia del importe– aventura una nueva etapa de descontrol en los sobrecostes y, también, un incentivo a crear entes instrumentales para alejarse del control y reglas públicas. La decisión del Proyecto de Ley de Contratos del Sector Público de «facilitar» la modificación contractual en contratos no armonizados de poderes adjudicadores no Administración pública, aun con los límites de control cuando se supera el veinte por ciento en los supuestos no previstos, supone un claro «retroceso» en la lógica de la regeneración democrática y la prevención de la corrupción. Por ello, debería ser objeto de replanteamiento, optando por las mismas reglas y régimen de control para cualquier tipo de modificación contractual, pues lo que está en juego es la eficiencia y el derecho a una buena administración.

9. Creación de un organismo independiente de control y supervisión de la contratación pública y de prevención de la corrupción. El proyecto prevé un nuevo sistema de gobernanza, del que deriva un nuevo rol de la Junta Consultiva Contratación Pública. Sin embargo, parece más oportuno una estructura más ambiciosa y con más competencias ejecutivas para poder corregir las disfunciones en la contratación pública. El modelo italiano de Agencia Nacional para prevención de la corrupción puede ser de interés.

10. Impulso a la profesionalización. Debe quedar clara que la composición de la mesa de contratación, como órgano de asesoramiento técnico, impide que participen cargos políticos. Y en todo expediente de licitación, en especial los de concesión o de importe elevado, debe existir con carácter habilitante un informe detallado de conveniencia financiera suscrito por funcionarios.

Las anteriores medidas son ineludibles si se pretende una nueva arquitectura jurídica de la contratación pública cimentada sobre el principio de integridad. Una gestión transparente de los contratos públicos, como política horizontal, permite explicar a la ciudadanía la gestión de los recursos públicos y, bien practicada, se convierte en la principal herramienta para una gestión íntegra y profesionalizada.

En definitiva, podemos concluir afirmando que un año más este Congreso Internacional de Contratación Pública, que culminó con la convocatoria para la edición del año que viene por parte de sus directores, ha suscitado el interés tanto de académicos como de profesionales de la contratación pública, convirtiéndose en una cita obligada para cualquier interesado en la materia.